LA FRONTERA SALVAJE

200 AÑOS DE FANATISMO ANGLOSAJÓN EN AMÉRICA LATINA

Jorge Majfud

La frontera salvaje. 200 años de fanatismo anglosajón en América latina.
Edición económica
3ra. edición, abril 2021.
© Jorge Majfud 2021 jmajfud@ju.edu
© Rebelde Editores 2021
ISBN: 978-1-7371710-3-4
rebelde-ed.com
cuauhtemoceditorial@gmail.com

"El negocio de los colonos anglos va marchando. En menos de diez días salgo con todo arreglado. El único problema es el asunto de la esclavitud, que los mexicanos no van a aceptar, ya que han determinado por ley que todos los esclavos de esta tierra sean liberados en un plazo de diez años. Estoy tratando de que introduzcan una enmienda a esta ley para que los esclavos que lleguen continúen siendo esclavos de por vida".

Carta de Stephen Austin a Edward Lovelace. 22 de noviembre de 1822.

"Sin duda, el interés de la República es que las nuevas tierras sean ocupadas lo antes posible. La riqueza y la fuerza de un país radica en su población, y la mejor parte de esa población son los granjeros. Los agricultores independientes son, en todas partes, la base de la sociedad y son los verdaderos amigos de la libertad... Los indios fueron completamente derrotados y la banda de descontentos fue expulsada o destruida... Aunque debimos actuar con dureza, fue algo necesario; nos agredieron sin que nosotros los provocásemos, y esperamos que hayan aprendido para siempre la saludable lección".

Presidente Andrew Jackson al Congreso, 4 de diciembre de 1832.

"Estamos tan orgullosos de nuestro trabajo y exigimos el derecho a secuestrar y esclavizar a los demás de por vida, sobre todo aquellos que tienen otro color, para que se distingan de nosotros... Como buenos ciudadanos y como descendientes de aquellos que odian la sola presencia de un negro como la de un sacerdote católico, nos tomamos la libertad de declarar que, si no se nos permite esclavizar a esos hijos de África, a sus hijos y a los hijos de sus hijos, y si además no se nos permite el derecho de rezarle al Creador según nuestra tierna libertad de conciencia, tendremos por lo menos dos buenas excusas para rebelarnos".

Coronel Edward Stiff, *The Texan Emigrant*, 1840.

"Si reportamos un décimo de lo que se sabe, debemos decir que nuestras milicias y nuestros voluntarios han cometido atrocidades, horrores en México, los suficientes como para que el cielo y cualquier cristiano se avergüence de nuestro país. El robo, los asesinatos y las violaciones de madres e hijas delante de sus esposos maniatados han sido algo común a lo largo de esta región del río Grande".

Carta del general Winfield Scott al Secretario de Estado, 1846.

"Mezclarnos sería deplorable. Ese mal no caerá sobre nosotros. No queremos a los mexicanos ni como ciudadanos ni como súbditos. Lo único que

queremos es una parte de su territorio que se encuentra poco poblado, población que poco a poco retrocederá".
Senador Lewis Cass, 10 de febrero de 1847.

"Ni en sueños hubiésemos aceptado integrar en nuestra Unión otra raza que no sea la caucásica. El nuestro, Señor, es un gobierno de la raza blanca, de la raza libre. Incorporar todo México sería incorporar una raza de indios y mestizos".
Senador John Calhoun, 4 de enero de 1848.

"Este continente y sus islas adyacentes les pertenece a los blancos; los negros deben permanecer esclavos..."
John O'Sullivan, inventor del Destino manifiesto, 1852.

"La democracia de este siglo no necesita más justificación para su existencia que el simple hecho de que ha sido organizada para que la raza blanca se quede con las mejores tierras del Nuevo mundo".
Theodore Roosevelt, "Sobre *National Life and* Character", 1897.

"Mi hijo fue muerto en acción contra los rebeldes del general Sandino. No puedo odiar ni a Sandino ni a sus guerrilleros. Les hablo en nombre del noventa por ciento de la gente que conozco... No tenemos ningún derecho ni legal ni moral para asesinar a esa gente que lucha por su propia libertad... Lo que estamos haciendo allá es matar gente para implantar un títere en su gobierno y seguir actuando como recaudadores de Wall Street... Ahora, señores, imaginen por un momento que pierden un hijo, víctima de la avaricia de Wall Street, y díganme si les parece que las ganancias valen la pena".
Carta de John S. Hemphill al Senado de Estados Unidos, 19 de enero de 1928.

"He servido en la Marina por 33 años hasta llegar hasta General y durante todo ese período he pasado la mayor parte de mi tiempo siendo el músculo de Wall Street y de los grandes negocios... En pocas palabras, he sido un mafioso del capitalismo... Nunca tuve tiempo para detenerme a pensar hasta que me retiré del servicio. Como cualquier militar, mi mente estaba suspendida y ocupada en cumplir órdenes... Cuando miro hacia atrás, pienso que podría darle algunas clases a Al Capone, con la diferencia de que él opera en tres distritos y yo operé en tres continentes".
General Smedley Darlington Butler, 26 de mayo de 1933.

"En América Latina, los ejércitos son las instituciones más importantes, por lo que es necesario mantener lazos con ellos. El dinero que les enviamos es dinero tirado por el caño en un sentido estrictamente militar, pero es dinero invertido en un sentido político".

Senador John F. Kennedy, Senado de Estados Unidos, 10 de junio de 1959.

"Existe el riesgo de un desastroso desarrollo de un poder usurpador permanente... Si la Unión Soviética se hundiera mañana bajo las aguas del océano, el complejo industrial-militar estadounidense seguiría existiendo sin muchos cambios hasta que se invente algún otro adversario... Este es un peligro del que hasta los comunistas nos han advertido desde siempre. Debemos asegurarnos de que los mercaderes de la muerte no dicten nuestras políticas nacionales".

Presidente y general Dwight D. Eisenhower, 17 de enero de 1961, en su mensaje de despedida por cadena de televisión,

"Nunca estaré de acuerdo con la política de restarle poder a los militares en América Latina. Ellos son centros de poder sujetos a nuestra influencia. Los otros, los intelectuales, no están sujetos a nuestra influencia".

Richard Nixon. Consejo de Seguridad. 6 de noviembre de 1970.

"¿Cuál es el lema de los cadetes en la academia militar de West Point? 'NO MENTIRÁS, NO ENGAÑARÁS, NO ROBARÁS NI PERMITIRÁS QUE OTROS LO HAGAN'. Pues, yo he sido director de la CIA y les puedo asegurar que nosotros mentimos, engañamos y robamos. Tenemos cursos enteros de entrenamiento para eso. Lo que nos recuerda la grandeza del experimento estadounidense". (Risas y aplausos)

Mike Pompeo, Secretario de Estado de Estados Unidos Texas A&M University. 15 de abril de 2019.

ESTUDIANTE: *"Mi abuelito cubano trabajó para la CIA y en este momento está en línea siguiendo su clase".*

PROFESOR (autor de este libro): *"Vaya, qué honor. Para no dejarlo como un acto ilegal, le voy a dar permiso para hacer lo que está haciendo. Si encuentra que he dicho algo que no se pueda probar, le agradeceré, infinitamente, que lo informe a la clase y a sus jefes. La historia de América Latina se repite mucho, por lo que siempre estoy a la búsqueda de algo nuevo, algo que me sorprenda, algo que nunca encuentro".*

Jacksonville University, una tarde de otoño de 2019.

"Este ataque es en respuesta a la invasión hispana de Texas. Ellos son los provocadores, no yo. Yo simplemente estoy defendiendo mi país del reemplazo cultural y étnico, producto de esta invasión... Esto no es un acto de imperialismo sino de preservación... Este país está lleno de hipócritas que van a decir que mi acción está motivada por el odio y el racismo en lugar de ver todos los problemas que causan los invasores... Estoy en contra de los matrimonios interraciales porque eliminan la diversidad y crean problemas de identidad. La solución es dividir Estados Unidos y entregar cada parte a una raza. De esa forma eliminaríamos la mezcla racial ... Todas estas ideas son anteriores al presidente Trump. Lo digo para que no lo culpen de esto. Sé que los medios culparán a la retórica de nuestro presidente, pero la prensa, todos lo saben, se dedican a las fake news".

Patrick Wood Crusius, El Paso, Texas. 3 de agosto de 2019, minutos antes de masacrar 23 personas de origen hispano en un supermercado Walmart.

"El destino manifiesto era la creencia de que Estados Unidos estaba destinado a promover la democracia y la libre empresa en América del Norte. Esta noche, el presidente Trump ha dicho en su Discurso de la Unión: 'El destino manifiesto de Estados Unidos está en las estrellas'. Iremos a la Luna y luego a Marte para compartir esos mismos valores con toda la humanidad".

Jim Morhard, Jefe Administrador de la NASA, 4 de febrero de 2020.

CARABINERO: *"¡Comunista!"*
PROFESOR: *"No, soy profesor, señor".*
CARABINERO: *"¡Por eso, eres comunista!"*

Santiago de Chile, 10 de marzo de 2020.

"La teoría crítica de la raza... y la cruzada contra la historia estadounidense son propaganda tóxica... Enseñar esta horrible doctrina a nuestros hijos es una forma de abuso infantil, en el verdadero sentido de la palabra... Por eso, es urgente que restauremos la educación patriótica en nuestras escuelas y universidades".

Donald Trump, National Archives Museum, 14 de setiembre de 2020.

Índice

Por mar
1880-1950

Por aire
1950-2020

Justificación

Este libro nació como respuesta a la masacre de El Paso ocurrida el 3 de agosto de 2019 y está dedicado a las 23 víctimas de esa tarde que se suman a un inacabable listado de otras víctimas de otras masacres y de otras injusticias perpetradas a lo largo y ancho de doscientos años de orgullosa ignorancia.

El asesino dejó un manifiesto antes del ataque, lleno de ideas de uso común entre los fanáticos supremacistas, con clichés que se remontan a principios del siglo XIX. Los mismos elementos fundacionales, con diferente lenguaje y vestimenta, se encontrarán una y mil veces a lo largo de estos doscientos años: la raza superior (la raza nórdica elegida por Dios), es la única creadora de civilización, libertad y democracia. Para realizar su noble misión, debe tomar, invadir y someter otros pueblos bajo la excusa de haber sido amenazada o atacada primero y con el noble propósito de liberarlos. Sea un individuo, un gobierno o la opinión pública, el agresor se representa siempre como víctima y el invasor como invadido. Este maquillaje de la realidad es más poderoso que el ejército más poderoso del mundo. Las motivaciones de fondo (el poder y la explotación de una naturaleza muerta y de sus habitantes sin alma) apenas son mencionadas.

El olvido de los hechos de la historia es siempre un olvido estratégico. Quienes usan ideas y palabras para contestar al fuego de los poderosos del mundo son crucificados cada día como *radicales, antipatriotas, traidores...* Los otros, quienes usan incalculables montañas de dinero para crear opinión mundial, armas letales nunca antes creadas por la humanidad y poderosas agencias secretas para derribar gobiernos ajenos y crear mitos modernos para enterrar la verdad junto con sus víctimas, son apreciados como moderados, verdaderos patriotas y sacrificados héroes. La verdad y la justicia no son muy patriotas.

Pero si hay algo que les duele a los poderosos del mundo es que ni todas las armas del mundo son suficientes para subyugar a todo el mundo ni todo el dinero del mundo es suficiente para convencer al mundo de la necesaria bondad de sus dueños. Si hay algo que les duele como un imparable dolor de muelas, es que la humilde sonrisa de sus víctimas vale más que todo su astronómico esfuerzo por mentir, tomar, acumular y controlar. Si hay algo que no perdonan y no los deja vivir es que hay algo llamado *dignidad* que ni toda la propaganda puede confundir ni todo el acoso ideológico puede doblar ni todo el dinero del mundo puede comprar. Por eso, a pesar de todo, nunca serán felices.

Este libro está dedicado a las víctimas de la masacre de El Paso y a las víctimas de miles de otras masacres.

También está dedicado a las víctimas de la poderosa literatura del poder; a aquellos que repiten "*we will never forget*" como grito de guerra, pero insisten en olvidar.

JM, Jacksonville, diciembre 2020

Introducción

Los mitos son más fuertes

El 24 de marzo de 1983, en la Biblioteca del Congreso, el presidente Ronald Reagan repitió las palabras del historiador Henry Commager: *"la creación de los mitos nacionales nunca estuvo libre de conflictos; los estadounidenses no creían del Oeste lo que era verdad sino lo que para ellos debía ser verdad"*. 21 años después, en octubre de 2004, luego de haber lanzado la masiva invasión en Irak y antes de que el presidente George W. Bush reconozca su insignificante error, uno de sus asistentes (muy probablemente Karl Rove) insistirá con la misma idea en forma de confesión al periodista del *Wall Street Jornal*, Ron Suskind: *"Somos un imperio y, cuando actuamos, creamos nuestra propia realidad. Mientras otros estudian esa realidad, nosotros actuaremos una vez más, creando otras realidades que luego serán estudiadas. Somos los actores de la historia ... y ustedes, todos ustedes, se limitarán a estudiar lo que hacemos nosotros"*.

Para una cultura, para un pueblo entrenado para creer a fuerza de repeticiones cada domingo, creer sin pruebas frente al *gazette*, a la radio o al televisor el resto de la semana resulta tan natural como una guerra lejana o como cortar el pasto los sábados por la tarde. Creer contra todas las evidencias es un mérito que sólo evidencia el tamaño de la fe de un creyente. Si una verdad es desagradable, se cierra los ojos y se reza hasta que la realidad se dobla ante la fuerza del deseo. Claro que no siempre funciona, pero de cualquier forma esa es una de las definiciones de *fanatismo*. El fanático confunde fe, religión, ciencia, política e ideología, error que el pensador hispano musulmán Averroes ya había advertido hace casi nueve siglos atrás.

De un reconocimiento crítico, las palabras de Commager se convierten en reivindicación política en la boca del nuevo presidente. Si la realidad no se adapta a nuestros deseos, peor para la realidad. Claro que dentro de la palabra *realidad* caben siglos y pueblos enteros. Los mitos sólo se cruzan con la realidad para modificarla o para aplastarla. Los mitos crean y destruyen, y son más difíciles de cambiar que la realidad material. Es por esta razón que las *fake news* son tan poderosas, aun contra toda evidencia, porque son votos de fe que confirman y adornan el mito central. Los mitos fundadores nacen en momentos en que el futuro grupo dominante, el tótem, todavía es pequeño y capaz de modelar su visión del mundo de forma unánime, la que será heredada por la multiplicación de las generaciones siguientes, como en la mitosis de las células que reproducen un mismo ADN y así crearan organismos y especies enteras, luego definidas como parte de la naturaleza.

A muy largo plazo, un mito puede ser dominado y desplazado (no aniquilado) por otro mito. También puede ser vencido de forma parcial por el recurso del análisis histórico, de la denuncia persistente y por una resistencia social capaz de romper ciertos límites. Sin embargo, probablemente porque las facultades racionales, analíticas o de conciencia son mucho más recientes en la evolución humana, nunca alcanzarán la fuerza del mito enraizado en el subconsciente individual y colectivo.

Aparte de otros poderosos factores (como las enfermedades, las armas de fuego y los caballos) los mitos fundadores jugaron un rol relevante en la conquista española de la América indígena. Los primos Hernán Cortés y Francisco Pizarro, uno en México y el otro en Perú, conquistaron y sometieron a dos poderosos imperios con la inestimable ayuda de sus creencias propias y de las creencias de sus invadidos. Para los europeos, su dios los impulsaba a matar hombres, niños y mujeres y tomar todas las riquezas que pudieran sin remordimiento alguno. Aunque imperios a su vez y con frecuencia tan violentos como los invasores, los aztecas y los incas carecieron de la nueva tecnología militar y de la certeza fanática de que ocupaban el poder de forma legítima. Por el contrario, sus dioses estaban insatisfechos o estaban detrás de las acciones de conquista del invasor. Para sobrevivir al conquistador y para sobrevivir al conquistado, estos mitos se fueron travistiendo a lo largo de siglos sin perder ciertas características centrales.[1]

El pasado no se puede cambiar, pero lo que entendemos por el pasado sí, dependiendo de si decidimos agregar más maquillaje o desnudar su rostro. La opción de quienes sufrieron y continúan sufriendo de esta visión fanática de la realidad (*"los estadounidenses no creían del Oeste lo que era verdad sino lo que para ellos debía ser verdad"*) es invertir la fórmula: nosotros, estadounidenses o no, no aceptamos una verdad sustentada por el deseo del poder sino en el revelador rescate de aquella realidad que ha sido enterrada por los vencedores.

---

[1] Sobre este fenómeno publicamos *El eterno retorno de Quetzalcóatl: Una teoría sobre los mitos prehispánicos en América Latina y sus trazas en la literatura del siglo XX* (2008).

La narrativa aglutinante de un imperio

Uno de los escritores y críticos más relevantes de la historia de Estados Unidos, Mark Twain, no sólo fue prolífico en sus denuncias contra el imperialismo de su país, sino que, junto con otros destacados intelectuales de la época, en 1898 fundó la Liga Antiimperialista, la que tuvo sede en una decena de estados hasta los años veinte, cuando comenzó la caza de *antiamericanos*, según la definición de los fanáticos y mayordomos que siempre se amontonan del lado del poder político, económico y social. Para estos secuestradores de países, *antiamericano* es todo aquel que busca verdades inconvenientes, enterradas con sus víctimas, y se atreve a decirlas. Hasta el día de hoy han existido estadounidenses y extranjeros de probada preparación intelectual y valor moral que han continuado esa tradición de resistencia a la arbitrariedad, a la brutalidad de la fuerza y a la narrativa del más fuerte, a pesar de los peligros que siempre acarrea decir la verdad sin edulcorantes. Este fanatismo ha llegado a la desfachatez de algunos inmigrantes nacionalizados que acusan a aquellos ciudadanos nacidos en el país de no ser lo suficientemente *americanos*, como supuestamente son ellos cuando van a la playa con pantalones cortos estampados con la bandera de su nuevo país, el símbolo de los ganadores.

Pero si la gente de la cultura, del arte y de las ciencias está de un lado, es necesario mirar al lado opuesto para saber dónde está el poder y sus mayordomos. En noviembre de 1979, la futura asesora de Ronald Reagan, Jeane Kirkpatrick, promotora de la asistencia a las dictaduras militares, los Contras y los escuadrones de la muerte en América Latina, había publicado en la revista *Commentary Magazine* una idea enraizada en el subconsciente colectivo: *"Si los líderes revolucionarios describen a los Estados Unidos como el flagelo del siglo XX, como el enemigo de los amantes de la libertad, como una fuerza imperialista, racista, colonialista, genocida y guerrera, entonces no son auténticos demócratas, no son amigos; se definen como enemigos y deben ser tratados como enemigos"*.

Este es el concepto de democracia de la mentalidad imperialista y de sus servidores que detestan que los llamen imperialistas y que tiene, por lo menos, 245 años. ¿Cómo se explica esta contradicción histórica? No es muy difícil. Estados Unidos posee una doble personalidad, representada en el héroe enmascarado y con dos identidades, omnipresente en su cultura popular (Superman, Batman, Hulk, etc.). Es la creación de dos realidades radicalmente opuestas.

Por un lado, están los ideales de los llamados Padres Fundadores, los cuales imaginaron una nueva nación basada en las ideas y lecturas de moda de la elite intelectual de la época, las ideas del humanismo y la Ilustración que también explotaron en Francia en 1789, el mismo año en que entró en vigor la constitución de Estados Unidos: *liberté, égalité, fraternité*. La mayoría de los *fundadores*, como Benjamín Franklin, era francófila. Diferente al resto de la población anglosajona, Washington solo iba a la iglesia por obligación social y política. El más radical del grupo, el inglés rebelde Thomas Paine, el principal instigador de la Revolución americana contra el rey George III, la monarquía y la aristocracia europea, era un racionalista y látigo de las religiones establecidas. El padre intelectual de la democracia estadounidense, Thomas Jefferson, había aceptado la ciudadanía francesa antes de convertirse en el tercer presidente y sus libros fueron prohibidos por ateo. No era ateo, pero era un intelectual francófilo, secularista y progresista en muchos aspectos. Pero también era un hijo de la realidad opuesta: al tiempo que promovía ideas como que todos los seres humanos nacemos iguales y tenemos los mismos derechos, Jefferson y todos los demás Padres Fundadores eran profundamente racistas y tenían esclavos que nunca liberaron, incluidas las madres de sus hijos.

Aquí la otra personalidad de Estados Unidos, la que necesita de la máscara para convertirse en el superhéroe: se formó con los primeros peregrinos, los primeros esclavistas y continúa hoy, pasando por cada una de las olas expansionistas: una mentalidad anti iluminista, conservadora, ultra religiosa, practicante de la auto victimización (justificación de toda violencia expansionista) y, sobre todo, moldeada en la idea de superioridad racial, religiosa y cultural que confiere a sus sujetos derechos especiales sobre los otros pueblos que deben ser controlados por el bien de un pueblo excepcional y con un destino manifiesto, para el cual cualquier mezcla será atribuida al demonio o a la corrupción evolutiva, al mismo tiempo que celebra "el crisol de razas", la libertad y la democracia.

Estados Unidos es el gigante producto de esta contradicción traumática, la que conservará siempre desde su fundación y los sufrirán "los otros", desde los indios que salvaron del hambre a los primeros peregrinos y los que fueron exterminados para expandir la libertad del hombre blanco, hasta las más recientes democracias destrozadas en nombre de la libertad. Todo lo cual ha llevado a que, como ningún otro país del mundo moderno, Estados Unidos nunca haya conocido un lustro sin guerras desde su fundación. Todo por culpa de los demás, de los otros que nos tienen envidia y nos quieren atacar, con el resultado estimado de millones de muertos debidos a esta tradición de guerras perpetuas "de defensa" en suelo extranjero.[2] Poco después de la

---

[2] Sólo en la guerra de Irak, iniciada en 2003 en base a "errores de inteligencia" según sus propios promotores, murió un millón de personas. Según el investigador de la American University David Vine, por lo menos tres millones más han muerto por causas indirectas como hambre, enfermedades, destrucción de hospitales y de otras infraestructuras sociales. Aparte del bloqueo anterior a la intervención. La prensa

independencia de las 13 colonias del Imperio Británico, las bases militares se llamaban *Fuertes* (razón por la cual hoy existen miles de ciudades llamadas *Fort…*) y no estaban en islas lejanas sino en el corazón de las naciones indígenas, a las que se las acusaba de representar un peligro para la sobrevivencia de Estados Unidos, se les arrebataba enormes territorios y se eliminaba millones de salvajes. Por entonces, los fuertes se encontraban a varias semanas de distancia del territorio nacional, es decir, mucho más lejos que la Europa de la época y mucho más lejos de lo que se encuentran las bases militares hoy en día.

Así como comienza la historia de Estados Unidos en los territorios indígenas, continuará con el despojo de los territorios mexicanos, con los protectorados en el Caribe, en América Central y en Filipinas. Así continuará con las dictaduras impuestas en el Tercer Mundo, con las guerras perdidas en Asia, con las masacres de Corea, Vietnam e Irak, y así continúa hoy con las 800 bases militares en 85 países que, como los *forts* en tierras indígenas dos siglos antes, son para proteger "la libertad de la nación" y de otras naciones. Nada que ver con el imperialismo británico y todos los otros nuevos imperialismos contra los cuales, de forma "altruista y desinteresada", Washington luchaba entonces y se sigue luchando dos siglos después.

Como una de las hijas de esta contradicción fundacional, la definición de libertad ha sido siempre muy particular y necesaria. El divorcio entre la narrativa y la práctica ha sido siempre funcional y radical. Una enmascara a la otra, como el traje de los superhéroes enmascarados de doble personalidad. Un siglo y medio atrás, los fanáticos anglosajones del sur promovían, en el Congreso y en la prensa, la expansión de la esclavitud en los nuevos territorios tomados por la fuerza como forma de "expandir la libertad". Ahora, como lo escribió la consejera de Reagan, Jeane Kirkpatrick, si alguien piensa diferente y lo dice, es un enemigo. De forma implícita, por *Estados Unidos* se asume que se está hablando de un grupo ideológico (en este caso conservador, de extrema derecha) que se arroga el derecho de excluir a cualquier otro grupo, a millones de ciudadanos que piensan diferente y se atreven a decirlo. Es una estrategia antigua, más antigua que la Inquisición, que cuesta reconocer, incluso en frases obvias como la propagada por la pasada dictadura brasileña: "*Brasil, ame-o ou deixe-o*". Traducción: "nosotros, y sólo los que piensan como nosotros, somos Brasil; si no estás de acuerdo con nuestro gobierno, con nuestra hegemonía, entonces odias este país, eres enemigo y debes irte o

estadounidense (es decir, gran parte de la población) solo suele contar y aplaudir a los 4.500 soldados estadounidenses muertos en la guerra. Por el resto de las víctimas que ellos mismos provocaron, ni una lágrima ni honores ni mucho menos un pedido de disculpas. En materia de negocios, desde 2001 las nuevas guerras transfirieron 6.4 billones de dólares (5 veces la economía total de Brasil) a los señores de la guerra.

sufrir las consecuencias". De algo parecido ha pecado la ortodoxia cubana (y ahora venezolana, también) desde una ideología opuesta, aunque desde una perspectiva histórica no sólo son la consecuencia del brutal fanatismo imperialista que se remonta a doscientos años atrás, sino una clara minoría en el actual contexto internacional. En este tipo de trampas, que hasta un niño de tercer año de escuela cuestionaría, caen millones de distraídos cada día.

El caso de Estados Unidos, como todo, posee sus propias particularidades. El hecho de que desde su fundación y desde la escritura de su mítica constitución no se inició como un reino absolutista y centralizado, sino fragmentado en trece colonias; el hecho de que no se inició como un pueblo unido sino como una sociedad quebrada (donde existía una raza que gobernaba por ser blanca, otra que no existía por ser salvaje y otra que era esclava por ser negra) la obsesión por la *Unidad* como condición de sobrevivencia recorrerá toda su historia. Pero, como todo miedo, también este se traduce en agresión y violencia. El exacerbado miedo anglosajón se traducirá en una obsesión por las guerras.[3]

Doscientos años más tarde, en tiempos del Tea Party y de Donald Trump, sus partidarios ondearán en sus casas y en sus SUV banderas amarillas con una serpiente enroscada sobre una amenaza: *"Don't Tread on Me (No pases encima de mí)"*. El *"Me* (Yo)" es central en el lenguaje y en la cultura anglosajona. Aunque los cristianos odian las serpientes, sean chinas o mexicanas, aquí la serpiente representa la unión de los estados de la costa Atlántica. En 1754 Benjamín Franklin había publicado una viñeta con una serpiente cortada en trece pedazos bajo el título *"Unión o muerte"*. En un artículo fundacional, publicado por el *Pennsylvania Journal* en 1775, el mismo Benjamín Franklin propuso que la serpiente de cascabel debía ser el símbolo de los estadounidenses *"porque nunca ataca primero… pero sus heridas, aunque pequeñas, son decisivas y mortales"*. Este mito fundador, que analizaremos en este libro ("ellos nos atacaron primero"), se perpetuó por los siguientes doscientos años con sus diversas variaciones de época.[4]

Por otro lado, y por una razón más práctica que psicológica, esta misma constelación de trece colonias obligó al nuevo país a mantener una permanente discusión y negociación entre su élite gobernante sobre los temas fundamentales y hasta sobre los más irrelevantes. La repetida *democracia* en la

---

[3] Cada vez que Washington no logre exportar esta energía violenta (sobre todo la violencia racial) en forma de guerras a otros países, la violencia explotará dentro de fronteras.

[4] De hecho, en una carta del 26 de enero de 1784 el mismo Benjamín Franklin expresó su desacuerdo cuando se eligió al águila calva como símbolo de Estados Unidos porque *"es un ave de pésimo carácter moral… incapaz de ganarse la vida de forma honesta"* prefiriendo robarles la comida a las otras aves pescadoras.

tierra de la *libertad* fue, en realidad, una *dictadura étnica* que obsesivamente negó su propia condición de dictadura con una narrativa de tipo religiosa. En nombre de la *fragmentación* (de estados, de razas, de clases sociales) predicó la *Unión*; en nombre de la *Libertad* practicó y expandió a otros países la esclavitud y el monopolio; en nombre de la *tolerancia, del crisol de razas*, y de la *apertura* practicó, desde su fundación, una rígida y nunca superada discriminación racial y cultural.

La sola fragmentación de sus estados (no sólo en trece colonias sino entre Norte y Sur) obligó al sistema político estadounidense a un esfuerzo narrativo superior al necesario en cualquier otro país, en cualquier otro imperio más centralizado y dominado por un rey o por un dictador personal. Para alcanzar el consenso político y la convicción social de las grandes decisiones expansionistas en base a la obsesión de la superioridad racial anglosajona era necesario lograr *narrativas aglutinantes* como, por ejemplo, la creativa idea del Destino manifiesto (regado en las tabernas con abundante ron y whisky barato), algo que justificara cualquier acción en contra de los supuestos principios de la ley, la democracia, la libertad, la igualdad, el derecho y la justicia. La narrativa aglutinante será la justificación que convertirá un crimen colectivo (el genocidio indígena, el robo de la mitad de México luego de varios intentos para ser "atacados primero") en un acto de heroísmo individual. Así se alcanzará "una más perfecta unión" (frase favorita del expresidente Obama) al tiempo que se justificará la expansión de la esclavitud a millones de hombres y mujeres por el color de su piel gracias al despojo de los territorios indígenas y mexicanos, donde la esclavitud era ilegal. Todo en nombre de un ataque indígena y de una ofensa mexicana que nunca existió, y luego del rechazo a anexar el resto de México y los países más débiles al sur para no agregar más negros y mestizos a la sagrada Unión, sobre todo cuando los negros ya no podían ser esclavos por ley. Un siglo más tarde, la misma idea fue sustituida por la nueva excusa del ataque preventivo en la lucha contra el comunismo. La fiebre narrativa transmitida a través de la prensa y los discursos políticos en base a ideas simples y arbitrarias se realizará de la misma forma que una verborragia prédica protestante se basa en una sola frase bíblica.

Estados Unidos fue fundado en base a una contradicción fundamental: por un lado, el humanismo ilustrado de la élite de los Padres fundadores y, por el otro, una cultura más extendida basada en el mito de la superioridad de la raza anglosajona, elegida por Dios. Esta contradicción se superará en 1828 cuando Andrew Jackson, un racista, genocida y analfabeto sureño arrase en las elecciones contra el último presidente de la generación fundadora, John Quincy Adams, e inicie la primera refundación del país. Hasta entonces, el mito fundador, las narrativas aglutinantes habían atacado desde el principio el absolutismo europeo. Al fin y al cabo, la Revolución estadounidense de 1776 se había realizado contra el rey George III mientras los Padres fundadores se encontraban seducidos por las nuevas ideas de la Ilustración europea que luego llevarán a Francia a su propia revolución en 1789. A partir de Andrew Jackson, "los amigos de la libertad" ya no serán los intelectuales de Franklin y Jefferson sino los "hombres de la frontera", los Daniel Boone con un hacha en una mano y una escopeta en la otra. Las dos generaciones se odiarán por sus ideas, pero compartirán el mismo racismo, una más criminal y más honesta que la anterior.

Desde antes de la Doctrina Monroe de 1823 y por los siglos por venir, las declaraciones contra cualquier injerencia de cualquier potencia europea (las únicas potencias imperiales posibles por entonces) en al Patio trasero de Estados Unidos debían ser aniquiladas a cualquier precio, sea por la vía diplomática, financiera o directamente a través de la guerra (contra países pobres, naturalmente). Si consideramos la historia previa de agresiones contra las naciones indígenas y los prematuros deseos de tomar Florida, Cuba y el norte de México, podemos entender (o al menos sospechar) que la Doctrina Monroe no tenía en mente tanto Europa como los pueblos más débiles del Oeste y del Sur, poblado por razas inferiores. Para ello, esta doctrina, expresión legalizada del fanatismo anglosajón, se fue actualizando acorde a las necesidades históricas: Doctrina Richard Olney (1895), corolario Theodore Roosevelt (1905), corolario George Kennan (1950) y doctrina Jeane Kirkpatrick (1980; para defender sus intereses, Estados Unidos debe apoyar a dictaduras de extrema derecha en el Tercer mundo, sin sentimientos de culpa).

Por otro lado, la principal narrativa aglutinante que promovió y justificó el expansionismo estadounidense desde 1780 hasta 1945 fueron abiertamente raciales, una mezcla de la *Biblia* con *El origen de las especies* de Darwin. En 1900, por poner sólo un ejemplo, el senador Albert Beveridge repetía ideas por entonces rutinarias en el mismo Congreso que resumen esta poderosa mentalidad: "*Dios no ha venido preparando al pueblo teutónico de habla inglesa por mil años para nada, para que nos admiremos de nuestra propia belleza. Pues no. Dios nos ha hecho los amos de la organización para que corrijamos el caos que reina en el mundo... Esta es la misión Divina de Estados Unidos y por eso merecemos toda la felicidad posible, toda la gloria, y todas las riquezas que se deriven de ella... Sólo un ciego no podría ver la mano de Dios en toda esta armonía de eventos... Señores, recen a Dios para que nunca tengamos miedo de derramar sangre por nuestra bandera y su destino imperial*". Sangre ajena, está de más decir.

Esta mentalidad, ahora disimulada en los medios, en los bares y hasta en la misma academia, permea toda la historia y el presente del país. En la declaración de Independencia de 1776 se proclamaba que "*todos los hombres son creados iguales y dotados por su Creador de derechos inalienables, como lo son el derecho a la vida, la libertad y la búsqueda de la felicidad"* mientras que la Constitución de 1887 se iniciaba con la famosa frase *"Nosotros, el Pueblo"*. Hay un detalle: "nosotros" y "todos los hombres" no incluían a los esclavos negros ni a los indios ni a ningún otro grupo que no fuese blanco y propietario, dos condiciones para ser considerados ciudadanos responsables. Así será para la constitución por al menos un siglo, y a esa brutal dictadura de una pequeña minoría (cuyas leyes protegían y promovían la esclavitud, la persecución, el secuestro, la tortura, el despojo y el genocidio) se la llamará "democracia". No por casualidad *democracia* y *libertad* serán las dos palabras más usadas desde el inicio para justificar la esclavitud, el robo de tierras, las limpiezas étnicas y las múltiples violaciones de tratados firmados con las razas inferiores. Cuando las populosas naciones indias fueron despojadas de sus tierras, desplazadas y exterminadas, lo fueron en nombre de la "expansión de la libertad". Cuando se despojó a México de la mitad de su territorio con una guerra inventada con excusas que ni sus generales creían, no sólo se convirtió a sus habitantes en ciudadanos de segunda categoría, sino que se los expulsó en la medida de lo posible y se reinstaló la esclavitud donde antes era ilegal. Todo fue hecho para "expandir la libertad". Cuando no se quiso seguir anexando lo que quedaba del México antiguo, ni se quiso a las repúblicas de América Central y del Caribe como nuevos estados fue porque estaban demasiadas llenas de negros y mestizos, lo cual podía contaminar la Unión. Entonces se establecieron protectorados y brutales dictaduras bananeras para imponer "el orden y la libertad". En algunos casos los dictadores fueron aventureros privados (William Walker), abogados oficiales (William Taft), hombres de negocios (Theodore Roosevelt, hijo) o directamente marines (Faustin Wirkus), pero en la mayoría consistieron en marionetas criollas, marionetas de Washington con poder absoluto para tomar las tierras de los pobres, de los indios, para violar a sus mujeres y garantizarles a las empresas estadounidenses toda la protección posible aparte de tierras gratis y de exoneración de impuestos.

Cuando las poderosas empresas privadas continuaron empujando las fronteras, imponiendo otras dictaduras militares en América latina más allá del Patio trasero o, simplemente, presionando a los legisladores criollos para garantizar su derecho a exterminar cualquier otra opción económica o social en la región, también se lo hizo en nombre del "imperio de la libertad". De hecho, luego del fiasco de la gira de Nixon por América del Sur en 1958, el presidente Eisenhower notará que, por alguna razón, en aquellos países donde Washington había sostenido dictaduras como la de Pérez Jiménez en Venezuela, la palabra "capitalismo" estaba asociada a "imperialismo", por lo cual ordenó reemplazarla por "libertad de empresa" o, simplemente, por "libertad". Siempre la libertad. ¿Qué hay más sexy que la libertad, aunque se trate de un perfecto masoquismo?

Estas ideas, que en el siglo XIX alcanzaron el estatus de Derecho internacional con el monopolio moral de una sola nación ("la raza libre"), fueron dominantes durante varias generaciones antes de ser reemplazadas por la "lucha contra el comunismo" durante la Guerra Fría a mediados del siglo XX. Luego de la desaparición de la Unión Soviética, se continuará la misma tradición de dictar sobre las razas y los pueblos inferiores en favor de nuestras empresas. Las excusas deberán adecuarse una vez más. En los países con petróleo y sin coca de Medio Oriente se lanzará la "guerra contra el terrorismo islámico"; en los países latinoamericanos, con coca y sin musulmanes, se lanzará la loable y sangrienta "guerra contra las drogas". El narcotráfico no sólo será una nueva excusa para criminalizar negros en Estados Unidos e intervenir en democracias vigiladas de América Latina, sino que, además, será una fuente de ingreso de dictadores amigos y de empleados de la CIA, como el dictador panameño Manuel Noriega y los paramilitares colombianos. En Chile, otro dictador amigo, Pinochet, repetirá la misma estrategia introduciendo la pasta base para corromper y criminalizar a la población sospechosa.

Durante la Guerra Fría, al mismo tiempo que Washington consideraba que la presencia de Moscú en la región era prácticamente inexistente (en los años cincuenta sólo México, Buenos Aires y Montevideo tenían una embajada soviética), propagaba lo contrario. Las clases dirigentes latinoamericanas, por obvias y diversas razones económicas, lo repetían sin dudar. Más abajo, quienes nunca recibieron un dólar colaboraban con fanatismo. Algo parecido a lo que la CIA llamaba "colaboradores honorarios" para referirse a los periodistas que no recibían paga por el servicio de reproducir sus ingeniosos inventos informativos escritos en Miami y Nueva York.

Debido a la derrota del nazismo en Europa, el viejo racismo y el nuevo nazismo estadounidense tuvo que esconderse y llamarse a silencio por un tiempo. Unos pocos volvieron a las máscaras del Ku Klux Klan y el resto se travistieron con nuevos discursos xenófobos sobre los límites fronterizos, el peligro de los inmigrantes (se agregó lo de *ilegal* para adaptarlo al mito legitimador del *límite fronterizo*, no de la *frontera*) y la eterna victimización de la raza caucásica, la más patriótica de todas, siempre amenazada desde abajo. De hecho, Adolf Hitler (líder ampliamente admirado entre varios poderosos políticos y empresarios como Henry Ford, Torkild Rieber, y numerosos directores de la CIA y el FBI) ni siquiera tuvo ideas radicales; las recibió digeridas de esta tradición estadounidense, como él mismo lo reconoció.

La nueva "política del buen vecino" de Franklin Roosevelt y la inevitable retórica democrática de los Aliados contra Hitler lograrían más tarde desmantelar varias dictaduras de extrema derecha en América Latina, pero este desaliento duró lo que dura la Navidad. Lo mismo la retirada de los militares pronazis en países como Bolivia, Paraguay o Guatemala. Apenas concluida la Segunda Guerra, Estados Unidos, convertido en la primera superpotencia mundial sobre las cenizas de Europa y Japón, había identificado a su más importante aliado durante la guerra, la Unión Soviética, como el desafío número uno a su hegemonía. Rápidamente, las simpatías por los nazis volvieron a su estatus anterior. En Washington, quienes no simpatizaban con los nazis los usaron en la supuesta lucha contra el comunismo y para desarrollar programas más constructivos como la NASA. En Países con numerosa población indígena como Guatemala, Paraguay, Bolivia y parte de Chile, las comunidades alemanas y los militares pronazis, con su sentido de la superioridad racial y social, accedieron rápidamente al poder y, consecuentemente, Washington y las transnacionales estadounidenses los vieron como aliados naturales a los cuales apoyaron con capitales, con propaganda ideológica y con diversos complots, la mayoría de las veces organizados por la CIA.

En América latina el conflicto central no radicó en el comunismo ni en las razas impuras, sino contra cualquier fuerza independentista que pusiera en cuestionamiento la superioridad anglosajona y el derecho de Washington a dictar a su antojo. En 1909, por ejemplo, el gobierno de Nicaragua, uno de los pocos gobiernos capitalistas (con algunas políticas progresistas) que había logrado un resonante éxito, no sólo en materia social sino también recuperando la costa caribeña en manos de Gran Bretaña, fue destruido por un golpe militar orquestado en Washington. La razón no era ni su capitalismo ni su progresismo, sino su independencia y su inaceptable éxito. Así veremos, a lo largo de esta historia, una sucesión de excusas: defensa de la raza, imposición del orden en países demasiado lleno de negros y de indios y, finalmente, lucha contra el comunismo —aun cuando el comunismo era una fuerza irrelevante, como en Guatemala. El verdadero problema era otro. Antes que Washington decidiera destruir el gobierno de José Santos Zelaya en Nicaragua, a quien llamó cada vez que pudo "tirano" y "dictador", ese país era el más próspero y desarrollado de América Central. Luego de medio siglo de desestabilizaciones y de la larga dictadura de la familia Somoza, impuesta y apoyada por Washington en nombre de la *libertad*, Nicaragua se convirtió en el país más pobre y más embrutecido de la región. Cuando en 1979 Nicaragua se liberó de la dictadura de los Somoza, fue acosada otra vez por Washington, a fuerza de dólares, bombas y propaganda internacional, siempre en nombre de la *libertad* —no vaya alguien a pensar otra cosa.

Las narrativas fundadoras

Aparte de la narrativa aglutinadora analizada más arriba, es necesario considerar, brevemente, al menos cinco mitos fundadores que se repetirán a lo largo de estos doscientos años en diferentes momentos y escenarios.

Luego de casi veinte años de vivir en Estados Unidos, mi visión de su compleja cultura y, sobre todo, de su simple mentalidad dominante han ido madurando. Si tuviese que volver a escribir los libros y artículos que publiqué en el pasado sobre estos temas, seguramente les haría algunas modificaciones. Creo que esta mentalidad dominante se puede resumir en algunos elementos que, además, suelen exportarse con facilidad a través de las históricas inversiones de Washington en instituciones, como los ejércitos latinoamericanos, la industria cultural y mediática dominada por las corporaciones estadounidenses, agencias secretas y fundaciones fachada, como la NED (Fundación Nacional para la Democracia).[5]

Luego de Madrid y Londres, Washington siempre controló a los países latinoamericanos a través de tres sectores fundamentales: (1) las iglesias, (2) los ejércitos nacionales y (3) las clases dirigentes dentro de las clases altas. Al igual que las mujeres de las sociedades esclavistas se beneficiaban de un sistema económico y social y, al mismo tiempo, se encontraban por debajo en el escalafón patriarcal (la cual las hacía víctimas de género con privilegios de clase), vastos sectores de las clases altas latinoamericanos no gozaron de los privilegios de administrar sus países directamente. En algunos casos, como el caso del presidente depuesto de Guatemala en 1954, Jacobo Árbenz, fueron miembros de la clase alta que sufrieron las consecuencias de su conciencia de clase y de las injusticias contra los de abajo, pueblo que no siempre los apoyó sino, gracias a la propaganda, todo lo contrario. Cuando algunos sectores de la iglesia católica se revelaron, como fue el caso de los teólogos de la liberación, fueron aplastados desde diversos frentes (nacionales, eclesiásticos, como El Vaticano, y políticos, como la CIA). Pese a la inversión de Washington y al optimismo de Richard Nixon, algún que otro ejército nacional latinoamericano se reveló contra los intereses de las grandes compañías estadounidenses (fue el caso del general J.J. Torres en Bolivia en 1970 o la

---

[5] Poco conocida, la NED fue fundada en 1983 por el Congreso de Estados Unidos con el auspicio de CIA para desviar fondos que antes estaban a discreción de la agencia. La NED financió diversas operaciones terroristas de los contras nicaragüenses en los 80, elecciones en América Central y en el Caribe, golpes de Estado (como el de Venezuela en 2002) y promovió, con avalanchas de dólares, a conferencistas combatientes a favor de la *libertad de Washington* que actualmente son *influencers* en YouTube, campeones de loables causas como la libertad, el liberalismo y el libertarismo en América Latina.

facción constitucional del ejército chileno en 1973, por poner solo un par de ejemplos contiguos), fueron aplastados por brutales golpes de Estado y por el asesinato de sus miembros rebeldes... La tradicional clase alta-dirigente nunca se rebeló, por obvias razones. Cuando máximo llamó *revolución* (como la Revolución Libertadora de 1955) a sus *reacciones* contra las inevitables *rebeliones*.

Como en todo país, en Estados Unidos sus mitos fundadores se expresan a diario y en los mismos sueños de sus ciudadanos, sean por nacimiento o sean asimilados. La diferencia radica en que los sueños y los mitos de un imperio (para quien no le guste la palabra, digamos *potencia hegemónica*) no se limitan a sus propios límites fronterizos. Los mitos y las narrativas fundadoras son determinantes de la forma de sentir y de pensar de un pueblo. Están vivos en los símbolos, en el lenguaje y, por lo general, si uno se distrae un minuto, fácilmente nos secuestran y piensan por nosotros. No pocos de mis propios estudiantes estadounidenses, pese a ser universitarios, procesan lecturas y hechos desde este marco mitológico, el que podría resumirse en la siguiente lista (a lo largo de este libro aportamos los hechos históricos que confirman estos mitos fundadores sin necesidad de explicaciones):

I.   *Mito*: "DIFERENTE AL RESTO DEL MUNDO, NOSOTROS NUNCA TUVIMOS UNA DICTADURA".

Realidad: Sin entrar a discutir la naturaleza plutocrática de la actual democracia estadounidense (cuanto más dinero, más derechos y más poder político; cuanto más poder político, más dinero), ni su sistema electoral y representativo heredado de los tiempos de la esclavitud (no todos los votos pesan igual), para responder a este primer mito bastaría con considerar el primer siglo de existencia de Estados Unidos.[6] Cualquier otro país, fundado en un sistema esclavista, cuyos gobernantes sólo pudiesen ser electos entre el diez por ciento de la población (hombres, blancos y propietarios), con derecho a tomar todas las tierras de las razas inferiores a punta de cañón y escopeta, sería definido como una brutal dictadura. No Estados Unidos. No en las emocionantes películas de Hollywood que eran casi las únicas que consumimos en América latina hasta no hace mucho.

II. *Mito*: "NOSOTROS LLEVAMOS LA LIBERTAD A OTRAS NACIONES".

Realidad: Si no estamos atentos, las palabras engañan escondiendo significados como caballos de troya (ideoléxicos). El concepto de *libertad*

---

[6] Hace algunos años explicamos por qué, en términos generales, un voto de un ciudadano perteneciente a un grupo minoritario (como negros o hispanos, que sumados no son minoría) vale varias veces menos que el de un blanco en un estado sureño o en algún otro estado despoblado del centro del país.

angloamericano se fundó y aún hoy sobrevive de forma inadvertida como *nuestra libertad de decisión*. Desde la misma fundación de Estados Unidos, este principio no se aplicó ni a los esclavos ni a ninguna otra raza considerada inferior como los indios, los negros o los mexicanos. A las naciones indígenas del norte, tan pobladas como Francia o Inglaterra y calificadas como *tribus*, se las despojó de sus territorios, se los exterminó en masa o se las desplazó a la fuerza para, según Andrew Jackson, *"darles las tierras a los amigos de la libertad"*. Cuando se despoja a México de Texas para restaurar la esclavitud, se proclama a los cuatro vientos que la Revolución de Independencia fue una forma de conquistar y expandir la libertad. El mismo discurso se usará cuando, a finales del siglo XIX, se creen las Repúblicas bananeras en América Central, *"para expandir la libertad de comercio"*, es decir, la libertad de las corporaciones estadounidenses a explotar en sistemas de esclavitud asalariada a la población nativa y corromper sus gobiernos (siempre dictaduras conservadoras promovidas por Washington) para obtener tierras gratis y excepciones tributarias. Lo mismo con la libertad de mercado hasta hoy. La idea de *libertad* nunca significó *igual-libertad* sino *Nuestra libertad de decidir sobre nuestros asuntos y sobre los asuntos ajenos, aun cuando para ello debamos sacrificar la libertad y las vidas de las razas y de las culturas inferiores.*

III.   *Mito*: "Nosotros hemos luchado por la democracia en América Latina y en otras partes del mundo".

Realidad: Aunque para muchos latinoamericanos esta afirmación es risible, sino ofensiva, este tipo de convicciones es lo que debo escuchar en Estados Unidos casi siempre que alguien habla de la influencia de su país en América Latina. Las excepciones no son muchas, y casi siempre se trata de académicos o de personas de amplia cultura, como grandes lectores o grandes viajeros. Es decir, una ínfima minoría. Desde el siglo XIX, Estados Unidos o, mejor dicho, Washington, se ha dedicado a promover y apoyar todas las dictaduras de extrema derecha, es decir, prácticamente todas las dictaduras que existieron en América Latina y que le aseguraron control de sus fronteras exteriores, ubicadas a miles de kilómetros, no sólo a Washington sino, sobre todo, a las transnacionales privadas que dominan y con frecuencia dictan la política de Washington.

IV.   *Mito*: "Nuestra cultura no es corrupta como la hispana".

Realidad: Si bien es cierto que América Latina ha sufrido de una corrupción crónica y fuera de control, no es menos cierto que Washington (a través de diferentes organismos como sus bancos, como sus corporaciones, como la CIA) ha mantenido e incrementado esa malaria cultural. Las empresas privadas estadounidenses han cultivado la corrupción y el chantaje desde el siglo

XIX y continúan haciéndolo hoy. Por otra parte, el sistema político-privado de Estados Unidos se funda en una corrupción legal de proporciones astronómicas.[7] En América Latina los políticos se corrompen por unas decenas de miles de dólares y en Estados Unidos por una decena de millones, casi siempre de forma legal, comprando políticos con donaciones y escribiendo leyes para legalizar la corrupción y el despojo.

V. *Mito*: "EL SACRIFICIO DE NUESTROS HÉROES EN LAS GUERRAS HA SIDO SIEMPRE PARA DEFENDER NUESTRAS LIBERTADES Y DEFENDER LA PAZ DEL MUNDO".

Realidad: Con algunas excepciones, las guerras iniciadas por Estados Unidos no han sido por defensa sino por ataque, para mantener su control e influencia. Los ejemplos sobran, pero bastaría con considerar la Guerra contra los indios, contra México o contra Filipinas en el siglo XIX, las innecesarias bombas atómicas en Hiroshima y Nagasaki, el 80 por ciento de Corea del Norte arrasada por bombardeos aéreos, o una de las mayores obsesiones nacionales, Vietnam, otra guerra llena de masacres y crímenes de guerra, desde bombardeos aéreos hasta el uso del Agente Naranja que se arrojó desde aviones dejando millones de muertos y continuó produciendo niños defectuosos por generaciones.[8] La derrota en Vietnam no amenazó ni la seguridad ni las libertades en Estados Unidos, las cuales sólo fueron ampliadas por líderes como Martin Luther King, entre muchos otros que se opusieron a la guerra y al racismo, tanto adentro como afuera, mientras eran demonizados como traidores por la millonaria campaña desinformativa. Está de más decir que, con excepciones como la colaboración en la Segunda Guerra, las guerras exportadas por Washington, como las decenas de dictaduras impuestas en otros

---

[7] Hace unos años Noam Chomsky me lo resumió de la siguiente forma: "*comparada con la de Estados Unidos, la corrupción latinoamericana es sólo un juego de amateurs*".

[8] Ente 1969 y 1973, cayeron sobre Camboya más bombas (500.000 toneladas) que las que cayeron sobre Alemania y Japón durante la Segunda Guerra. Lo mismo les ocurrió a Corea del Norte y a Laos. En 1972, el presidente Nixon preguntó: "*¿Cuántos matamos en Laos?*" A lo que su Secretario de Estado, Ron Ziegler, contestó: "*Como unos diez mil, o tal vez quince mil*". Henry Kissinger agregó: "*en Laos también matamos unos diez mil, tal vez quince mil*". El dictador comunista que los seguirá, Pol Pot, superará esa cifra por lejos, masacrando a un millón de su propio pueblo. Los Jemeres Rojos, hijos de la reacción anticolonialista de Occidente, fueron apoyados por China y Estados Unidos. Otro régimen comunista, el Vietnam que derrotó a Estados Unidos, puso fin a la masacre de Pol Pot luego de una matanza de 30.000 vietnamitas. Aparte de los masacrados por las bombas de Washington solo en Laos y Camboya, decenas de miles más han muerto desde el fin de la guerra, debido a las bombas que no explotaron al ser arrojadas.

países, sólo han llevado la muerte de millones, la desestabilización, el caos y la violencia a esas regiones por décadas. Todas estas guerras crearon y continúan creando enemigos, los cuales son combatidos con más millones de dólares diarios que van a parar a las cuentas de las grandes corporaciones estadounidenses.

VI.   *Mito*: "ESTE ES EL PAÍS DE LAS LEYES".

Realidad: El país de las leyes propias sobre naciones más débiles. A lo largo del proceso de apropiación de los vastos territorios indios y de exterminación de su población, se violaron casi todos los tratados firmados cada vez que el más fuerte (los colonos primero y Washington más tarde) lo consideró necesario para sus intereses. Esas violaciones de los tratados con los indígenas que quedaron dentro de fronteras se perpetraron durante el siglo XIX y llegaron, por lo menos, hasta la mitad del siglo XX. También se violaron tratados firmados y ratificados con México para arrebatarle la mitad de su territorio. Los estadounidenses que se convirtieron en ciudadanos mexicanos para obtener tierras gratis en Texas rompieron su juramento de obediencia a las leyes de ese país a través de un masivo acto subversivo que terminó en la secesión y el arrebato de varias de sus provincias. Nada de eso se llamó traición, sino *lucha por la libertad* y *contra la tiranía mexicana*. Los principios y las leyes que se respetaron (y no siempre, como veremos) fueron aquellas aprobadas en Washington para intervenir en naciones ajenas, como la Doctrina Monroe (ampliada al menos cinco veces en casi doscientos años), el tratado de límites Adams-Onís con España y luego con México; la Ley de Traslado Forzoso de los Indios de 1830, por la cual se otorgaba a los románticos Daniel Boone el derecho de robo de tierras indígenas y al ejército estadounidense la colaboración en la aniquilación y desplazamiento de los indios que no entendían eso del honor y la libertad angloamericana; los tratados forzados como el de Guadalupe Hidalgo en 1848, con las naciones indígenas por el resto del siglo XIX, con los protectorados latinoamericanos en el siglo XX, y una larga colección menos conocida de acuerdos y leyes violadas. Capítulos apartes serán las innumerables violaciones de leyes de esos mismos países por parte de los servicios de inteligencia como la CIA y de las poderosas corporaciones como la United Fruit Company o la ITT, sólo por nombrar dos entre muchas otras. O las leyes propias de Estados Unidos, escritas directamente por las grandes corporaciones y aprobadas por sus senadores receptores de las indispensables donaciones para sus campañas electorales.

Frontier vs. border

Otro elemento del núcleo de la mitología estadounidense, no por casualidad, se expresa mejor en inglés que en español. En inglés existe una clara diferenciación entre *border* y *frontier*. En español, solo tenemos *frontera* para designar un límite político entre dos países, por lo cual a *border* lo podemos traducir como *borde*, *límite fronterizo*, *valla* o, para mejor significado en este libro, *trinchera*. Utilizaremos *límite fronterizo* para evitar confusiones. Para *frontier* reservaremos *frontera*.

La diferenciación es fundamental para entender una mentalidad fundadora que no existe en la cultura latinoamericana, excepto por sus frecuentes adopciones. Para el idioma español, una frontera es lo que establece los límites entre dos países, no algo que está más allá de nuestros límites, en otras naciones. Como máximo, se lo usa como metáfora para referirse a "las fronteras del conocimiento", para significar algo que se debe empujar y conquistar más allá, es decir, avanzar sobre los territorios de la ignorancia.

Estados Unidos se fundó en el deseo y la necesidad de habitar y conquistar la frontera. Aun cuando no sabían cómo habitar y explotar el inmenso territorio que iban sumando, la fiebre de anexión y sometimiento ajeno nunca dejó de expresarse en distintas empresas durante sus 245 años de existencia. En otras palabras: en la necesidad de tomar por la fuerza todo aquello que pueda ser tomado por la fuerza, como si no fuera la cosa tomada sino el acto mismo de tomar el objetivo de esta vieja obsesión cultural y psicológica. Desde sus orígenes (y sobre todo en la literatura académica, política y militar de finales del siglo XIX), a esa lucha se la representó, de forma romántica, como la lucha del *hombre* contra la *naturaleza*, ya que hombres eran los hombres blancos y naturaleza era todo lo demás, incluido a los hombres y mujeres que no pertenecían a la etnia nórdica. Este impulso no se aplica a la toma de algo perteneciente a otro miembro de la "raza anglosajona", porque eso se define como "robo" o "violación de las leyes" y Estados Unidos es "el país de las leyes". El impulso se refiere a tomar por la fuerza algo que le pertenece a una raza o a una cultura considerada inferior que no tiene idea de cómo gobernarse a sí misma, de cómo administrar sus valiosos recursos. De la misma forma, desde las guerras contra los salvajes, las Guerras bananeras en los trópicos, durante la Guerra fría y hasta mucho después, se referirá a invadir países pobres y pequeños que no signifiquen una resistencia razonable ("*una guerra que se pueda ganar*"), de la misma forma que un gorila basa su enorme fuerza en la ingestión paciente de hojas de plantas y de pequeñas frutas. Para la perspectiva anglosajona, la frontera no es un límite estático ni estricto ni es siempre visible: es algo que se puede y se *debe* empujar, y aquellos que son capaces de hacerlo son los *pioneros,* los *héroes que lucharon por nuestra libertad*. En estricta y lógica contradicción, de la misma forma que a una invasión se la llama defensa, Superman y todos los héroes superdotados de la cultura pop no luchan por el cambio del mundo sino por defender el statu quo contra la amenaza de los villanos que quieren conquistar un mundo que ya tiene dueño.

Sin la Revolución americana de 1776 las naciones indias hubiesen sobrevivido por mucho tiempo más y, probablemente, hubiesen evolucionado a estados más modernos según nuestra concepción actual de Estado o según su propia concepción de Nación, amparadas en un tratado con Inglaterra que impedía a los colonos anglosajones cruzar ese límite fronterizo representado por las montañas Apalaches. Los nuevos americanos, los campeones de la democracia y de la libertad, no reconocieron ese tratado de 1763 ni reconocieron muchos otros acuerdos firmados por ellos mismos con posterioridad, porque el concepto de *frontera* se contradecía con el concepto de *límite fronterizo* y con su particular concepto de *derecho* y de *libertad*. Así, en 1830 se aprobó la *Ley de remoción de los pueblos indios* aún más allá de los nuevos límites establecidos por las sucesivas conquistas y los nuevos acuerdos. Gracias a la esta ley, aparte de extender las propiedades de los *"amigos de la libertad"* y sacarse de encima a los originales propietarios, que eran salvajes, se pudo expandir la esclavitud de los africanos, institución rara entre los indios (aunque entre ellos, gracias al contacto con la cultura blanca, había algunos esclavos negros, así como negros libres refugiados). Luego, la frontera volvió a correrse cuando los colonos anglosajones le arrancaron Texas a México para restablecer la esclavitud en 1836 y, de esa forma, expandir aún más el reino de la libertad. La frontera se volvió a correr por la heroica energía de la raza elegida cuando el presidente James Polk logró, por todos los medios posibles, inocular en el pueblo la repetida y bien conocida excusa de "fuimos atacados primero" (y "jamás olvidaremos") que ni sus generales creían, para iniciar una guerra contra un México destrozado por los terremotos y por sus conflictos internos y, así, tomar más de la mitad de su territorio desde Nuevo México hasta California. La frontera volverá a correrse en su etapa marina, con los protectorados a finales del siglo XIX y durante las primeras décadas del siglo XX en las repúblicas bananeras y azucareras a lo largo de la región tropical del Patio trasero. Y volverá a correrse durante la etapa de la CIA y nuevas corporaciones privadas a partir de la segunda mitad del siglo XX.

El *límite fronterizo* es exactamente lo opuesto: es inamovible y su función es prevenir el cruce y la contaminación de las razas inferiores, primero, de los pobres y de las "ideologías antiamericanas" más tarde. Es una valla, una trinchera o, más recientemente, un muro, es decir, esa protección de defensa del bastión, de la fortaleza, de la pureza de la raza, de nuestro *"way of life"*, de "nuestra libertad", que permite proyectarse y conquistar lo que está más allá, es decir, el territorio salvaje, las tiranías, los países *"donde Dios depositó nuestros recursos"*. Los indios, los negros y los mestizos se convirtieron en "invasores" en sus propias tierras porque la frontera fue corriendo las trincheras y no siempre se puede expulsar a una población de millones de personas. A los indios se los exterminó y se los redujo en reservas, violando unos tratados y aprobando unilateralmente otros. A los negros se los envió a África y a Haití o se los neutralizó de diversas formas sociales, políticas y culturales con las leyes Jim Crow, con los guetos diseñados por los urbanistas de autopistas y con las estrategias "guerras contra las drogas". A los "híbridos" mexicanos se los extraditó o se los definió como extranjeros y bandidos el mismo año en que sus haciendas y sus pueblos cambiaron de nacionalidad. Es así como el fanatismo de la supuesta "defensa de nuestras fronteras" (límites fronterizos) y la frontera (*frontier*) es parte constitutiva de la cultura angloamericana como dos caras opuestas hacen una misma moneda.

De esta dualidad nació una trinidad que define hoy la cultura y la ideología dominante de Estados Unidos (aunque es de justicia reconocer que muchos millones de sus ciudadanos la rechazan, la controlan en parte y la sufren en su totalidad): Dios, la Raza y las Armas. Como siempre, se trata de una versión propia y conveniente de Dios. El Destino manifiesto no fue otra cosa que un mito de poderosa utilidad, donde los periodistas y los pastores soldados le hicieron decir a Dios todo lo que querían que Dios diga para legitimar el robo de tierras ajenas. En 1846, en suelo todavía mexicano, el pastor, capitán y esclavista de Luisiana R. A. Stewart abrió la Biblia y leyó ante un batallón de invasores: *"te daré esta tierra para que vivas en ella para siempre, porque ya se las había dado a tus antepasados"*. Dicen que hubo lágrimas y que México se parecía mucho a Palestina.

Por su parte, el racismo (a veces explícito, a veces disimulado, a veces inadvertido), alentado por presidentes, gobernadores, senadores, periodistas y todo tipo de gestores sociales en el poder, tenía como propósito explícito fragmentar la base social en un sistema esclavista y en una democracia donde la vasta mayoría estaba excluida de cualquier participación. Unida podía ser peligrosa.[9] Todo bajo las mejores intenciones de libertad y justicia. Como lo

---

[9] El 23 de enero de 1758, el gobernador de Carolina del Sur, James Glenn, en una carta a su sucesor William Lyttelton, reconoció que siempre había sido una política de su gobierno *"fomentar el odio entre indios y negros"*. Como lo demostró la historia posterior, el odio entre los de abajo y el despojo de los territorios indígenas sirvieron para expandir la esclavitud, mientras los indígenas servían para firmar tratados que no querían y para perder sus tierras, sus derechos y su gente por la fuerza de las armas protectoras de las leyes aprobadas en Washington. En el siglo XXI, la animosidad étnica entre afros, latinos, chinos, italianos e irlandeses pobres es una herencia turbia de esta clara estrategia de poder y dominación.

publicó Theodore Roosevelt a propósito de una reseña del libro *National Life and Character* de Charles Pearson, poco después de que los esclavos se convirtieran en ciudadanos y poco antes que él se convierta en presidente, "*la democracia de este siglo no necesita más justificación para su existencia que el simple hecho de que ha sido organizada para que la raza blanca se quede con las mejores tierras del Nuevo mundo*". Más tarde, esta cultura religiosa y racista encontrará teóricos que articularán ideas que justifiquen la superioridad de la raza teutónica y anglosajona basadas, paradójicamente, en sus propias interpretaciones de la Teoría de la evolución de Darwin.

Rezo, relato y revólver

El tercer elemento de la conquista perpetua de la frontera y de la defensa del límite fronterizo es el recurso de las armas que lo hicieron posible. ¿Alguien se imagina a la raza superior arrebatándole a los indios o a los mexicanos sus territorios a puño limpio? De no ser por las armas (las escopetas de Daniel Boone, los buques cañoneros, los aviones bombarderos, las bombas atómicas de Truman, los destructores y los drones inteligentes que no saben distinguir entre un terrorista y cien niños) los condecorados héroes anglosajones nunca hubiesen siquiera pasado de los Apalaches. De ahí que las armas sean una religión en Estados Unidos y que la narrativa que las rodea no sea la Segunda enmienda sino la idea de que la supuesta *libertad* que gozan los estadounidenses se debe a ellas.

El mito de que es gracias a que esos señores de largas barbas que miran el fútbol y beben cerveza mientras acarician su AK-15 que este país nunca tuvo una dictadura, hunde sus raíces en la "conquista de la frontera". No sólo la idea de que un grupo de ellos podría evitar un golpe de Estado del Complejo militar estadounidense es ridícula in extremis, sino también la más aceptada idea de que desde su fundación este país ha vivido en una democracia continua, no se sostiene racionalmente: una sociedad, un sistema y una economía basada en la esclavitud o dominada por una minúscula élite jamás podría llamarse de esa forma, al menos que aceptemos que no todos los seres humanos son gente, pueblo o parte de "*We the People*". Pero las armas, que estaban prohibidas para los negros, hacían toda la diferencia en una plantación de algodón y en un país profundamente antidemocrático.

Ahora, la millonaria industria de los videojuegos contrata a influyentes militares, convictos perdonados como Oliver North para continuar, dentro de los hogares civilizados, la guerra real de los "comandos especiales" contra los "terroristas" en países lejanos. Tradición que tiene su precedente en los juegos infantiles a través de la lucha entre *cowboys* e indios. Las películas clásicas del Oeste fosilizaron el dogma: los cowboys se defendían a los tiros de los salvajes que, según la narrativa patriótica, eran siempre quienes atacaban primero. El recurso de "fuimos atacados primero" y "tenemos derecho a defendernos" seguido del desmemoriado "jamás olvidaremos" se repetirá múltiples veces en la historia para justificar y legitimar el uso y abuso del poder de las armas.

Durante las últimas guerras de Washington en América Central, el presidente Ronald Reagan llamó a esa región *"nuestra frontera sur"*. No exageraba sino lo contrario; había minimizado la realidad, ya que la Frontera sur, a través de intervenciones directas, había sido extendida hasta el Cono Sur décadas antes. Debido a estas guerras que Washington había promovido y financiado durante los años 80 hasta abandonar temporalmente aquellos países a sus propios caos y miserias en la década siguiente (agravada por la catástrofe del asimétrico acuerdo comercial del NAFTA y otros *acuerdos* comerciales en la región) cientos de miles de individuos y de familias desesperadas comenzaron a migrar al país del dólar. Para complementar la violencia ilegal e ilícita de la "frontera del sur" se reforzaron las medidas de control en el "límite fronterizo" (*the border*), no sólo por parte del Gobierno y de los Estados sino por grupos y milicias privadas, fuertemente armadas, todas con una ideología de extrema derecha, violentas y racistas hasta la medula, como fue el caso del Ku Klux Klan, de los WAR (*GUERRA*, Resistencia de los Arios Blancos) y de los CMA (grupo racista paramilitar fundado por ex combatientes de Vietnam), por mencionar solo unos pocos.

Desde 1865, los racistas y esclavistas anglosajones del sur que fueron derrotados en la Guerra civil de Estados Unidos se dedicaron a negar cualquier derrota y a inocular al ganador con su propia ideología. Esta poderosa necesidad por lo que "queremos que sea" sin importar "lo que es" no es nueva y fundamenta toda la prensa angloamericana desde décadas antes, pero desde entonces, desde el fin de la Guerra civil, debió enfrentarse a la derrota y a la mitad norte de su bastión patriótico. Con el tiempo, no sólo se harán del mismo enemigo, el Partido republicano, sino que llevarán y actualizarán la vieja cultura esclavista al nuevo capitalismo salvaje y salvador, con admirables estrellas como Coca Cola en Georgia y Walmart en Arkansas. En las décadas que siguieron a la derrota, cientos de monumentos fueron erigidos para honrar en bronce a los héroes confederados, aparte de las teorías y las narrativas eclesiásticas impuestas en las escuelas y en las bases militares sobe la honrosa "causa perdida".

El negacionismo es parte de cualquier prueba de fe. Para un fanático, la realidad es solo una teoría y debe ser combatida con la fe (la que viene a ser otra teoría más, pero sin compromisos con la realidad, como pruebas o evidencias). Así, la cultura popular y la industria cultural no han encontrado nunca dificultades en vender historias que confirman que la raza superior no perdió en la Guerra civil del siglo XIX ni fue miserablemente derrotada en Cuba y en Vietnam, cien años después. Si no lo reconoces, no existe. La desesperación de los pobres invadidos y desarmados de la Frontera sur fue y es definida como *"una silenciosa invasión"* de la cual debíamos defendernos. De cualquier forma, la fe sin armas no es suficiente. Aunque *En Dios confiamos* (un dios compasivo, protector de los pobres y marginados), más confiamos en las armas. Como en un torneo medieval, la verdad depende de la fuerza y de la negación de la realidad a través de la narración religiosa, periodística y cultural, hasta que la realidad cede. Cuando una realidad presente es sustituida por otra a fuerza de este ciego fanatismo que se representa a sí mismo como razonable, moderado y necesario, el pasado corre la misma suerte. Así, el pasado y sus representaciones coinciden tanto como el sol y la noche. Como consecuencia, no pocas veces ocurre lo mismo con el presente.

Un atardecer de otoño de 2008 o 2009 tuve una conversación en un estacionamiento con uno de los guardianes del campus de Lincoln University en Pennsylvania. El señor, un hombre en sus sesenta, a quien siempre aprecié y creo que él me apreciaba igual, con una seguridad que se la envidio, me dijo: *"Yo pienso así porque soy capitalista"*. Agotado por una larga jornada le dije, sin pensar que no era el momento ni el lugar: *"No, señor, usted no es capitalista. Usted es un trabajador asalariado. Usted no es capitalista, sólo tiene fe en el capitalismo, como tiene fe en Jesús; pero de la misma forma en que usted no es Jesús, tampoco es capitalista"*. El poder social y político es acumulado gracias a un sistema de creencias dominantes que beneficia a unos (generalmente una micro minoría) y perjudica a otros, pero es aceptado por la mayoría. También la idea de que este sistema (el sistema capitalista anglosajón) es el responsable del progreso y del bienestar actual, es simplemente arbitraria y consecuencia de sus propias batallas narrativas con sus otras opciones. Cualquier sistema que, en un momento dado secuestre el progreso acumulado de miles de años realizado por la humanidad, por su poder económico, financiero y militar, sería considerado y representado de igual forma. La famosa llegada a la Luna de la NASA fue posible en gran medida gracias a Hitler (por no ir más atrás y recordar los aportes científicos y tecnológicos de culturas más antiguas), y no por ello atribuiríamos al nazismo el progreso tecnológico de nuestro tiempo. De haber ganado Hitler la guerra, hoy estaríamos escribiendo, contra el poder ganador, sobre sus crímenes y sobre las arbitrariedades de su ideología, y de la misma forma se nos estaría acusando de peligrosos radicales. Cualquier imperio ganador y dominante, hoy no sólo sería considerado la vanguardia del progreso sino, sobre todo, el dueño de la narrativa mundial por el cual cualquier otro que se oponga sería demonizado hasta el ostracismo. Nada diferente a lo que podemos observar ahora.

La última gran excusa

Al regreso de su viaje a Chile en 1981, el economista Milton Friedman fue recibido con una protesta organizada por los estudiantes de la Universidad de Chicago, quienes lo acusaron de colaborar con la dictadura de Pinochet. Naturalmente, los estudiantes fueron acusados de inmaduros y de marxistas. Luego de implementar las teorías neoliberales de Friedman y su amigo Friedrich Hayek, luego de cambiar el acoso de la CIA y el estrangulamiento económico de Washington al gobierno de Salvador Allende por una inundación de dólares y de propaganda para la dictadura amiga y así probar el éxito del Milagro chileno, Chile iba de una crisis económica tras otra que nunca superó hasta que los gobiernos democráticos que le siguieron atenuaron varias genialidades de la dictadura. Ante las críticas, el profesor Friedman defendió su amistad con Pinochet: *"si se hubiese permitido que Allende continuara en el poder, es posible que, además de una terrible crisis económica, miles de disidentes hubiesen sufrido una persecución injusta, la cárcel, la tortura y miles hubiesen sido asesinados"*, dijo. Un genio. Por algo había recibido el Premio Nobel de economía cinco años antes.

Este argumento, como muchos otros plantados por décadas a fuerza de dólares y engaño sistemático por parte de la CIA y otras escuelas de Washington en los grandes medios latinoamericanos (según sus propios agentes), será el preferido de las clases históricamente dominantes en América latina y, como es natural, será adoptado y repetido por parte de la población que debió sufrir lo que ellos mismos defendían con fanatismo patriótico. La segunda variación del argumento, diseñado en las mismas oficinas de inteligencia en Washington, se resume en un clásico: las intervenciones extranjeras y las dictaduras nacionales fueron una respuesta a los revoltosos de los sesenta que pretendían introducir la influencia extranjera… Como si de repente nadie recordase las sangrientas dictaduras impuestas por Washington en esos mismos países durante generaciones, mucho antes (y mucho después) de la explotación del miedo comunista para continuar haciendo lo mismo: dictaduras y matanzas en nombre de la democracia y la libertad. Un medio hermano de ese argumento para justificar las masacres de los ejércitos latinoamericanos a sus propias poblaciones no es menos clásico: "Stalin mató más".[10]

---

[10] Al tiempo que la brutalidad disminuía del otro lado de la cortina de hierro, aumentaba en el patio trasero de Estados Unidos. John Coatsworth, en su *The Cambridge History of the Cold War: Volume 3, Endings*, señala un dato verificable: entre 1960 y 1990 *"el número de prisioneros políticos, de víctimas torturados y de ejecuciones de disidentes no violentos en América Latina superó por amplio margen al número de víctimas de la Unión Soviética y sus satélites en la Europa del Este"*.

Por otro lado, si bien es cierto que Moscú tenía espías en algunos países, como en aquellos pocos países independientes en los cuales había una embajada soviética (México, Argentina y Uruguay), las diferencias fueron dos: más que el tradicional rol de espionaje, la CIA era (y es) un organismo *ejecutor* (asesinatos selectivos, masacres colectivas por parte de sus subsidiarios e instituciones satélites como fundaciones o ejércitos nacionales), algo que las mismas comisiones de investigación del Congreso de Estados Unidos observó y condenó (de palabra) en los años setenta. La CIA cuenta con una larga lista de golpes y dictaduras en América Latina, y Washington con una lista cien años más antigua. Por el contrario, no se registran golpes de Estado perpetuados por la KGB en América Latina, y si se descubrieran algunos, uno al menos, nunca alcanzarían el récord de Washington. Ni siquiera la Revolución cubana de 1959 fue producto de un complot de Moscú. La Unión Soviética se convirtió en aliado y subsidiario estratégico de La Habana luego del desprecio del presidente Eisenhower y de su vice, Richard Nixon, a Fidel Castro de visita a la Casa Blanca luego de la revolución contra Batista y, sobre todo, luego de la fracasada invasión militar de Bahía Cochinos en 1961, de los sabotajes y de los actos de terrorismo, del acoso legal y del masivo bloqueo económico y diplomático que le siguió.

Como veremos más adelante, si nos limitamos solo a la Guerra fría, la nueva adoctrinación ideológica de los oficiales latinoamericanos en las academias militares estadounidenses, así como la creación de grupos paramilitares y escuadrones de la muerte, precede al surgimiento de las guerrillas que servirán de excusa para la mayoría de los golpes de Estado. Incluso la fundación de las FARC en Colombia en 1964 es posterior a la indicación de Washington para la creación de grupos paramilitares para que pudiesen actuar con impunidad sin vincular a los verdaderos interesados. La ayuda económica, tecnológica y académica a los ejércitos latinoamericanos desde principios de los años cincuenta destruyó la ola de nuevas democracias en la región hasta convertirla en un mar de dictaduras militares en las décadas siguientes.

A finales de los años cincuenta, el nuevo embajador de Estados Unidos en Uruguay le había advertido al agente de la CIA, Howard Hunt (protagonista de la destrucción de la democracia en Guatemala gracias a la masiva manipulación mediática que convenció al mundo de que su presidente era comunista) que no intentase lo mismo en Uruguay porque allí iba a encontrar menos comunistas que en Texas, algo que ni Hunt ni la CIA ni Washington hicieron caso y terminó en otra dictadura en 1973 mientras la mayoría de los políticos y de la población culpaban al nuevo grupo guerrillero Tupamaros por la novedad.

En Argentina, a principios de los años sesenta, los militares reportaban que "la amenaza comunista", idea central de la doctrina de la Seguridad

Nacional diseñada en Washington, era irrelevante en ese país. Washington los convenció de lo contrario a fuerza de dólares y condecoraciones. Buenos Aires agradeció con la dictadura del general Onganía en 1963 y (luego de diez años y del surgimiento de varios grupos guerrilleros que siguieron a la ilegalización del peronismo) terminó en la paranoia anticomunista de la dictadura de 1976, donde casi todas las víctimas eran cualquier cosa menos comunistas (aunque todavía queda por discutir si alguien merece la tortura y la muerte, a manos de regímenes fascistas, por el solo hecho de ser comunista). Para entonces, los mismos peronistas vueltos al poder en 1973 estaban dominados por un fanático de la extrema derecha, José López Rega, líder del violento grupo paramilitar Alianza Anticomunista Argentina, responsable del asesinato de mil personas con alguna presencia pública como artistas, periodistas, profesores y sacerdotes. El golpe de 1976 no tenía como objetivo derrotar a la guerrilla, sino evitar el previsible triunfo del ala izquierdista del peronismo en las elecciones programadas para ese mismo año.

Lo mismo podemos ver en muchos otros casos, como el Chile a principios de los setenta, donde el ejército todavía contaba con generales constitucionalistas como el general Schneider, hasta que la CIA logró sacárselos de encima y no sólo destruyó otra democracia sino que transformó otro ejército (*"centros de poder sujetos a nuestra influencia"*) y una parte importante de la población en seguidores del dogma de "la amenaza comunista" que lo justifica todo.

Como veremos en este libro, la historia de excusas de Washington para intervenir en América Latina es mucho más larga. Se desarrolló y se transformó a lo largo de cuatro grandes etapas: expansión territorial sobre las naciones originarias y la toma de la mitad del territorio mexicano (1780-1850); desarrollo de la marina e intervenciones militares directas (1850-1930); intervenciones indirectas de propaganda y complots de inteligencia que llevaron a los gobiernos a dictadores amigos (1920-1990); guerra económica y financiera a través de préstamos y bloqueos selectivos y propagación de la ideología neoliberal (1970-2020).

Léxico, bibliografía y notas bibliográficas

Desde la primera página he preferido, entre otras opciones semánticas, distinguir gobiernos, corporaciones, elites y pueblos de los países que los contienen. Por esta razón, he preferido hablar, la mayoría de las veces, de *Washington* y no de *Estados Unidos* para distinguir un país de sus gobiernos. Dentro de un país cabe una enorme diversidad de personas que, más allá de los mitos fundadores, piensan y sienten de forma diferente. En cualquier país caben oprimidos y opresores, explotados y explotadores, pero la mentalidad fascista y corporativa necesita que el lenguaje identifique las acciones de sus gobiernos con toda una nación, con una sola bandera. Así, criticar los críme-nes de un gobierno o de sus corporaciones bandera es entendido como un ataque al país entero. Una coartada perfecta por la cual un joven estudiante, al enterarse de una masacre perpetrada cincuenta o cien años antes, se pre-gunta "¿De verdad *hicimos* eso?" La respuesta es obvia: no, tú no lo hiciste ni eres responsable. De lo único que somos responsables es de justificar un crimen o incluir a un genocida en el pronombre "nosotros" solo porque tenía nuestra misma nacionalidad y ondeaba la misma bandera del país que supues-tamente es el mismo que habitamos. Este (aparente) detalle lingüístico lleva a una persona honesta a sentirse obligada a defender los crímenes de su go-bierno, incluso cuando el gobierno o la corporación en cuestión desapareció cien años atrás. En otros casos, hasta un anónimo en alguna red social se cree con el derecho patriótico de amenazar a un investigador o a una persona que piensa diferente con sus propios prejuicios: "Si tanto odias a este país, ¿por qué no te vas a otro?" Estos héroes de la simplificación militarista frecuente-mente son nuevos ciudadanos que dicen venir huyendo de alguna dictadura latinoamericana donde el gobierno los amenazaba por pensar diferente. Ape-nas llegan a la tierra del ganador, se convierten en miembros del Partido de quienes se creen dueños de los países que habitan y, por si fuera poco, lo hacen en nombre de la democracia y la libertad. Claro que esta necesidad de limpieza ideológica nace de la cobardía del anonimato, del odio, de las frus-traciones personales y de una profunda ignorancia que ninguna respuesta ra-cional podría aliviar, pero de todas formas es necesario aclarar algunas palabras antes de aclarar los hechos y las ideas para evitar la trampa ideoló-gica del lenguaje que, como ninguna otra prisión, es capaz de retener a pue-blos enteros por muchas generaciones al mismo tiempo que se creen libres.

Otra de las mayores dificultades en la escritura de este libro ha sido re-sumir y eliminar cientos de páginas que tal vez podrían haber sido de alguna utilidad. Las ideas se pueden resumir en pocas palabras, pero los datos y los hechos no tanto. En honor a la mayor brevedad posible, he decidido eliminar las tradicionales notas bibliográficas y resumir la bibliografía al mínimo para no agregar otras cien páginas. Este requisito académico en nuestro tiempo es anacrónico, ya que cada dato puede ser verificado usando las herramientas disponibles de Internet. Por esta misma razón, he cuidado que cada hecho y cada momento histórico vaya acompañado de los mínimos y suficientes datos para que cualquier lector pueda verificar, ampliar e investigar más en detalle. Internet es para buscar y los libros son para entender. Si hay algo que, como lector y como investigador me molesta son las notas que interrumpen el vuelo para llevar al lector al final de un libro y obligarlo a una búsqueda retorcida para llegar a un dato innecesario, a la referencia que no lleva a las fuentes primarias, como documentos, sino a citas de otros libros de historia que luego no se pueden verificar o apenas califican como opiniones personales.

El lector también notará que casi todas las fuentes de este libro (documentos desclasificados, periódicos, sitios oficiales, otros libros) son textos en inglés. Ello se debe a que la intención original ha sido realizar una mirada exterior desde el interior. En su casi totalidad, las citas que incluyo son traducciones directas del inglés realizadas por el mismo autor de este libro y no de alguna publicación en español (que en su mayoría ni existen).

Por supuesto, no espero que este libro, como cualquier otro, esté libre de errores. Mucho menos por el hecho de haber sido escrito en unos pocos meses como respuesta urgente a una nueva tragedia que pronto será echada convenientemente al olvido. Sólo pretendo que sea entendido por algunos lectores—y que sirva en algo, aunque sea un algo mínimo, para las siempre jodidas verdad y justicia.

POR TIERRA

1820-1880

1822. El sueño americano

TEXAS, MÉXICO. 21 DE ENERO DE 1822—Con cuarenta carrozas y noventa esclavos, el próspero granjero Jared Ellison Groce cruza la frontera con México para establecerse en Brazos River, sobre la fértil franja costera del Golfo. Groce es uno de los 297 angloamericanos a los cuales el gobierno mexicano les ha regalado tierras para cultivar, honrando así el acuerdo de sus enemigos españoles con el recientemente fallecido empresario Moses Austin. De repente, Texas se convierte en tierra de libertad, pero por las razones opuestas a las que recordará la historia. Los empresarios cruzan en busca de más beneficios y de nuevas oportunidades para expandir el sistema esclavista. Los criminales cruzan para evitar las leyes del país de las leyes. "*Si no hubiese existido un lugar llamado Texas, ya me habrían colgado*", dice un inmigrante, según recordará el coronel Edward Stiff en su libro de 1840. Definitivamente, Estados Unidos no está enviando lo mejor a México.

Pero antes que los empresarios y los reos comunes, los esclavos del norte habían comenzado a cruzar la misma frontera buscando un tipo diferente de libertad. En medio de la milagrosa prosperidad de las plantaciones del norte, hace un tiempo llegó a oídos de algunos esclavos que al sur del Sur hay un país donde los negros son aceptados como refugiados. Los amos blancos aseguran que los mexicanos son bárbaros, que han decidido desafiar el orden de Dios y la civilización aboliendo la esclavitud y, por eso, este país es ingobernable. La tradición de los negros de huir a los territorios indios, cada vez más escasos y lejanos, no es nueva y muchos cruzan la frontera castellana en búsqueda de la libertad salvaje. Detrás suelen ir los exitosos granjeros del norte. La caza de negros es más cara que la presa, pero más que el valor de cada esclavo hay que evitar el mal ejemplo a cualquier precio. Si algo entendieron los fanáticos anglosajones desde el principio es el incalculable valor del mal ejemplo, por lo que no ahorraron energías en combatirlo. En las generaciones por venir, muchos darán sus vidas para exterminar el mal ejemplo en tierras y mares aún más lejanos.

Así fue como los empresarios anglos descubrieron que una de las provincias mexicanas es fértil por sus tierras, pero no por su población. Ahora el hijo de Moses, Stephen Austin, conocido como *The empresario*, ha comenzado a viajar a la capital de México para convencer a su Congreso de la conveniencia de abrir las fronteras a la inmigración estadounidense. Algún día esta práctica será conocida como *lobby*. Austin sabe que el Congreso mexicano está interesado en poblar Texas. San Antonio todavía es un pueblo pequeño, expuesto a la amenaza comanche. En Ciudad de México las opciones en debate son dos: recibir inmigrantes pobres de Europa o abrir la frontera a los granjeros ricos del norte. Como buen hombre de negocios, Austin es habilidoso y paciente. En pocos años, y luego de repetidos intentos, logra vender el Plan B como la mejor opción. Los granjeros estadounidenses habían probado (por décadas, argumenta el joven empresario) su inexplicable energía capaz de convertir una tierra despoblada, o poblada de indios, en estados prósperos, bendecidos por la cosecha abundante, el orden y la civilización. Como Moctezuma y sus consejeros les abrieron las puertas del imperio azteca a Hernán Cortés trescientos años atrás, el Congreso mexicano aprueba la propuesta de Austin.

El siguiente paso, conocido en el mundo de los grandes negocios, será pasar del sueño a la realidad. Una vez que una de las partes es inoculada con un deseo, hará todo lo posible para que se haga realidad. Austin le propone al gobernador Antonio María Martínez donarle a cada hombre anglosajón 320 acres de tierra para cultivar y 640 acres para criar ganado, con opción de 200 acres extra si trae a su esposa y otros 100 por cada hijo.[11] El gobernador accede, restringiendo el beneficio a una franja entre San Antonio y el río Brazos. Por si fuese poco, los nuevos colonos no pagarán impuestos por diez años y podrán optar por la ciudadanía mexicana a cambio de trabajar la tierra. Austin vende la idea en Estados Unidos y en los próximos quince años miles de otros colonos anglos seguirán el camino de la fiebre del oro blanco, el algodón.

Con el invento de los nuevos telares treinta años atrás, las fábricas de Inglaterra habían reemplazado a los talleres domésticos y el algodón había reemplazado la lana y el lino. Enseguida comenzaron a producirse nuevos tipos de telas (*fabrics*) a una velocidad nunca vista. Las máquinas se reprodujeron por miles y necesitaron más y más algodón. Los Estados Unidos, las colonias rebeldes, sabían cómo satisfacer esta demanda. Sobre todo, los vastos estados al sur del paralelo que separa la malaria de las incipientes

---

[11] En algunos casos se le ofrecerán tierras a 0,05 céntimos de dólar el acre, libres de impuestos por siete años, con la opción de obtener más tierras si el inmigrante anglo se casa con una mexicana.

industrias del norte tenían experiencia en la producción agrícola. Como consecuencia, el sistema esclavista, que ahora Inglaterra condena, se consolidó y se extendió como una mancha de aceite del otro lado del Atlántico, en el sur de Estados Unidos y en el norte de Brasil, gracias a las máquinas y al pragmatismo inglés.

Los campos del Sur y las ciudades del Norte prosperan como nunca antes, pero la base de la prosperidad del nuevo país fundado en los ideales de la democracia y la libertad no es el algodón sino los negros esclavos que no son una minoría excepto en el poder que los explota. Los esclavos no lo saben, pero saben que esa no es la vida que quieren vivir.

Los diarios en Estados Unidos anuncian el negocio de Stephen Austin: mil acres de tierra fértil tejana para cada granjero soltero y dos mil para cada granjero casado que estuviese dispuesto a cruzar la frontera. Con el correr de los años, el empresario logrará que se le garantice a todo granjero blanco y con ambiciones de progreso una parcela de 4.400 acres.

Demasiada tierra fértil para una familia sin esclavos. El 22 de noviembre, desde Ciudad de México, Stephen Austin le escribe a Edward Lovelace: "*El negocio de los colonos anglos va marchando. En menos de diez días salgo con todo arreglado. El único problema es el asunto de la esclavitud, que los mexicanos no van a aceptar, ya que han determinado por ley que todos los esclavos de esta tierra sean liberados en un plazo de diez años. Estoy tratando de que introduzcan una enmienda a esta ley para que los esclavos que lleguen continúen siendo esclavos de por vida y sus hijos lo sean hasta los 21 años*". Esta misma superstición de superioridad innata, de excepcionalidad mesiánica y de un radical sentido utilitario de la vida, trascenderá las fronteras de la "institución peculiar", como llamarán a la esclavitud tradicional. El 26 de diciembre, el embajador mexicano en Washington, José Manuel Bermúdez Zozaya, le informa al canciller José Manuel de Herrera: "*La soberbia de estos republicanos no les permite vernos como iguales sino como inferiores; su envanecimiento se extiende en mi juicio a creer que su capital lo será de todas las Américas; aman entrañablemente a nuestro dinero, no a nosotros, ni son capaces de entrar en convenio de alianza o comercio, sino por su propia conveniencia, desconociendo la recíproca... En las sesiones del Congreso general y en las sesiones de los Estados particulares, no se habla de otra cosa que de arreglo de ejército y milicias y esto no tiene sin duda otro objeto que el de miras ambiciosas sobre la Provincia de Tejas*".

El sueño americano de los anglos en México será todo un éxito. Para eso, el sueño de los negros fugitivos y el de los mexicanos desprevenidos deberá terminar con la Reacción conservadora de 1836 que será conocida como *Revolución de Independencia de Texas*. Continuará con el tratado de Guadalupe

Hidalgo de 1848, por el cual México perderá más de la mitad de su territorio, y nunca terminará de terminar.

La historia, especializada en olvidar, recordará los 297 jóvenes pioneros como *Los trescientos viejos* y dirá que Texas se independizó de México quince años más tarde porque los *americanos* querían establecer libertades políticas en aquel territorio deshabitado. Los estudiantes en las escuelas y en los colegios no conocerán otra descripción de los eventos. Hollywood lo confirmará en clásicos como *The Alamo* y en admirables rostros desbordantes en autoconfianza como el de John Wayne y Clint Eastwood luchando contra la dictadura del general Santa Ana y por la libertad de los individuos que componen una verdadera república. Políticos indignados, periodistas hinchados de patriotismo y hasta los nuevos ciudadanos llegados del sur, desesperados por sentirse americanos exitosos, repetirán la misma dulce y heroica historia. Ninguno dirá que la libertad perseguida por los héroes de Texas era la libertad para esclavizar a los negros y continuar la tradición de convertir a otras razas inferiores en extranjeros en su propia tierra.

Bad hombres.

1823. Carta de Alabama, Señor

MOBILE, ALABAMA. 14 DE NOVIEMBRE DE 1823—George Nixon, entre cauto y preocupado, le escribe a El Empresario, Stephen Austin: "*Creo que es mi obligación informarle que, por lo que sabemos, todos los negros de las provincias de México han sido liberados y que la esclavitud no será tolerada en ese territorio. También se nos ha dicho que usted no tiene autoridad para repartir tierras en México*". Nada peor para un vendedor de sueños que cuando el pueblo pierde la fe, por lo cual El Empresario necesita, de manera urgente, algunos signos providenciales.

Luego de muchos meses dando vueltas por los pasillos del Congreso de México, Austin había logrado que se acepte las primeras familias de Luisiana junto con sus negros en calidad de esclavos, con la condición de que sus hijos sean hombres y mujeres libres al cumplir los 14 años. La ley, aprobada a principios de este año, ha sido confirmada por el emperador Agustín de Iturbide. Sin embargo, el pasado mes de julio el mismo Congreso de ese país ha decidido prohibir la introducción a suelo mexicano de cualquier nuevo esclavo.

Aunque los católicos desconfían, aunque los anglos dirán que la futura revolución será para asegurar la libertad de su religión, los mexicanos no parecen tener mucho problema invitando a los granjeros protestantes del norte. Es más, le regalan tierras. Los blancos menos exitosos de Estados Unidos comienzan a emigrar a México en busca de la nueva tierra prometida. Texas es una provincia fértil y la mayoría prospera rápidamente en el negocio del oro blanco que llena los telares de Inglaterra.

Demasiado bueno para ser cierto. A poco de llegar, se percatan del engaño. Los negros son bienvenidos, pero no como esclavos, y los exitosos inmigrantes del norte no pueden ser exitosos sin eslavos. Alguien debe trabajar la tierra. Pero un engaño se paga con otro. Es así como, al igual que ocurriera cuando cruzaron los Apalaches y liberaron las naciones nativas, cuando los colonos cruzan la frontera cruzan con sus propias leyes. Excepto la ley que les provee de tierras gratis para trabajar, desconocen todas las demás leyes del país que los recibe. Empezando por la prohibición de poseer esclavos y siguiendo con el juramento de respetar las leyes del nuevo país que los recibe.

Como buen vendedor, Stephen Austin exagera. Le escribe a Gaspar Flores informándole haber recibido cientos de cartas desde Estados Unidos de *"gente conocida por su buen carácter"*. Sólo hay un problema. Todos están preocupados sobre el asuntito de la esclavitud que, se dice, es ilegal en México. En México, en una carta del 4 de junio, Randall Jones lamenta: *"nada sería más fácil que se reconociera de una vez por todas el derecho a la esclavitud"*.

1824. Con sus negros y otras propiedades

SAN FELIPE DE AUSTIN, MÉXICO. 10 DE JUNIO DE 1824—Stephen Austin, Jared Groce, James Cummings y Juan Coles, envían una petición formal al Congreso de México redactada por el comité formado para representar a los colonos anglos de Texas: *"Los colonos emigraron a esta tierra desde Luisiana por directa invitación del empresario Stephen Austin. Muchos de ellos trajeron con ellos a sus negros esclavos, así como otras propiedades necesarias para establecerse en esta provincia de forma permanente. Los colonos han recibido con preocupación las noticias publicadas en la Gazette que su Señoría está lista para aprobar una ley que liberaría a todos los esclavos que fueron traídos por los inmigrantes. Los colonos de Texas quieren manifestarle que no han traído a ningún esclavo con el propósito de comerciar con ellos, sino con el solo propósito de que trabajen sus tierras. De hecho, ni siquiera son africanos sino sirvientes desde que nacieron, cuya labor consiste en ayudar a sus dueños a limpiar y trabajar la tierra... Los colonos le ruegan a su Señoría tenga a bien permitir que los esclavos traídos a esta tierra continúen siendo esclavos de por vida"*.

En la capital mexicana, monárquicos y conservadores ceden ante el auge liberal y republicano. Finalmente, el Congreso aprueba la nueva constitución, un tanto radical: tanto el comercio como el tráfico de esclavos quedan prohibidos en todo el territorio nacional, sin importar de qué país procedan. Cualquier esclavo traído a México contra su voluntad debe quedar en libertad.

Las noticias sobre el idealismo humanista y las pretensiones de soberanía e independencia del nuevo país llegan al caserío de San Felipe. Stephen Austin golpea la mesa y le escribe a su amigo mexicano, Erasmo Seguín. Si quiere que la prosperidad continúe siendo tal, Seguín debe hacer lo posible para asegurar que esas leyes absurdas no lleguen a aplicarse a la provincia de Tejas. Nunca.

En San Felipe de Austin, Austin acaba de crear los temibles Rangers de Texas, conocidos por generaciones como *Los diablos tejanos*. No son muchos, apenas diez hombres sin tierras. No tienen preparación ni están muy armados, pero en materia de orgullo y convicción no les gana nadie. Tampoco representan a una población considerable. Diez años después, San Felipe, unas pocas casas a cada lado de la Calle Commercio, llegará a tener seiscientos habitantes. Pero la impronta marcada en su fundación se multiplicará como una célula madre junto con su población, inmigrantes del norte y del sur. Para cuando Texas se convierta en una República esclavista, los Rangers sumarán trescientos uniformados (de pie a cabeza como si fuesen vaqueros mexicanos o Clint Eastwood en una película italiana de cowboys filmada en España). Primero perseguirán a punta de escopeta a los indios cheroquis y comanches por su traidor apoyo a la causa mexicana. Luego, por los próximos doscientos años, en nombre de "La ley y el orden" continuarán imponiendo su ley y su orden a lo largo de todo el límite fronterizo sur, de un lado y del otro.

1825. Los esclavistas se preocupan por la libertad de conciencia

PINCKNEYVILLE, MISSISSIPPI. 16 DE ENERO DE 1825—James Phelps, a su regreso de Texas, le escribe a Stephen Austin: "*No hay ninguna otra razón que contenga más a los ricos dueños de plantaciones de Luisiana para invertir en Texas que el asunto de la esclavitud. Hemos leído con preocupación en la prensa que la República de México ha aprobado algunas leyes que impiden la introducción de negros como propiedad privada sin ninguna excepción, amenazando a quienes violen estas leyes con las formas más humillantes. También estamos informados que esa república ha decidido emancipar a todos los esclavos, hoy en propiedad de los colonos de Texas, así como cualquier otro negro esclavo que pise territorio mexicano*".

También recibe una carta del adinerado algodonero Charles Douglas, fechada en Alabama el 15 de febrero de 1825, preocupado por la obstinación del gobierno mexicano contra la esclavitud (lo cual no incentivaría la llegada de los algodoneros más ricos, asegura) y por su dudoso compromiso con la tolerancia de distintas religiones y *"la libertad de conciencia"*. Cuatro años después, desde Veracruz, el 25 de abril de 1829, el mismo Douglas le volverá a escribir reflexionando sobre la diferencia entre la libertad de los blancos y el libertinaje de los negros, entre el buen gobierno de los estados esclavistas y la desgobernanza de los países del sur: *"nuestros habitantes más valiosos son los negros, y ningún propietario estadounidense está dispuesto a mudarse a México si antes no se le garantiza el derecho a la propiedad"*.

El 24 de julio, el tejano Juan Seguín, futuro héroe de la guerra de Independencia de Texas y luego expulsado de su propia tierra por mexicano, le escribe a Stephen Austin: *"Amigo, entiendo que no puedas convencer a tus compatriotas para emigrar a Texas si no les dejamos traer a sus esclavos. Pero ese argumento no es ni siquiera escuchado en nuestro congreso nacional"*.

Los funcionarios de aquel país bárbaro descubren que los inmigrantes reciben tierras mexicanas e imponen sus propias leyes. Los esclavos aumentan en número cada día. Al principio, las autoridades se limitan a notificar el hecho. Insisten: en esta tierra es ilegal tener esclavos. Los inmigrantes continúan con su negocio y las advertencias se vuelven molestas. El 4 de junio, Randall Jones le escribe a Austin palabras proféticas: *"Esta provincia debe poblarse lo más rápido posible de forma que, en cierto momento, la mayoría logre imponer la esclavitud"*. Mientras tanto, los inmigrantes del norte envían cartas prometiendo obedecer las leyes de México, pero una vez del otro lado olvidan sus promesas. Las leyes del país que los recibe y les regala tierras son absurdas, injustas, contrarias a la naturaleza y la propiedad.

Quince años más tarde, en 1840 el coronel Edward Stiff publicará sus memorias *The Texan Emigrant*, en las que reconocerá que *"estamos tan orgullosos de nuestro trabajo y exigimos el derecho a secuestrar y esclavizar a los demás de por vida, sobre todo aquellos que tienen otro color, para que se distingan de nosotros y queden sometidos a esclavitud por su apariencia; queremos negros y sólo un ciego no puede ver que nos importa un carajo como los tratamos; como buenos ciudadanos y como descendientes de aquellos que odian la sola presencia de un negro como la de un sacerdote católico, nos tomamos la libertad de declarar que si no se nos permite esclavizar a esos hijos de África, descendientes de Caín, a sus hijos y a los hijos de sus hijos, y si además no se nos permite el derecho de rezarle al Creador según nuestra tierna libertad de conciencia, tendremos por lo menos dos buenas excusas para rebelarnos"*.

1826. Todos los hombres nacen iguales

COAHUILA-TEXAS, MÉXICO. JULIO DE 1826—Los representantes reunidos en Saltillo continúan las discusiones del Congreso nacional. Liberales y conservadores se demoran en viejas disputas. Los conservadores desconfían de los nuevos inmigrantes anglos; los liberales admiran la república del norte, pero algo no les cierra. Todos sufren de la misma perplejidad que invadió a Simón Bolívar cuando el 10 de enero de 1807 llegó a Charleston, Carolina del Sur, para visitar por unos meses la tierra de sus admirados revolucionarios del norte. Pero el bochornoso espectáculo que vieron sus ojos no tenía nada que ver con las declaraciones de igualdad y libertad del país de las leyes. En su lugar, habían visto uno de los mayores centros de tráfico de esclavos que contradecía todo lo demás y que los ojos de sus prósperos habitantes no podían o no querían ver.

Thomas Jefferson se había hecho ciudadano francés antes de ser presidente de Estados Unidos y todos los demás fundadores tenían, de alguna forma, una profunda admiración por los filósofos de la Ilustración y, en particular, por la cultura francesa. Las ideas de Jefferson, como la de los otros fundadores, no sintonizaban mucho con el resto de la población anglosajona, al extremo de que, luego de muerto, sus libros fueron prohibidos en muchas bibliotecas bajo la exagerada acusación de ser ateo. La idea de crear un muro impenetrable que separase gobierno de religión era demasiado radical. Sin embargo, esta elite fundacional compartía con el resto la desgracia del racismo y de la doble vara. El genio de Benjamín Franklin no quería una inmigración que no fuese blanca y anglosajona. El sabio de Thomas Jefferson no sólo abusó de una menor a la que hizo madre varias veces, sino que, además, nunca la liberó por ser mulata. La hermosa esclava, Sally Hemings, era la hija ilegítima de su suegro con otra esclava. Sobre todo, a partir de la nueva Era (del orgullo por la ignorancia propia y por el desprecio ajeno) iniciada por Andrew Jackson, el asco por los indios, por los chinos, por los mexicanos y por los irlandeses (antes que se conviertan en blancos asimilados) completará el mapa del desprecio y del despojo a todo lo que no sea anglosajón y protestante. La hermosa frase "*We the people*" asumía, de hecho, que con eso de "el pueblo" no se referían ni a los negros, ni a los indios, ni a los híbridos mexicanos, ni a nadie que no perteneciera a la raza de los fundadores. Pero Jefferson estaba en lo cierto cuando dijo que "*la tierra les pertenece a los vivos, no a los muertos*".

Desde su banca, un representante de Coahuila lee en voz alta el párrafo de la Declaración de Independencia del próspero vecino: "*Nosotros creemos que son verdades evidentes en sí mismas, que todos los hombres nacen iguales y son dotados por el Creador de ciertos derechos inalienables, como lo son la Vida, la Libertad y la búsqueda de la Felicidad. Creemos que para asegurar estos derechos se instituyeron entre los hombres los gobiernos, derivando sus justos poderes del consentimiento de los pueblos que gobiernan. Creemos que siempre que alguna forma de gobierno atente contra estos fines, es de derecho de sus habitantes cambiarlos o abolirlos...*"

Se hace un silencio que traspasa la gran sala como la luz que se filtra en los arcos y se refleja en las partículas de polvo. No dura demasiado. Alguien grita: "*Hipócritas*". Liberales y conservadores parecen coincidir en algo, pero todo lo demás los separa y los distrae. Cuando despierten de sus disputas internas, será demasiado tarde.

La justicia tiene una espada en su mano, pero es ciega.

1826. ¿Dónde está el derecho, la ley y el orden?

SAN ANTONIO, TEXAS. JUNIO DE 1826—Antonio Saucedo, jefe político de Texas, recibe una carta del holandés Baron de Bastrop, representante en el Congreso de Saltillo bajo el nombre de Felipe Enrique Neri. Es una copia del borrador de la nueva constitución del Estado. Saucedo la lee con preocupación y, luego de pensarlo unos días, se la reenvía a El Empresario. Stephen Austin aprieta los labios mientras escucha la lenta traducción de la carta del único representante de Texas en el congreso de México. El Artículo 13 es una promesa de ruina inmediata: "*El Estado prohíbe de una vez y para siempre la esclavitud en todo su territorio. Todo esclavo residente en el territorio será puesto en libertad desde el momento de la publicación de esta constitución...*"

El maldito Artículo 13 es obra de los liberales con la complicidad de los conservadores, que no se fían de las buenas intenciones de los pálidos inmigrantes del norte. Su autor, Manuel Carrillo (piensan los anglos perjudicados), aunque admirador del sistema federal de Estados Unidos, es un liberal radical, enceguecido por una ideología foránea de moda en Europa, alejada de toda realidad y alejada de las demandas comerciales de esa misma Europa hipócrita. El inversionista en bienes raíces Baron de Bastrop advierte que, de fracasar sus intentos por bloquear este artículo, Texas se arruinará, los negros no sólo se convertirán en hombres y mujeres libres, sino que, además, se les otorgará la ciudadanía mexicana.

Para agosto, casi todos los hombres de Austin habían leído la carta de Bastrop. La indignación de cada uno fue en aumento con el número de propietarios rurales y de empresarios que se enteraban de su contenido. Austin recibe otra lluvia de cartas de los colonos que saben escribir. Uno se lamenta: "*Condenan a nuestros hijos a un futuro de pobreza*". Otro: "*¿Dónde están el derecho, la ley y el orden que nos prometió?*" Los colonos anglos juran no ceder ante la posible pérdida de sus derechos. El primero de todos, el derecho a la propiedad, el que incluía las nuevas tierras, caballos, mulas, mulatas y negros. El 11 de agosto, Jesse Thompson le escribe a Austin: "*Querido amigo: he estado disfrutando de la vida, como cualquier hombre en esta tierra. Hasta que recibí la desagradable noticia de que el gobierno de México había prohibido la esclavitud en esta provincia. Estoy arruinado, por donde lo mires. Todavía albergo alguna esperanza de que las cosas no sean como parecen...*"

El coronel José de las Piedras, encargado militar de Nacogdoches, reconoce que el Artículo 13 podría iniciar una revuelta. Piedras reporta con objetividad: "*La colonia del señor Austin nació gracias a la esclavitud y, sin esta, no sería nada*". Los indignados son todos anglos inmigrantes. Los informados son todos inmigrantes anglos. Sólo los blancos leen el borrador de la nueva constitución que establece la libertad de los negros. Los negros nunca se enteran de la nueva ley. No saben leer. Aunque hablan inglés, no pueden escuchar. No pueden saber. No pueden pensar. No pueden nada, dicen, porque son negros.

Luego de la indignación inicial por el Artículo 13, comienzan a escucharse algunas voces moderadas. En el congreso de México, surgen mediadores. Una abolición progresiva de la esclavitud en Texas, dicen algunos, sería más conveniente que la propuesta por los liberales de Carrillo.

Los diarios en Estados Unidos reflejan el pánico de los colonos en Texas. La *Arkansas Gazette* habla de independencia. Con la excepción de un puñado de periódicos del extremo norte del Norte, todos están de acuerdo y se dedican a construir la idea y la costumbre de la idea. Para los colonos, cada vez está más claro: si se aprueba el Artículo 13, habrá una sola forma de recuperar la libertad: la independencia. Austin es un hombre pragmático e intenta calmar los ánimos y una catástrofe. Hay que seguir el camino del medio. Por el momento, esperan que el artículo no se apruebe. Por el momento, planean demandar al gobierno de México por 500.000 dólares (13.000 millones a valor de 2020) en concepto de "*reparación de daños a la propiedad*" si pierden sus esclavos o si tienen que pagarles un salario de negros libres.

Finalmente, en México, se acuerda enmendar el proyecto original. Ahora, el Artículo 13 sólo reconoce la libertad de vientre con algunas condiciones. Los hijos de esclavos serán libres, pero no sus padres, quedando prohibida la importación de más esclavos que no puedan ser liberados.

Austin es un moderado, pero no pierde tiempo. Luego de ganar tiempo y concesiones en el Congreso, irá por más. Fácilmente logra ponerse a los tejanos propietarios de su parte. La alianza entre anglos y tejanos no se romperá hasta que Texas se independice diez años más tarde. Entonces, los rancheros tejanos se convertirán, antes que se den cuenta, en mexicanos invasores, en extranjeros en su propia tierra y, como tales, serán expulsados o desprovistos de sus propiedades.

1826. La libertad de unos para esclavizar a otros

NACOGDOCHES, TEXAS. JUNIO DE 1826—El presidente mexicano Guadalupe Victoria anula el contrato por el cual se le había otorgado tierras a Haden Edwards, inmigrante de Misisipi, el cual es deportado a Estados Unidos. Edwards es acusado de haberle quitado de forma ilegal las tierras concedidas a otro inmigrante. No se menciona su costumbre de tomar las tierras de los rancheros más pobres que hablaban español, quienes las habían ocupado sin documentos por incontables generaciones. Edwards no es bienvenido a Coahuila y Texas, ni siquiera por sus compatriotas del norte y jura vengarse de su acusador, el alcalde Samuel Norris.

Edwards tiene la misma imaginación empresarial que Stephen Austin. Se queda. Pero no se esconde en ninguna granja ni se esconde de ninguna ley escrita por déspotas mexicanos. No acepta ni las leyes ni las órdenes de una raza inferior. Agacharse sobre la tierra para vivir de un salario no es digno de su nombre. Para ganar 400 soldados, le ofrece a la tribu cheroqui títulos de propiedad de la tierra que ocupaban. Tiene dos caballos. Consigue otros seis. Alguien le presta once dólares. Un granjero de Cuero, que conoce en una taberna de Sublime, le da tres dólares a cambio de un trago y de una promesa que ya no recuerda. Cinco caballos más y tres colonos sin tierra (dos de Misisipi y tres de Luisiana) se unen al grupo en un bar de Alto.

El 22 de noviembre, 32 de sus hombres arrestan al alcalde Samuel Norris. Luego se deshacen del jefe de la milicia mexicana, José Antonio Sepúlveda, y atacan Nacogdoches. Sus muchachos vencen y Edwards nombra a su yerno como alcalde del pueblo. Acto seguido decreta la creación de la República de Fredonia el 21 de diciembre.

Stephen Austin teme que sus negociaciones en México fracasen debido a esta aventura precipitada e intenta mediar con Edwards para que desista de su plan. Edwards lo manda al carajo. Ante un grupo de casi cien patriotas, el 21 de diciembre, proclama y promete *"liberar al pueblo del yugo despótico, imbécil y sin fe del gobierno mexicano, erróneamente llamado República"*. Su bandera roja y blanca incluye la leyenda fundacional: "INDEPENDENCIA, LIBERTAD Y JUSTICIA". Como lo temía Austin, el gobierno mexicano expulsa por la fuerza a Edwards y decide reducir el flujo de inmigrantes estadounidenses, pero las nuevas leyes no impedirán la inmigración ilegal.

No todos los diarios en Estados Unidos se solidarizan con la causa anglo en Texas. En abril de 1827, el *New York Observer* denunciará que la proclamación de independencia de Fredonia "*sólo defiende la libertad de unos para esclavizar a otros*".

Fredonia estaba destinada a desaparecer. Todos querían ser gobernadores. De cualquier forma, su ejemplo y su moral sobrevivirán en la nueva República de Texas. Es más: su ejemplo sobrevivirá por algunos siglos más.

1827. La esclavitud, una razón humanitaria

SALTILLO, MÉXICO. 11 DE MARZO DE 1827—A las 10 de la mañana, el Congreso del Estado de Coahuila y Texas aprueba el controvertido proyecto constitucional con algunas modificaciones. La nueva constitución, más moderada que su proyecto original, en sus artículos 11 y 13 establece que "*en el estado nadie nace esclavo desde que se publique esta Constitución en la cabecera de cada partido, y después de seis meses tampoco se permite su introducción bajo ningún pretexto*". Aunque todavía radical, el texto significa un triunfo parcial de los anglos en Texas: los negros que nacieron en otro territorio pueden seguir siendo esclavos en México hasta que se mueran, es decir, no mucho más allá de la vida productiva de un esclavo. Pero, por otro lado, no deja lugar al desarrollo y la prosperidad de sus hijos.

Momento de ir por más. Pronto, descubren un nuevo argumento: la esclavitud debe ser extendida a los mal nacidos por "razones humanitarias". El empresario Stephen Austin tiene un plan. Piensa que puede convencer a los legisladores mexicanos otra vez: la prohibición de importar esclavos, dice, no es humana. Su hermano James Elijah Brown Austin le escribe con vehemencia apoyando su argumento: si de verdad la intención de México y del Artículo 13 de la constitución del estado de Texas es luchar contra la esclavitud, lo mejor que pueden hacer es subir la edad de liberación de catorce a veinticinco años y permitir la importación de esclavos de Estados Unidos. De esa forma, los hijos de los esclavos podrían aprovecharse de las generosas leyes mexicanas y se convertirían en negros libres, algo imposible en la gran democracia del norte. ¿Qué mejor forma de servir una causa humanitaria? pregunta Stephen F. Austin.

El argumento de Austin suena razonable, por lo cual se arriesga a más: los hijos de esclavos deberían ser premiados con la libertad y la ciudadanía sólo cuando hayan cumplido los veinticinco años. De esta forma, serían entrenados en las técnicas y los hábitos del trabajo que, de otra forma, les sería imposible adquirir. Si se declara a cada negro libre por el solo hecho de nacer, serán parte de una creciente población de vagabundos. Los negros, piensa El Empresario y nadie cuestiona, nunca, jamás alcanzarán el estatus social de ningún blanco. Por lo cual, "*la esclavitud es su mejor escuela*".

Austin será recordado por siglos con el nombre de una gran ciudad.

1830. Pobres doncellas, blancas e indefensas

SAN FELIPE, TEXAS. 16 DE JUNIO DE 1830—Con una tradicional imaginación pornográfica, Austin le escribe a Richard Ellis desde la ciudad que unos años después llevará su apellido, sobre la terrorífica posibilidad de que la ley mexicana se cumpla y los esclavos sean liberados a la fuerza: *"Supongamos que vas a estar vivo para cuando los negros sean libres y que para entonces tendrás una familia adorable con esposa, hijas y nietas y bisnietas. El futuro de esas pobres criaturas será terrible... Si Texas es administrada con sabiduría y prudencia, será salvada de este destino, tal como lo he demostrado basado en pura matemática. De esta forma, los blancos podrán encontrar un refugio en México, sin tener que emigrar a las regiones gélidas del norte. Hablar con un esclavista americano sobre humanismo y justicia social, es como hablar con un sordo, pero no creo tampoco que alguien quiera vivir en ese futuro escalofriante que acabo de describirte al principio".*

En una carta enviada a su hermana, Stephen Austin recuerda la revuelta de Haití en 1804 y advierte, mucho antes del nacimiento de la pornografía comercial, lo que podría pasar con Texas, con las esposas, las hijas y las nietas de los colonos blancos. Luego, recayendo en la doble identidad, característica central del enmascarado superhéroe anglosajón, el empresario Austin se convierte en el hombre Stephen y el 17 de junio le escribe a S. Rhoads Fisher: *"Mi ambición es y ha sido siempre sentar las bases para la prosperidad de Texas. No creo que eso se pueda lograr con alguna unión con Estados Unidos, ya que ello implicaría la esclavitud en esta hermosa región, que puede convertirse en el Edén de América. Así como el Diablo entró en el jardín del Edén en forma de una serpiente, así ocurrirá si se le permite entrar a Texas en forma de negros. Hemos sido bien tratados por el gobierno de México y estamos obligados por nuestros juramentos a ser fieles a él. Prefiero perder mi vida antes de faltar a esa obligación o no cumplir con mi deber de ciudadano mexicano".*

Tres años después, el 30 de mayo de 1833, le escribirá a Wiley Martin desde Matamoros: *"El principio de una Texas esclavista nunca me convenció del todo. Sin embargo, en los últimos seis meses he cambiado mi forma de pensar al respecto: aunque mis ideas abstractas siguen siendo las mismas, creo que Texas debe convertirse en un Estado esclavista. Las circunstancias lo demandan. Si ese es el deseo del pueblo, es mi obligación ejecutarla lo antes posible. Y sí que lo haré..."*

Una vez más, el pueblo es *the people*. Los demás son animales con formas humanas y piel oscura.

1835. Nos atacaron primero

BRAZORIA, TEXAS. 20 DE JUNIO DE 1835—Las autoridades mexicanas detienen el navío estadounidense Martha por entrar sin autorización a sus aguas nacionales y el diario *Texas Republican* titula este acto, como será la tradición de los siglos por venir, como "*La acción de piratería más indignante jamás cometida*". Quien gana la guerra semántica gana las demás guerras.[12] En setiembre, en Luisiana, Thomas McKinney, usando su propio velero, captura el Correo de México. McKinney, en sociedad con Samuel May Williams, ha hecho algunas inversiones en Galveston y ha donado 99.000 dólares (tres millones en 2020) para la causa de la Independencia de Texas. Pocos años después, se convertirá en uno de los hombres más ricos de la nueva república.

Las gestiones en aquella provincia no habían resultado del todo amigables. Por más de una década, el famoso empresario Stephen Austin había intentado convencer al gobierno y al congreso mexicano de la necesidad de una excepción legal para permitir la esclavitud en Texas. Cuando el optimismo de los nuevos inmigrantes anglos había renacido con algunas concesiones humanitarias por parte de México, el 15 de setiembre de 1829 el presidente mulato, Vicente Guerrero, cansado de la abolición gradualista, de las ceremonias en las plazas liberando esclavos, había decidido que ya no más, que ya no se iba a tolerar ni un solo esclavo en la república mexicana. O se aplicaba la misma ley a todos o todos los discursos carecían de valor. La liberación debía ser sin demoras y las compensaciones a los propietarios anglosajones se haría en la medida de la disponibilidad de los recursos. Por otras razones, el mulato llegado a la presidencia por la fuerza (es decir, saltándose los sagrados votos de la oligarquía criolla), había durado menos de un año en el poder. Fue ejecutado por los conservadores. Unos años después, el gobierno lo declarará héroe nacional y, más tarde, cuando ya nada importe, se nombrará un estado en su honor.

Mientras liberales y conservadores luchaban por el poder en México, Stephen Austin seguía su trabajo persuasivo en nombre de la pragmática y la realpolitik. Algunos mexicanos estaban preocupados porque los nuevos inmigrantes no eran católicos y se olvidaron del tema de la esclavitud. Querían poblar Texas y querían ser tan prósperos como sus vecinos del norte, pero sin esclavos no había éxito ni había inmigrantes blancos. Un representante de

---

[12] *La narración de lo invisible / Significados ideológicos de América Latina* (2005)

Yucatán, Lorenzo de Zavala, había propuesto una excepción temporal para Texas, como lo quería Austin y sus hombres, para que los nuevos inmigrantes anglos pudiesen realizar una transición gradual del sistema esclavista a uno libre de esclavos. Austin había respirado. Algo es algo. Al fin alguien razonable en el Congreso. Pero el resto de los legisladores no lo entendieron tan razonable. *"La esclavitud es un abuso intolerable"*, había dicho un representante llamado Francisco García, exigiendo que se elimine esa institución de una vez por todas a nivel nacional. El representante de Guanajuato, Juan Ignacio Godoy, se había atrevido a definir esa cosa de la esclavitud de los nuevos inmigrantes, como si fuese un derecho de propiedad, como algo *"repugnante ante cualquier razón humana"*.

La excepción tejana nunca fue aprobada. Mucho menos cuando México se embarcó en otras luchas intestinas entre centralistas y federales. El país se debilitó hasta caer de rodillas y, cuando la opción federal que podría dar alguna esperanza a los tejanos y anglos blancos se diluyó en el aire, la solución para los empresarios estadounidenses estaba más que clara: *"Libertad política para Texas"*.

Para el otoño de 1935, los rebeldes anglos toman posesión de vastos territorios y establecen un Consejo General. El nuevo Consejo emite un impuesto de un dólar por cada negro esclavo mayor de catorce años. Luego aprueba una ley prohibiendo la inmigración de negros libres para prevenir *"la introducción de insatisfacción y desobediencia en la mente de los esclavos honestos y contentos"*. Cualquier persona con algo de sangre negra que se atreva a entrar a Texas deberá ser vendida como esclava mientras que cualquier blanco que transite con negros libres a la República de Texas será penalizado con la cárcel y 5.000 dólares de multa (155.000 dólares en 2020). El nuevo Consejo, con supuestas potestades de Congreso, también prohíbe que cualquier propietario tenga un momento de debilidad diabólica y libere a sus esclavos. Miles de esclavos continúan huyendo a México, entre ellos el negro Tom, propiedad del futuro héroe y presidente de la República de Texas, Sam Houston. Tom se unirá al ejército mexicano para luchar contra "la libertad de Texas".

Mientras tanto, varios comerciantes de New Orleans envían 100.000 dólares en préstamos para la causa tejana (2,9 mil millones a valor de 2020). Thomas McKinney negocia un préstamo de 20.000 de los bancos de Luisiana y el gobierno Revolucionario interino de Texas envía a McKinney y a Samuel Williams para asegurarse otros 100.000 dólares en fondos de guerra a cambio de las cosechas de algodón. Nueva Orleans se llena los bolsillos de algodón tejano y Texas recibe dólares y barcos de guerra de Nueva Orleans para asegurar la Revolución libertadora en México. Para que no queden dudas de la decencia de los revolucionarios, el nuevo Congreso decide, de forma explícita y para los siglos que vendrán, que nunca, jamás nadie en dicho territorio cuestione, ni de palabra, la institución sagrada de la esclavitud, valor fundacional de la nueva república.

La rebelión y la independencia de Texas es todo un éxito. La mitad del nuevo congreso tejano que decide la secesión había llegado a esa tierra dos años antes. La totalidad eran anglos y tejanos, es decir, blancos ricos o pobres del norte y rancheros ricos del sur. Cuando la gloriosa independencia de Texas se haga realidad, los amigos tejanos se convertirán, de un día para el otro, en enemigos invasores. El color de su piel y su idioma serán pruebas más que suficientes. Muchos serán despojados de sus ranchos y deportados "a su país de origen", como corresponde en un país donde se respetan las leyes.

Las nuevas leyes de Texas reestablecerán la decencia y la normalidad. En la constitución de 1936 se dejará en claro que la esclavitud es una institución sagrada, civilizatoria y necesaria para cualquier prosperidad. Los historiadores dirán que la esclavitud no fue un factor relevante en la independencia de Texas, que Texas se independizó debido a una "insalvable diferencia cultural" con el resto de México. Algunos disidentes estarán de acuerdo: además de los tacos al pastor que serían inventados por los inmigrantes libaneses más de un siglo después, además de los mariachis que todavía no existían, la cultura del racismo, la avaricia y la arrogancia eran diferentes suficientes, si no en su naturaleza al menos sí en su grado de intoxicación.

1836. Al fin, libres del yugo mexicano

NEW BERN, CAROLINA DEL NORTE. 13 DE MAYO DE 1836—En su primera página, el semanario *Newbern Spectator and Political Register* informa sobre los hechos conocidos por entonces, que condujeron a la rebelión en Texas: *"Los colonos anglosajones no solo fueron autorizados a tomar grandes porciones de tierra, sino que además fueron autorizados a llevar todos los artículos necesarios para la producción… Así, importaron armas, municiones y esclavos, aunque estos habían sido prohibidos por la constitución y las leyes del Estado y del Gobierno nacional de México… El gobierno de Estados Unidos hizo una oferta para comprar Texas, la cual fue rechazada por el gobierno de México… Entonces, los colonos comprendieron que la opción era hacerse fuertes hasta lograr separarse de aquel país y así poder perpetuar la esclavitud. Por esta razón se aceleró el proceso de inmigración de americanos sureños, aun a pesar de una prohibición de la ley mexicana que había decidido suspender su ofrecimiento".*

Dos notas aclaratorias al pie mencionan, con algunos errores, que 1: *"Hace un año se distribuyó un panfleto aclarando que 'en Texas los habitantes son libres y están satisfechos de su condición y no desean más. Texas es una república libre, tanto como lo es Estados Unidos. La gente elige y decide sus propias leyes* '". El *Arkansas Gazette*, en 1830 había publicado que, pese a que la tierra produce y están exentos de pagar impuestos, "*los colonos estadounidenses en Texas pronto se liberarán del yugo del gobierno mexicano, lo cual, sin dudas, harán tan pronto como encuentren una buena excusa para hacerlo*". 2: "*Los habitantes de México, casi sin excepción, están en contra de la esclavitud. El régimen ha sido abolido en todo el territorio, a excepción de Texas, desde que se aprobó la Constitución de 1824... Años más tarde, representantes de los colonos de Texas fueron enviados al Congreso para explicar que los esclavos, personas extremadamente ignorantes, no podían ser puestos en libertad*".

En 1830, la *Ley de remoción de indios* (aprobada en Washington de forma unilateral y violando todos los tratados anteriores) hizo posible la aceleración del despojo de los vastos territorios indios. En su cuarto mensaje anual del 4 de diciembre de 1832, el presidente Andrew Jackson lo reconoció en un discurso triunfal ante el Congreso y explicó las razones: "*Sin duda, el interés de la República es que las nuevas tierras sean ocupadas lo antes posible. La riqueza y la fuerza de un país radica en su población, y la mejor parte de esa población son los granjeros. Los agricultores independientes son, en todas partes, la base de la sociedad y son los verdaderos amigos de la libertad... Los indios fueron completamente derrotados y la banda de descontentos fue expulsada o destruida... Aunque debimos actuar con dureza, fue algo necesario; nos agredieron sin que nosotros los provocásemos, y esperamos que hayan aprendido para siempre la saludable lección*".

Con el despojo de los territorios indios no sólo se hinchó las arcas del Tesoro en Washington, sino que se hizo posible la expansión de la esclavitud hacia el oeste, "institución peculiar" a la que los salvajes no eran afines. Ahora le toca a México. De paso, los nuevos territorios indios habían servido para expandir la esclavitud de los africanos y sus descendientes, los trabajadores más productivos de los agricultores independientes y amigos de la libertad. Por las mismas razones, por los mismos métodos y por los mismos resultados ahora, seis años después, se repite la misma historia sobre territorio mexicano.

El abogado de Tennessee, George Childress, es el encargado de redactar la Constitución del nuevo país. Como miles de otros anglos, el 13 de diciembre de 1835 Childress había cruzado la frontera de forma ilegal, según el reciente tratado de 1830. La convención constitucional, formada en su mayoría por inmigrantes ilegales llegados a México en los últimos dos años, aprueba el borrador el 2 de marzo y el 16 la constitución es ratificada. La esclavitud, sagrada institución del orden y la civilización y razón central para la "lucha por la libertad", ahora está garantizada por la carta fundadora de la nueva república. En la sección General Provision, Sección 9, la primera constitución de Texas salda la vieja discusión: *"El Congreso no podrá aprobar ninguna ley que prohíba a los inmigrantes de los Estados Unidos de América traer consigo a sus esclavos a la República y mantenerlos bajo las mismas condiciones en las que se encontraban retenidos en los Estados Unidos; El Congreso tampoco podrá emancipar esclavos; Tampoco se permitirá a ningún esclavista emancipar a su esclavo o esclavos, sin el consentimiento del Congreso, a menos que envíe a su esclavo o sus esclavos fuera de los límites de la República. A ninguna persona libre afrodescendiente, total o parcialmente, se le permitirá residir de forma permanente en la República sin el consentimiento del Congreso".*

El 22 de octubre, en su discurso inaugural como primer presidente de la República de Texas, Sam Houston volverá a la tradición de negar la realidad con la fuerza fanática y arrolladora de la ficción política que se repetirá por los próximos doscientos años: *"Nuestros enemigos se han opuesto a todos los principios de la guerra civilizada: la mala fe, la inhumanidad y la devastación marcaron su camino de invasión. Nosotros éramos pocos, luchando por la libertad; ellos eran miles, bien equipados y aprovisionados, procurando encadenarnos o expulsarnos de nuestras tierras. Sus crueldades han provocado la denuncia universal de la cristiandad".*

Por fin la gente decente obtiene la libertad de esclavizar a las razas inferiores y quedarse sin condiciones con las tierras regaladas. En 1845 Texas se unirá a Estados Unidos doblando el brazo del Congreso en Washington a favor de los proesclavistas. Cuando veinte años más tarde los esclavistas pierden la guerra política y cultural, Texas y otros estados del Sur declararán su independencia de Estados Unidos y la defenderán con una sangrienta guerra civil. Siempre por las mismas razones.

Childress no tendrá tanto éxito como abogado. Cinco años después, acosado por un magro ingreso y por sus propias ideas sobre el fracaso, se suicidará cortándose las tripas con un cuchillo. Al menos no murió de diarrea, como los presidentes estadounidenses que tomarán medio México unos años después.

1837. En realidad, fuimos atacados primero

WASHINGTON DC. 19 DE ENERO DE 1837—A dos meses de dejar la Casa Blanca, el presidente Andrew Jackson resuelve: *"La seguridad de nuestra nación es la ley suprema. Si Gran Bretaña alcanza un acuerdo con los tejanos, como parece de sus negociaciones, entonces estaremos expuestos a sus intrigas diplomáticas. Traerán sus ejércitos y comenzarán a incitar a los negros en nuestra contra y luego a los indios para que se rebelen. Todo lo que nos costará ríos de sangre y cientos de millones de dólares. Texas debe ser nuestra por razones de seguridad nacional. Debemos tomarla por las buenas, si podemos, o por las malas si es necesario".*

Hasta entrado el siglo XXI, los historiadores patriotas no aceptarán que la disputa por la esclavitud pudiese ser un factor determinante en la independencia de Texas. La base del éxito, de la prosperidad y de casi toda la economía de Texas tiene un nombre: esclavitud, explotación salvaje del prójimo. Pero este es un detalle, como que la lluvia moja y la muerte mata. Según estos historiadores de radio y televisión, la razón es cultural: la nueva cultura anglosajona de los inmigrantes y la cultura anterior de los mexicanos no pueden convivir juntas como el aceite y el agua no se mezclan, como la raza anglosajona no se puede mezclar con ninguna otra inferior. Si por razones del bajo instinto se mezclan, el producto queda sometido a esclavitud. La independencia de Texas es otro frente de la lucha por la libertad del país de Jefferson y de Jackson. Libertad de oprimir, libertad de esclavizar a otros, libertad de tomar tierra fértil, libertad de extraditar a los nativos, a los indeseados, a los feos.

Desde Texas hasta California, el cowboy se convierte en símbolo de la libertad y representación viva del verdadero americano. Así lo creerán los estadounidenses y así lo verá el resto del mundo. Las novelas y las películas terminarán por completar este personaje de ficción cien años después. Clint Eastwood le volará el sombrero de un hombre malo con un solo disparo, mientras escupe a un costado o enciende por centésima vez su cigarro y mira al horizonte con su cara sin afeitar y una calma que nadie ha visto por estas tierras.[13] Pero el cowboy no es otro que el inmigrante anglo que, al cruzar la frontera mexicana en busca del sueño americano, adopta muchas de las tradiciones de ese país. México se le filtra en el acento del inglés que habla, en los pantalones que usa, en el revólver, en el sombrero, en toda la cultura del ranchero mexicano que ni los colonos ni los Padres fundadores de Estados Unidos hubiesen reconocido como propia. El cowboy es el ranchero mejicano expulsado de sus tierras por no aceptar las leyes esclavistas que traía su invitado del norte. Es el inmigrante ilegal de cara pálida y con la mirada firme de quienes se creen los elegidos de Dios. Es el hijo blanco de la mexicana india

---

[13] Por si fuese poco, la película icónica que elevará a Eastwood y Lee Van Cleef a categoría de iconos estadounidenses, será *Il buono, il brutto, il cattivo* (*The good, the bad the ugly*). La película más americana del lejano Oeste será dirigida por el italiano Sergio Leone (incapaz de hablar más de cuatro palabras en inglés), el escenario será Italia y España y la música, la más reconocida del género Western, será creada por otro italiano, Ennio Morricone.

o criolla, el hijo de ojos claros que habla inglés y que se avergüenza de su madre y la expulsa de su propia tierra.

El 21 abril de 1936, las fuerzas de Samuel Houston habían logrado un triunfo decisivo en la Batalla de San Jacinto. El ejército mexicano había sido sorprendido pasada las cuatro de la tarde en medio de la siesta. El asalto duró 18 minutos y los vencidos fueron linchados, degollados o ejecutados mientras gritaban "*me* [yo] *no Álamo*". Pocos lograron escapar. Los muertos son más de seiscientos mexicanos y solo nueve estadounidenses. Pocos se salvaron de la matanza por su utilidad, como el general Santa Anna, presidente actuante de México. Una victoria aplastante y decisiva para la toma de Texas.

Sin embargo, la batalla elevada a categoría de mito no será esta sino la que tuvo lugar un mes antes en la misión de El Álamo. En esta batalla murieron doscientos estadounidenses y quinientos mexicanos, pero las enciclopedias destacarán la brutalidad de las fuerzas mexicanas y el deseo de justicia de las fuerzas ocupantes que justificarán la matanza de mexicanos en San Jacinto. Todos los países necesitan tragedias nacionales y victorias exageradas, pero Estados Unidos necesita una larga serie con el mismo tema: *luchamos por la libertad, fuimos atacados primero y nos defendimos*. "RECUERDA EL ÁLAMO" será el leitmotiv central de una larga serie que continuará con muchos otros emotivos llamados a la memoria, como el "RECUERDA EL MAINE" (1898) o "NUNCA OLVIDAREMOS" (2001).

Miles de artículos y libros se escribirán sobre la heroica defensa de El Álamo, una más fantástica y conveniente que la otra. En 1960 se estrenará la película *The Alamo*. Según esta mitología, los heroicos cowboys que luchaban por la libertad habían sido masacrados por las fuerzas mexicanas. De la lucha por la esclavitud, ni una palabra. El celebrado músico y actor Samuel George Davis Jr. le solicitará a John Wayne el papel de un esclavo en la película, pero los productores se opondrán porque Davis Jr. estaba de novio con la sueca May Britt, una actriz blanca con la que se casó dos días después de las elecciones de 1960.[14] El productor y director de *El Álamo*, John Wayne, ícono del cine americano y conocido por su desprecio por los negros, "*irresponsible people*", en una entrevista publicada por la revista *People* en mayo de 1971 afirmará que las reservas de indios en Estados Unidos serán un vicio socialista. Nadie es responsable de lo que ocurrió en el pasado, dirá, cuando "*había mucha gente que necesitaba tierras y los indios querían quedarse con ellas de una forma egoísta*".

Quinientos mexicanos y doscientos estadounidenses murieron en la batalla de El Álamo, en la cual los anglos luchaban por reinstaurar la esclavitud

---

[14] Algunos íntimos asegurarán que John Kennedy le había pedido a Sammy Davis postergar su casamiento hasta después de las elecciones. En 1960 el matrimonio interracial será ilegal en la mayoría de los estados del país.

en suelo mexicano y los mexicanos por recuperar su territorio. Pero un siglo después los espectadores en las nuevas salas con aire acondicionado se convencerán de que en El Álamo los héroes fueron masacrados por los salvajes mexicanos y que la independencia de Texas fue por la libertad del pueblo tejano y contra la corrupción de los déspotas invasores de piel oscura. Esta amable ficción será casi todo lo que las generaciones siguientes creerán saber y repetirán con el mismo fanatismo de quienes vivieron los hechos.

1837. Si no estás de acuerdo, vete a otro país

PUERTO PLATA, HAITÍ. ALGÚN DÍA DE 1837—Zephaniah Kingsley, inmigrante inglés, esclavista en Carolina del Sur y luego en Florida, es obligado a mudarse a Haití con toda su familia por haberse radicalizado en contra de la esclavitud, en contra de la "institución peculiar" que inventó la esclavitud perpetua y hereditaria en base al color de piel.

Por siglos, Haití había albergado los miedos más profundos de la fanática fantasía europea y angloamericana. Por generaciones, Haití había aportado un tercio de todo el comercio exterior del imperio francés y la nueva república, nuevos Estados Unidos estaba dispuesta a cambiar la historia. En 1791 envió armas a los rebeldes en la isla porque no quería a los franceses en su patio trasero, pero, poco después, en 1799 el presidente John Adams dejó claro que tampoco quería su independencia y, mucho menos, una república de negros tan cerca. Pese a todo, la revolución de Jean-Jacques Dessalines había triunfado, creándose en 1804 la primera república libre de las Américas. 4.000 hombres y mujeres blancos fueron acusados de conspirar contra la Revolución y fueron ejecutados. Thomas Jefferson, tampoco podía tolerar una república de negros libres y juntó fuerzas con el dictador francés Napoleón Bonaparte para acabar con el mal ejemplo. La Revolución resistió, pero fue destruida. El presidente de la Haití del Sur, Alexandre Pétion, le ofreció a Francia pagarle 15 millones de francos por la media isla (lo mismo que Jefferson había pagado por Luisiana en 1803 por un territorio 75 veces más grande), pero Luis XVIII se negó. Haití fue condenada a pagar a Francia una onerosa "indemnización por reparaciones" de cien millones de francos (21.000 millones de dólares a valor de 2020), deuda que absorberá las energías de la media isla por más de un siglo, hasta 1947.

Antes de su propia crisis personal, Zephaniah Kingsley se había opuesto a que los esclavos participaran de oraciones religiosas, notando que todas las rebeliones habían sido iniciadas por esclavos que habían estado, de alguna forma, en contacto con los Evangelios. El rebelde crucificado como un criminal común por un imperio, todavía seguía siendo rebelde para quienes no podían comprar una Biblia ni sabían leer. Hasta que en 1806 Kingsley viajó a Cuba y conoció a una esclava de trece años, de nombre Anna Madgigine Jai, princesa secuestrada de Gambia y Senegal. Kingsley quedó maravillado de la hermosura de Anna y la compró al precio que le pidieron. Poco más tarde, el ferviente cristiano y polígamo se casó con ella en una ceremonia africana. Por estos días es costumbre que hombres blancos tomen a niñas negras como amantes. Thomas Jefferson también tuvo una larga relación con una menor esclava de nombre Sally, hija de su suegro con otra esclava, y a la cual hizo madre varias veces. A diferencia del Padre fundador de Estados Unidos, Kingsley le otorgó la libertad a su esposa y a todos sus hijos mulatos.

Con la efectiva administración de su joven esposa senegalés, en veinticinco años las plantaciones de míster Kingsley se convirtieron en las más prósperas de la región que luego sería la ciudad de Jacksonville. Los esclavos que todavía no habían sido liberados se parecían mucho a los esclavos asalariados del siglo XX en cualquier granja propiedad de una familia solidaria: cuando los trabajadores habían terminado su jornada, podían dedicarse a lo que quisieran, como trabajar en sus propias huertas, cuyos frutos vendían para su propio beneficio. Kingsley dejó escrito que los esclavos de su plantación *"son honestos y parecen felices"* y no le temen porque él no los castiga por no terminar su trabajo. Durante esos veinticinco años, Kingsley, por efecto de la magia o del amor africano, fue cambiando de bando.

Cuando en 1821 Florida fue incorporada a Estados Unidos, los indios semínolas fueron expulsados a las reservas del Oeste. Probablemente sin otras opciones, Kingsley se metió en política e hizo campaña para que se mantuviese el estatus de los negros libres otorgado por las anteriores leyes españolas, inexistentes en el poderoso norte que no paraba de expandirse. Incluso, por experiencia propia, sostuvo que la mezcla de razas, inmoral e ilegal en Estados Unidos, no solo no era un problema, sino que hasta podría ser beneficiosa. Como prueba estaban sus nueve hijos.

Ahora, los angloamericanos cruzan en mayor número la frontera que ya no existe y exigen el fin de la inmoralidad, por próspera y pacífica que fuese. Antes de huir con su familia, Anna le prende fuego a la plantación. A Zephaniah Kingsley no lo acusan de comunista, pero sí de antirracista, por lo cual debe huir con su esposa, con sus hijos y sus 53 esclavos a la república libre de Haití, a la provincia de Puerto Plata, la que luego se convertirá en parte de República Dominicana. Muchos están de acuerdo: la solución al problema de los negros es enviarlos de vuelta a África y al Caribe, donde no habían estado nunca. Los antiesclavistas del norte creen que así los negros serán realmente libres y los esclavistas del sur temen la idea de que haya negros libres que puedan leer y sean un mal ejemplo para sus negros ignorantes. Así se funda

Liberia en África. Algunos negros son enviados a Haití. Algunos blancos rebeldes también.

El matrimonio interracial dejará de ser ilegal en todo Estados Unidos algún tiempo después, en 1967, dos años antes de que el hombre llegue a la Luna. No el racismo endémico.

1844. La esclavitud es la base de la paz y el progreso

FILADELFIA, PENSILVANIA. 30 DE MAYO DE 1844—A las tres de la madrugada, en absoluto silencio, sesenta hombres se detienen frente a la casa del Gran Maestro masón, diplomático y abogado frustrado George M. Dallas. Uno de ellos, el senador demócrata Robert John Walker, golpea la puerta. Dallas se levanta en pijama y mira por la ventana. Al reconocer a Walker, abre la puerta preparado para lo peor.

Para atraer votos ajenos, el candidato de Andrew Jackson, James Polk, está buscando un compañero a la vicepresidencia entre los políticos del norte, pero todos se niegan. Walker extiende el suspenso por unos segundos mientras toma a Dallas del brazo y, finalmente, le da la nueva buena. Dallas, un político desconocido y sin futuro propio, acepta sin hacerse rogar y sin consultar a nadie, pese a que hasta hace poco había apoyado al presidente von Buren para su reelección. La propuesta de ser el compañero de fórmula de su sustituto y rival en la preferencia de Jackson es demasiado tentadora. El dramático mensajero, Robert Walker, será elegido secretario del Tesoro.

El presidente Martin Van Buren y John Quincy Adams se oponen a la anexión de Texas porque sería inclinar la balanza en el Congreso a favor de los esclavistas del sur. Andrew Jackson, James Polk y los poderosos esclavistas del sur hacen campaña en favor de la anexión y de la grandeza del país. Para los pocos que pueden votar, la elección de 1844 es sobre Texas, pero Jackson y Polk saben que es sobre mucho más. Polk perderá en su propio estado, Tennessee, pero ganará en los otros estados del sur y en Pennsylvania, donde nadie lo conoce.

A pesar de haber recuperado su derecho a la esclavitud, consagrado en su primera constitución, la nueva República de Texas no se sostiene sola. Las cuentas no les cierran a los exitosos algodoneros. Está endeudada y envía sus emisarios a todas partes en búsqueda de nuevos créditos. En Londres no tienen mucha suerte, pero al menos los contactos sirven para asustar a Washington. El secretario personal de Sam Houston escribe: "*Nos encontramos en una situación de total precariedad. Sin fuerzas y, peor aún, sin confianza en nosotros mismos. Estamos débiles y al borde del colapso*". Hundido en sus propios conflictos internos entre liberales y conservadores, México es incapaz de recuperarla. Al norte, la madre patria, con sus contradicciones, con sus esclavistas y sus abolicionistas dentro de sus fronteras, se debate entre sacar partido de la oportunidad y expandir la esclavitud más allá de lo previsto. Como siempre, prevalece el instinto de expansión.

El presidente Martin Van Buren, el expresidente John Quincy Adams y el senador por Ohio, Benjamín Tappan, entre otros, se oponen a la anexión de Texas. Quincy Adams y Van Buren (conocido por las generaciones por venir como "el peor presidente de la historia") la consideran una agresión injustificada hacia un país vecino y con un claro objetivo: expandir la esclavitud hacia el sur y hacia el oeste, hasta tropezarse con otro océano. En el sur, los demócratas, no están de acuerdo. No están de acuerdo con nada que surja de los corruptos liberales del norte.

El 27 de abril, el mismo Secretario de Estado de van Buren, John Calhoun, había publicado una carta abierta en los diarios asegurando que la anexión de Texas era crucial para la seguridad y la expansión de la "peculiar institución". La esclavitud, dice Calhoun (y todos los terratenientes están de acuerdo) es *un ideal social*, porque es la base de la paz, la seguridad y la prosperidad de los estados donde existe. Calhoun sabe y se lo dice a sus amigos, que toda la indignación del norte en contra de la anexión de Texas y de la reinstalación de la esclavitud pasarán y serán olvidadas, porque a la larga lo único que cuenta, lo único que queda y lo único que prevalece son los intereses.

En su lecho de enfermo, Andrew Jackson (conocido por los salvajes como Mata Indios y Cuchillo Filoso), pese a su debilidad no puede contener la furia. Martin Van Buren, su protegido, es un inútil, un débil, dice, mientras Hannah, su fiel esclava, lo toma de un brazo para que pueda volver al retrete. Jackson se sienta para aliviar la diarrea que, junto con la tuberculosis, lo está matando. Recuerda los buenos viejos tiempos cuando luchó contra los ingleses invasores, cuando luego Thomas Jefferson le encomendó tomar el país de los cheroquis y el de los bastones rojos. Su éxito no se basó en la debilidad. Ningún éxito se basa nunca en la debilidad. Luego de cada batalla ganada, el joven Andrew Jackson daba la orden de exterminar mujeres y niños para que el futuro no devuelva nuevos terroristas que pudieran amenazar la democracia y la libertad.

Por estas razones, Jackson había ordenado llamar a James Polk, uno de sus antiguos colaboradores. Polk no odia los libros como Jackson, pero comparte con él la causa del grupo de Tennessee y los intereses de los hombres libres del sur profundo. Son los granjeros sanos contra los corruptos de las grandes ciudades, los esclavistas y expansionistas creyentes contra los ateos abolicionistas del norte.

Andrew Jackson había fundado el partido Demócrata y había sentado las bases de los conservadores por múltiples generaciones por venir. Había hecho campaña contra el establishment y la prensa en un tiempo donde los políticos competían por presumir cuántos indios salvajes habían matado y cuántos más que sus oponentes planeaban matar o extraditar si eran elegidos para servir a su país. Su nuevo favorito, James Polk, tampoco sabe hablar, pero, además de ser rico sabe sentarse en el lugar indicado en el momento indicado y posee la habilidad de interpretar las corrientes subterráneas del poder mejor que la dirección del viento que trae la lluvia. Cuando era joven, James había sido operado sin anestesia de cálculos en la vejiga, razón por la cual no pudo tener hijos, pero sí una esposa activa, preparada, habilidosa y con mucho tiempo para empujar su carrera política. Como su padre, James es jeffersoniano orgulloso y tímido ateo. Su esposa Sarah Childress (si se reemplaza la r por su más próxima l, su apellido significa "sin hijos") lo hace ir a la iglesia todos los domingos con la excusa de que no se anima a ir sola a la casa de Dios. Como en el resto de su clase, su fortuna y la de su familia se basan en los mismos dos pilares: la expansión hacia el oeste y la esclavitud de los africanos nacidos en América. En otras palabras, en el robo de las tierras de los indios y en el robo de los cuerpos de los negros. Unos se lo merecen por salvajes y los otros por ignorantes.

Pero sin Andrew Jackson, James Polk, quien imita hasta el acento de su mentor, había perdido casi todas las elecciones en su Estado. En las elecciones presidenciales de este año, su estado tampoco votará por él, pero por suerte fuera de Tennessee no lo conoce nadie. Cuando Jackson lo manda llamar, no duda. Cuando le ofrece ser el candidato de los demócratas en lugar de Van Buren, no lo puede creer. *"Nunca hubiese soñado con llegar tan alto"*, le confiesa en una carta a un amigo, antes de lograr la nominación de su partido y antes de ganarle sorpresivamente a Henry Clay en las elecciones nacionales.

El nuevo presidente James Polk invertirá sus mejores horas en inventar noticias falsas sobre supuestas ofensas de México y en atizar el furor patriótico de un país dividido en disputas internas sobre la legitimidad de la esclavitud. Una vez logrado un enemigo exterior, las divisiones internas se volverán borrosas y la euforia de una nueva guerra se regará con abundante licor barato en las tabernas.[15] Cualquier crítico se convertirá en un antipatriota. Como resultado, Polk y sus esclavistas del sur lograrán apropiarse de más de la mitad del territorio de su vecino.

En Texas, las tres ciudades más importantes del estado serán bautizadas con nombres que olvidan la historia que se quiere olvidar. Una, Austin, llevará

---

[15] El consumo de whisky y licor es más del doble de lo que tolerarán los estadounidenses en el próximo siglo, a pesar de que en el siglo XX seguirá siendo un elemento central y progresivamente tabú en la cultura anglosajona.

el nombre del empresario que luchó en México por revertir sus leyes antiesclavistas; otra, Houston, el nombre del general que masacró a los vencidos en San Jacinto, sellando la independencia de la nueva república; la tercera, Dallas, una ciudad que fundarán en 1855 los socialistas franceses (sin amos y sin esclavos, pero incapaz de competir en el nuevo Estado esclavista) llevará el apellido del desconocido vicepresidente de Polk, quien ahora colabora con el despojo de México.

Cuando México pierda la guerra que nunca quiso, según Ulysses Grant, el vicepresidente George Dallas apoyará la idea de tomar todo el país. Esto no será posible por la cantidad de mestizos que aquel país tiene más allá del Río Grande. Por ley, los ciudadanos americanos son blancos y ya bastante problemas hay con los negros y los indios como para agregar unos cuantos millones de *híbridos* a la nación.

La blanqueada Texas se unirá a la Unión en 1845 y, veinte años más tarde, cuando el sur esclavista se enfrente al norte abolicionista, naturalmente tomará partido por uno de ellos. No es necesario ser un genio para saber cuál. No habrá una voz ni un minuto de discusión. Ni necesidad de censura. Sólo será cuestión de volver a tomar las armas, aunque esta vez la confianza será más grande que las armas.

1844. Fundación del partido xenófobo No sé nada

KENSINGTON, PENSILVANIA. EL 6 DE MAYO DE 1844—Como represalia por las manifestaciones en su contra en el distrito irlandés de Kensington, Lewis Levin organiza una protesta de tres mil seguidores que matan a decenas de irlandeses y queman decenas de casas, además de las iglesias católicas de San Miguel y San Agustín. Ninguno de estos crímenes será juzgado y Levin será elegido Representante por Pensilvania, cargo del que tomará posesión el 4 de marzo de 1845, desde donde continuará su lucha contra los inmigrantes (de inmigrantes indeseados), responsable de la decadencia de América.

La Navidad, la fiesta romana en honor a la diosa del Sol, resistida mil años por cristianos de todo tipo, había desembarcado en la tierra prometida y ahora se ha convertido en el símbolo del cristianismo. Los protestantes en Estados Unidos se hacen a la idea, pero aún se niegan a aceptar esa horrorosa costumbre de emborracharse y regalar cosas en honor a Jesús. Este año, para San Valentín, la costumbre de comprar y vender en ocasiones religiosas también ha alcanzado proporciones ingobernables.

Por décadas, la mayor controversia en Estados Unidos no fue el asunto de la esclavitud sino de la invasión de los inmigrantes europeos no protestantes y de un blanco más bien extraño y sospechoso. Los inmigrantes y los hijos de inmigrantes ingleses y alemanes no quieren irlandeses. Son católicos y representan una variación impura de la raza blanca. En Europa, Inglaterra ha despojado a los irlandeses más pobres de sus tierras y de la protección política de su iglesia, lo que ha provocado un millón de muertos por hambre y otro millón ha debido emigrar a América por la vía más corta del Atlántico. En América no son ni serán bienvenidos por al menos un siglo. Algunos son asesinados trabajando en las vías del ferrocarril para evitar la expansión de cólera y otras enfermedades contagiosas. Otros no pueden entrar a los restaurantes que, con letreros en sus puertas y ventanas aclaran: *"No se aceptan ni perros ni irlandeses"*. No con poca frecuencia se les advierte que no se presenten a llamados de empleo. En diferentes trabajos que requieren fuerza bruta y esclavos asalariados, se los elimina. Los irlandeses que conspiren por la independencia de Irlanda serán considerados terroristas, como lo fueron los indios antes, como lo serán los obreros alemanes a finales del siglo XIX y los italianos unas generaciones después. Durante el siglo XX, cuando el miedo, el odio y la paranoia racial se traslade otra vez a los negros y a los mestizos de la Frontera sur, los irlandeses se asimilarán a la etnia dominante, convirtiéndose en blancos y hasta tendrán un presidente que, por otras razones, resultará asesinado con un disparo en la cabeza.

El abogado Lewis Charles Levin, quien en pocos meses más se convertirá en el primer congresista judío de la historia de su país, en el verano de 1843 había fundado el Partido Republicano Americano (luego conocido con el nombre de Partido Nativista Americano y, sobre todo, reconocido como Partido No Sé Nada por sus propios miembros). Como los futuros partidos nativistas que se refundarán una y otra vez hasta el siglo XXI, el Partido No Sé Nada es abiertamente xenófobo, antiinmigrante, anticatólico y está en contra de las tabernas y el alcohol. Levin, el abstemio hijo de inmigrantes que en 1833 se había casado con Ann Christian Hays, familiar del presidente James Polk, tendrá una larga carrera política y morirá en un asilo para enfermos mentales. Entre sus contribuciones que lo sobrevivirán por mucho tiempo, se cuenta el haber logrado poner final a la convivencia civilizada entre católicos y protestantes en Pensilvania, el haber identificado a cierto grupo de inmigrantes europeos como *nativos* del continente americano, y demostrar que la retórica xenófoba es una poderosa arma política para unir una sociedad dividida por el fanatismo de sus colores y de sus clases sociales.

1844. Cambia el lenguaje y cambiarás el mundo

WASHINGTON DC. 7 DE JUNIO DE 1944—Al día siguiente de la inesperada derrota de Martin Van Buren a manos de James Polk en la interna del partido

Demócrata, el Congreso estadounidense desestima la anexión de Texas por 16 votos a favor y 36 en contra. Ha vencido la sensatez, se dice en los pasillos. La prensa asegura que el candidato del partido Whig, Henry Clay, más ambiguo con el tema de Texas y la esclavitud, "*sólo tiene que caminar hacia la Casa Blanca*".

Pero James Polk huele una estrategia que dará vuelta todos los debates sobre Texas y la esclavitud que dominan la política ese año. En lugar de seguir discutiendo sobre la *anexión*, comienza a hablar de *re*-anexión de Texas. Polk no es un hombre religioso, pero su esposa Sarah lo ha obligado a presentarse como devoto. Más importante que eso: Polk es parte de una cultura de la fe donde más importante que la evidencia es lo que uno cree, y si lo que uno cree contradice la evidencia más clara, más mérito tiene el que cree. ¿Un río no se puede parir en dos? Pues, solo se parte para quienes cierran los ojos y creen que se puede partir a fuerza de creer. La palabra religiosa no tiene ningún compromiso con la realidad y también en política valen más que los hechos, por lo cual la batalla más importante es la batalla dialéctica. Las palabras crean el pasado y fuerzan el futuro. Las palabras crean la realidad como Dios creó el mundo a partir del verbo. A pesar de su desinterés por Dios, aparte de sus propias ambiciones y su escasa preparación, estos son todos los instrumentos intelectuales desde los cuales el presidente Polk y sus gobernados ven la realidad.

La idea de comenzar a hablar de *re*-anexión de Texas, como siempre, no es suya, sino del senador de Mississippi Robert J. Walker. Según el senador, Texas ya estaba incluida en la compra de Luisiana. Luisiana había sido comprada al imperio francés porque el gigante territorio poblado de millones de indios no valía un cobre comparado con la pequeña colonia de Haití. Como siempre, las naciones indígenas no fueron invitadas a la negociación de Luisiana, pero tampoco el imperio español, por lo que difícilmente Texas hubiese estado incluido en el contrato de venta con los franceses. De hecho, luego de cerrado el negocio con Napoleón Bonaparte en 1804, los límites de estos territorios habían sido definidos y pactados con extrema claridad por el tratado Adams-Onís, firmado por el presidente John Quincy Adams y el representante del imperio español en 1819. Este tratado definía el río Sabine, futuro límite entre los estados de Luisiana y Texas, como el límite de los territorios adquiridos a Francia. Por entonces, España se había demorado en firmar el tratado, por lo cual el 14 de mayo de 1820 Thomas Jefferson le escribió al presidente James Monroe: "*no puedo lamentarme de que España no haya firmado el acuerdo, ya que creo que un día Texas será uno de los estados más ricos de nuestra Unión*".[16] Dos años después, España y Estados Unidos firmaron el acuerdo que fijaba el río Sabine como límite entre ambos imperios. En Washington decidieron aceptar los límites *"por el momento"*, ya que consideraban que Texas y Cuba debían ser anexados a la Unión. El 12 de enero de 1828, en la ciudad de México, México y Estados Unidos ratificaron por escrito los acuerdos limítrofes del tratado Adams-Onís. El 5 de abril de 1932, en Washington, los mismos países firmaron esta ratificación. El artículo segundo establecía en detalle los límites y sus coordenadas entre ambas naciones. Entre otros ríos, se mencionan el río Sabine, el río *Roxo* (Rojo) y el río Arkansas. Por si todos esto no fuese suficiente, se mencionó el mapa publicado en Filadelfia en 1818 como referencia.

Cuando Andrew Jackson se convirtió en presidente en 1829, instruyó a su secretario de Estado, Van Buren, para negociar la compra de Texas o, en caso contrario, correr la frontera reconocida por el tratado de 1819 llamando río Sabina al río Nueces. Ahora su discípulo y heredero, el presidente Polk, va más allá y confunde el río Nueces con el río Grande y olvida tratados firmados recientemente, como un pastor interpreta mandamientos bíblicos con mucha imaginación y en honor a la libertad. Todo por una causa altruista. Polk y sus promotores anuncian que ha llegado el momento de *"expandir la libertad a otros territorios"*. En la mira también están California, Oregón, Canadá, Cuba…

En el Norte, los políticos y aficionados se entretienen en las discusiones sobre el problema de la inmigración. Los nuevos no son bienvenidos. La mayoría son irlandeses y, a todas luces, su raza es defectuosa: sus pelos color cobre, sus mujeres feas que parecen rubias, pero no lo son. Los restaurantes anuncian *"Ni perros ni irlandeses"*. Los diarios ofrecen trabajo de cocineros a los negros, pero no a los irlandeses, porque son sucios. Más sucios que los negros. Para colmo, casi todos son católicos, lo que demuestra que no saben leer inglés correctamente, que es el idioma de la Biblia. Hasta las mujeres de la raza bonita comienzan a organizarse por sus derechos. Los sindicatos de obreros se hacen fuertes. Desde su exilio en Londres, Karl Marx publica durante diez años una columna en el *New York Tribune* contra el imperialismo británico y la esclavitud americana y elogia la nueva cultura obrera de Estados Unidos. Pero todavía no hay comunistas. Tardarán casi un siglo en llegar a las tierras de los negros y de los salvajes para proveer de otras buenas excusas a los elegidos de Dios.

---

[16] El padre de la democracia estadounidense, Thomas Jefferson, morirá el 4 de julio de 1826, lamentándose que su mayor enemigo personal, el también expresidente John Adams, iba a vivir más que él. John Adams murió lamentándose de lo mismo, el mismo 4 de julio de 1826 mientras se celebraba el Día de la Independencia. La paranoia del poder es así de vana y ridícula.

La guerra dialéctica entre esclavistas y antiesclavistas se intensifica en las elecciones más importantes de la historia de Estados Unidos. En la convención del partido Demócrata, los expansionistas observan que, si bien los cheroquis eran cristianos que sabían leer y escribir y algunos hasta habían aprendido a mantener algunos esclavos negros, era su raza lo que los hacía salvajes. Los diarios se burlan de su candidato a la presidencia. Se burlan también de su vice, Dallas. El *New York Herald* dice que nunca en la historia del país hubo un candidato más ridículo, falto de toda preparación y habilidad para el máximo cargo, que el señor James Polk. "*¿Acaso los demócratas se han vuelto locos?*" se preguntan, y aseguran que el triunfo de Henry Clay está por lo menos asegurado.

Por supuesto, la imaginación del poderoso pasará, una vez más, por encima de cualquier ley o cualquier acuerdo. El tratado Adams-Onís no valdrá el papel en el que está escrito y Texas será anexada en base a mejores interpretaciones. Medio siglo más tarde, el mismo tratado renacerá en una Corte para defender a sus violadores. En 1896, Texas, para entonces otro estado de la Unión, litigará en la Suprema Corte contra Oklahoma por la posesión del condado de Greer. Su defensa se centrará en el reconocimiento del tratado Adams-Onís firmado por Washington y Madrid en 1821 y ratificado con México en 1832, pocos años antes de haber sido ignorado para correr la frontera nacional desde el río Sabines al rio Nueces, primero, y hasta el río Grande después. Como Texas es un estado del país de las leyes, citará palabra por palabra el mismo tratado que medio siglo atrás Austin, Houston, Polk y el resto de Washington habían violado por medios diplomáticos, primero, y por la guerra después.

1845. Conflicto de hombres, la misma historia

SACRAMENTO VALLEY, CALIFORNIA. ENERO DE 1845—El presidente James Polk envía a California "una expedición científica" al mando de un militar llamado John C. Frémont. El gobierno mexicano sospecha de las actividades del capitán Frémont y el comandante californio José Castro le ordena abandonar el país. Frémont y sus hombres marchan hacia Oregón donde residen por algún tiempo.

Unos meses después, una carta oficial desde Washington le informa del deterioro de las relaciones con México debido a ciertos incidentes en la frontera tejana. El 9 de mayo, los indios atacan su campamento en venganza contra la tropa de Frémont, acostumbrada a matar indios por donde pasa, lo que retrasa sus planes en California. Frémont decide atacar Klamath Lake y, el 12 de mayo, sus hombres masacran el campamento indio, limpiándole el camino para regresar a California, donde más tarde iza, en Sonoma, una bandera blanca con la imagen de un oso.

El 4 de julio, Frémont declara la independencia de California, días antes de enterarse que Estados Unidos le había declarado la guerra a México por sus ofensas en Texas. La República de California existe por 26 días, hasta que llegan nuevas de Washington. La guerra tan ansiada ha llegado y sus hombres cambian la bandera del oso por la de barras y estrellas, siguiendo el ejemplo del coronel Joseph Revere.

Condenado por una corte marcial por insubordinación en 1846, Frémont será perdonado inmediatamente por el presidente James Polk. Para eso existen los perdones presidenciales: para hacer justicia con los amigos. Un año más tarde, Frémont se hará inmensamente rico cuando, por casualidad o por Destino manifiesto, descubre oro en su hacienda de Mariposa ranch. Más tarde, le lloverán los litigios debido a sus dudosos métodos de tomar posesión de tierras de otros anglosajones, pero también la Suprema Corte lo perdona. En 1856, convertido en senador por California, Frémont será el primer candidato a la presidencia de Estados Unidos en la historia del partido Republicano, pero es demasiado moderado y perderá con el demócrata esclavista James Buchanan.

Como el veterano mata indios Hernán Cortés, trescientos años antes, John Frémont siente el peso de los años. Cuando estalle la Guerra civil, pese a haber sido el responsable de mantener al ejército confederado fuera de la mayor parte del Oeste del país, el presidente Abraham Lincoln lo despojará de su cargo de comandante de la División del Oeste por haber decretado la emancipación de los esclavos por cuenta propia.

1845. Que nuestra diplomacia fracase de la mejor forma posible

MÉXICO DF. 7 DE ABRIL DE 1845—Un terremoto originado en Acapulco y de la misma magnitud que devastará la ciudad en 1985, golpea Ciudad de México dañando el edificio del Congreso. Tres días después, el suelo vuelve a temblar destruyendo innumerables edificios en la capital y en otros siete estados. Las diezmadas arcas del Estado se secan. Otra vez, como siglos atrás, ni Dios ni los dioses están con México o los mexicanos carecen del fanatismo anglosajón para ver un signo de bendición divina entre tanta tragedia. Para peor, el vecino del norte está desesperado por saltar la cerca y reclamar la mitad de la propiedad.

El 18 de abril, el capitán estadounidense David Conner ancla el Home Squadron junto con otras naves de guerra en aguas mexicanas, frente a

Veracruz. En México, los diarios continúan protestando por la anexión de Texas por parte de Estados Unidos. El presidente José Herrera prefiere negociar. Sabe que las arcas del país están exhaustas como la fe en el futuro. Desde que Hernán Cortés puso pie en México, ni el país ni los diversos países que lo conforman tuvieron nunca una confianza muy destacable en sus propias fuerzas. Desde mucho antes, el Cosmos estuvo siempre amenazando con la destrucción de los hombres y un recurso para evitar la catástrofe fue siempre la autoinmolación. Los fanáticos cristianos también han estado esperando el fin del mundo en los últimos mil años, pero si para los indígenas el mundo seguía siendo sagrado, para los nuevos cristianos de Calvino y de Lutero sólo era un bajo mundo despreciable, un mundo tan muerto como una piedra o un árbol o un oscuro hombre sin alma al que había que conquistar y explotar a la espera de una señal de ascenso al Paraíso. El invasor siempre tiene fe en sí mismo. El invasor es un fanático al que no detiene ni la muerte. El invadido no. El invadido, antes o después, se desprecia. Piensa que no tiene futuro o que la catástrofe es inevitable y sólo aspira a la resistencia y a un exterminio digno.

El presidente James Polk pone en marcha la nueva fase de su plan que debe terminar en California. Antes de enviar a sus emisarios para negociar los límites del nuevo estado con México, Polk envía más barcos de guerra a los puertos del Golfo. El 4 de junio, le ordena al capitán John Sloat estacionarse frente al puerto de San Francisco, a la espera de una orden para tomar la ciudad y el estado mexicano de California, en caso de que las negociaciones no sean todo lo ventajosa que deberían ser.

México no ataca ni declara ninguna guerra. El pueblo no quiere y su gobierno no puede. El joven coronel y futuro presidente de Estados Unidos, Ulysses Grant, cuando entre en la capital mexicana un año después, se sorprenderá de lo civilizados y bien organizados que son los mexicanos del sur, pero se lamentará por los *"pobres mexicanos"* que no quieren saber nada de ninguna guerra. Polk le ofrece a Herrera perdonarle a su país la deuda de dos millones de dólares reclamada por los colonos anglos (los mismos que habían recibido tierras gratis de México reclaman por los daños y perjuicios provocados por la pérdida provisoria de sus esclavos) a cambio de fijar los nuevos límites nacionales. También ordena a sus emisarios que, en el proceso de negociación, se ofrezca a México unos millones más por California. El 4 de julio, el congreso de Texas rechaza la oferta de México de reconocer su independencia a cambio de no convertirse en un nuevo estado de Estados Unidos. El gobierno de México acepta negociar los límites del nuevo estado y le solicita a Polk que, entre sus emisarios, no envíe ni a John Slidell ni a William Parrott porque no son bienvenidos. Polk envía a John Slidell y a William Parrott.

Aunque por entonces Estados Unidos no es una democracia, su presidente James Polk no es un dictador absoluto y, como tantos otros por venir, debe manipular la opinión pública montando una escena que presente al enemigo o a la víctima como la instigadora, logrando una excusa que legitime sus objetivos y asegurándose el secuestro del sentimiento patriótico que es muy sensible a las guerras por el honor y la justicia. No puede declarar la guerra sin la aprobación del Congreso y necesita convencer a una mayoría de legisladores de que la justicia y la razón están de su lado, por lo que se asegura que todos sus esfuerzos diplomáticos en México fracasen de la mejor forma posible.

Los líderes del nuevo imperio recurren a una fórmula que subyace escondida en el inconsciente de la nación desde su fundación: autoflagelarse antes de atacar con toda la fuerza de quienes se consideran con derecho moral de invadir, tomar y exterminar por una buena razón. Atacar primero se llama *responder a una agresión*. Invadir se llama *resistir*. Tomar lo ajeno se llama *recuperar lo propio*. Matar de forma preventiva se llama *defensa propia*.

1845. Siempre habrá patriotas dispuestos a repeler a los invadidos

NASHVILLE, TENNESSEE. EL 8 DE JUNIO DE 1845—A las seis de la tarde, en la monumental plantación The Hermitage y a pocos meses del inicio de la guerra contra México, Andrew Jackson muere de diarrea y otras dolencias asociadas. A sus hijos y nietos que lo rodean les dice que no lloren, que sean buenos muchachos para que pronto se encuentren con él en el Paraíso.

Ayer, sábado 7, había recibido una comitiva de amigos. Con el rostro demacrado y el resto del cuerpo hinchado, el viejo general, sin perder la lucidez, les había dado un último consejo al borde de la tumba: "*Debemos tomar Texas y Oregón, por las buenas o por las malas. Si no hay acuerdo, dejemos que la guerra lo resuelva. Podemos hacerlo porque siempre tendremos patriotas dispuestos a repeler cualquier invasión extranjera*". Para algunos viejos conocidos, las últimas palabras del héroe enfermo van condimentadas con mucho sarcasmo, lo que más de un siglo después se llamará Realpolitik. Para el resto de las nuevas generaciones, será ley no escrita o por escribirse.

Pocos meses antes, Mata Indios, como lo conocían los indios, había recibido la visita de su elegido y recién electo presidente, James Polk, quien (al igual que su sucesor, el general Zachary Taylor) también morirá de diarrea cuatro años después. La anexión de Texas se rectifica el 4 de julio de 1945 y el 29 de diciembre Texas es aceptado en la liga de los estados esclavistas. Cinco meses después, luego de años de buscar la oportunidad dorada, el 11 de mayo de 1846 Estados Unidos le declara la guerra a México. Los ríos de sangre y mares de dólares que Andrew Jackson temía malgastar si no se anexaba Texas, correrán en nombre del Destino manifiesto, de las canciones de guerra y del whisky barato en las tabernas de todo el país.

En su lecho de muerte, Jackson les confiesa a sus amigos más cercanos que sólo se arrepiente de una cosa en toda su vida: no haberle pegado un tiro a Henry Clay. Jackson tiene dificultades para respirar y sufre de un odio que no se le cura ni cuando derrota a sus rivales de forma aplastante. El 4 de diciembre de 1844 su protegido había vencido a Henry Clay en las elecciones presidenciales por el 1,4 por ciento de los votos. El ajustado triunfo por unos pocos miles de votos en las elecciones más importantes de la historia de este país había sido devastador para los antiesclavistas.[17] El expresidente y ex expansionista John Quincy Adams había sido uno de los grandes perdedores. Un puñado de ignorantes, había dicho, decidieron el futuro de la nación. Por las generaciones por venir, los estadounidenses estarán orgullosos y agradecidos por ese "puñado de ignorantes". El no intervencionismo de los Padres fundadores se había inclinado hacia el racismo de los Padres fundadores. Se trata, piensa y reclama Quincy Adams, de un acto de brutal despojo que llevaría al país a una guerra sangrienta e injusta con su débil vecino del sur. Más furioso se puso cuando se imaginó a su peor enemigo, Andrew Jackson, festejando en el retrete donde vivía exiliado desde hacía tiempo.

El derrotado senador por Kentucky, Henry Clay, será uno de los enemigos acérrimos del presidente James Polk por el resto de su vida. Lo detesta como persona y detesta su estrategia para provocar a México en busca de la guerra que le diese a la raza superior lo que el Destino manifiesto le había prometido. Para su mayor desgracia, su hijo, Henry Clay Junior, luego de ser electo representante de la cámara baja, se dejará seducir por la ola patriótica que llamaba a cada estadounidense a la "defensa del país" y a un regreso de la guerra cargado de gloria. Las últimas palabras del coronel graduado de West Point, Henry Clay Junior, serán en la batalla de Buena Vista, en Coahuila, luego publicadas en el *Union of Magazine of Literature and Arts*, en su página 44: "*No debe haber batallas más dignas para ser cantadas por poetas y recordadas por los historiadores que las que hemos librado aquí*". Una conocida ilustración recreará el dramático momento, sin sangre y sin polvo, en que el hijo del senador Clay muere diciendo: "*Lleven estas pistolas a mi padre. Díganle que he hecho todo lo que pude con ellas*". Dirán que luego expiró, pero nadie dirá si su padre creyó alguna vez que su hijo

---

[17] Un número sin precedentes de la población, el 11 por ciento, había salido a votar. Todos eran hombres blancos y propietarios. Como ocurrirá hasta el siglo XXI, los votos de los estados conservadores y esclavistas del sur valdrán más que los votos del norte.

agonizante pudo haber proferido palabras tan cursis en la guerra que uno de sus soldados más célebres, Ulysses Grant, definirá en sus memorias de 1879 como "*la Guerra Podrida*". Miles de mexicanos masacrados y mexicanas violadas no tendrán artistas que las pinten ni poetas que les canten. En el norte civilizado, la historia oficial se encargará de echar suficiente tierra sobre los cadáveres para poder contar una historia de heroísmo, éxito y compasión a la medida de sus repetidos mitos.

1845. Destino manifiesto

WASHINGTON DC. JULIO DE 1845—En la edición de julio de 1845 del *Democratic Review,* el editor y asistente del presidente James Polk, John O'Sullivan, inventa la idea y el nombre de *Destino manifiesto* que se hará viral entre aquellos que buscan una justificación superior a las excusas de su presidente para ir a la guerra con un país que no quiere. A pesar de que la razón para la independencia de Texas y para la anexión de otros territorios es que deben ser convertidos en Estados esclavistas, O'Sullivan agrega el siempre necesario condimento religioso: "*el destino manifiesto carga el gran experimento de la libertad y debe extenderse por toda la tierra que la Providencia nos ha entregado*". Por los siglos por venir, los teólogos buscarán el contrato de cesión enviado por Dios al político y periodista estadounidense. Los investigadores independientes fracasarán en sus intentos de explicar la expansión de la esclavitud como un "experimento de la libertad" que "debe extenderse por toda la tierra".

En 1852, el mismo O'Sullivan, para entonces editor del *New York Morning News*, publicará un artículo titulado "The Cuban Debate" en el *Democratic Review* con una opinión razonable para su época: "*este continente y sus islas adyacentes les pertenece a los blancos; los negros deben permanecer esclavos...*" La idea y las palabras se repetirán en Estados Unidos a lo largo y ancho de las generaciones por venir, incluso hasta después de la abolición legal de la esclavitud en 1865.

En mayo de 1858, la revista *United States Democratic Review* de Nueva York, en su artículo "El destino de México", explicará las razones de Dios para entregarle a los estadounidenses el resto de ese país horrible: "*Muchos países nos acusan de insistir demasiado sobre eso del Destino manifiesto... Nosotros sentimos la mano de Dios sobre nosotros... México comenzó su historia con todo a su favor, excepto una: su gente no era blanca... Tenían una mala mezcla de sangre española, indígena y negra. Gente de este tipo no sabe cómo ser libre y nunca lo sabrá hasta que sea educada por la Democracia estadounidense, por la cual el amo gobernará sobre ellos... No vamos a tomar México por nuestro propio interés, lo cual sería una broma imposible de creer. No, vamos a tomar México por su propio beneficio, para ayudar a los ocho millones de pobres mexicanos que sufren por el despotismo, la anarquía y la barbarie".*

En 1872, el artista John Gast entregará al público y a la historia el cuadro más famoso del arte Kitsch: su alegoría "*American Progress*" (conocida como "El espíritu de la frontera") se convertirá en un himno visual en el cual una sensual mujer rubia, con una teta a punto de ver la luz, le indica el camino a los pioneros estadounidenses que llevan el arado, el telégrafo y el ferrocarril sobre las tierras que las fieras y los salvajes van abandonando, asustados por el progreso e incapaces de entender la verdadera libertad. Al medio y debajo de la sensual mujer que vuela como un ángel, unos pioneros con sus rifles, listos para defenderse de cualquier ataque invasor.

En 1897, el futuro presidente Theodore Roosevelt publicará en "Sobre *National Life and Character*" que "*la democracia de este siglo no necesita más justificación para su existencia que el simple hecho de que ha sido organizada para que la raza blanca se quede con las mejores tierras del Nuevo mundo*".

En 2020, el presidente Donald Trump usará la misma teoría en su Discurso de la Unión y el mismo jefe administrativo de la NASA la explicará ese 4 de febrero, por si el presidente y O'Sullivan no hubiesen sido del todo claros: "*El Destino manifiesto era la creencia de que Estados Unidos estaba destinado a promover la democracia y la libre empresa en América del Norte. Esta noche, el presidente Trump ha dicho en su Discurso de la Unión: 'El destino manifiesto de Estados Unidos está en las estrellas'. Iremos a la Luna y luego a Marte para compartir esos mismos valores con toda la humanidad*".

1845. No es por avaricia sino por la felicidad de otras naciones

MÉXICO DF. 29 DE DICIEMBRE DE 1845—El enviado de James Polk para negociar con México, John Slidell, escribe desde la capital: "*no veo otra forma mejor de resolver nuestras diferencias con esta gente sino con la guerra*". El 13 de enero de 1846, Polk envía el ejército al Río Grande, esperando que México responda con fuego. Pero México sabe que no puede ganar ninguna guerra con el nuevo imperio. Sus arcas están diezmadas por largas disputas internas y sus menguados recursos apenas dan para atender la destrucción del terremoto. Su población no ha crecido como la del norte, con la nariz fría en la sobrepoblada Europa. Sus ingresos han ido declinando desde la guerra de independencia y por los vanos intentos de recuperar Texas.

José Herrera es sustituido por el general Mariano Paredes, quien todavía considera a Texas como un estado renegado, pero no se atreve a ninguna aventura militar. Slidell continúa enviando misivas a Washington. Para el jefe encargado de las negociaciones, México es una mujer. Escribe: *"No debemos tratar con ella. Nunca, hasta que un día aprenda a respetarnos"*. Poco a poco, México y los mexicanos pasan a ser los ladrones, quienes han ofendido al orgulloso país del norte. El *Sangamo Journal* de Illinois, el 23 de abril de 1846 afirma: *"Es urgente tomar algún tipo de acción contra ese país. El gobierno de México ha insultado al nuestro y ha robado a nuestra gente, demasiado como para que sigamos arrodillándonos a sus pies para reclamar nuestros derechos"*.

James Polk se convence a sí mismo antes de convencer a la prensa que en unos meses convence al pueblo de que las tres ofensas capitales de México son:

1. No recibir como corresponde a nuestro enviado y representante, Mr. John Slidell.
2. Negarse a pagar la compensación por daños y perjuicios reclamada por los ciudadanos estadounidenses que años atrás recibieron tierras gratis del gobierno de México y luego fueron advertidos de que, según la ley, debían liberar a sus esclavos y, de ser posible, pagar alguna vez los correspondientes impuestos.
3. Negarse a reconocer que Estados Unidos es dueño también de la franja más allá del río de Nueces y no sólo de la Texas arrancada a México por los granjeros anglos en 1836.

Como para cualquier respetable propietario del sur esclavista y según sus códigos de honor, estas ofensas deben ser castigadas con la guerra y la privación de los derechos ajenos. Como en la Edad Media en Europa, en las prósperas regiones del sur estadounidense el honor es el pilar de todo código moral, muy al lado del pilar de la servidumbre ajena como bendiciones de Dios todopoderoso. Incluso un norteño como Walt Whitman, desde su distancia poética, está de acuerdo. El 11 de mayo de 1846, el venerado poeta publica en el diario demócrata *The Brooklyn Eagle*: *"Por estas razones de derecho y ante el mundo, México debe ser castigado con una declaración de guerra de nuestra parte. Hemos buscado la paz por todos los medios posibles; hemos cerrado los ojos a tantas ofensas. Nos hemos olvidado de las masacres de nuestros bravos hombres allá en el sur. Masacres no sólo contra la humanidad sino contra las mismas leyes de la guerra y las leyes de Dios. Pero ha llegado el momento de hacer justicia. Dejemos que nuestras armas cargadas con el espíritu de la justicia dejen claro que América, aunque no busca ni quiere problemas, sabe cómo defenderse y sabe cómo expandirse"*.

El 6 de junio, la reconocida sensibilidad de Whitman (otro célebre poeta modernista, Ezra Pound, lo llamará "el poeta de América") insiste, con alegre entusiasmo: "*Sabemos que hasta en la fértil y hermosa provincia de Yucatán, en el sur de México, el pueblo está deseoso de ponerse debajo de las alas de nuestra águila protectora. Algunas fuentes indican que nuestro gobierno ya ha enviado emisarios al área para negociar... Luego vendrá California. Otras dos estrellas en nuestro poderoso firmamento. Que nadie cometa la torpeza de creer que es avaricia. No nos interesa la grandeza territorial de la nación sino su felicidad y la felicidad de las naciones*". Whitman considera a los negros pariente de los monos y está a favor de la esclavitud. Su convivencia con muchachos menores de edad pasa como un detalle. Lo que pondrá furiosa la moral puritana será otra cosa. Pese a sus emotivas loas patriotas, Whitman será despedido del *Daily Eagle* dos años después por reconocer que el interés de los trabajadores y el de los esclavistas eran opuestos. No será encarcelado porque la democracia esclavista aplaude y financia a sus apologistas, pero no elimina a sus disidentes más conocidos.

El presidente James Polk recurre al razonable y equitativo principio de tratar a todas las naciones de la misma manera. Aunque ateo, o casi, el presidente es convencido por su piadosa esposa, Sarah, de que el dominio blanco del mundo es parte del plan de Dios, como lo demuestra cada una de las plantaciones del ahora poderoso Sur, donde los pocos amos blancos dominan sobre los muchos esclavos negros para hacer realidad la prosperidad y la riqueza que falta en otras naciones como México.

Luego de unos meses bajo el bombardeo de la prensa nacional, la poderosa opinión pública ya está convencida de quién es el responsable de tantas humillaciones, tantos despojos y tanta injusticia. El Congreso nacional deberá responder a esas demandas populares, como en cualquier democracia. Pero no todos están de acuerdo, lo que demuestra que justificar a alguien por ser un hijo de su tiempo es un argumento frágil como un castillo de arena. Algunos diarios abolicionistas del norte observan que el presidente James Polk y sus seguidores planean una agresión sobre un país que se encuentra debilitado y sin voluntad de entrar en ninguna guerra. Insisten en los principios no intervencionistas de los Padres fundadores y en los principios cristianos de no caer en tentación ante el poder, la riqueza y la injusticia sobre los débiles. El 29 de abril de 1846, el *Daily Sentinel and Gazette* de Milwaukee, Wisconsin, lo dirá sin rodeos: "*La misión de Slidell no fue otra cosa que una estrategia para insultar a México y luego reclamar que fuimos ofendidos y, de esa forma, propia de las reglas de caballerosidad de los esclavistas del sur, hacerse con la excusa perfecta para nuestros propósitos, que es la declaración de guerra contra un país debilitado. No importa qué diga o haga México. De cualquier forma, se le declarará la guerra. Ese día será el día en que este país habrá quebrantado todas las reglas humanas y cristianas para perturbar el progreso y la paz del mundo".*

Por su parte, el presidente James Polk insiste que su gobierno y su país tratan a todos los países del mundo, pequeños, pobres, débiles o poderosos de igual manera. Es solo un asunto de justicia. Ocupado con otros asuntos de Estado, unos días después le propone a Inglaterra terminar con la doble posesión de Oregón, dejándole al Imperio británico la región norte de Canadá y a Estados Unidos la mitad sur. *"Es una propuesta amable"*, dice Polk. Es, de hecho, una propuesta muy conveniente para Gran Bretaña que, distraída y ocupada con asuntos más importantes, no rechazará.

Pero México no es Inglaterra y no es necesario negociar con los de abajo. Es un país de híbridos (mestizos), lleno de corruptos, totalmente incapaz de entender los beneficios de la libertad anglosajona y, sobre todo, no es un imperio capaz de responder con fuego al fuego. En 1849, un soldado que declarará ante el Congreso de Estados Unidos dirá que, de Saltillo a Mier, allá en México *"los pueblos de gente llenos de sonrisas saludando a nuestros soldados, pronto se convirtieron en ruinas humeantes; de sus jardines de naranjos en flor no quedó nada y sus habitantes huyeron a las montañas... Atila no debió dejar tanta destrucción mientras avanzaba..."*

La historia no registra ni registrará un ataque del águila calva a un país que no se encuentre mortalmente herido, por las circunstancias o por su tamaño. Registrará, en cambio, cientos de intervenciones en republicas pobres, en pequeñas islas, a veces tan minúsculas como Granada, que será necesaria una invasión masiva para que el mundo se entere de que existen.

1846. Por fin fuimos atacados

WASHINGTON DC. 11 DE MAYO DE 1846—El presidente James Polk se presenta ante el Congreso para hacer un anuncio de extrema gravedad: México ha invadido Estados Unidos. El invasor *"ha derramado sangre estadounidense en territorio estadounidense"*, declara el presidente, y el Congreso hierve de indignación. La indignación sale a las calles, cruza los ríos del sur y los Apalaches al Oeste. El pueblo clama por una reparación del honor nacional. Casi no había noticias reales para saciar la sed de los nuevos diarios que se vendían como pan caliente por un centavo (cinco centavos menos que los diarios tradicionales) y, de repente, la noticia del siglo. En cada pueblo y en cada ciudad, los diarios que apenas valen el papel en el que se imprimen, inundan el país con artículos copiados unos de otros, difundiendo y exagerando rumores emocionantes y provocando noticias que vendan más. Nada es tan emocionante y nada vende más que el sexo y la guerra, pero el sexo fuera de la cama matrimonial está prohibido.

Los hechos, que rara vez importan, fueron algo diferentes. Diez meses antes, el mismo presidente Polk había ordenado al coronel Zachary Taylor y su batallón cruzar todas las fronteras, reales e imaginables: el rio Sabine, la frontera con la República de Texas, y el rio Nueces, la frontera de ese país con México. En marzo pasado, una vez anexada Texas por voto del Congreso, cuatro mil soldados habían cruzado el río Nueces, el primer límite declarado de la exrepública con México, y se habían asentado del lado mexicano, en Corpus Cristi. Poco después, continuaron camino más al sur, hacia el río Grande.[18]

En el camino, el general Ethan Allen Hitchcock escribió en su diario: "*A decir verdad, no tenemos ningún derecho de estar aquí. Más bien parece que el gobierno nos ha enviado con tan pocos hombres para provocar a los mexicanos y de esa forma tener un pretexto para una guerra que nos permita tomar California*". El coronel Ulysses Grant, quien sólo piensa en un puesto como profesor de matemáticas en Ohio y que su futuro suegro se decida de una vez a entregarle a su hija como esposa, le escribe a su novia Julia que los oficiales no paran de hablar de los laureles y los ascensos que lograrán luego de la "*incursión en territorios en disputa*" mientras los soldados sólo piensan en marcharse de allí. Las primeras bajas son por accidentes, registra el joven Grant; un soldado murió ahogado y dos ayudantes negros que dormían en una carpa fueron alcanzados por un rayo que mató a uno de ellos y dejó malherido al otro. Con mayor entusiasmo, el 2 de julio de 1946 le envía otra carta a Julia: "*estoy seguro de que ahora que se han resuelto los límites de Oregón, pronto nos iremos de México*".

El coronel y futuro presidente, Taylor, es un opositor a la anexión de Texas, pero es militar. Hitchcock y Grant también son militares y ninguno discute órdenes. Contra sus propias ideas de la realidad y de la moral, todos proceden a cumplir las órdenes superiores con la mayor gloria y efectividad posible. El bueno de Grant, otro futuro presidente, cuenta los ascensos para poder casarse. Taylor acampa frente a Matamoros, ordena disponer los cañones apuntando a la pequeña ciudad del otro lado del río Grande y la bloquea por mar, impidiendo el ingreso de subsistencias.

Una noche, cincuenta soldados estadounidenses se tiraron al Río Grande y desaparecieron en México, como antes desaparecían en Texas los negros esclavos (cuando Texas era México) en busca de la libertad. La mayoría son irlandeses o descendientes de esos inmigrantes indeseados. Unos días

---

[18] El rio Grande (rio Bravo para los mexicanos) será definido y defendido como "*el límite fronterizo natural*". Natural como el límite de los estados centrales o el límite con Canadá, una línea recta sobre el papel que atraviesa medio continente.

después, a veinte millas del campamento de Taylor, uno de sus batallones se encontró con unos soldados mexicanos y comenzaron un tiroteo que duró poco y no tuvo mayores consecuencias. No en el momento. El batallón estadounidense, en inferioridad numérica, se rindió a poco de comenzar la batalla. Había comenzado la tan ansiada guerra.

Las noticias del fuego enemigo tardaron unas semanas en alcanzar Washington. Hoy lunes, el presidente James Polk ha informado al Congreso: "*Luego de reiteradas amenazas, México ha cruzado nuestra frontera y ha invadido el país, derramando sangre estadounidense en suelo estadounidense*". La precisión revela la intención. Dos días después, poco antes de la crucial votación en el Congreso, a las 12:30 del mediodía, un representante de Kentucky, Garrett Davis, se levanta y protesta: "*El río Nueces es el verdadero límite fronterizo al oeste de Texas. No fue México el que inició esta guerra, sino nuestro presidente, que la ha estado buscando y planeando por muchos meses*".

El Congreso, ahora con una mayoría de sureños, demócratas y esclavistas, aprueba la declaración de guerra con solo 14 votos en contra, entre ellos el de John Quincy Adams. El poder se sirve de sus hombres más importantes cuando están de acuerdo y los descarta cuando no. El viejo Quincy Adams, expresidente y ex expansionista, autor de la Doctrina Monroe en 1823, ahora convertido en abolicionista, denuncia la injusticia de una guerra sucia contra el vecino del sur. Acusa al presidente Polk de traición a la verdad y a los principios morales más básicos. Demasiado tarde. Los catorce legisladores que se oponen a la guerra son acusados de algo peor. Son acusados de traición a la patria y traición a "Nuestras Tropas" que, aún antes de la votación, habían entrado en aguas mexicanas frente a Veracruz, en el Golfo, y frente a San Francisco en el Pacífico.

En el Palacio Nacional de México, distraídos en disputas internas, el presidente y los congresistas tardarán dos meses más en darse cuenta de que estaban en guerra con el poderoso vecino del norte.

1846. Dios nos ha dado esta tierra

MATAMOROS, MÉXICO. 31 DE MAYO DE 1846—A las cuatro de la tarde, el ejército de Estados Unidos finalmente ocupa Matamoros y el general Zachary Taylor nombra gobernador. El 19 de mayo, el *Baltimore Sun*, bajo el título

"EMPEZAMOS GANANDO. MATAMOROS REDUCIDA A CENIZAS. 700 MEXICANOS MUERTOS!!"

había hecho una extraña referencia a la bandera de aquel país, informado que *"la serpiente mexicana ha sucumbido a las garras de nuestra águila... El General Taylor ha dado orden de bloquear México desde el golfo".* 700 mexicanos muertos y uno solo de los nuestros exacerba el espíritu patriótico de millones. El *Sun,* inventor del *penny press* (diario a centavo)*,* afirma que el valiente oriundo de Maryland, el mayor Samuel Ringgold, muerto en la batalla de Palo Alto dos semanas atrás, se ha cubierto de gloria y ya se aprontan 17.000 voluntarios más para luchar en México. En adelante, los libros de historia se poblarán con su imagen cayendo de un caballo blanco, a veces negro, siempre asistido por sus oficiales. Las ilustraciones de la muerte del legislador y soldado John J. Hardin en la batalla de Buena Vista serán casi una copia de estilos y de significados.

En Matamoros, el capitán R. A. Stewart, esclavista de Luisiana y pastor de la iglesia metodista, da un sermón a los soldados que han vencido, citando a Jeremías VII: 3, 6: *"Así ha dicho el Señor de los ejércitos: juzga con la verdad, con misericordia y con compasión, tratando a todos como hermanos. Si no oprimes al extranjero, ni al huérfano, ni a la viuda, ni derramas sangre en este lugar, entonces te daré esta tierra para que vivas en ella para siempre, porque ya se las había dado a tus antepasados".* Las sucesivas masacres se suceden sin oprimir al extranjero y sin derramar sangre. En posición de oración y respeto, los soldados escuchan y el pastor Stewart justifica a los verdaderos cristianos que han llegado del norte para *"echar luz hasta Tamaulipas y así obligar a sus habitantes a aceptar las bendiciones de la libertad".*

El batallón guarda silencio. El pastor Stewart cierra la Biblia y, como cualquier pastor fanático, continúa haciendo hablar a Dios: *"esta historia demuestra, de forma hermosa e incuestionable, que nuestra lucha ha sido por una orden del Señor. Que Dios nos ordena, no sólo a que la raza anglosajona tome posesión de todo el continente de Norteamérica, sino que, además, cambiemos para siempre el destino del resto del mundo".*

Pocos meses después, el general Winfield Scott, en su reporte al Secretario de Estado, se queja de sus propias milicias y de los voluntarios que vienen del norte: *"el robo, los asesinatos y las violaciones de madres e hijas delante de sus esposos maniatados han sido algo común a lo largo de esta región del río Grande".* En su diario, el capitán Daniel Harvey Hill, quien en la Guerra Civil se unirá a los confederados, recordará que *"los voluntarios estadounidenses asaltaban casas, las saqueaban, asesinaban a los hombres y violaban a las mujeres mexicanas a plena luz del día".* Pocos meses después, el 9 de febrero de 1847, un miembro del regimiento de Arkansas en Agua Nueva, Coahuila, bajo la supervisión del ex gobernador de Arkansas, Archibald Yell, y del mando del General John Ellis Wool, violará a una joven mexicana, por lo que sus familiares tomarán venganza y matarán al agresor.[19] Como venganza de la venganza, cien hombres del mismo regimiento perseguirán a un grupo de refugiados locales que se esconderán en una cueva de Catana, cerca de Saltillo. Cuando el batallón estadounidense los encuentre, las mujeres y los niños suplicarán por piedad, pero igual serán violados por los soldados y luego masacrados hasta que la sangre ensucie sus uniformes.

Testimonios similares abundan sobre violaciones, asesinatos de civiles desarmados, destrucción de iglesias y cementerios. Sin embargo, en Estados Unidos, los lectores no aceptan siquiera la idea de que sus muchachos de uniforme puedan ser capaces de algún acto indecente. La opinión pública se ha fosilizado. En Washington, algunos de los más férreos opositores del presidente James Polk, como el senador John McHenry, se rinden ante los incuestionables triunfos en el campo de batalla y felicitan al glorioso ejército estadounidense que ha vencido a las fuerzas invasoras. La prensa es aún más gráfica. El 20 de mayo, el *Jacksonville Republican* de Alabama reproduce el mismo artículo que se imprime en otros estados: *"nuestros heroicos soldados han hecho morder el polvo de la derrota a los pérfidos mexicanos... ¡Todo el honor para el general Ringgold y su batallón Tercero de artillería y sus bravos soldados, nueve veces nueve, por defender a nuestro país y a la libertad de nuestras instituciones!"*.

Desde territorio enemigo, el general y futuro presidente Zachary Taylor no da abasto para atender los reclamos de abusos, asesinatos y violaciones. Se refugia en su tienda y le escribe una carta a su yerno: *"me han llegado rumores de la muerte del presidente Polk. No le deseo la muerte a nadie, pero la muerte que menos lamentaría sería la de este señor"*.

El ex gobernador de Arkansas y aventurero Archibald Yell morirá en la batalla de Buena Vista dos semanas más tarde, el 23 de febrero de 1847. Su regimiento se hará famoso por su falta de disciplina y sus violaciones contra los mexicanos desarmados. Algunos de sus soldados y voluntarios tendrán mejor suerte. John Selden Roane se convertirá en gobernador de Arkansas. Otros, como el general Albert Pike, Solon Borland, y James Fleming Fagan serán reconocidos como valerosos héroes del ejército confederado del sur en la Guerra civil de Estados Unidos, en su lucha por mantener la noble tradición de la esclavitud ajena.

Las cartas de los soldados y voluntarios enviadas desde México a sus familiares describiendo crímenes y violaciones contra la población desarmada

---

[19] Este regimiento, era conocido por sus compatriotas como "Mounted Devil" y "Ransacker" (los Diablos montados y Los saqueadores) por su afición a divertirse con la población local. Algunos de sus soldados habían recogido experiencias similares en la guerra de despojo contra los indios salvajes en el norte, luego de la *Ley de remoción* aprobada en 1830, la cual decretó que los indios no eran amigos de la libertad.

del país que no quería la guerra, no serán tomadas en serio por la prensa por no ser realistas. Muchas ni siquiera serán publicadas antes que las respuestas indignadas a tanta sinceridad. Un cristiano anglosajón es un representante de la civilización, la ley y el orden, incapaz de un acto contra la moral y el derecho. Mucho menos contra la moral sexual.

1846. La guerra política y la guerra cultural

SPRINGFIELD, ILLINOIS. 4 DE JUNIO DE 1846—El *Sangamo Journal* insiste que las hostilidades no fueron iniciadas por México sino por el presidente James Polk. Sin embargo, a medida que avanza la guerra, el mismo diario de Illinois patrióticamente apoya el ataque y despojo del vecino del sur. Los días del partido Whig están contados. De la misma forma que el partido Federalista desapareció por oponerse a la guerra en 1812, ahora los Whig desaparecerán por oponerse a la guerra con México.[20]

Luego de los repetidos desastres militares por anexar parte de Canadá treinta años atrás, el negocio más inteligente es continuar el despojo de las naciones indígenas primero y de los territorios mexicanos después. El presidente James Polk tiene un buen argumento: "*Para obtener California, se debe aplicar todo el poder de la cristiandad*". Una nueva cruzada, otra con la cruz pero sin el crucificado. Las grandes obras requieren sacrificio y valor, como su abandono del ateísmo al entrar en la Casa Blanca. El diario demócrata *State Register* aclara y advierte contra el exceso de optimismo: "*los mexicanos son racialmente inferiores, pero se encuentran un escalón por encima de los negros*".

Las teorías y la fe no son suficientes. Hay que levantar el ánimo popular y, en cierto momento, a pesar de la autocensura de la mayoría de los periódicos, las noticias que alcanzan la letra impresa tienen el efecto contrario. Algunos diarios comienzan a publicar los reportes de sus enviados a México junto con las cartas de los soldados, como ocurrirá en otras invasiones a lo largo de las generaciones por venir. El congresista por Illinois y soldado voluntario John J. Hardin se sorprende de no haber visto ni a un solo mexicano borracho. "*En lo demás, no son muy distintos a los negros*", escribe y se lamenta porque pensaba encontrar jardines con hermosas mujeres

---

[20] La quema de la Casa Blanca en 1812 por parte del ejército británico fue una represalia por uno de una decena de ataques expansionistas de Washington sobre Canadá, la que dejó una destrucción similar de puertos y ciudades. La casa de gobierno se pintará de blanco para cubrir las marcas del fuego, la historia hablará de una brutal invasión británica y la letra del himno nacional condenará a los esclavos por falta de patriotismo.

abanicándose, *"ofreciendo los deliciosos frutos de la tierra"* y, en cambio, debieron marchar largos días sobre desiertos poblados de cactus. Peor que todo eso, Hardin no soportaba cruzarse con híbridos mexicanos desinteresados por la guerra. Otros, como el joven paramédico Alexander Somerville Wotherspoon, se molestan cuando, en lugar de feroces nativos, se encuentran con gente más bien amable.

En el norte civilizado, los lectores, desde el comisario hasta los presos, cada mañana esperan con ansiedad los diarios o los leen en las calles en voz alta, como si se tratara de la final de un gran torneo. Cuando no consiguen llenar las páginas con relatos heroicos de los soldados y voluntarios, los redactores se entretienen convirtiendo en héroes a cualquier hijo de familia protestante, caído en acción, como el infortunado hijo del senador Martín D. Hardin, John, muerto en Buena Vista, Coahuila, el 23 de febrero de 1847. En Illinois, su funeral reunirá 15.000 hombres y mujeres que lo llorarán. Incluso el joven Abraham Lincoln, derrotado en las elecciones de 1844 por John Hardin, cambia su discurso antibélico por la apología a su adversario político y a los caídos en la guerra contra México. No ahorra en discursos patrióticos ni en elogios para el héroe caído. Los historiadores no se pondrán de acuerdo sobre cuál pudo ser la contribución militar de John Hardin, pero Lincoln será electo este mismo año para ocupar su banca en la cámara de representantes.

El 24 de julio, Henry David Thoreau, el filósofo y activista más importante de Estados Unidos del siglo XIX, es detenido y pasa un mes en la cárcel por negarse a apoyar con sus impuestos la guerra contra México. En su descargo dice que se trata de *"una guerra perpetrada por unos pocos en su propio beneficio y en usufructo del gobierno de todos... Una guerra llevada a cabo con el propósito de extender la esclavitud en territorios ajenos"*. En su libro *Desobediencia civil* insistirá que ningún individuo debe entregar su conciencia a su gobierno ni a los poderes que rigen su sociedad. Ralph Waldo Emerson, James Russell Lowell (autor del libro antibélico *The Biglow Papers*) y Frederick Douglass tampoco ahorran en artículos contra la guerra. Pero uno es filósofo, el otro poeta (como Thoreau que, para peor, es ambas cosas) y el último es negro.

La guerra política será ganada por el poder, esta vez el poder de los estados esclavistas del sur, pero la guerra cultural amenaza de nuevo con ser ganada por los radicales de los libros. James Polk se apresura y escribe cartas que su esposa Sarah leerá y corregirá antes de ser enviadas a uno de los pocos amigos periodistas del presidente.

Sarah hace una pausa. Se levanta y mira por la ventana. Es un bochornoso día de verano y afuera debe estar insoportable. Mucho más al sol, como están los negros trabajando en los jardines de la Casa Blanca. Sarah se abanica y reflexiona en voz alta:

—Esos que escribieron la Declaratoria de la Independencia vivían en un mundo de fantasía…

El presidente levanta la vista y la mira. Otra de las tantas ocurrencias de su querida Sarah. James Polk se sonríe y Sarah lo advierte. Se da vuelta y lo mira con displicencia. Polk, como su padre, es un jeffersoniano fiel, ateo, o casi, y todavía creyente en esas cosas del humanismo y alguna que otra fracasada idea francesa sobre la igualdad, la libertad y la democracia. Pero antes que en las palabras de Jefferson, Polk confía en el pragmatismo político de su esposa. Ella lo llama instinto, porque es más apropiado para una mujer y, sin detenerse, recita de memoria y con tono sarcástico:

—*"Nosotros, el pueblo, sostenemos como evidentes estas verdades: que todos los hombres son creados iguales; que todos son dotados por su Creador de ciertos derechos inalienables; que entre estos derechos están la vida, la libertad y la búsqueda de la felicidad"*.

James Polk se encoge de hombros y firma la solemne declaración, como en la Edad Media los sacerdotes terminaban una discusión citando a Aristóteles:

—Thomas Jefferson. 4 de julio de 1776.

Pero Sarah no se impresiona.

—Mira esos hombres —dice, señalando a los negros doblados sobre la tierra y bajo el peor sol de julio—. Ellos no eligieron estar ahí inclinados todo el día para conservar la belleza de esta casa y de este país. Tampoco nosotros elegimos estar aquí, tú escribiendo y yo abanicándome mientras miro esos hombres bajo el sol. Cada uno de nosotros fuimos creados para ocupar el lugar que ocupamos. Cada uno ocupa el lugar que debe.

El 5 de junio de 1845, el *New York Herald* repite un lugar común: los mexicanos son una raza resultado de todo tipo de mezclas, lo que ha producido *"una imbecilidad intelectual característica de su raza… por lo cual son incapaces de gobernarse a sí mismos"*. En cambio, *"la raza anglosajona siempre ha aborrecido la sola idea de mezclarse con otras razas… Por donde los anglosajones han avanzado, han desplazado a las razas inferiores, desplazando la barbarie por la civilización"*. Cualquier tratado de paz con México *"deberá garantizar la protección de la inmigración desde Estados Unidos para desplazar poco a poco a la raza imbécil que habita ese país por la enérgica raza anglosajona"*.

En el Congreso se multiplican las afirmaciones sobre la imbecilidad de las razas no anglosajonas y la incapacidad de los mexicanos, como los indios y los negros, para entender el concepto de libertad. A partir de Andrew Jackson, los políticos y los presidentes del país son sureños en un número crítico; por lejos más religiosos que la generación fundadora y menos educados en la cultura de la Ilustración y el humanismo. En el sur esclavista, la sinceridad aflora por la espalda. Frente a las razas inferiores o los individuos desagradables, son más amables que en el norte; sonríen con más facilidad y, entrenados en la cultura del Amo, saben cómo evitar el conflicto cuando no es necesario y cuándo provocarlo cuando la fruta está madura.

La mentalidad racista y esclavista que gobierna el país gobernará el mundo. Para los sureños del norte, la raza blanca (casi inexistente en la Biblia, de no ser por algunos paganos del Imperio romano) fue elegida por Dios para dominar el mundo. El cristianismo, como la raza humana, al pasar por Europa habría perdido su color y sus conversos, de ser bárbaros y esclavos eslavos se convirtieron en civilizados esclavistas; de ser perseguidos y torturados del Imperio, pasaron a ser temibles persecutores y torturadores de otros pueblos indefensos. Para las nuevas generaciones de políticos sureños, esclavistas, el resto de la humanidad (los negros esclavos, los indios rebeldes, los mexicanos corruptos) deben ser tratados como lo que son, seres inferiores e incapaces de ocuparse de sus propios negocios. En caso de no comportarse como súbditos o esclavos, son considerados culpables de alguna inaceptable ofensa y merecedores del castigo que extiende las fronteras y el sagrado derecho del comercio propio.

El 8 de agosto, el presidente James Polk solicita al Congreso dos millones de dólares para negociar con un México destrozado, ocupado y sin posibilidades de negociar. David Wilmot, un representante de Pensilvania (oveja negra del Partido Demócrata y más tarde del nuevo Partido Republicano) propone que, a cambio de la aprobación de los recursos solicitados, se mantenga la prohibición de la esclavitud en los nuevos territorios arrancados a México. El Senado, con una mayoría de los demócratas esclavistas del sur, rechaza la propuesta. Texas y los nuevos estados no sólo serán una fuente inagotable de tierras para extender las plantaciones esclavistas, sino que terminarán por romper el equilibrio en el Congreso entre estados a favor y estados en contra de la esclavitud que aun amenazan con abolir la esclavitud en Estados Unidos como ya lo han hecho, décadas atrás, las repúblicas bárbaras del sur.

En febrero del próximo año, la propuesta de Wilmot será puesta a consideración una vez más. Otra vez, como ocurrirá por diez generaciones por venir, el proyecto de ley pasará la cámara de representantes y será rechazada por la cámara de Senadores, dominada por estados rurales, conservadores y prácticamente deshabitados.[21] La esclavitud demorará aún unas décadas más en

---

[21] En las elecciones de 1844 votaron un total de 2.639.498 habilitados. Aunque con un récord de participación, el total sólo representa al 11 por ciento de la población. Los detalles son aún más significativos. En Nueva York vota casi medio millón y en los estados esclavistas del sur ninguno alcanza los cien mil votos. Arkansas apenas suma quince mil, pero sus dos senadores valen lo mismo que los dos de Nueva York, Pennsylvania o Massachussets. En el estado más proesclavista de la Unión, Carolina

ser abolida, pero necesitará la guerra más sangrienta que sufrirá Estados Unidos dentro de sus fronteras en toda su historia. Los negros se convertirán en ciudadanos estadounidenses en 1868, pero no en individuos libres. Los estadounidenses de origen mexicano tampoco. El sistema electoral para elegir presidentes, el desproporcionado poder de los senadores conservadores, herencia del sistema esclavista desde los tiempos de la fundación de este país, sobrevivirá intacto hasta el siglo XXI. La discriminación legal de nativos, negros e hispanos en los estados del sur durará un siglo más. La discriminación, el racismo, la auto victimización anglosajona en todo el país, las invasiones e intervenciones en países ajenos en nombre de la defensa propia, por lo menos un siglo más.

1846. Los que llegan son criminales, son violadores

MONTERREY, MÉXICO. 20 DE SETIEMBRE DE 1846—Contra su conciencia y por obediencia castrense, el general Zachary Taylor marcha sobre Monterrey. Luego del paso de su tropa, la que se demora tres días en la ciudad, uno de los testigos (el 11 de agosto de 1848, Manuel Payno publicará su testimonio en México como *Apuntes para la historia de la guerra*) recuerda que los habitantes que quedaron vivos abandonaron la ciudad con sus hijos en brazos y una de las más hermosas ciudades de la república "*quedó convertida en un gran cementerio. Los cadáveres insepultos, los animales muertos y corrompidos, la soledad de las calles, todo daba un aspecto pavoroso á aquella ciudad*".

Otro futuro presidente de Estados Unidos, Ulysses Grant, por entonces un joven coronel el 25 de julio, desde Matamoros le escribe a su novia Julia: "*Desde que llegamos a Matamoros han ocurrido grandes y repetidas matanzas y no se ha hecho nada para evitarlas. Algunos de nuestros voluntarios, sobre todos los de Texas, se creen con el derecho de hacer lo que quieran con la gente de una ciudad destruida. Creen que pueden asesinar a cualquier mexicano, amparados en la oscuridad de los hechos, y parecen disfrutarlo mucho. No quiero ni decirte cuántos pobres mexicanos han sido asesinados de esta forma, pero el número te asombraría*". Diferentes soldados voluntarios reconocen las matanzas de gente indefensa, pero las justifican por las "ofensas cometidas por México", tal como el presidente James Polk había determinado. Desde Matamoros, Frank Hardy, un voluntario de Ohio, le escribe a su hermano que "*aunque los mexicanos parecen compartir el respeto de las*

---

del Sur, ni siquiera se realizan elecciones abiertas para elegir a sus delegados. Los negros son clara mayoría (continuarán siéndolo hasta 1915).

instituciones de Estados Unidos, de cualquier forma no son otra cosa que serpientes arrastrándose en el suelo. Son amigos de Estados Unidos sólo para hacer negocios. Son una desgracia de raza y tienen el corazón tan oscuro como su piel". El general Winfield Scott le escribe directamente al Secretario de Estado: *"Si reportamos un décimo de lo que se sabe, debemos decir que nuestras milicias y nuestros voluntarios han cometido atrocidades, horrores en México, los suficientes como para que el cielo y cualquier cristiano se avergüence de nuestro país. El robo, los asesinatos y las violaciones de madres e hijas delante de sus esposos maniatados han sido algo común a lo largo de esta región del río Grande"*.

El 11 de abril, el General Scott anuncia en un comunicado escrito dirigido *"al honorable pueblo de México"*, que un americano ha sido "colgado del pescuezo" por haber deshonrado al ejército de su país, violando a una mujer mexicana. Scott se pregunta *"¿No es esta una prueba más que clara de la buena fe y disciplina con que nos regimos?"* Dos días más tarde, el 13 de abril, el *The American Eagle,* desde Veracruz, informa sobre la ejecución de un negro (*"colored man"*) de nombre Kirk, *"ciudadano"* de Estados Unidos, acusado de haber violado a una mujer mexicana. *"La ejecución tuvo lugar el sábado por la tarde. Una gran cantidad de personas se hicieron presente para presenciar la primera ejecución bajo ocupación americana que se ha registrado nunca. Este acto probará ante el mundo qué les ocurre a aquellos que atentan contra las buenas costumbres de los ciudadanos de bien"*. En Matamoros, un oficial de Kentucky advierte: *"Si nos van a enviar sirvientes a la frontera, mejor que sean blancos"*. El ejército estadounidense no acepta negros y la marina sólo hasta un cinco por ciento. La razón era muy simple: los blancos son más patriotas. Todas las demás razas, incluida la irlandesa, desertan con facilidad apenas pueden. No tienen patria.

Cuando el general Scott informa a los cuatro vientos que un estadounidense ha sido colgado por violación, no aclara que los negros ni siquiera son ciudadanos de su país. Los negros seguirán siendo esclavos en Estados Unidos hasta la Enmienda XIII de 1865 y no serán ciudadanos de ese país hasta 1868. En 1847 eran propiedad privada de sus amos, como las bayonetas, los cerdos y los caballos, sin derecho a la ciudadanía ni a un juicio justo, pero con todas las responsabilidades morales de un hombre o de una mujer libre, aparte de sus obligaciones particulares de la institución particular. Los crímenes de los aventureros anglos sunca serán castigados. La justicia es ciega. Los múltiples asesinatos de mexicanos que huyen de la guerra y las violaciones de las mujeres con sus hijos en brazos quedarán impunes, apenas lamentados en las cartas y en los testimonios de propios y ajenos.

Los diarios del otro lado de la frontera, como el *North American* de Filadelfia del 25 de mayo de 1846, celebra el *"espíritu de la nación"* por el cual *"el gobierno puede confiar en los valores morales de sus soldados y sus voluntarios, hombres capaces de abandonar lo mejor de su tierra para luchar con honor por su país"*. En una carta fechada el 30 de junio, el mismo general Zachary Taylor se lamentará de no poder contener a los voluntarios en sus asesinatos y violaciones, más propias de los bárbaros que de seres civilizados.

Un año más tarde, el general Scott entrará en Ciudad de México, imponiendo las condiciones para negociar el tratado Guadalupe Hidalgo que entregará a Estados Unidos la mitad del territorio mexicano y al olvido casi total las atrocidades del Destino manifiesto de la raza superior que él mismo denunció en su momento.

1847. Nuestro país siempre tiene razón

MATAMOROS, MÉXICO. 22 DE MARZO DE 1847—Como Moctezuma le había abierto las puertas del imperio a Cortés, José Herrera le abre las puertas a James Knox Polk. Es sus diarios, que poco después de enviados a Europa se convirtieron en *best sellers*, Hernán Cortés escribió que sus matanzas habían sido bendecidas por Dios con la victoria. También Polk y todos los presidentes de Estados Unidos están seguros de que son enviados de Dios y todas las tierras y los hombres y las mujeres que toman a su paso son parte del Destino manifiesto. El desembarco en Veracruz y el camino hacia México son los mismos en 1519 y en 1847, por lo cual algunos le llaman "La ruta de Cortés", con una diferencia: Hernán Cortés hundió sus propias naves y el general Winfield Scott hizo llover fuego durante cinco días sobre la ciudad condenada a los bombardeos imperiales.

Como los aztecas, los mexicanos se encuentran desmoralizados. Como los conquistadores españoles, los marines americanos revientan de euforia porque tienen a sus dioses de su lado. El 23 de febrero, el soldado Theodore McGinnis le escribe una carta a su familia de Wisconsin: "*Vamos a bajar a Vera Cruz como un tornado. Europa nunca habrá conocido una hazaña similar*". El 9 de marzo, el general Scott decide bloquear el puerto de Veracruz. Sabe que el ejército mexicano está distraído en la capital y la capital, envuelta en sus luchas internas, no alcanza a calibrar la gravedad de la situación. Scott introduce una novedad bélica que se convertirá en regla en las guerras por venir. Como hiciera en la guerra contra el pueblo Cheroqui, sabe que las bajas civiles deciden el rumbo de la historia, y bombardea la ciudad el 22 de marzo. En cuatro días, hace llover 220 toneladas de bolas de cañón sobre calles, plazas, iglesias y comercios. Los pocos edificios que quedan en pie arden en llamas por varios días. El 3 de abril, el soldado Turner Crooker le escribe a su madre sobre su emoción al ver la bandera de franjas y estrellas flameando en una de las ciudades más importantes del enemigo, ahora en ruinas.

En Monterrey, John E. Durivge, corresponsal del *Picayune* de Nueva Orleans, niega que un americano sea capaz de violar a una mexicana. El 13 de mayo, reporta la matanza indiscriminada de mexicanos en México "*por gente que dice llamarse estadounidense*". Los voluntarios anglos, a quienes ni el general Zachary Taylor puede controlar y el joven coronel Ulysses Grant considera asesinos impunes, masacran familias enteras en represalia por la injusta invasión de los mexicanos a México. Durivge escribe: "*Hace dos o tres semanas, un americano fue ultimado de un balazo y sus amigos decidieron vengar su muerte. Un grupo de al menos veinte hombres se allegaron a la zona y mataron a veinticuatro mexicanos. En mayo, los Rangers ahorcan a cuarenta mexicanos por razones similares*".

Algunos congresistas del partido Whig, critican estas matanzas y el presidente James Polk los acusa de traidores a patria. Algunas mujeres se atreven a más. Jane Grey Cannon Swisshelm, abolicionista y feminista en los tiempos difíciles, y Rebecca Gratz, docente judía de 67 años, publican artículos contra la guerra. Firman con seudónimos.

Pero las tabernas de Estados Unidos se llenan de canciones populares en favor de la guerra. Nada excita más el patriotismo de un país que una guerra. La guerra, la eterna emoción donde nosotros matamos y otros mueren. Las letras celebran y honran a los héroes nacionales caídos en combate y denuncian "las atrocidades de los mexicanos". "*Look up on that Banner*" y "*The Dying Soldier of Buena Vista*" son los grandes éxitos de la temporada.

> *Ven conmigo a México,*
> *hazle justicia a tu hermano muerto*
> *y honra el honor de tu país.*
> *Hijo, dame un beso y un abrazo*
> *tal vez sea el último.*
> *La justicia es el lema de nuestro país*
> *el que siempre está en lo cierto.*
> *El país te cubrirá de gloria si regresas*
> *pero si caes en la batalla*
> *te honrará con laurel y cipreses.*

(Horace Pratt "Mira esa bandera". Canción de una madre patriota a su hijo.)

Obviamente, Horace Pratt no era madre. La guerra es tan popular y tiene tal poder de acallar cualquier disidencia que, además de James Polk (instrumento principal de la guerra contra México y discípulo del impulsor del despojo de los territorios indios, Andrew Jackson), en lo sucesivo los próximos presidentes serán veteranos de guerra. El general Zachary Taylor, quien odiaba la política y, sobre todo, odiaba al presidente Polk por considerar que la guerra contra México era una burda excusa para tomar más territorios, se convertirá en uno de los héroes de la guerra contra México y será elegido presidente en 1848. Franklin Pierce, aunque abogado, participó en la misma guerra como General de brigada y fue electo en 1852. El general Ulysses Grant, crítico de la guerra contra México e indignado de las violaciones y de los crímenes de sus compatriotas contra aquella gente, se convertirá en héroe de la Guerra civil y será elegido presidente en 1868 y reelegido en 1872. Lo mismo William McKinley en 1896. Aunque será Franklin Roosevelt el presidente de la recuperación y refundación de Estados Unidos, luego de la Segunda guerra serán elegidos presidentes el general Harry Truman, responsables de las dos únicas bombas atómicas arrojadas sobre dos ciudades en toda la historia, y luego, en 1952, el general Dwight Eisenhower. Eisenhower será el último presidente general y veterano de alguna guerra mayor, pero la vocación por la guerra como instrumento patriótico nunca pasará. Sobre todo, cuando los líderes no necesiten vestir un uniforme militar ni mancharse de sangre ajena o de sudor propio sino ser buenos comunicadores, vestidos de impecables trajes oscuros y sonriendo con sus bocas llenas de perfectos super blancos implantes.

1847. El sueño de un revólver super potente

HUAMANTLA, TLAXCALA. 31 DE AGOSTO DE 1847—A cinco días de haber arribado a México, Samuel H. Walker, héroe de las guerras contra los indios en Norteamérica e inventor, junto con Samuel Colt, de los célebres revólveres *Colt Walker*, es enviado a Santa Fé para rescatar un pequeño grupo de americanos que había sido atacado por rancheros mexicanos. Los valientes rangers de Texas capturan a varios hombres y los ejecutan sin más protocolo. Excepto uno, el que fue enviado con una nota del Capitán Walker a la banda de criminales con una advertencia: "*si sabemos de cualquier otro acto de robo o asesinato, todos los responsables serán ahorcados y todas sus propiedades serán destruidas*".

El martes 31, el capitán Walker recibe noticias de la reciente batalla de Puebla. El sargento George W. Myers escribe en su diario: "*Uno de los valerosos soldados americanos recibió un disparo justo debajo de la oreja, el que alcanzó a penetrar hasta su boca. El soldado mordió la bala con sus dientes y disparó al mexicano agresor, el que murió al instante*". El sábado 9 de octubre, otra bala atraviesa la espalda del capitán Samuel Walker. Según reportes posteriores, mientras es asistido por sus compañeros, pronuncia sus últimas palabras: "*Me estoy muriendo. No pierdan tiempo conmigo. Díganle al capitán Lewis que no se rinda jamás. Luchen mientras quede un hombre respirando*". Llorando, el capitán Burst dice: "*daría seis años de mi vida por haber podido hablar con el capitán Walker antes de morir*".

Los mexicanos, escribe el sargento Myers, "*le ponen pimienta roja a todo lo que comen y nos temen más que el Diablo al agua bendita, aunque ellos nos llaman los diablos del capitán Walker*". El representante de Texas en el Congreso asegura que el último deseo del capitán Walker era descansar a la sombra del heroico *The Alamo*. Un oficial de Pensilvania escribió en su honor: "*el capitán Samuel H. Walker tenía más sentimiento y compasión por los pobres de México que ningún otro oficial que he conocido en mi vida. El capitán nunca permitió que se cometiera ninguna injusticia contra ese pueblo*". Ulysses Grant, en cambio, el 20 de octubre, desde Monterrey, le había escrito a Julia: "*la prensa ahí lo exagera todo; ¡ahora resulta que han hecho del capitán Samuel Walker un héroe de las mil batallas!*".

Samuel Walker fue enterrado a una milla de El Álamo, cerca de San Antonio, más precisamente en Huamantla (que en náhuatl cuahuitl significa "abundancia de maní", que en inglés significa "*abundance of peanuts*" o "abundancia de cosas sin valor"). Walker ha muerto el mismo año en que su sueño de un revólver super potente se hace realidad con el invento y marca registrada *Colt-Walker*. Alguien, probablemente una mujer, le había disparado desde un balcón con una escopeta obsoleta.

1847. Pobres mexicanos, no quieren saber nada de la guerra

VERACRUZ, MÉXICO, 18 DE ABRIL DE 1847—Decenas de irlandeses desertores, que no entendieron eso del Destino manifiesto, luchan en el bando mexicano. Son conocidos como el batallón San Patricios, uno de los más aguerridos en la guerra.

El 19 de abril, el general Winfield Scott derrota a Santa Ana en Cerro Gordo. Santa Ana pierde un tercio de su tropa y, a un paso de la victoria, se retira abruptamente. Los diarios en Estados Unidos alaban "*el sacrificio que nuestros soldados hacen por nuestra nación*". En Puebla, las tropas estadounidenses encuentran un escollo que les impide continuar debido a lo difícil que resulta combatir las guerrillas locales. El *North American* de Filadelfia informa de la muerte de treinta estadounidenses a manos de los guerrilleros, que los mexicanos llaman "rancheros".

Los anglos que llegan a Jalpa encuentran una ciudad que les recuerda a las ciudades de su propio país. Pero no están en el país de las leyes, y los voluntarios, protegidos por los soldados invasores, continúan robando en las calles a plena luz del día. Carl von Grone, prusiano al servicio del general Scott, escribe a su hermano en Alemania: "*cada día que pasa los estadounidenses asaltan a las mujeres en las calles, a la luz del día. Entran a sus iglesias y se roban lo que encuentran*".

El batallón San Patricios es definitivamente derrotado. 72 son condenados a la pena capital. El general Scott perdona a cinco, pero el espectáculo de los 52 irlandeses colgados en una plaza provoca la indignación de los locales mientras la pierna ortopédica de Santa Ana es llevada a Illinois como trofeo de guerra y expuesta en el Museo Estatal de Guerra de Illinois, donde permanecerá por las generaciones por venir. Poco después, los soldados estadounidenses entran a ciudad de México y se decepcionan: como la encontraron los españoles de Hernán Cortés más de tres siglos atrás, la ciudad está bien organizada, todo es limpio, todo funciona como cualquier ciudad yanqui y las mujeres son de "*una belleza inesperada*". Uno de los soldados escribe que "*la gente parece más inteligente de lo que pensamos*". Ulysses Grant no se cansará de elogiar el clima y la gente del lugar. El 24 de abril le escribe a su novia que la ruta de Veracruz a México "*es una de las mejores del mundo*", el pueblo de Jalpa "*es el lugar más bello que he visto en toda mi vida; Julia, quisiera que aquí estuviese nuestra casa para el resto de nuestras vidas*". En otra carta de setiembre escribe que la capital, México, "*es una de las ciudades más hermosas del mundo*".

Otto Birkel, voluntario de Ohio, escribe en su diario: "*Los padres fundadores estaban en lo cierto al recomendar estricta neutralidad en los asuntos de otros países. Pero sus nietos se creen más sabios que ellos… En Estados Unidos nadie piensa que tomar todo el continente sea una locura. Por el contrario, son alentados por sus demagogos*".

El 19 de diciembre, el diario *Picayune* de New Orleans, Luisiana, bajo el título de "*Massacre of Mexican citizens*" reporta que, para vengar la muerte de un *ranger* en México, sus compañeros de armas se avecinaron a una villa donde supuestamente vivía el guerrillero y mataron a 17 personas, dejando heridas a otras 40. Días después, Ulysses Grant le escribe a su novia: "*México es un lugar agradable para vivir, porque no es ni muy frío ni muy caliente. Pero pareciera que su gente no quiere saber nada de la guerra. Me dan lástima; ¡pobre México!*"

1847. Como contra los indios, esta también es una guerra justa

ILLINOIS JOURNAL, SPRINGFIELD. 18 DE NOVIEMBRE DE 1847—MÚLTIPLES diarios ya han adoptado los axiomas del presidente James Polk como revelaciones incuestionables y, como un pastor elabora a su antojo sobre un párrafo sagrado de la Biblia, el periodismo de la época hace lo mismo con cada palabra de la Casa Blanca. Como la fe de cualquier religión, el patriotismo transforma los más profundos deseos en más palabras que justifican, promueven y ratifican cada acción conveniente. El jueves 18, el diario *Springfield* de Chicago analiza la ofensa de los mexicanos por haberles regalado tierras libres de impuestos a los ciudadanos estadounidenses, obligados por leyes bárbaras a liberar a sus esclavos: *"Nuestros compatriotas tenían derecho a visitar México en base al sagrado derecho del comercio. ¿Y cómo fueron tratados? ¿Tuvieron las autoridades mexicanas algún miramiento a los dictados de la justicia y la humanidad? No. No respetaron ni las personas ni la propiedad de los ciudadanos estadounidenses. Los robaron y los enviaron a la cárcel. Los insultaron. Algunos murieron por sus privaciones. Pisotearon nuestro nombre en su suelo e insultaron nuestra bandera en alta mar. Estos ultrajes constituyen, según la conocida ley de las naciones, una causa justa de guerra. Se ha dicho que las autoridades mexicanas reconocieron todos sus errores y sus ofensas y que prometieron compensarnos en la medida en que esto se pudiera hacer con dinero, pero nunca cumplieron. Dicen que no tienen dinero. Pero ¿qué esfuerzos hizo México alguna vez para cumplir con sus compromisos? ¿No es una pésima excusa alegar pobreza como una razón para no cumplir compromisos, lo que, de cualquier forma, nunca hubiese hecho, aunque solo fuera por el temor de ser azotado? Esto no es todo. En lugar de reparar las heridas que había infligido a nuestros ciudadanos y que había prometido reparar, continuó perpetrando ultrajes similares. Por estas razones, siempre pensamos que la guerra contra México era justa e inevitable. Fueron hechos para morder el polvo. De no ser por México, el señor presidente James Polk, en su noble lucha por la gloria, no hubiese dejado de mirar a Oregón para ocuparse de Texas. Así lo había dicho también el general Jackson: era una guerra justa. Toda nuestra paciencia y magnanimidad fue para los mexicanos, que son incapaces de entender estas cosas. Por el contrario, mientras nosotros nos manteníamos con prudencia, ellos aprovechaban para seguir robando y saqueando a nuestros ciudadanos".*

No todos piensan igual, pero el arte de deslegitimar y silenciar es más efectivo que cualquier censura. Unos meses después, el 12 de enero de 1848, el diario *State Register* de Illinois, informará sobre las escandalosas palabras que el joven político de cuarenta años, de nombre Abraham Lincoln, pronunciará en su discurso en la Cámara de representantes sobre la injusta situación a la que su país ha forzado su vecino: "*El Dios de los cielos se ha olvidado de defender a los débiles e inocentes, permitiendo que bandas de demonios asesinos, llegados desde el mismo infierno con todo su poder, puedan matar a hombres, mujeres y niños mientras roban las tierras de los justos*". Inmediatamente, el representante demócrata de Missouri, John Jamieson, se levantará de su asiento y le gritará: "*un patriota nunca cuestiona a su presidente, menos cuando estamos en guerra. No importa si la guerra es justa o no*".

Las palabras de Lincoln resonarán en cada rincón del país. Varios diarios estarán de acuerdo en la fuerza de sus argumentos, pero no en su derecho a cuestionar la guerra. Los demócratas esclavistas acusarán a Lincoln (el sustituto del héroe caído en la guerra, Hardin) de demagogo.

Lincoln deberá suspender su carrera política para dedicarse a la abogacía, por un tiempo.

1848. Washington, descubrimos oro en California

SIERRA NEVADA, CALIFORNIA. 24 DE ENERO DE 1848—Un carpintero de Nueva Jersey encuentra dos pepitas de oro al pie de la montaña. El hallazgo es casual, porque James Marshall se encuentra abocado a la construcción de un aserradero, al borde del río, para un alemán de nombre Johann Sutter. Marshall no sabe nada de oro, pero está seguro de que es oro. Toma las pepitas y sube colina arriba hasta la construcción donde está su jefe. Agitados, los dos hombres buscan en una enciclopedia cualquier información sobre oro y llegan a la conclusión de que es oro.

Sutter intenta comprar las tierras del valle alrededor del aserradero y hace lo posible por mantener el secreto, pero poco después el piadoso dueño de la tienda más próxima y la única antes de llegar a San Francisco, Samuel Brannan, nota que los empleados del alemán tienen unas pepitas de oro con las cuales algunos pagan el licor barato que hace hablar hasta a un muerto. Brannan compra por diez céntimos cada uno todos los coladores de chapa que existen en la región y grita en las calles de San Francisco que se acaba de encontrar oro en el río Sacramento. Los aventureros desesperados lo rodean y Brannan, que además es el dueño del periódico *California Star*, vende cada colador por 15 dólares. En pocos días vende más de dos mil hasta amasar una pequeña fortuna que invertirá en tierras que esconden oro. Los anglos saben cómo hacerlo. Una turba de desesperados invade las tierras de Sutter y destruyen las construcciones y el sueño de la utopía agrícola. El aserradero no cortará ni un tronco más. Del entusiasmo y la excitación, poco a poco el carpintero de Nueva Jersey pasa a la desesperación.

Marshall había participado en la rebelión de John Frémont. Sutter era un aventurero nacido en Suiza, quien había abandonado Europa con pasaporte francés, había llegado a California luego de una estadía de meses en el reino de Hawaii y se había hecho ciudadano mexicano. Sutter, Marshall y los indios maidu (unos pocos amigos y unos cuantos esclavos), se encuentran en la tarea de construir un fuerte con la aprobación de las autoridades mexicanas. El proyecto, que será destruido por la fiebre del oro, es una de las tantas utopías comunitarias de la época. El fuerte de Sutter se convertirá en Nueva Helvecia (Nueva Suiza) y más tarde en la capital de California, Sacramento.

Trescientos años antes, el imperio español y los piratas ingleses habían comenzado a transferir cientos de toneladas de oro de México, Colombia, Perú y otros países de la región a la civilizada Europa (oro que descansará por siglos en las reservas de los países más civilizados del mundo para asegurarles estabilidad, desarrollo y civilización). Ahora, quince días después que el carpintero Marshall subiera la colina con dos pepitas de oro en una mano, en la ciudad de México se firma el tratado de Guadalupe Hidalgo, por el cual México acepta, con una pistola en la nuca, la cesión de más de la mitad de su territorio, entre ellos el codiciado estado de California, a cambio del pago de 15 millones de dólares (475 millones al valor de 2020) y de no perderlo todo a manos de las fuerzas ocupantes. Para entonces, Washington había invertido 100 millones de dólares en la guerra. Sólo en la larga guerra contra la nación Seminola, le había costado a Washington 30 millones de dólares (cuarenta mil soldados y las mejores armas de la época requirieron décadas para desalojar a los indios de Florida).[22]

En California, la fiebre del oro sube y los anuncios turísticos se multiplican. La mayoría insiste en los beneficios del clima exótico. Otros mencionan, o sugieren, que otra vida es posible. Charles Fletcher Lummis escribe en *The Spanish Pioneers and the California Missions*, no sin exagerar: *"No es fácil hablarle de romanticismo a un puritano, pero la época de las misiones californianas está llena de romance. Las fiestas españolas, sus canciones, los ranchos del viejo México son el hogar de una hospitalidad incomparable. Esa época antigua de California fue el tiempo más feliz nunca vivido en este país".*

De esa época viene la costumbre de llamar *"gold digger"* ("buscadoras de oro") a las mujeres que seducen hombres para obtener ventajas económicas. Los verdaderos buscadores de oro no serán llamados así, porque son hombres. Diferente al Sur profundo de la costa atlántica, de las montañas Apalaches y del Golfo de México, la cultura de California no alcanza a

---

[22] El puente Golden Gate de San Francisco, construido en 1933, costará 33 millones (657 millones al valor de 2020).

impregnarse del todo del racismo religioso de los protestantes elegidos por Dios. Su economía tampoco necesita de negros esclavos. La extracción de oro requiere un cuidado más personal de los hallazgos. Los californianos ni siquiera logran desarrollar un héroe como Daniel Boone en los estados centrales, el héroe mata indios que luchó por la libertad, inmortalizado en leyendas, libros y películas. El héroe más famoso de California será un bandido, El Zorro, de quien derivarán todos los demás enmascarados americanos con doble personalidad, como Superman, Batman, Capitán América, Hulk, y muchos otros. El Zorro será la distorsión conveniente de Joaquín Murieta, el criminal, el bandido hispano ejecutado por robar a los ladrones gringos, todo lo opuesto al superhéroe americano que lucha desde el centro del poder para evitar que los villanos se apoderen del mundo. Porque el mundo ya tiene dueño.

Como ocurriera en 1829 cuando se descubrió oro en Georgia y se decretó la destrucción de la nación Cheroqui que, por desgracia, se encontraba sobre el preciado metal, la misma suerte correrán los mexicanos en California. Desde hace cinco o seis años, el oro de Georgia se ha agotado y los cazadores de fortunas marchan en caravanas al oeste. En la nueva fiebre del oro (ahora en la Nevada y la California que serán oficialmente arrancadas a México en nueve días más, cuando se firme el nuevo tratado, el de Guadalupe Hidalgo) los extranjeros deberán pagar una cuota insostenible para tener los mismos derechos que los anglos a buscar oro. Los extranjeros serán aquellas familias que, desde incontables generaciones, ocupan los nuevos estados del Oeste; los nativos, con derechos especiales, incluso para ocupar tierras ajenas, serán quienes lleguen desde la civilizada costa atlántica, con una cruz en una mano y un revolver en la otra. Ninguno necesitará pasaporte o identificación alguna. Bastará con tener el rostro pálido y hablar inglés o alemán.

Los recién llegados traerán las sabias leyes de Estados Unidos, las que sólo reconocen blancos y negros. Los mexicanos ni siquiera son indios conocidos, por lo que quedarán en un limbo, bordeando la frontera de la existencia, a pesar del tratado de Guadalupe Hidalgo que les otorga la ciudadanía estadounidense. La primera Constitución de California establecerá que "*todo blanco americano y todo blanco mexicano tiene derecho al voto*". Excepto los anglos más ricos, nadie conoce mexicanos blancos en un siglo donde ni los irlandeses alcanzan esta distinción.

Diferente a la nueva constitución de la República de Texas, California seguirá la dominante cultura mexicana y no legalizará la esclavitud. En 1850, los esclavistas perderán la guerra política y California será incorporada a la Unión como Estado libre. Uno de los factores será la mayor diversidad de su población, con un fuerte predominio de la cultura hispánica. Otra buena nueva: el sistema mexicano de propiedad, promotor de la concentración de tierras en pocas manos, tan común en el Sur esclavista de Estados Unidos y en casi toda América Latina, será víctima de una reforma agraria. La nueva California entenderá que es necesaria una redistribución de tierras, esa misma que Washington le negará tantas veces a América latina por las generaciones por venir.

Claro que las buenas nuevas tienen sus trampas. Las nuevas leyes nacionalizarán las tierras de los viejos mexicanos solo para volver a privatizarlas a un precio mínimo, que en su mayoría compran los nuevos inmigrantes anglos. Las nuevas ideas de justicia económica y el viejo racismo se mezclan sin vergüenza. Un fiscal argumentará que el latifundio es un sistema injusto de propiedad; un sistema *"de muchos bajo la merced de unos pocos, como en el sistema feudal de Europa, es contrario a la raza anglosajona"*. Los aventureros que emigran desde la costa Este hasta California no lo hacen solo motivados por la fiebre del oro, sino por las tierras fáciles de ocupar a punta de pistola, sin importar si hay indios o mexicanos usurpando su propia tierra. Los anglos *squatters* ("ocupas", "invasores de propiedad ajena") toman ventaja de las leyes y de sus modernos rifles y revólveres y se aposentan en múltiples fracciones. Como en el despojo a las naciones indígenas durante los gobiernos de Andrew Jackson, la propiedad comunal o privada en manos de razas inferiores dejará de ser un valor sagrado en Estados Unidos para volver a ser sagrado una vez en manos de los responsables anglosajones, amantes de la libertad.

Luego de años de despojos, en 1851 California aprobará las leyes que regulen la apropiación privada de la tierra. Aunque el tratado de Guadalupe Hidalgo de 1848 que cedió medio México a Estados Unidos establecía el respeto de la propiedad de los mexicanos que quedaban del otro lado, la nueva ley les exigirá que prueben sus derechos ante una comisión del nuevo Estado. Los litigios para confirmar la propiedad de la tierra se multiplicarán y caerán en un pozo de traducciones y de nuevas leyes que, en algunos casos, se continuarán hasta un siglo después. Como muchos otros, el rancho de Tía Juana, otrora propiedad del mexicano nacionalizado americano Santiago Arguello, perderá su litigio y una parte se convertirá en San Diego y la otra, del otro lado, en Tijuana.

La ley determinará que todo aquel que sea capaz de realizar *"mejoras a la tierra, será propietario legal de esa tierra"*. Los okupas anglos continuarán cabalgando de prisa y, donde se aposentan, levantarán vallas y muros para proteger sus derechos y su libertad. Los californios, una vez convertidos en ciudadanos americanos, perderán sus tierras tan rápido como dos años antes habían perdido su país. Los más ricos invertirán años en juicios que no habían conocido antes. Los más pobres ni siquiera podrán pagar los costosos abogados. Algunos se convertirán en Zorros, en bandidos. Pablo de la Guerra, el joven californio fundador de *El clamor público* en español, escribirá que los californios "*se han convertido en extranjeros en su propia tierra*". El sábado 22 de octubre de 1859, el mismo semanario sostendrá, bajo firma de su editor Francisco P. Ramírez, que el general Liés de Santa Bárbara y Hancock apoyan a los *squatters* anglos en su guerra contra la propiedad tradicional de la tierra.

Hasta 1928 se registrarán, de forma oficial, 597 linchamientos de mexicanos. Miles de otras ejecuciones y linchamientos contra "los invasores del sur" no entrarán en las actas oficiales. Como en muchos otros períodos de la historia, la violencia y la injusticia permanecerán en el sentimiento colectivo de miles y de millones de personas, aun cuando los hechos que lo generaron hayan sido olvidados por completo, enterrados por generaciones bajo el polvo del silencio, el miedo y las adulaciones convenientes con otros nombres.

La fiebre del oro destruirá la próspera utopía agrícola de Johann Sutter, quien morirá en 1880, pobre y endeudado. Su amigo, el carpintero James Marshall, morirá cinco años después en una pequeña cabaña de madera, en la miseria. Cinco años después, el Estado le construirá una tumba de 9.000 dólares (casi 200.000 dólares a valor de 2020). El dueño del comercio camino a San Francisco y del diario *California Star*, Samuel Brannan, se hará millonario en el negocio de bienes raíces, aunque su esposa lo abandonará y los mormones lo expulsarán de su iglesia. También morirá pobre y abandonado en 1889, casi cinco años después.

1848. ¿Por qué no tomar todo México?

NEW YORK, NY. 30 DE ENERO DE 1848—A pocos días del tratado de paz con México, ese país ya ha perdido más de la mitad de su territorio y las tropas invasoras descansan a la entrada de la antigua capital. Los demócratas proponen anexar todo México como forma de cobrar ofensas y ejercer el derecho internacional. El domingo 30, el *New York Herald* en su primera página titula:

REUNIÓN POPULAR SOBRE LA GUERRA
TREMENDA CONCURRENCIA DEL PUEBLO
¿DEBERÍAMOS TOMAR MÉXICO EN SU TOTALIDAD?

El artículo central informa sobre la inspiradora intervención de Samuel Houston, ex gobernador de Texas, actual senador por ese estado y héroe indiscutido de San Jacinto. La multitud no lo deja hablar ante el canto de "*¡Houston, Houston!*" Según el diario, "*los aplausos movieron los cimientos del mismo edificio*".

Houston devuelve tan impresionante recibimiento valorando "*el patriotismo de los concurrentes y el poder inquebrantable del pueblo, siempre listo para reivindicar sus derechos y la autoridad continua de nuestro país* (aplauso ensordecedor). *Siempre listos para apoyar el sacrificio de nuestras tropas y la sabiduría de nuestros hombres de Estado... Nosotros, queridos ciudadanos, nunca nos revelamos contra México. Fue México el que violó nuestra constitución, violó todas nuestras leyes, nos oprimió con todo su despotismo, obligándolos a luchar por nuestros derechos de hombres libres. Pero el enemigo no ha reconocido que una ley aprobada en 1836 por el mundo civilizado (no en un rincón oscuro) establecía el límite del nuevo estado en el río Grande y no en el río Nueces, como dicen los mexicanos. Este límite no fue reconocido por Bélgica, pero si por Francia, pese a todo ello, México, cruzó el Río Grande e invadió nuestro país. Así que el presidente de Texas les dijo a los mexicanos: 'vamos a cruzar a México como ustedes cruzaron nuestro territorio'. México ha marcado nuestra frontera con sangre y los Estados Unidos nunca van a rendirse* (¡Nunca! ¡Nunca! grita la multitud). *¿Alguien se imagina que pudimos haber iniciado esta guerra por nuestra cuenta, sólo para oprimir a los pobres mexicanos?* (estruendosas risas). *Ellos son sus propios enemigos mientras se lamentan y victimizan... Tan obvio como que el sol saldrá mañana, es el derecho de la raza anglosajona a dominar todo el continente según los deseos de Dios, a dominar todos sus recursos y a civilizar a todos sus pueblos. Así como otros sacrificaron sus vidas tomando tierras de indios para la prosperidad que disfrutamos hoy, así nada en este mundo puede detener nuestra marcha ahora... Cuando sus ancestros llegaron a Plymouth, no se conformaron con ese pedazo de piedra. Quisieron conquistar toda la tierra... Tuvieron que vérselas con los indios, y los limpiaron de esta tierra. Ahora, los mexicanos no son mejores que los indios. No existe ninguna razón por la cual no vayamos a tomar sus tierras, para beneficio de su población. Miren a California, Sonora, Nuevo México, y todos esos territorios poblados de indios y mexicanos. No hay muchas almas allí, por lo cual debemos tomar esos vastos territorios. ¿Por qué le dejaríamos todos esos territorios hasta Potosí a merced de los indios que tomarían todas las mujeres, con sus intenciones pervertidas para hacerlas sus esposas? Entonces, dejemos que los hombres blancos le digan a toda esa gente desprotegida, 'nosotros las vamos a proteger de los salvajes. We will do it!'* (aplauso ensordecedor). *Los mexicanos son incapaces de gobernarse a sí mismos. Por eso estamos en esta guerra, para liberar a esa pobre gente oprimida. Que Dios bendiga a los americanos que llevan adelante esta guerra* (aplausos). *Creo que podemos ver el dedo de Dios en esta guerra a través de las victorias de nuestros soldados. Le hemos dado a los mexicanos principios liberales, los hemos elevado. Y aunque no soy un hombre religioso, debo decir que, como pecador, tenemos toda la autoridad para hacer la guerra igual que lo hizo el pueblo de Israel, al que Dios le dio el poder de tomar las tierras de los* *palestinos y exterminarlos con el filo de la espada* (aplausos)". El general Samuel Houston concluye: "*En tiempos del presidente Jackson fui a Texas contra mi voluntad, pero viendo que la raza americana estaba oprimida, luché contra los enemigos de la libertad, hasta que Texas fue libre, finalmente*". La segunda columna del *New York Herald* lo confirma: "*Tuvimos que tomar sus tierras. Todos los esfuerzos por lograr una paz duradera han sido en vano. Hicimos lo que debíamos hacer ante Dios para proteger al pueblo de México*". La asamblea en Old Tammany sobre la guerra terminó a las nueve de la noche, llena de aplausos y entusiasmo patriótico. Recién a las diez de la noche se apagaron luces. Los salones de Old Tammany nunca en su historia habían registrado una reunión tan entusiasta y que durase tanto tiempo.

Cuando en unos diez años más el héroe tejano Sam Houston no demuestre el mismo entusiasmo y la misma convicción para separarse de los Estados del Norte y luchar por los ideales esclavistas, será removido por la fuerza. Es decir, por un golpe de Estado.

1848. El nuestro es el gobierno de la raza blanca y libre

CIUDAD DE MÉXICO. 2 DE FEBRERO DE 1848—Con el ejército estadounidense a las puertas de la capital de México, se firma el tratado de Guadalupe Hidalgo. Por sus ofensas y agravios, México cede más de la mitad de su territorio a cambio de 15 millones de dólares para terminar una guerra que no fue.[23] El senado en Estados Unidos, dominado desde la Era Jackson por los temibles esclavistas del sur, sospecha que los nuevos estados del Oeste no son Texas. Algunos, como Nuevo México, Arizona o California, con una mayoría de habitantes mexicanos, podrían convertirse en estados a favor de la abolición de la esclavitud, como el mismo país pobre que ahora queda al sur. Con algunas reservas, el Senado aprueba el generoso tratado de paz, pero Nuevo México y Arizona todavía deberán esperar setenta años para convertirse en estados plenos de la Unión con derecho a voto, cuando su población de mestizos incapaces de gobernarse a sí mismos sea reducida a un quinto del total.

Cuando el general de brigada Stephen Watts Kearny marchó desde Fort Leavenworth, Kansas (por ahora las bases militares en suelo extranjero se llaman *fuertes*), y ocupó Santa Fe en Nuevo México, se encontró con la

---

[23] Equivalentes a 475 mil millones de dólares a su valor real de 2020 ajustado por inflación. En 2017 el gobierno de Estados Unidos aprobará un recorte de impuestos mayor al doble de esa cifra y en marzo de 2020 aprobará un estímulo al consumo de dos billones de dólares.

resistencia de la población.[24] Este inconveniente fue superado, como en tiempos de la conquista española, gracias a la colaboración de la clase alta mexicana de Santa Fe, la que prefería una ocupación pacífica del poderoso país de Estados Unidos a una revuelta de los de abajo. Más al sur, la misma historia. En enero, los mexicanos más ricos le habían ofrecido al general Winfield Scott más de un millón de dólares para que acepte la presidencia de México y se encargue, de una vez por todas, de anexar su país a la gran nación del norte. El embajador británico en Estados Unidos había informado a Londres que la anexión total de México por parte de sus antiguas colonias era algo inevitable. Pero en las calles del país vencido y humillado, la gente, que no entiende cómo funciona el mundo, como en los diferentes bombardeos de Veracruz de este siglo y del otro, desde los balcones y desde las esquinas continúa arrojando piedras a los salvadores de la raza superior.

Para negociar el fin de la guerra, mexicanos y estadounidense se reúnen en la villa de Guadalupe, donde en 1531 se le apareciera la virgen al indio Juan Diego, justo donde se veneraba a la protectora diosa Tonantzin, que en náhuatl significa Nuestra Madre Sagrada. El miércoles 2, en la sagrada catedral, México firma y confirma su propio despojo. Cuando la delegación estadounidense arriba, un mexicano les dice: *"Ustedes se sentirán orgullosos de este momento, tanto como nosotros nos sentiremos humillados"*. Nicholas Trist, graduado de West Point y secretario favorito de Andrew Jackson en los buenos viejos tiempos de matar indios, le resta importancia y responde: *"Ahora lo que importa es lograr la paz"*. Los poderosos siempre saben cuándo hacer la guerra y cuándo luchar por la paz.

El presidente James Polk había enviado sus emisarios con la promesa de pagarle al vencido 30 millones de dólares si lograban quedarse también con Baja California. No hubo acuerdo y los mexicanos ahora deben aceptar sólo 15 millones por lo que ya han perdido (cinco menos por una ocurrencia improvisada de Nicholas Trist) y con la promesa de que los soldados del norte se retirarán de lo que queda de su territorio. Pero el presidente Polk no queda satisfecho. Mira el mapa, lee los datos y se lamenta de no haber reclamado Sonora, Chihuahua y Coahuila también, considerando que esos estados pueden tener interesantes reservas de minerales. Al poco tiempo, entiende que es

---

[24] Por los siglos por venir, como otras ciudades, Fort Leavenworth en Kansas recordará y celebrará en monumentos y en museos el *Frontier Tribute Trail*, el glorioso espíritu de la frontera en el corazón de lo que será Estados Unidos. Los soldados (como siempre, todos anónimos, sin existencia propia) serán recordados o sugeridos en oscuras estatuas de bronce, con rostros genéricos y sobre leyendas grabadas en piedra que hablarán de su coraje patriótico en nombre de la Nación. En el museo Frontier Army no faltarán las reconstrucciones de caravanas tiradas por caballos blancos.

mejor no entrar en nuevas discusiones con el Congreso de su país. Además, el nuevo tratado le da posesión de la joya más deseada, California, territorio que, aunque demasiado poblado por la raza indeseable, es la gran puerta hacia el eterno Oriente y esconde una fortuna incalculable de oro que, por arte de magia, será descubierta unos meses después. También se ganan los territorios adyacentes y hay que estar satisfechos.

Cuando Trist le escriba a su familia, reconocerá: *"si los mexicanos hubiesen podido leer mis pensamientos, se habrían dado cuenta del tamaño de mi vergüenza por lo que les hemos hecho"*. Pero eso de la moral y la justicia son cosas de débiles. En realidad, Trist le había hecho un favor a México al precipitar la firma del tratado de despojo antes que el creciente entusiasmo sobre *tomar todo* ganase el debate en Washington. Las razones para *no tomarlo todo* no procedían del humanismo, ni del derecho ni de la compasión sino del mismo racismo que antes había llevado a la independencia de Texas primero y a la guerra de anexión del norte de México después. Ralph Waldo Emerson, tímido abolicionista, lo había advertido antes de la invasión: *"Estados Unidos conquistará México, pero será como un hombre que bebe arsénico. México nos envenenará"*. Los periodistas y sus lectores tienen opiniones claramente formadas sobre un país en el cual nunca han estado o han estado de paso. Veinte años atrás, el primer procónsul de Estados Unidos, Joel Poinsett, había definido a los mexicanos como *"una raza inmoral e ignorante... capaz de mezclarse con sus propios indios, la clase de seres más degradada de la escala humana"*.[25]

Aunque Texas fue una bocanada de oxígeno para los esclavistas en el Congreso y para el patriotismo de tabernas, el resto del territorio incorporado revivió el debate sobre la esclavitud y la raza. Treinta años después de firmado el tratado de despojo, uno de los héroes de la guerra contra México (luego héroe de la Guerra Civil contra los secesionistas del sur y más tarde presidente de Estados Unidos), el general Ulysses Grant, reconocerá que la guerra inventada contra México *"se trató de una de las guerras más injustas que jamás haya existido, llevada a cabo por una nación poderosa contra otra mucho más débil"*. Cien años más tarde, la asesora del presidente Ronald Reagan y embajadora ante las Naciones Unidas, Jeane Kirkpatrick, partidaria de intervenir militarmente en aquellos países más débiles como Grenada o Nicaragua para ganar batallas posibles, explicará el mundo de otra forma y sin los lamentos de Ulysses Grant: la legitimación política no está dada por la justicia y la moral, sino por el poder del ganador.

---

[25] En 1881, el Secretario de Estado, James Gillespie Blaine, desde Lima reportará que *"todos los conquistadores españoles tomaron indias como esposas y hasta tenían harenes de indias, pero sus hijos no eran esclavos. Por eso la mayoría de los peruanos son mestizos o mulatos"*.

Ahora, luego de duplicar el territorio por tercera vez en poco más de medio siglo ¿por qué firmar un acuerdo de anexión tan generoso con el país vencido? Una sola orden de Washington y el tratado Guadalupe Hidalgo ni siquiera hubiese sido necesario. Algunos políticos y otros tantos periodistas querían más. Todo. Firmar un tratado de anexión total con un país destruido y con el ejército del invasor en su propia capital hubiese sido como quitarle una moneda a un niño. ¿A qué pudo deberse este acto de generosidad?

El general y senador Lewis Cass había anticipado la razón un año antes, el 10 de febrero de 1847: *"Mezclarnos sería deplorable. Ese mal no caerá sobre nosotros. No queremos a los mexicanos ni como ciudadanos ni como súbditos. Lo único que queremos es una parte de su territorio que se encuentra poco poblado, población que poco a poco retrocederá".*[26] En el panfleto *"Right of Search"* Lewis Cass discute el "derecho a la exploración" de los mares inaugurada por el Imperio británico, la que combina, según el senador, sus propios intereses con la filantropía. El senador cita a Mr. Walker quien, en 1844, ya había entendido el problema: *"¿Debemos seguir más allá del Río Grande y de las montañas Rocallosas? El problema es que allá la mayoría de las personas no querrán restablecer la esclavitud. Ellos mismos no son blancos y entre ellos los negros no son considerados una raza degradada".* Las ideas del héroe serán recogidas en el libro *Sketch of the Life and Public Services of General Lewis Cass*, en 1852. El 26 de enero de 1848, un representante del norte antiesclavista, el senador John Clarke de Rhode Island, coincide con sus pares esclavistas del sur en las razones para no tomar lo que queda de México, un territorio menor pero mucho más poblado: los mexicanos son *"un pueblo degradado, aún inferiores a la raza de los aztecas, acostumbrados a obedecer... incorporar esa masa de gente inferior, aún con un derecho de participación muy restringido en nuestra vida política, sería fatal para nuestro país; esa gente posee una pestilencia moral que es contagiosa como la lepra".* El senador John Crittenden de Kentucky razonó: *"no quisiera ver a nuestra raza anglosajona involucrada en este tipo de relaciones".* John Bell, senador de Tennessee, tampoco tiene dudas en argumentar en contra de la anexión del México viejo y de América Central, ya que *"sería agregar a nuestro país doce millones de personas, en su mayoría perfectos idiotas".*

Hasta no hace mucho, los demócratas esclavistas del sur se habían lamentado que desde hacía un buen tiempo estaban perdiendo la guerra demográfica contra los estados antiesclavistas del norte. Por fortuna geográfica, el

---

[26] Este miedo por degradar la raza caucásica, elegida de Dios, irá incrementándose a lo largo de la segunda mitad del siglo XIX y de las primeras décadas del siglo XX, articulada por presidentes como Theodore Roosevelt y escritores como Madison Grant hasta regresar a Europa con la ideología nazi. Adolf Hitler reconocerá esta tradición americana como inspiradora de su cruzada en Alemania.

norte se encuentra más cerca de Europa y las oleadas de los pobres blancos del mundo arriban por sus puertos. La demografía no tiene ninguna consecuencia en el poderoso Senado, pero sí en la cámara baja. Por su parte, los habitantes del norte están contra la esclavitud, pero no quieren ser invadidos por los negros. Para muchos, la solución consiste en tomar la parte norte de México y dejar que los negros libres, que ahora son la mayoría de los negros en el norte, se vayan a esas tierras tropicales y, de ahí continúen más al sur, donde dicen que nueve de cada diez habitantes son negros.

Por si lo anterior fuese algo ambiguo para los historiadores patriotas, el 4 de enero el senador de Carolina del Sur, John Calhoun, frente a sus pares del Congreso lo explica de una forma aún más clara y simple: "*ni en sueños hubiésemos aceptado integrar en nuestra Unión otra raza que no sea la caucásica. El nuestro, Señor, es un gobierno de la raza blanca, de la raza libre. Incorporar todo México sería incorporar una raza de indios y mestizos. Si la misión de nuestra nación es esparcir la civilización y la libertad religiosa, si lo que queremos, con ansiedad, es imponer gobiernos libres en otros países, incorporar todo México a nuestra Unión sería un grave error*". Aparte del asco racial existe una fuerte razón práctica. Los congresistas están de acuerdo de que el sistema de esclavitud es imposible en el México antiguo, no sólo por la mentalidad de los mexicanos, que no pueden ser ni amos ni esclavos, sino porque no existe allí ni una estructura social ni existe siquiera una clase de blancos capaces de administrar a los esclavos como en Estados Unidos.

Tres meses después de pagar 15 millones de dólares por un tercio de su actual territorio, el presidente Polk instruye a su embajador en Madrid, Rómulo Saunders, para que le ofrezca a España cien millones por Cuba.[27] Los esclavistas del sur estaban preocupados por los nuevos estados arrancados a México, cuya población no entendía ni aceptaba eso de la "particular institución" de la esclavitud y querían agregar otros dos senadores proesclavistas con la adquisición de Cuba. Por su parte, el resto veía a la isla como uno de los lugares naturales para enviar a los pocos negros libres del norte que andaban cundiendo el mal ejemplo en el sur. Anthony Kennedy de Maryland, reconoce: "*no voy a criticar la institución de la esclavitud, que muchos aquí no*

---

[27] Un caso inverso, pero por las mismas razones, había sido el de Haití. El nuevo presidente, Alexandre Pétion, le había ofrecido a Francia 15 millones de francos para que reconozca la independencia de ese país obtenida en 1804, la misma suma que Thomas Jefferson había pagado en 1803 por un territorio 75 veces más grande. El rey Luis XVIII se negó. En 1825, Carlos X aceptó reconocer la independencia de la colonia rebelde si aceptaba pagar a Francia 150 millones de francos por daños y perjuicios. Igual que en el caso del tratado de Guadalupe Hidalgo contra México, el "tratado" se firmó con la marina francesa rodeando con 500 cañones Puerto Príncipe. Haití terminará de pagar en 1947.

la entienden tan bien como yo, por lo que soy libre de declarar que para los africanos esa es la mejor condición en la que pueden vivir... los esclavos de nuestro país son los trabajadores más felices del mundo".
Claro que en todo rebaño siempre hay una oveja negra. A la semana siguiente, el miércoles 12 de enero, un representante de Illinois de nombre Abraham Lincoln toma la palabra en la misma cámara de representantes y, una vez más, denuncia la guerra contra México. *"Ah, la Gloria militar, ese atractivo arcoíris que surge luego de la lluvia de sangre",* dice con sorna y las miradas se cruzan.

El presidente que inició la guerra, James Polk, vio el dulce fruto de sus planes, pero murió pocos meses después, a los 53 años, luego de perder la batalla contra una larga afección diarreica, al igual que su mentor, el expresidente y héroe nacional Andrew Jackson, conocido como *mata indios* entre los indios y fallecido luego de una larga reclusión en el retrete, asistido por una de sus esclavas. El 7 de noviembre de 1848, el general Zachary Taylor, el hombre que se opuso a la anexión de Texas y consideró su propia misión como una provocación para hacer entrar a México en guerra, el militar que sus colegas consideraban mediocre y sin ideas, el repentino héroe que derrotó a los híbridos mexicanos y sumó para su país la recientemente independizada República de Texas y otro tanto del territorio mexicano más allá del río Nueces, el militar que detestaba la política y era detestado por un gran número de políticos de su partido, sin ninguna idea clara de cómo sería un buen gobierno y qué haría él si fuese presidente, gana las elecciones por el partido Whig y se convierte en presidente de Estados Unidos. Taylor morirá un año después, a los 65 años, también por una incontenible diarrea que ni las oraciones ni los mejores médicos del país pudieron parar a tiempo. Por entonces, Washington todavía tenía cloacas abiertas y el cólera no respetó ni al presidente ni al héroe de la guerra contra México que le reportó a su país tanto territorio y tantas riquezas como Dios era capaz de dar.

En 1848 la mayoría de la población de California es mexicana, pero oleadas de inmigrantes anglosajones en busca de la tierra prometida, donde el oro brota de las montañas, serán los verdaderos sujetos de las nuevas leyes y de los nuevos derechos y decidirán la expulsión, el acoso y la discriminación de la población nativa. Los indios y los mexicanos criollos que habían ocupado esas tierras por siglos rápidamente serán reducidos a un octavo del total, lo suficiente como para considerarlos invasores extranjeros. Por los años 50, veinte hombres por cada mujer poblarán el gran Estado del Oeste. En su camino de una costa a la otra, los buscadores de fortunas rápidas con pistolas en la cadera pasarán meses y años sin ver una mujer. De vez en cuando se cruzarán con algún carruaje solitario y obligarán al hombre a que muestre a su esposa a cambio de no tomarla por la fuerza. La mujer desnudará sus senos y sus miedos para calmar a los hombres civilizados que a veces se van, sin pedir más, a masturbarse entre los solitarios cactus.

En San José se iniciará la *Guerra de los ocupas* que se extenderá a otras regiones. Los anglos recién llegados a California desplazarán a los rancheros mexicanos y ocuparán las tierras que ahora y desde siempre les pertenecen, por la gracia de Dios y vaya a saber por qué otra razón. Cinco años más tarde, en 1853, debido a necesidades técnicas en el trazado de las líneas del ferrocarril, los vecinos del norte volverán a correr un poco más al sur los límites acordados en Guadalupe. Otra vez, la adquisición de la franja sur de Arizona y Nuevo México no será un acuerdo libre sino la legitimación comercial de una amenaza inminente, ayudada con coimas para el presidente López de Santa Anna. La nueva línea del ferrocarril que unirá la Costa Este con California no podrá pasar por las Rocallosas, sobre todo en invierno, y la solución será presionar y tomar otra parte de México, La Mesilla. De igual forma, medio siglo después, se les ahorrará tiempo a los comerciantes que dan la vuelta por Nicaragua arrancándole la provincia de Panamá a Colombia, un país lleno de *"hombrecitos despreciables"* y de *"idiotas homicidas"*, según el presidente Theodor Roosevelt.

1852. El principio de la nueva política internacional

SAN FRANCISCO, CALIFORNIA. 14 DE DICIEMBRE DE 1852—Reyes Feliz, oriundo de Sonora y de 15 o 16 años de edad, declara no haber conocido nunca al general Bean y no tener idea de quién lo asesinó. El acusado había escuchado de alguien que la mujer del general había dicho que Joaquín Murrieta había matado a su esposo. Reconoce que la única muerte que debe es la de un tal Anselmo Marías en Sonora, porque iba a matar a su padrino, un estadounidense. Reconoce que, junto a la banda de Murrieta, robó varios caballos que luego fueron robados por los indios y recuperados por su dueño. Pero ni idea del General Bean.

Luego de las deliberaciones y antes de continuar con la investigación, la asamblea resuelve la pena capital para Reyes Feliz. Ante la honorable asamblea, el hombre de 15 o 16 años reconoce que el castigo es justo y da un último consejo: *"nunca confíes en una mujer"*. Pero la mujer, Ana Benites, de 22 años y oriunda de Santa Fe, Nuevo México, confiesa la misma historia. Un tal Cipriano había matado al General Bean. Cipriano se lo había confesado a Joaquín Murrieta: el general se había emborrachado y había intentado abusar de una india de su conocimiento.

El 15 de diciembre, el *Daily Alta California,* en su segunda página, bajo el título "ROBO DE CIEN CABALLOS" informa que, poco después de su consejo contra las mujeres, el joven Reyes Feliz "*fue lanzado a la eternidad*". Un pobre no vale cien caballos. Ni diez. A veces, ni uno. La extensión de los nuevos dueños de la tierra, de los aventureros y de los fugitivos es el caballo, no la vaca, por lo cual los *cowboys* deberían llamarse *horseboys*.[28]

Rara vez estas noticias de bandidos ejecutados no ocupan las primeras planas. No son excepcionales ni causan más conmoción que el robo de cien caballos. El año anterior, el 5 de julio de 1851 en Downieville, California, Josefa Segovia, conocida como Juanita después de su muerte, porque todas las mexicanas son Juanitas, había sido condenada a la pena capital por matar con un cuchillo a un minero de nombre Frederick Cannon que intentó violarla en su propia casa. La reputación de Josefa no era la mejor porque la mexicana vivía con un hombre llamado José, sin estar casada con él. El juez no había considerado su embarazo como atenuante y Josefa se convirtió en la primera mujer condenada a muerte en California, tres años después de que su país se convirtiese en otro. Por mucho tiempo, los asistentes a la ejecución recordarán que el patíbulo había sido construido sobre el puente del pueblo. Josefa era frágil y pequeña, por lo que dos hombres tuvieron que ayudarla a subir al barril donde sería lanzada hacia la eternidad. Ella se había sacado el sombrero de paja, se lo había regalado a alguien que observaba de cerca y se había colocado la horca ella misma, para que no fallase. Antes de que se hiciera la justicia de los hombres blancos, había gritado, en castellano: "*Adiós, señores*". El pueblo, reunido en ambas orillas del río Yuba, coincidió en una misma expresión de curiosidad y asombro que duró unos pocos minutos. Josefa Segovia fue enterrada al lado del hombre que mató, en el cementerio de la colina. Cien años después, los expertos en leyes confirmarán la sentencia argumentando que el testimonio de la acusada estaba lleno de rabia, lo cual probaría que Josefa era una mujer violenta y que, por lo tanto, la condena habría sido justa. La persistencia de este hecho en la memoria colectiva de los chicanos, se dirá, es otro ejemplo de la victimización de los perdedores.

Un año antes, en 1849, María Amparo Ruiz de Burton, escritora nacida mexicana y convertida a ciudadana estadounidense por la fuerza del tratado de paz, había publicado *Conflicto de intereses*, una serie de testimonios epistolares describiendo la realidad que le había tocado vivir. En una de sus páginas, sin saberlo, resumió no sólo las excusas que fueron puestas en práctica para justificar la Independencia de Texas y luego la Guerra contra México por

---

[28] Como el desierto recuerda a Medio Oriente, Washington importa casi un centenar de camellos de Egipto, los que pronto se convierten en parte del paisaje en Texas, Nuevo México y Arizona. Años después serán abandonados en el desierto y luego eliminados a punta de revólver por parecerse a creaturas demoníacas. Los negros también desaparecen. Dos de cada cinco *cowboys* en el lejano Oeste son negros, pero para Hollywood sólo habrá cowboys blancos y bandidos mexicanos.

los Estados del Oeste, sino también el recurso que se repetirá por muchas otras generaciones como principio de la política internacional de Washington en los nuevos conflictos: *"Según sus leyes, cualquiera podía venir a mis tierras, plantar unas pocas semillas y tomar todo mi ganado que se dirigiese hasta allí a pastar la nueva hierba. Luego, como si no fuese suficiente, según sus leyes, el intruso podía demandarme y hacerme pagar por daños y perjuicios".*

1853. Mil Murietas, un solo Zorro

SAN FRANCISCO, CALIFORNIA. 29 DE ENERO DE 1853—EL *Daily Alta California* titula: "GRAN ENTUSIASMO EN CALAVERAS. EXPULSIÓN MASIVA DE MEXICANOS. EJECUTAN A LOS LADRONES". En letra chica, explica: *"Es sabido que, durante el invierno, las bandas de asesinos mexicanos han infestado el condado de Calaveras. En San Andreas robaron 70 caballos en una sola noche. Esta banda es liderada por Joaquín Murrieta, un hombre desesperado, acusado de haber matado a cuatro americanos en Turnersville, subsistiendo del chantaje de la comunidad china, una comunidad de gente pacífica y trabajadora. El viernes, otro hombre fue asesinado en el Campamento Yanqui y un chino en Bay State. Nos complace informar que uno de los bandidos fue capturado en el Campamento Yanqui y otro en Cherokee Ranch. Los dos fueron colgados de inmediato y toda la población mexicana ha sido expulsada de San Andrés y de Calaveras. Si un americano se encuentra con un mexicano, puede quedarse con su caballo, con su arma y obligarlo a marcharse. Hemos sido informados que el pasado miércoles por la mañana una asamblea popular realizada en Double Spring ha aprobado las acciones tomadas y ha resuelto que es una obligación de cada americano exterminar la raza mexicana de este país en cualquier lugar y circunstancia. Se les otorgará a los extranjeros el derecho a marcharse del país y se les expropiarán sus propiedades. El miedo se ha extendido al resto de la población extranjera".*

El 16 de mayo, el *Sacramento Daily Union* informa: *"El senado ha aprobado la resolución para que el capitán Harry Love organice una tropa de rangers para capturar a Joaquín Murieta, el líder de la banda de los cinco Joaquines (Joaquín Murrieta, Joaquín Carillo, Joaquín Ocamarenia. Joaquín Valenzuela, y Joaquín Botillon)".* El 11 de agosto, el *Marysville Daily Herald* confirma: "JOAQUÍN, MUERTO EN MARIPOSA. *Joaquín Murrieta fue apresado por sorpresa, conduciendo su caballo y sin portar armas. Antes que intentara subir a su caballo le dispararon. Se está a la procura de un recipiente de vidrio para depositar su cabeza y una mano, para que la gente de Stockton pueda verlos. El asesino de Glasscock está muerto. Los rangers fueron conducidos por una mujer mexicana que siempre veía un hombre llevando comida a algún lugar oculto"*. Según *The Star* de Los Angeles, Joaquín no está muerto, *"está en la ciudad de San Francisco, junto con otros 25 hombres armados con revólveres, espadas y lanzas"*. Otro diario, *Los Angeles Star*, el 20 de agosto informa sobre las últimas palabras de Joaquín Murrieta: *"No tiren más. Estoy muerto"*. Dos semanas después, el 3 setiembre de 1853, el mismo diario detalla la exposición de su cabeza en San Francisco: *"Es la cabeza de un hombre entre veinte y veinticinco años. La frente alta, los pómulos salientes, los labios revelando a un mismo tiempo sensualidad, firmeza y crueldad. El cabello de un hermoso color marrón claro, con destellos dorados, la nariz recta, las cejas oscuras. Se dice que los ojos, ahora cerrados por la muerte, eran de un azul oscuro, inquietos y feroces como los de un tigre. La barba de un hombre joven que nunca se afeitaba... La muerte de este monstruo es de regocijo público y todo el honor es de aquellos bravos que han liberado al Estado de semejante monstruo"*.

Cuando Murrieta es entregado por una parte irresistible de la recompensa que nunca llegará, los rangers apenas le dan tiempo para subir a su caballo. Acribillan su cuerpo a balazos y se llevan su cabeza y una mano para cobrar la recompensa. La cabeza y la mano del peligroso bandido son expuestos al público primero. Pero su cabeza (como la de Tupac Amaru II en 1781, allá lejos y hace mucho tiempo; como la cabeza y las manos de tantos otros rebeldes) desaparecerá y el bandido volverá a la vida de diversas formas. Muchos ponen en duda que la cabeza del frasco de vidrio es la de Joaquín Murrieta. De la mano nada se puede decir. Su hermano y algunos conocidos confirman que es su cabeza, pero es probable que lo hagan para protegerlo.

El domingo 6 de agosto de 1854, el *Daily Alta California*, anunciará la aparición del libro *The Life and Adventures of Joaquín Murieta: The Celebrated California Bandit*, publicado y vendido por William R. Cook & Co. de la calle Montgomery. Su autor, John Rollin Ridge, o Pájaro Amarillo, es el primer indígena en escribir una novela y *Murieta* es la primera novela publicada de California. Antes que la necesidad corrompa al escritor cheroqui, desde las primeras páginas, las visiones del autor sobre la injusticia se permearán en este libro que se muestra en los escaparates de San Francisco: *"Los mexicanos, sin excepciones, eran vistos como sujetos de conquista, trofeos de guerra sin derechos ante una raza superior... El prejuicio de color, el odio racial, los cuales siempre son más fuertes y amargos entre los ignorantes, no podían ser superados; y si podían, no convenía, porque resultaban una excelente excusa para ejercitar la crueldad y la opresión"*. De niño, Pájaro Amarillo había perdido a su padre en una disputa con otro cheroqui sobre el tratado firmado con los blancos en Georgia. Su madre blanca se lo llevó a Arkansas primero y luego a California, donde Pájaro Amarillo se convirtió en un reconocido poeta, pero es ahora cuando publica la obra por la cual será recordado por generaciones e ignorado por la crítica de su tiempo. Pájaro Amarillo morirá el 5 de octubre de 1867 a los cuarenta años dejando una esposa y una hija. Aunque llegará a ser un escritor leído por muchos, nunca recibirá un dólar por su novela. Por un tiempo muy breve, tendrá más suerte como editor del *Sacramento Bee*, escribiendo para el *San Francisco Herald* y traicionando sus propias ideas contra el racismo a cambio de unos pocos dólares.

Nunca nadie sabrá qué ocurrió con el verdadero Murieta ni si era uno o eran miles. Pero los mitos son más poderosos y más importantes que la realidad y éste, contrario a la norma de los poderosos mitos oficiales, es un mito rebelde, un mito del perdedor, del despojado. El 8 de agosto de 1911, el *San Francisco Call*, en su página cuatro, reproducirá una historia más o menos inventada medio siglo atrás: "*Joaquín Murieta fue un bandido de los primeros días de California, nacido en este estado. Siendo joven, fue acusado de robar caballos. Cuando uno de sus compañeros, acusado por el mismo crimen, fue ejecutado en la horca, Murrieta juró vengarse de los americanos y organizó una banda de ladrones y criminales. Por entonces, se ofreció una recompensa de mil dólares por su captura, pero luego debió ser aumentada a 5.000. Un día, Murrieta pasó por Stockton, vio el aviso y escribió debajo:* OFRECERÉ 10.000 POR MI CAPTURA". Es, claro, *El Zorro*.

En 1919, el escritor Johnston McCulley, con mejor suerte en las ventas, publicará la primera versión de *El Zorro*, el primer enmascarado de los muchos que poblarán la industria del entretenimiento en este país, desde el Llanero Solitario (un *ranger*, claro, un hombre de la Ley) hasta un militar híbrido, Capitán América, Batman, The Incredibles y una larga lista de buenos muchachos luchando siempre contra los bandidos que se quieren apoderar del mundo que no les pertenece porque ya tiene dueño.

En su camino desde el margen, desde la ilegalidad hacia el centro del poder de los superhéroes americanos, *El Zorro*, el Joaquín Murieta de McCullough, recaudará millones de dólares y creará una historia menos incómoda, más divertida y totalmente funcional: el bandido no había luchado contra el despojo de los invasores gringos durante los primeros años de la anexión de California, sino medio siglo antes, cuando California era una provincia del imperio español o era la República de México. Así, Johnston McCullough, un reportero de noticias policiales y luego funcionario encargado de las relaciones públicas del ejército estadounidense durante la Primera Guerra mundial, pudo crear *El Zorro*, el Murrieta afeitado y con mayordomo mudo que luchaba contra el gobierno despótico y corrupto de los mexicanos.

1854. Dios depositó nuestros recursos naturales en otros países

TOKIO, JAPÓN. 13 DE FEBRERO DE 1854—El capitán de navío Matthew Perry vuelve con diez naves de guerra. Los japoneses continúan resistiendo la exigencia de Estados Unidos de negociar un tratado de libre comercio y Perry los amenaza con traer cien naves más (más del total de las naves que posee Estados Unidos) para terminar con las pretensiones del país proteccionista.

El 10 de junio de 1851, el secretario de Estado Daniel Webster, ya había explicado la lógica detrás de estas negociaciones: *"el carbón es un regalo de la Providencia, guardada por el Creador de todas las cosas en las entrañas de Japón para el beneficio de la familia humana... La cantidad de carbón que posee ese país es tan abundante que su gobierno no tiene ningún argumento válido para no proporcionarnos de ese recurso a un precio razonable"*. Para ayudar a Dios, el 8 de julio del año pasado, el capitán Perry había llegado a las costas de Japón en misión especial ordenada por el presidente Millard Fillmore con el objetivo de liberar el proteccionista mercado nipón al comercio internacional. La confianza del capitán no cabía en su pecho. Los cuatro navíos que comandaba estaban equipados de última tecnología de guerra, inventada en Francia, capaz de hundir barcos y arrasar ciudades como nunca antes. Perry había cruzado los límites de exclusión y se había estacionado frente a la capital Edo, luego conocida como Tokio. Con motivo de la celebración de la independencia de Estados Unidos ocurrida cuatro días antes, ordenó disparar 73 salvas de cañones. La marina japonesa rodeó a los intrusos, pero pronto se dieron cuenta de la imposibilidad de repelerlos por la fuerza. Luego de semanas de tanteos, los nuevos rivales evitaron entrar en batalla.

Pero ahora, el nuevo despliegue de fuerzas no deja lugar a dudas. El 31 de marzo, los dos países firman el Tratado de Kanagawa, por el cual Japón se compromete a abrir sus puertos al comercio con Estados Unidos. Este tratado se ampliará cuatro años más tarde con el Tratado de Amistad, por el cual Japón le cederá establecimientos territoriales al país amante de la libertad.

La frontera se ha cerrado. Al menos por tierra. Ahora, al Oeste está el océano Pacifico y al sur el océano de razas indeseables para la Unión. De la misma forma que la España de Fernando e Isabel continuó la Reconquista contra el infiel moro y judío en la Península con la Conquista al otro lado del Atlántico, Estados Unidos continúa el Destino manifiesto de la conquista del Oeste en el otro lado del Pacífico.

En 1858, el presidente James Buchanan enviará una misión más allá del Patio trasero del Caribe y América Central. 19 barcos saldrán de Nueva York hacia América del Sur. Algunos se demorarán en Montevideo, otros en Buenos Aires. Otros subirán por el río Paraná hasta el mítico Paraguay, poco antes de ser destruido por Argentina, Brasil y Uruguay en una guerra genocida inducida por Gran Bretaña y con el mismo propósito de eliminar el proteccionismo ajeno y obligarlos a aceptar la verdad divina del libre mercado. En Asunción, los marines estadounidenses demandarán el pago de una indemnización por las ofensas cometidas por el país contra la *Paraguay Navigation Company*, ocurridas dos años antes, el 1 de febrero de 1855, cuando los paraguayos dispararon contra el *USS Water Witch*, La Bruja Americana del Agua. Washington exigirá un pedido de disculpas y un acuerdo de libre comercio. El 25 de enero de 1859, el gobierno de Carlos Antonio López aceptará indemnizar a Estados Unidos por la ofensa y por la muerte de un marinero. Aparte de las disculpas públicas, firmará un tratado comercial favorable al país agraviado.

La marina de Estados Unidos no se desarrollará exponencialmente hasta fines de siglo, cuando sus teóricos y políticos encuentren nuevas justificaciones para las viejas prácticas. Pero a mediados de este siglo, unos pocos años después del tratado de expoliación con México, la historia ya está clara.

También está claro el patrón de los eventos que se repetirá de forma sistemática por un par de siglos:

1. CRUCE DE FRONTERAS: avanzada de la Empresa libre y privada en territorios ajenos;

2. VICTIMIZACIÓN: provocación de una justificación moral para sentirse ofendidos o atacados, lo que inevitablemente conduce al Derecho a la defensa;

3. REACCIÓN: intimidación de naciones más débiles y pequeñas por la fuerza de su poderoso brazo estatal, básicamente la fuerza militar y financiera.

4. INTERVENCIÓN: liberación, imposición de los criterios propios y apropiación de los recursos ajenos.

5. NARRACIÓN: imposición de una historia apologética, emotiva y funcional (a través de la propaganda de los grandes medios a corto plazo y de la industria cultural a largo plazo) como el sacrificio altruista para liberar a otros (razas y culturas inferiores, corruptas) y el éxito económico propio por la gracia de Dios.

La narratura de los hechos no es sólo para consumo nacional. Se exporta. En el puerto de Shimoda, un busto del capitán Matthew Perry recordará, por los siglos por venir, el lugar y la fecha en que el capitán americano liberó el comercio de Japón e hizo posible la voluntad del dios de los cristianos. Un siglo después, en 1964, el gobierno de Japón le otorgará la Orden del Sol Naciente al general Curtis LeMay por sus servicios a la civilización. El general LeMay innovó las tácticas militares durante la Segunda Guerra mundial bombardeando de forma indiscriminada media docena de grandes ciudades japonesas en 1945. Meses antes de las célebres bombas atómicas sobre Hiroshima y Nagasaki (por las cuales Japón no se cansará de pedir perdón) sólo en una noche morirán cien mil civiles en Tokio bajo una lluvia de otras bombas estadunidenses. LeMay reconocerá: *"No me molesta matar japoneses"*.

1854. Fuimos ofendidos por un pescador

SAN JUAN DEL NORTE, NICARAGUA. 13 DE JULIO DE 1854—El USS Cyane bombardea el pequeño pueblo caribeño durante seis horas. Los habitantes huyen a la nada con sus hijos en brazos y poco más. El impecable capitán Geogre N. Hollins, futuro comandante de la Confederación esclavista contra Lincoln y cristiano en su tiempo libre, observa a lo lejos y no se decide a terminar con la lluvia de fuego que alguna vez cayó sobre Sodoma y Gomorra. Hollins entiende que la población no quiere reconocer su ofensa, lo que se prueba con *"su obstinado silencio"*, por lo que continúa aliviando la pesada carga del Cyane. Una vez lanzado el arsenal de 200 bolas de hierro y pasada la digestión pesada del mediodía, a las 4:00 de la tarde, cuarenta marines desembarcan y roban lo que pueden. El capitán Hollins reporta que *"un comando encabezado por los tenientes Pickering y Fauntleroy ha sido enviado para terminar con la destrucción del pueblo... con el propósito de inocular* [sic] *una lección que nunca será olvidada"*. En el mismo informe, el glorioso comandante concluye: *"Aprovecho la oportunidad para agradecer la amabilidad con la que nos ha tratado la Transit Company en todo momento"*.

La destrucción total de San Juan del Norte, como todo, tiene su explicación. Dos meses atrás, el 16 de mayo, un moderno buque a vapor construido de puro hierro, el H. L. Routh, había chocado contra el pequeño barco de un comerciante en el río San Juan. El bungo de madera, propiedad de don Antonio Paladino, había sufrido daños importantes, por lo que Paladino había insultado al capitán del vapor. El capitán del Routh, T.T. Smith, no entendió los insultos en el idioma local, pero sí el tono, y lo amenazó con azotarlo, práctica común ente los esclavistas civilizados. Según el testimonio de algunos pasajeros de California, el Routh parecía haber perdido el timón y se había desviado de su canal a once millas de San Juan (rebautizada por los ingleses como Greytown). Minutos después del choque y de los insultos, el Routh puso reversa y volvió sobre la pequeña embarcación de madera. Ofendido y furioso, armado de un rifle el capitán Smith le disparó al insolente Paladino. Una de las balas le atravesó el pecho. No satisfecho, Smith envistió el bungo de madera hasta hacerlo pedazos. A bordo, los miembros de la Accessory Transit Company of New York, los dueños del Routh, volvieron a sus mesas. Aparte de alguna protesta de unos pocos pasajeros, nada había pasado.

Al día siguiente, con una orden judicial en mano, el comisario de San Juan del Norte intentó arrestar al capitán Smith bajo la acusación de asesinato.

Uno de los pasajeros del Routh, el Ministro plenipotenciario de Estados Unidos en América Central, ex senador de Arkansas y futuro combatiente de la Confederación racista del sur, Solon Borland, se negó a leer la orden de arresto y (según el *Pittsburgh Gazette* del 30 de mayo) decretó que los oficiales de Nicaragua *"no tienen ninguna autoridad para arrestar a un ciudadano estadounidense, sin importar el crimen que haya cometido"*. Borland estaba mejor armado que los oficiales nicaragüenses y le ordenó al comisario (un negro flaquito cuyo nombre ha desaparecido de los anales de la historia, no la referencia a su color), que volviese por donde había aparecido. El comisario y sus funcionaros se retiraron.

En San Juan, el alcalde organizó una asamblea donde se decidió arrestar al mismo Borland por obstrucción a la justicia y por amenazar con un arma al comisario. Cuando Borland bajó a puerto para visitar al agregado comercial de Estados Unidos, Joseph Fabens, el alcalde y la policía de San Juan, seguidos por medio pueblo, se hicieron presente para arrestarlos. Ambos se resistieron a punta de revolver. Entre los gritos y las amenazas, alguien arrojó un objeto, probablemente una botella, el que dio en el ministro Borland, causándole un leve rasguño en el rostro. Borland los amenazó con el envío de un bombardero y, otra vez, los representantes de la Ley en Nicaragua se retiraron.

El rasguño en el rostro de Borland fue algo insignificante. La ofensa fue, o debía ser, profunda. El director de la Transit Company lo confirmó: *"es necesario que esa gente del pueblo aprenda a tenernos miedo; el castigo les dará una lección"*. En Washington, el presidente Franklin Pierce (ocupado en evitar que los antiesclavistas dividan al país con sus ideas anticristianas, llenas de odio contra los blancos) ordenó el envío del navío de guerra USS Cyane para exigir una indemnización, moral y económica, por el ataque de *"una supuesta comunidad, un rejunte de diversos países, de negros y de gente de sangre mezclada... una comunidad de salvajes"*.

En Estados Unidos, algunos diarios condenaron el asesinato y la posterior obstrucción a la justicia nicaragüense. Otros se refirieron a las "autoridades" de ese país entre comillas, las cuales han insultado a los oficiales y a los hombres de negocios. Un día antes del bombardeo, el 12 de julio, los diarios estadounidenses publicaron la sentencia del capitán del USS Cyane, Geogre N. Hollins: *"Solemnemente proclamo y declaro que, si no se satisfacen las demandas de reparación especificadas por la carta del agente comercial de Estados Unidos, el Sr. Fabens... mañana, a partir de las 9:00 AM, procederé al bombardeo del pueblo San Juan del Norte"*. El comandante W. D. Jolley protestó, considerando que los pobladores de esta comunidad se encontraban totalmente indefensos. Pero Hollins le respondió que se trataba de piratas.

Piratas en su propia tierra y sin recursos para repeler a los poderosos piratas del norte. El 16 de julio, mientras el humo y el silencio todavía cubren las ruinas de San Juan del Norte, George Hollins reporta al Secretario de la Marina J. C. Dobbin: *"fui informado de la petición del señor Fabens, a través del Departamento de Estado... que debíamos exigir una disculpa por el insulto proferido contra el señor Boland, por lo cual Fabens, en coordinación con la Trasnit Company, ha determinado la necesidad de una compensación de 16 mil dólares".*[29]

Los pasajeros de la exitosa Accessory Transit Company, multiplicados por la fiebre del oro de la recientemente anexada California, continuarán viajando desde Nueva York, pasando por los restos de San Juan del Norte como quien pasa por una desembocadura virgen a un promedio de dos mil almas civilizadas por mes. Medio siglo después, Theodore Roosevelt inventará un país llamado Panamá y el tráfico comercial que realmente importa se trasladará unas millas más al sur.

Solo entre 1869 y 1898, para invadir o para hacer buenos negocios, Washington decretará más de 5.500 veces el envío de sus barcos de guerra al Caribe y a América Central, que es donde habitan las razas salvajes. Esta costumbre será conocida por los historiadores como la "Diplomacia del bombardero" para diferenciarla de la "Diplomacia del dólar", la que, junto con el sentido de ofensa y defensa que justifique cualquier bombardeo, sobrevivirá hasta bien entrado el siglo XXI.

1855. William Walker se nombra presidente de Nicaragua

SAN FRANCISCO, CALIFORNIA. 3 DE MAYO DE 1855—William Walker parte de San Francisco rumbo a Nicaragua con 55 voluntarios y muchas armas. Todo el comercio entre Nueva York y San Francisco, entre la costa Este y la Oeste, pasa por ese país, o como se llame. El camino más económico no es por los territorios recientemente anexados de Nuevo México y Arizona sino por Nicaragua, y los derechos han sido cedidos en 1850 a la compañía Accessory Transit, propiedad de Cornelius Vanderbilt. Pronto estarán bajo la autoridad de otro aventurero de ojos claros y mirada turbia.

Walker está decidido a mejorar su suerte y compensar su fracaso de dos años atrás en Baja California. El 3 de noviembre de 1853 había leído en Luisiana sobre la frustrada aventura del venezolano Narciso López para liberar Cuba y, como él era americano, había decidido que podía hacerlo mejor. Había echado una mirada a un mapa amarillo y con nombres difíciles y había buscado un lugar para conquistar sin necesidad de un barco. Todos lo saben,

---

[29] Mas de medio millón de dólares al valor de 2020.

hasta el gobierno. Los filibusteros son piratas de tierra. Walker estaba decidido a fundar la República de Sonora, otra provincia arrancada a México. Como hiciera Stephen Austin treinta años atrás, se había propuesto venderle al Congreso mexicano la idea de una colonia anglosajona en su territorio para protegerlos de los indios. Esta vez, lo mexicanos rechazaron la oferta y Walker, frustrado pero decidido a todo, abandonó su rutinario trabajo de editor del diario de Nueva Orleans para cumplir con su destino. En California reclutó 45 voluntarios creyentes en el Destino manifiesto. Poco después, el 15 de octubre, llegó a México con cincuenta hombres y se autoproclamó presidente de la nueva República de Baja California. Tres meses después decretará que este Estado es parte de la República de Sonora, "*libre, soberana e independiente*". Como es de esperar, en su primer acto de gobierno restableció, por ley, la esclavitud y proclamó la futura prosperidad del territorio civilizado. Diversos diarios, como el *The Polynesian* de Hawái del 25 de diciembre, reconocen que se trata de "*otro progreso hacia el Destino Manifiesto de la raza anglosajona hacia el cual nos dirigimos por el bien de los buenos tiempos*".

La aventura mesiánica de Walker duró unos meses. El ejército mexicano no lo fusiló en nombre de la Seguridad Nacional ni invadió el país vecino en nombre de *Fuimos-atacados-y- exigimos-una-compensación*. Por el contrario, amablemente lo deportó sin mayores consecuencias. Derrotado, Walker fue juzgado en California por violar la "Ley de Neutralidad de 1794", lo que le dibujó una sonrisa en el rostro. Ese mismo día, el mismo juez que lo condenó lo perdonó. Walker se fue a beber y a mentir sus hazañas en una taberna, para que un día sus fantasías se multipliquen llenas de verdad.

Ahora, dos años después, el abogado y mercenario se autoproclama presidente de Nicaragua y, otra vez, legaliza la esclavitud. Inmediatamente toma control del tráfico comercial estadounidense en la región. Como era práctica común en la Corona inglesa, aceptando los trofeos de sus piratas en el Caribe a lo largo de múltiples generaciones, el 20 de mayo de 1856 el presidente de Estados Unidos, Franklin Pierce, reconoce al filibustero William Walker como el legítimo presidente de Nicaragua. El presidente de Costa Rica, Juan Rafael Mora Porras, se prepara para una posible invasión. No se equivoca: Walker prepara una "*defensa preventiva*" sobre territorios ajenos y organiza un ejército de alemanes, franceses y estadounidenses. El 20 de marzo de 1856, lanza la invasión preventiva sobre Costa Rica. Le cuesta creerlo, pero es derrotado en la batalla de Santa Rosa. En venganza, arroja cuerpos muertos a los pozos de agua y genera una epidemia de cólera en Costa Rica que cobra la vida de 10.000 personas, por entonces el diez por ciento de la población de aquel país. Por su parte, Honduras envía al general Florencio Xatruch para resistir la invasión del filibustero. Para el 12 junio de 1857, cuando el general Xatruch vuelve triunfal a Honduras, Williams estaba acabado. Desde entonces, los hondureños serán conocidos como *catruchos* y los salvadoreños como *salvatruchos*.

El 2 de julio, Walker logra ser electo presidente en unas elecciones inexistentes, y declara el idioma inglés como idioma oficial de Nicaragua. Anula la ley de 1821 e insiste en expandir la esclavitud en todo el país. Pero el 14 de diciembre, Granada es rodeada por fuerzas de Costa Rica, Honduras, El Salvador y Guatemala y el general Charles Frederick Henningsen ordena prender fuego a toda la ciudad, en nombre "*de la justicia americana*". A sus soldados les toma dos semanas para quemar y destruir toda la ciudad hasta que no encuentran nada más que escombros sin valor.

William Walker escapa a tiempo el primero de mayo de 1857. En Nueva York es recibido como un héroe. Eufórico y con nuevas energías, regresa a Nicaragua para hacer justicia. Pero el almirante inglés Nowell Salmon lo detiene y lo entrega a las autoridades de Honduras donde, con apenas 36 años, será ejecutado el 12 de setiembre de 1860. Demasiados conflictos y alguna que otra erupción volcánica harán que, medio siglo después, la invención de un país llamado Panamá sea una mejor opción para un canal transoceánico.

Desde mediados del siglo próximo hasta el siglo XXI, la CIA continuará la tradición de los filibusteros con paramilitares como Blackwater, empresa privada "encargada de la seguridad" en Irak y en otros países invadidos, casi siempre con sicarios graduados en América Latina. El presidente George W. Bush no sólo otorgará nuevos poderes especiales a la agencia para decidir sobre secuestros y asesinatos fuera de fronteras, sino que la misma CIA hará de Blackwater un grupo mercenario que la desvinculará de sus propios asesinatos selectivos y masacres por error. A diferencia de William Walker, y con la excepción de algún empleado de tercer nivel, Blackwater no pagará por sus crímenes. Mucho menos la CIA. Nadie vinculado al terrorismo de Washington pagará con un día de cárcel, al menos que sea secuestrado por el propio Washington, como será el caso del general Manuel Noriega de Panamá en 1989. En repetidas ocasiones, a lo largo de un siglo, Washington se negará a firmar acuerdos punitivos contra la violación de los derechos humanos si no se incluye una cláusula de excepcionalidad para sus ciudadanos. Quienes intervienen o invaden países en nombre de los derechos humanos no pueden ser acusados de violar los derechos humanos. Desde las decisiones de la Corte Internacional de Justicia contra los masivos crímenes de los Contras en Nicaragua hasta las peticiones del juez Baltasar Garzón contra Henry Kissinger serán desechadas por considerarse una persecución y una ofensa contra Estados Unidos. La idea, enraizada en el subconsciente desde el siglo XVIII de que una raza superior no puede ser juzgada ni por indios ni por negros, sin importar los crímenes que hayan cometido, se travestirá más allá de la Declaración Universal de los Derechos Humanos con la victimización del más fuerte que siempre reclamará un estatus especial de inmunidad legal y moral. Porque, para el poder, no habrá nunca nada más injusto que una justicia igual para todos.

1858. Quiero expandir la bendición de la esclavitud al mundo

HAZLEHURST, MISSISSIPPI. 11 DE SETIEMBRE DE 1858—El senador y exgobernador de Mississippi, Albert Gallatin Brown, en un aplaudido discurso proclama: *"Quiero poner un pie en América Central, por las razones ya repetidas varias veces. Quiero Cuba, y todos saben que, antes o después, será nuestra. Si la comegusanos de España la cede por un precio razonable, mejor. Si no, igual la tomaremos. Quiero Tamaulipas, Potosí, y uno o dos estados más de México... Y los quiero por la misma razón: para que la esclavitud se expanda por todo el continente... Sí, quiero todos esos países para que podamos expandir la esclavitud. Quiero expandir la bendición de la esclavitud a todos los rincones del mundo, como expandimos la religión del Señor... No quisiera imponerles nada, sino convencerlos, como convencemos a los demás de las bendiciones de los Evangelios. Claro que sé que es una tierra de rebeldes y que no van a aceptar ni a recibir nuestra bendición tan fácilmente..."*

Mientras los estados del Sur continúan expandiendo el sistema eslavista, en mayo la revista *United States Democratic Review* de Nueva York, en su artículo "El destino de México", asegura que: *"Muchos países nos acusan de insistir demasiado sobre eso del Destino manifiesto. En esto tienen razón. Nosotros sentimos la mano de Dios sobre nosotros... México comenzó su historia con todo a su favor, excepto una: su gente no era blanca, no eran caucásicos... Tenían una mala mezcla de sangre española, indígena y negra. Gente de este tipo no sabe cómo ser libre y nunca lo sabrá hasta que sea educada por la Democracia americana, por la cual el amo gobernará sobre ellos hasta que un día ellos aprendan cómo gobernarse solos... México no se puede gobernar a sí mismo. Pero ha llegado el tiempo por el cual la Providencia nos obliga a tomar posesión de ese país... No vamos a tomar México por nuestro propio interés, lo cual sería una broma imposible de creer. No, vamos a tomar México por su propio beneficio, para ayudar a los ocho millones de pobres mexicanos que sufren por el despotismo, la anarquía y la barbarie".*

El presidente, los senadores y los empresarios saben que Estados Unidos necesita acortar los seis meses de transito que necesita un barco para ir de la costa este a la costa oeste por el estrecho de Magallanes. Por Nicaragua o por

Panamá podrían hacerlo en menos de un mes. Pero Inglaterra tiene necesidades similares y amenaza con establecerse en América Central. El senador Albert Brown de Mississippi considera esta presencia inaceptable: *"Si queremos América Central, la forma más barata y rápida es ir y tomarla, y si Francia o Inglaterra interfieren, le leeremos la doctrina Monroe y punto"*.

No sólo la necesidad de ser ofendidos para luego reclamar un castigo por las ofensas recibidas ha sido un arma psicológica, política y prebélica del nuevo país, del nuevo imperio anglosajón, sino también de Gran Bretaña. Ante la arrogancia de Estados Unidos sobre su derecho a decidir el destino de las Américas, su ministro de relaciones exteriores, Lord Clarendon, cuatro años atrás había dicho que los estadounidenses eran *"una nación de piratas"*. La historia sería divertida si no fuese trágica. El primer ministro Palmerston, había estado de acuerdo y se había burlado con acento de inglés americano de la pretensión de ser *"la nación más grande del mundo"*. En un memorándum del 10 de setiembre de 1854, Lord Clarendon había observado que *"no habrá ni un solo país que algún día no sea expuesto a la arrogancia de Estados Unidos... y un día volverá a todas las naciones del mundo contra ellos"*.

Pero no era solo arrogancia lo que había definido al nuevo imperio sino un profundo fanatismo racial y religioso que lo llevará, como a cualquier pueblo fanático, a lograr grandes cosas mientras, por ser el ganador, será representado por propios y ajenos no como resultado del fanatismo sino del sentido común y pragmático de una raza, primero, y de una cultura superior, después. El representante de Missouri, Thomas L. Anderson, en 1859 se había sumado al debate expansionista sobre el Caribe y América Central. Como la mayoría, no quería ni imaginar la posibilidad de mezclar la superior raza anglosajona con la de idiotas negros y mestizos del sur, pero aun así persistía la necesidad de controlar el área por razones geopolíticas y de tránsito comercial entre el Atlántico y el Pacifico. Aunque más improbable que en el caso de los territorios arrancados a México, todavía quedaba la posibilidad de que *"ola tras ola de inmigrantes"* mejoren América Central hasta que *"sus supersticiones, su ignorancia y su anarquía sea reemplazada por la paz, el conocimiento, el cristianismo y por nuestras instituciones nacidas en el Cielo"*.

1861. Las excepciones justifican la regla

AUSTIN, TEXAS. 1º. DE FEBRERO DE 1861—Por las mismas razones por la que Texas fue arrancada a México en 1836, ahora se vuelve a independizar, esta vez de Estados Unidos. Los esclavistas no tienen otra bandera que los beneficios económicos derivados del trabajo de las de razas y de las clases inferiores. Si a los del norte no les gusta la esclavitud, cocinamos aparte. Hasta aquí llegó el patriotismo de los esclavistas.

Tres años atrás, el hijo de Andrew Jackson se había mudado a Mississippi por unos años y le había dejado a su esclava Hannah y su esposo Aaron la administración de la Hermitage en Tennessee. Sin embargo, el honor y el prestigio de comandar la famosa plantación y sus casi doscientos esclavos no los había convencido. La abolición legal de la esclavitud en Estados Unidos todavía necesitaba una sangrienta guerra civil. La abolición del racismo endémico no llegará ni con dos siglos de lucha cultural.

Ahora, apenas iniciada la Guerra civil, la anciana Hannah, convertida en Hannah Jackson, escapará con su hija a Nashville. Logrará ser más libre pero no ciudadana estadounidense, porque sólo los blancos pueden ser ciudadanos. Como el resto de los negros libres, deberá conformarse con las monedas que le dejen en las mesas por servir la comida en los bares y restaurantes de las ciudades. No podrá comprarse un trozo de tierra propia para retirarse ni cuando las nuevas leyes decidan que es un "individuo libre". Como los negros se compran y se venden en el mercado, la libertad también. Cuando la esclavitud sea declarada ilegal y los negros ciudadanos, la libertad continuará a la venta en el libre mercado.

El 12 de abril de 1861, los esclavistas atacan Fort Sumter. Texas se une a los confederados el 2 de mayo. Sam Houston, en su segunda gubernatura del Estado, es reemplazado en un golpe de Estado por dudar demasiado acerca del valor de la institución sagrada. En California, los mexicanos se unen a la causa de la Unión. El 27 de marzo de 1862 los unionistas derrotan a los esclavistas en la batalla del Paso de la Glorieta, liderada por el teniente coronel Manuel Chávez y los esclavistas se retiran de Nuevo México.

Para entonces, William Ellison Jr. es el hombre negro más rico de Carolina del Sur. Nacido con el nombre Abril, había logrado comprar su libertad a su benévolo dueño, William Ellison, quien le había permitido trabajar los domingos por un salario. Al estallar la Guerra civil, el meritorio ex esclavo Abril, ahora William Ellison Jr., es propietario de una plantación y lucha a favor de la Confederación, ofreciendo a sus 53 esclavos como ayudantes. Los hijos del negro rico intentan formar parte del ejército de la Confederación, pero son rechazados por su color; los negros no pueden ser soldados de un ejército que lucha por el honor. No faltarán quienes, en los años subsiguientes a la derrota, recorten las fotos de los batallones de negros huidos al norte, quitando al oficial con el uniforme de la Unión para hacerlos parecer como soldados de la Confederación, como una brevísima metáfora de cómo se escriben las historias oficiales.

Cuando los esclavistas pierdan la guerra, no dejarán de victimizarse mencionando el mito de "La causa perdida", el meritorio ejemplo de William

Ellison Jr., y, más tarde, el hecho de que el primer dueño de esclavos en la historia de Norteamérica fue un africano llamado Anthony Johnson, dueño de John Casor, el primer esclavo de por vida de las colonias inglesas en el continente a mediados del siglo XVII.

La literatura política angloamericana nunca dejará de adorar las excepciones que llenarán las librerías, los cines, las revistas de gente linda, buena, rica y famosa. Toda la sociedad existe para hacer posible las excepciones en un país que confía ciegamente en su propia excepcionalidad. Nada es más poderoso que un mito. Ni siquiera la realidad.

1862. Cinco de mayo

PUEBLA, MÉXICO. 5 DE MAYO DE 1862—El ejército de México derrota al poderoso ejército imperial de Francia en la Batalla de Puebla. Luego de dos generaciones de humillantes derrotas, los mexicanos tienen un motivo enciclopédico para sentirse orgullosos. México no ha tenido suerte ni la tendrá por mucho tiempo más: su territorio y sus riquezas han sido deseados por muchas potencias mundiales en la misma medida que su población ha sido despreciada por su apariencia o por su cultura, a pesar de la belleza de su apariencia y de la riqueza de su cultura.

España y Francia ayudaron a Estados Unidos con su Revolución de 1776. México lo ayudará con su Guerra civil en 1862. Nadie ayudará a México, ni ahora ni nunca. Dos años después de que fuese despojado de Texas para reinstalar la esclavitud, la civilizada Francia había hecho leña del árbol caído. El 27 de noviembre de 1838, con motivo de algunos robos a ciudadanos franceses en México, París había ordenado bloquear todos los puertos de ese país. El detonante: un pastelero francés de nombre Remontel había sufrido un robo por parte de soldados mexicanos en evidente estado de ebriedad, lo que había resultado intolerable para Francia que, de inmediato, exigió una indemnización. En caso de no disponer de oro o dinero en plata, había informado Francia, la compensación podría ser alguna porción de tierra. México no entendió las demandas del país europeo y Francia lanzó la "Guerra de los pasteles". El martes 27, sus buques de guerra bombardearon Veracruz y, otra vez, México debió resistir por varios días, pagando un precio muy alto en vidas y destrucción. En la resistencia, Antonio López de Santa Anna perdió una pierna y muchos otros perdieron la vida.

Aunque ahora la Batalla de Puebla es una victoria provisoria (México será derrotado por ese mismo ejército un año más tarde, en 1863, y caerá en las manos de Francia), el 5 de mayo será, por lejos, mucho más importante para el destino de Estados Unidos que para el de México. Poco antes, Francia y Gran Bretaña se habían puesto de lado de la Confederación, no porque estuviesen a favor de la esclavitud legal sino porque querían dividir en dos a la naciente superpotencia, el objetivo principal de los estados del Sur de Estados Unidos. Con este propósito, Inglaterra había propuesto un Plan de paz entre el Norte y el Sur para que sea rechazado por el Norte y, de esa forma, poder reconocer al Sur como país independiente, pese a que en Londres Karl Marx y la clase trabajadora inglesa estaban en favor del Norte y de la decisión de Lincoln de abolir la esclavitud.[30]

La batalla de Puebla evitó que, por un año, Napoleón III pudiese abastecer de armas y ayuda naval a los confederados y, de esa forma, el ejército de Lincoln pudo aplastarlos en Gettysburg el 31 de julio de 1863, la mayor y más importante batalla de toda la Guerra civil, un año antes que México cayera derrotado por Francia y debiera someterse a la amable dictadura del austríaco Maximiliano.

En 1865, el Norte de Abraham Lincoln y Ulysses Grant finalmente derrotará a los confederados, evitando la partición del país en dos. La economía volverá a crecer. A México le tomará dos años más derrotar a las fuerzas de Maximiliano. Cuando esto ocurra, los bancos de Boston, Nueva York y Filadelfia le reclamarán los pagos por los préstamos para la compra de armas. Una vez más, quebrado por tantos conflictos, México caerá en moratoria. Los liberales mexicanos irán más allá y no aceptarán reconocer las concesiones de tierras a los extranjeros otorgadas por el emperador depuesto y los acreedores presionarán a Washington para que transforme al viejo México en un protectorado.

Washington descubrirá una forma más fácil y elegante: México será obligado a entregar su economía a los inversores estadounidenses, quienes rápidamente se harán cargo de su producción agrícola, de sus ferrocarriles y de su petróleo. Sin demora y con consecuencias que derivarán en la violenta Revolución mexicana de 1910, amparados por la dictadura de Porfirio Díaz, se impondrá una relación económica que no es nueva y tiene mucho futuro en la región: el país del sur le venderá petróleo y todas sus materias primas a Estados Unidos mientras deberá comprarle todos los productos industrializados que necesita.

El México que queda existe por puro milagro o porque (como siempre han repetido los congresistas en Washington y la prensa en el país del norte) está habitado por demasiados millones de seres pertenecientes a una "raza inferior", producto de las mezclas promiscuas que han dejado *una raza intelectualmente imbécil*", gente que los angloamericanos nunca quisieron

---

[30] Por al menos una década, Marx sobrevivió a duras penas en Londres gracias a los artículos que escribía por monedas para el *New York Tribune* y que Engels y otros traducían al inglés.

incorporar a su sagrada Unión. Esos mismos seres despreciables que, sin saberlo, salvarán de la desintegración a la orgullosa nación del norte, elegida por Dios y bendecida con una raza superior.

1862. La primera frontera continúa molestando

MANKATO, MINNESOTA. 26 DE DICIEMBRE DE 1862—Por la tarde, cuando el generoso fuego de la navidad ya se ha apagado, en la plaza central de Manicato el pueblo se reúne para presenciar el espectáculo. Cientos de soldados rodean la plaza con sus caballos formando perfectos cuadrados concéntricos. En el centro y frente a la bandera de franjas y estrellas, otro cuadrado perfecto es el escenario de la ejecución de las 38 bestias salvajes con formas de hombres que quedan colgando del pescuezo, sacudiéndose como salmones, sin que sus manos puedan hacer nada, sin que puedan pronunciar una sola palabra que se entienda. Como los pescados y los recién nacidos, si no dicen nada, no sienten nada.

Pocos días antes, la tribu Sioux había reclamado que se le pagase la deuda de 1.400.000 dólares por los casi cien mil kilómetros cuadrados, por un territorio tan grande como los estados de Indiana o de Kentucky, cedido a los colonos blancos en 1851 y en base a los tratados de Traverse des Sioux y Mendota. Por entonces, el gobierno de Estados Unidos había resuelto, de forma unilateral, borrar el Artículo 3 en cada uno de los tratados firmados con los indios y pocos se enteraron. El rompimiento de tratados con naciones más débiles ya es una larga tradición, la cual será honrada por los siglos por venir. En 1827, cuando se descubrió oro en Georgia, se aceleró el despojo de los territorios cheroquis. Tres años después, algunos senadores se resistieron a la Ley de Remoción de los indios, impulsada por el presidente Andrew Jackson. El senador por Maine, Peleg Sprague, se opuso a la destrucción de la nación Cheroqui mencionando que Estados Unidos había firmado quince tratados con esa nación, garantizándoles el derecho a su propia tierra *"para siempre"*. Como siempre, en el Congreso también prevaleció la mayoría que está a favor del cumplimiento de las leyes propias y del patriótico despojo ajeno. Cuando la Suprema Corte falló en contra de la ley, el presidente hizo oídos sordos y envió al ejército para limpiar el área antes de que las leyes humanitarias fuesen efectivamente implementadas.

El presidente Abraham Lincoln no había respondido a las demandas del pueblo Sioux y algunos se habían levantado en armas. Diez jóvenes, hambreados por años, habían robado algunas gallinas y habían matado a seis colonos. La mayoría sioux se opuso a ese tipo de respuesta, pero Lincoln llamó al general John Pope, quien no dudó en reprimir el alzamiento como lo indica la tradición. "*Exterminaré a los sioux. Serán tratados como lo que son, bestias salvajes con las cuales no se puede negociar y mucho menos firmar ningún tratado*", dijo.

Obviamente, los sioux fueron derrotados. 303 de ellos fueron sentenciados a la pena capital, pero Lincoln la aprobó solo para los 38 que ahora sirven de ejemplo. Como era de prever, el clásico "fuimos atacado primero" resulta una nueva excusa para romper otro acuerdo firmado y un excelente negocio. El resto del pueblo Sioux pierde la franja de tierra que les había quedado de los tratados anteriores. Una vez más, los Sioux son deportados de sus tierras, esta vez a Dakota del Sur y a Nebraska. Cuando lleguen más hombres civilizados a esos estados vírgenes, los salvajes invasores serán, una vez más, deportados a alguna otra parte y, finalmente, confinados a reservas que no los protegerán de las grandes compañías. En algunos casos, generaciones después, recibirán subsidios y otras donaciones del gobierno que indignará el resto de la población.

Hoy viernes, se ha llevado a cabo la mayor ejecución masiva de criminales comunes dentro del marco de la Ley del país de leyes. Ningún feriado nacional lo recordará. Algunos documentos, casi olvidados, recordarán que los 38 salvajes fueron arrojados en un agujero al lado del río, ya que ninguno de ellos era cristiano. Las crónicas también mencionarán que un tal Dr. Sheardown les sacó la piel a varios de ellos y las vendió en el mercado de Mankato. Por la noche, pasada la excitación popular, los médicos escarbarán la fosa común y sacarán algunos cadáveres para estudios científicos. El doctor William Mayo logrará limpiar el esqueleto de Parado en las Nubes y lo usará para educar a sus hijos sobre la naturaleza del cuerpo humano. William Mayo será el creador del sistema de clínicas privadas en el país y de la compañía Mayo Clinic Hospital que florecerá un siglo después.

Los libros de historia recordarán el conflicto como "La guerra de Dakota". Pero como muchas otras guerras, como casi todas, no fue ni siquiera una batalla. Ni fue ni será un caso excepcional. Dos años más tarde, durante las primeras nieves de 1864, 700 voluntarios angloamericanos, vestidos de solados improvisados, atacarán la reserva indígena cerca de Fort Lyon, en Colorado, un reducto minúsculo bajo protección del gobierno de Estados Unidos. El Captain Silas Soule le escribirá al Mayor Edward Wynkoop: "*cientos de mujeres y niños venían hacia nosotros y se arrodillaban pidiendo clemencia; te digo la verdad, Ned, fue muy duro ver niños arrodillados y ver a los hombres civilizados que iban y le reventaban la cabeza*". 108 mujeres y treinta hombres cautivos, miembros de las tribus Cheyenes y Arapajó serán destripados por soldados patriotas. El líder de la turba, el coronel masón John Chivington, veterano de la Guerra de Despojo de México, afirmará que "*es un honor usar cualquier instrumento para matar indios bajo el cielo de Dios;*

matar a todos, grandes y pequeños, ya que las liendres producen piojos". Luego de la masacre, el coronel Chivington reportará el combate como una gran victoria sobre un ejército muy bien armado, el que terminó en "*la casi aniquilación de la tribu*". Los valerosos héroes de la civilización occidental decorarán sus uniformes, rifles y sombreros con fetos, penes y vaginas arrancados a cuchillo de los salvajes *caídos en combate*. La gran ciudad, Denver, expondrá algunos de estos trofeos de guerra, pedazos humanos de salvajes terroristas, como entretenimiento para el público.

Indios, negros, mexicanos. Gente peligrosa que quiere invadirnos. Cuando el justiciero brazo del Estado no alcanza, alcanza la justicia privada. Luego de la caza de bandidos mexicanos despojados de sus tierras en el Oeste, sigue la tradición de los linchamientos. A partir de estos años, y sobre todo luego de que los esclavos se conviertan en ciudadanos por culpa de Lincoln, los linchamientos contra los negros se multiplicarán hasta bien entrado el siglo XX. También los linchamientos contra los mexicanos, que vienen a ser todos quienes no son ni blancos ni negros. En noviembre de 1873, en Corpus Christi, Texas, siete pastores mexicanos serán linchados y colgados de los árboles por un grupo de autodenominados *vigilantes*. El propósito será desestimular la venta de tierras a *extranjeros*. No habrá arrestos ni sospechosos. A lo largo de medio siglo, otros miles de trabajadores mexicanos (algunos italianos que parecen mexicanos) serán linchados en los nuevos estados fronterizos como práctica disuasoria.

Claro que siempre quedarán las tres opciones clásicas: olvidar, negar, matar al mensajero. Estados Unidos se llenará de nombres de naciones indígenas, desde estados, ríos, montes, montañas, pueblos y ciudades hasta marcas de automóviles y mascotas de equipos de fútbol. Massachusetts, Delaware, Michigan, Dakota, Iowa, Kansas, Missouri, Alabama, Oklahoma, Mississippi, Minnesota, Alaska, Milwaukee, Chattanooga, Chicago, Miami, Manhattan, Cherokee, Comanche, Navajo, Apache, Seminole... Las calles, los edificios, los monumentos y los billetes de dólar estarán ocupados con individuos identificados con nombres y apellidos, héroes anglosajones, con frecuencia los asesinos de miles y millones de individuos sin nombre de pueblos con nombres venerados.

1876. La invasión pacífica

MÉXICO DF. 24 DE NOVIEMBRE DE 1876—Para salvar al país de la reelección que acaba de ganar el presidente Sebastián Lerdo de Tejada, el general Porfirio Díaz asume el poder de la capital y, cuatro días después, se nombra presidente de la república promoviendo la firma del Plan de Tuxtepec, por el cual queda terminantemente prohibida la reelección presidencial en México. El general Porfirio Díaz será reelecto en sucesivas elecciones en las cuales la matemática fallará siempre. Cuatro años atrás, Lerdo de Tejada había perdonado al general Díaz por su intento de golpe de Estado contra Benito Juárez y ahora debe marchar al exilio. La lista de generales que traicionan a la democracia y a sus propios promotores será trágica y extensa en las muchas generaciones por venir a lo largo del continente.

La nueva dictadura al sur no preocupa al norte. Por el contrario, es bien recibida. En Estados Unidos insisten que no quieren anexar más tierras para no ampliar el stock de ciudadanos negros o híbridos que se conviertan luego en votantes descontrolados e irresponsables. Ya bastante problemas tienen para justificar la exclusión de Nuevo México y Arizona debido a que todavía el inglés y la sangre anglosajona no son todo lo dominante que deberían ser. Establecer protectorados en América Latina para asegurarse recursos y buenos negocios, sea a través de algún régimen liberal o de una dictadura amiga, es más que suficiente.

El general Ulysses Grant, uno de los actores de reparto en la guerra que redujo a México a sus dimensiones actuales, visita el país como ex presidente de Estados Unidos y, en una cena en su honor a la que asiste Porfirio Díaz, es presentado como el mejor amigo de México. Veteranos de gobiernos anteriores y embajadores frecuentes en Washington, como Matías Romero y Manuel Zamacona, casi todos esposos de decentes y hermosas mujeres estadounidenses, formulan la nueva doctrina económica que implementará el dictador para desarrollar al país: dejar que los capitales estadounidenses invadan México, plan al que catalogan como "*una invasión pacífica*", permitiendo una anexión sin los inconvenientes de una anexión. Como lo hiciera Stephen Austin en los años veinte para promocionar la inmigración anglosajona en Texas Coahuila, ahora Matías Romero, en nombre de los buenos negocios, vende a México en la prensa de Estados Unidos. Ya no hay muchas familias de ese país con ganas de iniciar una nueva aventura en las tierras del sur, pero hay capitales, siempre sedientos de tomar riesgos y todo lo demás.

Porfirio Díaz no sólo intenta continuar la rara estabilidad política heredada del gobierno anterior, sino que extiende la ley que el hermano de su predecesor, Miguel Lerdo de Tejada, había impulsado para promover la privatización de tierras. En principio, la idea era noble. Como en España, México sufría la acumulación de tierras en "manos muertas". Según la tradición, estas tierras heredadas de los fieles y de los célibes muertos no se podían trabajar por pertenecer a Dios. O se trabajaban sin mucho esmero. Respondiendo a la progresiva pobreza de los campesinos mexicanos, a la acumulación de tierras por parte de la Iglesia católica y con la resistencia de los conservadores, en 1856 se aprobó la Ley de Desamortización de las Fincas, mejor conocida como Ley Lerdo. Con esta ley, los liberales mexicanos intentaban copiar el exitoso modelo estadounidense. Se privatizaron tierras públicas y tierras comunales con la esperanza de que el interés propio de cada individuo fuese capaz de construir un país y una sociedad fuerte y próspera, tanto en los negocios como en la guerra. Su inspirador, Lerdo de Tejada, había asegurado que la ley iba a favorecer a los más humildes. Hasta hoy, los especialistas y los propietarios están de acuerdo que la privatización de tierras no sólo es una iniciativa de modernización, una fórmula para el éxito según todos los países exitosos, sino que también representa un acto de generosa donación a los pobres de la tierra que ni siquiera hablan castellano.

Una vez más, la idea de modernizar un país de la Frontera salvaje copiando el éxito anglosajón no funcionará para la mayoría de sus habitantes. Por siglos, los indígenas y hasta muchos campesinos mexicanos han entendido que la tierra es propiedad de una comunidad; las comunidades cooperan en la producción y reparten los beneficios entre sus integrantes. Parte del éxito económico de las misiones jesuíticas, desde América del Sur hasta California, había radicado en haber entendido esta realidad. La sagrada idea occidental de que la naturaleza no es sagrada, que no tiene nada que ver con el reino de la vida y del espíritu, sino que está muerta y lista para ser conquistada, violada y explotada hasta las últimas consecuencias, no ha sido asimilada del todo por los nativos del nuevo continente, a pesar de tres siglos de enseñanzas. Para los indígenas, que se cuentan por millones en los campos de la castigada república, la idea y la práctica de la propiedad privada son difíciles de asimilar.

Una vez más, la tragedia de los nativos en América Latina se parece a la tragedia de los pueblos indígenas al norte del Río Bravo. La Federal Indian Office, que tiene como cometido la asimilación cultural de los indios en Estados Unidos, se opone a la existencia de tierras comunales y de la producción colectiva de los productos de subsistencia, sobre todo porque impide al hombre civilizado la adquisición de más tierras. En 1885, el senador Henry Dawes de Massachusetts, reconocido como un experto en cuestiones indígenas, informará que entre los cheroquis *no había una familia en toda esa nación que no tuviera un hogar propio. No había pobres ni la nación debía un dólar a nadie. Los cheroquis construyeron su propia capital y sus escuelas y sus hospitales. Sin embargo, el defecto del sistema es evidente. Han llegado tan lejos como pueden, porque son dueños de sus tierras comunales... Entre ellos no hay egoísmo, algo que está en la base de la civilización. Hasta que este pueblo no decida aceptar que sus tierras deben ser divididas entre sus ciudadanos para que cada uno pueda poseer la tierra que cultiva, no harán muchos progresos...* Naturalmente, la opinión de los administradores del éxito ajeno prevalecerá y las tierras cheroquis serán divididas y generosamente ofrecidas a sus habitantes en forma de propiedad privada.

Más al sur, la economía de México crecerá casi tanto como su pobreza por razones similares. Para cuando estalle la Revolución Mexicana en 1910, ocho de cada diez campesinos habrán perdido sus tierras a manos de la agresiva privatización de los proto liberales en el gobierno. Acostumbrados a una producción comunitaria en tierras comunales (la que por siglos fue más próspera que las granjas de los conquistadores) los nativos mexicanos serán presa fácil de la especulación y la expansión de los hacendados.

La explotación de los pobres se descontrolará hasta llegar a la reinstauración de la esclavitud, unas veces esclavitud tradicional y otras veces disfrazada de servidumbre. El sistema mercantilista se enseñará con los pueblos indígenas, ahora endeudados y sin tierras. De 1875 a 1900, las exportaciones a Estados Unidos de henequén agave (el oro verde) crecerán de seis millones a 81 millones de kilogramos, desplazando otros cultivos en el camino. Durante las tres décadas que durará la dictadura de Porfirio Diaz, Yucatán pasará de ser uno de los estados más pobres del país a uno de los estados más ricos.

La mayoría lamentará esta prosperidad. De la misma forma que el invento de las máquinas hiladoras en Inglaterra expandieron la esclavitud en el sur de Estados Unidos y luego empujó sus límites sobre Texas cuando ese estado aún pertenecía a México, ahora la nueva procesadora McCormick de henequén multiplica la demanda de fibras de Agave y revive la esclavitud de indios y peones en Yucatán. Como lo describirá el periodista estadounidense John Kenneth Turner para la revista *American Magazine*, la dictadura de Díaz revertirá los progresos hechos por la administración de Benito Juárez. El nuevo sistema de peonaje se parecerá mucho al viejo sistema esclavista. Los campesinos se convertirán en trabajadores endeudados de por vida por el solo hecho de casarse, de enfermarse o de mendigar techo y comida luego de ser expulsados de los ejidos y de las tierras comunales, por lo que trabajarán desde las 4:00 de la madrugada hasta avanzada la tarde, mientras sus deudas continuarán creciendo. En el extremo noroeste del país, los indomables independientes del pueblo yaqui serán finalmente acorralados, vendidos y trasladados a la fuerza desde su Estado, Sonora, al otro extremo del país, Yucatán, donde serán usados como animales en las plantaciones de henequén. Aunque son conocidos como individuos sanos y fuertes, la mayoría de los 15.000 secuestrados morirá durante el primer año de esclavitud en el exilio.[31]

Las críticas al dictador mexicano y al sistema también serán desacreditadas por los hacendados mexicanos y por los hacendados estadounidenses

---

[31] Cuando los artículos de John Turner aparezcan en 1909, diversas publicaciones estadounidenses saldrán en defensa del dictador mexicano, entre ellos el poderoso William Randolph Hearst, uno de los instigadores de la guerra en Cuba a través de las noticias falsas. Debido a este acoso, Turner deberá dejar de publicar sus artículos hasta que el semanario socialista *Appeal to Reason* reinicie su publicación.

que poseen grandes extensiones de suelo mexicano. Mientras tanto, la expansión en superficie de los poderosos continuará hacia las profundidades de la tierra. En 1883 y 1884, durante el gobierno títere del general Manuel González Flores, como en otras repúblicas del subcontinente, el general Porfirio Díaz hará aprobar leyes que garanticen derechos a los inversionistas extranjeros sobre los subsuelos mineros. Para calmar a sus adversarios políticos, Díaz los invitará a formar parte de sus prósperas empresas, las que se protegerán y beneficiarán con las leyes que apruebe el gobierno y la supuesta oposición, al tiempo que unos pocos se convertirán en accionistas de las principales empresas extranjeras. Para calmar a los obreros y a los mineros en huelga, enviará al ejército nacional unas veces y llamará a los Rangers de Arizona otras, para que se encarguen de los revoltosos improductivos que no entienden eso del orden y el progreso.

El resultado no podrá ser más claro. En unos años, los más poderosos rancheros, que saben cómo se hacen las cosas, terminarán por comprar casi todo por nada. Cuando estalle la Revolución Mexicana en 1910, más del setenta por ciento de los campesinos, indios y semejantes habrán perdido sus tierras y les espera la mendicidad y la humillación. Porfirio Díaz es un adelantado, un prototipo de los futuros dictadores latinoamericanos tutelados por Washington, al servicio de las compañías transnacionales y de las elites criollas. Antes que en Brasil se le ocurriese ponerlo en la bandera de su país, el lema del dictador Porfirio Díaz será *"Orden y Progreso"*. Dos palabras ambiguas, si las hay, que seducirán a las dictaduras por venir.

El depuesto presidente, Sebastián Lerdo de Tejada, morirá en el exilio de Nueva York en 1889. Porfirio Díaz repatriará sus restos y dará sepultura con honores de Estado en una emotiva ceremonia.

1877. El gobierno de las corporaciones y para las corporaciones

WASHINGTON DC. 3 DE MARZO DE 1877—Rutherford Hayes jura como nuevo presidente de Estados Unidos. Sus adversarios, los esclavistas demócratas del sur, no reconocen el resultado de las elecciones del año anterior y lo llaman *Rutherfraud*. El año que viene, luego de la infame Guerra de la Triple Alianza en América del Sur, Hayes arbitrará en la disputa entre Paraguay y Argentina, concediendo a Paraguay más de la mitad de su futuro territorio.

Hayes no es un tipo fácil. Piensa que el gobierno de Estados Unidos se ha convertido en un instrumento de los millonarios y de las grandes corporaciones. Luego de cumplir con su promesa de no presentarse a la reelección, en 1886 escribirá advirtiendo a las generaciones por venir sobre la absurda desproporción de la riqueza acumulada en tan pocas manos: "*El dinero es poder. Es poder en el Congreso, en los estados, en los ayuntamientos, en los tribunales, en las convenciones políticas, en la prensa, en las iglesias, en la educación—y la influencia del dinero es cada vez mayor*".

Frustrado, el 11 de marzo de 1889 escribirá en su diario: "*El problema radica en la gran riqueza y el poder en manos de unos pocos inescrupulosos que controlan los capitales. En el Congreso nacional y en las legislaturas estatales se aprueban cientos de leyes dictadas por el interés de estos hombres y en contra de los intereses de los trabajadores... Este no es el gobierno del pueblo, por el pueblo y para el pueblo. Es un gobierno de las corporaciones, por las corporaciones y para las corporaciones*". Luego advertirá: "*La riqueza excesiva en manos de unos pocos significa pobreza extrema, ignorancia, vicio y miseria de unos muchos... Si el pueblo estuviese debidamente informado, si pudiese entender cuál es el problema, seguramente buscaría la solución... Una solución sería, por ejemplo, poder aprobar leyes que regulen el poder de las corporaciones, de sus propiedades... de los impuestos que pagan*".

El 18 de julio de 2019 el *USA Today* publicará una investigación sobre la dinámica de la democracia estadounidense. Solo en un período de ocho años, los congresos estatales de los cincuenta estados de la nación recibirán 10.163 proyectos de leyes escritos por las grandes corporaciones, de los cuales más de 2.100 serán aprobados. En muchos casos se tratará de un simple copia-y-pega con mínimas variaciones.

Nada nuevo. Nada que la población recuerde más allá del segundo café de la tarde o de la primera cerveza de la noche.

1886. Los trabajadores son peligrosos para la libertad

CHICAGO, ILLINOIS. 1° DE MAYO DE 1886—Los trabajadores que desde febrero se niegan a que les descuenten más de su salario para construir una iglesia, redoblan la apuesta y exigen una ley que proteja el derecho a las ocho horas laborales. Como un reguero de pólvora, doscientos mil obreros inician una huelga masiva en reclamo por las tres ochos que hacen un día de 24 horas: ocho horas para dormir, ocho horas para trabajar y ocho horas para vivir como seres humanos.

Tres días después, las protestas pacíficas degeneraron en la masacre de Haymarket y, finalmente, en la condena a muerte de los trabajadores que no estaban del lado del más fuerte. Ocho líderes sindicalistas serán acusados de anarquismo y cinco de ellos lo pagarán con sus vidas.

Como es costumbre, unas pocas décadas después, un poderoso empresario de los de arriba secuestrará las viejas reivindicaciones de los de abajo. Henry Ford prohibirá todos los sindicatos en su micro republicas y presumirá de haberle otorgado el beneficio de las ocho horas laborales a sus obreros. El genio racista, admirador y colaborador de Hitler, calculará que si los asalariados del país no tienen algún tiempo libre para consumir, nadie podrá comprar sus productos.

Desde este día, en casi todo el mundo, se celebra el primero de mayo como el Día Internacional de los trabajadores. Para los fanáticos nacionalistas, creyentes en el derecho divino de los dueños del mundo, las dos palabras (*internacional* y *trabajadores*) suenan muy peligrosas. Por eso, en casi todo el mundo, menos en Estados Unidos, y en Canadá por extensión, los primero de mayo son feriados no laborables.

La reciente derrota política de la Confederación en favor de la esclavitud se desquitó con varios triunfos culturales e ideológicos. Todos pasaron inadvertidos. Uno de ellos consistió en idealizar a los amos y demonizar a los esclavos. Por eso, por las muchas generaciones por venir, en Estados Unidos se celebrará el *Memorial Day* (en memoria de los caídos en las guerras) y el *Veterans Day* (en honor a los ex combatientes de esas guerras infinitas). Uno, es un título abstracto; el otro, algo concreto por demás.

Para los trabajadores no habrá Día de los Trabajadores y, mucho menos, será el primero de mayo. Para olvidar este inconveniente, el presidente Cleveland oficializará el *Labor Day* (Dia del trabajo) en setiembre, casi en las antípodas de mayo, como si hubiese trabajo sin trabajadores, lo cual significa un oculto triunfo de los esclavistas derrotados en la Guerra Civil: los negros, los pobres, los de abajo, los que trabajan, no sólo son holgazanes, inferiores y, al decir del futuro presidente Theodore Roosevelt, perfectamente idiotas, sino también son perfectamente peligrosos. Sobre todo por su número. Sobre todo por esa costumbre de proponer uniones. Los amos (blancos), los de arriba, los sacrificados del champagne, son quienes crean trabajo con sus inversiones. Son quienes, cada tanto, deben ser protegidos por las iglesias y por los militares (en Estados Unidos con el culto al veterano de guerra que "protege nuestra libertad" y en América Latina los militares que corrigen los errores de la democracia con sangrientas dictaduras). Para la vieja tradición esclavista, para los amos de lo que el viento se llevó pero siempre vuelve, los verdaderos responsables del progreso, de la estabilidad, de la paz y de la civilización son los amos de las plantaciones, los empresarios de las industrias. Son la elite del pueblo elegido y representan todo eso que los sucios y mal hablados esclavos (ahora blancos asalariados venidos de la pobre Europa) quieren destruir.

La iglesia se construyó de todas formas, por la gracia del Creador del Universo o por la miserable gracia de quién sabe quién. El 17 de mayo de 1886, como tantos otros prestigiosos diarios de diferentes estados, el *St. Louis Globe-Democrat* de Missouri, en su página cinco y a siete amplias columnas se explaya sobre el conflicto de los trabajadores que no quieren trabajar más de ocho horas por día: "*en esta disputa, la única institución imparcial es la iglesia, sostenida por capitalistas y trabajadores, ya que fue fundada por Cristo, un carpintero y, por lo tanto, tiene todo el derecho de hablar por todos trabajadores; la iglesia es dueña del planeta Tierra, del Sistema solar y del Universo entero, por lo cual también puede hablar por los capitalistas.*"

POR MAR

1880-1950

1883. Quien domine los mares dominará el mundo

CALLAO, PERÚ. 17 DE MARZO DE 1883—Por la noche, el capitán Alfred Thayer Mahan se recuesta en su cama y, mientras lee un libro del suizo Antoine-Henri Jomini (probablemente *El arte de la guerra*, publicado en 1838), tiene una idea fundacional sobre la clave del poder mundial. Una armada invencible asegura el dominio político y comercial de los países. La idea es más vieja que el velero, pero lo importante es desplegar las velas cuando el viento sopla en popa y a estribor.

Luego de una experiencia religiosa que le había asegurado el favor de Dios a través del Espíritu Santo, el capitán Mahan, hijo del profesor Dennis Hart Mahan de la Escuela Militar de West Point, había sido asignado a una misión en Perú. En las costas de América del Sur defiende con honor los intereses de Estados Unidos en la Guerra del Pacífico, en la cual Bolivia pierde el desierto de Atacama, el litoral boliviano, su salida al mar y vastas reservas de nitrato a manos de Chile. Como capitán, Mahan es un desastre. Sus naves colisionan, son desorganizadas. No entiende ni quiere entender las nuevas tecnologías que están reemplazando las elegantes velas por los sucios motores a vapor.

Pero tiene mejor suerte como teórico. Una armada fuerte, escribe Mahan, puede bloquear, intimidar y detener el libre comercio de cualquier nación con intereses opuestos. Nada nuevo. Durante el Renacimiento europeo, la marina de un pequeño país, Portugal, fue una de las más poderosas y efectivas del planeta y por ella el imperio se extendió a diferentes continentes. Ahora, la marina de otro país que no se destaca por su extensión territorial, Chile, es la más fuerte de las Américas y ha derrotado a Bolivia y a Perú delante de los ojos de Mahan. Estados Unidos, en cambio, ha invertido todas sus energías en expandir su territorio al sur y sus industrias al norte, hasta convertirse en el nuevo imperio, casi tan poderoso como el Imperio británico, pero ha chocado con sus propias fronteras secas y no quiere seguir corriéndolas más para no incluir a tantos negros y mestizos. Bastante problemas tiene con los que tiene adentro.

A Estados Unidos le ha llegado la hora de liberar sus energías expansivas sin desgastarse en nuevas guerras fronterizas. El águila ha crecido y debe lanzarse el mundo, pero le falta algo, reflexiona Mahan, algo de lo que ningún imperio global puede carecer: quien domina los mares, domina el mundo. Diferente a Rusia, a China, a Brasil, a cualquier otro extenso país, ahora Estados Unidos tiene acceso directo a los dos océanos más importantes del planeta. Es éste el momento de entender las necesidades de la próxima etapa de la raza elegida por Dios.

Unos años después, en 1890, Mahan publicará su famoso libro y manual *The Influence of Sea Power Upon History: 1660-1783*, con una pésima bibliografía para la época, lo cual, a los efectos, es irrelevante. El libro salido de las imprentas de Boston se convierte en un éxito inmediato en los círculos de poder de Europa y Estados Unidos, sobre todo en las escuelas militares, como la Naval War College (Universidad de la Guerra Naval) en Rhode Island. Su autor redescubre la pólvora: *"La Marina de Estados Unidos debe hacerse de puntos estratégicos en cada uno de los mares. Cada uno es parte de una red de intercambio entre las regiones donde se acumula la riqueza del mundo".*

Theodore Roosevelt, quien conoció al autor en 1888, lee el libro con avidez y no deja de recomendarlo como el libro más importante escrito en mucho tiempo. El emperador alemán, Wilhelm II, ordena a sus generales que lo lean con atención. Japón y otros países europeos también, por lo que se dedican a invertir dolorosos recursos en el fortalecimiento de sus respectivas flotas.

En Estados Unidos, los más fanáticos creacionistas no se cansan de justificar el imperialismo con un principio central del darwinismo, *the struggle for life*. En el artículo "The United States Looking Outward" publicado por el *Atlantic Monthly* en diciembre de 1890, Mahan lo reconoce: *"Honestamente, soy un imperialista".* Para que no queden dudas, define de qué se trata: *"El imperialismo es la extensión de la autoridad nacional sobre las comunidades extranjeras. Es la clave dominante de la política mundial de nuestro tiempo".* De esta forma, *"el país debe mirar hacia afuera en procura de su propio bienestar".*

Las grandes guerras mundiales se ponen en marcha. Comienza la Etapa marina de Estados Unidos. En tierra ya no tendrá tanto éxito. De hecho, la mayor potencia global no tendrá contendientes en el mar y en los cielos, pero ya no se atreverá al combate por tierra. Cuando lo haga, no saldrá bien parada, ni siquiera de pequeños países poblados de razas inferiores.

Un siglo después, en *First Great Triumph*, el diplomático estadounidense Warren Zimmermann definirá esta época como el *"nacimiento del imperialismo estadounidense"*, sin advertir que ya era parte de un proceso iniciado en 1783 con la invasión de las naciones indígenas y continuado con el despojo de México. Para Zimmermann, la definición de imperialismo de Mahan *"significa que un país no necesita apoderarse de un territorio ajeno para ejercer una autoridad imperial sobre él"*. Ideas tan elementales nunca serán entendidas por los negacionistas del imperialismo estadounidense a lo largo del siglo XX y más allá.

1890. Una masacre con mucha consideración y justicia

WOUNDED KNEE, DAKOTA DEL SUR. 29 DE DICIEMBRE DE 1890—Los soldados de verde entran en la reserva para desarmar a los indios. Uno de ellos, el sordo Coyote Negro, no entiende la orden; pero no porque es sordo. Se niega a entregar su rifle diciendo, con sus manos frías, que había pagado mucho dinero por él. En este preciso momento, los militares civilizados, asustados por los tambores o reaccionando como reaccionan las fuerzas del orden del mundo civilizado ante una negativa ajena, comienzan a disparar. Los pocos indios que aún no habían sido desarmados contestan el fuego, pero en pocos minutos el campamento es reducido a cadáveres que tiñen de rojo las nieves del implacable invierno de las Dakotas. Trescientos hombres, niños y mujeres lakotas y veinticinco soldados reposan sin vida en el frío eterno. Pie Grande queda tendido, pero no parece muerto porque sus manos inmóviles siguen hablando. Un joven de la North Western Photo Co. se le acerca y le toma una fotografía. Los indios son enterrados en una fosa común, vestidos o desnudos, y de ahí en más la masacre es llamada "Batalla de Rodilla Herida".

Luego de la muerte de su padre, Pie Grande (también conocido como Alce Manchado) se había hecho cargo de la tribu Minneconjou. Como otras tribus, todas eran sospechosas de rebelarse ante la continua invasión de los colonos anglosajones en las pocas reservas que les habían quedado por ley, por la ley anglosajona que los pueblos arrinconados habían aceptado. Ayer se dirigían hacia las riberas del río Rodilla Herida para unirse a otras tribus Sioux, cuando el mayor Samuel Whitside los emboscó y los llevó caminando casi veinte kilómetros hasta el arroyo Rodilla Herida donde esperaban otros indios. Unas horas después se le unió el coronel James Forsyth con un batallón y cuatro cañones.

Aunque es otra matanza devastadora para la tribu Lakota, aun así se ve muy chiquita desde la perspectiva de la trágica historia de las naciones originales. Tampoco es la primera vez que los angloamericanos, tan orgullosos de su apego a las leyes, ignoran una ley o un tratado con alguna otra nación cuando no les conviene. Los frecuentes cambios de gobiernos legitimaron la fragilidad de estos tratados con naciones consideradas inferiores. Más de cien años atrás, los populosos pueblos nativos al Oeste de las montañas Apalaches eran considerados naciones y estaban habitadas con tantas almas como las populosas naciones del Reino de Gran Bretaña. En 1763, el Imperio británico había firmado un tratado con las Naciones Indígenas (*Royal Proclamation*) por el cual los blancos podían quedarse con los territorios al Este, siempre que no cruzaran la nueva frontera al Oeste.

La gloriosa Revolución americana de 1776 lo cambió todo. Para los intelectuales llamados Padres Fundadores se trató de cuestiones de principios y de nuevas ideas, como aquello tan bonito de que *todos los humanos nacen iguales*, sin aclarar que la gente nace igual siempre que no sean indios, negros o mestizos. Para el resto menos sofisticado de la población anglosajona que no leía francés, la Revolución era una cuestión mucho más práctica. Era algo sobre el derecho a cruzar la injusta frontera de los indios invasores y tomar más y más tierras en nombre de alguna razón, de alguna historia heroica o de algún mandato bíblico. En 1780, los colonos anglosajones, de repente llamados *americanos* (nombre hasta entonces reservado a los indígenas salvajes y a los habitantes corruptos de la América hispánica) habían decidido que tenían *Derecho a explorar* y, liberados del yugo británico, pudieron cruzar la frontera a fuerza de hacha y escopeta. Mejor dicho, decidieron moverla más al Oeste y defenderse de los nuevos invasores salvajes que pretendían quedarse en sus propias tierras. Para 1830, las llamadas *Naciones indias* habían cambiado de nombre y se habían convertido, por magia de la lingüística y por la fuerza de la pólvora, en simples tribus salvajes.[32] En los años veinte, el presidente John Quincy Adams había sido el último presidente en defender los sucesivos tratados con los pueblos indios, hasta que todo se solucionó con la elección de Andrew Jackson en 1828, un soldado casi analfabeto, célebre en los estados esclavistas del sur por su crueldad civilizatoria. En 1824, Thomas Jefferson había descrito al hombre que definiría el espíritu primitivo, anti intelectual y mesiánico de Estados Unidos en los siglos por venir: "*es el hombre menos preparado que he conocido en mi vida, sin ningún respeto por alguna ley o por la constitución*". A partir de 1829 los pobres blancos se rebelaron

---

[32] Henry Knox, secretario de guerra de George Washington, llamaba "Naciones extranjeras" a los pueblos del otro lado de los Apalaches. El mismo presidente Washington había firmado un acuerdo por el cual esas naciones se reservaban el derecho a aplicar sus propias leyes a todo aventurero que cruzase la frontera. Está de más decir que ese y todos los tratados firmados con las naciones extranjeras fueron ignorados por los presidentes posteriores, entre quienes se destacó, por su crueldad genocida, otro héroe nacional, Andrew Jackson.

contra los esclavos negros y sus absurdas pretensiones de igualdad. Cualquiera podía ver que entre un blanco y un negro había una obvia diferencia. Esta *rebelión* de los blancos pobres se repetirá casi doscientos años después y llevará a la presidencia a Donald Trump, definido por muchos con las mismas palabras que Jefferson había definido a Jackson. No por casualidad, el mismo presidente republicano, apenas ponga un pie en la Casa Blanca, colgará un retrato del fundador del partido Demócrata, Andrew Jackson, en el lugar más visible de su oficina y lo considerará un modelo histórico a seguir.

Una vez elegido presidente por una pequeña minoría blanca que se sentía identificada con él, Jackson, conocido con el sobrenombre de Mata Indios, ignoró los tratados de Estados Unidos con las Naciones nativas. En 1830 logró la aprobación de la *Ley de Traslado Forzoso* de los indios y Washington declaró nulos todos los títulos de propiedad de los indios al oeste del río Mississippi. Jackson puso a la venta los nuevos territorios a precios de miseria para favorecer a *"los verdaderos amigos de la libertad"*, los colonos blancos. El 5 de agosto de 1830, en una carta a John Pitchlynn (escocés adoptado de niño por la tribu Choctaw), un emocionado Andrew Jackson escribió: *"Soy consciente de haber cumplido con mi deber con mis niños de piel roja"*. Gracias a los verdaderos amigos de la libertad, no sólo se despojó a los indios de sus títulos y de sus tierras, como se hizo poco después con los mexicanos, sino que se extendió la esclavitud de los negros más hacia el Oeste y se la siguió expandiendo con la independencia de Texas y la anexión de los estados mexicanos hasta California.

Despojados del resto de las tierras que le quedaban al sur de Georgia y al Oeste del Mississippi, las poblaciones nativas fueron forzadas a evacuar inmensas áreas de territorio. Naturalmente, muchos se resistieron y fueron asesinados en nombre del cristianismo y la civilización. Quienes no se resistieron fueron exiliados o murieron de hambre y enfermedades durante la remoción a otras tierras, miles de millas hacia el oeste. Poco después, en 1835, unos delegados cheroquis, sin la aprobación ni del Consejo Cheroqui ni del pueblo Cheroqui habían sido obligados a firmar un tratado por el cual amablemente les cedían más tierras a los hombres civilizados a cambio de un rincón de Oklahoma, lo que terminó en una nueva remoción forzada de otros cientos de miles de indios de varios estados y la muerte de miles que no resistieron el viaje al exilio.[33] También este tratado será ignorado unas décadas

---

[33] El acuerdo New Echota firmado en Georgia y publicado el 29 de diciembre, les garantizaba a las naciones indias el derecho a *"reunir a su pueblo en un solo cuerpo y asegurar un hogar permanente para ellos y su posteridad en el país seleccionado por sus antepasados sin el límite territorial de las soberanías estatales, y donde puedan establecer y disfrutar de un gobierno de su elección y perpetuar un estado de la sociedad que sea más acorde con sus opiniones, hábitos y condición..."*

después por el hombre blanco, tal como lo ha hecho cada vez que lo ha considerado conveniente. A cada una de estas violaciones de tratados con otros pueblos, hasta entrado el siglo XXI, se la llamará "expansión de la libertad y del derecho del país de las leyes".

La tradición de "El país de las leyes" de romper las leyes y los tratados con los indios cuando no le convienen, se había extendido a otras naciones, desde el Tratado de Adams-Onís que fijaba los límites fronterizos con los territorios españoles en 1819 (luego ratificado con México en 1828), desde que en los años treinta los colonos anglos recibieron regalos de tierras del gobierno de México en Texas y, como agradecimiento, decidieron ignorar las leyes de aquel país para más tarde arrebatarle toda Texas y expandir la esclavitud con libertad, hasta el tratado para limitar las armas nucleares con Irán en 2015.

Luego de la sangrienta Guerra civil, Abraham Lincoln había logrado, post mortem, que la enmienda 14 de la Constitución de Estados Unidos declarase que "*todos los nacidos en territorio nacional son ciudadanos de Estados Unidos*". Por esa reforma constitucional los negros se convirtieron en ciudadanos, aunque de segunda categoría. A los indígenas les tomará más tiempo demostrar que nacieron en los territorios que le han venido robando desde hace más de un par de siglos. En 1924, los indígenas americanos, los pocos que quedan de la limpieza étnica que nunca se llamará ni limpieza étnica y mucho menos genocidio, serán reconocidos como ciudadanos estadounidenses.

Unos años después de la matanza de Wounded Knee, en su visita a Dakota del Sur, el comisionado del gobierno para el Servicio Civil del gobierno y futuro presidente, Theodore Roosevelt, determinará, y los textos de las escuelas enseñarán que "*los indios fueron tratados con mucha consideración y justicia*". Treinta años después, no lejos de allí, en el Monte Rushmore, los martillos esculpirán las montañas sagradas de los Lakota para revelar los rostros de George Washington, Thomas Jefferson, Abraham Lincoln y Theodore Roosevelt. El escultor, Gutzon Borglum, no sólo sufrirá de narcisismo y megalomanía. Hijo de inmigrantes daneses, será otro convencido de la superioridad de la raza blanca y se opondrá a la inmigración. Como miembro del Klu Klux Klan, logrará de este grupo la financiación para esculpir la Stone Mountain en Georgia, donde todavía cabalgan los tres héroes derrotados de la Confederación, Jefferson Davis, Robert E. Lee y Stonewall Jackson.

600 millas al norte, el 20 de mayo de 1948, lo que queda de las naciones Arikara, Mandan y Hidatsa serán obligadas a firmar el acuerdo por el cual se comprometen a vender sus tierras para la construcción de la represa Garrison. Las naciones, ahora tribus, han habitado esa región de Dakota del Norte por mil años y, para entonces, deberán resignarse a evacuar la franja del río

Missouri, morir ahogados, perderlo todo por expropiación o legitimar el despojo por siete millones de dólares. Los museos guardarán la foto en la que el jefe del Cuerpo de Ingenieros del Ejército, con calma, firma el nuevo tratado. A su lado, de pie, George Gillette, el jefe de las tribus ocultando sus lágrimas con una mano. Aunque reducidas a una reserva, las tres tribus habían logrado cierta prosperidad y una total autosuficiencia que terminará en esa sala de hombres con elegantes trajes y con varios de sus pueblos, con su hospital y sus tiendas, bajo el agua de la prosperidad ajena. Una vez más, como en los tratados anteriores de remoción de indígenas, como el tratado de Guadalupe Hidalgo en México, y como en muchas otras oportunidades, las "razas inferiores" firmarán un tratado con un revólver en la nuca y recibirán una suma de dinero para que no protesten. Como en tantas otras ocasiones, las víctimas cumplirán con el tratado; los vencedores, sólo mientras les convenga.

Cuando a fines del siglo XVIII en América del Norte vivían entre cinco y siete millones de indígenas, del otro lado de los Apalaches, en la nueva nación de las trece colonias vivían tres millones y las distancias despobladas necesitaban días y semanas de carretas para atravesarlas. La enorme extensión de territorios tomadas por los angloamericanos nunca les resultó suficiente. En mayo de 1971, el celebrado actor John Wayne, héroe mítico del cine clásico de vaqueros, justificará el largo y violento despojo de los territorios indios afirmando: "*No creo que hicimos nada mal quitándoles este gran país... Nuestro supuesto robo fue sólo una cuestión de supervivencia. Nuestra gente necesitaba nuevas tierras y los indios, de forma egoísta, se querían quedar con ellas*".

1891. Curso acelerado de racismo

TAMPA, FLORIDA. 26 DE NOVIEMBRE DE 1891—Llegado de Nueva York por una invitación de un amigo, José Martí visita por primera vez la fábrica de cigarros Ybor de Tampa y descubre el oficio de *lector*. Poco antes, el 10 de enero, había publicado en *La Revista Ilustrada de Nueva York* algo que por entonces no era tan obvio sino más bien subversivo: "*No hay odio de razas, porque no hay razas... El alma emana, igual y eterna, de los cuerpos diversos en forma y en color*".

La generación anterior de cubanos de Nueva York y Florida había soñado con la anexión de Cuba a Estados Unidos. Poco a poco, como consecuencia de las leyes Jim Crow que siguieron a la Guerra civil, los cubanos del exilio fueron cambiando sus primeros sueños por el sueño de la independencia. El 7 de diciembre de 1875, el presidente Ulysses Grant los despertó de un porrazo: los cubanos no podían gobernarse por sí solos. Esta idea se consolidará en la prensa por las décadas por venir, en el Congreso y en la Casa Blanca, no por la fuerza de la evidencia sino por su conveniencia. Los conservadores no quieren un nuevo estado lleno de negros en la Unión, pero tampoco quieren una nueva Haití, una república de negros libres a 90 millas de sus costas. *"Cualquier idea de independencia es insostenible"*, dijo Grant. En consecuencia, el presidente le había hecho una oferta a España por la isla, sin mucho éxito, lo que exacerbó a los patriotas en Estados Unidos.

El lunes 9 de marzo de 1896, *The Journal* de New York publicará un editorial bajo el título "Un verdadero americano" elogiando el americanismo del senador John T. Morgan de Alabama, el cual *"no solo es atractivo sino cautivante"* porque *"tiene la virtud de atrapar la atención mientras convence la mente de sus espectadores con el uso de la lógica y la didáctica... El senador Morgan sabe de los horrores de la guerra, pero es un patriota, no un cobarde. Sabe que la guerra se podría evitar, pero aún sería dejar que una potencia europea meta sus narices en el hemisferio. El vigor, la sensatez, la justicia y el patriotismo que el senador Morgan ha puesto en favor del americanismo, es decir, en la anexión, es admirable porque es el americanismo del Destino manifiesto. Es el americanismo la gloria de todo patriota. Es el americanismo de Estados Unidos contra el resto del mundo. Este americanismo gracias al cual, con o sin guerra, nos traerá la paz. Es un aviso a las naciones del mundo para el resto de los tiempos de que la influencia de Estados Unidos en el hemisferio no tiene competencia, porque es justa, desinteresada y noble. Porque es una promesa de civilización y libertad"*.

Pero los sueños que mueren siguen viviendo. El exilio cubano se traslada de Nueva York a las fábricas de habanos en Tampa, Florida. Antes que Tampa se llame Tampa se llamaba Pino City. Los hermanos Pino, Manuel y Fernando, habían abierto su fábrica de cigarros en esa bahía un año atrás. En la fábrica, los cubanos arman habanos mientras escuchan al joven que lee para ellos las noticias del mundo. Viene de Nueva York y dicen que es poeta y muy leído. Dicen que se llama José Martí y que no encaja ni aquí ni allá. Odia las armas, pero lee muy bien, desde novelas hasta ensayos filosóficos y noticias políticas. Vale la pena pagarle unas monedas por el servicio mientras los demás se dedican a algo más productivo. La tradición del *lector* de fábricas en Florida continuará hasta décadas después de la muerte de Martí en un campo de batalla de Cuba. En 1921, el editor de *El Internacional* asegurará que los trabajadores de Tampa son *"culpables del imperdonable crimen de ser trabajadores con conciencia de sus derechos"*. Un miembro del directorio del *Tampa Cigar Manufacturers* no estará de acuerdo: no es ninguna conciencia de sus derechos; *"los trabajadores del cigarro son agitadores, partidarios de la lucha de clases"*.

Como sea, José Martí es un independentista, como lo son los humanistas y los románticos de estos tiempos. Desde el millonario Eduardo Hidalgo Gato hasta los socialistas Benjamín Guerra, Diego Vicente Tejera y Carlos Baliño apoyan la causa del célebre poeta. Mientras, 15.000 cubanos emigran a Tampa en busca de más trabajo en las florecientes fábricas de tabaco. Sueldos, excelentes. País que no es una isla. País continente. País potencia mundial. Como todo inmigrante a un país poderoso, los nuevos exageran sus virtudes e intentan convencerse, convertirse, justificarse en base a los hechos, más allá de los hechos y a pesar de los hechos.

Cuando el cubano Vicente Martinez-Ybor fundó Ybor City, el negocio del tabaco cubano había comenzado a prosperar y el nuevo barrio se había transformado de una villa de apenas mil habitantes a una ciudad próspera con nombre en los mapas. Ybor City, además, hasta ayer tenía una particularidad: era diversa. Cubanos negros y blancos, hombres, mujeres, españoles, italianos trabajaban, descansaban y se divertían hombro a hombro. Sin embargo, algunas cosas no funcionan tan bien como las oportunidades de trabajo. Como era de prever, Ybor City llamará la atención de las autoridades y los obligarán a terminar con la escandalosa práctica de la indiscriminación racial. Los negros, hablen inglés o español, deben formar sus propios distritos y son obligados a desvincularse del Club Nacional Cubano, que por entonces provee de asistencia médica. Uno de sus fundadores, el afrocubano José Ramón Sanféliz, reconoce: *"Los negros en Cuba son como los blancos, por lo que muchos que llegan a Florida se molestan con su nuevo estatus social"*. José Rivero Muñiz confirma: *"todos los cubanos, sin distinción de color de piel, son igualmente admitidos en la causa revolucionaria"*. Otro afrocubano, Juan Mallea, recordará los viejos tiempos: *"en nuestro club de cubanos y en nuestro trabajo no había distinción entre negros y blancos. La única discriminación la encontrábamos cuando salíamos de Ybor City"*. Las leyes Jim Crow obligan a los cubanos negros y mulatos a abandonar el Club Nacional Cubano de Tampa, por lo que fundan la Unión Martí-Maceo en la 1226 East Seventh Avenue, de Ybor City. El Ku Klux Klan intimida a los miembros del club Martí-Maceo por décadas y a los clubes de cubanos blancos que se solidarizan con los negros.

Como si fuese una tímida señal de progreso, en 1896 en Nueva Orleans, la Suprema Corte fallará en favor de Homer Plessy, un *quarteron* (individuo con un cuarto de sangre africana y el resto europea), acusado de no reconocer su lugar en la sociedad según la ley de Separación de 1890. En realidad, Plessy es, según crónicas de la época, un octavo negro, pero en Luisiana se había sentado en un tren para blancos, blancos puros como la leche y el merengue. Los cubanos, hasta los llegados de las clases altas y esclavistas, caen todos dentro de esta categoría y poco a poco se acostumbran a vivir en los barrios de negros. Los pocos que pasan el test de color son catalogados como extranjeros, como los italianos del norte o los franceses del sur.

Como una forma de progreso social, el juez determinará que Homer Plessy, por tener un veinte por ciento de sangre mulata, tiene los mismos derechos que un blanco... Pero en el próximo tren deberá sentarse, como todos los demás de su condición, en un lugar reservado para los no blancos. La consigna de "iguales pero separados" se hace ley no escrita por un siglo más. La enmienda 14 de la Constitución que pasó Lincoln años atrás establecía la igualdad de razas, pero no decía nada sobre la separación de unas y otras ni la importancia de cada una. Poco después, en 1899, en el Círculo Cubano los negros ya no serán admitidos, por lo que Juan Mallea y otros negros cubanos deben irse y fundar otro club. Es la ley del país que acaba de abolir la esclavitud.

José Martí lee para los trabajadores que no pueden leer y recoge estas indignaciones contra el racismo en sus artículos que publica en los diarios de Buenos Aires y Nueva York.

1893. La democracia, instrumento de dominio de la raza blanca

CHICAGO, ILLINOIS. 12 DE JULIO DE 1893—EL profesor de la Universidad de Wisconsin Frederick Jackson Turner lee su estudio "Problemas de la historia estadounidense" en la American Historical Association. Jackson Turner concluye que la democracia estadounidense no se funda en la alta cultura ni en ideal alguno sino en "*los hombres que vienen del bosque*" (Daniel Boone, Buffalo Bill), en el espíritu de la frontera, del permanente corrimiento de los límites y de la conquista de lo que está más allá, en el ejercicio de tomar con libertad lo que necesitan y de expandir la libertad a los territorios salvajes. Estados Unidos, el espíritu expansivo que detesta la presencia del Estado (maldito representante de los límites del individuo, excepto su sagrado ejército conquistador y protector), ya no es el producto de las ideas del filósofo Thomas Jefferson sino del soldado Andrew Jackson.

Pero ahora las fronteras se han roto bajo la presión de ese espíritu dominante y conquistador. La explicación de Frederick Jackson Turner prenderá rápidamente y será conocida como *La tesis de la frontera* estudiada en casi todas las universidades hasta la Segunda Guerra mundial. Lo que no se dirá es que, cuando el expansionismo angloamericano chocó con sus fronteras terrestres (el océano Pacífico al oeste y el océano de negros o mestizos al sur), sobre todo a partir del derrocamiento de la "tirana reina de Hawái, Liliuokalani" en 1893, continuó la misma paranoia en múltiples operaciones ultramarinas recurriendo a sus dos brazos letales: los marines y las transnacionales. En contra de la opinión del presidente Grover Cleveland, los empresarios y los misioneros cristianos de Hawái nombraron a Sandford Dole presidente democrático de una nación independiente en un reino que apenas conocían pero que todos sabían que poseía reservas de carbón natural, la sangre y el oxígeno de los nuevos barcos que echan humo, símbolos del futuro. "*Necesitamos Hawái como necesitamos California*", dirá el presidente McKinley en 1998; "*es el Destino manifiesto*".

La familia de misioneros salvadores fundó la compañía Dole Food Company, la que atravesará tres siglos con su imperio frutero. Los negros y mestizos del sur pasarán de ser pobres propietarios de sus países y de sus parcelas a ser pobres empleados de alguna poderosa transnacional estadounidense sin derecho prácticamente a nada más que a trabajar y morir de hambre, por alguna enfermedad prevenible o bajo las balas de algún ejército patriota, reserva moral de las naciones al servicio del capital extranjero.

En 1895 el Secretario de Estado Richard Olney proclamará una nueva extensión de la doctrina Monroe: Estados Unidos no solo tiene derecho a excluir a cualquier país europeo de interferir en los asuntos internos de los países latinoamericanos sino que también tiene el derecho a regir sobre cualquiera de ellos "*y su palabra es ley*". Como siempre, en esta declaración de derechos que luego se conocerá como la Doctrina Olney, los afectados tampoco participarán de ningún acuerdo.

Si en Estados Unidos el Norte había ganado la traumática Guerra civil en 1865, ahora el Sur volvía a dominar la política de Estados Unidos, tal como lo había hecho a partir de Andrew Jackson en los años treinta.[34] Sólo que esta vez se agrega el componente cultural de unos pocos libros que se agotan apenas publicados, antes representado por algunos periodistas como John O'Sullivan y una extendida cultura del alcohol, las peleas y las canciones motivacionales de tabernas que reclutaban voluntarios para la guerra de turno. Los conservadores nunca fueron muy buenos con las ideas, pero sí muy buenos con la promoción mediática de dos o tres ideas que pueden ser entendidas por un niño de siete años.

En Europa y en Estados Unidos se pule un mito aún más simple que el mito del profesor Jackson Turner, más fácil de consumir y de digerir por el pueblo bajo la presunción de teoría científica. Según estos chamanes

---

[34] El presidente Grover Cleveland había ganado el voto popular en las elecciones de 1888 pero no los votos del Colegio electoral, herencia del sistema esclavista desde la fundación de Estados Unidos. Cleveland era un opositor radical al intervencionismo y a lo que ahora se llamaba *imperialismo*. La mayoría de la población en Estados Unidos también se opone a la anexión de Hawái, pero el presidente electo, Benjamin Harrison, procede en sentido contrario, que es como se hace historia.

modernos, la semilla *aria* había surgido en Irán. Por eso las dos palabras suenan parecido. De ahí, miles de años atrás, algunos de estos elegidos habrían migrado a China y otros a India donde hicieron posible grandes civilizaciones. Sin embargo, cuando los machos arios se mezclaron con las mujeres del lugar, la raza luminosa se degeneró. Sólo los arios que siguieron al sol, aquellos que emigraron al poniente y en su camino exterminaron a las razas inferiores para no mezclarse con sus apetecibles mujeres, mantuvieron la semilla pura y se reprodujeron en Alemania para luego continuar el camino del sol y emigrar a América, donde produjeron la *Democracia teutónica*, siempre sin mezclarse, y por eso se mantuvieron superiores e implacables. En España y en Italia, los arios habrían sucumbido a la tentación femenina del Mediterráneo y, por eso, quedaron impuros, pobres y rezagados.

En su *best seller* de 1893, titulado *National Life and Character*, el británico emigrado a Australia, Charles Henry Pearson, afirma que, de ser liberadas, las razas no blancas (negros, rojos, amarillos y otras variaciones tropicales) por fuerza militar y, sobre todo, por su capacidad industrial, amenazarían el predominio global de la raza blanca, la que, tarde o temprano, sufriría la aniquilación. En Inglaterra, el libro cunde el pánico entre la clase alta y entre los políticos. A la orilla del río Támesis, en el palacio de Westminster, los repetidos discursos de los representantes del pueblo son alarmantes: *es posible que llegue el día en que las razas inferiores, por la sola fuerza de su número, terminen dominando el comercio de sus propios países*. Incluso, se teme y se declara, podría llegar el día en que los negros terminen caminando por los salones de Londres y París y hasta podría ocurrir que el matrimonio con mujeres blancas sea legalizado.

Del otro lado del Atlántico, el prometedor escritor Theodore Roosevelt escribe en *The Sewanee Review* una entusiasta reseña de 35 páginas sobre el libro de Pearson, al que califica como uno de los mejores libros de fin de siglo. No obstante, corrige al autor, afectado de cierto pesimismo, melancolía y debilidad propio de los europeos de su época. El escritor neoyorquino, Roosevelt, asegura que a los negros todavía les llevará miles de años para aproximarse a la raza de los antiguos griegos: "*los negros son una raza perfectamente estúpida*", piensa, escribe y publica.

Tres años más tarde y tres años antes de convertirse en presidente de Estados Unidos, el mismo Teddy confirmará sus convicciones y las convicciones de cualquier hombre educado: "*La democracia del siglo XIX no necesita más razones para justificar su existencia que el simple hecho de ser el instrumento para que la raza blanca controle las mejores regiones del Nuevo Mundo*".

Por todo el país, los blancos se rebelan contra los nuevos derechos de los negros. Se suceden alzamientos, linchamientos y golpes de Estado. El 9 de noviembre de 1898, una turba toma la corte de Wilmington, la mayor ciudad de Carolina del Norte, y declara la *"Independencia de la Raza Blanca"* en base a la *"superioridad del hombre blanco"* y la constitución del país, que *"no había sido escrita para incluir a gente ignorante de origen africano"*. Los negros, la mayoría de esta ciudad, habían logrado participar en las últimas elecciones, eligiendo a algunos representantes. Al día siguiente, dos mil blancos armados toman por asalto las calles, destruyen y queman negocios y el único diario de la ciudad administrado por negros. Como es predecible, se corre la voz de que algunos negros abrieron fuego contra los vándalos blancos, por lo cual se ordena *"matar a cualquier maldito negro que se deje ver"*. Para poner orden, el gobernador ordena a los soldados que habían regresado de Cuba tomar la ciudad. Como resultado, algunos cientos de negros son ejecutados y miles deben abandonar sus casas. El gobierno y sus representantes negros, elegidos en las urnas, fueron reemplazados por una dictadura que nunca se llamará dictadura sino el gobierno de ciudadanos responsables y pacíficos que había restaurado *"la ley y el orden"* y la voluntad de Dios.

Theodore Roosevelt está en lo cierto: la democracia, al menos ésta, es un invento para favorecer a la raza blanca. A los blancos ricos, para ser más precisos. Incluso feministas, luchadoras por el voto femenino como la futura senadora Rebecca Latimer Felton, recomendará linchar a los negros que ganaron las elecciones de 1898 en Carolina del Norte, ya que cuanto más educados y cuanto más participan en política, mayor amenaza suponen a la virginidad de las mujeres blancas. En 1922, por 24 horas, la feminista racista se convertirá en la primera senadora de Estados Unidos por Georgia. La segunda mujer será Kelly Loeffler, también por Georgia, quien, en 2021, perderá su reelección a manos del candidato negro Raphael Warnock. Ese mismo día, el 6 de enero, miles de fanáticos blancos asaltarán el Congreso en Washington, donde el colegio electoral iba a confirmar la derrota de su candidato, el presidente Donald Trump, en las pasadas elecciones.

Durante la mayor parte del siglo XX, como forma de evitar la catástrofe de la raza blanca anunciada por Charles Pearson, se sustituirá la palabra *raza* por *comunismo*. El enroque semántico es tan efectivo que sobrevivirá a varias generaciones de críticos inadaptados y antipatriotas.

1895. La prensa carroña es bautizada Amarilla

NEW YORK, NY. 17 DE FEBRERO DE 1895—En el New York World Building, el edificio más alto de la ciudad, Joseph Pulitzer lanza a las calles un millón de ejemplares del *New York World* con el cómic de un personaje llamado Mickey Dugan. El 5 de mayo, el niño sin techo, descalzo, borracho y mal hablado, aparece vestido con una túnica amarilla en la primera tira a todo color que conoce el mundo. Lo nuevo es que lo viejo aparece representado en un medio masivo. Los niños malhablados y borrachos no son una rareza, precisamente. Los niños se hacen hombres con whisky en sus casas y los hombres se hacen valientes con más whisky en las tabernas. Poco después, el chico embustero se mudará, probablemente por dinero, al *New York Journal*, de William Randolph Hearst. Como lo prueba la física cuántica, por algún tiempo el personaje continuó existiendo simultáneamente en su casa anterior y en la nueva.

Pero el *New York World* y el *New York Journal* dedican páginas más serias a la política y la futura guerra. La competencia entre ambos es a muerte y echan mano al sensacionalismo y la fabricación de hechos que enardecen sentimientos primitivos como la ira y el patriotismo. El *New York Press*, un periódico modesto de la ciudad, despectivamente bautiza el trabajo persuasivo de los dos grandes diarios del país como "periodismo amarillo".

La invención de las *fake news* como forma de negocio privado y la guerra contra España en Cuba estarán entrelazadas para siempre. Ambos enemigos, Pulitzer y Hearst, son hombres de negocios y saben que nada vende más que una guerra, la desinformación y la exacerbación del patriotismo de tabernas. Este año, el *New York Journal* ha estado vendiendo la impresionante cantidad de 30.000 ejemplares por día. Para cuando estalle la Guerra contra España, que tampoco será una guerra, el *Journal* venderá más de un millón de ejemplares por día. Para entonces, habrá reducido el precio del periódico a la mitad (un centavo) en procura de captar lectores "menos sofisticados". También habrá bajado a la mitad la exigencia de cualquier compromiso con los hechos y la decencia. Entre las historias favoritas que luego se reproducirán en cientos de otros diarios locales por todo el país, serán muy apetecibles aquellas donde se describe a los españoles como bárbaros criminales, depravados persiguiendo a indefensas cubanas casi desnudas.

Esta guerra no será la primera guerra en la cual los medios justifiquen los fines, pero será la primera en la historia alentada y calentada por los medios en procura de aumentar sus ventas.

József Pulitzer morirá el 29 de octubre de 1911 en su yate, anclado en Charleston, Carolina del Sur. Mientras su secretaria le leía una noticia de Europa en alemán, dicen que el célebre editor dijo, en su lengua materna, "*suave, más suave*", y se fue tranquilo.

Desde 1917, el premio periodístico más codiciado del país llevará su apellido, en honor a su lucha contra la corrupción y por la excelencia informativa.

1898. Nos atacan otra vez. Nunca olvidaremos al Maine

NUEVA YORK, NY. 17 DE FEBRERO DE 1898—El *New York Journal* informa que el USS Maine ha sido hundido en La Habana debido a un ataque de España. En uno de sus títulos de portada, cita la opinión de su amigo, el secretario Theodore Roosevelt, quien no cree que se haya tratado de un accidente. El diario ofrece *"50.000 mil dólares de recompensa a quienes aporten información que lleve a la captura de los criminales que mataron a 258 marines estadounidenses"*.[35] La opinión pública, como tantas otras veces, estalla de indignación y exige una guerra que repare semejante ofensa. El *New York Journal* se ahorra 50.000 dólares mientras los diarios se venden como pan caliente.

Los dos gigantes del periodismo que acababan de inventar la prensa amarilla, el *New York Journal* de William Randolph Hearst y el *New York World* de Joseph Pulitzer, contradicen las crónicas de los sobrevivientes y confirman el ataque extranjero años antes de que se forme la primera comisión para investigar el hecho, lo cual, como siempre, sólo será relevante para los historiadores, no para la historia.

REMEMBER THE MAINE! TO HELL WITH SPAIN!

¡Recuerda El Maine! ¡Al Diablo con España! Nunca lo olvidaremos. Se escriben canciones y se emiten sellos de correo con el mandamiento *"Recuerda el Maine"*.

Joseph Pulitzer, en privado, reconoce que *"ni el más lunático podría creer que los españoles hundieron ese barco"*, pero pocos están interesados en una posibilidad que no vende. El 17 de febrero, los dos diarios que compiten por la atención de la nación publican un reporte del capitán Charles Sigsbee asegurando que la explosión no fue un accidente. Tiempo después se revelará que el reporte había sido inventado. De hecho, el mayor experto en explosivos de la época, el oficial de la marina Philip Rounsevile Alger, concluye que la tragedia sólo pudo haber sido causada por una explosión en la sala de combustión, contigua al depósito de carbón: *"ni el más poderoso torpedo conocido por la tecnología militar moderna pudo haber causado una explosión como la que hundió al Maine"*. Un pequeño diario, *The New York Times*, publica que *"nadie puede ser tan estúpido como para creer que los españoles podrían haber hundido el Maine"*.

---

[35] La cifra equivale a un millón y medio de dólares al valor de 2020. Ningún medio masivo de Estados Unidos en el año 2020 se atreverá nunca a ofrecer tanto.

Pero la realidad no es lo que es sino lo que medio pueblo y los negocios quieren que sea. En pocas semanas todo el país se había familiarizado con el "*acto barbárico*" contra sus marines. Cientos de diarios, como *The Nebraska State Jornal* del 10 de abril, no tienen dudas de la "*responsabilidad criminal de España en el hundimiento del Maine y la matanza de su tripulación, algo que la mayoría de la gente acepta... Esa es una declaración de guerra*". El representante de Nebraska y luego secretario de Estado, William Jennings Bryan, rival acérrimo del presidente McKinley y de las grandes corporaciones en el poder político, sucumbe a la vieja pasión angloamericana: "*la Humanidad nos demanda que intervengamos*", dice. En tiempos de guerra, casi todos están de acuerdo. Sobre todo, cuando quien tiene un martillo ve todos los problemas como si fuesen clavos.

Dos días antes el presidente William McKinley se había resistido a declarar la guerra contra España. "*He estado en una guerra y no quiero volver a ver cuerpos apilados unos sobre el otro*", había murmurado el pasado martes en una reunión de amigos. Pero el *Atlanta Constitution* se burló del presidente y calificó sus titubeos como "*una muestra de la virilidad estadounidense*". La solución de quienes no marcharán a ninguna guerra es la misma de siempre: en uno de sus editoriales, el diario afirmó: "*lo que necesitamos es un hombre en la Casa Blanca*". El mismo complejo de macho belicista ha atormentado al futuro presidente Theodore Roosevelt desde que su padre, filántropo y poderoso hombre de negocios, le pagó a un sustituto para que reemplazara a su hijo en la Guerra Civil.

El 13 de febrero, el mismo diario, bajo el titular de portada "*Las mujeres de Atlanta claman por un fin del acoso español en Cuba*", afirmaba que "*ha llegado el tiempo en que la voz de la Humanidad clama por una intervención de Estados Unidos en la Perla de las Antillas para poner fin a las atrocidades de España contra los niños y las mujeres de esa isla... Sus súplicas son dirigidas hacia la república que, en sus mejores momentos de gloria, debe actuar con dignidad y sin egoísmo, como la nación civilizada que es*". Estados Unidos apenas se recupera de una de sus peores depresiones económicas y necesita mercados fuera de fronteras. La gran crisis de 1893 había destruido negocios, había cerrado quinientos bancos y había dejado sin empleo al 30 por ciento en Nueva York y al 40 por ciento en Michigan. Múltiples casas de caridad debieron abrir para ofrecer platos de sopa. Pero el país sufre la conocida W de las recesiones duras. Al *Pánico del 93* le siguió el *Pánico del 96*. Unos cuestionan la avaricia de los ricos y otros la Ley de tarifas del entonces congresista William McKinley que buscaba proteger las industrias nacionales con un gravamen de hasta el 50 por ciento a los productos importados. Pronto, las altas tarifas de la Ley McKinley fueron reemplazadas por tarifas más bajas estipuladas en la Ley Wilson-Gorman.

Cuando España insistió en no vender Cuba, Estados Unidos aprovechó la ley Wilson-Gorman para imponer una tarifa del 40 por ciento sobre el azúcar cubano. Las exportaciones y la economía de la isla colapsaron y no hubo platos de sopa para mitigarla. A esta catástrofe se sumó la brutalidad del gobernador de Cuba, el general Valeriano Weyler, estableciendo campos de concentración en 1896 donde apiló campesinos como forma de eliminar a los rebeldes y sospechosos hasta matarlos de hambre. El 2 de noviembre de ese año, el diario *Inter Ocean* de Chicago se lamentaba del sufrimiento del pueblo cubano por la falta de comida y de medicinas, debido al conflicto interno y al mal gobierno de turno. En Nueva York, los importadores se quejaban de que habían perdido cien millones de dólares con las tarifas y la inestabilidad política de la isla. Algunos demócratas, devenidos por un instante en una especie americana de socialistas, perdieron las elecciones y los medios corrieron el rumor falso de que en las ciudades de concentración había ciudadanos estadounidenses.[36] La guerra con la debilitada España se encuentra en curso de colisión.

Para evitar lo inevitable, McKinley ofreció 300 millones de dólares por Cuba, pero, una vez, más España no aceptó. Medio siglo atrás, animado por los esclavistas estadounidenses, el venezolano y patriota cubano Narciso López había lanzado una expedición desde Estados Unidos para liberar Cuba, pero no había encontrado entusiasmo en la isla porque los esclavistas criollos no estaban tan interesados en la independencia. Tres años después que James Polk ofreciera cien millones por la misma isla, otro presidente, Franklin Pierce, había hecho una nueva oferta de 130 millones para comprarla sin necesidad de una nueva guerra. La isla es tan tentadora como Haití para Francia: tierra fértil y productora de lo que el continente no puede producir, sobre todo azúcar, el nuevo oro blanco.

Para ayudar al presidente con una decisión que no quiere tomar, el *New York Journal* no se quedó atrás y comenzó a alimentar los rumores sobre su masculinidad. El 9 de febrero, publicó una carta filtrada del representante de España en Washington, Enrique Dupuy de Lôme, en la cual el diplomático valenciano habría sugerido la debilidad de carácter de McKinley. En titulares desproporcionados, el diario inventor del periodismo amarillista tituló, una vez más recurriendo a los superlativos: *"El mayor insulto en toda la historia de Estados Unidos"*. Sorprendido por el estado público de su carta, que empeoraron las malas traducciones, Dupuy de Lôme renunció a su cargo en

---

[36] La historia está llena de paradojas. Por primera vez, los demócratas del candidato William Jennings Bryan pasaron de ser conservadores y racistas radicales del Sur a ser progresistas con el apoyo del sector rural arruinado. En el siglo XXI, los proletarios desempleados del norte se convertirán en la base de la política ultraconservadora del millonario republicano Donald Trump.

Washington. El presidente de Estados Unidos exigió una disculpa del gobierno de España, la cual llegó inmediatamente el 14 de febrero, un día antes de la famosa explosión en el puerto de La Habana.

En La Habana, los enviados de los periódicos de Nueva York no habían encontrado noticias más importantes y se dedicaron a reportar algunas peleas entre españoles y estadounidenses. En enero, el *New York Journal,* ávido de vender más que su rival, había informado sobre un incidente entre borrachos como la mayor ofensa en la historia del país hasta el extremo de titular: "*Next to War With Spain (A un paso de la guerra con España)*" reclamando reparar el honor de la nación con una declaración de guerra "*en las próximas 48 horas*".

McKinley, el presidente que en su discurso de inauguración de 1896 había asegurado que su política se basaría en "*la no intervención en los asuntos de otros gobiernos*" y en "*evitar la tentación de cualquier agresión territorial*", como lo hará Woodrow Wilson dos décadas después, se tragó sus palabras y el 24 de enero envió el USS Maine a Cuba bajo razones ambiguas: ciertos rumores sobre que la armada alemana podría estar navegando por el Caribe, cierto sentido de humanidad con el pueblo oprimido de Cuba…

En enero, en una carta a Henry White, el senador Henry Cabot Lodge (promotor de Theodore Roosevelt en el nuevo gobierno y de la idea de Estados Unidos como imperio benévolo) escribió: "*cualquier día puede haber una explosión en Cuba*".[37] Tres semanas después, sin registro del más mínimo incidente, el 15 de febrero, una explosión hunde el USS Maine frente a La Habana y mata a 261 marines de Estados Unidos. Sólo se salvan el capitán (que en el momento de la explosión acababa de cerrar el sobre con una carta a su esposa) sus oficiales y pocos más. El comandante Francis W. Dickins informa de un accidente. El oficial naval George Dewey lo confirma: *ha habido un accidente.* El capitán naval Philip R. Alger, concluye que ha habido una explosión causada por un repentino fuego en la sala de máquinas, próximo al almacén de pólvora.

En cuestión de horas William Hearst, el empresario más exitoso de la prensa estadounidense (ex candidato de la izquierda demócrata para la cámara baja y poco antes de caerse hacia la derecha conservadora) con un pie sobre su escritorio a 2.300 kilómetros de La Habana, le ordena a su editor anunciar la primicia que arderá en el pecho patriótico de cada estadounidense y le hará vender más diarios que su eterno rival, József Pulitzer.

---

[37] Lodge consideraba que los negros y otras razas no caucásicas como la italiana eran inferiores, pero él también tenía un amigo negro. George Henry White fue un representante negro de origen irlandés por Carolina del Norte, elegido el año anterior. Su estado no volverá a elegir a un negro o mulato para reemplazarlo hasta casi un siglo después, en 1972.

El 11 de abril, el presidente McKinley, demostrando el valor práctico de la amnesia histórica, en un mensaje a la nación declara: *"no pretendo una anexión de Cuba por la fuerza... eso, en base a nuestros códigos morales, sería una agresión criminal"*. El 20 de abril, tantas veces acusado de poco hombre, firma la declaración de guerra contra España. Es la oportunidad perfecta para olvidar las heridas de la Guerra civil y unirse otra vez contra un nuevo enemigo extranjero y corrupto que injustamente nos ha atacado. Es el fin de un viejo imperio y la confirmación de otro naciente, según la fórmula establecida por Tucídides dos mil años antes.

Antes de que se disparen las últimas balas en Cuba y en Filipinas, el 2 de mayo William Hearst publica un editorial en el *New York Journal* titulado *"Victory! Complete! Glorious!"* donde sentencia, con el mismo fanatismo de pasadas hazañas: *"la verdad está con nosotros y Dios está con la verdad"*. Es decir, Dios está con nosotros y ese día vende un millón y medio de diarios gracias a una guerra inventada para vender diarios.

Como ocurrirá en Filipinas meses después, los rebeldes cubanos estaban a un pelo de derrotar al viejo imperio español cuando llegó la "flota salvadora" desde Tampa, Florida. Hay una razón de peso y, como suele ocurrir, hay mucho dinero en juego y la prensa no habla de eso: los rebeldes cubanos habían prometido una reforma agraria y los estadounidenses poseían la mayor parte de la tierra cultivable de la isla. Si la bárbara España no era bienvenida en el Caribe, mucho menos lo era una Cuba libre que cuestionase la propiedad de la tierra tal como estaba garantizada por la administración anterior. En el lenguaje del norte, *"una república incapaz de gobernarse a sí misma"*.

Treinta años de lucha rebelde terminan con tres siglos de dominación española, pero cuando los rebeldes declaran una semana de celebraciones y desfiles de los guerrilleros por las calles de La Habana, el nuevo gobernador de Cuba, el general John Brooke, dice *No way* y decreta que Estados Unidos no reconoce al ejército rebelde.

Como ocurrió por generaciones a partir de la batalla de El Álamo en 1836, cuando la prensa y las tabernas repetían *"¡Recuerda el Álamo!"*, cuando titulares, libros de secundaria y canciones de Jane Bowers hacían llorar a múltiples generaciones como si se hubiese tratado de una agresión extranjera, la nación viril que no recuerda casi nada, dice no estar dispuesta a olvidar e insiste, una vez más: *"¡Recuerda el Maine!"*.

Los restos del Maine serán recuperados en 1913. En 1974, la comisión estadounidense dirigida por el almirante Hyman Rickover concluirá que la verdadera causa del hundimiento fue exactamente la reportada desde el primer día por su propia tripulación: una explosión en la sala de máquinas. *"No encontramos ninguna evidencia de la explosión de alguna mina"*, agrega el informe. Lo que no es materia de discusión es la mentira reproducida por la gran prensa estadounidense, por los políticos y, finalmente, por todo un pueblo que pronto se olvidará el asunto como forma de completar la tradición.

No es materia de discusión el beneficio que el incidente acarreó para Estados Unidos y, sobre todo para sus grandes empresas, desde los diarios hasta las azucareras. Como bien lo resumió senador Platt, el mismo que será el autor de la enmienda de 1903 que por décadas mantendrá a Cuba bajo el protectorado de Washington, "*sea por un accidente o por un ataque de España, de todas formas no había ningún poder en este mundo que hubiese podido evitar esa guerra*".

Ironía y paradoja juntas, unos años después el célebre millonario Andrew Carnegie y su detestado extremista de izquierda William Bryan terminarán uniéndose en una cruzada antiimperialista. En una carta a Bryan, Carnegie reconocerá que los obreros de la industria están en contra de las anexiones imperialistas y los dos se reunirán casi en secreto en Nueva York. Carnegie le ofrecerá a McKinley pagar de su bolsillo los veinte millones de dólares que Washington ofrece para comprar Filipinas y luego devolverle el país a los filipinos. El 16 de mayo de 1902 el mismo Carnegie lo confirmará en varios diarios. Pero ni el superrico Carnegie ni el progresista Bryan lograrán torcer el curso de la historia.

1898. Los liberados no participan en los tratados de liberación

WASHINGTON, DC. 11 DE ABRIL DE 1898—En respuesta al hundimiento accidental del USS Maine en el puerto de La Habana, el Congreso de Estados Unidos apoya la declaración de guerra contra España. Luego de treinta años de lucha guerrillera contra la administración española, los rebeldes cubanos están cada vez más cerca de la victoria. Por obvias razones, los terratenientes estadounidenses de la isla siguen inquietos pero esperanzados.

Cuando los marines desembarcan en Cuba no se explican (como lo reportó el almirante William Sampson, héroe de la Batalla de Santiago y personaje de varias pinturas épicas) "*el misterio de las playas vacías de la isla*" que le allanan el camino a una victoria fácil sobre el viejo y decadente imperio europeo. El misterio no tenía nada de misterio: luego de años de batallas y muchos muertos, los rebeldes cubanos habían logrado que el ejército español se retirara de las costas y otras posiciones estratégicas. 200.000 soldados españoles habían sido desplazados por los rebeldes en un largo y desgastante conflicto guerrillero.

De repente, entre el primero y el 2 de julio, más de 15.000 marines estadounidenses derrotan a menos de quinientos soldados españoles en la batalla de las Lomas de San Juan, la batalla que decidirá en pocos días la suerte de Cuba. El 17 de julio, Santiago se rinde a los marines y la prensa en Estados Unidos festeja que el triunfo sólo costó trescientas vidas estadounidenses. Cuando Estados Unidos gane otra guerra heroica, los principales diarios repetirán que los cubanos, cobardes por seña propia, nunca contribuyeron a su propia liberación y sólo se dedicaron a observar cómo nosotros los salvábamos y le dábamos la libertad. Los rebeldes no estaban de acuerdo pero eso no importó ni sus opiniones fueron recogidas por ningún diario o documento. Al menos el ochenta por ciento de los rebeldes que desde hace décadas luchan y mueren en la isla son negros o mulatos sin propiedades de importancia. No por casualidad, a mediados de enero el cónsul en Cuba, el general Fitzhugh Lee, sobrino del general Robert Lee y ex miembro del ejército de la Confederación él mismo, había descrito la situación social de una forma por demás clara: *"los rebeldes armados insisten con una Cuba independiente, pero aquellos más educados y más inteligentes desean anexar su país al nuestro"*. En gran medida, esta gente educada e inteligente son criollos blancos y españoles que son protegidos por los militares estadounidenses del *desorden*. Lo cual es un viejo eco de una historia que se continuará repitiendo a lo largo de otras rebeliones en el siglo XX. La decepción de los rebeldes cubanos con las fuerzas ocupantes por este y otros hechos que se van desplegando ante sus narices continúan en aumento con las burlas y los insultos racistas que reciben con frecuencia por su protesta vana mientras comen las raciones importadas de Estados Unidos. El *New York Times* del 20 de julio bajo el titular *"Las pretensiones de los soldados cubanos"* reporta: *"ni siquiera nuestros oficiales disimulan su disgusto hacia sus antiguos aliados por no haber ni luchado ni trabajado cuando debieron hacerlo"*. El general Calixto García, antiguo aliado, rechaza la invitación para una ceremonia de izamiento de la bandera estadounidense y es acusado de resentido, lo que probaría, según el diario y los rumores de campo, su ignorancia y la de sus soldados, inútiles en la caída de Santiago. Por su parte, el general Máximo Gómez protesta porque los cubanos son tratados como si fueran incapaces de tomar sus propias decisiones. El general William Rufus Shafter, otro ex combatiente de la Guerra Civil contra el Sur racista de su país, reporta que los cubanos no son capaces de gobernarse a sí mismos. *"La ciudad y el resto de la isla son un asco y el ejército no tiene ningún aprecio por esta gente; todos los cubanos que hemos encontrado aquí son unos negros mugrientos y asquerosos que, aunque coman de nuestra mano, no van a trabajar ni van a luchar con nosotros"*.

Casi medio siglo antes, el 18 de octubre de 1854, un memorándum del gobierno de Estados Unidos originado en Ostend, Bélgica, y conocido como el "Ostend Manifesto", se había filtrado en Bélgica y había dado a conocer los verdaderos temores del país del norte: la pérdida del control de los esclavos cubanos, se entendía, podía llevar a *"una segunda Haití, con todos los horrores imaginables para la raza blanca"*. Según el manifiesto, Estados Unidos debía declararle la guerra a España si ésta se resistía a ceder Cuba, para proteger la esclavitud en la isla, amenazada por una potencia europea totalmente debilitada. James Buchanan, luego presidente de Estados Unidos, había sido el autor de este comunicado secreto. *"No podemos permitir una nueva Haití tan próxima a nosotros, una república africana en Cuba. No podemos tolerar semejante horror frente a nuestras costas, traicionando nuestro futuro"*. Luego de asumir como presidente de Estados Unidos en 1857, James Buchanan le ofreció a México 15 millones de dólares por Chihuahua y Sonora, porque desde el norte y mirando un mapa a colores parecían pertenecer a los mismos territorios tomados en 1848. Sin éxito, también intentó comprar Cuba a España por 100 millones. Los intentos de continuar expandiendo el sistema esclavista, su rica cultura y su aún más rica economía, continuaron hasta que la Guerra Civil estalló en Fort Sumter, Carolina del Sur, el 2 de abril de 1861.

En Puerto Rico, el líder independentista Luis Muñoz Rivera no festeja la nueva guerra de Estados Unidos contra España en Cuba. Sabe que Washington necesita una base caribeña para construir el canal de Panamá y sospecha que Puerto Rico ha sido elegido. El 12 de mayo, luego de dos meses de bloqueo, una decena de buques de guerra estadounidenses bombardea San Juan, como lo hiciera Zachary Taylor con Veracruz en México medio siglo atrás, o el capitán Geogre Hollins cuando, pocos años después, también a distancia, barrió San Juan del Norte en Nicaragua con una lluvia de cañones desde el mar. Ahora, más de 1300 bombas llueven sobre la capital de Puerto Rico matando, al azar, una docena de residentes que no alcanzaron a huir a tiempo de la ciudad. Los periodistas miran desde los barcos y reportan objetivamente lo que ven, es decir, casi nada. A las ocho de la mañana, el almirante William Sampson ordena suspender el bombardeo por falta de respuesta del enemigo. Sólo el navío *El Terror* no entiende la orden y continúa descargando fuego por media hora más.

El general Nelson Miles anuncia la llegada de la *"civilización iluminada"* y promete *"protección para sus habitantes"*.[38] Como ya es costumbre de todos los imperios, el presidente McKinley inventa una justificación para quedarse

---

[38] El general Miles había luchado en la Guerra Civil contra los esclavistas de la Confederación. Como muchos entonces, como muchos en las muchas generaciones por venir, no alcanza a ver que el racismo anglosajón en Estados Unidos se proyecta fuera de fronteras con la brutalidad de las guerras, las ocupaciones y las dictaduras funcionales en nombre de tiernas banderas como *orden, civilización, libertad* y *democracia*.

con Puerto Rico, la que establece un antecedente para la futura "Diplomacia del dólar": la isla es solo una compensación por las pérdidas económicas infligidas por España a los inversores estadounidenses en Cuba.

Dos meses después, el 28 de julio, los marines de Estados Unidos comandados por el general Miles, publica una proclama para el pueblo de la isla: "*la guerra ha sido por la libertad, por la justicia y la humanidad... Hemos llegado a Puerto Rico para traerles la bandera de la libertad*". Así, Washington instala una dictadura militar, una de las primeras de una larga colección que unirá, como un rosario interminable, todo el siglo por iniciarse.

Poco antes, el 25 de abril, el asistente del Secretario Naval, Theodore Roosevelt, había ordenado atacar el puerto de Manila, en Filipinas. Los nuevos barcos de metal vencen a los viejos barcos de madera. Cientos de españoles mueren en el ataque y ningún americano. Poco después los oficiales españoles y los estadounidenses acordarán representar una batalla inexistente con fuegos fatuos para pasar la capital de Filipinas del viejo imperio al nuevo sin derramamiento de sangre y con una excelente excusa para negársela a los rebeldes de Aguinaldo, supuestos aliados de Estados Unidos contra España. En la invasión de la libertad, varios miles de filipinos morirán en combate, cazados por deporte o ejecutados para no cargar con prisioneros y menos con heridos. Es decir, no hubo muertos. Poco después, el 17 de julio, la marina estadounidense toma posesión de Hawái para instalar una base naval y la misma historia de Manila se repite en La Habana. Pero la malaria cobra diez veces más vidas de soldados estadounidenses en las islas tropicales que la resistencia española. Pocos meses después, el 12 de agosto, se firma en París el tratado de rendición por la cual España cede Cuba, Puerto Rico, Guam y Filipinas. Filipinas es capturada un día después de la firma de este armisticio, por lo cual Estados Unidos ofrece pagarle a España 20 millones de dólares por la compra del archipiélago. De la misma forma que ningún indígena participó de la venta de Luisiana en esa misma ciudad en 1803, ahora tampoco ningún cubano ni puertorriqueño ni filipino ni guameño participa de su liberación.

Algunos intelectuales como Mark Twain, Andrew Carnegie y Jane Addams protestan por lo que ellos llaman "imperialismo americano" y son acusados de lo que otros llaman "propaganda antiamericana". Por su parte, algunos socialistas estadounidenses, que pese a su frecuente antimilitarismo en el pasado habían apoyado la ayuda de su país a los rebeldes mambises contra el colonialismo español y sus campos de concentración, ahora no están del todo disconformes: el 27 de agosto Victor Berger, uno de los fundadores del Partido Socialista de Estados Unidos, publica en el *Social Democratic Herald* de Chicago un ensayo a favor el cambio de estatus de Cuba de una colonia semiesclavista a un país capitalista, ya que éste es el camino natural hacia el socialismo. Otros, menos optimistas como Herbert Cason y Daniel DeLeon, condenan el reemplazo del canibalismo español por el canibalismo estadounidense. Para Eugene Debs, la "guerra por la humanidad" no es otra cosa que pura hipocresía. *"No se puede dudar que el éxito de Estados Unidos hará madurar las frutas de su capitalismo esclavizando a los trabajadores del mundo"*.

En 1900, el gobernador militar de Cuba nombrado por su amigo Theodore Roosevelt, el general Leonard Wood, informará a Washington y a la prensa civilizada que los cubanos irresponsables son capaces de elegir *"líderes radicales"* y que la mayoría de los integrantes de sus asambleas no son *"líderes seguros"*. Para peor, según Wood, el ejército cubano está compuesto de *"una gran proporción de negros, apenas civilizados, en quienes el viejo espíritu salvaje ha despertado luego de estos años de combates"*.

En el número de agosto de 1960 del *Reader Digest* (*Selecciones*), el senador Karl Mundt, furioso por los desplantes del nuevo líder de la isla, Fidel Castro, declarará: *"¡Nosotros, quienes liberamos esa isla de sus cadenas medievales; nosotros, quienes le dimos orden, vida, conocimiento tecnológico y riqueza, ahora somos maldecidos por nuestras virtudes civilizatorias y de cooperación!"*. Fidel Castro le debe *"respeto a la memoria de los soldados estadounidenses que murieron luchando en las sierras de San Juan, en las junglas de Cuba para darle a Cuba su independencia"*.

1898. Los incapaces de gobierno no se dejan gobernar

MANILA, FILIPINAS. 1 DE MAYO DE 1898—EL capitán de marina George Dewey, de pie sobre uno de los novedosos barcos de metal, el USS Olympia, no tiene que hacer demasiado esfuerzo para hundir los viejos galeones de madera del decadente imperio español. En pocos días, toma posesión de *"algunas islas de negros incapaces de gobernarse a sí mismos"*. Sin hacerse rogar, ingleses, franceses, alemanes y japoneses anclan sus buques de guerra en la bahía de Manila, pero poco después son obligados a retirarse del proceso de liberación.

En Estados Unidos, los diarios hablan del rubio de ojos celestes, descendiente de Thor, el gran dios sajón, el dios de la guerra y del trueno. *"Los americanos han podido ver al militar naval de cabellos claros, parangón de la superioridad racial, de la civilización y de la hombría"*. El *Wichita Daily Eagle* de Kansas de burla de las tendencias antiimperialistas del senador George Frisbie Hoar de Massachusetts y, en su editorial del 3 de mayo, denuncia que el pueblo filipino es "una raza incapaz de apreciar la amistad de la civilización más noble que nunca existió". En la revista inglesa *Review of Reviews*, el joven Winston Churchill elogia al almirante Dewey por su campaña en Filipinas: *"Dewy posee lo que poseen los mejores oficiales navales, virtudes que sólo se encuentran en Inglaterra y en otras razas del Norte"*. Los cristianos nórdicos no sólo coquetean con el dios germano Odín, sino que hasta se convierten en darwinistas. El 9 de julio de 1898 el *Baltimore American* afirma que *"es la vieja ley de la sobrevivencia del más apto. El débil se debe doblar ante el fuerte, es decir, la raza americana, la más noble que hoy pisa la Tierra"*.

Los avances estadounidenses en tecnología marina no alcanzan a convertir a los *marines* en invencibles, por lo que no se atreven a aventurarse tierra adentro en un país desconocido. Los generales calculan que no tienen suficientes hombres, por lo que deciden dejar esa tarea a los nativos de las islas, los rebeldes liderados por Emilio Aguinaldo.

El 27 de junio de 1898, el almirante George Dewey le escribe al Secretario de la Marina en Washington desde Hong Kong con cierto optimismo y simpatía por Emilio Aguinaldo: *"los filipinos son superiores en inteligencia y más capaces de gobernarse a sí mismos que los cubanos; lo digo habiendo conocido muy bien a ambas razas"*. Dewey y Aguinaldo se llevan bien. Aguinaldo lee la constitución de Estados Unidos y le parece perfecta, por lo que decide aceptar una alianza con ese país. No había ninguna posibilidad de que los americanos no cumplieran con sus ideales, dijo, y los americanos nombraron a sus rebeldes como *"luchadores por la libertad"*.

Poco después, Emilio Aguinaldo y sus rebeldes logran sitiar Manila. Los españoles, que se alimentan de ratas y caballos, están a un paso de la rendición final. Dewey no se alegra completamente. Hace sus cálculos. No es posible tomar las innumerables islas que los nativos conocen como nadie, pero es posible tomar la capital, Manila. El plan A es bombardear a los españoles y tomar la capital fortificada, pero el Plan B es más razonable. Entonces Dewey acuerda con los sitiados mentir una batalla. Los estadounidenses lanzarán unos cañonazos y poco después los españoles se rendirán de forma honorable. De esa forma, los filipinos aceptarán la toma de Manila por parte de sus aliados.

Todo se desarrolla según lo acordado y la gran prensa en Estados Unidos publica emotivos artículos sobre la *heroica batalla de Manila*. Del otro lado del océano Pacífico, el presidente McKinley, más pragmático que idealista, descubre una fórmula magistral: *"debemos mantener todo lo que tenemos mientras dure la guerra. Sólo entonces tendremos todo lo que queremos"*.

Terminada la guerra con España, el rebelde Emilio Aguinaldo es nombrado presidente de las islas. Dura unos meses. Exactamente 4.234 soldados estadounidenses y más o menos un millón de filipinos morirán en este proceso de liberación.

Cuando William McKinley recibe la noticia de que Filipinas es parte del territorio que gobierna, con ese extraño e inexplicable orgullo que perdurará por generaciones, reconoce: *"cuando recibí el cable del almirante Dewey, miré el mapa y no pude localizar ese país"*.

El 10 de diciembre, España y Estados Unidos firman en París un tratado de paz por el cual uno le cede al otro Puerto Rico, Cuba, Guam y Filipinas sin invitar a ningún habitante de alguna de esas islas tropicales. Como ya es una costumbre, Estados Unidos compensa al derrotado, esta vez España, con veinte millones de dólares, lo que convierte un despojo en una venta legal al bajo precio de la necesidad.

El 21 de diciembre, el presidente McKinley lanza su famosa proclama sobre la *Asimilación benévola*, por la cual afirma que *"el gobierno militar de Estados Unidos en Filipinas procura salvar el valor de la libertad y los derechos individuales"*.

Traicionada en sus promesas de liberación, el 2 de junio de 1999, la improvisada República de Filipinas le declarará la guerra a Estados Unidos. La desigual guerra terminará tres años y casi un millón de filipinos muertos después, en 1902, con la derrota de Filipinas.

Los filipinos continúan la rebelión, esta vez contra Estados Unidos y recurriendo a la única estrategia posible, la guerrilla, aunque todavía deberán esperar medio siglo más para lograr la tan ansiada independencia que tuvieron a un pelo de lograr en 1898.

1898. Militarismo y darwinismo de Dios

BALTIMORE, MARYLAND. 9 DE JULIO DE 1898—En varios estados del Sur se prohíbe mencionar a Charles Darwin. Hasta el siglo XXI, en algunas escuelas sólo se permite la *Teoría de la Creación*. El mundo fue creado en siete días y no tiene más de cinco mil años de existencia. Punto.

Claro que siempre hay excepciones cuando la causa lo requiere. Para explicar la inconveniencia de convertir a los filipinos y otros negros tropicales en ciudadanos estadounidenses, los cristianos anti darwinianos reivindican a Darwin. El propietario de *The Baltimore American*, Félix Agnus, en su editorial del 9 de julio afirma que *"se trata de la misma antigua ley de la sobrevivencia del más apto: el débil debe arrodillarse ante el más fuerte y, hoy por hoy, la raza americana es la más fuerte, la más noble sobre la faz de la tierra, y su naturaleza demanda crecimiento, expansión... Es la manera que el tío Sam tiene de hacer las cosas. Él quiere los mercados del mundo y para eso necesita los puertos, sus proveedores de materias y de consumidores... Por eso, no seamos tímidos y tomemos las mejores islas que podamos tomar honestamente"*. El senador de Alabama, John Tyler Morgan, anuncia un nuevo plan: en lugar de deportar a los negros americanos a África, lo ideal sería enviarlos a Filipinas, ahora en poder de Estados Unidos, ya que dicen que aquellas islas del Pacífico están llenas de negros.

Los mejores ciudadanos, con la mejor educación y las mejores propiedades están de acuerdo. Todos temen la degradación de la raza aria y protestante por la maldición del derecho.

Claro que no todos están de acuerdo. El pastor socialista Herbert N. Casson, en alguno de sus varios artículos contra la histeria bélica, el 12 de marzo escribe en el *The Coming Nation*: "*Cualquier perro puede pelear, pero se necesita un ser humano para comenzar a pensar. El actual militarismo es antiestadounidense y merece todo nuestro desprecio... Si la Guerra civil abolió la esclavitud tradicional, impuso una esclavitud financiera. En lugar de esclavistas nos ahora tenemos inversionistas"*. El 21 de mayo, insiste sobre la misma advertencia: "*Si vamos a convertirnos en una nación militarista, entonces ya podemos ir cerrando las bibliotecas gratis y las escuelas públicas. Los ricos se ocuparán de comprar libros y emplear maestros. Los pobres no necesitarán ser educados si para lo único que los necesitamos es para que sean soldados y sirvientes"*.

El 17 de enero de 1961, en su mensaje de despedida por cadena de televisión, cuando ya casi ningún castigo político pueda caer sobre él, el presidente y general Dwight D. Eisenhower, quien nunca fue muy perezoso a la hora de echar mano a la fuerza militar, financiera y propagandística, sin nada que perder, advertirá al país: "*En los consejos de gobierno, debemos evitar la compra de influencias injustificadas como la del complejo industrial-militar. Existe el riesgo de un desastroso desarrollo de un poder usurpador permanente... Si la Unión Soviética se hundiera mañana bajo las aguas del océano, el complejo industrial-militar estadounidense seguiría existiendo sin muchos cambios hasta que se invente algún otro adversario... Este es un peligro del que hasta los comunistas nos han advertido desde siempre. Debemos asegurarnos de que los mercaderes de la muerte no dicten nuestras políticas nacionales"*.

La derecha cristiana y grupos como la Sociedad John Birch acusarán al presidente Eisenhower de tener conexiones con los comunistas.

1899. La pesada carga del Hombre blanco

LONDRES, INGLATERRA. 4 DE FEBRERO DE 1899—El celebrado poeta indio británico Rudyard Kipling publica en *The Times* de Londres, su poema más recordado de la historia, *White Man's Burden* ("La carga del Hombre blanco"), en honor a la conquista de Filipinas.

Lleva la carga del Hombre Blanco
Envía a los mejores de entre todos ustedes
Ata a vuestros hijos al exilio
Para servir a las necesidades de tus cautivos;
Para servir, con tus equipos de combate,
A naciones tumultuosas y salvajes
Tus recién conquistados y descontentos pueblos,
Mitad demonios y mitad niños.

Lleva la carga del Hombre Blanco
Con paciencia para sufrir,
Para ocultar la amenaza del terror
Y poner a prueba el orgullo que se ostenta;
Por medio de un discurso abierto y simple,
Cien veces purificado,
Buscar la ganancia de los otros
Y trabajar en provecho de los otros.

Lleva la carga del Hombre Blanco
Las salvajes guerras por la paz
Llena la boca del Hambre,
Y ordena el cese de la enfermedad;
Y cuando tu objetivo esté más cerca
(El fin buscado para otros)
Contempla la pereza y la ignorancia salvaje
Llevar toda vuestra esperanza hacia la nada.

Apenas un día después es publicado del otro lado del Atlántico en el *The New York Sun*. Las ilustraciones a color, una sensación de la prensa amarilla de la época, enseña a los nuevos analfabetos como los relieves de piedra enseñaban la Biblia en las catedrales medievales. En una, el Tío Sam carga en su espalda a un indio, un cubano, y un par de negros de apariencia cavernícolas. Más adelante va su equivalente británico, John Bull, cargando un chino, un turco, un árabe y otro negro. Los dos van subiendo una colina mientras sortean obstáculos (o se apoyan en ellos) representados por rocas llamadas IGNORANCIA, SUPERSTICIÓN, VICIO, BARBARISMO, OPRESIÓN, ESCLAVITUD... La hipocresía de la propaganda no tiene competencia. En la cima, una hermosa mujer blanca representa la meta: la CIVILIZACIÓN. Casualmente, por la misma época se tomarán fotografías de africanos oprimidos por el vicio europeo cargando en un canasto a sus espaldas a un empresario blanco, sentado como como en el living de su casa.

En 1901, en el *North American Review*, el escritor estadounidense más importante de su generación, Mark Twain, publicará el ensayo, "To the Person Sitting in Darkness (A quien está sentado en la oscuridad"), denunciando el mesianismo imperialista de los misioneros cristianos que creen haber visto una señal de Dios para conquistar y oprimir a quienes ellos llaman salvajes. Twain concluye: *"Para Filipinas ya tenemos bandera: es la nuestra, pero le hemos reemplazado las franjas blancas por franjas negras y las estrellas por calaveras de pirata"*. En otras publicaciones, Twain insistirá con su crítica al imperialismo de su país. La crítica profesional intentará encasillar al escritor sureño como *"un maestro del humor"*.

1899. Fuimos atacados, esta vez por negros pacíficos

MANILA, FILIPINAS. 4 DE FEBRERO DE 1899—El centinela William Grayson de Nebraska les dispara a dos filipinos en la esquina de las calles Silencio y Sosiego. Siete días después, la marina de Estados Unidos bombardea la ciudad de Iloilo iniciando lo que los libros de historia llamarán la Guerra filipino-estadounidense.

Las cosas no iban tan mal hasta ese momento. McKinley había recibido desde Manila el informe del almirante y súbito héroe nacional George Dewey sobre los progresos que los filipinos estaban haciendo para organizar de forma pacífica su propia República, pero lo había archivado sin más comentarios. La peligrosa idea de los *pacíficos negros* del Pacífico comenzaba a convertirse en tendencia en la prensa estadounidense. Por entonces, los marines estadounidenses controlaban el fuerte de Manila pero no el resto del laberinto filipino, en manos de los rebeldes aliados contra España. En Washington, el congresista por Colorado, Henry Teller, afirma que apenas un soldado estadounidense sea objeto de algún ataque por parte de los nativos, los estadounidenses no dudarán en alinearse detrás de su ejército, como siempre lo ha hecho.

La solución era inevitable. Los oficiales deciden correr los límites del área de exclusión de la capital y una noche, inadvertidos, cuatro borrachos cruzan la nueva frontera. Los guardias responden la invasión con fuego y dos filipinos mueren en el acto. Inmediatamente, la prensa y el Congreso en Estados Unidos arden de indignación por el ataque sin provocación de los rebeldes del exaliado, Aguinaldo. Se inicia una fulminante acción de represalia y en 24 horas cientos de los llamados "negros pacíficos" son masacrados.

Estados Unidos, legitimado por los veinte millones que le había pagado a España y por el ataque artero de los cuatro borrachos, toma posesión de todas las islas del archipiélago. El venerado héroe George Dewey, en su autobiografía reconocerá: *"después de haber pagado veinte millones de dólares por las islas, todavía debíamos imponer nuestra autoridad por la fuerza sobre un pueblo al que intentábamos beneficiar contra su propio deseo"*.

Los guerrilleros matan a un *marine* y el general Lloyd Wheaton ordena masacrar a los mil habitantes de la aldea. El capitán Fred McDonald ordena ejecutar a todos los habitantes de LaNog. Sólo se salva una joven madre, por la gracia de su belleza, la que es violada por los oficiales primero y más tarde por los soldados.

El presidente McKinley se lamenta que de este lado del Atlántico la palabra *imperialismo* no tiene el mismo prestigio que del lado europeo y, en su campaña de reelección, convence a su electorado de que las intervenciones de su gobierno en las islas tropicales ya no son para expandir más el territorio de Estados Unidos sino que se trata de un noble sacrificio para ayudar a aquellos pueblos que han perdido el tren de la civilización. El eslogan de la campaña McKinley-Roosevelt es *"América no ha plantado la bandera en suelo extranjero para adquirir más territorio sino por pura humanidad"*.[39]

Un mes antes, el 5 de enero de 1899, el rebelde Aguinaldo había declarado: *"mi gobierno no puede limitarse a observar de forma indiferente la toma violenta de una porción de nuestro territorio por una nación que se arroga a sí misma el título de campeón de las naciones oprimidas... denuncio estos hechos ante el mundo para que la humanidad dé su veredicto sobre quién es el verdadero opresor y el tormento de la humanidad"*.

Si no es por humanismo es por Dios. El presidente McKinley confiesa que se había arrodillado para pedirle consejo a Dios de cómo proceder en Filipinas y que Dios le había ordenado civilizar a ese pobre pueblo perdido del Pacífico. Dos años más tarde, el 17 de junio de 1902, el soldado Robert E. Austill le escribirá a su amigo Herbert Welsh: *"nuestros compatriotas en América nos piden que matemos a todos los hombres aquí y que violemos a las mujeres para mejorar la raza en estas islas"*.

Más de 20.000 filipinos morirán en combate y casi un millón morirá de hambre y por enfermedades derivadas de la guerra.

---

[39] El profesor de San Francisco State University Stuart Creighton Miller escribirá en 1982 que *"los estadounidenses marcharon a la guerra contra España con altruismo para liberar Cuba, Puerto Rico y Filipinas de sus tiranos. Si se quedaron mucho tiempo en filipinas fue para protegerlos de los depredadores europeos"*.

1899. Quema esas cartas

BOSTON, MASSACHUSETTS. 18 DE MAYO DE 1899—La Liga Antiimperialista de Estados Unidos (fundada por Gamaliel Bradford, un banquero jubilado) publica en el histórico *Boston Evening Transcript* varias cartas enviadas desde Filipinas y censuradas en Manila. Entre éstas, se puede leer: "*los muchachos se robaron todo lo que pudieron de cada casa que encontraron; lo que no pudieron robar lo destrozaron*" (soldado Guy Williams de Iowa); "*los soldados no sabían qué hacer con cuatro prisioneros y cuando le preguntaron al capitán Bishop, el capitán respondió que ya conocían las órdenes, y los cuatro prisioneros fueron ejecutados*" (Charles Bremer, de Minneapolis, Kansas); "*los filipinos son monos sin cerebro, incapaces de apreciar algún sentido del honor y la justicia, por lo que no es extraño que los muchachos le metan plomo antes de preguntar si son amigos o enemigos*" (combatiente de Utah); "*siempre estoy listo para entrar en combate; lo único que quisiera saber es por qué estamos peleando*" (sargento Arthur Vickers, de Nebraska); "*no importa cuántos matemos; parece que nunca se acaban*" (soldado Sylvester Walker); "*los muchachos están sufriendo de una interminable diarrea; me temo que no me va a matar ninguna bala sino alguna maldita enfermedad*" (soldado Martin P. Olson); "*la escena que he visto me recuerda a la matanza de conejos en Utah, con una diferencia: algunos conejos podían escapar; los nativos no*" (soldado Fred D. Sweet); "*ellos van a luchar hasta que su raza se extinga sobre la Tierra porque están luchando por una causa justa*" (soldado Ellis Davis, de Kansas); "*es como cazar conejos; nosotras pasamos, ellos saltan de algún agujero y corren, pero no van muy lejos porque los matamos enseguida; nuestro regimiento no toma prisioneros*" (soldado Arthur Minkler de Kansas); "*maté siete u ocho; me divertí mucho esta mañana; cuando me enviaron de regreso pensé que iba a una corte marcial, pero el coronel se rio y dijo que había hecho un excelente trabajo*" (Burr Ellis, de Frazier Valley, California); "*Caloocan tenía 17.000 habitantes y ya no queda ni uno; el vigésimo batallón de Kansas arrasó la aldea... Maypaja tenía 5.000 personas y no queda ni un alma allí*" (capitán Elliott, del regimiento de Kansas); "*un batallón de Tennessee fue enviado al destacamento con treinta prisioneros y llegó con cien gallinas y ni un filipino*" (soldado Leonard Adams, del regimiento de Washington); "*bombardeamos un lugar llamado Malabon y luego fuimos y matamos a los que quedaban, hombres, mujeres, niños...; una pena*" (Anthony Michea, Tercera de artillería); "*los filipinos están muy interesados por aprender, y el nuevo gobierno de Aguinaldo se ha tomado en serio lo de las escuelas; la cantidad de gente que habla español y su lengua nativa y además sabe leer y escribir es impresionante*" (coronel Henry Page); "*todos queríamos matar negros; es como un juego adictivo; matamos a miles y todos estaban como locos; cuando la matanza terminó no se vio muy bien, pero así es la guerra"* (un voluntario de la Company H del Primer regimiento del estado de Washington); *una noche apareció uno de los nuestros muertos en la ciudad de Titatia, por lo que el general Wheaton ordenó quemarla por completo; mil hombres, mujeres y niños fueron ejecutados hasta que no quedó ni uno... díganle a aquellos que nos cuestionan que todo lo que he hecho lo he hecho por la Gloria de mi amada América"* (soldado A. A. Barnes, batallón G, Tercera de artillería).

1899. Las razas inferiores mueren más fácilmente

MANILA, FILIPINAS. 20 DE JULIO DE 1899—El general Frederick Funston, veterano de la guerra en Cuba y Medalla de Honor por su actuación en Filipinas, torturó y violó mujeres a gusto antes de explicar los hechos: *"hay quienes en nuestro país cuestionan la ética de esta guerra... No saben que en realidad los filipinos son analfabetos, semi salvajes que pelean una guerra contra el orden y la decencia anglosajona"*. En una carta enviada a su familia en New Jersey, el soldado Kingston escribe: *"matamos hombres, mujeres y niños... Me siento en la gloria cuando veo mi pistola apuntando a un negro y le disparo"*.

El jueves 20 de julio, el soldado y corresponsal del *New York Evening Post* en Filipinas, H. L. Wells, lo confirma: *"hasta ahora nadie ha cuestionado el hecho de que nuestros soldados en Filipinas les disparan a los negros por deporte... Pero el pueblo estadounidense puede estar seguro de que no ha habido más muertos filipinos de los necesarios; al menos no más de lo que los británicos consideraron necesario matar en India y en Sudán; no más de lo que los franceses mataron en Annam [Vietnam]"*. América sólo matará a 200.000 filipinos en unos pocos años.

Setenta años después, en el documental *Hearts and Minds*, el general estadounidense William Childs Westmoreland, héroe de la guerra de Vietnam y con tantas condecoraciones que no cabrán en su uniforme, declarará que *"los asiáticos no entienden lo que es el valor de la vida. Allá la vida vale poco, eso está en la misma filosofía de Oriente, aparte de que hay muchos de ellos"*.

El hecho de que los heridos fueron rematados en el suelo o que las municiones empleadas fuesen *dum-dum bullets*, balas que se expanden al ingresar al cuerpo de la víctima, tampoco será discutido por mucho tiempo, pero a algunos críticos y analistas estadounidenses les llama la atención que en la guerra contra Filipinas se cuentan decenas de miles de muertos y casi no hay ni heridos ni prisioneros, cuando el patrón histórico de las guerras es el inverso. En la reciente Guerra Civil de Estados Unidos, hubo un muerto por cada cinco heridos; en Filipinas hay quince muertos por herido. El gobernador de facto, el general Arthur MacArthur, tiene una explicación para ese extraño fenómeno estadístico que unos pocos insensatos se niegan a aceptar: *"lo que ocurre es que los hombres de sangre anglosajona no mueren tan fácilmente luego de ser heridos como mueren aquellos que pertenecen a razas inferiores"*.

En su famoso ensayo publicado en diciembre de ese mismo año, titulado *"Expansion and Peace"*, Theodore Roosevelt lo explica aún mejor: *"la paz llega con la guerra"*. Roosevelt, futuro vicepresidente y luego presidente cuando asesinen a McKinley, es un hombre de convicciones sólidas, tan sólidas como su lema *"habla suave mientras cargas un gran garrote y llegarás lejos"*. En 1897 había publicado que *"la democracia de este siglo no necesita más justificación para su existencia que el simple hecho de que ha sido organizada para que la raza blanca se quede con las mejores tierras del Nuevo mundo, desde América hasta Australia... De ser por un sistema aristocrático, la inmigración china habría sido permitida como lo sería la esclavitud, para maldición de la raza blanca. Afortunadamente, la democracia, con un claro instinto egoísta en favor de la raza blanca, ha sido capaz de mantener alejadas a las razas invasoras"*.

El siglo por comenzar lo confirmará con los mismos baños de sangre motivados por el interés económico y apoyado por el egoísmo tribal, pero bajo otras nobles excusas. Para ello, la amnesia histórica es más importante que la anestesia para cortar un brazo. El 18 de octubre de 2003, a pocos meses de la invasión que en Irak repetirá la misma brutalidad de la "liberación de Filipinas", en una sesión celebratoria del congreso filipino, el presidente George W. Bush repetirá: *"Estados Unidos está orgulloso de su parte en la gran historia del pueblo filipino; nuestros soldados ayudaron a liberar a Filipinas de la tiranía colonial"*. Habrá aplausos y alguna que otra lágrima correrá sin llegar al suelo.

1900. Dios nos ha elegido para regenerar el mundo

WASHINGTON, DF. 9 DE ENERO DE 1900—El martes, en su discurso en el Congreso sobre la cuestión filipina, el historiador y senador progresista de Illinois, Albert Beveridge afirma que *"Las Filipinas son nuestras para siempre. Sabemos que más allá de Filipinas está China, una tierra de oportunidades ilimitadas para los negocios... Nosotros no renunciaremos a la misión de nuestra raza, mandato de Dios, como esclavos que lloriquean por el peso de su carga. Lo haremos con determinación de nuestra misión recibida de*

Dios, el que nos ha señalado como el Pueblo elegido para regenerar el mundo... He viajado por esas tierras tropicales y les puedo asegurar que ninguna tierra en Estados Unidos es tan fértil y tan apropiada para la producción. Los bosques de los negros son, realmente, invaluables... Sus habitantes son parte de una raza bárbara y decadente, corrupta, cruel y deshonesta... Para que aprendan algo de cómo gobernarse a sí mismos, esta gente necesitará muchas décadas del ejemplo estadounidense. Ejemplo, ejemplo y más ejemplo... Señor presidente, el problema es mucho más importante que un asunto político para nuestra nación. Es algo más elemental. Es una cuestión racial. Dios no ha venido preparando al pueblo teutónico de habla inglesa por mil años para nada, para que nos admiremos de nuestra propia belleza. Pues no. Dios nos ha hecho los amos de la organización para que corrijamos el caos que reina en el mundo... Esta es la misión Divina de Estados Unidos y por eso merecemos toda la felicidad posible, toda la gloria, y todas las riquezas que se deriven de ella... Sólo un ciego no podría ver la mano de Dios en toda esta armonía de eventos... Señores, recen a Dios para que nunca temamos derramar sangre por nuestra bandera y su destino imperial".

Un año después, Beveridge se opondrá a darle estatus de estado pleno a Nuevo México y Arizona por no estar suficientemente poblados por blancos. Según el político historiador, esos estados aún tenían demasiada población india e hispana, las cuales eran intelectualmente incapaces de entender conceptos como el *autogobierno*.

Luego de las últimas conquistas en el Caribe y en el Pacífico, un tercio de la población estadounidense es de piel oscura. El viejo imperio que se quita años se debate entre seguir expandiéndose y dejar de perder blancura. En setiembre de 1898, Beveridge había proclamado sobre la toma de Puerto Rico: "La ley de la libertad, de donde los gobiernos reciben su poder, se aplica sólo a aquellos que son capaces de gobernarse a sí mismos. Nosotros gobernamos a los indios sin su consentimiento, gobernamos nuestro territorio sin su consentimiento, así como gobernamos a nuestros hijos sin su consentimiento. ¿Acaso no escuchan cómo las campanas de Puerto Rico le dan la bienvenida a nuestra bandera?". Según una entrevista publicada en la revista *Harper's*, para el historiador de Harvard University Albert Bushnell Hart, todo lo que Washington hace hoy lo ha hecho desde siempre. "Por más de un siglo, Estados Unidos ha sido una potencia colonial... cualquier cosa que se haga en el futuro estará basado en los hábitos del pasado". El 24 de octubre de 1899, el *Indianapolis Journal* había publicado una idea similar del gobernador de Nueva York y futuro presidente del país, Theodore Roosevelt, quien no dejó dudas sobre la continuidad del despojo de las naciones indígenas y el nuevo colonialismo: "Cada argumento que se pueda hacer a favor de los filipinos se podría haber hecho a favor de los apaches... Así como la paz, el orden y *la prosperidad siguieron a nuestra expansión sobre la tierra de los indios, así ocurrirá en Filipinas"*.

El 31 de marzo de este año, el respetado senador Beveridge publicará un largo e ilustrativo artículo en el *Saturday Evening Post* de Filadelfia asegurando que *"somos la nación más militante del mundo… lo conocemos mejor que nadie y somos nosotros quienes estamos mejor preparados para bendecirlo y, como consecuencia, para bendecirnos a nosotros mismos"*.

1900. No más negros, please

WASHINGTON DC. 23 DE MARZO DE 1900—Los generales en La Habana y los políticos en Washington dan discursos eufóricos sobre la liberación de la largamente deseada Perla de las Antillas. Sólo que hay un detalle que incomoda: los cubanos en Estados Unidos y en la prensa son casi todos blancos, pero los cubanos que encontraron los marines en la isla son casi todos negros.

En consecuencia, un fenómeno para nada extraño se vuelve a repetir. Cien años atrás, aunque en una medida más bien modesta, el presidente Thomas Jefferson había apoyado a los rebeldes haitianos en su revolución de independencia contra el imperio francés. Pero una vez que los haitianos vencieron, estableciendo en 1804 la primera república libre del hemisferio, Jefferson y su gobierno se negaron a reconocer la existencia de una república de negros desacatados. Pese a las declaraciones de buena voluntad por parte de Dessalines para mantener relaciones comerciales con Estados Unidos, Washington acosó y bloqueó al país rebelde hasta que su Revolución fue destruida.[40] Ahora, luego de demonizar al imperio español en la prensa y finalmente bombardearlo para defender a los indefensos cubanos que luchaban heroicamente por su independencia, de repente descubren que son negros e incapaces de gobernarse a sí mismos. La inesperada conciencia de la negritud de Cuba la condena: no sirve como Estado de la Unión ni sirve como Estado independiente. La solución es clara: protectorado, adornado con los colores que en cada momento de la historia se ponen de moda.

---

[40] Dessalines había decidido la revolución ordenando el asesinato de más de 3.000 franceses acusados de forma indiscriminada de conspiración (excluyendo polacos y alemanes), brutalidad que no compite con las incontables masacres de los poderosos imperios civilizados. No compite en número ni en el hecho de que los imperios opримen a los débiles para explotarlos y la revolución haitiana fue contra un imperio opresor y esclavista. Contrariamente a las narrativas tradicionales que sobrevivirán hasta el siglo XXI, Estados Unidos no califica como "república libre" sino, para ser más exactos, como una abierta y brutal dictadura étnica y de clase.

Fronteras adentro, madura otro fenómeno. Debido a la guerra con España en el Caribe, algo extraño comienza a ocurrir: poco a poco, los negros estadounidenses abandonan su simpatía y agradecimiento por el partido Republicano de Lincoln. Nadie sabe bien por qué. Para peor, las opciones son solo una: el partido Demócrata, el partido esclavista del sur. Poco a poco, liberales y conservadores cambian de partidos, como quien cambia la casa y la pareja con el vecino.

Ni Cuba ni España son consideradas tan relevantes como el problema nunca resuelto de los negros. El congresista y exjuez David Albaugh de Armond de Missouri, en un discurso en la cámara baja, asegura que *"los negros son tan ignorantes que ni siquiera saben comer; apenas saben respirar; existen como existen las máquinas"*. En la cámara alta, el senador James K. Vardan de Mississippi, lo confirma: *"ese negrito cabeza de coco y color chocolate llamado Andy Dotson, que cada mañana lustra mis zapatos, no está preparado para ser ciudadano"*. Otro senador, el tuerto Benjamín Ryan Tillman, ex gobernador de Carolina del Sur, conocido por azotar a sus trabajadores negros años después de abolida la esclavitud, continúa su *"guerra contra la dominación de los negros"* con palabras elocuentes en el sagrado recinto del senado: *"ya no sabemos cómo eliminar a todos, aunque eso es lo que deberíamos hacer hasta que no quede ni uno solo... Sí, les hemos metido plomo cuando pudimos y no nos avergonzamos de eso"*.

El 23 de marzo de 1900, el senador Tillman, como muchos otros congresistas, se manifiesta preocupado por una gran injusticia derivada de la Guerra Civil: *"En mi Estado hay 135.000 negros que pueden votar y apenas 90.000 blancos con las mismas posibilidades. ¿Alguien me puede explicar cómo es posible que, con una votación libre y justa, los blancos podamos derrotar a los negros? Nos han legado una tarea prácticamente imposible"*. En otras palabras, si nosotros no ganamos, no es justo. Mientras tanto, y gracias a las leyes Jim Crow, los negros no pueden beber agua de los mismos bebederos públicos que los blancos, cuyos hijos continúan siendo amamantados por las negras que se quedan sin leche para los suyos.

Varios diarios, como *The Topeka Mail and Brizze* de Kansas en su editorial del 15 de abril de 1898, ya habían dado algunas claves sobre el misterio de los imperialistas contra nuevas anexiones. Sobre la posibilidad de que los cubanos puedan gobernarse a sí mismos, el diario había asegurado y reproducido la idea de que *"es curioso que los legisladores demócratas del sur, quienes no aceptan que sus negros sean capaces de gobernarse a sí mismos, estén en favor de la independencia de Cuba... Hasta los negros americanos del sur son más inteligentes y educados que los negros cubanos"*. De alguna forma, quienes ahora estaban en contra de una nueva ola de anexiones a la Unión eran más racistas que los expansionistas. No querían a Cuba, ni a República

Dominicana, ni a Haití, ni a Puerto Rico, ni a Filipinas, ni a ningún otro territorio como estados plenos de la sagrada Unión porque estaban llenos de negros irresponsables que no debían convertirse en ciudadanos.

En realidad, esto no es algo nuevo. El senador Carl Christian Schurz de Missouri, inmigrante alemán y uno de los más fervientes patriotas, como suele suceder entre los nuevos asimilados, lo puso aún más claro: *no queremos una raza híbrida en la Unión*.[41] El 23 de junio de 1898, el *Democrat and Chronicle* de Rochester, Nueva York, en su página 6, había criticado al *New York Herald* por sus razones para no apoyar a los insurgentes en Cuba. Según el *Herald*, "*Cuba libre significa otra República negra y no queremos eso tan cerca. Haití ya está demasiado cerca... Si Cuba va a ser un Estado libre, debe estar bajo nuestras reglas y nuestra bandera*". El *Democrat* había afirmado que no hay evidencia de que el pueblo cubano quisiera ser un Estado de la Unión, pero el senador Henry Cabot Lodge ya había explicado el asunto cuando apoyó la opción de una guerra con España: "*No queremos una anexión, pero es necesaria una base militar para una ruta marítima que atraviese Nicaragua. Por esta razón, la fértil isla de Cuba será una ineludible necesidad*". Cabot Lodge también había apoyado la anexión de Filipinas y la restricción de la inmigración por problemas de raza. Trabajando con un equipo de abogados, filántropos y climatólogos, Cabot Lodge había fundado la *Liga para la Restricción de la Inmigración*, la que promoverá la promulgación de una ley que favorezca a los inmigrantes anglosajones y evite la entrada de los europeos del sur y del Este, para preservar el American Way of Life y prevenir la pobreza y la delincuencia de aquellos pobladores.

Por supuesto que, con sus maquillajes históricos, esta mentalidad viene de mucho antes. En 1836 Texas se había independizado de México para reinstalar la esclavitud que los gobiernos mexicanos habían insistido en prohibir en todo su territorio. Poco después de proteger el derecho a la esclavitud en su constitución y de prohibir la liberación de cualquier negro, en 1845 Texas se había incorporado a la Unión gracias a los esclavistas de Texas y a los esclavistas del Sur de Estados Unidos liderados por el presidente James Polk, por entonces mayoría en el gobierno. Los antiesclavistas en el Congreso de Estados Unidos habían resistido la anexión de Texas primero y la invasión de México después, por considerar ambas acciones inmorales y contra toda ley internacional. Pero eran minoría. Así, gracias al racismo de los héroes anglosajones del sur, Estados Unidos expandió sus tierras y la esclavitud. Más tierras, más prosperidad sobre las espaldas de las razas inferiores y más

---

[41] El senador Carl Schurz se opondrá también a las propuestas del presidente Grant para proveer a los negros estadounidenses de protección federal de sus nuevos derechos y, junto con otros senadores, hará imposible la propuesta de Grant para erradicar el Ku Klux Klan.

senadores esclavistas para luchar contra los políticos corruptos del Norte que se habían atrevido a liberar a la mayoría de sus negros y de los cuales luego intentaron separarse por las mismas razones que se separaron de México. Cuando el ejército estadounidense entró en la capital de México, sorprendiendo a los invasores por su hermosura y organización, en Washington y en la prensa nacional surgieron las discusiones. Unos propusieron tomar todo el país, que se encontraba a su merced, quebrado, devastado económica y moralmente por un terremoto y por los bombardeos de su vecino del norte. Otros resistieron. No sin magnífica paradoja, esta vez quienes resistieron la expansión habían sido los esclavistas y los racistas. ¿Cómo se entiende? Es que había un problema. En el viejo México había demasiados millones de mexicanos que, aunque cobardes e inferiores por su raza, no podían ser convertidos en esclavos, porque estaban acostumbrados al caos y a la desobediencia. Si el pueblo del Destino manifiesto incorporaba ese territorio de tan agradable clima y no los convertía en esclavos, entonces tendría que dar nacionalidad estadounidense a millones de individuos pertenecientes a una raza inferior. Ninguna de las dos opciones era tolerable en 1848.

Veinte años después, en 1869, el presidente dominicano Buenaventura Báez, en su cuarta presidencia, había ofrecido su país a Francia primero y a Estados Unidos después para que su media isla se convierta en uno de sus estados. El presidente Ulysses Grant (crítico con la guerra expansionista que debió luchar él mismo contra México y héroe del ejército unionista del norte contra los confederados esclavistas del sur) había considerado seriamente la oferta. La República Dominicana, pensó, podría ser un estado a donde los negros de Estados Unidos se pudieran mudar sin ser acosados. Una comisión integrada por el célebre escritor, activista social y exesclavo, Frederick Douglass, aprobó la idea. Pero el senado de Estados Unidos vetó la generosa propuesta dominicana de entregarse al mejor postor alegando "*inestabilidad de su población*". Los racistas, que ya no podían ser esclavistas, se opusieron una vez más: no es concebible otorgar la ciudadanía americana a tantos negros juntos. Cuando en 1821 República Dominicana había declarado su independencia de España, Estados Unidos se había negado a reconocer su existencia porque el nuevo país era una república de mulatos y no podían tolerar cónsules negros o mulatos en la capital. Mucho menos cuando se incorporó a Haití y el senador de Georgia, John Barrier declaró que el reconocimiento de Haití "*introduciría un contagio moral mucho peor que la peste*". En marzo de 1826, el senador de Misuri Thomas Hart Benton lo había explicado mejor: "*la paz de nuestro país no puede permitir que los frutos de una revolución de negros sean exhibidos entre nuestros negros como un logro. No podemos permitir ni embajadores ni cónsules negros estableciéndose en nuestras ciudades, paseándose por nuestras comunidades, mostrándoles a los negros de este país los honores que el esfuerzo pude llegar a proveerles"*.

Setenta y dos años más tarde, en junio de 1898, el congresista del partido Demócrata de Missouri, Champ Clark, demostrando con orgullo sus conocimientos sobre geografía y sobre diversas culturas del mundo, en su discurso contra la anexión de Hawái había argumentado: "*¿Cómo seríamos capaces de soportar la vergüenza de ver a un senador chino de Hawái, con su peinado con colita y sus ídolos paganos, poniéndose de pie en este mismo recinto para hablar con su inglés corrupto?*"

Como Cuba, Hawái se convertirá en una base militar por varias décadas hasta que, en 1959, sea reconocida como un Estado. Estados Unidos intervendrá múltiples veces en República Dominicana por razones políticas y económicas, directamente o nombrando dictadores, pero no querrá saber nada de otro estado lleno de negros y mulatos que pudiesen tener algún poder político en la Unión. Ahora había que ser más creativo con la liberación de una isla tan llena de negros y mulatos como Cuba. Ni el Congreso ni la prensa ni el resto de la población estadounidense estaban preparados para un nueva Haití como Estado asociado, ni podían tolerar más negros como ciudadanos.

Ya bastante problemas tenían con sus propios negros, naturalizados por Lincoln un par de décadas atrás, esos que se creían con el mismo derecho que los blancos para sentarse en los mismos asientos de los teatros, las escuelas, las industrias, las municipalidades, los colegios, los estadios, los congresos... Perdida la categoría de esclavos, ahora la idea era que se fueran, no que llegaran más.

1900. Incapaces de entender la libertad anglosajona

MANILA, FILIPINAS. 3 DE JUNIO DE 1900—El comisionado, exgobernador interino de Cuba y futuro presidente de Estados Unidos, William Howard Taft, conocido por los amigos como el Grandote Bill, llega a Filipinas con su pequeña y joven esposa, Nellie, para reemplazar al teniente general Arthur MacArthur Jr. y establecer así un gobierno civil en el país que nadie sabe ubicar en el mapa y que probablemente ni siquiera sea un país.

La frágil Nellie, quien había prometido ser primera dama cuando era apenas una jovencita deambulando por los salones de Washington, desciende a tierra de la mano de su corpulento esposo. En una carta a su familia en el mundo civilizado, reconoce: "*cuando arribamos al puerto de Manila, la multitud de bienvenida que esperábamos no estaba*".

El grandote Bill promueve la idea que había concebido en el placentero viaje por el Pacífico, acompañado por largos descansos durante el día y conversaciones con ron por las noches, a la que llamó *"policy of attraction"*, basada en una idea muy simple: si los gobernadores estadounidenses eran benévolos con sus súbditos, con el tiempo los súbditos desearían ser llamados *americanos.*

Pero los filipinos, que nunca llegaron a sentir el buen trato de sus colonos, continúan resistiendo en diferentes guerrillas. Sin la paz del Pacífico y sin el ron del capitán, William Taft cambia ensueños por realidad y reporta: *"Esta gente es muy ignorante, aparte de ser los peores mentirosos que he conocido. En el mejor de los casos, son adultos inmaduros... Todavía necesitan cincuenta o cien años para entender lo que significa la libertad anglosajona".*

Un año más tarde en Balangiga, el 28 de setiembre de 1901, al menos 38 marines estadounidenses serán asesinados en una emboscada de los rebeldes, que pierden 25 combatientes. El cobarde ataque (o combate contra la ocupación) provocará la indignación de la Opinión Pública de Estados Unidos. Inmediatamente, el general Jacob Hurd Smith (con dos orgullosas balas en su cuerpo, una de la Guerra Civil, luchando contra los esclavistas del sur, y la otra de un incidente en la guerra inventada contra España en Cuba) dará la orden por la cual será recordado por la historia: *"No quiero prisioneros. Maten a todos con más de diez años".* Luego de cortarse todos los suministros a la isla de Samar, se inicia la operación que, en pocos días, dejará miles de filipinos muertos. Los especialistas calcularán entre 3.000 y 10.000 víctimas. El número de ejecutados nunca será determinado con precisión, pero la comparación de los censos de 1887 y 1903 no revela ningún crecimiento sino la falta de 15.000 personas.

El 5 de mayo de 1902, el *New York Journal* publicará una caricatura sarcástica en la cual un buitre posado sobre una bandera estadounidense reemplaza al águila calva, presidiendo una ejecución de negros, seguida por la leyenda: "Culpables de haber nacido justo diez años antes de que llegáramos nosotros".

Una corte marcial determina que la matanza perpetrada por el general Jacob Hurd Smith no estuvo bien y el Secretario de Guerra Elihu Root recomienda su jubilación anticipada, la que el presidente Theodore Roosevelt acepta para calmar la Opinión Pública.

Sin pruebas hasta el día de hoy, la inteligencia de Estados Unidos responsabilizará al general rebelde Vicente Lukban de la masacre de los 38 marines y el 18 de febrero de 1902 será capturado junto con algunos rebeldes estadounidenses convertidos en guerrilleros, como William Denton (otros, como John Winfrey, murieron en combate contra los marines). Meses después, Lukban será obligado a jurar lealtad a Estados Unidos.

El 30 de mayo de 1902, en la ceremonia del Memorial Day en el cementerio de los caídos en Arlington, el presidente Theodore Roosevelt, furioso por las acusaciones de crueldad de los marines en Filipinas, ante periodistas y miles de asistentes gritará que, en definitiva, la guerra se trata de una lucha feroz entre la civilización y los salvajes. Por eso siempre está a favor de todas las guerras. Los filipinos, dice, no son otra cosa que una mezcla de chinos y negros, y que la guerra en curso es la más gloriosa de todas las guerras que ha producido la gloriosa nación, Estados Unidos.

Cinco días después, el 4 de julio, en celebración de la independencia de Estados Unidos, como lo hará exactamente cien años después el presidente George W. Bush en 2002 refiriéndose a la invasión de Irak, el presidente Theodore Roosevelt declara el cese del conflicto en Filipinas y el inmediato restablecimiento de la paz en la región. Ambos (y entre ambos muchos otros) estaban equivocados o pretendían saber lo que hacían. Como el dictador Saddam Husein en Irak, otros generales rebeldes, como el coronel Faustino Guillermo y tantos otros, serán ahorcados en Filipinas en las décadas por venir.

Si las razas inferiores pudiesen entender lo que significa la libertad anglosajona, no sería necesario llegar a estos extremos.

En 1906, Mark Twain, uno de los fundadores de la Liga antiimperialista de Nueva York, publicará un ensayo analizando la gloria de lo que los reportes definieron como una heroica victoria. Bajo el título de "La masacre de Moro", Twain reflexionará sobre la orden de "vivos o muertos" para resolver el problema de una aldea de seiscientos "salvajes de piel oscura" que se habían refugiado en el cráter de una montaña a setecientos metros de altura. Según los reportes triunfalistas, no se pudo sacar a los pobladores vivos pero se los sacó muertos, luego de un día y medio de disparar desde arriba con armas de última tecnología para responder a las piedras de los sitiados que llovían desde abajo. Twain ironizará sobre las palabras "heroísmo" y "valentía de nuestras tropas". Por siglos, se atribuirá al mismo Twain la idea de que "*la historia no se repite, pero rima*".

Como sea, y por las generaciones por venir, la historia continuará rimando en cada verso. Como en No Gun Ri, cuando el 26 de julio de 1950, y por tres días sin parar, los soldados estadounidenses del Séptimo Regimiento de Caballería del ejército masacren a 400 coreanos del sur, alegando que temían que entre esa fila miserable de refugiados pudiese haber algunos soldados de Corea del Norte. Cuando las víctimas y sus verdugos reconozcan los hechos en 1999, una comisión desclasificará documentos oficiales de la época y contará al menos doscientos casos similares. Como corresponde y como se acostumbra, décadas después de consumados los hechos el presidente Bill Clinton pedirá disculpas por los desafortunados hechos.

Ninguna de estas matanzas será llamada sadismo, ni racismo, ni fanatismo anglosajón, sino puramente "honor", "valentía de nuestros héroes que lucharon por defender nuestro país", "promoción de la libertad ajena en tierra de corruptos", "culturas atrasadas que no entienden nuestro sacrificio", "*the white man's burden*"—la carga del hombre blanco— y una batería interminable pero repetitiva de discursos ortopédicos.

Washington continuará apoyando la libertad y la democracia en Filipinas con brutales dictaduras, como la de Ferdinand Marcos quien, desde 1965 a 1986 y con asistencia de la CIA con el nuevo juguete de "la lucha contra el comunismo" asesinará a miles de disidentes, aparte de torturar a otros cientos de miles y exiliar a muchos más por no ser verdaderos filipinos—es decir, por no pensar como Washington y Manila.

1901. El imperialismo es cosa de machos

MINNEAPOLIS, MINNESOTA. 2 DE SETIEMBRE DE 1901—Cuatro días antes del atentado que le costará la vida al presidente William McKinley, su vicepresidente, Theodore Roosevelt, da un discurso en Minnesota sin mencionar ni una sola vez la palabra de moda, *imperialismo*. En su lugar, defiende "*la energía expansiva*" de los hombres que, con hacha en mano, hicieron a Estados Unidos gracias a "*la hombría esencial del carácter estadounidense*". Los discursos que equiparan la masculinidad al imperialismo abundan y resuenan en los rincones más débiles de la psicología de los votantes. ¿Y qué mejor que la guerra para probar a un hombre?

En 1897, apenas nombrado secretario adjunto de la marina por el presidente McKinley, Roosevelt le escribió a un amigo: "*estoy a favor de casi cualquier guerra, y creo que este país necesita una*". Roosevelt es otro aristócrata que nunca superó el trauma de que sus padres hayan pagado a otro para que fuese a la Guerra Civil en su lugar. En sus años de Harvard se dedicó al boxeo, pero no fue suficiente para calmar sus complejos de macho blanco. Antes de llegar a la Casa Blanca como presidente, solía posar disfrazado de Daniel Boone en los estudios de Nueva York y repetía, día por medio, que quienes no se atrevían a ir a la guerra en tierras lejanas no eran hombres ni le hacían honor a la raza teutónica.

En 1898, como consecuencia de la invasión a Cuba y Filipinas, la mujer más reconocida de Estados Unidos, Jane Addams, había ingresado a Liga antiimperialista. Las historietas a favor de Roosevelt comenzaron a representar a los antiimperialistas vestidos de mujer. Las historietas en contra de la nueva fiebre (como la de Grant Hamilton) representan a Roosevelt como un imperialista con sombrero tejano y una espada entre las piernas que se parece más a un pene erecto que a cualquier espada conocida. Como otros antiimperialistas de la época, Addams luchará también por los derechos de las clases trabajadoras de Estados Unidos y por la igualdad de derechos de las mujeres.

También las minorías habían tomado partido contra el imperialismo. En 1898, en un discurso multitudinario en Ashfield, Massachusetts, el maestro y líder negro más influyente de la época, Booker Taliaferro Washington, se había negado a aceptar las nuevas aventuras colonialistas bajo una feroz conciencia que será pronto olvidada: "*Fuimos a las Islas Sándwich* (Hawái) *con una biblia en la mano para ganarnos el alma de los nativos y terminamos quedándonos con su país sin otorgarles el derecho de decir si estaban de acuerdo o no*".

Pero el senador Henry Cabot Lodge, el principal aliado de Theodore Roosevelt, descalificó estas críticas por inconsistentes. El 7 de marzo de 1900 tomó la palabra en el Congreso para refrescar la memoria histórica de sus poderosos colegas: "*Se ha dicho una y otra vez, hasta el hastío, que hemos hecho mal en apropiarnos de esas islas sin el consentimiento de sus pobladores, ya que el principio de justicia de Estados Unidos no lo permite. ¡El consentimiento de los gobernados!*" Un apasionado Lodge le recordó a sus colegas de la Cámara alta que la Declaratoria de Independencia no se realizó con el consentimiento de los gobernados y continuó: "*¿Le pedimos opinión a los negros? ¿A las mujeres?*" No. Luego, fulminó: "*tomamos Luisiana sin consultar a sus habitantes y la gobernamos sin su consentimiento mientras lo consideramos necesario... Luego vino la Guerra contra México y, por el tratado de Guadalupe Hidalgo, nos hicimos de una gran parte del territorio de ese país... Había muchos mexicanos viviendo en esos territorios y nunca le pedimos su consentimiento para gobernarlos... Estados Unidos tiene una gran misión en el mundo. Una misión por el bien y por la libertad. La misión de cumplir con el Destino manifiesto*".

En sus últimos años, Theodore Roosevelt tendrá un ataque de conciencia ideológica y se pasará a las causas de la izquierda. Fundará el Partido Progresista y tanto Booker Washington como Jane Addams apoyarán su candidatura. Naturalmente, esta vez Roosevelt perderá las elecciones de 1912, porque no son lo hombres, por machos que sean, los que deciden la suerte de una nación y la historia de todas las demás naciones del mundo.

1901. La constitución no sigue a la bandera

LA HABANA, CUBA. 25 DE DICIEMBRE DE 1901—Navidad. Los barcos de guerra estadounidenses descansan en el puerto de La Habana. Estados Unidos no está interesado en anexar lo que los diarios llaman "una Segunda Haití" y "una República de Negros". Tres años atrás, el 12 de agosto de 1898, el *New York Times* ya había traducido las intenciones originales en buenas intenciones: los estadounidenses tienen la noble obligación de "*hacer que Cuba sea una posesión permanente de Estados Unidos solo si los cubanos demuestran que no saben gobernarse a sí mismo... Debemos ayudarlos para que se eduquen sobre política*". Ahora, la Cuba libre redacta su nueva constitución a la que, de inmediato, se le introduce la Enmienda Platt. El periodista, editor del *New York Tribune* y embajador Whitelaw Reid, insiste en "*la absoluta necesidad de controlar Cuba para asegurar nuestra propia defensa*". En las calles de La Habana hay protestas, pero otros piensan que es la única forma de sacarse a Estados Unidos de encima. El gobernador de la isla, el general Leonard Wood, piensa diferente. En una carta al presidente Theodore Roosevelt, asegura que "*sin lugar a dudas, la enmienda Platt nos asegura que, de hecho, Cuba nunca será independiente*". La enmienda se aprueba en el Congreso de Estados Unidos y es enviada a La Habana. El congreso de Cuba, temeroso de no ver a los marines partir definitivamente, lo ponen a estudio y le hace cuatro pequeñas correcciones, pero Washington les recuerda cómo funciona la cosa y La Habana borra inmediatamente las correcciones. El 2 de junio, la Constitución y su enmienda Platt, tal como habían sido recibidas, son ratificadas por La Habana. El senador Platt declara: "*felizmente, los cubanos han aceptado confiar en Estados Unidos*".

La enmienda garantiza a Estados Unidos intervenir en la isla cada vez que lo considere necesario para "*garantizar la vida, la propiedad y las libertades individuales*" y otras seis condiciones, entre ellas la obligación de alquilar a su vecino protector la base naval de Guantánamo, la que se firmará el 22 de mayo de 1903. El pago de dos mil dólares de alquiler se incrementa a cuatro mil en 1934. Luego de la Revolución cubana de 1959, los cheques enviados por Estados Unidos se acumularán en un escritorio sin ser cobrados, a excepción del primero por un error administrativo. El alquiler tiene sus ventajas sobre la propiedad: no configura territorio estadounidense, por lo cual sus generosas leyes no se aplican en casa ajena. Un siglo después estos beneficios serán demostrados en la cárcel que albergará desde inmigrantes caribeños hasta posibles terroristas de Medio Oriente.

En un cajón del escritorio del abogado Gonzalo de Quesada descansa una carta que José Martí le enviase el 29 de octubre de 1889. Quesada recuerda a su amigo, muerto tres años antes en una batalla que no lo necesitaba, y vuelve a leer como si fuese la primera vez: "*...y una vez que Estados Unidos entre en Cuba, ¿quién podrá sacarlo?*"

En estricta observancia del artículo 3 de la Enmienda Platt, en 1906 y por tres años, el ex gobernador de Filipinas y futuro presidente de Estados Unidos, William Howard Taft, en base a su previa experiencia tropical, será proclamado gobernador de Cuba para "estabilizar la isla". Otras intervenciones y otras protestas seguirán a ésta, bajo otras buenas razones. Los futuros presidentes de Estados Unidos insistirán que su país no es un imperio porque no busca apropiarse de más tierras de las que ya se apropió. Está satisfecho y sus congresistas no se cansan de repetir que no quieren ni un estado más de negros ingobernables.

El viejo negocio estatal de apropiarse de la tierra y de los países ajenos pasa a ser un asunto privado, con el correspondiente apoyo moral de las fuerzas militares del más fuerte. Veinte años después de aprobada la enmienda Platt, al igual que en el resto del Caribe y de América Central, el 75 por ciento de la tierra cubana será propiedad de las empresas estadounidenses y un diez por ciento estará en manos de propietarios españoles. Todo, claro, dentro del marco de la ley.

Este mismo año, después de diversos debates sobre el estatus legal de los habitantes de Filipinas, Guam y otras nuevas adquisiciones tropicales, la Suprema Corte determina que "*la constitución no sigue a la bandera*". En palabras menos poéticas, los habitantes de los territorios ocupados no son sujetos de los mismos derechos que imperan en el continente de los blancos civilizados. Cien años más tarde, en la misma isla, la misma moral y la misma lógica legal se repetirán cuando cientos de prisioneros detenidos en Guantánamo sean declarados inocentes de cargos pero no sujetos a los derechos civiles y humanos que imperan en el País de las Leyes como para reclamar nada por años de detención y tortura sistemática.

Amparados en la constitución que Washington reescribió para Cuba, los estadounidenses volverán a invadir la isla varias veces con el apoyo de la clase alta de La Habana. En 1912, los marines estacionados en Guantánamo y el nuevo ejército cubano reprimirán un levantamiento de los negros del Partido Independiente de Color, liderados por el albañil Evaristo Corominas. Los afrocubanos, sobre todo los quince mil excombatientes negros por la independencia, protestarán por la discriminación de la que serán objeto en la nueva política. La protesta y el alzamiento terminarán con al menos 4.000 rebeldes masacrados, sus líderes fusilados (Evaristo Corominas será asesinado en una emboscada, el 27 de junio) y el Partido Independiente de los negros condenado a una saludable inexistencia. No habrá placas, medallas, cañones ni ceremonias oficiales para los caídos en su lucha por la dignidad humana. Naturalmente, sobrarán medallas para los invasores y alguna que otra para sus colaboradores patriotas.

1902. La frontera con México desaparece

WASHINGTON DC. 17 DE JUNIO DE 1902—Se aprueba el *Newlands Reclamation Act* (*Ley de recuperación de tierras*) en honor del representante de Nevada Francis Newlands (Pancho Nuevastierras) para los estados del Oeste. Gracias a esta ley, y a otras similares que la preceden, se construyen 50 represas eléctricas y 600 presas en todos los ríos principales de la región, produciendo lagos artificiales para un sistema de irrigación que convierte esos desiertos en las tierras más fértiles y productivas del país. En 1911 se construirá la super presa Theodore Roosevelt y, como consecuencia, el mayor lago artificial del mundo.

Los desiertos convertidos en plantaciones prósperas absorben agua y mano de obra barata. Para que ésta no deje de fluir, la frontera con México desaparece. Los jornaleros mexicanos son ideales: llegan, trabajan duro por muy poco y, cuando el trabajo se acaba, se vuelven a su país sin decir nada. No saben de derechos ni quieren quedarse. Nadie los detiene. Nadie quiere que se detengan.

Los diques no sólo enriquecen los desiertos y los inversores. También empobrecen otras tierras. Las tierras de los indios y de otros pobladores nativos que no eran tan productivas, se secan. La cuenca del río Pecos que atraviesa Nuevo México y Texas, irriga a unos y deja sin agua y sin alimentos a las poblaciones que vivían de él. Para escapar de la miseria y del hambre, sus pobladores emigran a las nuevas áreas verdes y se convierten en jornaleros temporales.

Han perdido algo más que la tierra de sus ancestros.

1902. No, hasta que la raza mejore

INDIANÁPOLIS, INDIANA. 27 DE NOVIEMBRE DE 1902—Una nueva comisión del Senado de Estados Unidos acaba de realizar una visita a Nuevo México y Arizona con el propósito de evaluar el grado de civilización de esos territorios y se encuentra de regreso en Indianápolis, en su camino a Washington. El informe de la comisión, se sospecha, no será muy alentador para aquellos ciudadanos de los Territorios que reclaman los mismos derechos políticos que el resto del país.

El sueño de Arizona y de Nuevo México de ser estados plenos de la Unión viene fracasando desde que esos territorios le fueron arrancados a México hace más de medio siglo, en 1848, y los vencedores no quisieron tomar el resto de aquel país porque estaba demasiado poblado de indios y mestizos, potenciales nuevos ciudadanos y votantes irresponsables. Pero no solo los nuevos conversos a la fuerza no obtuvieron los mismos derechos políticos que los blancos venidos del norte sino que, poco a poco, de forma violenta o de forma legal fueron perdiendo sus propiedades hasta convertirse en una clase marginada, primero, y en una minoritaria étnica más tarde.

El 3 de marzo de 1877 el Congreso en Washington había aprobado la ley del "Desert Land Act" para desarrollar la zona, radicalizando el despojo y las diferencias sociales que se perpetuarían por generaciones por venir. Por entonces, el representante del norte de California, John K. Luttrell, había insistido en acelerar el proceso de privatización de la tierra y del agua disponible, aunque nunca quedó claro cómo se puede privatizar un río que recorre múltiples propiedades. Lo que había quedado claro era que la nueva ley permitía privatizar tierras públicas y comunales, antes usadas sin conocer los beneficios de la propiedad privada. Las familias mexicanas no solo fueron desalojadas, por décadas, a punta de pistola, sino que también perdieron la propiedad de la tierra de sus ancestros, juicio tras juicio. Como reacción, se organizaron grupos de resistencia como Las Gorras Blancas, los que se hicieron conocer por sus asaltos a los trenes, a las caravanas y a los viejos ranchos, ahora en manos de los gringos. Una vez más, los perdedores se convirtieron en los corruptos, en los bandidos que deben ser perseguidos por la ley y linchados por los protegidos de la ley. Más tarde, Las Gorras Blancas lograron convertirse en un partido político sin muchas posibilidades y cambiaron su nombre a *El partido del pueblo unido*. Según anunció su manifiesto fundacional, este partido había nacido para *"proteger los derechos de los más pobres"* y la causa étnica pasó a un olvido conveniente.[42]

El 3 de mayo de 1897, en San Antonio, Texas, se le había negado el derecho a la ciudadanía a Ricardo Rodríguez. Una ley de 1872 establecía que *"solo los blancos caucásicos y los africanos tienen derecho a la ciudadanía"*. Aunque las leyes no prohibían la discriminación de los negros sino lo contrario, luego de la reforma constitucional de Lincoln ya no pudieron negarles la ciudadanía. Pero Ricardo era indio, nacido en México cuando Texas era México. Las nuevas leyes contradicen el tratado de Guadalupe Hidalgo, por el cual medio siglo atrás México le había cedido la mitad de su territorio a Estados Unidos a cambio del artículo VIII que establecía que *"los mexicanos que prefieran permanecer en el territorio pueden retener su ciudadanía mexicana o adoptar la estadounidense"*. De cualquier forma, la ley de Texas no considera a los tejanos parte de ninguna de las dos razas existentes en sus leyes.

---

[42] Con el tiempo, y sobre todo con la derrota de los nazis en la Segunda Guerra, el racismo se convertirá en políticamente incorrecto y los dedos apuntan hacia los pobres, zánganos y corruptos, posibles aliados del nuevo enemigo, el comunismo. Sin embargo, ambos, racismo y clasismo continuarán durmiendo juntos.

T.J. McMinn, Jack Evans y otros políticos intentan bloquear el caso Ricardo Rodríguez para evitar votantes mexicanos. No recurren a artilugios: argumentan que Rodríguez es incapaz de convertirse en ciudadano americano "*debido a su raza*". Luego de un año de litigios, el 3 de mayo, el juez Thomas S. Maxey falla a favor de Rodríguez. A partir de entonces, los tejanos pudieron votar en Texas, aunque todavía necesitarán otro siglo de resistencia para que puedan ocupar cargos políticos de alguna relevancia.

Estas múltiples formas de limpieza étnica y social no fueron tan espectaculares ni tan ruidosas como las invasiones y las guerras, pero tuvieron un efecto devastador. Cuando el 25 de noviembre de 1878, J. Howe Watts, hijo del juez de la Suprema corte John Watts y traductor de la *Gazette* regresó a Nuevo México, después de 21 años, Santa Fe se había convertido en una ciudad casi blanca, casi civilizada. Ahora los anglos y los alemanes eran la población que más crecía. Watts le escribió al historiador Hubert Howe Bancroft: "*Muchas cosas han cambiado. Antes el sentimiento antiamericano era muy fuerte; ahora no. Los mexicanos se han convertido en americanos. Ellos mismos reconocen que somos una raza superior y que ellos deben asimilarse a nuestras costumbres. Ahora hablan en inglés, sobre todo los de raza híbrida*".[43]

Una y otra vez Arizona y Nuevo México habían intentado convertirse en estados de la Unión pero fracasaron. En Arizona, la mitad de su población todavía se compone de mexicanos conversos. La mayoría de sus habitantes nació allí y por eso no pueden ser ciudadanos. Los inmigrantes blancos del norte son los verdaderos ciudadanos, los verdaderos dueños de las tierras, de las buenas tradiciones, de las leyes, de la policía y de los gobiernos. Como Nuevo México, Arizona también es mantenida en categoría de *territorio*. Como en Nuevo México, en Arizona se permite votar a sus ciudadanos siempre y cuando no se vean demasiado indios. Los mexicanos conversos que no han podido aclarar su piel no se encuentran preparados para gobernarse a sí mismos. Políticos y periodistas se refieren a los nuevos americanos como pertenecientes a una "raza híbrida" resistente a las formas del buen gobierno. Casimiro Barela, senador de Colorado y nacido en Embudo, México, un año antes de que la tierra de sus padres se convirtiera en parte de Estados Unidos, fue uno de los principales activistas por el derecho del Territorio de Nuevo México a ser un Estado. Sus seguidores lo apoyaron recurriendo a la idea de que sus habitantes tenían sangre española, es decir que eran europeos, no del mejor tipo, pero europeos al fin. El argumento no tuvo mucha suerte cuando,

---

[43] En su *The Works of Hubert Howe Bancroft: History of Arizona and New Mexico*, publicado en 1889, el historiador Bancroft reconoce que "*una reserva de blancos controlada por los Apaches no sería una violación de las normas de la justicia eterna mayor que el actual estado de cosas*".

unos años después, estalló la guerra contra España la que, como todas las guerras de posesión en el hemisferio, ni siquiera fue una guerra. Para calmar cualquier duda sobre el patriotismo de los habitantes de Nuevo México, su gobernador, Miguel Otero, había revelado estadísticas conmovedoras: ninguna otra región del país como Nuevo México había aportado, en proporción, más combatientes patriotas para la Guerra hispanoamericana.

Ahora, cuando la comisión del gobierno federal encargada de certificar la asimilación de Arizona y Nuevo México regresa el 27 de noviembre a Indiana, la prensa corre por la primicia. El *Indianapolis Journal*, bajo el titular de primera plana *"Los senadores que inspeccionan los territorios sin tiempo para placeres"*, informará que Beveridge de Indiana, Dillingham, de Vermont, Burnham de New Hampshire y Heitfeld de Idaho visitaron Nuevo México, Arizona, Oklahoma y los Territorios indios recorriendo seis mil millas en tren y automóvil para cumplir con su sacrificada misión. Por alguna razón, los senadores y la prensa insisten varias veces sobre su incapacidad para los placeres. *"A pesar de que los nuevomexicanos quisieron hacer la visita de sus inspectores placentera, los senadores dejaron en claro, de forma amable pero firme, que la suya era una visita de trabajo, sin lugar para los placeres"*. El senador Shipp, igualmente molesto con la forma de ser de los habitantes de aquellos territorios, insiste que en cada pueblo *"eran recibidos con bandas musicales y que ellos los dejaron tocar, pero dejaron en claro que lo suyo era el trabajo"*. En 1916 el periodista y profesor Henry Louis Mencken, uno de los escritores más influyentes del momento, publicará el ensayo *"The Citizen and the State"* en el cual definirá al puritanismo de su país como *"el miedo de que alguien, en algún lugar, pueda ser feliz"*.

Entre los visitantes ilustres que acompañaron la comisión se encontraba el barón L. G. Rothschild, de Indianápolis, que generosamente hizo de guía. En realidad, Rothschild no tenía mucha idea del territorio pero sí de su misión. *"El Baron Rothschild era el alma del grupo"*, reconoce el senador Shipp. Rothschild llevó a los ilustres senadores por los barrios más pobres de cada ciudad y los paseó por prostíbulos y cabarets donde los senadores pudieron tomar fotografías de borrachos y prostitutas al tiempo que constataban que pocos hablan inglés. El senador progresista Albert Beveridge, miembro republicano del Comité de Territorios, insiste que Nuevo México tiene una mezcla de *"sangre salvaje y extranjera"*.

Las fotografías, más que el informe final, son todo lo que necesitan en Washington para decidir si Nuevo México merece ser incorporado como un Estado de la Unión. La respuesta es no. Primero deben educarse, civilizarse y hablar bien inglés. Pero el Congreso no es radical y se conforma con que el número de quienes hablan español se reduzca a menos de un cuarto para que esos territorios puedan convertirse en estados plenos, serios, con derecho a voto en el Congreso. Los Territorios deberán esperar diez años más hasta que su población mejore. El 12 de enero y el 14 de febrero de 1912, Nuevo México y Arizona se convertirán en estados de la Unión. Para entonces, los hispanos ya habían sido reducidos a un quinto de la población total.

Texas se había independizado de México en 1836 y medio México había sido anexado a Estados Unidos en 1848 por razones económicas y raciales, para extender la esclavitud de los negros y porque la raza mixta de los mexicanos no sabía gobernarse ni se dejaba gobernar. El resto de México, Cuba, República Dominicana y otras islas tropicales no serán anexadas para no dar ciudadanía americana a tantos negros. Los territorios indios y los territorios mexicanos conquistados no se convertirán en Estados con derecho a voto en el Congreso hasta que los blancos no sean una mayoría absoluta y clara, muy clara. Incluso la población indígena, los primeros americanos, será reconocida como ciudadanos recién en 1924. En Arizona y en Nuevo México, deberán esperar hasta unos años después de la Segunda Guerra mundial para que se le reconozca su derecho al voto. Un siglo más tarde, los puertorriqueños no podrán votar por el presidente de Estados Unidos ni por ningún otro presidente.

Los historiadores insistirán en el Destino manifiesto, en la causa de la cultura de la libertad, en la empresa libre, en el espíritu incontenible de una raza superior, creada por Dios y mejorada por las leyes de Darwin en Alemania y en las Trece Colonias para dominar el mundo, en el amor por la democracia y la libertad... Quienes piensen diferente serán desacreditados como radicales. Peligrosos radicales antiamericanos.

1903. Aunque no es lo que queremos, debemos intervenir

WASHINGTON DC. 22 DE ENERO DE 1903—El secretario de Estado John Hay y el agregado comercial de Colombia en Estados Unidos, Tomás Herrán, firman el tratado que le daría a Estados Unidos el derecho a retomar las construcciones del canal de Panamá que los franceses habían abandonado cuando llevaban casi la mitad de la obra. Por este tratado, Colombia se comprometería a ceder a Estados Unidos y por cien años una franja en su apéndice norte a cambio de diez millones en un solo pago y 250 mil dólares por año. A pocas millas de las costas de Panamá, el buque de guerra Wisconsin permanece varado para dar apoyo moral a las negociaciones.

El Congreso en Washington aprueba el tratado de inmediato, pero rebota en Bogotá. Hay dudas sobre las consecuencias sobre la soberanía del país y sobre los beneficios derivados de este acuerdo. Por si fuese poco, las matemáticas, que también se practican en aquel país, dicen que al pueblo colombiano le llevaría 120 años recibir la misma compensación que se le había ofrecido pagar de una sola vez a la New Panamá Canal Company.[44]

Pero el Congreso colombiano no es el único obstáculo. El 15 de abril, el enviado de Estados Unidos Mr. Arthur Beaupre le envía un telegrama al Secretario de Estado sobre el ánimo de sospecha creciente en el pueblo colombiano. *"Hay por lo menos un hecho que es claro"*, escribe Mr. Beaupre. *"Si el tratado se pusiera a la libre consideración del pueblo, no sería aprobado"*. Atendiendo a la fuerte opinión pública en contra del tratado Hay-Herrán, el Senado colombiano vota por unanimidad en contra de su ratificación.

Sin haber puesto nunca un pie fuera de su país, el 27 de agosto Roosevelt escribe tres cartas describiendo a los colombianos como *"ignorantes"*, *"avaros"*, *"hombrecitos despreciables"*, *"corruptores idiotas y homicidas"*. El desprecio por los pueblos de raza inferior no es nuevo ni será nunca superado. *"Nunca podría respetar un país lleno de ese tipo de gente"*, escribe Roosevelt. *"Intentar relacionarse con Colombia como quien trata con Suiza, Bélgica u Holanda es simplemente un absurdo"*.[45]

En 1826 el Secretario de Estado Henry Clay había sido invitado por Simón Bolívar a una reunión de las repúblicas americanas que se llevó a cabo en Panamá. Por entonces, Clay había enviado a dos delegados con un mensaje claro: Estados Unidos es partidario de la creación de un canal que uniese los dos océanos más importantes del mundo, el cual, *"por el beneficio de las Américas, no debe ser dejado en las manos de un solo poder"*. Bolívar y el resto de los representantes sudamericanos estuvieron de acuerdo. Un tiempo después, en 1849, a un año de haber terminado la guerra en México y probablemente informado de los planes de Francia para un nuevo canal en Suez, el presidente Zachary Taylor todavía era de la misma opinión. Ante el Congreso había insistido en la necesidad de la construcción de un canal, tal vez en Nicaragua, y había advertido que *"una obra de esa envergadura debe ser realizada bajo la supervisión y protección de todas las naciones para un beneficio equitativo"*.

Ahora, en plena hegemonía naval de la raza nórdica en los trópicos, no hay acuerdo y el presidente Theodore Roosevelt no duda: una república de América del Sur no va a interferir con sus planes. Inmediatamente envía

---

[44] Para cuando Francia abandonó la construcción del Canal de Panamá en 1889, llevaba invertidos un total de 260 millones.

[45] Pocos años antes Theodore Roosevelt no sólo había reconocido que *"los negros son una raza estúpida"* sino que, en un ensayo de 1896 había articulado con fineza sus convicciones que probablemente no eran más que una descripción objetiva de la realidad: *"la democracia no necesita más razones para justificar su existencia que ser el instrumento para que la raza blanca controle las mejores regiones del Nuevo Mundo"*.

algunos paquetes con dólares para organizar una revuelta que se llamará *Revolución*. El problema dura menos que lluvia de verano. El 18 de noviembre, se firma en Washington el tratado Hay-Bunau-Varilla, por el cual "*Estados Unidos garantiza la libertad de Panamá*" a cambio de que Panamá le ceda autoridad y todos los derechos a Estados Unidos sobre el canal y las zonas contiguas en carácter de monopolio y libre de cualquier impuesto. Como es costumbre, los panameños no son invitados a la firma del nuevo tratado.

El nuevo tratado establece que los 250 mil dólares anuales ofrecidos antes a Colombia ahora no serían pagados sino hasta una década después de la apertura del canal. No hay nada como tener una armada poderosa para hacer buenos negocios. También contradice y viola el anterior Tratado de Paz y Comercio, conocido como Tratado Bidlack, firmado por Colombia y Estados Unidos en 1846 por el cual Colombia le garantizaba a Estados Unidos el derecho a transitar por el istmo a cambio de proteger la provincia de Panamá de cualquier revuelta o intento de separación.[46] Como en Cuba, como en Puerto Rico, ahora el artículo 136 del tratado de 1903 le asegura a Washington la potestad de intervenir y resolver lo que mejor le parezca ante cualquier situación inconveniente. Cuando algunos panameños protestan, Roosevelt los amenaza con entregarlos a la justicia de Colombia. La práctica es vieja: las leyes están hechas por los poderosos para que los débiles las cumplan. Si un país más débil viola un acuerdo, el poder imperial de turno lo invade; si el país más débil reclama que se cumplan los tratados firmados, es invadido para que se firme uno mejor.

Pero ésta no es la única práctica que Washington repite indefinidamente desde principios del siglo XIX y continuará repitiendo en el siglo XXI. A poco de firmado el nuevo tratado, en el Congreso de Estados Unidos se levantan voces contra lo que varios congresistas llaman *deshonestidad* e *imperialismo*. El senador Edward Carmak protesta: "*la idea de una revolución en Panamá es una burda mentira; el único hombre levantado en armas fue nuestro presidente*". El senador George Frisbie Hoar, miembro de la comisión que investiga los crímenes de guerra que quedarán impunes en Filipinas, rechaza las versiones sobre la Revolución en Panamá y agrega: "*espero no vivir lo suficiente para ver el día en que los intereses de mi país sean puestos por encima de su honor*".

Claro que eso del honor tiene arreglo. El presidente echa mano al viejo recurso de "fuimos atacados primero". Como hiciera James Polk para justificar la invasión de México en 1846 o McKinley para ocupar Cuba en 1898, Roosevelt inventa una historia sobre ciertas amenazas a la seguridad de

---

[46] El nuevo tratado reconoce la existencia del tratado anterior de 1846 que ahora viola de forma unilateral. En su artículo XX establece "*a partir de ahora, el tratado existente referido al istmo de Panamá queda anulado*".

ciertos ciudadanos estadounidenses en la zona. Como lo hará Henry Kissinger cuando niegue frente a las cámaras de televisión cualquier intervención en el golpe militar de Chile en 1973, Roosevelt asegura ante el Congreso y la opinión pública que, de todas formas, Washington no ha tenido ninguna participación en la Revolución en Panamá. Lo cual no quita que sea una buena idea. El 6 de diciembre de 1904, Roosevelt dará su discurso anual ante el Congreso sobre la necesidad de expandir, una vez más, la Doctrina Monroe de 1823 *"para ver a nuestros vecinos estables, ordenados y prósperos"*. De otra forma *"será necesaria la intervención de parte de una nación civilizada... En dicho caso, los Estados Unidos deberán, aunque no lo quieran, intervenir para solucionar cualquier grave problema ejercitando el poder de la policía internacional"*. Si lo vamos a hacer, que sea todo de forma legal.

Olvidadas las picazones morales, en 1906 Roosevelt visitará las obras en Panamá. Será el primer presidente estadounidense en toda su historia que se atreva a salir de su país. Las rebeliones son más bien inocuas porque Washington ha decretado que los ciudadanos de ese país no pueden adquirir armas, lo que también afecta a la policía panameña que debe recurrir a los marines cada vez que las cosas se salen de sus manos. A bordo del USS Luisiana, el 20 de noviembre Roosevelt le escribe a su hijo Kermit: *"con admirable energía, hombres y máquinas trabajan juntos; los blancos supervisan las obras y operan las máquinas mientras decenas de miles de negros hacen el trabajo duro donde no vale la pena usar maquinas"*. A pesar del trabajo duro de los panameños, por alguna razón es necesario representarlos como haraganes. El periodista Richard Harding Davis, como cualquier periodista razonable y correcto, ya se había hecho eco del sentimiento de la época: *"[Panamá] tiene tierras fértiles, hierro y oro, pero ha sido maldecida por Dios con gente haragana y por hombres corruptos que la gobiernan... es tiempo de que les dejen lugar a los mejores... esta gente es una amenaza y un insulto para la civilización"*.

El 26 de enero de 1909, el comité de Asuntos Internacionales del Senado de Estados Unidos, en base a las declaraciones jactanciosas de Roosevelt ante una clase llena de estudiantes en una universidad de California, investigará *"la decisión unilateral de un ex presidente de tomar Panamá de la República de Colombia sin consultar al Congreso"*. Considerando las insistentes peticiones de Colombia ante el Tribunal de la Haya, la comisión interrogará a diferentes protagonistas de la época. Según estas declaraciones, el 6 de noviembre de 1903, tres días después de la Revolución de Independencia de Panamá, el Departamento de Estado le había enviado un cable al cónsul de Estados Unidos en Colombia informando que *"el pueblo de Panamá, aparentemente por unanimidad, ha resuelto disolver sus lazos con la República de Colombia...*"[47]

Mr. William Sharp (representante de Ohio): "¿A quién le enviaron este cable?".

Mr. Henry Thomas Rainey (Illinois): "Al cónsul general de Estados Unidos en Panamá. 72 horas después de la Revolución y 48 horas después de la proclamación de Independencia. Esta declaración fue preparada en Nueva York".

Mr. Sharp: "¿Podría leer de nuevo las primeras líneas?".

Mr. Rainey: "Sí, las primeras líneas son importantes. Dice: '*El pueblo de Panamá, aparentemente por unanimidad, ha resuelto disolver sus lazos con la República de Colombia retomando su independencia...*' No creo que nada de esto sea cierto. El pueblo de Panamá no logró nada por sí solo...Cuando ocurrió la Revolución, apenas diez o doce rebeldes sabían de los planes, aparte de los gerentes de la Panama Railroad and Steamship Co."

Será necesario esperar hasta 1977 cuando el gobierno de Jimmy Carter firme un acuerdo según el cual Estados Unidos devolvería el canal al país centroamericano el último día de 1999, tres años antes de que se venza el plazo de alquiler obligatorio.

No será una decisión fácil. En 1976, en un evento en Texas y pocos años antes que el presidente Jimmy Carter firme ese acuerdo de devolución, el ex gobernador de California y futuro candidato a la presidencia, Ronald Reagan, afirmará: "*No importa qué dictador carnero esté en el poder en Panamá. ¡Nosotros lo construimos! ¡Nosotros pagamos por el canal! Es nuestro y nos vamos a quedar con él*". Omar Torrijos será el dictador aludido por Reagan. Torrijos reclamará la soberanía del Canal y morirá, como otros líderes rebeldes del sur, en un accidente aéreo.

1903. Dadme los pobres (blancos) del mundo

NEW YORK, NY. 5 DE MAYO DE 1903—En una pequeña sala debajo del monumento más importante de Estados Unidos, se descubre la placa que le dará

---

[47] Los expertos en leyes en Estados Unidos siempre insertan el *aparentemente* y el *probablemente* en cualquier frase como una vacuna contra cualquier juicio legal o histórico. "Probablemente he matado a mil personas"; "aparentemente he arrojado una bomba atómica sobre una ciudad".

voz a la estatua de la Libertad, la mujer imaginada por Frédéric Bartholdi, calculada por Gustave Eiffel y donada por el gobierno de Francia años atrás como forma de celebrar el fin de la esclavitud en América. La placa reproduce el poema de Emma Lazarus, escrito en 1883 y será recordada por siempre como un símbolo y prueba del *melting pot* (el crisol de razas), de la tolerancia y de la apertura a los pobres y a los diferentes perseguidos del mundo.

No como aquel gigante de bronce de la fama griega
cuyo pie conquistador atravesó los mares
Aquí, a las puertas del sol poniente, llegan las olas
una mujer poderosa con una antorcha, cuya llama
es el relámpago encarcelado, y su nombre es
Madre de los exiliados.

¡Quédate, Mundo viejo, con tus esplendores de otras épocas!
Dame tus pobres, tus cansados,
tus innumerables masas que aspiran a vivir libres
Envíame los desheredados, que la tormenta los traiga de vuelta
¡Enciendo mi luz sobre la puerta dorada!

Como ocurrió a lo largo de los últimos cien años, la inmigración voluntaria más probable es la de Europa. Prácticamente la única. Cercana y orgullosa, hasta sus pobres (porque solo los pobres emigran) cargan el único pasaporte posible y un capital inestimable: el color pálido de su piel y las ondas suaves de sus cabellos que vienen a mejorar las razas del país de la libertad y en pocos años blanquean las elecciones, ahora que los negros pueden votar. Como quedó claro en las leyes de ciudadanía de 1790 y en todas las leyes de inmigración desde entonces, el color de la piel no es un detalle sino un requisito. Está claro que "*tus pobres, tus cansados, tus innumerables masas que aspiran a vivir libres*" fueron, son y serán por mucho tiempo más los de la mala Europa. África no es mala, es mucho menos que eso; es idiota, es indeseable, no existe, pero por suerte queda muy lejos y los africanos son demasiado pobres para exiliarse en la libertad.

Claro, por la misma razón, no toda Europa es objeto de deseo como las mujeres de Rubens. Como en estos momentos están llegando más judíos, italianos y griegos que ingleses y alemanas, en pocos años, en 1924, el problema se resolverá con una ley similar a la de 1882, la que había resuelto el problema chino prohibiendo su entrada al país. Los mexicanos que nunca han visto la hermosa estatua y por lo tanto nunca han visto la libertad, aquellos que nunca han sido ni serán bienvenidos, son necesarios para cultivar los campos del Oeste; y como no están interesados en quedarse, se vuelven cada vez que terminan su trabajo. Cuando les cerremos las fronteras, ya no podrán volverse a su país y serán culpados de invadir el país de las leyes, de robar nuestros trabajos y de violar a nuestras mujeres.

No son esos los pobres y desamparados de los que habla la estatua de la Libertad. Esos nunca serán bienvenidos.

1909. Todo será nuestro porque nuestra raza es superior

WASHINGTON DC, 4 DE MARZO DE 1909—William Howard Taft se convierte en presidente de Estados Unidos y su joven esposa, Nellie, cumple su sueño de niña de ser algún día la Primera dama.

Nellie había acompañado al grandote William a tomar cargo como gobernador de Filipinas ocho años atrás. Miles de filipinos masacrados, no pocas veces por deporte, habían alfombrado la llegada a Manila de los Taft, por lo cual Nelly se decepciona por la ausencia de cualquier forma de entusiasmo popular. Después de haber gobernado Filipinas por tres años, Taft había sido nombrado Secretario de Guerra en 1904 y, poco después, se había nombrado a sí mismo gobernador de Cuba para *"estabilizar la isla"*.

Una vez instalado en la Casa Blanca, Taft, el enorme "tío Taft", campeón de lucha libre en su juventud, envía a los *marines* para ocupar Cuba y República Dominicana una vez más y en el marco de la constitución de esos países (escritas por Washington). Para mejorar las matemáticas contables, el National City Bank de Nueva York toma posesión del banco nacional de Haití.

Taft proclama, con la autoridad de la experiencia: *"No está muy lejos el día en que nuestra bandera cubrirá desde el Polo norte hasta el Polo sur, pasando por el canal de Panamá. Todo el hemisferio será nuestro debido a nuestra superioridad racial. De hecho ya lo es, por la fuerza de nuestra moral"*.

Mientras tanto, se descubren nuevos métodos de tortura. Cien años después, en 2009, los psicólogos James Mitchell y Bruce Jessen le cobrarán a la CIA 80 millones de dólares para enseñarles nuevas técnicas de tortura en Guantánamo, pero por ahora los experimentos son más económicos. Antes de la popular técnica del *waterboarding* o submarino, en Filipinas se sigue practicando "la cura del agua", la que consiste en suministrar varios litros de agua al sospechoso por una caña de bambú, desde la boca hasta el estómago. Si el sospechoso no confesaba lo que se esperaba que confiese, un marine saltaba sobre su estómago hasta que la boca del detenido despedía un geiser de varios metros de altura que divertía a los civilizados técnicos de la verdad. El teniente Grover Flint, graduado de Harvard, informa ante un panel del Senado de Estados Unidos, que estas prácticas de interrogación no son rumores sino la norma entre los militares de Estados Unidos.

1909. Elimina ese capitalista independiente

MANAGUA, NICARAGUA. 17 DE DICIEMBRE DE 1909—Los marines estadounidenses han desembarcado en la costa caribeña. El presidente José Santos Zelaya, artífice de la Nicaragua próspera y moderna, debe renunciar por sugerencia de Washington y marcha al exilio en México, como deberá hacerlo Jacobo Árbenz en Guatemala casi medio siglo después. Las razones son las mismas, pero en 1909 el miedo al comunismo todavía no es un gran negocio. No existe.

José Santos Zelaya, conocido por sus ideas capitalistas y sus políticas progresistas, por sus reformas radicales en favor de la democratización de su país, de nuevos derechos individuales y por haberle arrebatado la costa caribeña al Imperio británico, había iniciado negociaciones con Francia y Japón para la construcción de un canal interoceánico. El canal propuesto amenazaba con competir con el de Panamá, por lo que Woodrow Wilson bloqueó el préstamo solicitado a Francia argumentando que el dinero iba a ser utilizado para la compra de armas, lo cual, sin dudas, *"pondría en riesgo la paz y el progreso de la región"*. En 1907, Zelaya había repelido el intento de invasión del presidente hondureño Manuel Bonilla, con la ayuda del empresario bananero Samuel Zemurray y el mercenario Lee Christmas.

En 1903 Washington había decidido que Panamá era una mejor opción para unir Nueva York con California y Nicaragua había resuelto que es libre y que podía negociar con Europa también. El celo bíblico de Washington no puede tolerar esto y, como en el devastador bombardeo de 1854 a San Juan del Norte, envía buques persuasivos. Como lo indica el manual, luego del bloqueo crediticio, Washington procede a financiar a los opositores del presidente rebelde, cuya influencia independentista amenazaba con extenderse a Honduras. *La rebelión espontánea contra el dictador corrupto* había sido iniciada por el general Juan Estrada y apoyada por el caudillo conservador Emiliano Chamorro. Dos estadounidenses, el supervisor de minas Leonard Groce y el cauchero Lee Roy Cannon, habían sido contratados por Washington para apoyar al general Juan Estrada, quien se había comprometido a aceptar los préstamos financieros de Washington.[48] Pero los dos mercenarios son

---

[48] Para entonces, el Departamento de Estado había logrado un acuerdo según el cual Nicaragua aceptaría 2,24 millones de dólares de Brown Brothers y de J & W Seligman a cambio del 51 por ciento del dominio de las vías ferroviarias y de los muelles del

descubiertos en el río San Juan y admiten que iban a bombardear el barco que llevaba las tropas nicaragüenses. Dos días después, fueron ejecutados en El Castillo, lo que resultó en la esperada justificación para invadir el país, una vez más.

El primero de diciembre, el Secretario de Estado Philander Chase Knox le envió al encargado de negocios del gobierno de Zelaya en Washington una misiva denunciando las ofensas cometidas por su gobierno: *"Desde las convenciones de Washington de 1907, es notorio que el Presidente Zelaya ha mantenido a Centroamérica en permanente tensión y agitación, que ha violado varias veces y de forma inadmisible las provisiones de la convención intentado desacreditar dichas sagradas obligaciones internacionales ... Es igualmente sabido que bajo el régimen del Presidente Zelaya las instituciones republicanas han desaparecido en Nicaragua, que la opinión pública y la prensa han sido estranguladas y la prisión ha sido la recompensa de cualquier tendencia al verdadero patriotismo... Dos estadounidenses, quienes su Gobierno acusa de ser oficiales relacionados con las fuerzas revolucionarias y que, por lo tanto, debían ser tratados según la práctica ilustrada de las naciones civilizadas, han sido asesinados por orden directa del presidente Zelaya. Se dice que su ejecución fue precedida por crueldades propias de bárbaros... Desde todo punto de vista, se ha hecho difícil para los Estados Unidos retrasar por más tiempo una respuesta más activa a los llamamientos realizados para cumplir con sus responsabilidades para proteger a sus ciudadanos, su dignidad, para proteger a América Central y la civilización... En consecuencia, será evidente para usted que su función de encargado de negocios ha llegado a su fin. Tengo el honor de adjuntarle su pasaporte por si desea abandonar el país".*

El 17 de diciembre, Zelaya se exilia en México. Unos meses más tarde, los *marines* estadounidenses restablecen la democracia, la libertad y el orden en ese país y obligan a sus nuevos líderes a escribir una nueva constitución. Cinco años después, cuando el general Chamorro se convierta en presidente. Entonces sí, Woodrow Wilson firmará un tratado con Nicaragua para la construcción de un canal interoceánico, para asegurar la seguridad de la región. El canal nunca se construirá y Estados Unidos ocupará Nicaragua desde 1909 hasta que en 1933 logre entregar el país a su marine criollo, el dictador Anastasio Somoza. Somoza y sus hijos gobernarán Nicaragua con el apoyo de Washington hasta pocos días antes de la revolución sandinista de 1979.

En poco más de una década, José Santos Zelaya había convertido a Nicaragua en el país más próspero de América Central. Su independentismo había logrado dar frutos económicos y sociales pero, una vez más, semejante

---

país. A partir de entonces, Washington no necesitará ocuparse de estos negocios, transferidos directamente a las manos de Wall Street.

osadía alarmó a Washington y las poderosas transnacionales. El capitalismo de Zelaya era tan peligroso como lo será el socialismo de la Revolución sandinista de 1979. Setenta años de intervencionismo estadounidense redujeron al país más próspero de la región a una república bananera, asolada por las dictaduras, la pobreza, la violencia, el militarismo y la corrupción endémica.

El Secretario de Estado Philander Chase Knox tiene una idea: si le enseñamos a los países de América Latina cómo comportarse y cómo organizar sus propios gobiernos, la Doctrina Monroe ya no necesitará de Estados Unidos para ser aplicada. En 1911, Knox le escribe al presidente William Taft que extender la supervisión sobre América Latina no es otra cosa que "*una medida benevolente*". El 10 de enero de 1916, en un acto público en Lancaster, Pensilvania, complementará: "*El objetivo de la marcha de la Civilización occidental no será plenamente logrado hasta que este proceso que lleva doscientos años no haya unido a la raza anglosajona en un pueblo homogéneo y extienda la hegemonía de nuestra raza y de la civilización anglosajona*".

En 1912, el Secretario de Estado (el "Somnoliento Phil" como lo conocían sus colegas por dormirse en las reuniones de directorio) se embarcará en una gira por el Caribe en el navío militar US Navy. Knox, representante de la raza que no gusta de las fiestas sino de la disciplina y el trabajo, se asegura que no falte nada indispensable en su travesía de trabajo por los mares del sur y ordena embarcar 864 botellas de buen vino, la mayoría Champagne, 1.500 habanos y seis libras de caviar.

1911. La revolución de Sam Banana

ISLA ROATÁN, HONDURAS. 1911—Samuel Zemurray logra que el General Manuel Bonilla entre a Honduras de forma clandestina. Para liderar la rebelión contra el presidente Miguel Dávila, contrata a dos mercenarios, Guy "Metralleta" Molony, conocido mafioso de Luisiana, y Lee Winfield Christmas, ingeniero desempleado de Nueva Orleans que ya había sido nombrado General por el mismo Bonilla en su gobierno anterior. Zemurray provee a sus mercenarios de las armas más modernas de la época y con su propio yate, varado en el puerto de Bayou San Juan, sobre el Mississippi.

Poco antes, el mítico fundador de Cuyamel Fruit Company había regresado a Nueva Orleans para convencer al expresidente hondureño, el general amigo de las bananeras Manuel Bonilla Chirinos, de rebelarse contra el gobierno de su país, como lo había hecho en 1908 sin mucho éxito. Conocido como Sam Banana, el inmigrante ruso había amasado una fortuna en Alabama y en el puerto de Nueva Orleans, gracias a su genial idea de vender las bananas que descartaron los barcos. No sabe lo que es fracasar. Sabe que para derrocar a José Zelaya en Nicaragua, dos años atrás, fue necesaria la intervención de los marines. Mejor que nadie recuerda que en 1903 Washington invadió Honduras para devolver a Bonilla Chirinos a la presidencia y así evitar que el general Terencio Sierra lograra "perpetuarse en el poder" luego de cuatro largos años.[49] Pero él conoce muy bien Honduras y, como empresario exitoso, se tiene fe para organizar la revolución en un país extranjero y sin ayuda de su gobierno, porque también sabe que si algo sale mal los marines de su país volverán a desembarcar en Honduras, como de hecho lo harán otras seis veces en lo que le queda de vida a Sam. Cuando se convierta en el gerente de su mayor adversario, la United Fruit Company, también colaborará en la destrucción de la democracia en Guatemala en 1954, esta vez con la ayuda de la nueva oficina de inteligencia de Washington, la CIA.

Sam Banana nunca estuvo contento con el presidente Miguel Dávila que, además, había sido un aliado de José Santos Zelaya, el presidente más exitoso de Nicaragua, depuesto por Washington dos años atrás, en 1909, por independiente. Razones no le faltaban. Si en inglés los tributos sociales se dicen *taxes*, en español son *impuestos* y significan una imposición del Estado, y si algo detesta un representante de la libertad anglosajona, aunque sea ruso, son los impuestos y el Estado que no se dedica exclusivamente a la policía y al ejército. Sam Banana no estaba de acuerdo con la imposición de pagar impuestos, ni con las leyes que limitaban la propiedad de la tierra para extranjeros, ni con la falta de trato preferencial del gobierno. En un país disputado por un puñado de grandes empresas privadas dedicadas al monocultivo, el presidente había tenido el descaro de otorgar algunas concesiones a empresas rivales.

Ahora, luego de sobrevivir al intento de golpe de 1908, financiado por la Cuyamel Fruit Company de Sam Banana, el presidente Dávila sufre una nueva rebelión, aparentemente liderada por el amigo de Sam, el expresidente Manuel Bonilla, y deberá renunciar.[50]

Los supuestos rebeldes de Nueva Orleans llegan a la isla de Roatán y, poco después, toman Puerto Trujillo. Aunque los marines del USS Marietta

---

[49] Terencio Sierra había sido elegido en 1899 y había desconocido las elecciones de 1902, por lo cual su gobierno será recordado por la historia oficial de su país como "El gobierno usurpador". Luego se quedaron sin títulos para las incontables usurpaciones extranjeras que seguirían por generaciones.

[50] Poco antes, el presidente Dávila había negociado un préstamo de la Pierpont Morgan (J. P. Morgan) por diez millones de dólares (250 millones al valor de 2020) para pagar a sus acreedores europeos, pero el Congreso de Honduras lo había rechazado por las condiciones establecidas, las que garantizaban que, en caso de no poder cumplir, Honduras debería ceder el control de sus finanzas a Washington, convirtiéndose, de facto, en un nuevo protectorado. Este rechazo y flagrante demostración de independencia fue la gota que derramó el vaso.

(que mantenían el orden en la costa de La Ceiba) fingen controlar la situación, están informados de los planes de los rebeldes y los dejan hacer. Cuando el presidente Dávila es informado de la toma de La Ceiba, para evitar un nuevo baño de sangre, llama al representante de Washington en Tegucigalpa y le comunica que dejará la presidencia en manos de quien Estados Unidos designe como su sucesor. A cuatrocientos kilómetros de la capital, a bordo del USS Marietta, el representante de Washington, Thomas Dawson, y los rebeldes de Zemurray deciden quién será el próximo presidente de Honduras. La rebelión se vende como una *"lucha contra la injerencia extranjera"* y se acusa al gobierno de Dávila de *vendepatria*.

Para llevar paz a otra república que no se sabe gobernar a sí misma, Washington elige a Francisco Bertrand como nuevo presidente. Sólo por casualidad, Manuel Bonilla ganará las elecciones de 1912 y será investido presidente en una ceremonia nacional protegida por decenas de marines estadounidenses, para impedir cualquier protesta. Después de la correcta y ordenada fiesta inaugural, el presidente Bonilla otorgará diez mil hectáreas a Sam Banana, aparte de exonerar a la Cuyamel Fruit Company de impuestos de importación y continuará con esta práctica de compensaciones patrióticas para la compañía liberadora de su amigo Sam. Bonilla morirá en el cargo y será sucedido por Francisco Bertrand, quien se convertirá en presidente por segunda vez.

Los informes, los diarios y las enciclopedias modernas hablarán de "un período de estabilidad". Durante esta estabilidad, las compañías bananeras, en sana competencia entre ellas por el control del pequeño país de los grandes negocios, apoyarán a diferentes grupos políticos, unos en el gobierno y otros en la oposición, hasta que los diarios, los políticos y las enciclopedias comiencen a hablar de un nuevo período de rebeliones, de alzamientos armados y de *inestabilidad*. Sobre todo cuando la United Fruit Company ponga un pie en Honduras para competir con la Cuyamel Fruit Company de Zemurray.

En los años por venir, para solucionar esta natural contradicción del éxito, del progreso y la libertad, Washington enviará a sus barcos de guerra a las costas de Honduras, como forma de asegurar el orden y la estabilidad. El resto será cosa del ejército nacional, como la represión de la huelga de trabajadores de la Cuyamel Fruit Company en 1917, o la huelga en la Standard Fruit Company en 1918, o la huelga general de 1920.

Honduras fue la primera *banana republic* en el siglo XIX, cuando a los capitales de Boston y Nueva York se les ocurrió crear países-empresas productoras de un solo cultivo. El monocultivo mantendrá a esas repúblicas en perpetuo estado de dependencia, sumisión y fanatismo conservador. Cuando tiempo después, sobre todo en los años 60, en las universidades estadounidenses surjan las teorías del "capitalismo dependiente", rápidamente serán desacreditadas como exageradas, cosas de comunistas o infiltración foránea.

El estatus oficial de República bananera, bajo diversas variaciones, se prolongará hasta el siglo XXI. Washington invertirá sumas astronómicas en el ejército hondureño hasta convertirlo en la mayor y en la más prestigiosa institución del país y al país mismo en una de sus bases militares. Como consecuencia natural, la sociedad y la cultura nacional se militarizarán con discursos y simbolismos apropiados a la función que cumplen. Pocos escaparán a ese destino revelado en Washington, pero serán demonizados, como corresponde.

En 1954, Sam Bananas, por entonces ex director de la United Fruit Company, repetirá su hazaña de derrocar a un presidente. Esa vez el objetivo a derribar será el presidente democráticamente electo de Guatemala, Jacobo Árbenz, y todo será hecho de una forma más técnica y científica con la ayuda de la CIA, de la Casa Blanca, de Edward Bernays, de sus *fake news* y con la inestimable colaboración del complejo latinoamericano de Moctezuma. Guatemala se hundirá en una sangrienta guerra civil administrada por las dictaduras amigas de Washington, las que dejarán al menos 200.000 muertos. Sam Banana morirá el 2 de diciembre de 1961. En su largo obituario, el *New York Times* mencionará su obra filantrópica, "*su ojo para las grandes oportunidades*", los valores de su fortuna y las proezas de sus negocios en Honduras. Nada sobre su participación política en la violación de las leyes de otros países y nada sobre su radicalismo de los negocios, porque eso no tiene sentido para el fanatismo anglosajón.

En Honduras, como en muchos otros países ocupados o intervenidos por Washington, ni siquiera el capitalismo liberal prosperará. Las grandes empresas transnacionales lo harán imposible, prefiriendo un sistema semifeudal, ampliamente más rentable para sus intereses. Los gobiernos satélites absorberán casi todos los recursos nacionales para controlar la mano de obra barata (esos negros, esos indios borrachos, esos "holgazanes que viven del Estado") deberá ser demonizada para justificar su explotación. En lo sucesivo, la mitad de sus presupuestos se dedicará a financiar al ejército nacional. Para mediados de los años sesenta, Costa Rica habrá logrado la estabilidad eliminando su ejército mientras que en Honduras Washington habrá convertido a esa institución en la más grande y la importante del país. Con el gobierno prácticamente ausente en sus otras obligaciones sociales, Honduras se convertirá en una base militar de Estados Unidos, desde la cual intervendrá en otros países de la región. También se convertirá en la capital del crimen y de la emigración —aparte de garantizar nuevos golpes de Estado, como el de 2009.

1912. Los Angeles Mining Company

NIQUINOHOMO, NICARAGUA. 4 DE OCTUBRE DE 1912—El líder de la resistencia, Benjamín Zeledón Rodríguez, muere en combate contra las fuerzas conjuntas de los marines de Estados Unidos y el ejército nicaragüense leal al presidente Adolfo Díaz Recinos. Los soldados ponen su cuerpo en una carreta tirada por dos bueyes y, al entrar al pueblo, los marines lo arrastran por las calles. Un joven campesino mira la escena y no hace nada. Se llama Augusto César Sandino.

Benjamín Zeledón Rodríguez había sido magistrado en la Corte de Justicia Centroamericana en representación de Nicaragua durante el gobierno del presidente anti intervencionista José Santos Zelaya, quien tres años atrás había renunciado bajo presión del Secretario de Estado Philander Chase Knox. El actual presidente, Adolfo Díaz Recinos, había sido secretario de *Los Angeles Mining Company*, empresa estadounidense dueña de las minas de oro más rentables de Nicaragua. El ejército nacional iba comandado por el conservador General Emiliano Chamorro. Chamorro había participado activamente en el derrocamiento del presidente José Santos Zelaya en 1909 y sucederá en la presidencia a Díaz Recinos en 1917.

Veinte años después, la larga resistencia de Augusto César Sandino y sus campesinos guerrilleros derrotarán al ejército invasor. Lo que no podrán hacer las armas del ejército más moderno del mundo lo harán las palabras de un traidor. Anastasio Somoza García, el nuevo director de la Guardia Nacional designado por el embajador de Estados Unidos, Matthew Hanna, convencerá a Sandino para asistir a una reunión con el nuevo presidente Juan Bautista Sacasa. A la salida, Sandino, su padre y su hermano serán secuestrados y ejecutados. Con la dictadura de Somoza, también el sandinismo será asesinado pero renacerá cuarenta años después y derrocará a su hijo, otra vez por la resistencia de las armas rebeldes.

1914. Sí, hemos sido ofendidos otra vez

TIPTON, INDIANA. 3 DE NOVIEMBRE DE 1914—El diario *The Tipton Daily Tribune* informa que alguien, desde Texas, ha enviado a su redacción un ejemplar de *El Progreso*, publicado en Laredo: *"El diario está escrito en idioma mexicano, por lo cual no pudimos entender ni una palabra"*. El editor del *Tribune* apenas puede interpretar las fotografías y, a falta de noticias, publica su propia perplejidad por el misterioso hecho.

El progreso de Laredo ya no existe. Jovita Idár había publicado en ese diario un editorial con fuertes críticas al gobierno de Woodrow Wilson por el envío de tropas estadounidenses a la frontera y por su intervención en la Revolución mexicana. La opinión de Idár (que además de editora y periodista era maestra y enfermera voluntaria) ofendió a algunos oficiales del ejército de su país, Estados Unidos. Al día siguiente, los Rangers de Texas se hicieron presente en las oficinas de *El Progreso*, pero se encontraron con una mujer morena y delgada en la entrada que les impidió el paso. Los oficiales, acostumbrados a golpear y matar a mexicanos o estadounidenses con aspecto de mexicanos según su criterio, no pudieron romper la feroz resistencia de la pequeña mujer y, para no deshonrar su honor de machos, se retiraron. Al día siguiente, aprovechando que la mujercita no estaba de guardia, entraron al diario y destruyeron las imprentas y todo lo que encontraron a su paso. *El Progreso* debió cerrar.

Una vez más, el límite fronterizo es la delgada línea que debemos defender de los invasores (los trabajadores pobres) y la frontera es el vasto espacio sobre el que podemos avanzar con nuestros multimillonarios recursos públicos y privados. El 9 de abril, varios marines habían sido detenidos por el ejército mexicano en Tampico, Tamaulipas, por cruzar los límites reservados para las petroleras estadounidenses en aquel país. Los marines fueron liberados sin más trámites, pero el comando de la fuerza naval de Estados Unidos exigió una disculpa y un saludo militar de 21 cañonazos. México ofreció sus disculpas, pero omitió lo del saludo militar, lo que fue considerado como una ofensa por parte de Washington. Una ofensa más, como la que le costó a México la mitad de su territorio, tres generaciones atrás. Como respuesta, Woodrow Wilson envió una nueva división de la Marina, quince barcos de guerra para ocupar el puerto de Veracruz y "poner orden en la casa" del vecino. Otra vez Veracruz. Otra vez la ciudad puerto fue bombardeada. Los marines ocuparon Veracruz un día antes que la intervención fuese aprobada por el Congreso de Estados Unidos. En la resistencia murieron 19 marines y 400 mexicanos, la mayoría civiles. Otros cientos quedaron gravemente heridos o lisiados. Mientras los marines izaban la bandera de las barras y las estrellas en el Hotel Terminal, sede del comando invasor, el periodista y agente William Bayard Hale le envió un cable a Wilson describiendo a Huertas como *"un viejo borracho que parece un mono, cuya sangre en su casi totalidad es india"*.[51]

Había una segunda razón para el envío de una flota invasora de esas proporciones. Existían rumores de armas de origen alemán aproximándose a México en apoyo al presidente Victoriano Huertas. Las armas (fabricadas en la

---

[51] Hale había acusado al embajador Henry Lane Wilson de colaborar con Huertas en el asesinato de Francisco Madero.

Remington Arms Company, Inc., la fábrica más antigua de Estados Unidos) resultaron ser parte del negocio de un inversor estadounidense llamado John Wesley De Kay y de un ruso de nombre Leon Rasst. Como es tradición, el presidente Wilson había leído unos datos y había descartado otros para confirmar la necesidad de una nueva intervención salvadora.

Bajo la dirección del vicealmirante Frank F. Fletcher, ahora 6500 marines ocupan Veracruz. El dueño del *New York Journal* y genio inventor del periodismo amarillista, William Randolph Hearst, quiere tomar México como Washington quiso Cuba por un siglo. Por lo menos bajo la capitanía del progreso anglosajón. Para peor, ante el bombardeo de Veracruz (como lo hiciera setenta años atrás el general Santa Ana en la batalla de Buena Vista, batalla decisiva que sus soldados tenían casi ganada contra la invasión de Estados Unidos), ahora Huertas ordena el retiro de su ejército de Veracruz. Pero en Ciudad de México y en otras ciudades, la historia es diferente. En las calles se pisan banderas de Estados Unidos y el sentimiento anti gringo crece como leche hervida. Cincuenta mil residentes estadounidenses se ponen nerviosos y la mayoría hace sus maletas de regreso. En Argentina, en Chile, en Brasil y en otros países del sur las manifestaciones contra la nueva agresión gringa se concentran frente a las embajadas de Estados Unidos.

Abandonados a su suerte, los habitantes de Veracruz no se habían dejado impresionar y comenzaron una resistencia de guerrillas espontáneas, apenas armados con algunos rifles, piedras y todo lo que pudiesen arrojar a los poderosos gringos. Artesanos, panaderos, maestros y camareras se las arreglaron para torcer la vieja historia. Seis meses más tarde, luego de una inquebrantable resistencia popular, los marines estadounidenses se retiraron. Dijeron que habían logrado lo que querían, la renuncia del presidente Huertas. Eso dicen en Washington, siempre tan preocupados por el honor y la necesidad de ser respetados por la fuerza.

Los estadounidenses siempre saben elegir sus batallas y más aún saben imponer su propia narrativa de los hechos. El secretario de la armada, Josephus Daniels, otorgó 56 medallas de honor a los héroes que participaron en la ocupación de Veracruz. Aparte de las protestas y del renovado sentimiento contra Estados Unidos en varios países del sur, los historiadores continuarán buscando por el próximo siglo para qué carajo sirvió la nueva aventura. El mayor general de la marina Smedley Butler devolverá su medalla argumentando que él no había hecho nada, pero la Armada lo obligará no sólo a quedarse con ella sino a usarla cada vez que sea necesario.

Debido a la desordenada resistencia de la Revolución mexicana, Wilson se había visto forzado a retirarse del resto del país y la ofensa de no saludar con 21 cañonazos se olvidó rápidamente. Aunque todavía pobre y convulsionado por sus viejos problemas sociales, México no es tan pequeño y, ahora, ya no es tan obediente. Sus mujeres son fuertes y paren como pobres y, en medio de una revolución, no pocos andan armados. No conviene meterse en esos líos, por lo que su poderoso vecino del norte renuncia a la fuerza militar y se limita a una nueva política del dólar. Si la idea es meter miedo, nada peor que una invasión fallida. La historia continuará probando que las pocas veces que Washington fue derrotado o no pudo aplastar una revolución en América latina fue cuando los invadidos se encontraban armados y con una intensa experiencia revolucionaria de, al menos, cuatro años.

En su campaña electoral de 1912 contra Theodore Roosevelt, Woodrow Wilson había criticado a sus predecesores por impulsar políticas imperialistas y había acusado al presidente William Howard Taft de abusar de la diplomacia del dólar, resumida en la frase *"substitución de balas por dólares"*. Según el nuevo discurso de campaña, era injusto presionar a las repúblicas pobres del sur a tomar préstamos de Wall Street sabiendo que los marines los iban a forzar a pagar deudas infladas por los intereses. Fronteras adentro, el candidato demócrata tenía una propuesta que atrajo a obreros industriales y al resto de la clase media, justo cuando Estados Unidos se convirtió en la mayor nación industrializada del mundo y sus obreros se convirtieron en una clase social tan numerosa como peligrosa.[52] Wilson había insistido en la necesidad de impulsar los derechos laborales y se había negado a aceptar donaciones de las grandes corporaciones para su campaña. Casi rojo. Rosado. Debió competir contra otros dos progresistas: el expresidente Theodore Roosevelt y el cinco veces candidato a la presidencia por el Partido Socialista, Eugene Debs.[53]

---

[52] Después de las protestas obreras y anarquistas de finales del siglo XIX, probablemente sea este momento en que la elite financiera estadounidense haya comenzado el más importante ataque político y cultural de la historia contra las opciones progresistas y contra los trabajadores. La guerra cultural fue masiva y se exportó a otros países, muchas veces sin caer en sospecha de ser propaganda ideológica. Como lo describirán Ariel Dorfman y Armand Mattelart en *Para leer al Pato Donald* (1971), en el Mundo Disney (cuya adoctrinación se ensañará con las mentes más inocentes y en formación) los negros y los nativos de otros países no saben gobernarse ni aprecian sus riquezas, por lo que hay que tomarlas en nombre de la civilización. No hay amor sino deseo. Hay conquista masculina y seducción femenina, pero no hay madres ni padres, sino tíos y primos. El dinero es la medida de todas las cosas y la acumulación es el objetivo. El único trabajador que aparecerá como personaje, El Lobo, será un criminal.

[53] En esta campaña electoral, los candidatos se peleaban por demostrar quién era más progresista y menos intervencionista que el candidato del partido socialista, Eugene Debs. Los votantes estadounidenses de cien años más tarde no podrían reconocer a ninguno de esos candidatos como políticos estadounidenses. Sí podrían reconocer sus políticas internacionales y seguramente una mayoría las apoyaría con el mismo civilizado fanatismo.

En 1912, contradiciendo sus propias expectativas, Wilson fue elegido presidente. El 27 de octubre de 1913 declaró que *"Estados Unidos ya no buscará quedarse ni con treinta centímetros más de territorio ajeno"*. Ahora iba en serio. Más o menos cumplirá. Anexar territorios ya no es tan conveniente, por la misma razón que tiempo atrás dejó de ser rentable tener esclavos sin salario. Ahora, lo que se lleva es establecer protectorados para luchar contra el desorden de los negros, al servicio de las corporaciones privadas, y mañana será apoyar dictaduras bananeras al servicio de las mismas corporaciones, para luchar contra el comunismo.

En toda su historia, el poderoso país del norte sólo ha invadido naciones más pobres o más pequeñas, desde los pueblos apaches y cheroquis hasta Filipinas. Cuando se convierta en la mayor potencia militar del mundo, continuará haciendo lo mismo bajo otras literaturas. Enviará a sus marines a países quebrados, primero a las repúblicas bananeras de América Central y a las islas azucareras del Caribe, y luego a Asia, África y América del Sur. Algunas veces, el ejército más rico y poderoso de la historia será derrotado por alguno de estos pequeños y pobres países del sur. Por el contrario, y pese a las repetidas quejas y lamentos de Washington y de sus fieles más pobres, los países del sur nunca invadieron ni invadirán Estados Unidos.

Con una excepción más bien anecdótica para la historia. Un año después del desembarco de marines en México, el 9 de marzo de 1915, Pancho Villa cruzará la frontera con quinientos hombres y vandalizará el pueblo de Columbus, Nuevo México. Los historiadores nunca se pondrán de acuerdo sobre los motivos de esta decisión suicida. ¿Villa necesitaba armas? ¿Quería vengarse de Estados Unidos por su suministro de armas al gobierno de Huertas antes que Wilson quisiera removerlo de su cargo? Pancho Villa secuestrará a Lucy Reed y, en represalia, 350 villistas serán asesinados en territorio mexicano por las tropas estadounidenses.

La otra excepción que no será se presentará tres años después. El 19 de enero de 1917 la embajada alemana en Washington enviará un telegrama por Western Union al embajador de Alemania en México, Heinrich von Eckardt, prometiéndole a ese país la recuperación de Texas, Nuevo México y Arizona en caso de que Estados Unidos entre en guerra. El sustituto de Huertas, Venustiano Carranza, ocupado y más preocupado en combatir a los rebeldes de Pancho Villa, se mantendrá neutral. Sus generales no creerán en las posibilidades de semejante plan, mucho menos en medio de una guerra civil. El telegrama Zimmermann será una página llena de números que hablan. Gran Bretaña lo interceptará y logrará decodificarlo. Poco después, Estados Unidos entrará en la Primera Guerra Mundial, tal como lo querían sus grandes compañías y por lo cual habían contratado a los mejores publicistas del país para tan noble objetivo.

Ese mismo año, Woodrow Wilson intentará una nueva invasión en Veracruz para tomar control de Tampico, pero el nuevo presidente mexicano, Venustiano Carranza, ordenará la destrucción de los pozos petroleros en caso de que el plan se concrete.

El plan no se concretará.

1914. Les voy a enseñar a elegir gobiernos decentes

MANAGUA, NICARAGUA. 5 DE AGOSTO DE 1914—Cumpliendo con la regla, el antiimperialista Woodrow Wilson debe ocuparse de países más pobres y más pequeños. De la misma forma que el presidente William McKinley reconoció que no sabía ubicar en el mapa la ocupada Filipinas, Wilson reprueba en geografía. Luego de intervenir en el Caribe y en América Central en 1914, declara: *"Les voy a enseñar a los sudamericanos a elegir gobiernos decentes"*. Ese mismo año invade República Dominicana y Haití para sugerir gobiernos militares que, aunque extranjeros, son más obedientes y patrióticos que los pobres sin uniforme. Un año después, interviene en Nicaragua, Cuba, Panamá y Honduras para *"defender los intereses estadounidenses"*.

Aunque el gobierno del independentista José Santos Zelaya fue bloqueado, desestabilizado y obligado a renunciar en 1909 por intentar lograr créditos en Europa para la construcción de un canal interoceánico porque, según el presidente Woodrow Wilson *"pondría en riesgo la paz y el progreso de la región"*, ahora, el 5 de agosto, Nicaragua firma el tratado Bryan-Chamorro, por el cual la administración Wilson introduce una enmienda similar a la Enmienda Platt, aprobada para la constitución cubana una década antes. Nicaragua se convierte en un protectorado estadounidense por las generaciones por venir.

Por este tratado, Nicaragua arrienda por noventa y nueve años dos islas y por el mismo tiempo reconoce el derecho de Estados Unidos a instalar bases militares en su territorio. Además, *"concede a perpetuidad al Gobierno de los Estados Unidos, libre en todo tiempo de toda tasa o cualquier otro impuesto público, los derechos exclusivos y propietarios, necesarios y convenientes para la construcción, operación y mantenimiento de un canal interoceánico por la vía del Río San Juan y el Gran Lago de Nicaragua o por cualquier ruta sobre el territorio de Nicaragua"*.

El alquiler le costará a Estados Unidos tres millones de pesos nicaragüenses, los que serán descontados de la deuda que mantiene el país centroamericano con los bancos del mundo civilizado.

En 1916 la Corte de Justicia Centroamericana falla en contra de este acuerdo por considerarlo contrario a los tratados anteriores. La Corte de Justicia es disuelta.

El presidente Wilson cumple su palabra de honor y no se queda con un sólo pie adicional de territorio extranjero.

1915. El derecho al linchamiento

SAN DIEGO, TEXAS. 6 DE ENERO DE 1915—Nueve rebeldes firman un Manifiesto de Liberación de los hispanos, negros y japoneses de Texas. Poco después, la policía de McAllen descubre el Plan de San Diego en el bolsillo de uno de los miembros de la banda llamado Basilio Ramos. De todas formas, cuarenta rebeldes mal vestidos cruzan el Río Grande y lanzan un ataque al rancho Los Indios. Otros atacan trenes y queman un puente fronterizo. Los Rangers de Texas, conocidos entre la comunidad hispana como *Los diablos* por su brutalidad, ejecutan a decenas de sospechosos, entre rebeldes e inocentes, por las dudas. El 19 de octubre, los que quedan hacen descarrilar un tren cerca de Brownsville y matan a varios de sus ocupantes blancos. Cuando el capitán Ransom llega a la escena, ejecuta a los pasajeros mexicanos que habían quedado vivos. La rebelión, una de esas que solo sirven para echar más leña a la represión del poderoso, estaba destinada al fracaso y, por lo tanto, será conocida como *La guerra de los bandidos*, la cual dejará más de trescientos muertos de un lado y del otro.

En realidad, la "guerra contra los bandidos" había empezado con la Independencia de Texas para proteger el derecho de la raza superior a la esclavitud y a la expulsión de los nuevos extranjeros, los tejanos viejos, casi un siglo atrás, y nunca terminó. Por estos días, los linchamientos de mexicanos o de cualquiera que hable español sin aspecto caucásico, continúan con total impunidad. El 3 de noviembre de 1910, una turba había entrado en la cárcel de Rock Spring, Texas, y se había llevado a Antonio Rodríguez, un joven bracero acusado de matar a la mujer de un poderoso ranchero. Después de atarlo de un árbol, lo bañaron con queroseno y le arrojaron una mecha encendida, como hacían los salvajes europeos durante la inquisición. Miles acudieron a presenciar el espectáculo, una tradición americana del siglo pasado que sobrevivirá aún por algunas décadas más. Nadie nunca será detenido por la ejecución pública. Unos meses después, el 19 de junio de 1911, Antonio Gómez, un joven trabajador de catorce años, mientras intentaba escapar de una turba, había matado al ciudadano alemán Charles Zieschang, por lo cual fue arrestado primero y luego secuestrado por cuatro hombres para otro linchamiento público. En enero de 1918 los rangers entrarán en el Porvenir, Texas, en busca de mexicanos y tejanos. Detendrán a veinte y se llevarán a quince a una cañada, donde los fusilarán. Cinco rangers serán despedidos por esta ejecución sumaria, pero no enfrentarán cargos ante la justicia. Los habitantes de Texas recordarán este momento como *La hora de sangre*. No recordarán otras horas y otros incontables linchamientos a lo largo del Río Grande.

El linchamiento es una institución establecida por la raza superior que, no sin ironía, le teme a la superioridad física y sexual de las razas inferiores. La celebrada feminista Rebecca Ann Latimer Felton, activista por el voto femenino, esclavista, propagandista de la supremacía blanca y primera senadora mujer de Estados Unidos en 1922, recomendó linchar a los negros que habían sido elegidos en las urnas por la mala idea de Lincoln de convertirlos en ciudadanos. Felton, campeona de la modernización de la educación, desde hace años afirma que cuanto más dinero se invierte en la educación de los negros, más crímenes comenten. Por años ha argumentado que otorgarle el derecho al voto a los negros conduciría a la violación de las mujeres blancas. Aunque desde hace inmemoriales generaciones las violaciones generalmente son cometidas por hombres blancos contra mujeres negras, la fantasía pornográfica del poder nunca descansa y Felton recomienda mil linchamientos por semana para menguar el apetito sexual de estos hombres oscuros e ignorantes que ella considera gorilas.

Por diferentes motivos, solo en esta década miles de mexicanos y chicanos también serán asesinados por linchamiento de turbas enardecidas o ejecutados sin juicio por los valerosos rangers de Texas. En las estadísticas se los clasificará como "linchamiento de blancos" ya que no son negros y, de paso, no está mal equilibrar un poco la barbarie (de los miles de linchamientos registrados en esta época, la mayoría han sido practicados contra afroamericanos). Mientras los mexicoamericanos son acosados o asesinados por su condición étnica, los diarios reclaman por el exceso de población mexicana que debe ser eliminada y algunos políticos proponen la creación de campos de concentración.

Como suele suceder, son los jóvenes con alguna conciencia de la decencia los que se atreven a enfrentar al poder y decir que no. En 1910 los estudiantes en México habían respondido a estas prácticas de linchamientos en el país del norte con violentas protestas rompiendo los vidrios del American Bank, del American Candy Co., de los hoteles y de otros negocios de estadounidenses en México. A diferencia del otro lado donde nadie resultó muerto. Por entonces, el ministro de relaciones exteriores del dictador Porfirio Díaz, Enrique Creel, había manifestado su profundo rechazo a los actos de violencia. Las autoridades mexicanas le aseguraron al embajador McKill que los intereses estadounidenses serían protegidos y garantizados en México de cualquier forma. Por su parte, el embajador estadounidense había declarado que los jóvenes estudiantes actuaban de esa forma irresponsable porque no entendían las leyes estadounidenses sobre linchamientos.

En eso tenía razón. En Estados Unidos, los linchamientos pueden ser investigados, pero no son juzgados como actos criminales. Aunque algunos políticos radicales han propuesto más de cien veces prohibir esta práctica, cada proyecto de ley ha muerto en el Congreso. Será recién en 1933 cuando California apruebe, por primera vez, una ley penalizando a los responsables de linchamientos públicos con penas de entre dos y cuatro años. A estados más conservadores les tomará más tiempo entender que el linchamiento de razas inferiores no es un derecho.

Desde Texas hasta California, el Ku Klux Klan continuará entrando en las plantaciones para secuestrar trabajadores extranjeros. Desde una perspectiva mental que pocos se atreven a cuestionar, son auténticos patriotas. Sin duda, aunque con distintos nombres, representan una larga y continua tradición que hunde sus raíces en los tiempos que preceden a la fundación de este país. En el Sur y en el Oeste nadie sabe cómo resolver la contradicción de detestar a los inmigrantes mexicanos y, al mismo tiempo, emplearlos para el cultivo y la cosecha de los campos.[54] Uno de cada dos guardias fronterizos es miembro del Klan y los dueños de los campos no se distinguen mucho. Desde que en 1830 Andrew Jackson hizo aprobar y puso en práctica a fuerza de bayoneta le *Ley de traslado forzoso de indios* y reemplazó las razas inferiores por *"los verdaderos amigos de la libertad"*, Estados Unidos ha vivido bajo el pánico de un "reemplazo racial" de la raza teutónica y anglosajona a manos de las razas inferiores.

Cien años después, se continuarán las mismas prácticas en base a otras explicaciones y a otras leyes aprobadas por "el país de las leyes". Quienes se sienten en el eterno derecho de empujar todas las *fronteras* por el resto del mundo y a lo largo de la historia, no toleran que alguien cruce sus *límites fronterizos*, garantía de la pureza racial anglosajona y de la superioridad cultural, que es la única que puede hablar con Dios, aunque a los gritos, y la única que puede entender eso de la libertad…

Más de un siglo después, en 2018, los senadores Kamala Harris, Cory Booker y Tim Scott propondrán convertir el linchamiento en un crimen federal. La cámara de representantes mantendrá silencio hasta que, en 2020, en medio de una rebelión nacional debido al brutal asesinato de otro hombre negro por parte de la policía, se renueven los debates para aprobar una ley estableciendo que linchar a una persona es un crimen de odio.

---

[54] En 1929, en el artículo "Perils of Mexican Invasion" ("Los peligros de la invasión mexicana"), Samuel Holmes, a favor de la esterilización de los mexicanos, citará al Comisionado de trabajo de Texas Mr. McKemy quien advertirá sobre el peligro de que el 75 por ciento de los trabajadores rurales sean jornaleros mexicanos.

1915. Rebeldes crucificados, héroes condecorados

HINCHE, HAITÍ. 28 DE JULIO DE 1915—Los marines vuelven a Haití para restaurar el orden. El secretario de Estado, William Jennings Bryan, apoya la invasión y pregunta donde está ubicado ese país. Cuando uno de los ejecutivos estadounidenses del Banque Nationale d'Haiti lo auxilia con datos enciclopédicos, Bryan exclama: *"Dios mío, ¡negros que pueden hablar francés!"*. El periodista estadounidense Herbert Seligmann denuncia el uso de ametralladoras para matar haitianos desarmados y acusa a los marines de practicar, como en Filipinas, la matanza deportiva de negros (*gooks*) y de restablecer la esclavitud de hecho, obligando a su población al trabajo forzado. El 15 de agosto, el presidente Woodrow Wilson le escribe a su futura esposa, Edith Bolling Galt, que había aprobado la nueva invasión considerando que *"nuestra intervención en Haití no tendrá gran efecto en América Latina ya que, al tratarse de un país de negros, no son considerados como parte de la fraternidad"*.

Charlemagne Péralte, haitiano de origen dominicano, uno de los pocos militares patriotas que dio América Latina, renuncia a su cargo. Dos años después se levanta en armas contra la ocupación estadounidense y quince mil haitianos se pasan a su movimiento guerrillero. Se llaman a sí mismos *cacos*, como el trogón, el pájaro que habita en los cielos de la isla y se esconde en los montes, como los rebeldes que expulsaron a los franceses cien años atrás, como todos los rebeldes del hemisferio que, por siglos, en las sierras iniciaron la resistencia contra los puertos.

Los rebeldes logran probar que el invasor no es invencible y, en la batalla de Fort Dipitie, vencen a las fuerzas comandadas por el famoso general de la marina, Smedley Butler, comandante en el bombardeo y toma de Veracruz, México, en 1914, veinte años antes de convertirse en un crítico de los abusos militares de su país, del imperialismo de las corporaciones estadounidenses y, consecuentemente, de dejar de ser el héroe el nacional más venerado por la prensa.[55]

Luego de dos días de combate, los rebeldes pierden 75 hombres y los *marines* solo uno, pero los marines deben abandonar el fuerte y huyen hacia la montaña. En la fuga, el marine Daniel Daly mata a tres rebeldes con un cuchillo y recupera una metralleta, por lo cual el gobierno de Estados Unidos

---

[55] *"cazábamos cacos como si fueran cerdos"*, reconocerá el héroe nacional, arrepentido y poco antes de ser arrinconado en el ostracismo por el fanatismo de la prensa moderada.

le concederá la Medalla de Honor. El teniente Edward Albert Ostermann también recibe una igual por su heroísmo de liderar la huida que se llamará Recuperación del fuerte Dipitie. Los patriotas que lucharon casi desnudos, los negros histéricos, no tienen tiempo ni medallas ni libros que los recuerden.

Como casi todas las resistencias anteriores, también ésta terminará aplastada por la desproporcionada fuerza del invasor. Un mes después, los rebeldes que ocupaban casi sin armas el fuerte Rivière, son desalojados. 70 rebeldes mueren y un marine es herido por una pedrada que le rompe dos dientes. Un reporte de la Marina informa que, en los veinte meses que dura la rebelión, más de tres mil haitianos han perdido la vida en diferentes circunstancias, todos de forma violenta. Historiadores malintencionados hablarán de más de diez mil víctimas.

Como tantas otras veces en diez mil años de historia, un judas entrega al líder rebelde. En este caso, uno de los comandantes de Charlemagne Péralte, Jean-Baptiste Conzé, es el encargado de conducir a los marines hasta el líder rebelde quien, el 31 de octubre de 1919, sin posibilidades de defensa, es ejecutado con un disparo en el corazón por el sargento de la marina Herman Hanneken.

Hanneken es inmediatamente ascendido a subteniente por su valerosa acción. Su asistente, el cabo William Button, también recibirá la preciada Medalla de Honor, máximo reconocimiento posible del gobierno y de la sociedad estadounidense a un militar por su servicio a la patria, en este caso *"por eliminar el mayor bandido de Haití"*. Hanneken recibirá, además, la Cruz de la Marina por ejecutar al sucesor de Péralte, Osiris Joseph, unos meses después.

El cuerpo de Péralte es expuesto en una posición que recuerda a las representaciones de Jesús crucificado. La fotografía, tomada por los marines y distribuida por todo el país para desmoralizar a los rebeldes (como la de Ernesto Che Guevara, ejecutado en 1967 en circunstancias similares) se convertirá en un ícono de la resistencia y la dignidad.

El senador progresista del partido Republicano William Borah protesta por la brutalidad de las informaciones que llegan a Washington: *"tenemos que salir de Haití y de todos los otros países en los cuales no tenemos derecho de ocupar; puede que sea cierto que su gente no es capaz de gobernarse como nosotros entendemos debe ser un gobierno, pero el que sea será su gobierno"*. Unos meses después, en 1916, el general George Barnett le escribirá al coronel John Russell en Puerto Príncipe ordenándole *"detener la matanza indiscriminada de haitianos"*. En defensa de su tropa, el coronel Russell le responderá que *"los haitianos son gente histérica"*. Los testimonios recogidos de los marines y oficiales estadounidenses insisten en la naturaleza salvaje de los negros, aun cuando son educados en Europa. El super condecorado coronel Littleton Waller afirma que nadie *"nunca puede confiar en un negro con un revólver; son negros, no importa cuán educados sean".* En Saint Marc, los marines son acusados de azotar a una anciana y de ahorcar a un joven de quince años, acusado de un hurto menor. Las jóvenes han dejado de bañarse en los ríos por temor a ser violadas por los blancos.

John Russell Jr. y Littleton Waller obtendrán todos los ascensos posibles y serán distinguidos con la Medalla de la Campaña de Haití, entre muchas otras condecoraciones que no caben en sus uniformes que vestirán a su regreso a la civilización en las fiestas de la alta sociedad.[56] Herman Hanneken será honrado con otras dos Cruz de la Armada, por sus valerosas acciones en Nicaragua. El 3 de febrero de 1929 ejecutará al prisionero Manuel María Girón Ruano, general sandinista en sus sesenta y un años. Luego tendrá un apacible retiro en Virginia, rodeado de sus heroicos recuerdos que adornará para sus orgullosos nietos, y morirá en La Jolla, California, el 23 de agosto de 1986. Nunca responderá a los periodistas ávidos de detalles emocionantes sobre las valerosas acciones de los marines en tierra de negros.

Un año después de la constitución revolucionaria de México, la que prohibirá a extranjeros ser dueños del subsuelo nacional, en 1918 Haití aprobará, bajo ocupación, su nueva constitución asegurando este derecho sagrado de las empresas extranjeras.

En 1929 los haitianos reclamarán la salida de los marines de su país, pero en Washington resolverán que, luego de un siglo y medio de luchas, los negros no están preparados para ser libres. El condecorado general John Russell, por entonces alto comisionado y embajador actuante en Haití lo explicará sin vueltas: *"la mentalidad de los haitianos sólo reconoce la fuerza; cualquier esperanza de un pensamiento lógico y racional es imposible en esa gente".* Cuando la estrategia de la "Política del buen vecino" tome fuerza y algunos políticos comiencen a proponer una retirada de las fuerzas militares en la isla, el vicecónsul en Cabo Haitiano, Corey F. Wood, se lamentará de que en Washington no entienden porque están demasiado lejos de la real realidad: *"Creen que el pueblo haitiano ha madurado y son ellos los que se expresan cuando en realidad no son más que niños actuando bajo la influencia*

---

[56] Cuando el presidente Ronald Reagan siga los consejos de sus asesores para mostrarle al mundo una victoria del poderoso ejército de Estados Unidos derrotado en Vietnam pocos años atrás, invadirá la minúscula isla de Granada para salvarla del comunismo. Por entonces, Granada si siquiera figuraba en los mapas del Caribe. El 30 de marzo de 1984 el *Indianapolis Star* informará: *"El ejército estadounidense ha otorgado 8.612 medallas en reconocimiento a la actuación individual en la invasión de Granada, aun cuando en la acción no participaron más de 7.000 soldados y oficiales".* La mayoría de los valientes condecorados ni siquiera llegaron a conocer el Caribe. Ni siquiera dejaron sus oficinas en Washington para participar en una guerra tan desigual.

bolchevique". El 22 de abril de 1931, el Secretario de Estado Henry Stimson tomará el camino del medio: *"Estamos tratando de dejarles el camino libre a los haitianos de una forma gradual; claro que ésta no es la forma de tratar con negros, por lo que me temo que así nos meteremos en más problemas"*.[57]

Los marines no se irán de Haití y de otros países de la región hasta 1934 cuando, desesperado por la Gran depresión, el presidente Franklin Delano Roosevelt comience a ahorrar en presupuesto militar y anuncie su nueva "Política del buen vecino" hacia América Latina.[58]

1916. Se suponía que estábamos luchando por la democracia

SANTO DOMINGO, REPÚBLICA DOMINICANA. 4 DE MAYO DE 1916—Una vez más, sin decir agua va, 750 marines ocupan el otro lado de la isla. El desembarco anterior había ocurrido en 1905, para controlar la deuda externa del país caribeño, pero ahora el presidente Woodrow Wilson teme la llegada de los alemanes a la región y se preocupa por la seguridad de los ciudadanos estadounidenses, posibles víctimas de las políticas erráticas del gobierno dominicano y un posible ascenso del general Desiderio Arias al poder.

Un oficial de la Marina de Estados Unidos pone sobre la mesa de la oficina presidencial una lista de exigencias. Una de ellas consiste en que un ciudadano estadounidense se encargue de Hacienda y del presupuesto del país mientras que el ejército dominicano es reemplazado por una Guardia Nacional bajo las órdenes de un oficial estadounidense. El presidente electo de República Dominicana Juan Isidro Jimenes no está de acuerdo. Se niega a firmar un nuevo tratado y decide resistir la invasión, que considera humillante. Poco después desembarcan 1.700 marines más. Tres días después, el presidente constitucional renuncia. En sus palabras de despedida se anima a declarar que *"no he vacilado ni un instante con todo el país a mi favor, excepción hecha de esa porción traidora del ejército que ahora ocupa las plazas de nuestro país"*. Los poetas son siempre peligrosos y Fabio Fiallo, tío del diseñador

---

[57] Para cuando estalle la Segunda Guerra Mundial, Henry Stimson será nombrado secretario de Guerra del presidente F. D. Roosevelt, quien necesitará asegurarse la cooperación de América latina contra el Eje. El 9 de noviembre 1943, en una reunión panamericana, Stepson deberá sentarse en una gran mesa con los representantes de esos países y en sus memorias recordará: *"Cuando vi esos rostros morenos de países como Honduras sentados frente a mí, comencé a dudar de si podían ayudar en algo"*.
[58] Franklin Roosevelt, secretario asistente de la Marina durante el gobierno de Wilson, se jactará de apoyar la constitución de Haití porque él mismo la había escrito.

Oscar de la Renta, es condenado a cinco años de trabajo forzado por criticar la ocupación.

El 29 de noviembre, los marines toman el poder del país casi en secreto y sin informar al Congreso, lo cual es una nueva acción ilegal, según las leyes del país de las leyes, y declara República Dominicana como "Estado bajo ocupación militar" debido a la *incapacidad innata de su gente para gobernarse por sí misma*". El almirante Harry Shepard Knapp reemplaza al presidente provisional Francisco Henríquez y se convierte en el nuevo dictador que la historia oficial estadounidense nunca, jamás llamará dictador. La ocupación, la represión y el terrorismo de Estado se llamarán "restauración del orden".

Una de las primeras medidas implementadas por la nueva dictadura estadounidense consiste en desarmar a la población dominicana, recurso que se repetirá a lo largo de la historia de América latina mientras en Estados Unidos el derecho a portar armas (siempre y cuando no sean negros) se eleva a la categoría de religión. Junto con la represión y el asesinato impune crece la economía a la sombra de la próspera superpotencia del norte. Sólo por pura casualidad la dictadura deroga el artículo V de la constitución de 1804, el que negaba la propiedad de la tierra de los extranjeros, e impone una economía agrícola bajo la tutela del First National City Bank. Toda la producción y el comercio quedarán atados a Wall Street. La floreciente industria del calzado dominicano desaparecerá en favor de las importaciones de mejores productos de Estados Unidos.

Cuatro años más tarde, el 6 de octubre de 1920, *The Washington Post* informará que en ese período en la isla murieron en combate 12 oficiales estadounidenses y 108 marines, aparte de *"varios miles de nativos"*. El *Post* también se cuestionará la lógica de la ocupación con la excusa de cobrar una deuda: *"¿Tiene algún sentido matar a miles que luchan en su tierra por su libertad, contra un régimen militar que ni siquiera ha recibido la aprobación de nuestro Congreso, y todo llevado a cabo en el nombre del pueblo de Estados Unidos?"*

La Martina también reconoce la poca elegancia de la ocupación y de la dictadura, considerando que todavía no aparecía un enemigo convincente contra el cual proteger a las repúblicas del sur. El sentimiento antiamericano alcanza niveles incontrolables por la Diplomacia del dólar y la propaganda distribuida por las élites criollas de la región.[59] Como salida, el gobierno de facto estadounidense crea una nueva guardia nacional, esta vez la Guardia

---

[59] Para 1924, el programa de Washington de préstamos forzados sobre países del sur (conocido como "Diplomacia del dólar") le había costado, sólo a los nicaragüenses, 33 millones de dólares, de los cuales ocho millones fueron como ganancia para Wall Street.

Nacional Dominicana, la que en 1921 será rebautizada como Policía Nacional Dominicana. El nuevo cuerpo de represión no goza de prestigio entre el pueblo y solo se enlistan los más pobres y desesperados. El periodista estadounidense, escritor viajero y policía eventual en Panamá, Harry Frank, escribe que, a juicio de los habitantes de la República Dominicana, a La Guardia han ido los peores criminales del país y, amparados en sus uniformes, se han dedicado a acosar al resto de la población. Los marines que hablan español explican el acrónimo P.N.D como "Pobres Negros Descalzos".

Los marines no se retirarán de la isla hasta 1924, cuando encuentren un general responsable (luego *generalísimo*) llamado Rafael Leónidas Trujillo Molina, y lo dejen a cargo de ese país lleno de mulatos y mosquitos. Como Somoza en Nicaragua, Trujillo permanecerá como director de la Guardia Nacional por algún tiempo, hasta que decida elegirse dictador oficial en 1930. Uno de sus tantos logros incluirá la masacre de al menos 14.000 haitianos en El Perejil, el 8 de octubre de 1937. Todo llevado a cabo, como corresponde, con el patriótico ejército de mulatos y la aprobación de los pocos blancos, o blanqueados, de la clase dirigente y empresarial. Mulatos que odiaban a los negros, negros renegridos y más pobres que los mulatos.

El 17 de julio de 1920, *The Nation* denunciará que en los pasados cuatro años la República Dominicana ha estado gobernada por una dictadura directamente administrada por la Marina de Estados Unidos, censurando todo lo que pueda hacer referencia a la libertad, al extremo de que sus oficiales ordenaron eliminar la palabra *Libertad* del nombre del *Teatro Libertad*, *"todo en nuestro nombre, cuando se suponía que estábamos luchando por la democracia"*. En su primera página del 6 de octubre, el *Washington Post* reconocerá, bajo el título de *"La tranquilidad en Haití y Santo Domingo no responde las acusaciones"* de que *"es verdad que una censura estricta es ejercida por la Marina estadounidense sobre la República Dominicana, por lo cual no es posible saber lo que ocurre allí, aparte de que son nuestros oficiales quienes escriben las leyes en ese país, sometiendo a cualquier ciudadano que no las obedezca a una corte marcial... ¿Cómo se concilia todo esto con el Artículo 1 del tratado de la Segunda convención de la Haya, del cual Estados Unidos es miembro firmante?"*

Los testimonios describen ejecuciones instantáneas por razones de ofensas al honor de los invasores. En 1921, una comisión del senado de Estados Unidos estudiará varios casos de abusos en esta república caribeña. En uno de ellos, el 14 de diciembre el doctor Alejandro Coradin describirá cómo un anciano de 80 años, José María Rincón, fue retirado de una farmacia y luego torturado y arrastrado por las calles de Hato Mayor atado a la cola de un caballo porque llevaba una prescripción médica mencionado azufre y grasa de cerdo. La prescripción era para un tratamiento de piel, asegura con firmeza y sin arrodillarse el médico en Washington, pero los médicos de la Marina estadounidense determinaron que era para curar heridas de los rebeldes. Luego de torturarlo, le pegaron un tiro y finalmente lo colgaron de un árbol.[60] "*Puede describir al hombre*", pregunta un senador, "*¿era un hombre fuerte?*". "*Todo lo fuerte que puede ser un hombre de ochenta años*", responde el doctor Coradin. Otro senador insiste, pregunta por el principal responsable del crimen. ¿Cómo se llamaba? ¿Qué aspecto tenía? ¿cómo vestía? El doctor Coradin repite sus declaraciones del día anterior y lo identifica como el coronel Peralez, dominicano a las órdenes de las fuerzas ocupantes, de la zona, blanco, alto, disfrazado de marine y protegido por otros marines estadounidenses.

Desde la creación de las repúblicas hispánicas a principio del siglo XIX, el sistema democrático de Estados Unidos había sido el modelo idealizado por sus políticos e intelectuales. El mayor obstáculo para hacerlo realidad fue siempre Estados Unidos. El venerado sistema económico impuesto por la fuerza sólo benefició y beneficiará por mucho tiempo más a una de las partes. No es necesario ser un genio para darse cuenta cuál.

1916. Hitler no tenía ideas radicales

NUEVA YORK, NY. 22 DE OCTUBRE DE 1916— "*Si eres rubio, perteneces a la mejor gente de este mundo. Pero todo se terminará contigo. Tus antepasados han cometido el pecado de mezclarse con las razas inferiores del sur. Como resultado, las mejores cualidades de los rubios, pertenecientes a la raza creadora de la mejor cultura, se ha ido corrompiendo, sobre todo aquí, en Estados Unidos... Así lo advierte, en palabras mucho más científicas, Madison Grant, presidente de la Sociedad Zoológica de Nueva York en su libro* The Passing of the Great Race (El final de la Gran Raza). *Las cosas empeorarán con la guerra en Europa, ya que es la raza de los rubios, la que siempre hace el mayor sacrificio mientras que los morochos prefieren quedarse en sus casas*".

Así comienza el *New York Times* el artículo destacado del domingo 22 en el cual alerta del fin de la raza rubia a manos de los blancos de pelo castaño y, peor, de los de pelo castaño de piel oscura. Dos mapas de la vieja obsesión, Europa, muestran las áreas ocupadas por la expansión de la raza nórdica antes

---

[60] En la misma comisión, algunos marines que son interrogados culpan a los guardias locales por los asesinatos y justifican las matanzas de los nativos por ser prisioneros gavilleros intentando escapar. El 3 de noviembre de 1921 el coronel Williams declarará: "*En ninguno de los casos hubo un oficial blanco involucrado*". Con frecuencia el trabajo sucio es dejado en las manos de los colaboradores locales.

de Cristo sobre las razas morenas, desde España e Italia hasta África. Según cálculos actuales, el autor menciona que en Europa sólo existen 90 millones de personas de raza nórdica pura en un continente poblado por 400 millones. Más al sur, en los países mediterráneos, la raza superior sólo se encuentra en la aristocracia y en las tradicionales clases militares.[61]

Según el autor, el problema de los nórdicos es que no disfrutaban mucho del frío y preferían el calor y la calidez soleada del sur, pero sólo podían subsistir en estas regiones tropicales como dueños de las tierras sin tener que trabajarlas. Por esta razón, incluso los habitantes de India hablan la lengua aria pero su sangre ha perdido la calidad del conquistador. El autor, en una de sus conclusiones más moderadas, descubre que la solución está en las prácticas del pasado. *"Ninguna conquista puede ser completa si no se extermina a las razas inferiores y los vencedores llevan a sus mujeres con ellos... Por estas razones, los países al sur del cinturón negro de Estados Unidos, y hasta los estados al sur de Mississippi deben ser abandonados, es decir, libres, dejados a la suerte de los negros"*. Haití ya está perdida. Cuba, Jamaica, México y los países al norte de América del Sur pronto caerán en manos de negros y de indios.

Las ideas de superioridad de la "raza anglosajona" para explicar y justificar el imperialismo moderno fueron moneda común durante el siglo pasado en Europa. También en Estados Unidos, que además necesitaba las justificaciones racionales para mantener a su numerosa población negra (primero como esclavos y luego como ciudadanos segregados) en el lugar que supuestamente les correspondía según las reglas del orden, la civilización y el progreso. Sus políticos y presidentes compartían y no ocultaban estas ideas sobre la superioridad humana de los anglosajones. Ahora avanzado el siglo XX, los memorandos y los informes de diferentes políticos, senadores y embajadores continuarán con esa tradición. El jefe para América Latina y eventual embajador, Francis White, durante las próximas décadas enviará reportes y dará conferencias a futuros diplomáticos explicando que *"con algunas excepciones, los gobiernos de América latina, sobre todo aquellos en los trópicos, poseen muy poca sangre blanca pura y mucha deshonestidad"*. Para White, Ecuador es un país retrógrado porque tiene *"apenas cinco por ciento de sangre blanca; el resto son indios o mestizos"*. Su consejo a los futuros cónsules y embajadores que lo escucharán en una conferencia en 1922 será: si les toca

---

[61] Quince años antes, el antropólogo Franz Boas había publicado *The Mind of Primitive Man* (*La mente del hombre primitivo*) desarticulando estos prejuicios raciales como arbitrarios. Sin embargo, Boas será ampliamente leído y discutido en las universidades mientras que Madison Grant será el preferido de los hombres blancos en el poder.

un país de indios, sepan que "*la estabilidad política está en proporción directa a la cantidad de blancos puros que ese país posea*".

Según Grant, y según muchos otros, la raza blanca ha sobrevivido en Canadá, en Argentina y en Australia gracias a que ha exterminado a las razas nativas. Si la raza superior no extermina a la inferior, la inferior vencerá. "*Por mucho tiempo, América se ha beneficiado de la inmigración de la raza nórdica, pero lamentablemente, en los últimos tiempos también ha recibido gente de las razas débiles y corruptas del sur de Europa. Estos nuevos inmigrantes ahora hablan el idioma de la raza nórdica, usan la misma ropa, han robado sus nombres y hasta comienzan a aprovecharse de nuestras mujeres, aunque apenas entienden nuestra religión y nuestras ideas.*

The Passing of the Great Race no se convierte en un *best seller* inmediato, pero sí se convertirá en uno de los clásicos del racismo científico del siglo XX que encontrará eco fácil en las elites económicas y en sus aspirantes pobres de raza blanca. Entre sus ávidos lectores se contarán Theodore Roosevelt y Henry Ford, futuro admirador y colaborador de Adolf Hitler, quien lo recomendará. *The Boston Transcript* publicará que todas las personas pensantes (es decir, blancas) deberían leerlo. El libro producirá un fuerte impacto en la clase dirigente y ayudará a definir las categorías que los elegidos usarán para redactar las leyes de inmigración en Estados Unidos en 1924: arriba se ubica la raza nórdica, más abajo los judíos, españoles, italianos e irlandeses y, aún más abajo, todo el resto de apariencia oscura. Según el autor, "*la capacidad intelectual de las razas varía como varían los aspectos físicos de cada una... A los estadounidenses les ha llevado cincuenta años para comprender que hablar inglés, usar buena ropa, asistir a la escuela y a la iglesia no transforma a un negro en un blanco*". El autor no aclara si los racistas procedentes de las razas superiores no son las inevitables excepciones a la regla, ya que es bien sabido que en las razas superiores también existen los integrantes con agudo retardo mental que, por obvias razones, no se consideran como tal y, también por obvias razones, son los primeros en adoptar esta teoría de la superioridad por asociación que no requiere méritos individuales.

Unos años después, en 1924, del otro lado del Atlántico, un soldado en su celda llamado Adolf Hitler leerá con pasión el libro de Madison Grant y comenzará a escribir *Mi lucha*. Hitler reconocerá *The Passing of the Great Race* como su biblia. Cuando Hitler se convierta en el líder de la Alemania nazi, su ministro de propaganda, Joseph Goebbels, leerá con la misma pasión el libro *Propaganda,* del estadounidense judío, doble sobrino de Sigmund Freud, Edward Bernays.

Berneys no inventará las *fake news,* pero, como su tío Freud, las elevará a la categoría de ciencia. Diferente a su tío, probará que estaba en lo cierto cuando, en 1954, por pedido de la CIA, logre hacer creer al mundo que el nuevo presidente de aquella isla no era un demócrata sino un comunista. Como consecuencia de esta manipulación mediática, cientos de miles de muertos alfombrarán los suelos de Guatemala en las siguientes décadas. No se llamará *holocausto*, porque eran indios.

El soldado Adolf Hitler no tenía ideas radicales. Tampoco era un pensador radical, sino todo lo contrario: más bien mediocre, sus ideas y su pensamiento eran de uso común en la época, sobre todo del otro lado del Atlántico. En Estados Unidos, la idea de una gloriosa raza teutónica y aria, amenazada de extinción por las razas inferiores, era moneda en curso durante el siglo XIX, desde los encapuchados del Ku Klux Klan hasta presidentes como Theodore Roosevelt, pasando por marines y voluntarios que cazaban negros por deporte, violaban a sus mujeres y se divertían justificando las violaciones como forma de mejorar la raza de las islas tropicales. Es muy probable que el nazismo hunda sus raíces en el sur de Estados Unidos, mucho antes de perder la memoria durante la Segunda guerra mundial.

1921. Ensayo de bombardeo contra una raza inferior

TULSA, OKLAHOMA. 30 DE MAYO DE 1921—A las 4: 05 de la tarde, Dick Rowland, un lustrabotas huérfano de 19 años, se dirige al baño para negros ubicado en el edificio Drexel, en el 319 de la calle Main Street. El baño queda en el último piso, por lo cual el joven debe usar las escaleras o el ascensor. Esta vez se decide por el camino más rápido, el ascensor, donde trabaja una joven blanca de nombre Sarah Page. Según su propia versión, Dick (que en inglés suele usarse como nombre popular de *pene*), al entrar en el ascensor se tropieza y, en el reflejo de agarrarse de algo, se agarra del brazo de la operadora. Un empleado que lo ve a través de las decoradas rejas entiende que se trata de una violación y corre hasta el teléfono para reportarlo a la policía. El tema favorito de la imaginación pornográfica (la bestia inferior provocando placer a la bella superior; la inversión de roles entre los de abajo y los de arriba, como forma de catarsis del poder temeroso de sus propias fantasías) antecede a la industria pornográfica en varias décadas, probablemente en siglos.

Al día siguiente, el *Tulsa Tribune* titula: "*Arrestan al negro que asaltó a una joven en un ascensor*". El diario agrega que el atacante le sacó el vestido a la joven Page y, más abajo, se hace eco del clamor popular: "*A linchar el negro esta noche*". Los diarios no informan de la permanente actividad del

Ku Klux Klan que no tolera la inexplicable prosperidad de los negros de Tulsa.[62]

Por alguna razón que sólo Dios sabe, la joven Sarah se niega a denunciar al atacante, pero de todas formas Dick es acusado de violación. Enseguida, hordas de indignados blancos atacan y vandalizan el elegante barrio negro de Tulsa. Al día siguiente, el 31 de mayo de 1921, aviones privados bombardean el área para calmar las protestas de negros generadas por el ataque de turbas de otros vecindarios. Cientos de edificios del distrito son destruidos por el fuego de los indignados blancos y más de nueve mil residentes pierden sus casas. Casi cien hombres, mujeres y niños, la mayoría negros, mueren en la masacre. Seis mil del mismo color terminan en prisión.

Dos años atrás, el bueno de Winston Churchill, ante las críticas por los bombardeos ingleses con gas letal en Afganistán, Palestina y contra los curdos en Medio Oriente, había respondido: *"no entiendo tantas críticas de los humanistas por el bombardeo con gas venenoso; yo estoy de acuerdo con el uso de este gas contra los pueblos incivilizados; de esa forma se preservan los edificios y la infraestructura de esos países".*[63]

El 11 de junio, la joven Sarah Page insiste, esta vez en el popular diario *Appeal to Reason*: *"cuando me agarró del brazo, yo grité y él se fue enseguida".*[64] Pero nada más vano que intentar sacar a un creyente de su convicción. Si la realidad no se adapta a los deseos, peor para ella. En las décadas por venir, los planes de desarrollo de infraestructura en Estados Unidos cruzarán el país y las grandes ciudades con decenas de nuevas y monumentales autopistas. Muchas de ellas, por gracia de la casualidad, realizarán desvíos técnicos, separando los barrios y las comunidades negras de las blancas y sirviendo para el desarrollo de los centros con mayoría de población blanca. Tulsa no será la excepción y, de esta forma, luego de ser arrasada por el fuego

---

[62] Este mismo año, en Birminham, Alabama, el recientemente electo presidente Warren Harding dice que los negros deben obtener "una ciudadanía completa". La policía y la prensa se indignan y el senador por Mississippi Byron Pat Harrison protesta que *"si aceptamos la teoría del presidente... tendríamos que aceptar la posibilidad de que un día este país pueda tener un presidente negro".*

[63] Ante la toma Palestina por el nuevo Estado de Israel, el mismo Churchill declarará: *"No puedo disculparme por esta toma de territorio de la misma forma que nadie puede quejarse que los hombres blancos hayan tomado las tierras de los indios piel roja en América; es algo natural que las razas superiores dominen a las razas inferiores".*

[64] El *Appeal to Reason* es un influyente diario del Partido Socialista de Estados Unidos con más de medio millón de suscriptores. Luego de varias décadas de profusa actividad, será cerrado abruptamente en 1922.

y el odio, quedará mortalmente segregada y desconectada por la nueva autopista norte.

Efectivamente borrada de la memoria popular y de los libros de las escuelas, la masacre de Tulsa en Oklahoma es el primer bombardeo aéreo registrado en suelo estadounidense, aunque todavía no se trata del primer
bombardeo militar a una población civil, estudiado y organizado con múltiples innovaciones científicas, como ocurrirá seis años más tarde en Ocotal,
Nicaragua, para revertir la victoria de un rebelde llamado Augusto Sandino,
quien había arrinconado a los marines en un edificio del pueblo. Este es un
bombardeo privado. El de Nicaragua será un experimento del gobierno. Hay
algunas diferencias.

Pero se parecen mucho.

1921. Corrupción latina

WASHINGTON DC. 30 DE JULIO DE 1921—El presidente de Estados Unidos,
Warren Harding, designa a Emmet Montgomery Reily como el nuevo gobernador de Puerto Rico. Conocido como hombre de negocios en Texas, Kansas
y Missouri, Reily tiene una diversa y mediocre carrera política, pero es un
firme propulsor del *americanismo*, es decir, de la introducción de los valores
de Estados Unidos en sus nuevas posesiones de ultramar. El mismo Harding
debe corregir su discurso de inauguración tropical, pero el nuevo gobernador
ignora las sugerencias del presidente y lee sus propias notas y proclama que
en Estados Unidos no existe ninguna intención de que Puerto Rico llegue un
día a ser un país independiente. Una avalancha de cartas inunda su flamante
oficina. Mont Reily se queja del lenguaje empleado por sus críticos.

Dos décadas atrás, el 12 de abril de 1900, se había aprobado la Ley Foraker (en honor a su creador, el senador de Ohio Joseph B. Foraker) por la
cual el gobernador de Puerto Rico sería desde entonces elegido por el presidente de Estados Unidos. Todas las leyes propuestas por la isla debían ser
aprobadas por el Congreso de Estados Unidos. El dinero de la isla sería el
dólar y su idioma oficial, aparte del idioma que habla el pueblo, sería el inglés.
A partir de entonces, las escuelas comenzaron a usar ese idioma para enseñar
a los niños que, casi sin excepción, solo entienden español.

El primero de mayo de 1900, Charles Herbert Allen, el empresario y ex
representante de Massachusetts en el Congreso, el hombre que controlaba el
98 por ciento del comercio del azúcar, se había convertido en el primer gobernador de la isla. Medio millar de visitantes casuales provenientes de Estados Unidos fueron nombrados en diversos puestos del gobierno. En un año

sus negocios florecieron, aunque el 85 por ciento de los niños de la isla no podían acceder a una escuela en funcionamiento.

Poco después, como forma de promocionar su país caribeño y elevar su estatus en el país de las leyes, el gobernador Allen había declarado que Puerto Rico era la isla con más blancos en todo el Caribe. En 1917 la ciudadanía estadounidense fue extendida sobre los habitantes de Puerto Rico, aunque con algunas limitaciones fundamentales, como la imposibilidad de votar por el presidente de Estados Unidos.

Para cuando el exitoso empresario y gobernador regresó a Nueva York, su empresa se había convertido en la azucarera más poderosa del mundo. Los funcionarios que fueron nombrados por su breve gobierno le aseguraron tierras gratis, subsidios y beneficios impositivos.

Ahora, seis gobernadores más tarde y a poco tiempo de tomar posesión del cargo como servidor público, el gobernador Emmet Montgomery Reily sigue la tradición: nombra funcionario de algo a cada estadounidense que llega a la isla de visita. Se hace amigo de la arquitectura española pero no de su idioma. Impone que la educación sea realizada exclusivamente en inglés, aun cuando los niños de la isla no hablan ese idioma. El 22 de setiembre de 1921, en medio de la crisis del precio del azúcar, renunciará a su cargo de gobernador y volverá a Estados Unidos. Los cientos de funcionarios estadounidenses que ha dejado en la administración le asegurarán muy buenos negocios en la importación de azúcar.

En apenas 25 años de ocupación y 27 gobiernos estadounidenses, las poderosas azucareras han reemplazado el café, conocido como "el cultivo del pobre" por el azúcar y Puerto Rico ha multiplicado las fortunas de las empresas norteamericanas. El desempleo trepa del 17 al 30 por ciento.

El 23 de febrero de 1936 dos miembros del Partido Nacionalista matarán un policía como represalia del asesinato de cuatro nacionalistas a manos de la policía, el 24 de octubre del año anterior. Los dos detenidos serán ejecutados en un cuartel de San Juan. El pueblo de la isla reaccionará con indignación y las autoridades detendrán a Pedro Albizu Campos. Campos, boricua graduado de Harvard University, también había servido en el ejército de Estados Unidos durante la Primera Guerra mundial. Cuando fue designado a un batallón de negros, de repente se da cuenta que es negro o, por lo menos, mulato. El problema con Campos será su percepción de la realidad. En sus años en el gran país del norte, por alguna razón, se había hecho la idea de que los puertorriqueños siempre serían ciudadanos de segunda clase, por alguna poderosa razón (su raza, su aspecto, su idioma o como quiera llamarse) y resolverá iniciar una lucha por la *desamericanización* de la isla. Por una decisión de la Suprema Corte de Estados Unidos los ciudadanos de Puerto Rico serán reconocidos como ciudadanos de ese país, pero más tarde sus conceptos de los derechos humanos, aprobados por su nueva constitución, serán anulados por el Congreso del país protector por considerar que los derechos civiles no son derechos humanos y, si lo fueran, serían demasiado peligrosos para el derecho sagrado de la propiedad privada.

La idea de Campos no irá muy lejos. Junto con otros revoltosos, será acusado de sedición. El jurado, compuesto de diez estadounidenses y dos portorriqueños, lo condenará por diez votos a favor y dos en contra.

1924. Make America Great Again

WASHINGTON DC. 15 DE MAYO DE 1924—Se aprueba la Ley de inmigración Johnson-Reed, también conocida como *Ley de exclusión asiática*. En 1911, luego de cuatro años de trabajo resumido en 41 tomos, la comisión Dillingham había concluido que los inmigrantes de los países del Sur y del Este de Europa también eran una amenaza.

La nueva ley es una extensión de la anterior ley de 1917, la que establecía la prohibición del ingreso al país de asiáticos, así como de "*idiotas, imbéciles y alcohólicos*". Ahora se establecen cuotas de inmigrantes según su origen nacional. Los inmigrantes de los países no prohibidos no deben sumar más del dos por ciento de los miembros del mismo origen ya presentes en el país, pero el censo a ser considerado no es el último disponible sino el de unas décadas atrás, cuando América era grande y recibía transfusiones de la mejor sangre blanca disponible en el mercado.

El país orgulloso de haberse construido en la diversidad de sus inmigrantes, en la indulgente imagen del *melting pot* (crisol de razas), ha legislado con una obsesión persistente: mantener la limpieza de sangre anglosajona a cualquier precio. El 26 de marzo de 1790 la misma Ley de naturalización establecía que "*sólo las personas de raza blanca, libres y de buena moral, pueden convertirse en ciudadanos de Estados Unidos*". La ciudadanía podía transmitirse a través del padre. Luego que casi un siglo después la Enmienda 14 estableciera el derecho de ciudadanía por nacimiento, la guerra racial se trasladó a las leyes segregacionistas y a las políticas de exclusión. En los estados del sur proliferaron las leyes Jim Crow y en las relaciones internacionales con países inferiores (pobres y poblado de negros y mestizos) se prefirió los protectorados y el predominio de las empresas privadas a las anexiones pasadas de moda.

Para una constitución moderadamente progresista son necesarias leyes rabiosamente conservadoras. El 6 de mayo de 1882 el presidente Chester Arthur había firmado la ley *Chinese Exclusion Act* (Ley de exclusión china). Algunos diarios ilustraron la noticia con el Tío Sam pateando el trasero de un trabajador chino y otros, más objetivos, informaron sobre la prohibición para esa raza de alcanzar "La Puerta Dorada de la Libertad". Aunque la ley se llama "de exclusión china", incluye a los japoneses. Asia es muy grande y todos se parecen. También excluye *prostitutas, lunáticos, idiotas e imbéciles*". En 1875, la ley Page había prohibido la inmigración de las mujeres chinas, que eran las que parían chinos con ciudadanía americana, pero no a los hombres que se necesitaban en la construcción de vías férreas. Para mal de males, los trabajadores chinos se las habían ingeniado para procrear, tal vez de forma accidental, con mujeres de otras razas, lo cual echaba por tierra la idea de *jornaleros baratos sí, americanos de razas inferiores no*. No obstante, una ley más estricta, a partir de 1882 los chinos continúan llegando hasta México, desde donde muchos cruzan la invisible frontera con Estados Unidos.

Esta ley basada, en la exclusión racial, será abolida el 17 de diciembre de 1943 por la ley Magnuson, gracias a la cual se permitirá la inmigración de 105 chinos por año.

Ahora, la recientemente aprobada ley de 1924 había presentado algunos problemas. Desde 1890 habían comenzado a llegar más judíos, griegos e italianos que irlandeses, ingleses y alemanes, por lo que la foto de país que se establece como *ideal* es la que indica el censo de 1890, no el de 1910 ni el de 1920. Poco a poco, la designación de "origen nacional" irá sustituyendo a la más antigua e incómoda de "raza". La idea será la misma.

La ley no afecta cubanos, dominicanos ni haitianos. Tampoco a los mexicanos, que dejan de ser un problema por un tiempo. La ley los ignora. La agricultura y las ferroviarias tienen un déficit de trabajadores jornaleros y los mexicanos son ideales "por su natural adaptación a las duras condiciones". Los mexicanos cruzan la frontera sur casi sin darse cuenta. Vienen y van según la demanda, según la estación del año. No protestan, no tienen derechos, no son ciudadanos ni les interesa quedarse a vivir en la tierra de sus antepasados, ahora irreconocible.

1926. El rey blanco de los zombis negros

LA GONÂVE, HAITÍ. 18 DE JULIO DE 1926—Un pollo pierde la cabeza, su sangre corre en medio de la noche iluminada por una gran hoguera que palpita con los tambores y el marine Faustin Wirkus es proclamado rey de la mayor isla de Haití. Wirkus no se da cuenta de sus nuevos privilegios y responsabilidades hasta poco después de la ceremonia vudú, cuando le explican que no se trataba de una simple celebración por su majestuosa presencia, sino que ahora la isla es suya y sus doce mil habitantes son sus súbditos. Encargado de mantener fuera de la capital a los rebeldes cacos que resisten la ocupación estadounidense, el sargento Wirkus había sido enviado a la extensa y misteriosa isla frente a Puerto Príncipe, esa que nadie quiere visitar. Pero el joven marine, que no quería ser un pastelero en Pensilvania, se anima hasta poner a prueba sus nervios.

El primero de abril del año pasado, el diario *The Anaconda Standard* de Anaconda, Montana, había informado extensamente sobre la existencia de zombis en Haití. El cronista, W. B. Seabrook, había acompañado su relato con fotografías tomadas por él mismo, entre las cuales destacaba la de un hombre negro, vestido con harapos y vagamente descrito como un posible zombi, *"desenterrado de su tumba por la magia negra para ponerlo a trabajar en las plantaciones"*. Los rituales capaces de revivir a los muertos para que trabajen como esclavos, según Seabrook, requieren la sangre de una cabra y muy frecuentemente la de niños, a quienes, luego del ritual, los participantes devoran. Casi todos los tres millones de campesinos haitianos son devotos de estas supersticiones africanas que el autor sospecha podrían considerarse como una religión. En compañía del marine Faustin Wirkus, y de un baqueano llamado Polynice, Seabrook había explorado las montañas de La Gonave que ningún mapa registra y se habían encontrado con varios hombres sacados de su tumba que pueden caminar y trabajar en los campos habiendo perdido sus almas, como si estuviesen todavía vivos a los que llaman zombi, "muertos que caminan". Un día al atardecer se habían encontrado con tres zombis hombres y una joven zombi trabajando la tierra con movimientos mecánicos, "como autómatas", sin emociones en sus rostros, sin vida en sus ojos. La impactante escena le trae a la memoria el experimento científico que había presenciado años atrás en la Universidad de Columbia, en el cual le habían removido la parte frontal del cerebro de un perro todavía vivo: *"sus ojos eran estos ojos que ahora veía en ese hombre"*. El cronista, que presume de su racional curiosidad científica, había insistido en la existencia real de los zombis que lo conmovieron hasta el espanto. Pese a lo cual, un rincón de su conciencia, todavía viva, le llevan a sugerir, muy al final del extenso reporte, que tal vez no eran zombis sino pobres idiotas explotados hasta el extremo de haber sido despojados de toda su humanidad. Polynice, el guía, no está de acuerdo con esta posibilidad: *"si así fuese, ¿cómo se explica que los familiares hayan visto tantas veces a sus propios muertos volver de sus tumbas para matar a los amos que los mantuvieron esclavos en vida?"*.

Por seis años, el sargento Wirkus había encontrado en Puerto Príncipe *"una ciudad recluida en el pasado, libre de las vulgaridades modernas"*. El lado negativo, había reconocido caminado por las pavorosas calles de Puerto Príncipe, es que *"no somos bienvenidos"*. Luego de uno o dos accidentes, había sido asignado a la fuerza paramilitar Garde d'Haiti, el cuerpo de marines que actuaba libremente contra los rebeldes cacos, y poco después había sido comisionado para intervenir en La Gonâve como comandante de la isla.

Las historias de vudú y brujería sobre la isla habían mantenido a los voluntarios alejados. Sus amigos le advertían que ningún hombre blanco había puesto pie y regresado de ella desde los tiempos de los piratas. Su misión era evaluar y, de ser necesario, castigar las ofensas que, según rumores, los nativos haitianos habían cometido contra la República Ocupada de Haití.

La reina Ti Memenne obedece a sus hechiceras que le aseguran que el recién llegado es la reencarnación del emperador Faustin Soulouque. Aunque el recién llegado lo reporta como una casualidad de su buena suerte, los hechiceros creen que no es coincidencia que el nombre del sargento de ojos celestes es el mismo que el del emperador que gobernó el país a mediados del siglo pasado y, en una ceremonia vudú, lo proclaman Rey Faustin II. Wirkus acepta encantado, por lo cual, desde entonces, se conocerá a su predecesor del siglo pasado como Faustin I. Los viejos y hasta los más jóvenes recuerdan que cuando Faustin Soulouque debió marcharse derrotado de Haití, como Quetzalcóatl en México, había prometido regresar.

El reinado del nuevo Faustín durará tres años, hasta que el gobierno de Estados Unidos, para complacer a su títere en Puerto Príncipe, el presidente Louis Borno, le ordene regresar a Nueva York. Por algún tiempo, antes de caer en el olvido, algunos escépticos considerarán que la historia del Rey blanco de La Gonâve había sido una fabricación del periodista William Seabrook, quien en 1929 publicará *The Magic Island*. Sin embargo, la realidad suele ser más fantástica que la ficción. El periodista W. B. Seabrook visita la isla atraídos por los rumores y confirma cada pieza de la historia. Los diarios estadounidenses, como el *Decatur Herald* del 4 de enero de 1929, reportarán que el reinado del muchacho rubio de Pennsylvania se caracterizó por su sabiduría y justicia, ya que, contrariamente a la costumbre de los conquistadores, Wirkus respetaba las tradiciones de los nativos. Como dirá la profesora de Mount Holyoke College, Mary Renda, "un imperio necesita tanto de historias como de armas". En Estados Unidos, las portadas de las revistas representarán al rey marine rodeado de hombres negros y de hermosas mujeres latinas de labios pintados, no tan negras, arrodilladas y venerando al rey blanco. En sus páginas interiores, más o menos la misma pornografía: haitianas que parecen rubias de Nueva York con el pelo negro, con enormes aros en las orejas y paños piratas en la cabeza, felices en la tarea de bañar al rey marine.

Las historias pueden ser fabricadas; hasta pueden ser reales, como en ese caso. Sólo hay que promocionarlas para probar que Tarzán existió en realidad,

226

aunque no reinaba desnudo ni vivía en el centro de África sino muy cerca, a pocas millas del centro de la civilización.

1927. El primer bombardeo aéreo de la historia militar

OCOTAL, NICARAGUA. 16 DE JULIO DE 1927—Por la mañana, dos aviones sobrevuelan la ciudad y comienzan a arrojar bombas. Uno de los pilotos, el teniente Boyden, alias el Loco Boy, no puede aterrizar porque los sandinistas han destruido la autopista. El segundo avión piloteado por el sargento Wodarczyk, alias Caballo Polaco, desde el aire descubre que el cuartel general de los marines ha sido sitiado. Informados en Managua de la inaceptable humillación, unas horas después cinco aviones estadounidenses llegan a la ciudad con una novedad militar que desde hacía tiempo atrás Washington esperaba probar. Los aviones llegan cargados de bombas y de historia, las que descargan con movimientos en picada, precisos y coordinados, evitando cualquier defensa terrestre. Este día será conocido en la historia militar como el primer bombardeo aéreo en una guerra.[65]

La represalia, aparte de ser un experimento táctico y tecnológico, también debe ser ejemplarizante. El ataque es una respuesta a un tratado que los rebeldes no aceptaron. El pasado 4 de mayo, en Tipitapa, el gobierno, los generales nicaragüenses y el general estadounidense Gilbert Hatfield habían firmado el Pacto del Espino Negro para terminar con las disputas internas. Por este tratado, los distintos bandos nacionales se habían comprometido a entregar sus armas a los marines y aceptar su presencia en el país para garantizar el orden y el respeto de los tratados firmados anteriormente, todos bajo ocupación. Pero Augusto Sandino no había estado de acuerdo. El campesino rebelde que se creyó capaz de enfrentar la ocupación de su país, que inició la lucha de resistencia con veintinueve hombres y cuarenta rifles, no solo está decidido a enfrentarse al poderoso ejército de Estados Unidos sino también a los liberales y a los conservadores criollos que les abrieron las puertas y pactaron con el invasor. Más allá de que el presidente de Nicaragua sea liberal o conservador, dice, debe ser un nicaragüense elegido libremente por los nicaragüenses. El 10 de junio de 1928, en una carta al intelectual hondureño Froylán Turcios, Sandino escribirá y describirá el imperialismo estadounidense. *"Hablando de la Doctrina Monroe, dicen: América para los americanos"*. Enseguida, el muco, el medio indio, corrige el uso del lenguaje: lo que

---

[65] El primero de junio de 1921 aviones privados habían arrojado bombas incendiarias sobre el distrito negro de Tulsa, Oklahoma. El factor racial es común a ambos incidentes, pero en este caso no se refería a un conflicto internacional.

quieren decir es "*América para los yankees. Ahora bien: para que las bestias rubias no continúen engañadas, yo reafirmo la frase en los términos siguientes: los Estados Unidos de América para los yankees. La América Latina para los indo-latinos*".

Por entonces, el cónsul del otro imperio, Gran Bretaña, informa que los marines estadounidenses "*usan una violencia innecesaria contra los indios y los negros en la región*". Un doctor estadounidense de Bluefields denuncia "*la práctica de todo tipo de torturas por parte de nuestros marines*" como golpes en la cara, en la cabeza o la aplicación de la "cura del agua" (el submarino) en cientos de nicaragüenses. En otros casos, el doctor detalla que las víctimas son atadas de los testículos para incrementar el dolor. Estas prácticas son dirigidas por el coronel Carroll y supervisadas por el capitán Donald Kendall.

Aunque Sandino promueve la solidaridad y un estricto código ético contra el abuso de alcohol y penas ejemplares contra el abuso de mujeres, ni él y ni sus seguidores responderán a las torturas de los marines con flores. Uno de ellos, Pedrón Altamirano, se destacará por cazar marines y castigarlos con tormentos similares.

El año pasado, cuando Washington obligó al congreso de Nicaragua a aceptar a Adolfo Diaz como el nuevo presidente, uno de los periodistas estadounidenses más reconocidos y crítico del imperialismo de su país en América Latina, Will Rogers, destiló un sarcasmo muy próximo a Mark Twain: "*La anunciamos al mundo que Diaz es el presidente legítimamente electo de Nicaragua, pero Brasil, Argentina, Perú, Chile, México, Ecuador, Costa Rica, Cuba, Guatemala, Colombia, Uruguay y Paraguay dicen lo contrario. Es muy interesante descubrir que solo nosotros somos quienes hacen lo correcto*".

Aunque el presidente puesto por Washington, Adolfo Díaz, no es reconocido ni por la mayoría de los países latinoamericanos ni por la mayoría de los nicaragüenses, el 11 de mayo el general Gilbert Hatfield le envía a Sandino una carta con la advertencia de una represalia armada en caso de no aceptar los términos de la paz. Sandino le responde: "*Recibí su comunicación ayer y estoy entendido de ella. No me rendiré y aquí los espero. Yo quiero patria libre o morir. No les tengo miedo*". Poco a poco, sus seguidores han ido sumando campesinos y trabajadores hambreados, mineros sin sueldo y indígenas luchando por sus tierras comunales. Todos sin ninguna preparación militar. El viernes 15, luego de destruir la pista de aterrizaje, habían entrado a Ocotal con tal fuerza y decisión que terminaron obligando al general Hatfield, a sus poderosos marines y a la Guardia Nacional nicaragüense a recluirse en el cuartel central. Los marines habían respondido con metralletas automáticas pero, pese a matar a varios rebeldes, no habían logrado romper el sitio. Horas después llegaron los aviones que ahora bombardean la ciudad, dejando un número olvidado de muertos y obligando a los rebeldes a replegarse. Cincuenta bombas y varios miles de municiones disparados por la nariz y por la cola de cada avión matan civiles y diezman la moral de los que quedan. Sandino se retira con sus hombres a la montaña.

En Estados Unidos, los diarios celebran una nueva proeza de la tecnología militar. Solo un marine ha resultado muerto en la novedosa batalla. Los altos mandos reciben distinciones. El general Hatfield recibe la *Cruz de la Armada* de manos del presidente Calvin Coolidge. En el célebre bombardeo aéreo, decenas de civiles y de rebeldes muertos obligan a Sandino y a sus hombres a retirarse. Pero Sandino y sus hombres aprenden de la derrota. No cabe una guerra tradicional con un enemigo que caga fuego desde el cielo. Entonces inicia una guerra de guerrillas que va creciendo hasta que en 1933 terminará con la salida del país de los cinco mil marines. Uno de ellos escribe desde Choluteca, Honduras: "*todas las casas tienen una foto de Sandino*". Desde los comités antiimperialistas de Washington, Filadelfia y Nueva York, las fuerzas de Sandino reciben ayuda económica y medicinas básicas.

Pero el Washington de más arriba también aprenderá de esta derrota. Como será el caso de otras repúblicas bananeras, antes de retirarse de Nicaragua en 1933 dejará en la presidencia a un dictador criollo que conoce a su gente mejor que los invasores extranjeros. El títere, Anastasio Somoza, se encargará de traicionar y asesinar a Sandino. Nicaragua, el país que antes de la llegada de los marines había sido el más próspero de la región, el que había derrotado a Gran Bretaña y le había arrebatado la costa del Caribe, como el resto de otros países vecinos bajo la protección de Washington, se hundirá en la miseria, la muerte joven, el fanatismo viejo, la ignorancia deliberada y el olvido estratégico por más de medio siglo.

En Washington, a algunos senadores les pica la conciencia. "*Nuestro gobierno ha usado todo el poder de las armas para destruir vidas humanas, para quemar aldeas, para bombardear desde el aire a niños y mujeres*", protesta el senador progresista del partido Republicano George Norris. El senador William King se suma a las críticas: "*pobre Nicaragua; enviamos a nuestro ejército y a nuestros aviones para quemar sus aldeas y matar a su gente indefensa*". El presidente Calvin Coolidge insiste con una excusa que será un clásico de la literatura política a lo largo del siglo: el objetivo altruista de Washington es lograr "*elecciones justas*" en Nicaragua. Pero el senador Norris, con el sarcasmo de los derrotados, responde: "*Si nuestro presidente realmente quiere usar el ejército, la armada y sus marines para purificar las elecciones en Nicaragua, ¿por qué no los envía a Filadelfia?... Lo que los nicaragüenses quieren es lo mismo que queremos nosotros; ellos quieren a sus hijos como nosotros queremos a los nuestros y, aunque ustedes llamen casuchas a sus casas, ellos las quieren tanto como nosotros queremos a las nuestras; pero nosotros fuimos y se las quemamos; hemos asesinado a sus hijos y a sus esposas cuando ellos estaban desarmados y ni siquiera habían levantado un dedo contra nosotros".*

En el otoño de 1928, al menos cien manifestantes marcharán frente a la Casa Blanca y el ministerio de Guerra y Marina. Los carteles reclamarán *"Fuera marines de Nicaragua", "Libertad para John Porter", "Porter, preso por negarse a ser un instrumento del capitalismo militarista", "Detengan la nueva guerra imperialista".* La marcha de los piqueteros (*picketers*) será titulada en los diarios como "La marcha de los rojos" y Porter será descrito como un desertor del ejército, vicepresidente del sindicato textil de New Bedford en Massachusetts y cinco veces preso por huelguista. Decenas serán arrestados por manifestarse sin permiso. Entre los arrestados estarán varios miembros de la Liga Antiimperialista de Estados Unidos, la Unión de trabajadores negros, la Liga de defensa laboral y miembros del Partido Comunista de Estados Unidos.

Francis White, jefe de la División para América Latina y luego (en plena catástrofe económica) partidario del retiro de los marines de la región, declarará que las críticas contra las ocupaciones de Estados Unidos en América Central y en el Caribe están motivadas y organizadas por *"propagandistas profesionales".* El senador demócrata por Maryland, William Cabell Bruce, en nombre de la "mayoría silenciosa" y en contra de los críticos y de los manifestantes, declarará con firme convicción: *"Los únicos elementos de la sociedad que no aprueban las acciones de nuestro gobierno en relación a Nicaragua son los pacifistas extremos, los radicales".*

Entre los miembros de la mayoría silenciosa se encuentra John S. Hemphill, hijo de un combatiente caído en la Guerra Civil y padre de un marine muerto en Managua, John F. Hemphill, quien desde Missouri envía una carta al senado en Washington: *"Mi hijo fue muerto en acción contra los rebeldes del general Sandino. No puedo odiar ni a Sandino ni a sus guerrilleros. Les hablo en nombre del noventa por ciento de la gente que conozco... No tenemos ningún derecho ni legal ni moral para asesinar a esa gente que lucha por su propia libertad... Lo que estamos haciendo allá es matar gente para implantar un títere en su gobierno y seguir actuando como recaudadores de Wall Street... Ahora, señores, imaginen por un momento que pierden un hijo víctima de la avaricia de Wall Street y díganme si les parece que las ganancias valen la pena".*

La carta de Mr. Hemphill será leída por el senador Clarence Dill en la sesión del Congreso del 19 de enero de 1928. Poco después será olvidada.

1928. Otro Ejército Patriota and Company

CIÉNAGA, COLOMBIA. 28 DE NOVIEMBRE DE 1928—Más de veinte mil trabajadores se niegan a continuar cortando bananas para la United Fruit Company, en protesta por las condiciones de trabajo, en reclamo por la construcción de clínicas y por la cobertura médica en casos de accidentes laborales. Las condiciones sanitarias de los trabajadores de la Compañía son de las peores del país. Las enfermedades de todo tipo abundan y los trabajadores rara vez llegan a la vejez.

La Compañía no acepta los reclamos y se niega a pagar los beneficios establecidos por la ley colombiana de 1915 porque los trabajadores que trabajan para ella no son sus trabajadores. Son contratados por colombianos.

La United Fruit Company tiene sus contactos en Washington, de modo que el presidente Calvin Coolidge le informa a su par colombiano que, de no levantarse la huelga de trabajadores en Colombia, enviaría de inmediato una flota de marines para que resolvieran el problema.

El 4 de diciembre, el presidente Miguel Abadía Méndez decide terminar con la huelga de trabajadores de la United Fruit Company y, así, con la amenaza de los trabajadores a la seguridad nacional. Envía al ejército a la zona de conflicto.

El 5 de diciembre el secretario de Estado de Estados Unidos, Frank Kellogg, recibe un cable de su embajador en Bogotá: *"El ministro de relaciones exteriores de Colombia me informó el sábado que su gobierno enviaría más militares para terminar con la huelga de trabajadores, procediendo a arrestar a los líderes sindicalistas, los cuales serían trasladados a Cartagena. También me aseguraron que harían todo lo posible por proteger los intereses estadounidenses involucrados"*.

Un nuevo llega unas horas después, esta vez procedente del consulado de Santa Marta: *"algunos soldados comparten el mismo sentimiento de los trabajadores contra el gobierno de Colombia. Sugerimos que envíen un buque de guerra, ya que la huelga ha tomado cierta tendencia subversiva"*.

Esa misma noche, el general Cortés Vargas y trescientos de sus soldados se encuentran con miles de trabajadores inundando las calles de Ciénaga y los describe como un complot de los soviets. El general espera y, a las once de la noche, es informado que el gobierno de Colombia lo ha nombrado jefe civil de la provincia de Santa Marta, ahora bajo estado de sitio.

Un par de horas después, el general envía sus tropas sobre miles de trabajadores durmiendo en las calles y les hace leer un decreto que prohibía cualquier reunión de más de tres personas. Los trabajadores son demasiado pobres para tener algún tipo de armas y demasiado ingenuos para sospechar de los soldados de su propio pueblo. Un cable de la embajada estadounidense informa que el gobierno nacional ha dado la orden de *"no ahorrar en balas"*.

Pocos minutos después, los soldados comienzan a disparar a la multitud que se confunde en la oscuridad. Cientos son masacrados y cargados esa misma noche en trenes con rumbo desconocido. Cuando sale el sol, quedan nueve cadáveres sin recoger y se informa que se trata de los muertos de la madrugada.

Los trabajadores que logran escapar se dedican al robo y el vandalismo de todo lo que encuentran. Pero el gobierno logra pacificar el área en menos de una semana y los pocos trabajadores que quedan vuelven a sus trabajos en las plantaciones de la United Fruit Company. El Pulpo, como es conocida la compañía en otros países, pronto encontró trabajadores nuevos que reemplazarán a los desaparecidos.

El 9 de diciembre, el consulado estadounidense en Santa Marta informa que *"ningún estadounidense ha sido herido; aún continúan algunos incidentes, pero los soldados se están encargando de limpiar el área de comunistas"*.

El 16 de enero de 1929, el embajador estadounidense en Bogotá reporta a Washington: *"Tengo el honor de informar que el representante de la United Fruit Company me ha informado que el total de los huelguistas muertos superan los mil, con la pérdida de un solo soldado colombiano"*.

El 11 de julio de 1926, el periodista y corresponsal de guerra del *New York Times*, Edwin Leland James, había escrito en *The Times Magazine*: "probablemente no haya en el mundo un país menos querido que Estados Unidos". A principios del 2002 el presidente George W. Bush repetirá una idea arraigada en la sociedad: *"nos odian porque somos libres"*. Poco a poco, la cosa volverá del discurso de la cultura superior a la raza superior. El 22 de septiembre de 2016, luego del asesinato de un manifestante contra el fascismo, el congresista Robert Pittenger le explicará a la BBC la razón de las protestas en Charlotte, Carolina del Norte: quienes protestan contra el racismo *"odian a los blancos porque los blancos son exitosos"*.

Un año antes de la masacre impune de la UFCO y de su promoción del nuevo realismo mágico en América Latina, a pocos kilómetros de Ciénaga, había nacido Gabriel García Márquez.

1931. Deportados de su propio país, otra vez

LA PLACITA PARK, CALIFORNIA. 26 DE FEBRERO DE 1931—Un jueves frío de febrero, a las tres de la tarde, hombres armados, algunos vestidos de uniforme militar y otros uniformados de civil, rodean a cientos de hombres y mujeres en la popular Placita Park. En minutos, los suben en camiones y los transportan a la frontera sin trámite ni más acusación que la apariencia de mexicanos que llevan encima. La mayoría son ciudadanos estadounidenses, deportados a un país extranjero.

Las razias continuarán por todo el país. En unos pocos meses, cincuenta mil serán exiliados a la fuerza. Ninguna ley federal legitima la limpieza étnica; sólo un eslogan del presidente Herbert Hoover: "*los trabajos en América son para los verdaderos americanos*". La distracción, la idea de haber encontrado el problema para una solución funciona una vez más. La euforia de los "verdaderos americanos" que sufren el hambre y la miseria, sube como leche hervida. La fiesta sin límites de los años locos, de los negocios entre el champagne, la orgía de capitales que, naturalmente, acaba de terminar en un inesperado parto y Depresión. Los grandes inversores se suicidan y los pequeños trabajadores se mueren de hambre. Dos años más tarde, el nuevo presidente, Franklin Roosevelt, saldrá al rescate con una fórmula que no tiene nada de capitalista: el Estado puede salvar al país, puede ayudar a los trabajadores sin trabajo y puede inventarles trabajo de la nada.

Pero los recursos del maldito gobierno, que nunca hace nada bien, son limitados y es necesario ahorrar. Una forma será retirar los marines de América Latina. Otra, iniciada con Hoover, es que en Estados Unidos haya menos gente que reciba algún tipo de ayuda del generoso gobierno. Cuanto menos mejor. Así que hay que empezar por limpiar el país por algún lado y comienzan las redadas en los pueblos y en los vecindarios mexicanos en Estados Unidos en busca de mexicanos o cualquiera que parezca mexicano. 40.000 californianos que se consideran dentro de esa categoría abandonaran el país en 1932.

En 1848, el tratado de Guadalupe Hidalgo que cedía más de la mitad de México a Estados Unidos había establecido que los mexicanos que obtuviesen la ciudadanía estadounidense tendrían los mismos derechos que los ciudadanos blancos. Pero los tratados se respetan mientras convengan al más fuerte y las leyes se mantienen mientras coinciden con los intereses de las clases sociales en el poder, que en definitiva son quienes las redactan. Los mexicanos conversos, como ocurrió en Europa con moros y judíos, poco después y de forma sistemática también serán despojados de sus propiedades y obligados a marcharse del país o a las grandes ciudades donde, como los esclavos liberados por Lincoln, deberán conformarse con trabajar por propinas o por sueldos de miseria en el sector de servicios.

Durante la Gran depresión de los años treinta, un millón de estadounidenses con acento y apariencia hispana serán obligados a abandonar su país como en el siglo anterior miles de negros habían sido obligados a volver a Haití o África de donde, decían, habían llegado siglos atrás. La operación de limpieza que comenzó en los hospitales de Los Angeles se llama "*Mexican*

Repatriation". Muchos de ellos pertenecerán a familias que estuvieron en esa tierra siglos antes de que la frontera les pasara por encima y no tendrán idea de cómo es vivir en el país vecino, que se supone es su país de origen y de destino cuando las cosas salen mal, como África es el país de los negros.

Los estadounidenses de raza híbrida e idioma imperfecto que se queden no se podrán bañar en las piscinas de los hoteles ni podrán entrar a los teatros. Cuando entren, no podrán sentarse al medio ni muy adelante. En las elecciones, sus barrios serán divididos de forma que sean siempre minorías en cada distrito y nunca alcancen los representantes que se merecen por su número. Tiendas y restaurantes colgarán carteles reservándoe el derecho de admision: "*No Negroes, Mexicans or dogs allowed (No se permiten negros, mexicanos ni perros)*".

En 1925, en una conferencia sobre el problema de las razas, el zoólogo de Berkeley (ahora estudioso del animal humano) Samuel Holmes había advertido del problema racial que representaban los mexicanos. Poco después, Holmes había propuesto la esterilización forzada de la gente de origen mexicano para no disminuir la calidad de la raza estadounidense, de la misma forma que estados como California han estado esterilizando a miles de pacientes considerados idiotas. En mayo de 1929, en su artículo "Perils of Mexican Invasion" ("Los peligros de la invasión mexicana") publicado por el *North American Review*, Holmes había citado al Comisionado de trabajo de Texas Mr. McKemy, quien había advertido sobre el peligro de que el 75 por ciento de los trabajadores rurales fuesen jornaleros mexicanos. "*Los hijos de los trabajadores de hoy serán ciudadanos mañana*". En artículos sucesivos, Holmes repetirá la advertencia hecha por Theodore Roosevelt sobre el "*suicidio racial*" que encontrará eco no sólo en los miembros del Ku Klux Klan sino en una vasta masa de ciudadanos anglosajones. Esta paranoia racial y fronteriza se agravará durante la Gran Depresión.

En junio de 2006 el agitador radial Rush Limbaugh denunciará la invasión de trabajadores mexicanos como un intento de "reconquista". No se cansará de denunciar la invasión y las milicias privadas como los Minutemen y el Tea Party vigilarán armados la línea fronteriza que protege la raza anglosajona en nombre de la ley y otras excusas actualizadas mientras se continúa la centenaria tradición de empujar las fronteras interviniendo "en defensa propia" donde sea necesario y contra cualquier ley internacional.

Aunque bajo tierra, la historia de Texas seguirá viva.

1932. Otra matanza de radicales

SAN SALVADOR, EL SALVADOR. 22 DE ENERO DE 1932—El presidente Maximiliano Hernández le encarga al general José Calderón la aniquilación de las protestas campesinas en Ahuachapán y Acajutla. Las rebeliones en el centro cafetero del país preocupan a las familias más importantes en la capital y su miedo se derrama hasta alcanzar los barrios más pobres de San Salvador como si fuese una inundación.

Algunos informan de terroríficos ataques con machetes de los indios pipiles, etnia que, por generaciones, había sido pacíficamente desplazada de sus tierras. Ahora, el 90 por ciento de esa tierra y de todas las tierras del país están en manos de Los Catorce, las catorce familias que dominan la vida económica, social y política de El Salvador. La clase media no existe y los trabajadores del café reciben dos tortillas y dos cucharadas de frijoles por la mañana y por la noche como salario. Como lo define un miembro de la delegación de Estados Unidos, W. J. McCafferty, en El Salvador los animales domésticos son más valiosos que los trabajadores. Pero los revoltosos están alentados por la nueva secta de los comunistas, liderados por Farabundo Martí. Aunque están de acuerdo con míster McCafferty, no están dispuestos a quedarse en el diagnóstico. Porque se organizan para resistir este absurdo, son acusados de radicales. Del otro lado, del lado de las fuerzas de la represión, cualquier excusa vale para tomar serias (no radicales) medidas de protección contra cualquier cambio. La policía secreta de El Salvador intercepta cartas de la *International Labor Defense* (un sindicato de trabajadores negros en Estados Unidos) para el sindicalista Miguel Ángel Martínez suguiriendo que los trabajadores salvadoreños se deben unir y organizar ante "el imperialismo capitalista". San Salvador protesta por la propaganda comunista de Estados Unidos. Washington está de acuerdo en tomar medidas serias contra los radicales. En cuestión de tres días, el ejército patriota de El Salvador masacra a 25.000 campesinos.

Washington ama las leyes aprobadas en Washington y los tratados internacionales firmados por Washington. Por el Tratado de 1923, Estados Unidos le había negado legitimidad al presidente Hernández Martínez y a cualquier grupo rebelde, incluso si se trataba de un alzamiento contra una dictadura. El objetivo declarado era mantener la "estabilidad en América Central", acostumbrada a los golpes de Estado, en gran medida promovidos o apoyados por Washington. Pero la rebelión de campesinos en 1931 le había hecho reconsiderar su discurso. Luego del golpe de Estado de Martínez, los campesinos se habían levantado en demanda de reformas agrarias. Su líder, Farabundo

Martí, era uno de los fundadores del Partido comunista de América Central. Aunque los diarios intentan mostrar lo contrario, sus vínculos no eran con la Unión Soviética sino con Estados Unidos. En 1925 había sido designado miembro de la *League Against Imperialism* (La liga antiimperialista) con sede en Nueva York y había colaborado con la resistencia de Augusto Sandino contra los marines en Nicaragua. En 1930 había sido exiliado para evitar que se presentase a las elecciones del año siguiente, pero su popularidad había aumentado de forma peligrosa entre el campesinado y, en 1932, había participado en la rebelión contra la dictadura de Maximiliano Hernández Martínez.

Farabundo Martí será ejecutado sin juicio ni demora. Otros líderes, como el líder indígena Feliciano Ama, será linchado y su cadáver será expuesto ante los niños de una escuela. Anastasio Aquino será ejecutado y su cabeza será expuesta al público en una jaula con la advertencia: "EJEMPLO DE REVOLTOSOS". Francisco *Chico* Sánchez, campesino pipil, miembro del partido comunista desde el año anterior y uno de los líderes del alzamiento, será colgado junto con otros cientos de sus rebeldes. Todos los campesinos con aspecto indígena serán ejecutados en grupos de a cincuenta contra el muro de la Iglesia de La Asunción. En los años por venir, el asesinato de opositores al gobierno se convertirá en rutina. La población de origen pipil será casi exterminada al punto de que esa lengua dejará de hablarse en América Central.

Cuando Franklin Delano Roosevelt tome el poder en Washington un año después, cambiará la política intervencionista en América Latina por la "política del buen vecino", en parte por razones ideológicas y en parte por necesidad de ahorrar recursos en tiempo de la Gran depresión. Al igual que Sandino, Farabundo Martí inspirará el grupo guerrillero Frente Farabundo Martí para la Liberación Nacional, FMLN, que en los ochenta se levantará en armas contra otra dictadura apoyada y financiada por Washington. Igual que en 1932, los campesinos serán violentamente reprimidos en 1979 por la Guardia Nacional de El Salvador. Muchos se unirán a los grupos guerrilleros de izquierda, los cuales, a su vez, serán una renovada excusa para ondear la bandera de *la amenaza comunista* y recibir más apoyo de Washington. Cuando Ronald Reagan tome el poder enviará, durante diez años un millón de dólares diarios en para los militares salvadoreños, quienes aumentarán aún más la represión y los asesinatos masivos a una escala surrealista, empezando por el asesinato del padre Romero y de las cuatro religiosas estadounidenses en 1980 hasta la masacre de jesuitas izquierdosos en 1989. Los asesinatos contra rebeldes y religiosos conservadores con conciencia social, serán alabados y apoyados por los poderosos pastores televangélicos como Pat Robertson.

1933. El buen vecino del patio de atrás

WASHINGTON, DC. 4 DE MARZO DE 1933—Franklin Delano Roosevelt es investido presidente de Estados Unidos y, poco después, anuncia su nueva política para América Latina, la que llama "Política del buen vecino", reemplazando las conocidas Política del bombardero y la Política del dólar por la Política del libre comercio y el reconocimiento de la soberanía ajena. En su discurso de inauguración, el nuevo presidente afirma que *"al vecino se lo respeta y, por eso, se respeta el derecho de los demás"*.

Con una economía quebrada, con gerentes e inversores saltando de sus altos edificios y con obreros y campesinos muriendo de hambre sin querer, Washington necesita volcar toda su atención fronteras adentro. Desde principios de siglo, el comercio con las repúblicas latinoamericanas ha ido creciendo hasta superar los beneficios provenientes del comercio con las viejas potencias de Gran Bretaña, Francia y Alemania juntas, y ya no conviene provocar la ira de los críticos en la Frontera salvaje contra las intervenciones de Washington. Ente otros, el representante en Managua y futuro profesor en Princeton University, Dana Gardner Munro, observa que ha surgido cierta conciencia latinoamericana por lo cual, ahora, una intervención en un país termina siendo tomada como una agresión a los demás países del sur. *"El problema de Sandino en Nicaragua ha demostrado que las intervenciones en un país tienen repercusiones indeseadas en los otros"*, concluye Munro. En el caso de Nicaragua, para peor, el medio indio rebelde, Augusto Sandino, ha entendido la historia mucho mejor que Washington, logrando el apoyo de grupos resistentes desde Nueva York hasta Buenos Aires. *"Sandino es indohispano y no tiene fronteras en la América Latina"*, dice el mismo Sandino. No es simple retórica. Entre sus comandantes se cuentan once hondureños, seis salvadoreños, tres guatemaltecos, tres mexicanos, dos venezolanos, dos colombianos, dos costarricenses, dos peruanos y un dominicano.

Por estas razones, las marines son retirados de los trópicos, no sin antes dejar en sus gobiernos a dictadores amigos. De repente, Washington se vuelve amable y entiende que el respeto y la colaboración pueden ser un gran negocio. Roosevelt inaugura su "Política del buen vecino" con los países latinoamericanos y bautiza grandes barcos comerciales con el nombre de SS Brasil, SS Uruguay y SS Argentina. Nelson Rockefeller es nombrado jefe de la Oficina de Asuntos Interamericanos. Estados Unidos necesita más mercados y, en medio de su mayor crisis económica, no tiene las mismas fuerzas ni la misma arrogancia para continuar imponiendo la superioridad de la raza anglosajona en las repúblicas bananeras llenas de negros y de mulatos corruptos y perezosos.

En tiempo récord, Roosevelt logrará la aprobación del Congreso para el Tratado de Comercio con una decena de países de América Latina que le proporcionará el alivio necesario para tomar aliento antes de la Segunda Guerra en base al modelo tradicional que ha mantenido a los países del sur atrapados en el subdesarrollo, resumida en la promesa británica del siglo anterior: ustedes nos venden las materias primas y nosotros le venderemos productos industrializados. Esta vez con tarifas más bajas.

En diciembre, el secretario de Estado, Cordell Hull, participa en la cumbre de países del hemisferio en Montevideo, por la que se acordará que *"ningún gobierno tiene el derecho de intervenir en los asuntos internos o externos de otro gobierno"*. La cláusula exigida por Uruguay y apoyada por Colombia, sobre que cada ciudadano de cualquier país debe estar sujeto a las leyes del país donde se encuentre, será discutida por años debido a la oposición de Estados Unidos. Sus ciudadanos son especiales y cualquiera de ellos que se encuentre amenazado "en la jungla" será rescatado por su país sin importar las leyes del país de la jungla. De todas formas, Washington ordena que la delegación de Estados Unidos en Uruguay vote afirmativamente para salvar un acuerdo que considera necesario para no romper con varios países latinoamericanos en momentos de extrema necesidad, pero lo hace dejando constancia de sus reservas, sobre todo con el Artículo 11 que establece *"no reconocer las adquisiciones territoriales o de ventajas especiales que se realicen por la fuerza, ya sea que ésta consista en el uso de armas, en representaciones diplomáticas conminatorias o en cualquier otro medio de coerción efectiva"*. Pese a la tradición anglosajona en el continente, la que produce varios cortocircuitos en los delegados estadounidenses, el presidente Franklin Roosevelt lo considera una concesión necesaria. Como un gesto de buena voluntad, afirma que *"de hoy en adelante, y de forma definitiva, la política de Estados Unidos se opondrá a cualquier intervención militar en otros países"*. Nada mejor que la diplomacia y la justicia estadounidense para sopesar las palabras con extremo cuidado. En unas décadas más, uno podrá matar a mil negros por una buena razón, pero no podrá llamarlos negros. El presidente ha dicho *intervención militar*. No ha dicho *intervención*, así a secas y sin más adjetivos.

Roosevelt necesita replegar tropas y ahorrar energías y recursos para concentrarlas en asuntos domésticos y también necesita asegurarse los mercados del sur. Poco después, cuando en Europa soplen vientos de guerra y en las Américas las simpatías por Hitler y Mussolini se dividan entre el desprecio y la admiración, Roosevelt también necesitará asegurarse a los países latinoamericanos como aliados; sino como socios activos, como la Unión Soviética de Stalin, al menos como socios pasivos.

En 1934 Washington aceptará la abolición formal de la Enmienda Platt en Cuba a cambio de quedarse en Guantánamo por tiempo indefinido. En

Nicaragua, el general Anastasio *Tacho* Somoza, entrenado por los marines y aprobado por el embajador Matthew E. Hanna como director de la Guardia Nacional, se convierte en el hombre fuerte y de confianza del país. Un día antes de la retirada de los marines, Juan Bautista Sacasa toma posesión de su cargo como nuevo presidente de Nicaragua. Un mes después, negocia un cese del conflicto con el rebelde campesino Augusto César Sandino. El presidente le garantiza al rebelde un salvoconducto para negociar y Sandino acepta. Sandino exige la eliminación de la Guardia Nacional y Anastasio Somoza García lo invita a discutir el tema. Cuando Sandino llega el 21 de febrero, Somoza lo detiene y, poco después, lo obliga a arrodillarse y lo ejecuta. Para completar el magnicidio, ejecuta a otros trecientos de sus seguidores, entre niños y mujeres, que habían organizado una cooperativa en el norte del país. Tres años más tarde, para cumplir con la constitución nacional, Somoza deberá renunciar al honorable cargo de Director de la Guardia Nacional para dedicarse a sus tareas de dictador absoluto de Nicaragua. El Secretario de Estado, Cordell Hull, define al psicópata dominicano Rafael Trujillo en pocas palabras y el presidente Roosevelt lo repetirá para definir a Somoza: "*es un hijo de puta, pero es nuestro hijo de puta*".

En realidad, la famosa Política del buen vecino había comenzado con Herbert Hoover debido a la creciente impopularidad de las intervenciones militares en América Latina, al incipiente desarrollo de los países de América del Sur y a la no menos creciente necesidad de incrementar el intercambio comercial en esa región del mundo en tiempos de una profunda crisis que amenaza los negocios y la confianza en el capitalismo. Pero ¿por qué Washington no decidió inventar una nueva ofensa nacional para invadir México e imponer su criterio, como lo indica la tradición, forzando la anulación el Artículo 27 de su constitución revolucionaria, la que despojaba a las grandes empresas estadunidenses del derecho de despojo de los recursos minerales por parte de extranjeros? El patrón histórico parece claro. A lo largo del siglo XX, las pocas veces que la Superpotencia militar verá torcer su brazo en América latina será ante una revolución armada. A pesar de que las revoluciones armadas siempre dejarán países debilitados económicamente, la experiencia del combate y la posesión de armas por parte de la población local desalentarán intervenciones como esta en México y otras futuras como en Bolivia 1952, Cuba 1960 y Nicaragua 1980. Cuando las revoluciones sean realizadas de forma pacífica y democrática, como en Guatemala 1954, Chile 1973 o Haití en 1991 y 2004, serán fácilmente aplastadas y reemplazadas por dictaduras reaccionarias al servicio de los intereses de Washington y de las poderosas transnacionales estadunidenses.

Aún antes de Hoover, y por la misma razón, esta novedosa resistencia diplomática y cultural de los países latinoamericanos que ahora conduce a la "política del buen vecino" había comenzado con la Revolución Mexicana y el Artículo 27 de su Constitución de 1917, el cual estableció que los privados extranjeros pueden comprar tierras pero no el subsuelo, y las expropiaciones pueden realizarse *por causa de utilidad pública y mediante indemnización*". Este artículo había sido motivo de debates y controversias en Estados Unidos debido a los regalos que la anterior dictadura de Porfirio Díaz les había asegurado a las compañías petroleras extranjeras. Molesto con semejantes pretensiones de autonomía, en 1923 el representante de la División de Asuntos Mexicanos, Matthew Hanna, le había informado al Secretario de Estado Hughes que "*México es y seguirá siendo gobernado por un indio cuya raza es de lo más bajo de la civilización, por lo cual sería un error negociar con este tipo de gente*". El indio de lo más bajo era el presidente Plutarco Elías Calles. En 1925, el embajador James R. Sheffield, ante otra osadía de México al apoyar la resistencia de Augusto Sandino en Nicaragua, le había escrito al presidente de Columbia University explicando las razones de los líderes mexicanos a la hora de escribir sus leyes: "*Es por pura avaricia; el nacionalismo mexicano no procede de la cultura latina sino del odio que les viene de los indios, no de alguna reserva sino de toda su gente. Hay muy poca sangre blanca en su gabinete de ministros. El mismo presidente Calles es medio indio y medio armenio; su ministro León es casi completamente indio y su ministro de Relaciones Exteriores, Saenz, es medio judío y medio indio*".

Luego de varias pujas sobre el viejo tema del honor y los derechos a la explotación de los recursos en países ajenos, finalmente Washington decidirá negociar y aceptar la novedad del Artículo 27 de la constitución mexicana.[66] La nacionalización de los recursos naturales por parte de la Revolución había establecido un antecedente y las compañías estadounidenses habían tomado nota. Desesperadamente, las industrias de la extracción necesitaban descargar los excesos de Wall Street en forma de inversiones de productos básicos. En Chile, país libre de revoluciones armadas, las mineras habían encontrado un paraíso y ventajas inigualables hasta que sesenta años después, en 1970, Salvador Allende intente, sin éxito, completar la nacionalización de los minerales iniciada por el gobierno conservador de Eduardo Frei. En Bolivia igual, hasta su revolución de 1952; luego, a partir de las sucesivas dictaduras amigas, las transnacionales volverán a reinar a gusto.

Cuando en 1938 el presidente mexicano Lázaro Cárdenas nacionalice varias reservas petroleras según las condiciones establecidas por la

---

[66] Cien años antes, los nuevos inmigrantes anglosajones habían resistido el Artículo 13 de la constitución que confirmaba la abolición de la esclavitud en territorio mexicano. Entonces la solución fue una "Revolución por la libertad" que desgarró Texas de México y volvió a legalizar la libertad de la raza anglosajona a esclavizar al resto. Cien años después algunas cosas han cambiado. No muchas.

constitución de su país, Washington lo castigará con un bloqueo comercial, el que terminará en 1941 cuando la Segunda Guerra convierta a ese producto en objetivo de guerra.[67] Para entonces, la CIA no habrá sido creada aún y el FBI estará a cargo del trabajo secreto en América Latina. Su director, Edgar Hoover, tendrá a cada presidente y a cada líder latinoamericano en sus archivos y todos revelarán algún defecto íntimo que cuidar. Hoover informará que el Secretario de Trabajo mexicano, Ignacio García Tellez, es como una especie de comunista nazi. El 7 de noviembre de 1939, su reporte al Departamento de Estado alertará que el presidente Cárdenas odia a los extranjeros debido a sus antepasados indios. *"El presidente siempre ha dado preferencia a los indios ignorantes, a los mexicanos de sandalias, al extremo de atenderlos a ellos primero en su oficina y dejar esperando a las delegaciones extranjeras"*.

Si los protectorados eran una opción más conveniente que las antiguas colonias, ahora Washington entiende que los dictadores son más económicos que los protectorados. Los intereses de las clases criollas acomodadas, dueñas de la verdad y, sobre todo, los intereses de las trasnacionales estadounidenses no sólo estarán seguros por las muchas décadas por venir sino que, además, continuarán recibiendo frecuentes regalos como la exoneración de impuestos, el derecho a corromper a los corruptos legisladores de turno y el libre abuso de millones de trabajadores de raza inferior que no sienten nada porque no se quejan. Ya no se quejan.

1933. Otro servidor se jubila en Miami

LA HABANA, CUBA. 10 DE MAYO DE 1933—Arriba al puerto el nuevo embajador de Estados Unidos, Benjamin Sumner Welles, uno de los más influyentes diplomáticos de ese país, perseguido por diversos rumores sobre su sexualidad. El presidente de Cuba, el general Gerardo Machado, se ha salido de curso luego de su reelección de 1928 y los asesinatos de disidentes amenazan la estabilidad del país y de los negocios. Aunque su primer mandato está marcado por varios logros, sus primeras promesas de eliminar la Enmienda Platt y de hacer de Cuba "la Suiza de América" se desmoronan con el precio del azúcar. Como el petróleo en Venezuela o el café en Colombia, el azúcar es casi el único producto de exportación de la isla, lo cual la hace dependiente de los terratenientes estadounidenses y de los compradores estadounidenses.

---

[67] En Estados Unidos la admiración y apoyo a Hitler no será secreto. Tanto Henry Ford como el gerente de Texaco fueron reconocidos y condecorados por Hitler por su asistencia. Texaco, por ejemplo, proveyó a los fascistas del Eje con el petróleo que estaba destinado a la Segunda República en España.

Welles tiene una misión clara: economizar energías en medio de la depresión estadounidense evitando un nuevo desembarco de los marines en La Habana. Le promete a Machado y a la oposición continuidad de ambos si negocian y dejan las cosas en paz. En poco tiempo, Welles provoca la caída de Machado y el *New York Times* lo reconoce como el autor imparcial de *"una solución cubana a un problema cubano"*.

El 10 de agosto, el *Atlanta Constitution*, desde la página uno a la siete, como otros diarios nacionales, califica a Machado de déspota y tirano. Desde su portada informa: *"El mundo civilizado y el noventa por ciento de los cubanos odia a Machado... En América Latina, el hombre que tiene un arma es el que tiene el poder...* Luego interpreta la historia con una gran soltura de imaginación: *Estados Unidos logró la libertad de Cuba y se la dio a los cubanos, pero ha tenido que volver dos veces a la isla a restaurar la estabilidad y la libertad...* Siete páginas más adelante: *Hasta España e Inglaterra también le ruegan a Estados Unidos que proteja a sus ciudadanos en la isla… De ninguna forma apoyamos una revolución en Cuba, y nuestros oficiales no son tan estúpidos como para hacerlo tampoco. Más bien conocen la naturaleza de las cosas y saben que a veces es mejor dejarlos hacer que intervenir"*.

El embajador Welles había solicitado repetidas veces la intervención militar de Estados Unidos en Cuba para derrocar al presidente Ramón Grau por tener demasiados contactos con lo que él consideraba radicales. Debido a la nueva estrategia del "buen vecino", el presidente Franklin Roosevelt se niega, pero en mayo de 1933 Wells le escribe al Secretario de Estado Cordell Hull insistiendo en que una intervención estaría dentro del marco de la nueva política, ya que se trata de preservar el orden y el buen gobierno en la isla. Según el reporte del embajador *"algunos militares son amigos de comunistas en La Habana, y podrían apoyarse en ellos apenas se emborrachen un poco"*. Hull no está seguro de esta necesidad y consulta a su amigo, el embajador en México, Josephus Daniels, quien en una carta privada le recuerda que *"incluso en nuestro país, como en muchos otros, la gente encuentra fácil culpar a los comunistas de cualquier cosa que pueda resultar mal"* y le recuerda que en América Latina son una ínfima minoría.

El 12 de agosto, cargando 33 maletas llenas de dinero, Machado huye hacia Bahamas y luego a la República Dominicana de Leónidas Trujillo. El *Knoxville News-Sentinel* de Tennessee, entre publicidad de remedios para las hemorroides y cigarrillos Camel (*"never get on your nerves"*), el 14 de agosto reporta que seis miembros de la familia Machado arribaron a Key West, en Florida, a las diez de la mañana, y que Carlos Manuel de Céspedes, exembajador nacido en Estados Unidos, apoyado por el embajador Welles y sin parcialidades políticas, es el nuevo presidente de Cuba. Machado también morirá seis años después en Miami y allí será sepultado.

Carlos Manuel de Céspedes dura un mes. Lo siguen múltiples presidentes, pero el poder criollo lo tiene un solo hombre. El embajador Welles y Washington apoyan a Fulgencio Batista. Más tarde un reporte lo acusa de comunista, pero Welles, después de una reunión con Batista, confirma que el hombre es, en realidad, pro estadounidense.

Finalmente Roosevelt decide no intervenir en Cuba para no arruinar la cumbre en Montevideo, de la cual pretende recoger un nuevo capital de buena voluntad de los países de la región. Tampoco quiere problemas con Argentina, país que le advierte que no es posible ninguna madurez democrática en países intervenidos o acosados por fuerzas exteriores. Pero Wells convence a Roosevelt de que presione al gobierno de Grau rodeando la isla con naves de guerra militares. Desde entonces, queda claro que por "no intervención" se refiere a no invasión militar y no a otros recursos alternativos. Sin saberlo, el embajador Wells también inaugura una nueva estrategia que se repetirá en otras oportunidades: recomienda comprar a un hombre fuerte que parece de izquierda, Fulgencio Batista. Su sustituto, el nuevo embajador Jefferson Caffery hereda la nueva idea y un nuevo gobierno. En una carta a Phillips fechada el 14 de enero de 1934, advierte: "*si no lo reconocemos, Batista girará definitivamente a la izquierda*".

Como mentor primero y como dictador después, Fulgencio Batista atraerá y protegerá capitales estadounidenses interesados en invertir en casinos y prostíbulos. La Habana (un sector de La Habana, captada y reproducida por las revistas y las películas de 8 mm) florecerá junto con las mafias del norte al tiempo que el resto del país será relegado al analfabetismo, a las enfermedades prevenibles, al hambre y al olvido.

Durante los años cincuenta y sesenta, cuando el FBI y el Comité de Actividades Antiestadounidenses descubran que no solo los negros sino también los homosexuales son propensos al comunismo, Wells será perseguido por el Estado al que sirvió por décadas hasta que renuncie a toda actividad pública.

1933. La bandera sigue al dólar y los soldados siguen a la bandera

ARLINGTON, VIRGINIA. 26 DE MAYO DE 1933—El celebrado general Smedley Darlington Butler da una conferencia sobre la guerra y el imperialismo y comienza un camino que lo llevará del pedestal de héroe nacional al rincón que ocupan los pobres locos. Pocos, afirma el general, saben de qué hablan cuando hablan de estos temas, ya que ignoran que el verdadero propósito del imperialismo y sus guerras está motivado en "*el beneficio de unos pocos a costa de las masas*".

Butler propone limitar la fuerza militar al cuidado de las fronteras para, de esa forma, poder llamarla *defensa*, y enseguida continúa: *"El problema es que cuando el dólar nos beneficia sólo con el seis por ciento, entonces vamos a otros países y tomamos el cien por ciento. De esa forma, la bandera sigue al dólar y los soldados siguen a la bandera. Yo no volvería otra vez a la guerra para proteger las inversiones de los banqueros... Nuestras guerras han sido planeadas muy bien por el capitalismo nacionalista. He servido en la Marina por 33 años hasta llegar hasta General y durante todo ese período he pasado la mayor parte de mi tiempo siendo el músculo de Wall Street y de los grandes negocios... En pocas palabras, he sido un mafioso del capitalismo... Nunca tuve tiempo para detenerme a pensar hasta que me retiré del servicio. Como cualquier militar, mi mente estaba suspendida y ocupada en cumplir órdenes... En 1914 trabajé para que los intereses de las petroleras estadounidenses estuviesen seguras en México. Lo mismo hice en Haití y en Cuba para que el National City Bank tuviese un lugar decente donde operar libremente en procura de ganancias. Participé y colaboré en la violación de las repúblicas de América Central para el beneficio de Wall Street. Desde 1909 hasta 1912, ayudé a limpiar Nicaragua para que el banco Brown Brothers continuase sacando provecho de aquel país, cuando yo ni siquiera sabía que existía ese país antes de llegar. Lo mismo hice en República Dominicana en 1916, protegiendo los intereses de nuestras empresas azucareras. Lo mismo en China, para que la Standard Oil fuese libre de cualquier limitación. Cuando miro hacia atrás, pienso que podría darle algunas clases a Al Capone, con la diferencia que él opera en tres distritos y yo operé en tres continentes".*

La gente sale escandalizada de la conferencia y el general Butler siente que debe explicar un poco más. En 1935 publicará un libro titulado *El chantaje de la guerra*, pero tampoco será bien recibido por la crítica. Como en sus conferencias anteriores, el general dona sus honorarios a los desempleados, lo cual, aparentemente, es un fuerte indicio de que el ex héroe nacional tiene una ideología.

Este mismo año, ante una comisión del Congreso, Butler testificará que había sido elegido por un grupo de multimillonarios para encabezar un golpe de Estado contra el presidente socialista Franklin Roosevelt. En caso de negarse, el segundo candidato sería el general Douglas MacArthur, el tercero el general Hugh Samuel Johnson y cuarto Handson MacNider. MacArthur, crítico de las nuevas políticas de Roosevelt, está en contra del pacifismo y en favor de incrementar el poder militar, pero el presidente propone reducir su presupuesto a la mitad. La disputa pública entre ambas figuras terminará en un vergonzoso vómito del general al salir de la Casa Blanca. La revista *TIME* elige al general Hugh Johnson como "Hombre del año" en lugar del recientemente electo presidente, pero al año siguiente Roosevelt lo removerá del equipo de Recuperación Nacional debido a sus simpatías con el fascismo italiano. Por su parte, MacNider es un general reconocido y un político varias veces frustrado en las urnas. El complot, según el testimonio del general Butler, financiado por J.P. Morgan entre otros poderosos grupos financieros, tiene por objetivo remover de la Casa Blanca al presidente socialista.

Franklin Delano Roosevelt también es acusado de socialista por sus adversarios políticos, como es el caso del mismo gobernador demócrata de Nueva York, Al Smith. Sus políticas de subsidios para los pobres, la creación de la Seguridad Social (existente desde tiempo atrás en Uruguay y en algunos países europeos), el *Nuevo Acuerdo* con los sindicatos de trabajadores y su apuesta al brazo del Estado como reactivador de la economía a través de obras públicas, le ganan el odio de conservadores y capitalistas. El antiguo partido de Andrew Jackson y James Polk, el partido conservador de los sureños pro-esclavistas hace un enroque con los liberales republicanos del norte. A partir de entonces, los demócratas se convertirán en la izquierda estadounidense, apoyada mayoritariamente por los habitantes del norte industrializado, y el partido Republicano de Lincoln en el brazo conservador de los estados del sur.

El general Smedley Butler, luego de participar en casi todas las guerras en la que su país intervino en América Central, en el Caribe, en Asia y en Europa en las dos últimas décadas, se había convertido en un héroe nacional y en el militar con más condecoraciones de su tiempo. Retirado en 1931, un año después se presentó a las elecciones como candidato al Senado, pero perdió por un amplio margen. Para entonces Butler ya era resistido por una parte de la prensa debido a sus comentarios incómodos y sus múltiples conferencias con las cuales recauda escandalosas cifras que dona a los desempleados. La prensa se burla de su denuncia sobre un supuesto golpe de Estado en Washington y prefiere repetir su crítica a Benito Mussolini y al *"naciente fascismo en Estados Unidos"*. También incluye sus críticas al presidente Roosevelt, a quien Butler había acusado de doblarse ante el peso de la élite de los superricos. La revista *Foreign Service* publica algunas de sus escandalosas declaraciones como: *"Es necesario agarrar a Wall Street del pescuezo y sacudirlo"*.

Luego de dos meses de investigación, una comisión de la cámara de Representantes, encabezada por los congresistas John W. McCormack de Massachusetts y Samuel Dickstein de New York confirma la existencia del complot con una *"alarmante claridad"*. Sin embargo, lo que brilla enceguece. Aunque nunca se aportarán pruebas, el comité será acusado de estar financiada por los soviéticos y en 1938 se convertirá en algo muy diferente: el Comité de Actividades Antiestadounidenses, encargado de perseguir todo sospechoso de comunismo. Debido a su popularidad en la época, los nazis estaban excluidos de toda sospecha.

El 22 de noviembre de 1934 en su página 20, el *New York Times* calificará la denuncia del laureado general y las conclusiones del comité de la Cámara de Representantes como una "ficción masiva".

Tema resuelto.

1937. Cuando los de abajo se odian

DAJABÓN, REPÚBLICA DOMINICANA. 8 DE OCTUBRE DE 1937—Al menos 20.000 haitianos o dominicanos de padres haitianos son masacrados en Dajabón y alrededores. El sábado anterior, y después de recorrer la frontera por semanas, el presidente, generalísimo Rafael Leónidas Trujillo, había asistido a un baile en su honor, donde había repartido dinero como chocolates, y había aprovechado la oportunidad para explicar las frustraciones de los dominicanos: los inmigrantes haitianos cruzan la frontera para quitarles sus fuentes de trabajo y para robar a los honestos campesinos. Como los mexicanos en Estados Unidos, los haitianos en República dominicana eran trabajadores zafrales. Cortaban caña de azúcar y cuando terminaban los acusaban de practicar la brujería y de infestar el país de malaria. Trujillo confirma estas acusaciones: los negros llegan, roban, violan a las mujeres y asesinan a la gente honesta. "Ahora mismo, hay trescientos haitianos muertos en Bánica", informa el generalísimo Trujillo. "Esto debe continuar".

Los inmigrantes haitianos, como lo habían hecho desde finales del siglo XIX, habían llegado de las escasas tierras de Haití, suelos exhaustos que había dejado la explotación francesa que, en ese mismo siglo, había llegado a representar un tercio del total del comercio exterior del imperio europeo, razón por la cual Napoleón había preferido vender a precio de ganga toda Luisiana, duplicando por entonces el territorio de Estados Unidos, y no cedía en su rígida opresión del pequeño trozo de isla caribeña.

Ahora sus hermanos dominicanos han decidido limpiar su mitad mayor de la isla y los asesinan por miles a golpe de machete, para ahorrar municiones. Algunos, incluso, son arrojados al mar para dejar la tarea a los tiburones.

Al día siguiente y después de misa, los haitianos sospechosos de haber matado ganado son matados como ganado. Tres mil soldados y diez mil buenos vecinos se hacen pasar por campesinos y se aproximan a los peones del área con un racimo de perejil. "*¿Sabes qué es esto?*", le preguntan a cada uno. Aquellos que responden "*pelejil*" son separados, como pocos años después serán separados los judíos en Alemania, para ser ejecutados. Muchos ni se tomaban la molestia. Negro haitiano que amaga huir es partido en dos de un sablazo y allí dejaban las partes sin sepultar. Cuando no hay perejil y los haitianos hablan sin dificultades el castellano dominicano de la época, se los obliga a decir "tijera colorada" tres veces para atraparlos en una mala pronunciación de una sola erre, pero muchos hijos de haitianos pueden pronunciar cada una de las palabras con acento dominicano, pero revelan su identidad cuando huyen con sus padres haitianos. Algunos dominicanos esconden en sus casas a los perseguidos, pero miles no tienen la misma suerte.

El 5 de octubre se cierra el puente sobre el río Masacre, por lo cual los haitianos y sus descendientes que intentan huir hacia Haití deben arrojarse al río, donde en cantidades de a cientos son masacrados hasta entintar las aguas de rojo por varios días. Otros son asesinados con machetes antes de alcanzar el río, sobre todo las mujeres y los niños que quedaban más atrás en la huida. Muchos son conducidos con promesas de ser deportados, a galpones donde terminarán sus días. En Santiago de los Caballeros, los haitianos son apretados en galpones y luego decapitados. Dominicano que se negaba a matar haitianos se sumaba al grupo de haitianos. A veces, algún niño en los brazos de una haitiana se salvaba porque no era tan negro como ella. En Dajabón, las escuelas se vaciaron, y el cura que bautizaba niños todos los días ahora pasaba un mes entero sin que llegase una sola madre con un recién nacido.

El senador estadounidense Hamilton Fish III denuncia que la masacre de Perejil ha sido la mayor atrocidad perpetrada en el continente. Poco después, en 1939, el generalísimo Trujillo deposita 25.000 dólares en su cuenta del National City Bank de Nueva York y Hamilton lo recibe en el Hotel de Baltimore, aunque a otra gente sin nombre se le ocurre protestar en las calles contra esta visita del dignatario de Estado. En la reunión con los grandes inversores, el senador Hamilton recibe al ilustre visitante con un discurso a su medida: *"General, usted ha creado una época dorada para su joven república"*.

La abuela más querida de Trujillo había sido una negra haitiana. El resto más blanco de la familia se había dedicado a la mafia y al pillaje, como él mismo, hasta que decidió continuar su carrera en la Guardia Nacional creada por los marines estadounidenses. Por entonces, Trujillo se había destacado por su crueldad. Uno de sus supervisores lo elogió diciendo que *"piensa como un marine"*. Amparado por el uniforme, Trujillo violó tres veces durante tres días a la joven hija de un rebelde. Cuando fue acusado del hecho, su abogado logró convencer al juez de que *tres veces es consentimiento*, por lo cual se lo dejó en libertad. De hecho, se lo dejó con más libertad que antes, como siempre ocurre con los impunes. Tres años más tarde, Trujillo fue ascendido a capitán. Arturo Espaillat, conocido como Navajita, jefe de la policía secreta y futuro jefe del Servicio de Inteligencia Militar, dijo: *Trujillo siempre se considero a sí mismo un marine, aunque no lo fuera, y estaba muy orgulloso de ello".*

La Guardia Nacional (creada en 1917 por el gobernador estadounidense, el almirante Harry Shepard Knapp) pasó a ser la Policía Nacional Dominicana y, finalmente, en 1928, el Ejército Nacional. Entonces Trujillo se convirtió en el Comandante. El 3 de setiembre, el huracán San Zenon de categoría 4 destruyó Santo Domingo. Más de dos mil personas murieron solo en la isla y días después fueron cremadas en las plazas de las ciudades. Entre ellos, varios opositores y activistas sociales que no habían muerto en la tormenta. Como candidato de la Coalición Patriótica, el 16 de agosto de 1930 Trujillo ganó las elecciones con el 99 por ciento de los votos. Muchos de sus adversarios fueron asesinados antes de que pudieran votar o ser votados. Los que quedaron vivos renuncian a tiempo. Estados Unidos no se demoró en reconocer al nuevo gobierno y lo felicitó por la estabilidad lograda para el reinicio de los negocios.

El año pasado, el generalísimo Trujillo había rebautizado la capital Santo Domingo, la que pasó a llamarse Ciudad Trujillo. También una provincia y la elevación topográfica más alta del país llevarán su apellido por varias décadas. Rafael Leónidas Trujillo, hijo de Rafael Leónidas Trujillo, fue nombrado coronel del ejército a los tres años de edad. Tendrá una vida de mujeriego y vividor en Europa y llegará a ser presidente por unos días, tras el asesinato de su padre en 1961, antes de huir al exilio en España.

Como será el caso de otros dictadores, la suerte de Trujillo terminará cuando cambien los intereses en Washington. Después de décadas de incondicional apoyo al brutal dictador dominicano, uno de los nuevos servicios secretos del gobierno estadounidense, la CIA, decidirá sacarse de encima el incómodo dictadorcillo. Debido a la crisis de los misiles en Cuba, la Central suspenderá la operación a último momento, pero sus colaboradores locales no escucharán o se harán los sordos.

1942. Trabajadores, esos seres tan horribles

WASHINGTON, DC. 4 DE AGOSTO DE 1942. Estados Unidos y México firman el acuerdo para importar braceros mexicanos. La guerra en Europa hace que falten hombres en los campos y en las fábricas. Los conservadores estadounidenses se olvidan, por un momento, que el lugar de la mujer es la cama y la cocina. El feminismo encuentra otra grieta. Rosie, la remachadora, la joven obrera de los posters con un puño contra el machismo, creada por Howard Miller se convierte en el ideal de la mujer liberada. Las mujeres entran en las fábricas de Estados Unidos, algunas para construir herramientas militares. Bombas.

En los campos, una vez más, se necesitan mexicanos. Se inicia el programa de Braceros que traerá cinco millones de trabajadores mexicanos. Pronto, los diarios y otros medios comienzan a culpar a los trabajadores de infestar las ciudades con sífilis y diarrea, además de ser responsables por la criminalidad en los Estados donde llegan, poniendo en peligro el *American way of life*. En 1960, uno de los dueños de plantaciones de azúcar en Florida dirá ante las cámaras de CBS, *"antes éramos dueños de esclavos; ahora los alquilamos"*.

El American GI Forum of Texas, el Texas State Federation of Labor (Federación tejana del trabajo) publica un libro de sesenta páginas titulado *What price wetbacks (Espaldas mojadas, a qué precio)*. En su portada aparece un hombre medio desnudo, un rancho miserable y otros rostros demacrados por la miseria.

En mayo de 1955 se inicia la *Operación espalda mojada* ideada por el director del Servicio de Inmigración y Naturalización, el general Joseph Swing, y con la colaboración del gobierno mexicano. Usando la policía y el ejército, mil mexicanos son deportados por día hasta un total de 1.300.000, la mayoría de ellos trabajadores legales, cuando no ciudadanos estadounidenses con cara y lengua de extranjeros. El programa Braceros, que debía expirar en 1947, se extenderá hasta 1964 debido a la presión de los lobbies agrícolas en el Congreso. Las deportaciones y el acoso también. Es una antigua y bien conocida asociación que perdura hasta hoy: *tú encárgate de decir que los pobres son malos y nosotros nos encargamos de que sigan trabajando para nosotros por poco y nada.*

Diez años después del inicio del programa de braceros, el jueves 17 de diciembre de 1953, el *Austin American Stateman*, había publicado en su portada la foto de una niña llamada Marina Rodríguez con su hermano de siete meses en brazos. La fotografía es acompañada por un comentario sobre la sospechosa panza del niño y por el artículo titulado "Impacto de los Espaldas mojadas en la economía". Para el autor está claro: salarios deprimidos, enfermedades y criminalidad.

Los trabajadores ilegales son la mayoría de la fuerza de trabajo en la frontera pero en general los trabajadores en todo el país han sido exitosamente asociados con los bandidos desde las inocentes historias de Walt Disney. Si son extranjeros, dos veces bandidos. Si son negros, tres veces bandidos. Si son pobres, como son casi todos los trabajadores, cuatro veces bandidos. Si son mujeres, cinco veces bandidas, porque las mujeres además de trabajar suelen parir para robarnos la raza, la tierra, la nacionalidad y los recursos del Estado que no pagan. Los trabajadores no producen, roban. Los ladrones no roban, crean trabajo. Las armas dan vida y las invasiones para derrocar gobiernos extranjeros e imponer dictaduras expanden la libertad.

En las décadas por venir, un tsunami de investigaciones académicas probará que el programa Braceros no perjudicó a la agricultura ni a los granjeros en particular sino lo contrario. Los inmigrantes no aumentaron la criminalidad sino lo contrario. Su finalización no mejoró los salarios.

Claro que nada de esto importa, como a un creyente no le importa lo que dice el libro sagrado de otra religión ni le importa si llueve, un rayo destruye su templo y un terremoto diezma su ciudad.

1943. La vieja ofensa de vestirse diferente

LOS ANGELES, CALIFORNIA. 3 DE JUNIO DE 1943—Doscientos marines y marineros salen a la caza de chicanos, pachucos, cholos y pochos que visten trajes ridículos. La policía colabora y detiene a los jóvenes inadaptados y compara sus pantalones con los suyos del uniforme: los pantalones de los pachucos son demasiado amplios en las piernas y demasiado apretados sobre los pies. Sus sacos son veinte centímetros más largos que lo normal. Los *zoot suit*, *zig zag*, o "algo agradable" se han puesto de moda entre los chicanos, los pachucos y otros grupos marginales como negros e italianos. Estos trajes demasiado grandes provocan la ira de la población, movilizan a las autoridades y a varios patriotas que se organizan en sus propios grupos de patrullaje privado. No todos los raros tienen dinero ni interés de vestir a la moda marginal, por lo que los guardianes privados de la decencia nacional rodean a cualquier individuo con rostro mexicano. Suben a los ómnibus y los bajan a la fuerza. Entran en los bares y los sacan a las calles. Cuando se resisten, los golpean. Cuando no, los desnudan completamente y los dejan en el medio de la calle. Uno de ellos, Vicente Morales, es sacado de un teatro y, cuando despierta con el rostro en el asfalto, tiene una costilla rota que le dificulta respirar.

El diario *El Porvenir* titula: "*Ataque contra mexicanos en Los Angeles por marineros y soldados*". *Los Angeles Times*, en su portada del 16 de junio, informa que "*el origen de los zoot suit es un misterio, pero sin duda es parte de un viejo estilo de criminalidad, nada que el viejo estilo de paternidad y autoridad no pueda curar... Zoot es sólo una expresión de felicidad... Todos están de acuerdo en que es ilegal y todos están de acuerdo en que este problema se deriva de una falta de autoridad, empezando por el hogar y siguiendo por las escuelas*". Por su parte, *La Prensa* culpa a las víctimas, los pachucos, "*por ser una carga para el país*". En México, los estudiantes de la UNAM protestan por los actos de violencia y discriminación contra los mexicoamericanos, por lo que en Estados Unidos, las autoridades responsabilizan de los desórdenes a "*agentes extranjeros*".

El embajador mexicano en Estados Unidos, Francisco Castillo Nájera, protesta por el acoso racista contra sus conciudadanos. Diferentes autoridades descartan el factor racial en las razias realizadas por la policía e, incluso, en las acciones violentas de grupos privados de persuasión. Cientos de pachucos son encarcelados por vagancia. No hay otros procesados ni sospechosos. Ni uno. Algunos grupos nazis culpan a los hispanos de estar a favor de los inmigrantes.

Debido a las más que reiteradas muestras de discriminación racial, el 6 de mayo de 1943 el gobierno de México prohíbe a sus ciudadanos cruzar la frontera para trabajar en Estados Unidos. Los mexicanos son contados como blancos en los censos, pero son tratados como negros en las calles. Los principales agricultores protestan. Sin mano de obra no hay producto de la tierra. El 6 de mayo de 1943, el gobernador de Texas, Coke Stevenson, firma la "*Caucasian Race Resolution* (Resolución de la Raza Blanca)" aprobada por el Congreso, garantizando a los latinoamericanos blancos de Texas el igual acceso a los bienes y servicios. La resolución establece una multa de 500 dólares a quienes no cumplan con dicha "política del buen vecino", pero no cubre ni protege casos de discriminación contra "la raza negra".

La nueva resolución, que por alguna razón no tiene carácter de ley, no detiene las discriminaciones ni el odio de los anglos a las razas inferiores, pero convence a los jornaleros mexicanos y hasta al gobierno de aquel país.

Durante la Primera Guerra mundial, México tuvo la oportunidad de aceptar la propuesta alemana de convertirse en una base del Eje en el continente a cambio de recuperar sus territorios perdidos a manos de Estados Unidos y la desestimó. Ahora, para demostrar la fidelidad de México al gran país del norte, los habitantes de Sonora celebran el *4 de julio* como si fuese una fiesta nacional. Del otro lado, cientos de miles de mexicoamericanos se enlistan en el ejército más poderoso del mundo para pelear en la Segunda Guerra Mundial. Cuando regresan triunfales, no podrán sentarse en las filas del medio en los cines, como le ocurrirá a César Chávez, ni se les permitirá ser enterrados en los cementerios para blancos, si murieron en combate, como será el caso de Félix Longoria.

1945. Nuevos valores, los mismos intereses

SAN FRANCISCO, CALIFORNIA. 25 DE ABRIL DE 1945—Los representantes de cincuenta naciones de todo el mundo se reúnen para fundar las Naciones Unidas con el objetivo de terminar con el racismo, la explotación, el intervencionismo y todas las formas de imperialismo que han dominado las agendas internacionales hasta el momento. Casi la mitad son de América latina.

Panamá y Chile presentan los primeros borradores para una Declaración Universal de Derechos Humanos. Otros mencionan derechos básicos del ser humano, como el derecho a la seguridad social, al trabajo, a la unión sindical, a la educación, a la salud, al ocio… El chileno Hernán Santa Cruz declara que si el liberalismo político no puede garantizar el derecho económico, social y cultural de los ciudadanos, entonces no puede durar en el tiempo. De la misma forma, no pueden aquellos que, sacrificando la libertad, sólo pretenden satisfacer las necesidades materiales.

Luego de más de un siglo, Estados Unidos se da cuenta que ya no es posible hablar de superioridad de la raza anglosajona para justificar ninguna política. La reciente experiencia alemana ha convertido a palabras que antes eran obviedades, como *raza* y *superioridad aria*, en tabúes incómodos como piedras en el zapato. Washington ya no podrá intervenir abiertamente con invasiones militares. Al menos por el momento. La mayor parte del tiempo tendrá que echar mano a otros recursos. Cinco años atrás Nelson Rockefeller, encargado general de la Office of the Coordinator of Inter-American Affairs, había reportado que "*Estados Unidos debe proteger su posición internacional haciendo uso de medios económicos, que son los más efectivos contra cualquier totalitarismo*". De ahora en adelante, los golpes de Estado y la intimidación económica deberán hacerse en secreto y bajo una nueva retórica que no recurra a la raza o a la civilización sino a la lucha contra el comunismo, la paz, la libertad y la democracia.

Desde las múltiples cumbres de países americanos en la década anterior, y debido a la Depresión primero y a la necesidad de aliados para la Segunda guerra después, Estados Unidos había decidido cambiar de estrategia inaugurando la Política del buen vecino. De repente, había surgido una política del panamericanismo con la cual Washington pretendía continuar su influencia en el Patio trasero por diferentes medios aceptando firmar algunos acuerdos de cooperación y no intervencionismo, como en 1933 en Montevideo. De repente, Estados Unidos se convierte en el campeón de la democracia ajena al tiempo que continúa apoyando dictaduras amigas.

Aparte de la reacción mexicana luego de su Revolución, desde principios de los años treinta el país que más se atreve a enfrentar la diplomacia estadounidense es Argentina, al punto que Washington intenta varias veces dejarla fuera de los acuerdos panamericanos. En los cuarenta, como Moscú, Washington desconfía de la ambigüedad de Buenos Aires con el Eje y prefiere dejar a Argentina fuera de la Conferencia de San Francisco para crear las Naciones Unidas. Por algún tiempo, Argentina fue el enemigo que un día será Cuba. A último momento se decide aceptarla como miembro luego que, al menos de forma simbólica, Argentina le declara la guerra a Japón y, consecuentemente, a Alemania. El histórico Secretario de Estado Cordell Hull, que despreciaba sentarse con representantes negros o mestizos de los países del sur, también detesta la blanca Argentina, pero por otras razones. Considera que es un país arrogante, insolente. A diferencia de los países latinoamericanos al norte de Capricornio, los países del Extremo Sur no abundan ni en violenta sangre india y ni en corrupta sangre africana y, lejos de la influencia, las intervenciones y los dictados de Washington, amenazan con desarrollarse sin ser protectorados.[68]

Con el inicio de la Segunda guerra, había surgido un enemigo inesperado: el nazismo. Luego de un siglo de imponer al sur del Rio Grande la fuerza de su racismo blanco, luego de instalar dictaduras en el Caribe y en América Central para controlar a los negros ignorantes y otros humanos de raza inferior, en 1941 Washington había removido de Panamá al presidente electo e impulsor del voto femenino, Arnulfo Arias, por sus ideas racistas y sus simpatías hacia el nazismo.[69] Años después, cuando Hitler pierda sus dientes y el enemigo sea casi todo lo que parezca izquierda, como Omar Torrijos, Arias volverá a ser aceptado y apoyado por Washington. El verdadero enemigo de Washington no es tanto la izquierda latinoamericana; es el independentismo en cualquiera de sus formas. Arias y, sobre todo su muerte en 1988, será usada como propaganda contra el régimen de Manuel Noriega, otro hombre de la CIA, narcotraficante y dictador funcional de derecha hasta que se le ocurra que puede jugar a la independencia.

Ideología y poder no son la misma cosa y para Estados Unidos siempre estuvo claro: lo que importa es el poder; la ideología que lo justifique podrá cambiarse como una camisa, adaptando relatos, enemigos, razones y prácticas que se ajusten a sus intereses económicos tan rápido como la realidad así lo demande. Incluso un presidente progresista como Franklin Roosevelt era más antisemita que Perón. De hecho, Perón no le cerró el puerto de Buenos Aires a los exiliados judíos y Roosevelt sí, enviando al barco MS Saint Louis de

---

[68] El 17 de junio de 2015, un supremacista blanco entrará a una iglesia de Carolina del Sur y matará a nueve personas negras. En sus escritos publicados en Internet, repite una vieja tradición que en tiempos de Obama parece una novedad: *"hay buena sangre blanca que vale la pena salvar en Uruguay, Argentina, Chile y hasta en Brasil... pero igual son nuestros enemigos"*.

[69] Aparentemente, Arnulfo Arias tomó varias de sus ideas sobre la superioridad racial blanca cuando estudiaba en Chicago y luego en Harvard, las que se confirmaron cuando, siendo embajador en Italia, se reunió con Hitler. Se lo acusa de haber ordenado el asesinato de trece judíos alemanes en Panamá. En 1941, por orden suya, los panameños negros que entraban a los hospitales eran esterilizados sin su aprobación. Su racismo es explícito, pero no difería en casi nada con el racismo estadounidense. El Problema era otro, eran sus pretensiones de independencia y de alianzas con Alemania.

nuevo para Europa donde sus casi mil exiliados serán devueltos a Europa y haciendo prácticamente imposible la recepción de refugiados sin familiares en Estados Unidos. Algunas investigaciones indicarán que Roosevelt no fue el más radical en esta decisión, ya que propuso aceptar a algunos de los refugiados, pero su Secretario de Estado, Cordell Hull, estuvo detrás de la negativa de Cuba a recibir más refugiados y de la negativa a recibirlos en Miami cuando el Saint Louis se había dirigido a esa ciudad como último recurso.

Si bien es cierto que la población argentina, con un número significativo de inmigrantes alemanes e italianos no dejaba mucho margen para romper relaciones con aquellos países, también es cierto que existía previamente una creciente clase proletaria informada y con una fuerte resistencia a las intromisiones estadounidenses en el continente. Por otro lado, aunque Perón fingirá no enterarse de la entrada al país de refugiados nazis, lo mismo hizo Estados Unidos, donde el nazismo era muy fuerte, sobre todo en su clase dirigente. Con una diferencia: Washington contratará más de mil ingenieros alemanes, miembros del partido nazi en Alemania, para desarrollar la NASA. Entre ellos Wernher von Braun. Sin el programa de cohetes de Hitler, "el hombre" no hubiese llegado a la luna en 1969. Washington también contrató a algunos criminales nazis para sus operaciones en América del Sur, al mismo tiempo que el FBI cazaba nazis en esos mismos países y Washington acusaba a países como Argentina de no ser más honestos en su combate contra el nazismo y el totalitarismo fascista.

Luego de un siglo de convicciones y prácticas racistas (desde la reimposición de la esclavitud en Texas hasta las teorías, los discursos y las prácticas de políticos y periodistas sobre la superioridad de la raza blanca, anglosajona y teutónica, inspiraciones del mismo Adolf Hitler) de repente Estados Unidos, en un abrir y cerrad de ojos, se convierte en el campeón contra el racismo nazi. Luego de imponer y sostener decenas de dictaduras totalitarias y fascistas en sus repúblicas bananeras del sur, de repente la nueva campaña política, diplomática y propagandística de Washington es contra el fascismo y a favor de la democracia. Todo en nombre de los valores; pero no son los valores morales sino los valores de la bolsa lo que importa. Para mantener el poder, tanto vale repetir, como lo hicieran varios presidentes anteriores, que el derecho de "poner orden" en otros países se basaba en la superioridad racial de los blancos estadounidenses como que la lucha es por la democracia y contra el racismo blanco inventado por Hitler. Cuando la amenaza nazi desaparezca, el aliado principal de Estados Unidos en la Gran guerra, la Unión Soviética, se convertirá en el demonio de turno y el discurso dejará de ser la lucha contra el racismo (ya que, por entonces, los comunistas representaban la ideología principal contra el racismo) y pasará a centrarse en otras ideas nobles como la libertad. Cuando, como lo observará en 1958 el presidente Eisenhower, la palabra *capitalismo* se convierta en sinónimo de *imperialismo* en América latina, la estrategia consistirá en remover esa palabra por *libre empresa* primero y por *libertad* a secas después.

Las ideas políticas no triunfan por sí solas. Necesitan de ejemplos y realizaciones materiales. Una elección, una revolución, una guerra pueden expandir o hundir una ideología. En 1981 la consejera de Ronald Reagan y embajadora ante la ONU, Jeane Kirkpatrick, lo dejará aún más claro: la legitimidad de una política se basa en la fuerza.

Claro que, aparte del poder, siempre quedará el otro factor que interviene en la creación de historia: la lucha por la justicia.

En 1945 Cordell Hull recibirá el Premio Nóbel por ser partícipe de la creación de las Naciones Unidas. Ni los países latinoamericanos ni sus delegados, que serán los primeros en impulsar la organización internacional, recibirán la distinción europea.

1945. Dios envía al embajador Braden a la Argentina

BUENOS AIRES, ARGENTINA. 19 DE MAYO DE 1945—Convencido de que Dios lo ha hecho aterrizar en Argentina para corregir el peligroso camino que el país ha tomado con la Revolución del 43, arriba el nuevo embajador de Estados Unidos, Spruille Braden. El ingeniero Braden es el heredero y, junto con la familia Guggenheim, uno de los accionistas de la empresa minera Braden Copper Company, la que domina la extracción de cobre en El Teniente, Chile.[70] Como otros embajadores estadounidenses, Braden se destaca por haber participado en diversos golpes de Estado en países ajenos y por defender la superioridad de la sagrada corporación privada, como la Standard Oil en Paraguay o la United Fruit Company en el Trópico, para la cual trabajará cuando la compañía bananera y la CIA decidan derrocar al presidente electo de Guatemala, Jacobo Árbenz, nueve años más tarde.

Spruille Braden es un hombre de la vieja guardia. Sus raíces pertenecen a los tiempos en que Washington, los medios y las grandes empresas transnacionales luchaban contra "la amenaza de las razas inferiores" que habitaban los países donde Dios había desparramado los recursos naturales del pueblo elegido. Pero ahora Braden ha aprendido a repetir el nuevo eslogan: no es la *raza* sino la *cultura*, la *mentalidad* inferior de los países *subdesarrollados*. Pese a que el dictador soviético Joseph Stalin ha sido el principal aliado de Estados Unidos en la guerra contra los nazis y socio de poderosos hombres

---

[70] La nacionalización de esta reserva de minerales se completará durante el gobierno de Salvador Allende en 1971.

de negocios como Henry Ford, luego de un breve paréntesis de experimento civilizado propuesto por Roosevelt, la amenaza será lo que queda como única opción sexy de enemigo, aunque para la mayoría de los latinoamericanos ni siquiera es una opción. El comunismo.

A principios de la década de los cuarenta, Argentina y el presidente Perón fueron acusados de simpatizar (en gran medida por razones demográficas) con el Eje de Italia y Alemania. De hecho, el problema argentino consistía en tener una gran población de origen italiano, lo que la hacía sospechosa de fascismo. Derrotado el fascismo en Italia, el Departamento de Estado advierte que el comunismo no es importante en América latina, excepto en países como Argentina donde la población de origen italiano es muy importante. Aunque los comunistas son y serán una minoría muy menor en América latina, son la única excusa de peso que queda para continuar una tradición de control, intervenciones, dictaduras y despojos que hunde sus raíces en el siglo anterior. Pero tan peligrosos como los italianos en el Río de la Plata son los pobres a lo largo del continente. En la revista *Life* del 3 de junio de 1946, en un extenso artículo el Secretario de Estado, John Foster Dulles, informaba del verdadero peligro: en América latina la presencia de Moscú es casi inexistente, pero *"pero el nivel de vida de muchos de sus trabajadores industriales y agrícolas es malo, lo que ofrece una oportunidad para la propaganda comunista"*. Así que, en lugar de atacar la pobreza, se ataca a los pobres. En 1948, un año después de crearse la CIA y en pleno reclutamiento de expertos y criminales nazis, la Oficina de Planeamiento en Washington concluirá que la influencia del comunismo en América latina es irrelevante. Pero, como lo aclara el mismo Secretario de Estado, la vocación del comunismo es expandirse a todo el mundo, lo que recuerda a los cómics donde los superhéroes de moda luchan por la justicia y contra los villanos que quieren apoderarse del mundo que ya tiene dueño.

Más allá de la realidad de las intenciones y de los posibles planes de Moscú, su uso y manipulación serán una política de Estado y la estrategia preferida por los servicios secretos de propaganda e inteligencia de Washington. La excusa de la amenaza comunista será repetidas veces usada por Washington, por sus dictadores latinoamericanos y por las clases dominantes latinoamericanas, "la gente bien", que de esta forma no sólo serán capaces de mantener un status quo basado en viejas injusticias sociales, desigualdades, violencia y pobreza extrema sino que, además, recibirán millonarias ayudas de Estados Unidos para mantener el nuevo fantasma vivo y más fuerte que nunca.

El 23 de diciembre del año pasado, el dictador Anastasio Somoza, quien le gustaba presumir de poder hablar en inglés, le envió una carta al presidente Franklin Roosevelt solicitando más recursos para su Guardia Nacional, creación de los marines en sus tiempos de gloria, la única fuerza capaz de detener las ambiciones imperiales de México, "*país que no oculta su repugnancia por Estados Unidos*" mientras que "*Nicaragua es un bastión contra el comunismo, el que pretende infiltrarse en América Central como política de México*". El comunismo de México consistía en haber nacionalizado sus pozos de petróleo y haber limitado la propiedad extranjera de la tierra a la superficie para habitar y trabajar. Aunque Somoza es un adelantado a su tiempo, la administración Roosevelt se ha tomado bastante en serio eso de la democracia de los otros y, ante la posibilidad de que en Nicaragua la izquierda pudiese tomar el poder en una hipotética elección, más bien prefiere no intervenir.

Al nuevo embajador en Argentina todavía no le llega la nueva idea del cuatro veces presidente que rescató a Estados Unidos de la catástrofe social. De hecho, su ideología está en cortocircuito con la de Roosevelt, el "presidente socialista". Braden detesta cualquier tipo de sindicato, excepto el suyo propio, el sindicato de millonarios, siempre presente en el gobierno de las superpotencias y de los países satélites. Detesta las organizaciones de pobres y detesta aún más que otros países diferentes al suyo puedan industrializarse, como la Argentina.

En los escasos cuatro meses que permanece en el país, Braden inventa el anti-peronismo antes que Perón invente el peronismo. La embajada estadounidense participa en campaña electoral como si fuese un partido político más, pero el enroque ocurre cuando el vicepresidente Perón aprovecha la dicotomía electoral "*Braden o Perón*" y su esposa Evita comienza a construir el peronismo de izquierda. Si el anti-peronismo nace antes que el peronismo, el peronismo que madurará en la clandestinidad argentina, lejos de su líder exiliado, será más peronista que Perón. El Perón de los trabajadores morirá cuando muera Evita en 1952. O cuando se vaya al exilio en 1955.

Perón es un militar conservador sorprendido por el avasallante apoyo de la nueva clase obrera; Evita (la pobre "bastarda", la "puta trepadora") es la izquierda del peronismo. En su exilio en la España de Francisco Franco, Perón, como Washington, apoyará el golpe de Estado de 1966 del general Juan Carlos Onganía contra el presidente electo, Arturo Illia. En su caso, solo de palabra. Para cuando regrese a Argentina en 1972, ya se habrá convertido abiertamente en antiperonista. O al menos en la facción peronista de la extrema derecha consolidada por su misteriosa sombra, José López Rega, y su esposa Isabel Perón. El peronismo popular, el peronismo de los trabajadores, el peronismo de Evita, sobrevivirá en algunos sindicatos y en Héctor José Cámpora, presidente por dos meses, pero, junto con los montoneros, será expulsado por el mismo Perón en 1974, y por otros peronistas como el presidente Carlos Saúl Menem, en 1991.

Pese a que, según Braden, Dios lo ha enviado a la Argentina *para corregir el camino*, algo saldrá mal y Perón ganará las elecciones en 1946. Algunos no le perdonarán a Dios semejante traición. La mayoría del cuerpo diplomático estadounidense y los dictadores criollos a su servicio no saben que Perón es menos comunista que Roosevelt. En marzo de este año, uno de los más radicales anticomunistas en Washington, el Subsecretario de Estado Joseph Grew, en línea con la nueva política del Buen vecino del presidente, aloja en su propia casa al embajador soviético Andrei Gromyko para que pueda reunirse con los representantes de Brasil. Al fin y al cabo, los soviéticos han sido los principales aliados en la guerra, sin los cuales Hitler aún seguiría con serias chances de ganar y de escribir una historia diferente. La administración Roosevelt cree que una relación tradicional con los soviéticos puede ser más conveniente que una confrontación, por lo que facilita la inauguración de relaciones diplomáticas de Moscú con algunos países latinoamericanos. También Joseph Stalin considera a Estados Unidos como un aliado contra el fascismo y piensa que tiene más para ganar manteniendo la alianza creada durante la guerra que iniciando una nueva confrontación con la nueva potencia mundial. Para mejorar sus habilidades sociales y lingüísticas, Stalin le recomienda a su embajador Andrei Gromyko asistir a alguna iglesia protestante, pero Gromyko prefiere mejorar su inglés de otra forma.

El mismo el exembajador Braden, apenas nombrado Secretario de Estado Adjunto, ante la insistencia del dictador Somoza sobre la posibilidad de que algún partido de izquierda pudiese ganar las elecciones en Nicaragua si fuesen permitidas, el 17 de diciembre responde: *"Bueno, la mejor forma de tener una democracia es que tener una democracia... Es decir, que si algunas veces aparece algún grupo de izquierda o antiamericano, eso es parte de cualquier democracia"*. Estas expresiones, en realidad, son parte de un momento especial en la carrera de Braden, como un curso de Introducción a la Democracia es parte de la educación de un estudiante que es informado de lo más básico de la disciplina y, a medida que avanza en su carrera, se va volviendo cada vez más cínico.

Con la muerte de Roosevelt unos meses atrás, la historia comienza a cambiar dramáticamente con Harry Truman. La política de Washington hacia América Latina volverá a la vieja Doctrina Monroe por diferentes métodos y ya no habrá diálogo posible con el otro ganador de la guerra, la Unión Soviética. Esta vez, de una forma más sofisticada y secreta, pero los intereses, la brutalidad, las dictaduras y los muertos serán los mismos. Ya no se hablará de la superioridad de la raza anglosajona y del peligro de los negros y de los mestizos, como en los últimos cien años, sino de la superioridad de los valores de la democracia, de la libertad de empresa y de la inferioridad de la cultura de raíces torcidas, propensa al comunismo (como los homosexuales en los países ricos), a la corrupción y a la mera queja de la mentalidad subdesarrollada.

También Braden volverá a sus convicciones anteriores sobre la democracia excluyente. Poco antes que la CIA, con su colaboración directa, destruya la democracia de Guatemala en 1954 acusando a su presidente Jacobo Árbenz de haber instalado un "régimen comunista" en su país, en una conferencia en Dartmouth College, afirmará que *nadie más que yo está contra las intervenciones en otros países, pero a veces es necesario responder al fuego con fuego*.

En el golpe de Estado de 1955, llamado "Revolución libertadora", se usará el modelo de avión a reacción largamente experimentado en Argentina, el Pulqui y sus varias versiones, no para ninguna guerra internacional sino para apoyar el ataque sobre ciudades argentinas y contra el presidente que inició el proyecto.[71] Más tarde, ya instalada la nueva dictadura militar de los generales Lonardi y Aramburu, la industria aeronáutica nacional será liquidada con la importación de aviones militares de Estados Unidos, obsoletos y de segunda mano. Como si fuera poco, en tres años los nuevos dictadores revertirán la resistencia de Perón a recurrir al FMI para solicitar préstamos y llevarán la deuda nacional de 57 millones a más de mil millones de dólares. Luego de un paréntesis democrático, en los años sesenta la dictadura del general Onganía multiplicará esta abultada cifra por cuarenta.

En 1967, como embajador en Nicaragua, Spruille Braden y su esposa recibirán la Gran Cruz de Rubén Darío de manos del dictador amigo Anastasio *Tachito* Somoza *"por su lucha por la libertad en América Latina"*.

1945. El color de los huesos

THREE RIVERS, TEXAS. 15 DE JUNIO DE 1945—Félix Longoria, muerto cuatro años antes en combate en la isla de Luzon, Filipinas, arriba a su pueblo en Texas para descansar sus restos. Con la ayuda de su esposa Beatrice, intenta ingresar al cementerio de Three Rivers, pero no puede. El director del cementerio, Tom Kennedy, le niega el derecho de admisión al camposanto por ser mexicano. *"A los blancos no les gustaría"*, explica.

Félix Longoria, en realidad era estadounidense; converso por nacimiento, sus antepasados eran mexicanos y él se parecía a ellos cuando no

---

[71] Como para el desarrollo de la NASA y de la Agencia espacial soviética, pero a mucho menor escala, los prototipos Pulqui habían recibido el asesoramiento de técnicos e ingenieros alemanes refugiados, algunos ex miembros del partido Nazi.

hablaba. Ahora un montoncito de huesos, el soldado ya no tiene cara de mexicano, pero la raza lo persigue igual, como a millones de otros.

La Segunda guerra mundial necesitó mexicanos para reemplazar a los soldados en los campos y en las fábricas de Estados Unidos. Algunos, como Longoria, fueron enlistados en el ejército contra el Eje. Los ilegales, los "espaldas mojadas", por diferentes medios se convirtieron en lo que se conoce como "espaldas secas" y fueron a la guerra y a las plantaciones. Cuando regresaron, igual que los negros, continuaron siendo ciudadanos de segunda categoría, si eran ciudadanos, o criminales, si todavía no lo eran. En los teatros debieron sentarse al costado, con los negros. En las iglesias católicas, debían esperar a que Dios terminase de hablar con los fieles anglosajones para que ellos pudiesen entrar a su casa. Los restaurantes se reservaban el derecho de admisión: *"No se sirven mexicanos en la barra"*. En los cementerios tampoco. Los mexicanos y los estadounidenses de aspecto mexicano son contados como blancos en los censos, pero son tratados como negros en las calles.

Gracias a los activistas del momento, este caso se hace conocido en todo el país y enciende el debate nacional. Longoria es enterrado del otro lado de las vías del tren que pasa por el Three Rivers y por el cementerio, en un área reservada para muertos no blancos y separada por un muro que asegura que los muertos blancos no se mezclarán nunca con los muertos mexicanos que, como se sabe, nunca mueren del todo.

Un senador de nombre Lyndon Johnson logra que el pobre soldado Longoria sea enterrado el 16 de febrero de 1949 en un mejor lugar, en el prestigioso Arlington National Cementery, en Washington. Al día siguiente, la cámara de representantes de Texas nombrará una comisión para investigar las acusaciones de racismo en el caso Longoria. El comité, que se reúne en el local de la Cámara de comercio contigua a una peluquería que sólo afeita y le corta el pelo a los blancos, concluye que no hubo ningún acto de discriminación y mucho menos de racismo.

Veinte años después, el senador de buen corazón se convertirá en presidente y demostrará que se puede ser anti racista e imperialista al mismo tiempo. Por su parte, Félix Longoria, sin saberlo ni sospecharlo, con sus huesos dando vueltas por el mundo, inició una silenciosa rebelión que se convertirá en el movimiento por los derechos civiles de los hispanos en Estados Unidos. Otra prueba preocupante de que los mexicanos no mueren del todo cuando se mueren y por eso sus familiares le llevan pan y tequila a sus tumbas.

El 24 de enero de 2021, el cementerio de Oaklin Springs de Oberlin, Luisiana, le negará el derecho de admisión al asistente del sheriff, Darrell Semien, por ser negro. La administradora del cementerio le mostrará a su viuda y a sus hijos la cláusula donde se establece que el camposanto es *"sólo para blancos"*. Otros cementerios públicos en Texas serán menos estrictos y mantendrán una cadena divisoria para separar a los muertos negros de los blancos. Luego del escándalo, el presidente del cementerio otorgará el derecho de ingreso para el señor Semien, pero su familia se lo llevará a otro barrio donde el muerto no tenga que estar rodeado de blancos y así pueda descansar en paz.

1948. Sífilis y gonorrea gratis

TEGUCIGALPA, GUATEMALA. (DÍA DESCONOCIDO DE) FEBRERO DE 1948— Berta extiende el brazo izquierdo y uno de esos doctores que saben mucho y vienen de Estados Unidos le clava una pequeña aguja que no duele tanto como las que dan las enfermeras en Guatemala. Un mes más tarde, Berta comienza a sufrir fuertes picazones por todo el cuerpo, pero nadie le da mucha importancia porque Berta tiene algún problema emocional y seguramente está inventando. El doctor Cutler toma nota: justo allí donde él mismo le había inyectado sífilis un mes atrás, es donde se concentra la mayor cantidad de sarpullidos rojos. Pronto los sarpullidos cubren todo su cuerpo, pero tres meses después Berta no sabe que tiene la enfermedad asquerosa que avergüenza a todos ni se le provee con la penicilina necesaria para curarla. El 23 de agosto, el doctor Cutler reporta que la paciente va a morir y aprovecha para inyectarle pus de gonorrea en los ojos, en la vagina y en el ano. Por las dudas, vuelve a aplicarle otra dosis de sífilis. Poco después, comienza a segregar pus de los ojos y finalmente muere el 27 de agosto. Berta había sido derivada al hospital psiquiátrico algún tiempo atrás y, por lo demás, estaba saludable.

Berta es uno entre muchos cientos de otros casos. La idea de inyectar sífilis en pobres de razas inferiores había salido de Washington como forma de continuar los experimentos iniciados en el siglo pasado con nativos en Hawái y más tarde con negros en Alabama. El general Thomas Parran Jr., doctor y experto en enfermedades de transmisión sexual, no estaba conforme con los ratones. Desde 1936, cuando fue nombrado jefe el Cuerpo Oficial de Sanidad Pública, se había hecho cargo del experimento Tuskegee iniciado en 1932, por el cual se reemplazaron los ratones por negros estadounidenses. Cientos de individuos pobres y de piel oscura habían aceptado recibir servicios médicos gratuitos en la Universidad Tuskegee de Alabama, algunos con indicios de sífilis latente y otros simplemente sanos. A los enfermos nunca se les administró penicilina, la cual había sido descubierta unos años antes y por entonces era de uso común desde 1942. En su lugar, se los había usado para observar la evolución de la enfermedad. El proyecto continuará hasta 1972, cuando el caso se filtre a la prensa y, poco después, como todo lo que incomoda a la moral, se olvide patrióticamente. Pero los experimentos médicos con "individuos de razas inferiores" son muy anteriores a los experimentos nazis en Alemania. La ginecología estadounidense se desarrolló en el siglo XIX realizando operaciones sin anestesia a esclavas, implantando testículos de ejecutados o de carneros en presos sanos, y continuó con la inoculación de diferentes pestes en sus nuevas colonias de Filipinas y el Caribe. Los experimentos continuaron a lo largo del siglo XX con radiaciones que dejaron a niños sin cráneo y con poderosas drogas que usaron hasta con sus propios soldados.

Ahora, el general y doctor Parran, financiado por diferentes organismos del gobierno estadounidense, como el National Institute of Health, ha decidido trasladar el proyecto a Guatemala para eliminar algunas barreras legales en nombre de lo que él y sus colegas llaman "ciencia pura". En ese país sin leyes, donde gobierna de facto la bananera United Fruit Company, todo es más fácil. El doctor John Charles Cutler cuenta con más de cinco mil guatemaltecos a sus órdenes y es el encargado de supervisar el contagio forzado de mil quinientos de ellos, casi todos prisioneros, prostitutas, niños huérfanos, indios, soldados rasos o rasos por otras razones sociales. Aparte de la inoculación directa, uno de los métodos preferidos consiste en pagarle a prostitutas infestadas con sífilis y gonorrea para que tengan sexo con soldados, prisioneros sanos y menores problemáticos, lo cual es menos doloroso y más imaginativo que una inyección. Luego los infestados son abandonados a las observaciones científicas que no se diferencian en nada a las técnicas de los médicos nazis en Alemania. Un detalle irrelevante: casi exactamente un año antes de la muerte de Berta, el 19 de agosto de 1947, en respuesta a los horrendos crímenes nazis dirigidos por médicos como el doctor Josef Mengele, los jueces del tribunal estadounidense había aprobado el *Código de Nuremberg* que prohibía cualquier experimento médico sin autorización de los sujetos en cuestión y bajo ninguna presión. Claro que ahora había una buena razón para semejantes experimentos. El objetivo declarado era encontrar una vacuna para proteger a los soldados estadounidenses que combaten en las guerras por todo el mundo, donde habitualmente, por alguna razón desconocida, 350.000 contraen sífilis y gonorrea.

El experimento científico de Guatemala permanecerá en el olvido por 64 años hasta que en 2005 la profesora Susan Reverby, de Wellesley College, descubra los archivos secretos en Pensilvania. En 2010 el gobierno de Barack Obama pedirá disculpas por los hechos *"ocurridos hace muchos años"*. Una vez más, la justicia brillará por su ausencia. Los juicios iniciados por familiares de los afectados entrarán en el conocido laberinto legal por años y tal vez por décadas, hasta que no haya nadie más a quien compensar en caso de un fallo favorable a las víctimas.

En setiembre de 2010, la doctora Anita Barry de la Comisión de salud pública de Boston, declarará a los medios de prensa: *"cuesta creer algunas cosas que se hacían antes"*.

1948. No más ejércitos, no más dictaduras

SAN JOSÉ, COSTA RICA. 1RO. DE DICIEMBRE DE 1948—Luego de una guerra civil breve pero sangrienta, los ticos deciden sacarse de encima la institución que, en toda América latina, es nombrada con títulos medievales como "Salvaguarda del honor de la patria" y a la cual los padres frustrados envían a los hijos débiles "para hacerse hombres".

Es decir, eliminan el ejército. Tiempo después, Figueres reconocerá que se había inspirado en un libro que había leído cuando era un estudiante en el MIT: *The Outline of History* del novelista inglés H. G. Wells, uno de los padres de la ciencia ficción.[72] La lógica no es declarada pero parece evidente: sin ejército bananero que proclame defender la patria de la injerencia extranjera no hay injerencia extranjera. La represión de los trabajadores y de los de abajo es más complicada y las relaciones democráticas más probables.

En 1919, el presidente Juan Bautista Quirós Segura había renunciado a la presidencia para evitar una intervención de Washington. Ahora, el presidente José Figueres, enemigo del dictador nicaragüense Anastasio Somoza, resiste un intento de golpe de Estado con las armas enviadas por Juan José Arévalo. Arévalo es el docente que, junto con su sucesor en el gobierno, Jacobo Árbenz, había logrado derrotar una dictadura al servicio de la United Fruit Company y había puesto en marcha una de las primeras democracias de la región, la que Washington destruirá en 1954 para recuperar los privilegios de la United Fruit Company.

Con un pragmatismo radical, el autodenominado "socialista utópico" José Figueres se mantiene como aliado de Washington al tiempo que combate las dictaduras de Washington. A cambio de ilegalizar al Partido Comunista de Costa Rica, desmantela el ejército.

Pese a los esfuerzos económicos de la CIA y de diversas fundaciones satélites de Washington para crear políticos y opinión favorable, la población se mantiene crítica con el rol estadounidense en la región. El 17 de junio de

---

[72] Una de las frases de este libro más discutidas en las academias militares afirma que *"la mente de un militar profesional carece de cualidades superiores; ningún ser humano con cualidades intelectuales se sometería de forma voluntaria en esta prisión"*. Wells, al igual que Einstein, estaban a favor de la abolición de todos los ejércitos del mundo.

1954, en una entrevista publicada en el *Fort Worth Star-Telegram* de Texas, el ahora presidente electo José Figueres resumirá el problema en pocas palabras: "*la hostilidad de los latinoamericanos hacia Estados Unidos se debe a su memoria de la política del Gran Garrote, la cual ha sido siempre una amenaza mayor a la unidad del hemisferio que el comunismo. Las manos de Estados Unidos no están limpias para luchar contra el comunismo*". Como suele ocurrir con los políticos latinoamericanos luego de un tiempo en el poder, poco a poco Figueres irá girando más a la derecha. Hasta descarrilar. Como editor de la revista *Combate* y como fundador del Instituto de Educación Política de Costa Rica, recibirá ayuda económica y mediática de la CIA.[73]

Desde entonces, sin ejército, Costa Rica se convertirá en la excepción de América Central y del Caribe: no volverá a sufrir una dictadura militar por las décadas y generaciones por venir y la economía del país crecerá en promedio un punto porcentual extra cada año hasta el siglo siguiente. Por décadas, recibirá exiliados de los países más democráticos del continente sur que, durante la Guerra Fría, sucumbirán a la manipulación de Washington, al sadismo de los generales criollos, a los viejos intereses de las clases criollas dominantes y al fanatismo de no pocos voluntarios honorarios.

Durante los años 80, el presidente Ronald Reagan presionará a Costa Rica para que se militarice o acepte mil efectivos del Pentágono y, junto con las dictaduras genocidas de Guatemala, El Salvador y Honduras, termine de estrangular a la Nicaragua sandinista. El pueblo costarricense desaprobará esta medida logrando que en 1983 el presidente amigo de Reagan, Luis Alberto Monge, rechace la oferta y emita una declaración de *neutralidad perpetua*, por la que el pequeño país en el cinturón más caliente del hemisferio, pese a atravesar una dura crisis económica, logrará mantener su digna democracia.

No todos tendrán la misma suerte con la peligrosa idea de desmilitarizar sus países. En 1991 el presidente electo de Haití, reverendo Jean-Bertrand Aristide, teólogo de la liberación y con la mala costumbre de abrirle a los pobres las puertas del Palacio de Gobierno, será derrocado por un golpe militar auspiciado por Washington. Cuando en el año 2000 regrese de sus exilios y vuelva a ser electo por tercera vez, esta vez con el 90 por ciento del electorado, propondrá desmantelar el ejército, ese mismo que había sido la garantía

---

[73] En una entrevista publicada por el *Washington Post* el 22 de junio de 1984 irá aún más allá afirmando que Washington "*estaba cumpliendo con el rol que le corresponde en la región*". Aunque opuesto al financiamiento a los Contras en Nicaragua, Figueres aprobará la intervención de la CIA en las elecciones del 31 de marzo en El Salvador, las que extenderán el poder del Partido Demócrata Cristiano del dictador José Napoleón Duarte, según Figueres "*un socialdemócrata*". Duarte será responsable por los escuadrones de la muerte y diversas masacres en su país.

de las sangrientas dictaduras del último siglo y el instrumento cómplice de los últimos golpes de Estado. Razón por la cual, nadie puede sorprenderse, Washington comenzará a desestabilizarlo una vez más y, otra vez, el presidente electo de Haití tendrá que armar las maletas en 2004.

Costa Rica, en cambio, sin el brazo intimidatorio del ejército, será el país de América Central y del Caribe en el que el acoso y las intervenciones de Washington más sufrirán de anemia —casualmente, por las generaciones por venir, podrá mantener, sin interrupciones, la democracia liberal más estable de la región.

POR AIRE

1950-2020

1949. El diablo en los detalles

SANTIAGO DE CHILE. 17 DE AGOSTO DE 1949—Un grupo de manifestantes advierte la presencia de un joven rubio con aspecto estadounidense, lo rodean y lo increpan mientras gritan *"yankees go home"*. El joven editor de *The South Pacific Mail* habla perfecto español, pero echa mano a su experiencia anterior en Berlín y comienza a hablar en alemán. Alguien grita, *"déjenlo, es sólo otro alemán"*. Las protestas por el aumento del precio del transporte urbano van en aumento. Como ocurrirá 70 años después, esto será sólo la gota que derrame el vaso. De paso por Chile, Albert Camus escribe sobre los disparos indiscriminados de Carabineros a los manifestantes, la mayoría obreros y estudiantes. La furia popular había comenzado con la Ley Maldita de 1946, por la cual el presidente Gabriel González Videla (antes apoyado en las elecciones por Pablo Neruda y el Partido Comunista y ahora, en la presidencia, protegido de Washington y la derecha criolla) había ilegalizado al Partido Comunista.

El joven que habla alemán no es alemán. Es el estadounidense David Atlee Phillips, el primer espía de la CIA en Chile. La CIA ha reemplazado al FBI en América Latina y, aparte de los expertos nazis de la Segunda Guerra Mundial, debe reclutar nuevos y probados agentes secretos. David Phillips (conocido como Maurice Bishop por los espías de menos rango), joven editor de un periódico en inglés de Santiago, iba camino al hospital donde su esposa está en labores de parto y, de paso, en el proceso de comprar a un miembro del Partido Comunista de Chile a través de un flirteo de varias semanas. El día clave, el futuro infiltrado X recibe la visita de Bishop que finge estar apurado.

Por entonces, las infiltraciones y las alianzas entre los extremos ideológicos no son algo excepcional. Un reporte secreto de la recién creada CIA fechado el 6 de mayo de 1949 en Montevideo, informa del acuerdo entre el

Partido Comunista del Uruguay y el partido conservador, el Partido Blanco, para que el primero apoye al candidato del segundo en las elecciones, Luis Alberto de Herrera, a cambio de proteger los fueros de su diputado Rodney Arismendi. La información llega primero a la CIA por boca del editor de *El Plata*, Juan Andrés Ramírez, quien a su vez había sido informado por Pedro Sáenz. *El Plata*, como los otros diarios principales del país y del continente, desde los años cincuenta en delante publicarán artículos y editoriales plantados por la CIA. Herrera finalmente ganará las elecciones de 1958 gracias a una alianza con el candidato Benito Nardone, beneficiario de la CIA y quien se convertirá en presidente en 1960.[74]

Según las memorias del agente David Phillips que se publicarán en 1977 con el título *The Nightwatch, 25 Years of Peculiar Service* (como casi todas las memorias de los agentes de la CIA no serán traducidas al español por generaciones), el Infiltrado X del Partido Comunista de Chile le confiesa que ha estado pensado abandonar el Partido Comunista y Bishop le dice que no lo haga. Entonces le pregunta si ha pensado en su propuesta.

El Infiltrado X responde:

"Justo esta mañana mi esposa me leyó el horóscopo… Dice que hoy recibiré una propuesta económica que cambiará mi vida y que no debo rechazarla".

Casi tres décadas después, David Phillips recordará:

"Yo sabía lo que decía el horóscopo porque lo había escrito yo mismo. Uno de nuestros agentes le había pagado al escritor de horóscopos para que publicase mi texto ese día".

David Atlee Phillips será uno de los agentes más valiosos de la CIA en América Latina por más de veinticinco años. Sus memorias serán un intento de justificar las acciones de su Agencia, pero están cruzadas de su propia conciencia moral, ahogada una y mil veces por excusas sobre la legitimidad de los fines. Sus nombres aparecerán como protagonistas en el asesinato de John Kennedy en 1963, de Orlando Letelier en 1976, y de diversos golpes de Estado, como los de Guatemala en 1954 y el de Chile en 1973.

Nunca se arrepentirá de su trabajo. Si alguna vez se emborrachó hasta desmayarse, como luego del fiasco de Bahía Cochinos, no fue por razones ni políticas ni de conciencia sino por no haber hecho un buen trabajo.

---

[74] El lunes primero de diciembre de 1958, el diario blanco *El País* titulará a lo ancho de toda su portada "VENCIÓ EL PUEBLO".

1950. La homosexualidad es comunismo

WASHINGTON, DC. 19 DE ABRIL DE 1950—LA CIA no solo contrata a célebres nazis y los desparrama por diferentes departamentos del gobierno estadounidense, algunos responsables de genocidio (como Klaus Barbie, enviado a Bolivia para apoyar las dictaduras en nombre de la lucha anticomunista), sino que el senador Arthur McCarthy, en su cruzada contra los americanos supuestamente antiamericanos, también contrata nazis para perseguir a sus adversarios. Logra que el juramento patriótico que repiten los niños cada año en las escuelas, inventado y promovido por el socialista Francis Bellamy en 1891, sea modificado para introducir la referencia "una nación bajo Dios" que ni Thomas Jefferson ni la misma constitución hubiesen aceptado, no porque Dios sea malo sino porque los fanáticos lo son.

Luego de un breve período de pocos años en que el racismo nazi fue el principal enemigo estratégico, todo vuelve a la normalidad con un nuevo enemigo. Ahora es la ideología que promete igualdad entre razas y entre cualquier otra cosa, como el sexo. El 19 de abril, en su página 25, el *New York Times* informa sobre el dogma del nuevo profeta, el senador Joseph McCarthy: *"en los últimos años, la perversión sexual ha infiltrado nuestro gobierno y es tan peligrosa como el comunismo"*.

McCarthy también convence al célebre director del FBI, John Edgar Hoover, para perseguir a todos los homosexuales y lesbianas, quienes no sólo eran definidos como "enfermos mentales" por la ciencia, sino que los políticos en Washington ahora los consideraban "una amenaza para la seguridad nacional". El 29 de abril de 1953, el presidente Dwight Eisenhower firma un decreto prohibiendo a todos los homosexuales la posibilidad de trabajar para el gobierno, debido a su inclinación a compartir secretos con el enemigo. Luego de un infarto en 1955, se pondrá furioso cuando su médico reporte que el presidente tiene "un buen movimiento intestinal". Unos años después será operado de una obstrucción intestinal.[75]

La nueva caza de brujas había comenzado en 1948 con la publicación del libro *Sexual Behavior in The Human Male* del doctor Alfred Kinsey, conocido como el *Informe Kinsey*, en el cual el autor afirmó haber descubierto

---

[75] Por alguna razón, los problemas intestinales que terminaron con la vida de varios presidentes, como las diarreas de Andrew Jackson, James Polk y Zachary Taylor, o las hemorroides de Franklin Roosevelt y George H. Bush, o las fisuras anales del presidente James Garfield (además de los 81 días de alimentación anal que debió soportar antes de morir a causa de los disparos de un esquizofrénico narcisista llamado Charles Guiteau), fueron tratadas con estricta discreción de Estado.

que el 37 por ciento de los ciudadanos estadunidenses han tenido algún tipo de relación homosexual. Los políticos conservadores pegaron el grito en el cielo y declararon esta perversión como una enfermedad aún peor que el cáncer, la que iba a destruir la nación elegida por Dios. Se inicia "El terror lavanda" (el color violeta se ubica el extremo opuesto en el espectro de los colores pero muy próximo al rojo en la percepción humana) y miles de gays y lesbianas, que intentan dejar su vida privada encerrada en sus casas, son investigados, perseguidos e interrogados por el FBI. En Estados Unidos y en Canadá se inventan diferentes máquinas que miden el tamaño de las pupilas y la forma en que cada uno reacciona ante ciertas imágenes para detectar homosexuales, lesbianas y otros tipos de gente rara, todos traidores a su sexo y a su patria.

Edgar Hoover contrata a un hombre de confianza de McCarthy, Roy Marcus Cohn, para acosar y despedir a todos los homosexuales del gobierno de Estados Unidos y de cualquier otro tipo de trabajo o, directamente, enviarlos a la cárcel por sus delitos contra la moral. Roy Cohn era homosexual, conocido de Hoover, asistente de McCarthy y futuro abogado del empresario inmobiliario Donald Trump cuando éste sea acusado de racismo en 1971 y luego en 1978 por impedir que los negros alquilen en sus edificios. Roger Stone, convicto por mentirle al Congreso, estratega de la campaña presidencial de Donald Trump en 2015, conoció a Cohen trabajando para la campaña de Ronald Reagan. Según Stone, Cohn no era homosexual. Sólo le gustaba rodearse de gente rubia y tener relaciones sexuales con hombres. Los gays son débiles, afeminados. Él estaba más interesado en el poder".

En 1954, el joven abogado Roy Cohn debió presentarse repetidas veces ante las cámaras de la televisión y ante todo el país al lado de su defendido, el senador McCarthy, alcoholizado como de costumbre después de las cinco de la tarde, en el juicio en su contra por haberse metido ilegalmente con el ejército en su búsqueda de comunistas infiltrados.

Durante los años 50 y 60, los hombres gays son detenidos para ser interrogados por su escasa afición a las mujeres y las mujeres son interrogadas por sus aspectos masculinos. Como en la Cuba revolucionaria de los años 70, miles pierden sus trabajos por no ser suficientemente heterosexuales, ya que, según los conservadores estadounidenses, los gays y las lesbianas, como los negros, profesan la ideología comunista de la igualdad.

El director del FBI y probablemente el hombre más poderoso de Estados Unidos por medio siglo, desde 1924 hasta su muerte en 1972, Edgar Hoover, también era homosexual. Su pareja, Clyde Tolson, lo acompañó, en secreto, hasta su muerte. Esta obsesión por la represión sexual puede proceder de las ética protestante y vitoriana, pero en los años cincuenta se articuló desde el Senador McCarthy hasta las agencias secretas de manipulación social. Hasta

1947, América latina era monitoreada por espías del FBI. Los latinoamericanos más perspicaces sospechaban y temían que cualquier gringo de negocios por sus países fuese un agente del FBI. Cuando Hoover se entera de Henry Truman iba a reemplazar su agencia por otra especializada en asuntos internacionales, independiente de la policía y del ejército, ordena quemar todos sus archivos, como hará la misma CIA veinte años más tarde antes que las comisiones Church y Otis Pike del senado comiencen una investigación sobre los asesinatos sistemáticos de esta agencia. En los cincuenta, la CIA y sus funcionarios deben empezar de cero. O casi. Entre sus interrogatorios para reclutar nuevos espías, sobre todo miembros del partido comunista en situación económica desesperada, los someten a pruebas de la verdad. Para confirmar su lealtad, les preguntan si son homosexuales o si alguna vez sintieron algún tipo de atracción por algún hombre.

Hasta bien entrado el siglo XXI, las pruebas de ciudadanía en Estados Unidos continuarán incluyendo la pregunta "*¿Ha pertenecido usted alguna vez al partido comunista?*" Ni una palabra sobre el partido Nazi, el Ku Klux Klan o fascistas similares. La persecución de homosexuales también se echó en el olvido y sin reparaciones. De hecho, en el siglo XXI se la echó toda sobre Irán, para justificar el acoso económico y militar sobre ese país que no entiende lo que es la tolerancia y pone a sus homosexuales en la cárcel. Arabia Saudí también lo hace, pero de los aliados estratégicos no se habla.

En América latina y en África, la solución para "detener el avance del comunismo" serán brutales y sangrientas dictaduras (que en realidad no se diferenciarán en nada de las brutales y sangrientas dictaduras planteadas por Washington en América Latina desde el siglo XIX, cuando nadie ondeaba la bandera de la amenaza comunista). En Estados Unidos, en cambio, y pese al supuesto avance del comunismo en ese país, nunca nadie propuso una dictadura militar para mitigar la posibilidad. Las razones abundan y son todas demasiado obvias.

1953. La opinión pública es un producto de consumo

WASHINGTON DC. 15 DE AGOSTO DE 1953—El presidente Dwight Eisenhower firma la autorización para la Operación PBSuccess con la cual la CIA ha decidido derrocar al presidente de Guatemala, Jacobo Árbenz, inventando la historia de la amenaza comunista. En palabras del nieto de Theodore Roosevelt, Kermit Roosevelt Jr, quien un año antes había participado con éxito en el derrocamiento de otro presidente democráticamente electo, Mohamed Mossadegh, "*Guatemala será otro Irán*". En Guatemala, sólo cuatro de los 61 congresistas electos son comunistas y su influencia en el ejército, como en cualquier otro ejército latinoamericano, es cero. No sin ironía, son los comunistas quienes aconsejan al presidente la opción de una reforma capitalista, es decir, que las tierras a expropiar no pasen a manos del gobierno sino a las manos de los agricultores guatemaltecos.

El 3 de diciembre de 1953, la CIA aprueba un presupuesto de tres millones de dólares para esta operación, al que luego agregará otros cuatro millones y medio.[76] En apoyo, John Foster Dulles nombra embajador de Guatemala a John Peurifoy, un estudiante fracasado de West Point que quería ser presidente de Estados Unidos y que, con ese objetivo, había logrado el puesto de ascensorista en el Capitolio a través de un favor especial de un congresista conocido. Dulles huele que el ex ascensorista tiene lo que él necesita: una paranoia confiable sobre "el peligro rojo". En diciembre, poco después de la llegada del nuevo embajador Peurifoy, el subjefe de la embajada de Estados Unidos en Guatemala y diplomático sobreviviente, William L. Krieg, completa su informe y afirma que las fuerzas reaccionarias y oligárquicas son "*vagabundos de primer orden... parásitos que sólo piensan en el dinero*", mientras que los comunistas "*trabajaban duro, tienen ideas y son conscientes del propósito de su trabajo*", aparte de ser "*honestos y comprometidos*". La tragedia, agrega Bill Krieg, es que "*las únicas personas que están comprometidas con el trabajo duro son aquellas que, por definición, son nuestros enemigos*".

Por esas cosas del destino, casi todos los involucrados en la planificación del golpe de Estado contra Árbenz son inversores de la United Fruit Company: el Secretario de Estado, John Foster Dulles; el director de la CIA, Allen Dulles; el asistente del Secretario de Estado de Asuntos Interamericanos y hermano del ex director de la United Fruit Company, John Moors Cabot; el senador y embajador ante la ONU, Henry Cabot Lodge; la secretaria del presidente Eisenhower, Ann Whitman, esposa de Edmund Whitman, director de prensa de la CIA; Walter Bedell Smith, Subsecretario de Estado, quien será parte de la junta directiva de la United Fruit Company.

Las razones económicas son profundas y extensas, pero fáciles de comprender. En 1936, el actual Secretario de Estado, John Foster Dulles, como abogado de la firma Sullivan & Cromwell había madurado en Wall Street el monopolio bananero de la United Fruit Company para Guatemala, todo con la invalorable asistencia y ayuda del dictador de turno, el general Jorge Ubico.[77] Desde entonces, John también había sido el representante de

---

[76] En total, 73 millones de dólares al valor de 2020.

[77] Las compañías estadounidenses dominaban la política y la economía de la región desde el siglo pasado. A mediados del siglo XX, Samuel Zemurray, fundador de Cuyamel Fruit Company, autor del golpe de Estado de Honduras en 1911 y más tarde

Railways of Central America y de Electric Bond & Share. Ahora, junto con su hermano, el director de la CIA Allen Dulles, echa mano al poderoso aparato del Estado de la mayor potencia mundial para evitar que los pobres en algún lugar remoto del mundo se hagan con un trozo minúsculo de tierra de su propio país para producir alimentos básicos y amenazar la autoridad de los exitosos del Norte. La fiesta de la UFCo en Guatemala había acabado en 1944 cuando el profesor de filosofía Juan José Arévalo y su "Socialismo espiritual" inspirado en Franklin Roosevelt ganó las primeras elecciones libres de ese país. Con la desconocida democracia se inició un raro período de reformas que le pusieron límite a los regalos de tierras y a las exoneraciones impositivas que beneficiaron a El Pulpo durante la dictadura de Jorge Ubico. Recurriendo a su clásico método de hacer decir a otros lo que él quería que el pueblo repitiera, de la misma forma que antes les había puesto un cigarrillo en la boca de las cantantes de ópera, el propagandista mercenario Edward Bernays le pone una banana en las manos a las estrellas de Hollywood y comienza el maquillaje de El Pulpo. Como siempre, la campaña propagandística de Bernays es todo un éxito.

No sólo se trata de reducir costos de producción a fuerza de subsidios y de salarios de hambre. La ideología de los negocios necesita de una psicología y de una ética a su servicio. La casi absoluta dependencia de los trabajadores a compañías como la UFCo evitaban que los pobres se pudiesen retirar a sus propias tierras, dejando de ser trabajadores asalariados y consumidores desesperados. Mucho antes de sus matanzas en América latina, la UFCo supo que debía inocular el deseo por las cosas materiales en sus asalariados del sur. Esta no era una idea nueva, para nada. Un siglo antes, para decretar la abolición de la esclavitud tradicional en sus posesiones del Caribe, los ingleses habían diseñado un tipo de esclavitud deseada por los nuevos esclavos. El 10 de junio de 1833, un miembro del Parliament Rigby Watson lo había puesto en términos muy claros: *"Para hacerlos trabajar y crearles el gusto por los lujos y las comodidades, primero se les debe enseñar, poco a poco, a desear aquellos objetos que pueden alcanzarse mediante el trabajo. Existe un progreso que va desde la posesión de lo necesario hasta el deseo de los lujos; una vez alcanzados estos lujos, se volverán necesidades en todas las clases sociales. Este es el tipo de progreso por el que deben pasar los negros, y este es el tipo de educación al que deben estar sujetos"*. La UFCo tomó nota y lo puso en práctica. En 1929, su periodista más promocionado (y amigo de Henry Ford), Samuel Crowther, informó que en América Central *"la gente trabaja sólo cuando se les obligaba. No están acostumbrados, porque la tierra les da lo poco que necesitan... Pero el deseo por las cosas materiales es*

---

director de UFCo, había reconocido que *"en Honduras un legislador vale menos que una mula"*.

algo que debe cultivarse... Nuestra publicidad tiene el mismo efecto que en Estados Unidos y está llegando a la gente común, porque cuando aquí se desecha una revista, la gente las recoge y sus páginas publicitarias aparecen como decoración en las paredes de las chozas de paja. He visto los interiores de las cabañas completamente cubiertos de páginas de revistas estadounidenses... Todo esto está teniendo su efecto en despertar el deseo de consumo en la gente". Samuel Crowther consideraba al Caribe como el lago del Imperio americano, el cual protegía y dirigía el destino de sus países para gloria y desarrollo de todos.

Pero el desarrollo no llega, sino todo lo contrario. Tampoco el deseo por el consumo de cosas materiales llega con la fuerza que llega el deseo por la libertad y la democracia que recorre América latina y, a este punto, ya ha derribado varias dictaduras. Con la elección de Jacobo Árbenz, un capitán de la clase alta pero con esa manía de algunos de mirar hacia abajo, las reformas del profesor Arévalo se continuaron sin llegar a radicalizarse. Durante su gobierno se habían formado cientos de comités de campesinos pobres para discutir y administrar las nuevas tierras, lo que entonces fue visto como un signo inequívoco de comunismo o de algo igualmente peligroso. Cuando Árbenz asumió la presidencia, el 70 por ciento de la población era analfabeta, índice que ascendía hasta el 90 por ciento entre la población indígena, es decir, más del 60 por ciento de los guatemaltecos que eran sometidos a trabajos forzados con una remuneración inexistente por tradición y una expectativa de vida de 38 años. Entre la UFCo y la oligarquía criolla, el dos por ciento de la población era dueña del 72 por ciento de las tierras, en un país cuya economía casi exclusivamente se basaba en la agricultura.

La tensión y el conflicto de intereses creado por el período democrático de 1944-1954 alcanzó a cobrarse la vida de dos terratenientes, pero esto no alcanzó a detener el proceso de democratización del país. En 1950, Árbenz había comenzado un plan de reforma agraria que afectó el 1,3 por ciento de la superficie disponible para la agricultura. La reforma incluyó la expropiación de una fracción menor de tierras improductivas en manos de la UFCo, tierras que la compañía había recibido de las dictaduras anteriores a Arévalo.[78] El Pulpo no aceptó que se le pagase el valor que él mismo había declarado en sus impuestos (2,98 dólares por acre) y reclamó la suma de 75 dólares por acre.

Derrocado el presidente democrático y reemplazado por el general Castillo Armas, uno de los tantos títeres que nunca son difíciles de encontrar,

---

[78] El gobierno había propuesto nacionalizar 95.000 hectáreas regaladas por el dictador Jorge Ubico a la UFCo, apenas el doble del área del rancho que del presidente estadounidense Lyndon Johnson en Chihuahua en los años 70, contra la ley y la constitución mexicana.

Edward Bernays, la CIA y el gobierno de Eisenhower continuarán el esfuerzo de lavar la imagen del dictadorcillo nervioso. Antes del exitoso golpe de Estado, el general de bigotes estilo Hitler era conocido de Washington. En 1946 había completado un curso de entrenamiento en Fort Leavenworth, Kansas y en 1950 había fracasado en su intento de golpe de Estado contra Arévalo. En 1953 la CIA lo había localizarlo en Honduras y lo había llevado a una sesión de entrenamiento en Opa-Locka, en Florida. Luego le había pagado 3.000 dólares mensuales (29,000 dólares al valor de 2020) más provisiones para sus 140 hombres. Cada acción en la que participaron Castillo Armas y sus hombres terminaron en derrota y con varios muertos. A la CIA nunca le importó porque este grupo no era operativo; sólo representaba la segunda excusa principal para mantener a la prensa ocupada.

Ahora el vicepresidente Richard Nixon lo invitará a Washington para hablar en la televisión sobre el gobierno comunista de Árbenz, derribado por el pueblo guatemalteco que nunca aceptó la mentira y la intervención extranjera (la escenografía de fondo mostrará una cruz como lanza de San Jorge sobre la hoz y el martillo). El general nervioso le dice a Nixon: *"Dígame lo que quiere que yo haga y lo haré de inmediato"*. En los años y en las décadas por venir, las sucesivas dictaduras de Guatemala no podrán disimular los cientos de miles de masacrados que seguirán como consecuencia de los salvadores planes de Washington. Uno sólo de estos, el dictador Efraín Ríos Mont, ordenará la masacre de 18.000 indígenas en 1982. Poco después, en su visita al infierno tropical, el presidente Ronald Reagan elogiará al genocida como ejemplo de la lucha por la libertad en Guatemala y contra "el régimen" sandinista de sus vecinos nicaragüenses. Las iglesias más poderosas de Estados Unidos, como el Club700, también apoyarán al hermano evangélico hasta su muerte en 2018.

Pese a la brutal campaña, la CIA reconoce que, tanto en Guatemala como en América latina, los comunistas son una fuerza menor. El mismo diagnóstico hará la Agencia y algunos ejércitos latinoamericanos, como el argentino, antes de lanzarse a la aventura de salvar a sus países con más golpes de Estado. En 1954, de los 61 legisladores guatemaltecos, sólo cuatro son comunistas. Excepto en los sindicatos de trabajadores donde, por razones obvias, tienen algún protagonismo. Como desde hace un siglo, el problema central no es el comunismo sino la desobediencia que convenientemente es calificada como comunismo. Antes de que Árbenz fuera electo presidente, la embajada de Estados Unidos le había enviado una lista al presidente Juan José Arévalo con nombres que debían ser removidos de su gobierno, pero el presidente, con una actitud insólita, había ignorado la petición. Amenazar los beneficios de una empresa estadounidense con la excusa de una ley aprobada por algún congreso bananero era otra clara demostración de insubordinación. El mismo investigador del Departamento de historia de la CIA, el profesor Nicholas Cullather, concluirá décadas después que la United Fruit Company acostumbraba a reportar ganancias y valores muy inferiores a las reales para evadir impuestos, pero Edward Bernays convenció al Congreso de Estados Unidos y a la opinión pública de lo contrario: *"no se trataba de bananas sino de comunismo"*. Desde el arranque, la idea era muy convincente. *"Donde vean que se habla o se critica a la United Fruit Company, deben sustituir el nombre de la empresa por el del país, Estados Unidos"*. Algunos reportes califican a Jacobo Árbenz como un político conservador. Los militares estadounidenses en Guatemala tampoco ven ningún "peligro comunista", pero, como en la invasión de México 110 años antes, proceden contra sus propias opiniones en nombre de la eficacia, el deber y el honor. Hasta que décadas después a algunos se les revuelva la conciencia y comiencen a decir lo que piensan.

En este momento, Edward Bernays es el asesor de la empresa en cuestión (la United Fruit Company), el propagandista más importante del siglo e inventor de las Relaciones Públicas modernas. Él mismo elige a los periodistas que considera menos informados del *Times*, *Newsweek*, *The New York Times* y del *Chicago Tribune* y los envía a Guatemala con todo pago por la United Fruit Company para *"reportar sobre actividades comunistas"* en América Central. En el viaje a Guatemala, entre habanos y mucho whisky, los organizadores se encargan de cristalizar el dogma entre los periodistas: todos iban a cubrir los eventos de un país que había sido tomado por una dictadura marxista. Los rusos prefieren el vodka. Luego de inoculados, al llegar al país real la visión de los reporteros se adapta al dogma, no a la realidad, y rápidamente se traducen en titulares en la prensa estadounidense y en la Opinión Pública del País Libre.

El único periodista que se atreverá a mencionar la razonable reforma agraria del presidente Jacobo Árbenz y el malestar de la población con la transnacional estadounidense es Sydney Gruson, del *New York Times*. Poco después, el director de negocios del *New York Times* recibirá la visita de su amigo, el director de la CIA, Allen Dulles, y Sydney Gruson será retirado del tema América Central.

Sin haber puesto nunca un pie en Guatemala, Bernays sabe de qué se trata todo. Ese es su oficio: no sólo saber lo que otros ignoran sino hacerles creer lo que sus clientes quieren que otros crean. Bernays es un viejo mercenario y es tan bueno que su salario anual (cien mil dólares, sin contar las extras) es superior al de cualquier presidente de Estados Unidos. Sobrino de Sigmund Freud, su interés no es tanto el estudio de la mente ajena sino el dinero que se deriva de su manipulación. En 1924 había convencido al presidente Calvin Coolidge de cocinar panqueques para sus seguidores durante su campaña de reelección, tradición populista que sobrevivirá como un dogma hasta el siglo XXI. En 1927, con su campaña "Antorchas de la libertad" había logrado que las mujeres se pusieran a fumar para aumentar las ganancias de los cigarrillos Lucky Strike. Hasta las feministas desprevenidas cayeron en su trampa. El gran Bernays es también el responsable de que los estadounidenses desayunen huevos con tocino, lo cual logró para aumentar las ventas de tocino de su cliente, la Beech-Nut Packing Company de Nueva York. Es también una de las mentes maestras en la venta de guerras y golpes de Estado, como este en Guatemala. No solo Adolf Hitler había leído con admiración el libro *The Passing of the Great Race* (*La derrota de la raza superior*) del estadounidense Madison Grant, a quien escribió agradeciendo por haberle provisto de su biblia política, sino que también su futuro ministro de propaganda, Joseph Goebbels, tenía los libros de Edward Bernays en un lugar accesible de su biblioteca (sí, Goebbels también tenía amigos judíos). En los años cuarenta, Bernays había sido contratado por la United Fruit Company, conocida por sus tentáculos como El Pulpo, transnacional que regía sobre el Caribe y América Central desde el siglo XIX con presupuestos mayores que los de cualquiera de las repúblicas bananeras en las cuales operaba libremente.

Ahora, la estrategia es clara: es necesario sacudir el fantasma del comunismo una vez más. Medios no faltan y no se desestima ninguno. Es muy fácil ser un genio cuando sobra el dinero. El poderoso agente de la CIA Howard Hunt Jr. visita a los obispos católicos de Estados Unidos y los convence sobre el peligro guatemalteco, por lo que los obispos no se demoran en condenar el comunismo del presidente Árbenz. El 9 de abril de 1954, una carta pastoral llega a manos del arzobispo Mariano Rossell y Arellano y luego, otras más elaboradas, a los obispos de Guatemala alertando de las peligrosas fuerzas *"enemigas de Dios y la Patria"*. Rossell y Arellano será decisivo en la destrucción de la democracia y el Estado de derecho en su país y dejará su cargo de arzobispo, como suele ocurrir, cuando se muera en 1964. Poco antes del golpe de Estado, el 4 de abril de 1954, ordenará tallar un Jesús de madera, luego reproducido en bronce, el que será bautizado como el *Cristo de Esquipulas*. Así, Jesús, quien en vida detestaba las armas tanto como prefería a los pobres y marginados, será usado como "Comandante en jefe" de las fuerzas fascistas del Movimiento de Liberación Nacional contra el gobierno de Árbenz y en favor del imperio estadounidense, sin considerar que Jesús fue ejecutado por el imperio de turno como un simple criminal, junto con otros dos y por razones políticas, no religiosas. La declaración del arzobispo reza: *"alzamos nuestras voces para alertar a los católicos que la peor doctrina atea de todos los tiempos (el comunismo anticristiano) continúa su avance descarado en nuestro país, disfrazándose de movimiento de reforma social para las clases más necesitadas... Todo católico debe luchar contra el comunismo por su misma condición de católico... Son gente sin nación, escoria de la tierra, que han recompensado la generosa hospitalidad de Guatemala predicando el odio entre clases con el fin de saquear y destruir nuestro país por completo"*. Los *talking points* funcionan a la perfección en castellano. El fanatismo católico se parece mucho a su viejo enemigo, el fanatismo protestante.

Menos poderosos, los principales sindicatos de Guatemala todavía apoyan al presidente. Aunque Árbenz no fuese comunista, aunque como en cualquier país de América Latina los comunistas fuesen una minoría muy menor, convencer a la gente en Estados Unidos y en Guatemala que sí lo era, no significa ningún problema.[79] El derecho de otros pueblos a ser lo que se les antoje ser, incluso comunistas, ni siquiera está sobre la mesa. Sin la más mínima prueba, las radios y los principales diarios comienzan a publicar la novela de Washington: *"Estamos convencidos de los lazos entre Guatemala y Moscú"*. Más que suficiente. Al fin y al cabo, un país con una agencia ultrasecreta como la CIA siempre sabe más que el resto de los mortales y se reserva el derecho a proveer pruebas *"por razones de seguridad"*.

En la OEA, el representante de Guatemala, Guillermo Toriello Garrido, protesta contra la resolución del organismo acerca del derecho de otras naciones a intervenir en caso de que se constate la influencia del comunismo. La resolución es presentada a instancias del director de la CIA, Allen Dulles, quien en la misma reunión de Caracas califica de *ejemplar* la dictadura venezolana de Marcos Pérez Jiménez. En medio del ruido internacional, Toriello alcanzaba a ver con claridad lo que millones no pueden ni podrán: *"es muy penoso que cualquier movimiento nacionalista o independiente deba ser calificado así* [de comunista]*, como también cualquier acción antiimperialista o antimonopólica... Y lo más crítico de todo es que aquellos que califican de tal manera la democracia, lo hacen a fin de destruir esa misma democracia"*.

México, Argentina y Uruguay son los únicos que apoyan los argumentos de Toriello, critican todo tipo de intervencionismo y se oponen a la "Declaración de Caracas". Pero se abstienen de votar. Guatemala queda sola. La resolución 93 impulsada por Washington es contundente y se propone *"adoptar las medidas necesarias para proteger la independencia política* [de los países americanos] *contra la intervención del comunismo internacional, que actúa por los intereses del despotismo foráneo, y reitera la fe del pueblo de América en el efectivo ejercicio de la democracia representativa"*. La literatura política

---

[79] Como en la mayoría de los países latinoamericanos de la época, la Unión Soviética no tenía una embajada y su presencia era, en comparación a la omnipresente presencia (legal e ilegal, gubernamental y privada) de Estados Unidos, insignificante e irrelevante. Al igual que Patrice Lumumba en el Congo y otros líderes del Tercer mundo que fueron arrinconados por las políticas exteriores de Europa y Estados Unidos, Árbenz echará mano a la ayuda checoeslovaca, cuando sea demasiado tarde.

del poder, conocida como Realismo o Realpolitik, está dotada de una infinita libertad de imaginación patriótica.

Mientras tanto, en Opa-Locka, Florida, la campaña ficticia de Radio Liberación continúa preparando a la opinión pública para la etapa final, mientras finge ser una radio rebelde que opera desde la selva guatemalteca. Como complemento, y como será una larga tradición en el continente, la CIA y la USIA plantan, a fuerza de dólares, al menos 200 artículos en distintos diarios latinoamericanos denunciando el peligro comunista en Guatemala.[80] Es solo una parte del plan. Aunque los oficiales estadounidenses consideran que las políticas de Árbenz son "democráticas y conservadoras", Guatemala ni siquiera logra los créditos del Banco Mundial para llevar a cabo su reforma agraria. Algunos hacendados guatemaltecos están furiosos y solicitan el auxilio del dictador nicaragüense Anastasio Somoza quien, durante su visita al presidente Truman en la Casa Blanca en abril del año pasado, le había informado, en su buen inglés: "*sólo envíenme las armas y limpiaré Guatemala para ustedes de un plumazo*".

Desde el triunfo de Árbenz en las elecciones de 1950, Washington se ha abstenido de vender armas al nuevo gobierno. Un sacrificio terrible pero por una buena causa. En 1953 había bloqueado la compra de material defensivo de Canadá y Alemania, pero ahora le entrega las mejores armas al exilio guatemalteco en Honduras y Nicaragua. El 9 de febrero, en colaboración con el FBI, la CIA concreta su Operación Washtub, por la cual planta armas soviéticas en la costa de Nicaragua para que sean descubiertas por los pescadores y la dictadura de Somoza pueda acusar a Guatemala de planes comunistas en la región.

Sin más opciones, el presidente Árbenz (como hará Patrice Lumumba en el Congo, siete años más tarde) recurrirá a Checoslovaquia. El 5 de mayo de 1954, el MS Alfhem escandinavo llegará a puerto Barrios con un cargamento de armas que resultarán obsoletas y una nueva excusa para la intervención de Washington. En junio, la CIA bombardeará con Napalm el barco británico Springfjord en puerto San José, el que resultará ser un cargamento de algodón y café de la compañía estadounidense Grace Line, razón por la cual será uno de los pocos errores por los cuales la CIA será demandada. El 27 de mayo de 1954, el dictador amigo Anastasio Somoza informa a la prensa que, aparte de las armas encontradas, se disponen de fotografías del submarino soviético que las cargaba, con destino a Guatemala.

---

[80] Plantar artículos de opinión en los grandes medios latinoamericanos no será la única práctica recurrente de la CIA. Otra costumbre que será descubierta por los investigadores muchas décadas después incluirá la introducción de armas en grupos amigos o enemigos para que sean descubiertas por la desprevenida prensa local.

En 1987, el mayor John R Stockwell, oficial de la CIA involucrado en la operación, reconocerá que "*la matanza de 85.000 guatemaltecos a manos de gobiernos apoyados por Estados Unidos no ha hecho nuevos amigos para este país, se los puedo asegurar... Al final, la UFCo quebró y su presidente se suicidó*". Otro agente de la CIA, miembro activo de la operación en Guatemala, el coronel de la marina Philip Clay Roettinger, es el encargado de entrenar a los soldados en Honduras y llevar al general Castillo Armas, "*ese hombrecillo nervioso*", a la presidencia. En 1986, Roettinger reconocerá que "*nadie en el gobierno pensaba que Guatemala podría ser alguna amenaza para Estados Unidos... la única amenaza que el gobierno guatemalteco podía suponer era para los intereses de la United Fruit Company; esa era la única razón*". Años después del golpe, Roettinger lo abandonará todo y se mudará a Guanajuato, México.[81]

Las cosas tampoco resultaron muy bien para el nuevo dictador, el general Castillo Armas. Antes de ser asesinado en 1957, el general del bigote estilo Hitler será honrado por la Universidad de Columbia con un doctorado honorario por su "*lucha por la democracia*" (razón por la cual Rómulo Gallego devolverá su título conferido por la misma institución). Castillo Armas visitará Washington y participará en un programa televisivo con el vicepresidente Richard Nixon. Con la escenografía de una hoz y un martillo atravesados por la lanza implacable de la cruz, Nixon dirá: "*la de Guatemala ha sido una rebelión del pueblo contra un régimen comunista... en otras palabras, el régimen de Jacobo Árbenz no era un gobierno de Guatemala sino uno controlado por fuerzas extranjeras*". El general y máximo dictador de Guatemala, Castillo Armas, responde a todo que "*yes, yes*". No entiende inglés ni entiende nada de lo demás. Sólo sabe que su fuerza de represión procede de los miembros del régimen de Jorge Ubico (un nazi sin disimulos en un país de indios), que su régimen ha prohibido al escritor ruso Fiódor Dostoyevski, por subversivo, y que hace pocos años atrás alguien le dijo que, tal vez, Estados Unidos podía ayudarlo a ser presidente después de perder las elecciones con el maldito Jacobo Árbenz.

---

[81] Según consta en los archivos de la CIA en una "*Copia desinfestada*" en 2011 de un artículo del 16 de marzo de 1986, el coronel Roettinger escribirá que Árbenz era más capitalista que socialista, un presidente que pretendía cambiar el capitalismo dependiente por un "*Estado capitalista moderno*", es decir, demasiado independiente. En "For a CIA Man, It's 1954 Again" Roettinger se lamentará, "*nuestro éxito condujo a 31 años de dictadura militar y a 100.000 personas asesinadas, aparte de destruir las necesarias reformas económicas y sociales en ese país... ahora el presidente Ronald Reagan nos dice lo mismo que nos dijo en Florida el director de la CIA de entonces, Allan Dulles, que nuestra lucha es contra el comunismo...*"

El 29 de diciembre de 1996 la ONU auspiciará un acuerdo de Paz en Guatemala. Para entonces, el dos por ciento de la población será dueña de la mitad de la tierra cultivable en Guatemala. 200.000 personas habrán sido asesinadas bajo sucesivas dictaduras militares, 93 por ciento de ellos ejecutados o masacrados por los Soldados de la patria. En 1999, el presidente Bill Clinton visitará el país y reconocerá la responsabilidad de su país en la destrucción de la democracia en 1954 y las sucesivas ayudas a los militares genocidas. *"El apoyo de Estados Unidos al ejército de Guatemala y a la inteligencia involucrada en la violencia en Guatemala fue un error que no debe volver a repetirse"*, dice. Las mismas lágrimas caerán en 2010 cuando la Secretaria de Estado, Hillary Clinton, reconozca la barbaridad cometida por Washington al realizar experimentos con sífilis y gonorrea en los pobres de Guatemala en los años cuarenta. Como siempre, todo, cuando ya no le importe a nadie ni tenga ninguna consecuencia para las víctimas. Ni para el poder.

O casi.

1954. Quien no sabe engañar no sabe gobernar

CIUDAD DE GUATEMALA. 27 DE JUNIO DE 1954—El presidente Jacobo Árbenz es obligado a renunciar a su cargo y marcha al exilio poniendo fin a una rara década con un país sin dictaduras militares en la región. Su pecado ha sido intentar cumplir sus promesas electorales de nacionalizar una pequeña porción de tierra de su país para devolvérsela a los campesinos que no tenían la suerte de trabajar por salarios de hambre para la internacional estadounidense UFCo. Dolido por la pasividad cómplice del ejército nacional, el depuesto presidente dice: *"Quizás el más grande de los errores que cometí, fue la confianza total que tenía en el Ejército de Guatemala y el haber transmitido esta confianza al pueblo y las organizaciones populares. Pero nunca me imaginé que, ante un caso de agresión extranjera, en que estaban en juego la libertad de nuestra patria, su honor y su independencia, el Ejército podría traicionarnos"*.

Ni Estados Unidos ni en la Frontera salvaje los medios de prensa usan la palabra "invasión". Las palabras importan más que las bombas. El golpe es una copia del manual recientemente escrito por la CIA para derrocar al gobierno laico y democráticamente electo de Mohammed Mossadegh en Irán, un año antes y por las mismas razones. Convencida por la petrolera británica BP, la CIA había inyectado un millón de dólares en los opositores a Mossadegh y cientos de miles de dólares en los clérigos de turno y en la prensa local para convencer al pueblo del peligro del presidente electo. Mossadegh era otro presidente independentista y partidario de la nacionalización de los recursos nacionales como el petróleo que, desde medio siglo atrás, le dejaban al país un mísero 16 por ciento. Mientras cientos de miles de dólares fluían hacia los "manifestantes" en las calles de Teherán, el *New York Times*, *Newsweek* y otros medios influyentes repetían las historias sobre "el dictador Mossadegh" y su "régimen". El manual de la CIA se repetirá en el Congo cuando el periodista aficionado, presidente electo y héroe nacional Patrice Lumumba, no logre el apoyo de Washington para mantener la recientemente lograda independencia. Las únicas razones de la negativa serán económicas: los empresarios de Wall Street están comprometidos con los colonos belgas. La CIA, junto con el gobierno y las compañías belgas, apoyarán su derrocamiento y posterior asesinato unos años más tarde, en 1961. El brutal dictador amigo, Mobutu Sese Seko, asesino de Lumumba (y, como suele ocurrir, ex oficial del líder rebelde), levantará un monumento a su propia víctima, para regocijo del pueblo, y gobernará el Congo por décadas, para el beneplácito de la civilización y del desarrollo de la raza superior.

En su penúltimo mensaje radial, Árbenz declara: "*Nuestro único delito ha sido el darnos nuestras propias leyes; nuestro crimen ha sido el aplicarlas a la United Fruit... No es verdad que los comunistas están tomando el poder en nuestro gobierno... No hemos impuesto ningún régimen del terror; por el contrario, los amigos guatemaltecos del Sr. John Foster Dulles son quienes desean imponer el terror entre los guatemaltecos atacando a niños y mujeres desde aviones piratas*".[82]

El ejército de Guatemala, todavía subordinado a la constitución, logra alguna pequeña victoria derribando uno de esos aviones piratas de Estados Unidos. Una parte considerable de la población no se deja inocular por Radio Liberación y los cientos de miles de panfletos arrojados desde el aire contra Árbenz. La CIA detecta cierta resistencia popular. Para evitar el colapso de una operación magistral, el presidente Eisenhower envía más aviones que intensifican el acoso. Más dinero fluye a las arcas del dictador nicaragüense Anastasio Somoza para facilitar aviones que no fuesen estadounidenses. El piloto de la CIA Jerry DeLarm, alias Rosebinda, bombardea las bases militares y la radio pública guatemalteca con granadas y botellas de Coca-Cola llenas de combustible mientras altoparlantes instalados en la embajada de Estados Unidos fingen una guerra que nunca ocurrió.

Guatemala solicita una comisión investigadora de la ONU, pero el 25 de junio el embajador de Estados Unidos, Henry Cabot Lodge, veta la resolución. No acepta ninguna investigación. La CIA continúa bombardeando por tres

---

[82] Paradójicamente, los documentos más detallados de la época que sobreviven son las transcripciones y reportes de la misma CIA, meticulosa hasta el extremo de la paranoia, por lo cual no pocas veces es necesario traducir del inglés las palabras que originalmente se pronunciaron en español.

días los abastecimientos de petróleo y lanza bombas NTN sobre Chiquimula, Gavilán y Zacapa. Árbenz pone sobre la mesa un último recurso: armar a los campesinos. Pero ya es tarde.[83]

El 27 de junio de 1954, Árbenz lee su último mensaje por la radio pública: "*Todos sabemos cómo han bombardeado y ametrallado ciudades, inmolado a mujeres, niños, ancianos… ¿En nombre de qué hacen estas barbaridades? ¿Cuál es su bandera? Todos la conocemos… Les digo adiós, amigos míos, con amargo dolor, pero manteniendo firme mis convicciones. Cuiden lo que tanto ha costado. Diez años de lucha, de lágrimas, de sacrificios y de conquistas democráticas… No me han acorralado los argumentos del enemigo, sino los medios materiales con los que cuenta para la destrucción de Guatemala*".

Estas palabras de despedida de Árbenz se repetirán casi veinte años después cuando en Chile, 1973, Salvador Allende deba hacer lo mismo. De la misma forma, la declaración de inocencia de los secretarios John Foster Dulles en 1954 y la de Henry Kissinger en 1973 se repetirán como si fuesen escritas en papel calco, como otra prueba de la paranoia sistemática de quienes necesitan controlar el mundo.

Ahora, el Secretario de Estado, John Foster Dulles informa que "*el Departamento de Estado no tiene ni el más mínimo indicio de que se haya tratado de otra cosa que de una rebelión de los guatemaltecos contra su gobierno*".

Una vez consumado el golpe de Estado, el mismo John Foster Dulles, el fanático religioso que sólo se guía por la rectitud moral de las Escrituras, después de organizar el complot en base a repetidas mentiras, anuncia en cadena de radio: "*El gobierno de Guatemala y sus agentes comunistas de todo el mundo han insistido en oscurecer la verdad —la del imperialismo comunista— denunciando que el interés de Estados Unidos era proteger los intereses económicos de las empresas estadounidenses… Liderados por el coronel Castillo Armas, el pueblo guatemalteco ha decidido derrocar al gobierno comunista. Ha sido un asunto interno de los guatemaltecos*".

Con el golpe de Estado de 1954, la UFCo no sólo recuperará sus tierras nacionalizadas sino que se privatizarán varias áreas de propiedad pública. Los generales del ejército participantes del golpe también recibirán tierras, una

---

[83] Este recurso había evitado que la revolución de Bolivia en 1952 fuese destruida por Estados Unidos (hasta que Eisenhower convence al presidente boliviano, Víctor Paz Estenssoro, de rehacer el ejército nacional y desarmar a las milicias revolucionarias, lo cual, naturalmente, reportará un nuevo golpe de Estado en ese país). Este mismo recurso de armar a la población había ordenado Ernesto *Che* Guevara, antes de la invasión fallida por parte de Estados Unidos en Bahía Cochinos, en 1961, luego de asegurar que "Cuba no será otra Guatemala".

especie de reforma agraria inversa. Mientras tanto, ahora sin resistencia de ningún sindicato ni periodista disidente, El Pulpo continuará pagando 50 centésimos secos por día a cada trabajador y reportando una ganancia de 65 millones de dólares anuales, el doble del presupuesto del gobierno guatemalteco.[84] Como es y continuará siendo un patrón histórico, Washington invertirá millones de dólares en Guatemala bajo dictadura (14 millones solo en los próximos cinco años) para demostrarle al mundo la eficacia de la *obediencia* a la que llamará, por alguna razón aún sin aclarar, *democracia*.

Está de más decir que el costo final del fanatismo anglosajón superará infinitamente el precio de las tierras en disputa por una legítima ley de reforma agraria. La persecución y demonización de disidentes, la prohibición de casi todas las organizaciones populares serán, por sí solas, un precio demasiado alto. Pero la tragedia de Guatemala apenas comenzó allí. Miles de campesinos se negarán a abandonar las tierras (públicas y expropiadas) otorgadas por Árbenz y serán desplazados por la fuerza o, simplemente, ejecutados. Otros 200.000 guatemaltecos serán asesinados o masacrados por las dictaduras militares que seguirán hasta los años 90. El presidente Ronald Reagan las llamará "dictaduras amigas" y las pondrá como modelos de libertad y democracia.

Sam Zemurray (Samuel Zmurri), promotor de otros golpes de Estado en la región desde principios de siglo, accionista principal y presidente de la UFCo., morirá en 1961. En 1972, la compañía, por entonces registrada con otros nombres, será acusada de corrupción en Honduras. El 23 de febrero de 1975, su presidente, Eli Black (el rabino polaco Elihu Menashe Blachowitz), abrumado por las acusaciones de soborno y por las deudas de la empresa, saltará a la nada desde su oficina en el piso 44 del moderno edificio de la Pan Am en Nueva York. La United Fruit Company sobrevivirá como Chiquita Bananas. En el siglo por venir, será acusada por el mismo gobierno de Estados Unidos de financiar a los paramilitares en Colombia. El 14 de marzo de 2007, Chiquita perderá el juicio y deberá pagarle a Washington (no a las victimas colombianas) 25 millones de dólares por apoyar el terrorismo.

---

[84] 65 millones en 1954 equivaldrá a 696 millones en 2020, pero su poder en la región y sobre la vida de sus habitantes en 1954 se extiende mucho más allá de cualquier ajuste de inflación.

1954. Nuestra principal arma no escupe balas sino palabras

CIUDAD DE GUATEMALA. 9 DE SETIEMBRE DE 1954—Luego de 73 días refugiado en la embajada de México, el presidente depuesto Jacobo Árbenz es informado que mejor se vaya del país. En el aeropuerto La Aurora, la prensa informada sigue a quien fuera hasta hace poco el presidente más popular del país. A las once de la noche y por cuarenta minutos, frente a las cámaras, frente a su esposa y sus hijos, las autoridades de inmigración lo obligan a desnudarse para verificar que no lleva ni joyas ni alguna ideología extranjera. El pueblo, representado por una decena de distinguidas damas y caballeros de bien, le grita *"¡Traidor! ¡Fuera comunista!"* Uno de los pocos comunistas del país, por casualidad viaja esa misma noche. Según el ex agente de la CIA Philip Agee, Carlos Manuel Pellecer (alias *Linlick*) es un agente infiltrado de la CIA en el partido comunista de Guatemala y en los movimientos comunistas y populares de la Ciudad de México.

Apenas cuatro meses antes, en marzo de 1954, el poderoso agente de la CIA David Atlee Phillips, todavía en Chile, había recibido un llamado para una reunión urgente en Miami.[85] La nueva misión de Phillips consistía en desestabilizar y lograr que el presidente de Guatemala, Jacobo Árbenz, abandone el poder. Décadas después, en sus memorias de 1977, recordará su propia sorpresa por el pedido, y su pregunta ingenua:

—*Pero Árbenz es el presidente elegido por el pueblo de Guatemala en elecciones libres. ¿Qué derecho tenemos nosotros para derrocarlo?*

Una y otra vez, Phillips demostrará en sus memorias *The Night Watch* que tenía un banco de información secreto de valor incalculable, pero no se daba cuenta que no comprendía cómo funcionaba la Agencia para la que trabajaba; su conocimiento tenía un techo y sus superiores no permitían que ninguno de sus agentes lo traspasara. No importaba si Phillips había llegado a ver en Washington al director de la CIA, Allen Dulles, en una reunión escueta. Él también aplicaba el mismo método con quienes estaban por debajo: *fraccionar la información*, compartimentar el conocimiento de forma que cualquier filtración pudiese ser limitada a una pequeña área que luego resultase inconducente (como en un montaje de dominó cada tanto se ponen barreras que eviten la caída de todo el sistema). Décadas más tarde, el 31 de junio de 2016, el *Washington Post* revelará cómo uno de los métodos usados por la Agencia, conocido como *Eyewash* (*Lavado de ojos*) consistía en mentirle a sus propios funcionarios para que nunca nadie esté seguro de si algo es verdadero o falso.

---

[85] Es probable que la reunión se haya llevado a cabo en Opa-Locka, Florida.

—*Esta operación podría conducir a Guatemala a una sangrienta guerra civil* —insistió Phillips —*Mucha gente podría morir...*

—*Es cierto* —respondió el agente Tracy Barnes, quien participará también en la invasión fallida de Playa Girón en Cuba—. *Por eso trataremos de hacerlo de forma que no se produzca una gran matanza, si eso es posible.*

El golpe en Guatemala había sido planeado con las nuevas estrategias de la propaganda y la guerra psicológica llevada a cabo a través de la prensa, la que servirá de modelo en otros países por su alta eficiencia y su bajo costo militar. Para llevarla a cabo, el gobierno de Estados Unidos contrató a un frecuente colaborador en otras manipulaciones, el sobrino de Sigmund Freud, Edward Bernays.

Phillips no lo sabía. Tampoco sabía que la razón principal no era una supuesta amenaza comunista, sino que Árbenz había decidido cumplir sus promesas electorales de nacionalizar un pequeño trozo de tierra guatemalteca en manos de la United Fruit Company. Como era costumbre en otros países de la región, la compañía bananera había recibido excepciones impositivas y regalos de tierras de las dictaduras anteriores, como la de Jorge Ubico, y ni la Compañía ni la Agencia ni el gobierno de Estados Unidos están dispuestos a semejante desacato. Por si esto no fuese suficiente razón, los altos mandos superiores, desde la CIA hasta los del Gobierno estadounidense, tienen acciones en la UFCo. Su presupuesto operativo supera el de los gobiernos de las repúblicas bananeras que lo protegen con sus ejércitos y con las leyes a su favor, las que aprueban gobiernos y parlamentos, cuando los hay, bajo coerción o corrupción directa, una basada en la conocida "*diplomacia del bombardero*" y la otra en la más reciente "*diplomacia del dólar*" (presión de los bancos estadounidenses para que los países tomen prestamos salvadores y posterior envío de los marines para cobrar deudas impagables).

Un año antes, la CIA y los servicios de inteligencia británicos, con la insistencia de la reina Isabel II, habían logrado derrocar al presidente electo de Irán, Mohammed Mossadeq, quien había tenido el descaro de intentar cumplir otra promesa electoral: la nacionalización del petróleo de su país. La estrategia de la desestabilización social a través de *freedom fighters* ("luchadores por la libertad", usada antes para arrancarle Panamá a Colombia medio siglo atrás y en otras ocasiones como en el apoyo de los Contras en Nicaragua treinta años después) no se supo de inmediato y ni el pueblo iraní ni el pueblo de Guatemala podían estar informados y prevenidos de esta manipulación. Como le gustaba decir al dictador amigo de República Dominicana, Rafael Trujillo (Calígula, para los amigos), "*quien no sabe engañar no sabe gobernar*".

En México DF, el jefe de David Phillips, Howard Hunt, le ordenó entrar en la embajada de Guatemala, ubicada a dos cuadras de la embajada de

Estados Unidos. Los recursos empleados fueron los típicos de la CIA: un mes antes, uno de sus agentes había logrado entablar amistad con el guardia y había estudiado sus debilidades. La noche que los agentes debían entrar a la embajada ajena, el buen amigo le llevó una botella de tequila y un mazo de naipes, con los cuales lo sacó de circulación por varias horas. En ese tiempo, los agentes de la CIA lograron fotografiar todos los documentos que encontraron en las cajas de seguridad y en unas horas más los microfilms estaban volando hacia Washington. La operación pasó inadvertida pero no fue el primer acoso a Guatemala y mucho menos a un gobierno desobediente. En setiembre de 1952, el entonces presidente Truman ya había ordenado la operación PB-Fortune, la cual tenía como objetivo desestabilizar al nuevo gobierno de Árbenz a través de una coordinación con el dictador nicaragüense Anastasio Somoza y el general Castillo Armas.

Claro que siempre hay una oveja negra. En Guatemala, el jefe de la CIA, Birch O'Neil, no había estado de acuerdo con el plan de un golpe militar en el país debido a las dramáticas consecuencias que podría acarrear a largo plazo, por lo cual Allen Dulles lo removió de su cargo inmediatamente. Ese mismo mes, en marzo de 1954, Phillips reclutó a varios guatemaltecos a los que llevó por los cabarets de Miami y, poco después, creó la radio clandestina "Radio Liberación" en 6370 Khz de onda corta que fingía transmitir desde Guatemala.[86] Cada día, los locutores se presentaban, con el himno nacional de Guatemala de fondo, como una heroica *"emisora clandestina del Movimiento Libertador guatemalteco, desde algún lugar secreto de la República... Entre música y música, le demostramos el crimen palpable de la dominación comunista y de la fuerza incontenible de nuestra cruzada de liberación"*. La CIA había decidido emitir en onda corta por su alcance y porque los guatemaltecos, hasta en los lugares más alejados del campo, suelen escuchar esa frecuencia, especialmente por las noches. En apenas seis semanas, los resultados fueron devastadores. La conmoción que en la Nueva York de 1938 creara el programa radial de Orson Welles sobre una invasión extraterrestre, es apenas una anécdota irrelevante en comparación.

Un día antes del *Día D*, el 18 de junio, Washington decidió que Carlos Castillo Armas, el coronel marioneta del bigotito estilo Hitler, entre a Guatemala y se quede cerca de la frontera a la espera de nuevas órdenes. Pepe y

---

[86] Howard Hunt fue quien reclutó a Phillips en Chile y está orgulloso de su discípulo, al que considera el más profesional entre los profesionales. Sin embargo, cuando Phillips publique sus memorias en 1977, Howard Hunt le reprochará esta línea sobre los cabarets en Miami. Según las memorias de Hunt, publicadas en 2007 poco antes de morir y ya muerto Phillips, su viejo amigo le había confesado que había sido sólo un poco de color y picante sugerido por el editor de su libro. Nada que cambie la historia y nada que no se acostumbraba a hacer.

Mario, los locutores principales de Radio Liberación, se divirtieron dando noticias falsas. Dedicaron un programa a un heroico piloto ruso que se atrevió a huir a Occidente con su avión. Poco después, un piloto guatemalteco hizo lo mismo. El equipo de Pepe y Mario logró localizarlo y lo presinó para grabar su aventura, pero el piloto se asustó porque, dijo, tenía familia en Guatemala. Correctamente asesorados por Phillips, Pepe y Mario lo invitaron una noche con el mejor whisky escocés y le llenaron el vaso una y otra vez mientras una grabadora oculta registraba sus diatribas contra el gobierno de Jacobo Árbenz, las que luego serían transmitidas sin su aprobación por Radio Liberación.[87] Para evitar nuevos casos, el presidente Árbenz suspendió los vuelos de su propia fuerza aérea y, más tarde, recurrió a los cortes de electricidad por las noches para que los posibles invasores no puedan distinguir sus objetivos. Radio Liberación inventó que las bombas de la aviación libertadora caerían sobre las áreas donde no haya luz, por lo que esa noche los guatemaltecos comenzaron a encender fuera de sus casas, al tiempo que maldecían al gobierno.

El montaje de las *fake news* llegó hasta la gran prensa de Estados Unidos. *Life* y el *New York Times* informaron que la radio heroica transmitía desde la jungla de Guatemala mientras Pepe y Mario fingían ataques armados del gobierno que, supuestamente, dejaban numerosos muertos y respuestas inexistentes lideradas por el coronel Castillo Armas que, escondido y temblando a pocos kilómetros de la frontera, en realidad esperaba nuevas órdenes con apenas 150 hombres.

En Guatemala, la oposición comenzó a acusar al gobierno de Jacobo Árbenz de operar la radio clandestina para sembrar el terror en la población. Algunos bombardeos son reales. Los rebeldes, que cuentan con pilotos sin mucho entendimiento, entran a Guatemala con aviones estadounidenses de la Segunda Guerra y arrojan bombas en cualquier lugar de la capital. Una de las bombas destruye por error una radio evangélica, opositora al gobierno, y otro hunde un barco británico cargado de café y algodón. Por desgracia, el barco había sido asegurado en la Lloyd's of London, la que entablará un juicio contra la CIA por daños y perjuicios, por la cual Guatemala terminará pagando casi un millón de dólares (más de nueve millones al valor de 2020) para evitar el juicio y un posible escándalo.

El presidente Árbenz, acosado y asfixiado, le envió a la embajada de Estados Unidos un mensaje solicitando una reunión con el presidente Eisenhower con la intención de negociar la política interna de Guatemala.

---

[87] Según el agente Howard Hunt, el piloto era el coronel Rodolfo Mendoza y había sido grabado borracho por los agentes latinos de la CIA en El Salvador. Hunt y Phillips coincidirán que sus palabras habían sido emitidas al aire sin su consentimiento. Un detalle.

Naturalmente, nunca recibió respuesta. Ni siquiera un No. *"El país que hasta entonces había sido bien tranquilo y apacible"* recordará el agente Phillips veinticinco años después *"en cinco semanas se encontraba en estado caótico"*. El presidente democráticamente electo, Jacobo Árbenz, renunciará a su cargo el 27 de junio y, luego de refugiarse durante meses en la embajada de México, marchará al exilio, donde morirá por abuso del alcohol en 1971. El plan ha sido todo un éxito. Eufórica, la CIA y el gobierno de Estados Unidos están seguros de repetir la misma fórmula en otros países, como Cuba, siete años después. El coronel Carlos Castillo Armas se convertirá en dictador de facto y Guatemala se hundirá en una serie de regímenes militares apoyados por los sucesivos gobiernos de Estados Unidos.

Poco después del golpe de Estado (recordará el espía David Phillips) matarán a Pepe de un disparo en la cabeza frente a su familia y a Mario lo acribillarán con una ráfaga de metralleta. El nuevo régimen libertador quemará los libros del futuro premio Nobel, Miguel Ángel Asturias. Castillo Armas será asesinado por su propia guardia, tres años después. Como para agregar un detalle, 200.000 guatemaltecos, la mayoría indios, serán asesinados en las próximas décadas de terror que el mundo no recordará con ningún nombre doloroso. Apenas si recordará. El resto de la población será acosada por el terrorismo de Estado de dictadores como Efraín Ríos Montt, responsable en 1982 de la matanza de miles de indígenas y elogiado por el presidente Ronald Reagan como *"un hombre de integridad moral que ha hecho mucho por la justicia social del pueblo de Guatemala"* y por el influyente tele evangelista y amigo Pat Robertson, como *"un hombre honesto, perseguido por la izquierda"*.

A horas de consumado el golpe de Estado en Guatemala, el agente David Atlee Phillips inició un archivo de datos sobre un desconocido médico argentino llamado Ernesto Guevara de la Serna, quien también se había refugiado en la embajada de México de Guatemala. Phillips comandó la operación que terminó en la destitución del presidente Árbenz, no solo gracias a toda la información secreta que poseía, sino porque sabía que la gente común fácilmente cree en las mentiras que él mismo inventa. Pero todo su conocimiento de los hechos termina siempre en una línea abrupta que jamás traspasa, ni siquiera en sus memorias. No importa si conoció personalmente al director de la Agencia, Allan Dulles. La Agencia fracciona la información de forma que nadie tiene el conocimiento de cómo funcionan las cosas en su totalidad. O casi nadie.

Según la CIA, Guatemala debía ser un nuevo Irán. El jefe y amigo de Phillips, Howard Hunt, lo resumirá de forma insuperable cuando publique sus memorias en 2007 bajo el título *American Spy*: *"Nuestra principal arma no escupía balas, sino palabras"*.

Y Guatemala fue un nuevo Irán.

1956. El largo brazo de los generalísimos

NEW YORK, NY. 12 DE MARZO DE 1956—A las 22: 00 horas, el profesor Jesús Galíndez baja al metro de la calle 57 y la Octava avenida en Manhattan. Nunca más volverá a ser visto por sus amigos que luego recordarán su preocupación por un barco dominicano varado en el puerto.

Galíndez, republicano vasco exiliado, en 1939 había huido del generalísimo Francisco Franco en su país para encontrarse con otro general de la misma especie en República Dominicana, por lo que debió dejar la isla siete años más tarde. Había colaborado por algún tiempo con el gobierno de Estados Unidos contra los nazis y más tarde se doctoró en Columbia University con una tesis sobre Rafael Trujillo, *La era de Trujillo: un estudio casuístico de dictadura hispanoamericana*, la que no había resultado del agrado del generalísimo del Caribe. Trujillo acusa a los refugiados republicanos de España de ser propagandistas adoctrinados.

El dictador absoluto de República Dominicana demuestra que no es sólo un hombre con poderes absolutos en su media isla del Caribe, sino que además es capaz de comprar a la prensa más influyente de Estados Unidos, a alguno de sus congresistas y, además, puede eliminar a sus críticos donde más duele, como lo hará el dictador chileno Augusto Pinochet asesinando al disidente Orlando Letelier con un autobomba en pleno Washington DC, exactamente veinte años más tarde.

Cuando la prensa se dispone a investigar la muerte del profesor Galíndez y la de Murphy, Trujillo vuelve a inundar los diarios más importantes de Estados Unidos con publicidad contra el profesor de Columbia University, convenciendo al poderoso público estadounidense, aterrorizado por el senador McCarthy sobre la amenaza comunista y homosexual, de que la supuesta víctima había sido, en realidad, un agente encubierto de los soviéticos. Galíndez había colaborado con el FBI hasta que Estados Unidos reconoce al gobierno de Franco en España. Como harán tantos otros manipuladores de la Opinión Pública, Rafael Trujillo contrata gente para protestar contra el profesor en frente a la Casa Blanca e, inmediatamente, se les suman otros convencidos de la traición del tal Galíndez.

Los dólares fluyen para que el *New York Times* hable bien de él y para que sus generales le consigan más jóvenes vírgenes. Como muchos otros hombres que han llegado muy alto, Trujillo está obsesionado con el poder, con el sexo y consigo mismo. No con los muertos que deben quedar al costado del camino.

Seis meses más tarde, John Frank, agente de la CIA al servicio del gobierno dominicano y encargado de la operación, confesará que el profesor Galíndez estaba bajo vigilancia porque, se sabía, estaba escribiendo o iba a publicar su tesis doctoral sobre Trujillo, generoso donante de las campañas de políticos como Hamilton Fish, Richard Nixon y Joseph McCarthy. Algunos agentes le habían ofrecido dinero a Galíndez para comprarle el manuscrito, pero Galíndez había rechazado la oferta. Fue entonces que una ambulancia en Nueva York y un avión en Florida fueron contratados para llevar a un paciente de vuelta a República Dominicana. El piloto estadounidense, Gerald Murphy, completa su trabajo, pero, con los pulmones llenos del aire caribeño y los bolsillos llenos de dinero, comenzará a hablar más de la cuenta y tuvo un accidente en la isla.

El cuerpo de Galíndez nunca aparecerá y el caso nunca será resuelto por la justicia de ningún país. Los únicos relatos anónimos de entonces aseguran que el profesor fue atado desnudo y descendido lentamente a un tanque lleno de agua hirviendo.

1957. Redistribución de la riqueza en Haití

LA GONÂVE, HAITÍ. 22 DE SETIEMBRE DE 1957—La isla frente a Port-au-Prince tiene 13.300 habitantes y 19.304 votos. La Tortuga es más pequeña pero más democrática: sus 900 habitantes habilitados para votar reportan 7.500 votos emitidos. La mayoría no sabe leer ni escribir y necesita ayuda. Cada voto cuesta 40 centavos de dólar y muchos ni se molestan en entrar al cuarto de votación porque no saben leer los nombres de los candidatos. Déjoie, el candidato de la elite en el poder recoge sólo 463 votos. El carismático Ministro de Trabajo apoyado por Washington, el doctor Duvalier, se hace con el resto.

Duvalier se había recibido de médico en la Universidad de Michigan y, como todo joven universitario infestado por el idealismo de la libertad y otras rebeldías inmaduras, tenía sus preferencias desalineadas con el poder de turno. Sin embargo, el presidente Dwight Eisenhower sabe que un candidato con un discurso un poco a la izquierda puede calmar las violentas protestas populares que ya llevan diez meses en Haití y amenazan con desestabilizar toda la región.

Francois Duvalier arrasa en las elecciones prometiendo una redistribución más justa de la riqueza. Poco después se cuida de aclarar que se refería a una redistribución basada en las leyes del mercado, lo cual tranquiliza a Washington. Aparte, hay un detalle confesional que, sin dudas, lo ubica en el extremo de la extrema derecha del espectro político: Duvalier, el doctor negro graduado en Estados Unidos, no creía en la "lucha de clases" sino en la "lucha de razas". A la larga, esta creencia lo iba a ubicar en la previsible línea de los racistas blancos que, de una forma indirecta, lo apoyarán con sus barcos de guerra y, sobre todo, con sus ilimitados capitales.

En el poder, el doctor Duvalier confirma sus buenas intenciones y se alinea con las dictaduras amigas de Fulgencio Batista y Rafael Trujillo, los dos generales más temidos del Caribe. Desde ese momento, los secuestros y las desapariciones de disidentes en Haití serán parte del folklore nacional. Como en tantas otras dictaduras militares del continente, también en Haití el ejército visible cuenta con un brazo paramilitar, encargado de asesinatos sin control y sin compromiso. Los Tonton macoutes ahora son responsables del terror desenfrenado sin comprometer a la dirigencia política que recibe la aprobación y el apoyo millonario de Washington. Incluso antes de las elecciones, los aliados de Duvalier habían comenzado el régimen del terror masacrando sospechosos. Solo el 15 de junio de 1957, en los distritos pobres Bel-Air, La Saline y Saint-Martin de Puerto Príncipe, por orden del presidente interino, el general Antonio Thrasybule Kébreau (conocido como General Thompson porque sus soldados preferían matar usando rifles automáticos marca *Thomson*), para ahorrar municiones ordena enterrar vivos a más de mil negros indeseables que solo dejaron de gritar desesperados cuando las paladas de tierra, arrojadas por otros negros mercenarios, cubrieron las fosas colectivas esa noche y para siempre, en nombre de no sabían bien qué.

Washington no sólo asistirá con dinero a la dictadura de Papa Doc y luego a la de su hijo, Baby Doc, sino que, como es costumbre, enviará a sus marines para que entrenen a los temibles grupos paramilitares, los Tanton Macoutes y los Léopards que, por décadas, aterrorizarán a la población practicando la tortura y el asesinato de socialistas y todo tipo de activistas sociales, para ejemplo de futuros disidentes.

No todas las víctimas carecerán de nombre. La activista y feminista Yvonne Hakim-Rimpel, fundadora de la Liga femenina de acción social en 1934 y, junto con otras intelectuales, responsable por el reconocimiento del voto de las mujeres en Haití unos meses antes, también será secuestrada de su casa de la calle Camille Léon, la noche del 5 de enero de 1958. Hakim-Rimpel aparecerá la mañana siguiente en una calle de Petionville, desnuda, violada y apenas respirando sobre un charco de sangre. No volverá a hablar ni a escribir hasta su muerte en 1986, cuatro meses después de la huida del dictador Duvalier hijo. Ni los libros ni las enciclopedias hablarán de ella; solo algunos muros de las calles de Puerto Príncipe.

En 1971 Papa Doc será sucedido por su hijo de 19 años, Jean Claude Duvalier, quien se declarará *Presidente de por vida*. Baby Doc se casará en una boda que le costará tres millones de dólares a la empobrecida nación. Su bella esposa, Michèle Bennett, no dudará en gastarse cien mil dólares en ropa y doscientos mil en joyas en pocos días. Cuando las cosas no marchen bien, Jean Claude y Michèle se divorciarán en su exilio de Francia, en 1990. Para entonces, más de cuarenta mil haitianos (150.000 según otras estimaciones) habrán sido asesinados entre Papa Doc y su hijo, en el breve período de tres décadas.

Las matanzas de industria nacional y el dictado de Washington continuarán la tradición de los grupos paramilitares en los años ochenta, los golpes de Estado en 1991 y 2004, y los diversos *remakes* de tragedias antiguas. Por ejemplo, el 13 de noviembre de 2018, sesenta años después de una de las incontables masacres de haitianos pobres en el barrio de La Saline, las fuerzas del orden volverán a la villa pobre. Para entonces La Saline se habrá convertido en un reducto de los partidarios de Jean Bertrand Aristide, expresidente dos veces depuesto por Washington. Como es tradición en varios países de la región, antes de apretar los gatillos los soldados violarán mujeres y niñas y le prenderán fuego a escuelas y a cientos de casas, casas sin valor para el mercado, pero todo lo que poseerá cualquier familia de La Saline. Esa vez, los suprimidos no sumarán mil ni se los enterrará vivos, pero en pocas horas veinte residentes serán asesinados. Unos días después, sumarán más de setenta (diferentes organismos estimarán la cifra victimas en varios cientos). Algunos serán quemados vivos y serán arrojados a los chanchos hambrientos. Los manifestantes contra el gobierno acusarán a las fuerzas del orden. El gobierno acusará a los manifestantes. Tal vez fueron los pandilleros, dirá. Los pandilleros serán paramilitares armados por la policía y el ejército. Una vez más, las armas y el entrenamiento "para asegurar el orden" serán financiados y supervisados por Washington.

Fiel a su síndrome de la doble identidad del superhéroe enmascarado, en diciembre de 2020 el Departamento del Tesoro de Washington acusará a Fednel Monchery, Joseph Duplan y Jimmy Cherizier (tres altos funcionarios del gobierno haitiano encabezado por el presidente protegido de Washington, Jovenel Moïse) de planificar la matanza.

La justicia de Washington es implacable; puede acusar a sus mayordomos, pero no los muerde.

1957. Bombardear ciudades no es un crimen

CIENFUEGOS, CUBA. 5 DE SETIEMBRE DE 1957—Fulgencio Batista ordena bombardear Cienfuegos. Algunos pilotos arrojan las bombas al mar y son juzgados por una corte marcial que los condena a seis años de prisión. En el bombardeo mueren cientos de personas que no alcanzan a huir de la lluvia de bombas recientemente enviadas por Washington, pero los periodistas de Estados Unidos no saben qué ha ocurrido. Batista ha dado órdenes de impedirles la entrada a la ciudad. Sabe, como lo saben Trujillo en República Dominicana y Duvalier en Haití, que los grandes medios del norte son los creadores de opinión, opinión de la buena, la que vale para sostener sus gobiernos y por la cual invierten millonarias sumas en donaciones y publicidad. El *New York Times* es de sus preferidos.

Fulgencio Batista ordena ahorcar y quemar a los campesinos que sean encontrados sospechosos de simpatizar con los rebeldes. La misma atribución sobre las vidas ajenas se toman sus militares, policías y colaboradores. Ninguna de estas acciones será conocida o recordada como ejecuciones sumarias ni Batista será recordado como un asesino. Sus exiliados de Miami perderán la memoria en un par de años más.

Cuando los rebeldes tomen el poder en enero de 1959, comenzarán de inmediato los juicios y ejecuciones sumarias. Washington calcula que 600 personas han sido ejecutadas. Fidel Castro, que invita a observadores estadounidenses a presenciar los juicios, asegura que los ejecutados llegan a 550, mil veces menos que los muertos sin juicio en alguno en todos los países circundantes y con la bendición de Washington, mil veces menos que en Hiroshima y Nagasaki donde no murieron asesinos sino inocentes. El escritor Warren Miller y su esposa se encontraban de viaje por Cuba cuando comenzaron las ejecuciones sumarias de los hombres de Batista, a cargo de Raúl Castro. En la urgencia del proceso, muchos pagan sin deber y otros debiendo por mérito propio. Miller recuerda haberse encontrado con un compatriota camino a la ejecución de uno de sus amigos en Matanzas, un policía del régimen anterior que tenía por costumbre cortar los testículos de sus víctimas, ponerlos en sus propias bocas y abandonarlos atados al borde del camino. Estas ejecuciones sumarias inmediatamente provocaron la indignación de Estados Unidos, de la OEA y de la prensa internacional.

El 21 de enero de 1963, un memorándum de la CIA titulado "*Political murders in Cuba; Batista Era compared with Castro regime*" informará que al menos 20.000 cubanos fueron ejecutados por el régimen de Batista en sus últimos seis años por razones políticas. El informe agrega que más de 800 miembros del régimen anterior (cifra oficial de La Habana) han sido sumariados y ejecutados por el régimen de Castro. "*Los grupos anticastristas también han dejado muertos; de cualquier forma, ni las matanzas masivas del régimen de Batista ni su estilo terrorista se ha repetido en el régimen de Castro*".

En las décadas por venir, la dictadura comunista de la isla será acusada por la dictadura capitalista del continente de ser responsable de cinco o tal vez de diez mil muertes. Las cifras no proceden de La Habana ni de la CIA ni de

Washington sino de blogs de individuos en Miami que afirmarán saber de qué hablan porque alguna vez vivieron en algún lugar de Cuba. En el caso de los artículos de opinión publicados por prestigiosos medios como el *New York Times*, entre estas víctimas se contarán, sobre todo, la tragedia de aquellos que intentaron escapar de la isla en balsas improvisadas y no alcanzaron las costas de Florida. Los balseros desplazados por las crisis del neoliberalismo en Haití o en República Dominicana, los mexicanos y los centroamericanos muertos en los desiertos de Arizona o Nuevo México no se contarán como víctimas de alguna tiranía ideológica. Tampoco se mencionará que la Ley de Ajuste Cubano aprobada por Estados Unidos en 1966 (*Pies secos, pies mojados* a partir de 1995), la que proveerá del mayor estímulo para la inmigración ilegal desde Cuba: legalidad automática y trabajo casi seguro en el país más rico del mundo.

1958. La democracia no les hace bien a los pueblos inmaduros

WASHINGTON DC, 6 DE MARZO DE 1958—Advirtiendo que la Unión Soviética, la nueva potencia asiática, el nuevo enemigo está ocupado en crear un patio trasero al estilo del patio latinoamericano de Estados Unidos definido por la doctrina Monroe en 1823, el presidente Dwight Eisenhower decide que una alta figura de su gobierno debe emprender un tour de buena voluntad por América del sur. Desde hace siete años, la CIA se encuentra embarcada en el proyecto Mk-Ultra para descubrir la "droga de la verdad" que pueda permitir controlar las mentes ajenas de una forma más científica, pero el proyecto recién se encuentra en su etapa experimental. Mientras tanto, es necesario recurrir al método anterior de crear opinión pública usando la prensa y las relaciones públicas.

Durante su campaña electoral de 1952, Eisenhower había criticado a los demócratas herederos de Roosevelt por haber dejado de lado a América latina. Desde su perspectiva, las repúblicas al sur estaban molestas con este olvido de la política del Buen vecino, por lo que los republicanos habían prometido reforzar los lazos con América latina. En el gobierno, todos están de acuerdo que esa gente y sus repúblicas, por maldición de su cultura latina, preferían dictaduras a democracias como la estadounidense, por lo que había que reforzar los lazos con las dictaduras amigas, donde las haya, e imponer nuevas donde las incipientes democracias puedan ser presa fácil del comunismo. Mientras tanto, las embajadas de Estados Unidos continúan reportando que dictadores como el general Manuel Odría de Perú y general Marcos Pérez Jiménez de Venezuela son apoyados sólo por los hombres de negocio que dominan la economía de esos países, pero son resistidos por el resto de sus pueblos. Ambos dictadores le compraron a Washington barcos de guerra, algunos obsoletos y, por sus abnegadas luchas contra las dictaduras del comunismo por venir, recibieron una medalla de *Legión al Mérito* cada uno. La misma distinción le había sido otorgada, también por Washington, al futuro dictador colombiano Gustavo Rojas Pinilla tres años antes, en 1951, por "*su conducta excepcionalmente meritoria al servicio del Gobierno de Estados Unidos*". Pocos años después, Gabriel García Márquez debió abandonar el país por la forma en que terminó la serie de artículos sobre el naufragio del marinero Luis Velasco Rodríguez, final que no fue del agrado del dictador Rojas Pinilla.

Después de luchar en la guerra contra el nazismo en Europa ya no se puede hablar de *razas inferiores* sino de *culturas enfermas*. En una conversación telefónica del 26 de febrero de 1953, el Secretario de Estado Foster Dulles le recomendó al presidente Eisenhower el envío de emisarios a la región, ya que la mejor forma de tratar con los países de América del Sur "*es acariciarlos un poco, dejándoles creer que los apreciamos*". A Europa se la ayuda con el Plan Marshall, mientras que a los países del sur se les prescribe abrirse a los capitales privados.[88]

El 6 de marzo, el secretario de Estado, John Foster Dulles, le envía una carta oficial al vicepresidente Richard Nixon informándole que ha sido elegido para servir en este viaje de buena voluntad y (típica amabilidad estadounidense) le pregunta si estaría dispuesto a hacerse cargo de esos diez días de servicio a la nación. El paranoico Foster Dulles, hermano del no menos paranoico director de la CIA, Allen Welsh Dulles, tiene todo preparado antes de consultar al pobre Richard: "*He incluido a Venezuela debido al reciente cambio de régimen y por la importancia estratégica que ese país tiene para nosotros. En cuanto a Uruguay, lo he incluido por las dificultades que tenemos con ese país, probablemente el más difícil del hemisferio*". Para el secretario de Estado, en el mundo había dos tipos de personas: "*quienes son cristianos*

---

[88] Una resolución secreta del Consejo de Seguridad Nacional fechada el 18 de marzo de 1953 define la política económica hacia América latina de forma que esos países no reciban asistencia del gobierno de Estados Unidos sino de los inversores privados para educar a sus gobiernos y a su gente a crear las condiciones adecuadas para las empresas privadas y "*el acceso de Estados Unidos a las materias primas esenciales para su seguridad*". La misma resolución establece una política de asistencia a los militares latinoamericanos, económica y educacional, y la protección de sus bases en la región por los medios que sean necesarios, incluido la fuerza militar. De todas formas, en Europa el Plan Marshall resultará ser una excelente estrategia propagandística; el monto apenas llega al tres por ciento del producto de los países receptores, mientras que los países que menos recibieron más se recuperaron.

y están a favor de la libre empresa y los demás". A Nixon no le entusiasma la idea del viaje. Su conocimiento sobre la región se basa principalmente en los reportes de los servicios de inteligencia por lo que, naturalmente, es muy parcial y deficiente.

El 28 de abril a las 9:00 de la mañana, Richard Nixon arriba con su esposa Patricia al aeropuerto de Carrasco de Montevideo y, al día siguiente, visita la Universidad de la República. Demasiado al sur, Uruguay se había salvado de llamar la atención de la superpotencia del norte y había logrado la independencia necesaria como para desarrollar uno de los mejores sistemas de educación del continente, uno de los más democráticos e inclusivos. Las cosas no parecían ir tan mal, a pesar de las protestas de algunos estudiantes. Uruguay, un país sin grandes recursos naturales para explotar, con educación gratuita y obligatoria desde el siglo pasado, con una tasa de analfabetismo casi cero, se había convertido en una sociedad poco proclive a las revueltas violentas y con un profundo desprecio por la autoridad de clase.

En Argentina, la inauguración del presidente Arturo Frondizi tampoco dejó demasiado margen para ninguna gran protesta. El *New York Times* elogia a Nixon, "el joven incansable" que "asiste a la inauguración del primer presidente democráticamente electo de Argentina desde 1938". Las dos elecciones ganadas por Juan Domingo Perón en 1946, donde votaron demasiados obreros, y la de 1951, donde las mujeres votaron por primera vez en la historia de ese país, no cuentan. Las elecciones estadounidenses con millones de negros esclavos en el siglo XIX y bajo un sistema de apartheid legal hasta este día de 1958 sí, son ejemplos de democracia plena.

Los problemas para Richard y Patricia comienzan en la Universidad de San Marcos de Perú cuando los estudiantes los reciben con protestas masivas, por las cuales debe cancelar sus actividades y volver al hotel donde también lo esperan manifestantes. Las protestas se vuelven violentas. Desde Estados Unidos, el presidente Eisenhower lo alienta informando que se está convirtiendo en un héroe nacional por enfrentar con calma a los radicales de siempre. En Colombia las protestas son menores, pero en Venezuela sería otra historia.

Nixon arriba a Caracas el 13 de mayo, cuatro meses después que el dictador depuesto, Marcos Pérez Jiménez, distinguido por Eisenhower con la medalla de la Legión al Mérito, se había marchado al exilio en Estados Unidos. La municipalidad de Caracas declara al ilustre visitante "persona non grata" mucho antes de su visita y las protestas van de mal en peor.

Ese mismo día, la comitiva de Nixon debe suspender un homenaje en la tumba de Simón Bolívar por una repentina lluvia que cae sobre Richard, Patricia y sus guardaespaldas, la que resultó ser un escupitajo colectivo desde diversos ángulos hasta humedecer los elegantes trajes de los visitantes. Algunos gritan "yanquis go home" y otros "jamás olvidaremos Guatemala".

El conductor del auto oficial debe usar los limpiaparabrisas para ver por dónde va. Uno de los guardias que lo acompaña saca su revólver y apunta a la multitud, pero Nixon lo detiene. "Guarde eso; si dispara será nuestro fin", le dice. El ministro de relaciones exteriores de Venezuela, Óscar García Velutini, entra en pánico; no sabe cómo disculparse por los escupitajos visibles en el traje de Nixon, pero éste le responde: *"no se preocupe; apenas me saque esta maldita ropa la voy a prender fuego".* Los vidrios indestructibles del auto negro comienzan a resentirse y algunas lascas alcanzan la cara de los viajeros. A minutos de que la multitud arranque a los ocupantes de los autos de la comitiva, el ejército nacional logra abrir paso entre la multitud y, quince minutos después, Nixon respira cuando divisa el muro disimulado por árboles tropicales de la embajada.

Un cable recibido en Washington a las 2:00 PM advierte que, al arribo del vicepresidente, *"hubo diversas protestas y ningún aplauso; el gobierno local no se atreve a tomar medidas severas contra los manifestantes; de hecho, en este momento hay grupos de personas reunidas frente a nuestra embajada; no vemos suficiente personal del gobierno protegiendo el área, pero el señor Rubottom nos ha prometido mantenernos informados".* Por alguna razón, Nixon detesta a Roy Richard Rubottom, asistente de asuntos interamericanos del gobierno. Una hora después, a las 3:00 PM, otro cable informa de la decisión de sacar el vicepresidente de la embajada usando un helicóptero, pero el espacio disponible de la residencia hace imposible el intento. Unos minutos después cae otro cable en Washington: el capitán Kefauver informa que ha recibido órdenes del almirante Burke para enviar 500 marines a Venezuela desde Carolina del Sur. A las 4:30 PM, el Servicio Secreto informa de tanques venezolanos a la entrada de la embajada y menos gente manifestándose, lo cual garantizaría la seguridad del vicepresidente. Mr. Rubottom (diplomático activo en el apoyo de su país a Fulgencio Batista y de las futuras sanciones a la isla en los años por venir) informa que el vicepresidente Nixon y su esposa han tenido un almuerzo con "25 o 30 importantes líderes de opinión en el cual el vicepresidente ha tenido la oportunidad de explicar sobre la real amenaza comunista". A las 11:15 PM, el almirante Miller informa que los barcos de la Marina han salido de Guantánamo hacia Venezuela, pero no se dejarán ver desde tierra hasta nuevas órdenes.

Furioso, el presidente Eisenhower amenaza: *"estoy listo para ponerme el uniforme otra vez".* Luego, más calmado, el 14 de mayo ordena la "Operación pobre Richard" y el almirante Arleigh Burke moviliza la Marina desde Guantánamo y Puerto Rico. El portaaviones USS Tarawa y varios buques anfibios de asalto se dirigen a las costas de Venezuela. Inmediatamente, el presidente de la junta militar de Venezuela, el vicealmirante Wolfgang Larrazábal Ugueto, envía 400 soldados para proteger la embajada y le asegura a Nixon un retorno tranquilo a cualquier precio. Ese mismo día, ordena al ejército limpiar con gases lacrimógenos las calles por donde pasará la comitiva de regreso al aeropuerto. En sus memorias, Nixon recordará que las mismas calles que los recibieron llenas de gente, a su regreso estaban vacías.

Para recibir al héroe, el presidente Eisenhower da el día libre a todos los funcionarios del gobierno. Las calles de Washington se llenan de gente con carteles proclamando *"Recuerda el Maine"*. Lo que el público no recuerda o no quiere recordar es que tanto la ofensa como el eslogan fueron inventados por la prensa amarilla en 1898, que el ataque al USS Maine en el puerto de La Habana fue un accidente usado como excusa para iniciar la guerra contra España y que, aunque ambos países hablan español, España no es Venezuela. Por unanimidad, la prensa destaca la actitud calma de Richard Nixon, tipo Hombre Marlboro o Clint Eastwood, ante la violenta adversidad que debió enfrentar en América del Sur. El gobierno de Estados Unidos y varios periodistas, como el venezolano Carlos Rangel, aseguran que todo ha sido orquestado por los comunistas. Otros piensan que no es necesario ser comunista para tener buena memoria. Ante una comisión del Congreso que discute la humillante gira de Nixon por América del Sur, el Subsecretario Robert Murphy reconoce que la preferencia de dictadores para imponer el orden en lugar de apoyar a populistas desarrollistas como Arturo Frondizi o Rómulo Betancourt es parte del problema. Las manifestaciones contra Nixon en Caracas, dice Murphy, *"seguramente fueron explotadas por los comunistas, pero la furia popular tiene origen en nuestras propias políticas"*. El Subsecretario recomienda dejar de culpar a los comunistas por todo. El 19 de enero del año entrante, el hermano del presidente, Milton Eisenhower, enviará un reporte recomendando un cambio de política y reconociendo que *Estados Unidos ha apoyado a los dictadores en América latina como respuesta a una tendencia en favor de mayor libertad y democracia"*.

Varios senadores indignados por el mayor agravio diplomático después de la Segunda Guerra mundial, proponen eliminar la ayuda del generoso gobierno de Washington a los ejércitos de América latina. Algunos más atinados apuntan a que esta ayuda sólo contribuye al resentimiento de aquellos pueblos contra Estados Unidos. Otros, proponen castigar esas republiquetas por la ofensa al vicepresidente. Uno de ellos, más aventajado en entendimiento y sin la ingenuidad propia de los votantes, no está de acuerdo. En la sesión del senado del 10 de junio de 1959, senador John F. Kennedy explica la lógica de la ayuda en términos muy simples: *"En América Latina, los ejércitos son las instituciones más importantes, por lo que es importante mantener lazos con ellos. El dinero que les enviamos es dinero tirado por el caño en un sentido estrictamente militar, pero es dinero invertido en un sentido político".* La ayuda continúa y se multiplica. Cuando el presidente de Costa Rica José Figueres, quien en 1948 había logrado terminar con las dictaduras en su país aboliendo el ejército nacional, es consultado por la prensa dominante de Estados Unidos sobre los escupitajos al vicepresidente Nixon en Venezuela, reflexiona en voz alta: *"Sí, eso de escupir es una costumbre muy fea* —responde José Figueres—. *Pero cuando ustedes invitan a figuras como Pedro Estrada y los condecoran por sus servicios, ¿acaso no le están escupiendo en la cara a cada uno de los demócratas en América Latina?"*[89]

El 16 de mayo, a las 9:05 de la mañana, en reunión de gobierno, Nixon informa que la protección de los dictadores latinoamericanos por parte de Estados Unidos es, increíblemente, aún más importante para la mayoría de los latinoamericanos que la economía; es más importante que el precio del café, del cobre o que las tarifas. También reporta que el elemento novedoso es que Estados Unidos, de ahora en más, no sólo deberá entenderse con las elites latinoamericanas sino con el resto del pueblo también, incluidos los universitarios y los periodistas. *"Allá creen que Estados Unidos ya no podrá negociar solo con las elites gobernantes sino que también deberá entenderse con las masas".* El secretario de Estado John Foster Dulles no está de acuerdo: ¿qué clase de democracia vamos a tener (protesta) si tenemos que ser mandados por las clases bajas que no tienen ni la menor idea de cómo funcionan las cosas?

El 22 de mayo, a partir de las 9: 03 AM, Nixon se reúne con el Consejo de Seguridad Nacional para ofrecer una evaluación objetiva de su reciente experiencia. El acta de la reunión registra sus palabras: *"los países del sur se han tomado en serio eso de la democracia y las dictaduras han ido en retirada; sin embargo, lo que en algunos países es bueno en otros es malo".* En la reunión de gabinete todos están de acuerdo: la democracia no es buena para países inmaduros como los de América Latina. Nixon reporta que (con excepción del presidente de Perú, Manuel Carlos Prado y Ugarteche) ninguno de los líderes políticos con los que había podido hablar era rico o pertenecía a la clase alta de su país. Más bien son gente de la clase media, con tendencias intelectuales, es decir, marxistas que consideran al partido comunista como un partido más de sus democracias sólo porque los han ayudado a derrocar viejas dictaduras. Nixon menciona que el país más democrático del continente, Uruguay, por esa misma razón es el más vulnerable a convertirse en un país comunista. Es prácticamente imposible argumentar con los uruguayos,

---

[89] Pedro Estrada había sido el director de Seguridad Nacional del dictador venezolano Marcos Pérez Jiménez, asistido y entrenado por Washington en técnicas de represión. También fue uno de los responsables de la persecución y detención de disidentes y del establecimiento de campos de concentración en Venezuela.

comenta, sobre el peligro en el que se encuentran. De este dato confirma la idea sobre la inconveniencia de las democracias en los países del sur que es necesario tener en cuenta. Por su parte, el secretario de Estado, Foster Dulles, apunta al colapso de la religión en América latina como una amenaza a la democracia, ya que sin los límites del individuo temeroso de Dios no puede haber libertad. Sobre todo para mantener a las clases bajas dentro de sus límites naturales de contención. *"la democracia tal como la conocemos nosotros"*, dice la trascripción secreta que dijo Foster Dulles, *"no será lograda por las clases bajas a medida que van ganando poder; por el contrario, impondrán la dictadura de las masas"*. Por su parte, Nixon insiste que (basado en su experiencia reciente y en el descubrimiento de que son las dictaduras apoyadas por Estados Unidos lo que más detestan los latinoamericanos) es necesario no centrar tanto las nuevas estrategias en los aspectos económicos sino en repetir la idea de que el comunismo es una dictadura también, pero de ideas foráneas. En la reunión del Consejo de Seguridad, todos están de acuerdo en la inmadurez de las democracias en América Latina, más acostumbradas a las dictaduras militares. No se dice que, desde finales del siglo XIX, esas dictaduras fueron creadas o apoyadas por Washington para contener a los negros y a las clases bajas de países que no podían gobernarse a sí mismo.

El 19 de junio, en otra reunión del Consejo de Seguridad Nacional, Foster Dulles manifiesta su acuerdo con las palabras del vicepresidente y futuro candidato a la presidencia: la democracia en Estados Unidos funciona y es más sabia porque los Padres Fundadores de este país desconfiaban del pueblo y se negaron, desde el inicio, a cualquier forma de elección directa, estableciendo un colegio electoral para controlar las pasiones de la gente inferior que podía votar. En América Latina, advierte Dulles, la democracia directa le abre las puertas al comunismo y al desorden porque los latinoamericanos *"no tienen capacidad de gobernarse a sí mismos; más bien son como niños"*. Con su mirada fija y sin errores, concluye: *"estamos atrasados con respecto a los soviéticos en la urgente necesidad de controlar la mente de la gente que no puede pensar"*. Por su hermano, el director de la CIA, sabe que "la droga de la verdad" del proyecto Mk-Ultra es una posibilidad esperanzadora, pero todavía se encuentra lejos de resultados concretos.

Es en esta reunión cuando Ike (el presidente Dwight Eisenhower) propone reformular el lenguaje. Todos los miembros del Consejo conocen a Edward Bernays, el asesor más efectivo del gobierno desde tiempos de Woodrow Wilson y padre de la manipulación mediática del siglo XX, y saben que Bernays había creado el nombre de *Relaciones públicas* para evitar la palabra *propaganda*, por entonces desprestigiada. De la misma forma, Eisenhower observa que la palabra *capitalismo* había sido asociada en esos países del sur con la palabra *imperialismo*, por lo cual le propone un nuevo enroque:

de ahora en adelante, en lugar de emplear la palabra *capitalismo* había que usar *mundo libre*. El lenguaje ha sido la primera vanguardia de todo imperio. En unos años más, otro enroque lingüístico consistirá en reemplazar la palabra *intervencionismo (imperialista)* por *liderazgo (democrático)*.

1959. El agente de la CIA que admiraba al Che Guevara

LA HABANA, CUBA. 1 DE ENERO DE 1959—A las 3:30 de la madrugada, desde la apacible tranquilidad del patio de su casa, el agente de la CIA David Atlee Phillips escucha un avión comercial cruzando el cielo. Inmediatamente salta de su reposera y llama a su jefe. "*Batista se ha marchado*", dice. "*Has bebido otra vez*", le reprocha la voz del otro lado. Por supuesto que Phillips ha bebido. Es fin de año y es Phillips, el brillante y alcohólico Phillips, tan alcohólico y brillante como Philip Agee y otros agentes, todos obsesionados con Cuba como si fuese una mujer negada a sus deseos más profundos. "*¿De dónde sacas semejante información?*", pregunta su jefe. "*No hay vuelos comerciales a las 4: 00 de la madrugada en Cuba*", responde Phillips.

Casi un año después de incansable actividad en la isla, en diciembre, el cerebro estratégico del golpe de Estado en Guatemala está a punto de pedir un ron cuando alguien entra en la antigua taberna y las meseras dejan todo para atenderlo. David Atlee Phillips está preocupado porque uno de sus colegas de la CIA ha sido descubierto y ejecutado. El hombre de pelo ondulado y voz suave es el mismo joven médico que debió refugiarse en la embajada de México cuando la CIA logró derrocar a Jacobo Árbenz. *Argentino, 24 años, médico, asmático, fotógrafo, viajero, lector, escribe sin parar, anarquista o rebelde busca pleitos*.

Phillips es uno de los agentes más talentosos de la Agencia y tiene una intuición remarcable. Aquel mismo año, 1954, había decidido comenzar el archivo "ERNESTO GUEVARA" sobre aquel muchacho insignificante. Poco después, había predicho que el vagabundo se convertiría en uno de los revolucionarios más importantes del siglo y, esa madrugada en la taberna de La Habana, desde las sombras de su rincón, logra hacerle algunas preguntas.

La comisión Warren que investigará el asesinato del presidente John Kennedy relacionará a Phillips con el agente cubano de Miami, Antonio Veciana, encargado de asesinar a Fidel Castro, como parte de una conspiración mayor que terminó en la muerte de Kennedy. Phillips también participará en el golpe de Estado de Chile contra Allende en 1973 y del asesinato de Orlando Letelier ordenado por el jefe del Plan Cóndor, Augusto Pinochet, ejecutado por miembros del exilio cubano en Washington, en 1976.

Phillips habla muy bien el castellano, pero no puede ocultar que es otro yankee de los tantos que hacen turismo en la isla. Esta vez no finge ser alemán, como en Chile. El agente de la CIA y el Che entablan una conversación y el Che le menciona una lista de los abusos del imperialismo de Estados Unidos. No, no está hablando del pueblo, corrige. Está hablando del imperialismo. *"El pueblo estadounidense no es nuestro enemigo. Nosotros luchamos contra el imperialismo"*, dirá Guevara múltiples veces en otras ocasiones.

Diecisiete años después de esa noche, diez años después de que la CIA asesine al Che en Bolivia, David Phillips recordará en sus memorias: *"El Che no era un muy grande, pero su presencia llenaba cualquier sala en la que entraba... Lo admiraban hasta los jóvenes en Estados Unidos. Aunque fracasó en sus aventuras revolucionarias en África y en Bolivia, yo también lo admiré en cada una de esas acciones"*.

Pero la manía del Che Guevara de decir lo que pensaba sin vueltas, de ir al frente de sus aventuras revolucionarias, de dar la cara y el nombre, eran la fortaleza del futuro mito y la debilidad del hombre. Edward Bernays, el propagandista más grande de la historia moderna junto con Lester Wunderman, contratado para vender y engañar, tenía prohibido que su nombre apareciera en los créditos de sus exitosas campañas.[90] Exactamente igual que cada uno de los conspiradores de la CIA y de distintas agencias privadas o de gobierno. De hecho, Bernays tenía prohibido a sus empleados mencionarlo por su nombre. Cuando en 1990 el profesor y activista Stuart Ewin le pregunte por la razón de que alguien tan influyente como él no fuese conocido, Eddie, como lo llamaba su mucama, contestará lo que debería ser obvio: de eso se trata.

El poder, el verdadero poder, como un vampiro no tolera la luz del día.

1959. Fidel Castro visita la Casa Blanca

WASHINGTON DC. 15 DE ABRIL DE 1959—Antes de derrocar a Fulgencio Batista, hombre de Washington, Fidel Castro había insistido que no era comunista. *"No he sido nunca ni soy comunista. Si lo fuese, tendría valor suficiente para proclamarlo"*. En Moscú, Nikita Khrushchev lo dice de forma explícita: *"no sabemos cuáles son las ideas de Fidel Castro"*. El corresponsal del *New*

---

[90] El idioma inglés está plagado de palabras y referencias al dinero y a los negocios para referirse a conceptos que no están relacionadas ni con el dinero ni con los negocios. No por coincidencia la expresión "I don't buy it" ("no lo compro") significa, "no lo creo", "me quieren vender una mentira". Porque, al menos en el mundo anglosajón, comprar y vender son actos sagrados al mismo tiempo que sinónimos de engaño.

York Times en Cuba, Ruby Hart Phillips, lo considera un fuerte candidato para contener las simpatías comunistas que comienzan a ganar terreno como reacción a las dictaduras amigas. El ex secretario de Estado, Dean Acheson, lo define como "*el más democrático de América latina*". El exilio cubano de Miami, anti Batista, está de su lado y del lado de *Los barbudos* de Sierra Maestra. En Nueva York, poco después de convertirse en el Primer ministro de Cuba, Fidel Castro volverá a negar rotundamente que sea o haya sido comunista. Esa no es la idea, más allá de que pueda haber comunistas que lo apoyan, como han apoyado las rebeliones contra tantos otros dictadores en otros países de América latina. Su enemigo, dice Castro en Nueva York, es el imperialismo, sea el imperialismo soviético o el imperialismo yanqui. Desde todos los puntos de vista, Fidel Castro está dispuesto a mantener las relaciones comerciales con Estados Unidos. Incluso los carteles en las calles de Miami anuncian: "*Ahora que Cuba es libre, le damos la bienvenida a nuestros amigos de Estados Unidos*". Ernest Hemingway y Tennessee Williams, entre otros, lo visitan en La Habana.

El 20 de abril, a las 8: 00 de la noche, en el Conference room del Woodrow Wilson Hall, Castro da una conferencia en Princeton University donde afirma que la Revolución cubana no se trata de odios ni de lucha de clases sino de una "*revolución por la justicia social de los pobres y de la clase media en Cuba... Nuestra revolución ha probado que se puede luchar contra los ejércitos organizados y contra las armas militares más modernas... No se trata de un golpe de Estado sino de una Revolución... Estados Unidos es responsable de muchas cosas que ocurren en nuestro hemisferio, y la opinión pública aquí se refleja en nuestra realidad allá...*"

Al día siguiente, Fidel Castro visita Washington para asegurarse los mercados del gigante omnipresente del norte, que representan dos tercios del comercio de Cuba. Solo que esta vez esta vez se espera una negociación equitativa, no bajo las imposiciones del más fuerte. En la Casa Blanca, el presidente Eisenhower no quiere verlo y encuentra una excusa perfecta: se va a Georgia a jugar el deporte de los amos. Roy Richard Rubottom, diplomático de los tiempos de Fulgencio Batista y presente en las protestas de Caracas que casi le cuestan la vida a Nixon, se acerca al nuevo personaje caribeño y le pregunta: "*¿qué tipo de ayuda necesita de nosotros?*". El nuevo líder de la isla, con una arrogancia que no pasa inadvertida, responde: "*Ninguna*". De cualquier forma, el gobierno de Eisenhower le aprobará una ayuda de 25 millones de dólares, la que el ministro de hacienda de la isla, Rufo López-Fresquet, rechaza de plano. No sabe que rechazar una donación es una ofensa que se paga caro. El ex presidente Harry Truman lo había entendido de otra forma. Ante la negativa de Washington de colaborar con Fidel Castro, dijo: "*Ese hijo de puta de Eisenhower es demasiado estúpido como para hacer algo como* *eso. Cuando Fidel Castro decidió ir en la otra dirección en busca de apoyo, Eisenhower todavía estaba esperando un maldito reporte para decidir qué pensar".*

Pero El Che y Castro han eliminado la segregación racial de las playas en Cuba y sólo eso es un fuerte indicio de comunismo. En el gabinete de Eisenhower hay rumores de que el antiimperialismo y el comunismo latinoamericano son la misma cosa. El presidente y los hermanos Dulles no ven ninguna ventaja en la negociación cuando pueden repetir la historia de Guatemala, la que sacó al presidente electo Jacobo Árbenz. Fue tan fácil entonces y será aún más fácil ahora.

Ahora, el encargado de recibir al nuevo líder cubano en Washington es, otra vez, el vicepresidente Richard Nixon. Nixon ha aparecido en la prensa muchas veces abrazado a dictadores como Trujillo y Batista. Años antes, el director de la CIA, Allen Dulles lo había dicho muy claro: *"nunca ofendamos a los dictadores; ellos son los únicos en quienes podemos confiar".* Sólo que esta vez no están seguros de este personaje parido por el Caribe y deciden que la visita no es más que una formalidad. Nixon conversa con Castro durante tres horas, se toma la foto con Castro en la Casa Blanca, pero no hay abrazo sino un rápido apretón de manos que apenas deja lugar a una sonrisa forzada. No se sabe bien qué es ese hombre de barba y de uniforme revolucionario. Castro es *"algo ingenuo con respecto al comunismo"*, dirá poco después. La propuesta de mantener relaciones comerciales equitativas entre ambos países provoca risa. El 12 de febrero de 1959, en la reunión del Consejo de Seguridad Nacional, el director de la CIA, Allen Dulles, había afirmado que *"los nuevos líderes de Cuba deben ser tratados como niños: es mejor tratar de conducirlos para donde queremos que contradecirlos directamente; si se los contradice, son capaces de cualquier desastre".*

Uno de esos desastres ya había ocurrido en México, en Bolivia, en Guatemala, en Irán, en el Congo y en otros lugares infantiles del mundo: nacionalización, es decir, *desprivatización de los recursos colectivos.* Claro que siempre hay un eslabón perdido. Previamente, las poderosas transnacionales Shell Co., Texaco Co. y Esso Co. se habían negado a refinar petróleo llegado de Rusia. Sin otra opción, Fidel Castro responde nacionalizando las refinerías también. Como debió hacer Jacobo Árbenz en Guatemala, como debió hacer Patrice Lumumba en el Congo, como hará Daniel Ortega en Nicaragua, Fidel Castro es literalmente empujado por Estados Unidos (por su gobierno, para ser más precisos) a los brazos del enemigo, siempre bajo la convicción de que no es necesario negociar ni respetar el derecho internacional cuando se es lo suficientemente fuerte para tenerlo todo.

Exactamente dos años más tarde, John F. Kennedy lanzará una nueva invasión, esta vez sobre Cuba, la que se conocerá como Bahía Cochinos o

Playa Girón. La mayor superpotencia militar del planeta será derrotada por primera vez en su historia. Es entonces cuando las palabras de Ernesto Che Guevara, el joven médico que huyó de Guatemala tras el golpe de Estado de la CIA contra Jacobo Árbenz y terminase siendo parte relevante de la Revolución en Cuba, parecen proféticas:

"Cuba no será otra Guatemala".

1959. El camarada yanqui

LA HABANA, CUBA. 8 DE AGOSTO DE 1959—El estadounidense William Alexander Morgan llega desde Miami con un barco lleno de metrallas y explosivos. El FBI reporta que Morgan va a bordo junto con otros mercenarios en un plan para asesinar a Fidel Castro y terminar con la revolución.

Poco después, Morgan opera la radio de onda corta según lo acordado con los agentes de Rafael Trujillo. Con bombas y disparos en combate de fondo, Morgan reporta que *"nuestras tropas han comenzado el avance"*. El jefe de la policía secreta de Trujillo lo anima a continuar la nueva marcha triunfal. El director del FBI, Edgar Hoover, la CIA, la Marina, la Fuerza Aérea, el ejército y el Departamento de Estado de Estados Unidos reportan que *"Fidel y Raúl Castro se encuentran bajo fuego. Se espera una invasión en pocas horas... El puerto de La Habana será bombardeado a las 4:00 de la madrugada ... El régimen de Castro ha llegado a su fin"*.

La escena es tan falsa como la organizada por la CIA en Guatemala y en el Caribe poco antes de la invasión a Cuba. El muchacho problemático, la vergüenza de sus padres por sus repetidos fracasos y enredos con la mafia de Ohio, luego convertido en guerrillero en Cuba, había logrado burlarse de las agencias más poderosas de su país y de los regímenes amigos.

Años atrás, William Alexander Morgan se había destacado en la Revolución cubana por su valor, comandando un batallón crucial para el triunfo de los rebeldes de Fidel Castro, sobre todo en la ocupación de Cienfuegos. Cuando la Revolución logró quebrar la dictadura de Batista, en una visita a Miami, Morgan fue tentado con cientos de miles de dólares por los emisarios del dictador dominicano Rafael Trujillo. El jefe de la policía secreta dominicana, Johnny Abbes García, especialista en tortura y con base operacional en Estados Unidos, le había ofrecido a Morgan cien mil dólares para matar a Castro. Interrogado en Miami, el FBI reportó que Morgan era parte de un plan para matar a Fidel Castro y lo dejó ir. Pero el "Comandante Yankee" se había mantenido fiel a Castro y la operación se frustró.

El 24 de junio de 1960, Trujillo intentará matar al presidente venezolano Rómulo Betancourt con un coche bomba. En la explosión morirán un estudiante y un militar, pero el presidente sólo perderá la vista del ojo derecho y gran parte de su capacidad auditiva. Para pulir la narrativa contra Fidel Castro, Washington terminará por retirarle el apoyo a otro de sus perros locos del Caribe, lo que en la historia latinoamericana significa una sentencia de muerte. Trujillo será asesinado un año después con rifles proporcionados por la CIA y reemplazado por otros aliados menos comprometedores, hasta que Washington pierda la paciencia y decida una invasión de veinte mil marines al mejor estilo de las décadas anteriores.

Pocos después la CIA logrará convencer a William Morgan para organizar otra rebelión, esta vez contra el régimen comunista de su amigo Fidel Castro en la región de Escambray, la cual durará varios años. En 1965, derrotada la rebelión, Morgan será fusilado.

1959. La integración racial es comunismo

ARKANSAS, LITTLE ROCK. 11 DE AGOSTO DE 1959—Como en otras ciudades del Sur, manifestantes indignados se congregan frente al capitolio de su estado para protestar contra la integración racial. Decenas de diarios, desde el *Austin American-Statesman* de Texas hasta el *Lancaster New Era* de Pensilvania, el 12 de agosto informan que los protestantes contra la desmedida ambición de los negros se han mantenido en perfecto orden e, incluso, han recibido el apoyo del mismo gobernador, el demócrata Orval Faubus, quien aseguró que la mejor estrategia para defender la causa de la segregación racial es no usar ninguna forma de violencia sino el recurso del voto.

Haber aceptado por ley, casi un siglo atrás, que los negros nacidos en territorio estadounidense eran también ciudadanos fue demasiada concesión. Los negros y las mujeres no tienen un límite en sus ambiciones por la igualdad y nunca están conformes. Ahora los degenerados liberales quieren eliminar la sana tradición de "iguales pero separados". Quieren que los negros puedan ir a las escuelas de los blancos, que puedan entrar en los baños de blancos y hasta que se puedan casar con mujeres blancas, lo cual está prohibido por la ley y las buenas costumbres. Quieren poner el mundo patas arriba.

Los manifestantes portan grandes carteles. Uno: "*Gobernador Faubus: salve la América cristiana*". Otro: "*La integración racial es comunismo*". Sólo los comunistas están de acuerdo y, por esa razón, la mayoría de los comunistas estadounidenses son negros, pese a que el 24 de agosto de 1954 el partido comunista había sido ilegalizado por estar contra los valores americanos. El Ku Klux Klan y los nazis continuaron siendo legales.

De hecho, el nazismo fue popular en la América blanca desde su fundación en Alemania. Pese a que Alemania estaba en Europa y Europa gozaba de una larga tradición de ser los únicos adversarios a la supremacía estadounidense en las Américas definida por la Doctrina Monroe, no dejaban de ser blancos y Alemania no dejaba de ser la madre patria de millones de americanos y el origen de la mejorada raza aria y teutónica que reivindicaron por generaciones los gobernantes y la clase alta en Estados Unidos. El gerente principal de Texaco, Torkild Rieber, fue un reconocido nazi que abasteció con petróleo a Francisco Franco y Adolf Hitler mientras pudo. Igual algunos gerentes de la automotora GM, como James David Mooney y Alfred Sloan, distinguido en Alemania con la cruz de la Orden del Águila nazi. Henry Ford, reconocido antisemita, había publicado los panfletos *El judío internacional*, por lo que había despertado la admiración de Hitler, quien además de palabras elogiosas para el talentoso industrialista tenía su retrato colgado en su oficina y también lo había condecorado con la cruz de la Orden del Águila en agradecimiento a sus contribuciones técnicas y tácticas a la causa nazi.[91] Para 1938, a su regreso al país, el ex embajador en Cuba y por entonces subsecretario de Estado, Sumner Welles, reportó que Hitler era un líder con el cual Estados Unidos podía hacer negocios. Lo mismo afirmaba el poderoso empresario y simpatizante nazi Joseph Kennedy, padre de John. Tres años después, en diciembre de 1941 y en plena guerra, el cónsul estadounidense en Berlín, George Kennan (considerado uno de los seis Hombres Sabios de la política internacional), apoyó la idea de que se podía hacer buenos negocios con los nazis aunque hubiese algunos desacuerdos con algunas de sus acciones, aunque Hitler haya inaugurado su primer campo de concentración con una población de sesenta mil prisioneros apenas dos meses después de subir al poder en 1933; aunque desde el inicio, los diarios del mundo hayan reportado la quema de libros, el secuestro de miles de judíos y homosexuales a plena luz del día por parte de los chaqueta marrones y aunque, desde 1933, decenas de miles marchasen en Nueva York protestando contra el mantenimiento de relaciones comerciales con Alemania. La poderosa IBM es otro de los tantos ejemplos de fidelidad del gran capital con los nazis y otros

---

[91] Según el investigador Tim Tzouliadis, existen transcripciones desclasificadas del Comisionado del Pueblo en Moscú (NKVD) y vueltas a ser prohibidas en los 90, donde consta que Henry Ford envió al menos un emisario para hacer negocios con Stalin, sobre todo cuando la emigración de estadounidenses hacia la Unión Soviética se aceleró en los años anteriores a la guerra (según el *New York Times* de 1932 era de más de mil personas por semana). *"Henry Ford estaría encantado de trabajar con usted otra vez"*, le comunicó el emisario y Stalin le respondió: *"Bueno, si yo mismo hubiese nacido en Estados Unidos también hubiese sido un hombre de negocios"*. Según Douglas Brinkley, en 1944 Stalin elogió a Ford como *"uno de los mayores industrialistas"*. Por más de una década Ford colaboró con Stalin en el mercado automotriz soviético.

dictadores. Sus gerentes ejecutivos eran entusiastas aliados de Hitler, tanto por sus ideas como por los capitales invertidos y por la cooperación tecnológica de la compañía al régimen, por entonces objeto de la crítica internacional. Gracias a este prodigio de la computación y clasificación étnica en el censo de 1933, los nazis fueron capaces de identificar y localizar a los "alemanes de raza impura" como gitanos y judíos.[92]

Hitler consideraba el libro *The Passing of the Great Race* (*La derrota de la gran raza*) del americano Madison Grant como su biblia y su inspiración para escribir *Mi Lucha*. Su ministro de propaganda, Joseph Goebbels, se había inspirado para su estrategia de manipulación de la opinión popular en los libros de Edward Bernays, un judío estadounidense que hizo posible la venta de cigarros, guerras e intervenciones militares como la de Guatemala en 1954, gracias al cual la CIA pudo convencer al mundo que su presidente, Jacobo Árbenz, era comunista y así tener, al menos, una cuestionable excusa para derrocarlo. El abogado de las principales transnacionales en América Central, el fanático religioso John Foster Dulles, más tarde Secretario de Estado durante el gobierno de Eisenhower, también era un admirador de Hitler. Hizo buenos negocios en Alemania en la década previa a la Segunda Guerra y, diez años antes de que el gobierno de Washington apoyase la creación de Israel en tierras lejanas, reconoció que era necesario "*mantenerse lo más lejos posible de un judío*".

Por las contingencias de la historia, ocurrió que la Alemania de Hitler había puesto a Inglaterra contra las cuerdas y amenazaba con extender su influencia al resto del mundo. Durante la Primera Guerra, México no había aceptado la propuesta alemana de reconquistar el territorio robado por Estados Unidos un siglo atrás, pero el cable filtrado fue suficiente para que Estados Unidos viese a Alemania como un hermano poco confiable. Durante la Segunda Guerra, cuando Alemania se convierte en un nuevo rival con peso geopolítico, Washington no tuvo más alternativa que unirse a la Inglaterra de Churchill y a la Unión Soviética de Stalin.

Eliminada la amenaza coyuntural de Alemania, ahora no sólo queda la amenaza soviética, sino que también rebrotan las viejas raíces del racismo blanco que preceden al Pánico rojo por más de un siglo. La CIC, organismo secreto predecesora de la CIA, contrata a más de mil ingenieros nazis, entre ellos Wernher von Braun, quien, luego de años de pruebas y errores en los laboratorios de Hitler había logrado lanzar un cohete a propulsión justo antes

---

[92] Edwin Black, en su libro *IBM and the Holocaust* (2002) observará que en 1940 Hitler había ordenado realizar censos en las ocupadas Francia y Holanda. En Holanda existía un sistema computacional de tarjetas perforadas de la IBM y en Francia apenas funcionaba. En Francia la proporción de judíos asesinados llegó al 25 por ciento y en Holanda al 73 por ciento.

de la derrota del führer. La operación se llamó *Paperclip*. Los soviéticos no se quedaron muy atrás e hicieron lo mismo con otro nombre: *Operación Oso-aviakhim*. Gracias a este robo de cerebros que no reparó ni en ética ni en antecedentes, la NASA se pudo convertir en la potencia estatal que alcanzó a poner por primera vez tres hombres en la Luna y la Agencia Espacial soviética pudo ganar la carrera espacial poniendo una perra y luego un ser humano en órbita, ocho años antes.

La bandera de la Confederación, que en el siglo pasado quiso partir el país en dos para proteger sus derechos a esclavizar a los negros, continuará ondeando junto con las banderas nazis en los desfiles de los "verdaderos patriotas", de los "representantes de los verdaderos valores americanos" armados como si fueran a alguna de esas guerras que perdieron.[93] Quienes se opongan serán acusados de comunistas o de antiestadounidenses. La raza superior se reserva el derecho de defender la segregación racial, el derecho de defender sus límites fronterizos y el derecho de expandir sus fronteras, porque esa es la naturaleza de una raza y de una cultura superior. Todo protegido, por supuesto, por la religión de las armas, sin las cuales la superioridad de la raza quedaría desnuda y tiritando de frío.

Diferentes organizaciones de extrema derecha, de la derecha cristiana y de grupos como la Sociedad John Birch se opondrán a la lucha contra la segregación y acusarán al movimiento de Derechos Civiles de ser una conspiración de los comunistas que prometen igualdad entre negros y blancos. Según uno de los más influyentes periodistas conservadores del país, William Buckley, la Sociedad considera que el presidente Eisenhower es "*un agente consciente y dedicado de la conspiración comunista*" mientras la mitad o más del gobierno se encuentra "*bajo el control operativo del Partido Comunista*". Buckley, graduado de Yale University, de la Universidad Autónoma de México y agente de la CIA, confirmará estas convicciones en su último artículo, publicado pocos días después de su muerte en 2008.

1960. El sueño de controlar la mente (ajena)

NUEVA YORK, NY. 19 DE SETIEMBRE DE 1960—Fidel Castro arriba por segunda vez a Estados Unidos como Primer Ministro de Cuba para participar de la asamblea de las Naciones Unidas. Como la vez anterior, se espera que el líder cubano, aficionado a las cámaras y a hablar por horas, acepte otra

---

[93] De hecho, sesenta años más tarde, el 6 de enero de 2021, esta bandera ondeará por primera vez en las salas del Congreso luego de un asalto de una turba de miles de supremacistas blancos que durará cuatro horas.

entrevista para la CBS. Dentro del marco del Proyecto Cuba, aprobado por el presidente Eisenhower, Sidney Gottlieb tiene una idea genial que podría acabar con el comunismo en el hemisferio: para la entrevista de televisión, propone contaminar los zapatos del revolucionario cubano con thallium, para que se le caiga la barba, mientras se inunda el estudio con LSD para que diga incoherencias.[94]

Como ocurre siempre con Cuba y con Castro, nada sale como está previsto. Gottlieb insiste con habanos envenenados. Tampoco le funciona. Tendrá más éxito envenenando la pasta de dientes del líder congoleño Patrice Lumumba quien también, como Fidel Castro, había viajado a Estados Unidos para renovar relaciones con su gobierno independentista. Gottlieb nunca será reconocido por este logro, ya que Lumumba será derrocado por un golpe militar auspiciado por Bélgica y la CIA y ejecutado poco después de que los patriotas congoleños lo obliguen a comerse su propio discurso escrito en un papel.

Aunque los resultados no están de su lado, Sidney Gottlieb no es un charlatán improvisado. Antes de dedicarse a los elementos químicos que circulan por el cerebro, el joven genio había hecho una maestría en terapia del lenguaje. Entre sus colegas, es conocido como el Brujo negro. El 16 de abril de 1951, cuando todavía era un brillante químico de 33 años, la CIA le había encargado la dirección del programa dedicado a experimentos con humanos en las prisiones de Estados Unidos y de algunos países satélites, con el objetivo de encontrar una droga que obligase a los enemigos de la libertad a decir la verdad.

El sueño de controlar la mente ajena había alcanzado su punto culminante décadas atrás con el desarrollo de la propaganda mediática de Edward Bernays, maestro involuntario del célebre ministro de propaganda de Hitler, Joseph Goebbels. El éxito de este recurso alcanzará el grado de ciencia social y perdurará como el principal instrumento de la política y los negocios, siempre en nombre de la verdad, de las verdades basadas en la fe, nunca en la razón.

Pero la necesidad de dominar la mente ajena, sobre todo la psicología de las masas, siempre tuvo otros recursos, desde el religioso hasta el político. En el caso de Estados Unidos se resumió en derechos arbitrarios convertidos en dogmas, como la Doctrina Monroe (1823), o en mitos como el Destino Manifiesto (1845), el de la superioridad de la raza anglosajona (1880), la incapacidad de los indios y los negros para la civilización y el progreso (1900) y,

---

[94] El jefe de operaciones de la CIA en México durante los años 50, Howard Hunt, describirá en sus memorias publicadas en 2007 cómo su servicio de inteligencia usaba bombas de mal olor y polvo de picazón para abreviar las reuniones del pintor Diego Rivera.

finalmente, la superioridad cultural del pragmatismo anglosajón para el orden, el éxito económico, la libertad y la democracia (1980). El dominio político sobre América Latina siempre ha sido crucial y parte de este proyecto de dominio psicológico, porque extiende la fuerza intimidatoria de la nueva superpotencia sobre otras regiones del mundo. Cuando en 1926 el doctor graduado en Columbia University Juan Sacasa se rebeló en Nicaragua contra el gobierno de Adolfo Díaz, Estados Unidos redobló su apoyo a Díaz. Una de las razones fue que Sacasa contaba con la aprobación del gobierno de México, y Washington no podía permitir que otro país en la región pudiese demostrar algún signo de fortaleza o de influencia más allá de sus fronteras. En enero de 1927 su enviado y futuro gobernador de Filipinas, Henry Stimson, reportó que, de permitirse que Díaz fuese derrocado por Sacasa, *"el resto de América latina podría considerarlo como una muestra de nuestra debilidad frente a México"*. Décadas después y por las mismas razones, la Cuba revolucionaria se convierte en un caso aún más difícil de tolerar. La psicología de Washington y, probablemente, de la población estadounidense, nunca pudo liberarse del terror de que toda su realidad sea un castillo de naipes o una monumental construcción de dominó, siempre lista para derrumbarse con la caída de la pieza más pequeña, como Grenada en 1983. No importa cuán abrumador sea su real poderío militar y económico.

Ahora, y a pesar del probado éxito de Edward Bernays en Estados Unidos y en América Central para controlar la opinión pública, la CIA sueña con algo más rápido y más efectivo, lo que en los pasillos de sus oficinas se conoce como la "droga de la verdad". Nada mejor que la verdad ajena para consolidar la mentira propia.

Para evitar que a alguna pieza del dominó se le ocurra moverse por sí sola o por alguna influencia exterior, en 1953 el director de la CIA, Allen Dulles, hermano del secretario de Estado John Foster Dulles, había nombrado a Sidney Gottlieb jefe del proyecto Mk-Ultra. Con el tiempo, Gottlieb se había dado cuenta que es más fácil lavar un cerebro que inducirlo a pensar, por lo que se concentró en explorar técnicas de intoxicación. Como lo había hecho la NASA en la operación *Paperclip*, por la cual contrató más de mil ingenieros nazis para desarrollar sus proyectos, la CIA continúa contratando a los mejores torturadores de los campos de concentración nazis y japoneses para aprender sobre lo que, aparentemente, ellos ya habían descubierto. Se sabía, por ejemplo, que los médicos nazis habían realizado varios experimentos con mescaline y con sarín en el campo de concentración de Dachau. Para facilitar las cosas, los especialistas nazis habían viajado con visas express a Fort Detrick, Maryland, para dar instrucciones a la Agencia de cómo se hacen las cosas.

Los experimentos del proyecto Mk-Ultra son todos ilegales, pero este es un detalle menor en el país de las leyes. Como los experimentos científicos de la década anterior, realizados con negros estadounidenses y con guatemaltecos pobres inoculados con sífilis, este también estará lleno de fracasos, pese a la total libertad de acción de sus expertos.[95] Las técnicas administradas a los sujetos inferiores, por su raza o por su nacionalidad, van desde shocks eléctricos hasta altas dosis de LSD, pasando por diferentes formas de tortura y de abuso sexual.

Perseverante, Gottlieb se las arreglará para comprar todo el LSD disponible en el mundo por 240.000 dólares y se lo llevará a Estados Unidos para distribuirlo en hospitales y prisiones, con la condición de que se investiguen sus efectos en el control de la mente humana. El poeta Allen Ginsberg conseguirá su primera dosis de LSD gracias a Sidney Gottlieb. De esa forma, la droga que la CIA introducirá al país para controlar la mente humana terminará siendo uno de los estímulos de la rebelión hippie contra la guerra en Vietnam. Sexo, drogas y rock 'n' Roll. Como remedio, la administración Nixon inventará la "Guerra contra las drogas" que, según reconocerá en 1994 uno de sus asesores, John Ehrlichman, tenía como objetivo criminalizar a los negros y a los jóvenes pacifistas, ya que no se podía meter a la cárcel a nadie por negro y mucho menos por pacifista. Esta estrategia, para nada científica, finalmente producirá algún resultado concreto y duradero.[96]

La carrera de Gottlieb terminará en 1972, cuando el director de la CIA Richard Helms sea removido por Richard Nixon. Nixon, Gottlieb y Helms acordarán destruir todos los archivos que fueran posible destruir acerca del proyecto MK-ULTRA. Lamentablemente, como siempre y nadie sabe cómo, se salvarán algunos miles de documentos, los cuales se desclasificarán entre 1975 y 1977. El último documento, desclasificado en 2018, registra experimentos para controlar la mente de perros, lo cual provocó una gran indignación. Es por esos documentos remanentes que todavía algunos traidores a la patria y a la civilización, radicales que insisten con eso de la verdad ajena, ejercen el libre y democrático derecho de leerlos, como no podrían en otros países.

Sidney Gottlieb, como Edward Bernays, era hijo de inmigrantes judíos de la Europa del Este. Había nacido en el Bronx y era reconocido como buen

---

[95] Un proyecto anterior fue Proyecto Antichoque, por el cual la CIA se propuso, usando drogas, tortura o hipnosis, controlar la mente de los sectores débiles de la población y *"lograr que una persona asesine a un líder político o, de ser necesario, un oficial estadounidense"*, según un informe de la CIA del 22 de enero de 1954.

[96] En el Chile de los años 70, el dictador de Washington, Augusto Pinochet, echará mano al mismo recurso. Sólo que en lugar de cocaína se usará la pasta base como herramienta de manipulación, corrupción y criminalización de los indeseables.

pare y esposo, aficionado a la naturaleza y a la meditación. Pasará algunos meses ayudando a leprosos en India y luego, desde su retiro en 1972 hasta su muerte en 1999, vivirá en una granja de Virginia (como el super condecorado carnicero de Haití, Herman Hanneken) dedicado a la cría de cabras, a la comida natural y a la vida tranquila del campo.

Como será el caso de las proezas espaciales de la NASA, el futuro terminará en 1980. El proyecto para desarrollar la futurista Droga de la verdad será abandonado en 1972 y la CIA, el Pentágono, la Agencia de Seguridad Nacional y todos los poderosos y ultra tecnológicos departamentos secretos en Washington volverán a los viejos inventos de la Inquisición europea de siglos anteriores para hacerse con la verdad o con la alucinación de sus víctimas: la tortura. En el siglo XXI, Guantánamo, la bahía alquilada por la fuerza a La Habana y donde no se aplican las leyes civilizadas del país de las leyes, será el centro de las nuevas mazmorras donde se violarán todos los Derechos Humanos en Cuba en nombre de los Derechos Humanos. Algunas técnicas psicológicas serán toda la novedad posible y los psicólogos de la fuerza aérea John Jessen y James Mitchell cobrarán 81 millones de dólares por asesorar sobre "*técnicas mejoradas de interrogación*", es decir, variaciones de las técnicas que practicaba la Iglesia durante el Renacimiento en la civilizada Europa. Gracias a estas efectivas innovaciones del pasado, Washington torturará por años en Guantánamo a cientos de sospechosos de terrorismo que luego serán declarados inocentes y sin derecho a indemnización.

Las masas continuarán siendo un problema más complicado. Sobre todo con el surgimiento de las protestas masivas. Para solucionar el inconveniente de gente disconforme, a partir de 2003 la Sierra Nevada Corporation, en colaboración con la Marina de Estados Unidos, comenzará a desarrollar el proyecto MEDUSA (Mob Excess Deterrent Using Silent Audio), una nueva arma militar para controlar protestas masivas y reducir a individuos molestos. La nueva técnica (que interesará a los soviéticos en su tiempo) usará un rifle de microondas, el cual producirá un exceso de calor dentro del cerebro de las víctimas y la inmediata percepción de un sonido inexistente capaz de dejar daños internos, como si la víctima hubiese recibido un golpe en el cráneo pero sin evidencia de ninguna contusión. La novedad, que entusiasmará hasta a los empresarios de la industria de la música, será definida por el Pentágono como "arma no letal", la cual, además, tendrá la virtud de no ser registrada por las cámaras de video y no dejar marcas visibles en el cuerpo. Curiosamente, luego de años y de decena de millones de dólares invertidos en el desarrollo de la nueva arma, no se reportarán víctimas. Con unas pocas excepciones. Todas de este lado. En 2014, la NSA acusará a Moscú de usar rifles de microondas contra sus agentes secretos. En 2017, los diplomáticos estadounidenses en La Habana acusarán al gobierno de Cuba de lo mismo, por lo cual la maldad será conocida mundialmente como el "Síndrome de La Habana". En 2021, el agente de la CIA Marc Polymeropoulos denunciará a la Agencia por no cubrirle los gastos médicos para el tratamiento de insomnio, ansiedad crónica y persistente dolor de cabeza, luego de haber sido víctima de un ataque de microondas en Rusia. Según Polymeropoulos, la CIA le había causado un "*needless suffering (sufrimiento innecesario)*" al romperle el corazón con su inexplicable abandono.

De la legalidad o de la legitimidad de este tipo de maravillas de la química y de la electricidad no se habrá grandes discusiones. Apenas algunos críticos, como la profesora de Georgetown University Margaret Winter, quien cuestionará estas técnicas de acoso como una violación a la Octava enmienda de la Constitución de Estados Unidos. Naturalmente, los críticos serán acusados de radicales o de antipatriotas.

Por todo lo demás, nadie nunca deberá enfrentar un tribunal de justicia en ningún país de este mundo.

1960. Peter Pan: otro rumor casi perfecto

LA HABANA, CUBA. 26 DE DICIEMBRE DE 1960—El nuevo gobierno de Cuba comienza un programa de reformas en la educación. Tal vez para evitar repetir la historia del golpe en Guatemala seis años atrás, se enseñan a los jóvenes a usar armas. En Estados Unidos, los conservadores hacen lo mismo con sus niños, pero no es un adoctrinamiento sino una sana tradición. El derecho sagrado a portar armas está consagrado en la Segunda enmienda y, dicen, protege al valiente pueblo norteamericano, amante de la libertad, de cualquier dictadura. Como hacen los conservadores en Estados Unidos cuando le enseñan a sus niños a llamar comunista a cualquiera que en los países pobres luchen por sus derechos o contra alguna dictadura militar apoyada por su gobierno, también el nuevo régimen cubano enseña canciones contra el imperialismo estadounidense, pero en este caso es otra muestra de la *ideologización* de su población. Los libros y los diarios del Mundo Libre reportarán, por décadas, que los niños en las escuelas primarias de la revolución cubana "eran obligados a aprender los valores de la Revolución". En el resto de los países, los niños en las escuelas y en las iglesias son libres de pensar por cuenta propia.

El gobierno de la isla va más allá en su extremismo y anuncia un programa de becas con la Unión Soviética para los jóvenes más talentosos. Muchos padres se preocupan por el extremismo del programa de alfabetización. Los radicales prometen acabar con el analfabetismo en pocos años.

Las Islas del Cisne son reclamadas por Honduras pero se encuentran ocupadas de facto por la CIA. Allí, ese mismo mes de diciembre, se instaló una radio sin licencia que transmite para Cuba con locutores cubanos llegados de Miami. *Radio Américas* (más tarde presentada como "La primera voz democrática de América Latina") comienza a difundir el rumor de que los comunistas iban a enviar a los hijos de los cubanos a Rusia, por la fuerza.

Como en el episodio de radio *La guerra de los mundos* de Orson Welles, inmediatamente cunde el pánico. Este también es producto de la ficción profesional. 47 años más tarde, en sus memorias *Trained to Kill* (*Entrenado para matar*), el agente cubano de la CIA, Antonio Veciana, reconocerá: "*Maurice Bishop* [alias de David Atlee Phillips, jefe de Veciana] *sabía que yo había sido el responsable del incendio en una de las tiendas más famosas de La Habana, el que le costó la vida de una joven inocente, madre de dos niños. Él también sabía que yo había sido el responsable de esparcir el rumor que llevó al éxodo de miles de niños cubanos en la Operación Pedro Pan, con la ayuda de la Iglesia Católica, mintiendo que eran huérfanos. Él sabía que había sido yo quien casi había hecho colapsar la economía de Cuba con esa campaña de rumores que pretendía sembrar el pánico en la población*".

Pero Antonio Veciana había aprendido Phillips. En sus memorias de 2017, Veciana reconocerá que, según el agente de la CIA que lo había reclutado en La Habana, "*las guerras modernas son, sobre todo, guerras psicológicas; el objetivo es torcer la opinión pública*". Las estrategias, claro, son más específicas: "*nunca se debe dejar huellas de nuestras acciones; si esto no es posible, siempre y bajo cualquier circunstancia se debe negar cualquier participación en los hechos. Siempre. Incluso cuando lo contrario es lo más obvio.... Si los intereses de los otros se alinean con los nuestros, entonces son aliados; si no tienen ningún interés, son instrumentos; si se oponen a nuestros intereses, son enemigos*". Antonio Veciana, como empleado bancario del hombre más rico de Cuba, el Rey del azúcar Julio Lobo, se había reunido dos veces con el nuevo presidente del Banco Nacional de Cuba, Ernesto Guevara y, luego de alguna duda, había desestimado su pedido de reclutar contadores y administrativos para el nuevo sistema financiero de Cuba que seguiría a la nacionalización. Desde su retiro de Miami, Veciana define a El Che como un fanático de decir la verdad a cualquier precio y quien, por alguna razón (¿tal vez porque ambos sufrían de asma? se pregunta) nunca lo persiguió por su supuesta traición.

Pero Veciana estará orgulloso toda su vida por haber puesto en marcha un plan histórico, aún sin la aprobación de la CIA. Veciana Logra imprimir miles de panfletos en el cual informa de una ley que nunca existió. El efecto es similar al descubierto por el propagandista y manipulador social Edward Bernays (hacer que una autoridad en la materia diga lo que uno quiere que todos piensen): en Miami, el sacerdote Bryan Walsh anuncia que el gobierno cubano planea separar a todos los niños de entre tres y diez años de sus padres para enviarlos a Rusia. La CIA toma nota y, desde su radio clandestina en las Islas del Cisne de Honduras, repite la historia. Pronto se convierte en dogma.

En noviembre, el sacerdote Bryan Walsh, a través de su Oficina Católica de Bienestar, inicia oficialmente la *Operación Pedro Pan* con la cual los padres cubanos, desesperados por el rumor, envían a sus hijos a Estados Unidos. Desde el 26 de diciembre de 1960 hasta la invasión de Bahía Cochinos en abril de 1961, cada día cientos de niños vuelan, sin obstáculos y sin ser acompañados por un adulto, por *Pan Am* hacia Miami para ser salvados. Dos de cada tres son varones pobres.

Cuando se interrumpa el programa debido a la fallida invasión de Bahía Cochinos, 14.048 niños habrán arribado a Estados Unidos. Algunos, tres o cuatro, serán casos exitosos para los medios y para el sueño colectivo, según el concepto de éxito del momento. Uno será padrastro del hombre más rico del mundo, Jeff Bezos. Otro será Mel Martínez, senador de Estados Unidos (héroe de la propuesta "sólo inglés para los niños" y "ningún perdón para los inmigrantes ilegales"), prueba irrefutable del sueño americano y de la libertad del ganador.

En 2007, Robert Rodríguez, uno de estos niños, denunciará ante la arquidiócesis de Miami al monseñor Bryan Walsh por repetidos abusos sexuales contra él y otros menores refugiados en Opa-locka, Florida. El sacerdote Mary Ross Agosta acusará al denunciante de "*difamar a un respetado religioso que salvó la vida de catorce mil niños*". La denuncia de Rodríguez y otros contra la misma arquidiócesis será desestimada por tecnicismos legales que no se aplican en otros Estados. En Florida, diversos monumentos recordarán con flores a monseñor Walsh.

La mayoría de los niños salvados por la Operación Pedro Pan de ser separados de sus padres por el comunismo volvieron a reunirse con sus padres. Muchos tardaron años, décadas. Algunos nunca los volvieron a ver.

1960. Terroristas amigos

LA HABANA, CUBA. 15 DE SETIEMBRE DE 1960—A las 11:00 de la noche, Antonio Veciana Blanch vuelve al apartamento 8-A en el octavo piso ubicado en Avenida de las Misiones 29, con una bazuca antitanque envuelta como regalo. El apartamento es la oficina clandestina de la CIA en La Habana. Veciana cree que él es el primero en alquilarlo para la CIA, a nombre de su suegra, pero se equivoca.

Veciana, empleado de Julio Lobo (el hombre más rico de Cuba y uno de los más poderosos del mundo) había sido reclutado por el agente de la David Atlee Phillips, quien le advierte que el disparo de la bazuca debe matar a Fidel Castro pero no debe alcanzar a Yuri Gagarin, por entonces de visita en la isla y héroe mundial, para no generar un golpe propagandístico a favor de la Revolución. El 15 de setiembre, el disparo largamente planeado erra el objetivo y el 26 julio de 1961, unos meses después del fiasco de la invasión de la CIA a Bahía Cochinos, el presidente cubano Osvaldo Dorticós le confiere la primera medalla Playa Girón a Gagarin.

Como en los otros 637 intentos de asesinar a Fidel Castro, también esta vez el futuro dictador saldrá ileso y Veciana huirá a Miami donde, al año siguiente, fundará *Alpha 66*, acusada de asesinatos y de la explosión de bombas contra sus críticos en Miami. Aunque el policía Thomas Lyons y el detective Raul J. Diaz de Miami definirán a este grupo como terrorista, sus miembros no serán encarcelado por estas actividades.

Antes de recibir la primera misión de asesinar a Castro, Antonio Veciana había pasado por diferentes exámenes. En uno de éstos (recordará cincuenta años después) envuelto en cables y tubos de goma, los posibles empleadores le habían dado una píldora que lo había dejado en un estado especial de relajamiento mientras su interrogador de La Habana, Dick "Joe" Melton (nombre real, James Joseph O'Mailia, también conocido como Gordon Biniaris), insistía sobre sus tendencias sexuales.[97] "*¿Ha sentido usted alguna vez atracción por algún hombre?*" Veciana cree haber respondido que no. La pregunta se enmarca dentro de los preceptos del senador McCarthy que, para entonces, había logrado que el FBI persiguiera e interrogarse a todo estadounidense sospechoso de ser gay o lesbiana, asumiendo que esta gente tenía debilidades por el comunismo y sin importar que sus asistentes, abogados y el mismo director del FBI, John Edgar Hoover, fuesen gays. Los resultados de las pruebas científicas arrojaron que Veciana no era ni tan negro ni tan gay, por lo cual logró pasar el test de la CIA y, como reconocerá más tarde, se sentirá importante por primera vez en su vida. Veciana ha aprendido y nunca olvidará las reglas: "*el fin justifica los medios*" (Maquiavelo) y "*mantén siempre una doble identidad, hasta con tu familia*" (Superhéroe pop).

Este año, reconocerá Veciana en sus memorias *Trained to Kill*, los sabotajes habían comenzado en el campo con el incendio de las plantaciones de azúcar. Luego las acciones continuaron en las ciudades. Él mismo lo reconoce, sin arrepentimiento, sino lo contrario: "*Me convertí en un terrorista*".

---

[97] Otro agente de la CIA, Philip Agee, en su diario *Inside the Company. CIA Diary* (1975) describe el mismo procedimiento con un polígrafo al que fuera sometido en Washington, en julio de 1957.

Por pedido de la CIA, Veciana coordina el Movimiento Revolucionario del Pueblo (MRP) con el objetivo de *"esparcir el miedo y sabotear la economía cubana"*. La CIA le proporciona información y materiales (armamento y plástico explosivos). Diversas bombas destruyen tabaqueras, fábricas de colchones, el bar Cantabria, el teatro América y la tienda Flogar. Un auto bomba explota en el hotel Habana Libre y otro en la refinería de petróleo. *"Yo fui el organizador, el estratega, el cerebro"*, escribe Antonio Veciana. El 13 de abril ordena destruir la mayor tienda de La Habana, la tienda El Encanto. A las 7:00 de la tarde, Carlos González Vidal, de 21 años, sale de su escondite y coloca una bomba de tiempo hecha de plástico explosivo, en el depósito de telas. Antes que la bomba explote en la esquina de las calles Galiano y San Rafael (luego convertido en parque), Carlos se marcha hacia una playa donde lo espera un barco que debía llevarlo a Miami. El fuego destruye completamente la tienda y mata a Fe del Valle Ramos, jefa del departamento de niños de la tienda y madre de dos adolescentes. Carlos, uno de los cientos de empleados que trabajaba con Fe del Valle, es detenido antes de abordar el barco y confiesa, por lo cual es enviado al paredón de fusilamiento.[98] Cuatro días después se lanza la invasión a Bahía Cochinos, el plan mayor de la CIA para acabar con el gobierno rebelde.

El senador Robert Kennedy está convencido que el asesinato de su hermano, el presidente Kennedy, fue orquestado por la CIA en coordinación con el exilio cubano. Antonio Veciana está de acuerdo. Dos meses antes de que Lee Harvey Oswald le disparase en la cabeza al presidente, el 22 de noviembre de 1963, Veciana lo había visto en Dallas reunido con su supervisor, el agente de la CIA David Atlee Phillips. Cuando en 1975 el comité del Congreso de Estados Unidos investigue el asesinato de Kennedy, lo llamará para testificar, pero Veciana guardará silencio. No dirá nada como nunca le dijo a su familia que años atrás no habían cruzado la frontera de Bolivia de vacaciones sino para introducir un cargamento de armas a Chile. No dirá nada hasta 2017. Como el ex revolucionario Rolando Cubela Secades, encargado de envenenar a Fidel Castro, Veciana guarda lealtad incondicional a la CIA y a su jefe, David Atlee Phillips, alias Maurice Bishop, hasta su muerte.[99]

---

[98] El historiador y miembro de la CIA, Nick Cullather, décadas después reconocerá no sólo que Fidel Castro fue una creación imprevista de la CIA, sino que la opción a una democracia abierta con las publicitadas ejecuciones de miembros del régimen anterior, fueron parte del aprendizaje de los anteriores golpes de Estado de Washington, como el de Guatemala.

[99] Designado por el director de la CIA Allen Dulles para comandar las operaciones contra los movimientos de izquierda en América latina, Phillips se convertirá en una de las estrellas de la inteligencia, distinguido con la medalla *Career Intelligence* de la propia Agencia. Escribirá sus reveladoras memorias que se publicarán con el título

Probablemente la agencia de inteligencia más poderosa del mundo haya logrado asesinar al presidente de Estados Unidos en el primer intento pero fracasó y seguirá fracasando 630 veces más durante sesenta años en su intento de asesinar al líder rebelde de una isla pobre en el Caribe. Como la costosa invasión de Bahía Cochinos, Antonio Veciana fracasará en todos sus intentos de asesinato y sabotaje, pero nunca perderá el respaldo de sus jefes.

El agente de la CIA David Phillips le hace firmar a Antonio Veciana un contrato de lealtad incondicional para recibir apoyo en la fundación de un grupo paramilitar independiente, uno entre muchos otros que recibiese el apoyo de la CIA pero que no pudiese ser vinculado con la Agencia. *"Cuando los críticos nos acusen a nosotros, podremos decir que se trata de un grupo independiente"*, le dice Phillips. Veciana se reúne en Puerto Rico con varios cubanos exiliados y le da el nombre de Alpha, por la letra griega que en la Biblia significa comienzo de todo, y el número 66, por ser el número del salón en el que se encontraban los asistentes fundacionales. En poco tiempo, Alpha 66 tendrá bases en Miami y en Bahamas. Con cada atentado en Estados Unidos o en Cuba, el grupo paramilitar recibirá cuantiosas donaciones de otros exiliaos cubanos.

Los exiliados cubanos, con apoyo financiero del gobierno de Estados Unidos y de los empresarios más ricos de Miami, fundarán otros grupos como El Poder Cubano, liderados por el terrorista cubano Orlando Bosch, responsable de la explosión de decenas de bombas en Cuba y, en Estados Unidos, en las oficinas del partido socialista de Los Ángeles, en los consulados de Inglaterra, México, Canadá, Australia, en barcos japoneses, en hoteles, agencias de viajes, en casas privadas, en las oficinas de empresas estadounidenses sospechosas de tener negocios con la isla y de coautor, junto con Luis Posada Carriles y otros, de la bomba del vuelo de Cubana 455 que mató 73 personas. Todo en nombre de la democracia y el derecho a la autodeterminación. La policía logra identificar a algunos de los responsables y detiene a Ricardo Morales Navarrete y Michael DeCarolis, colaboradores de la CIA y miembros del escuadrón que realizó la fallida invasión de Playa Girón en 1961. También encontrarán culpable a Orlando Bosch, lo que no impedirá que continúe operando en la clandestinidad. En 1976, Bosch y otros cubanos del exilio, en coordinación con el Plan Cóndor dirigido por Augusto Pinochet desde Chile, asesinarán al ex ministro chileno Orlando Letelier con un auto bomba en Washington DC. Bosch, junto con Luis Posada Carriles también pertenecían a la Coordinación de Organizaciones Revolucionarias Unidas, ambos de diversos

---

The Night Watch (*Ronda nocturna. 25 años de un servicio peculiar*). Diferente al agente Philip Agee, quien terminase huyendo por varios países no alineados hasta morir alcohólico en Cuba en 2008, David Phillips siempre estuvo seguro de su misión y de la superioridad de un buen trabajo sobre cualquier incomodidad moral.

actos terroristas, entre los que se cuenta la explosión del vuelo 455 de la aerolínea Cubana de Aviación en el cual murieron 73 personas. Posada Carriles, en la nómina de salarios de la CIA y uno de los organizadores de la invasión de Playa Girón, nunca será juzgado por ninguno de sus crímenes. Tampoco los autores de operaciones menos conocidas, como la contaminación de 14.135 bolsas de azúcar cubano a manos de la CIA en 1962, los cuales, en nombre del libre mercado, habían sido exportados a Rusia en un cargador inglés, el S.S. Streatham Hill.[100]

Cuando David Atlee Phillips, uno de los principales directores de orquesta de la CIA en América latina por veinticinco años escriba sus memorias *The Night Watch*, luego de reivindicar la mentira y la manipulación de la opinión de pueblos enteros, luego de detallar cientos de complots que llevaron al asesinato de líderes extranjeros y a golpes de Estado que dejaron miles de torturados y desaparecidos, escribirá: *"Una razón por la cual la CIA es tan necesaria en los países del Tercer mundo es para luchar contra el terrorismo en esos países"*. Luego menciona casos de víctimas como el embajador en Guatemala, John Gordon Mein y dos oficiales estadounidenses (durante la dictadura cívico-militar de Julio César Méndez Montenegro), el capitán Charles Rodney Chandler (veterano de la guerra en Vietnam y agente de la CIA en apoyo a la dictadura de Brasil) y Dan Mitrione (proveedor de armas ilegales y asesor de la policía local en métodos de tortura, según la CIA), ejecutado por los Tupamaros en Uruguay. [101]

El discurso de la Guerra fría es nuevo. La mentalidad, la práctica y los intereses no: son las mismas que habían llevado, en las generaciones anteriores a intervenir a fuerza de bombarderos en "las repúblicas habitadas por las razas inferiores" que gobernaban "países donde Dios había depositado los recursos naturales de la Humanidad".

Por décadas, la CIA mantendrá una relación de colaboración y descarte de diversos grupos de cubanos que operarán en Estados Unidos y en el área del Caribe. Aparte de colaborar directamente con el Plan Cóndor de Augusto Pinochet, diversos grupos terroristas como Apha66, Omega 7 y Cuban Power asentados en Miami, continuarán con el bombardeo, el sabotaje y asesinato

---

[100] Otros atentados terroristas siguieron a este, como la explosión del 8 de noviembre de 1962 en la planta industrial que dejó 400 trabajadores muertos, según diversas fuentes y según el gobierno de Cuba. El autor de este libro no ha podido confirmar el número exacto de víctimas.

[101] En sus memorias de 2007 y en sus declaraciones ante el Congreso de Estados Unidos, el operador de la CIA Howard Hunt reconocerá que, aparte de la CIA, y a pesar de no ser su jurisdicción territorial, en los años 50 el FBI todavía secuestraba individuos de interés en América latina. No es necesario aclarar que eran secuestros ilegales.

en la isla y en Estados Undios. Entre sus mayores logros estarán el asesinato de Orlando Letelier con un auto bomba en Washington, el deribo de un avión cubano con 73 personas a bordo en 1976 y la bombas en las oficinas de turismo de México en Chicago.

Antonio Veciana será uno de estos descartados, al extremo de sufrir un atentado contra su vida en Miami y tres veces la negación de David Atlee Phillips en Washington. Luego de décadas de tragarse su resentimiento, escribirá sus memorias *Trained to Kill* (*Entrenado para matar*) en 2017.

1961. Cuba no será otra Guatemala

PLAYA GIRÓN, CUBA. 19 DE ABRIL DE 1961— La invasión de Playa Girón (llamada *Operation Zapata* en los archivos y en la imaginación tropical de la CIA) fracasa, probablemente, porque el plan se filtra y, a último momento, la Agencia cambia una estrategia de guerrilla mercenaria por un desembarco militar similar al de Normandía durante la Segunda guerra.

Antes de que Fidel Castro sea invitado a dar una conferencia en Princeton University y luego logre una reunión con el vicepresidente Richard Nixon en la Casa Blanca, el 17 de marzo del año pasado, la CIA había puesto en marcha la Operación Zapata. En la reunión secreta del jueves 17, el director de la CIA, Allen Dulles, había informado que el plan para invadir la isla desde la localidad de Trinidad había sido aprobado por el presidente Dwight Eisenhower.

Sobre una mesa de cocina descansa el número de agosto del año pasado del *Reader Digest* (*Selecciones*) y en su página 168 Karl Mundt, senador republicano por Dakota del Sur y educador de profesión, educa: "*¡nosotros, quienes liberamos esa isla de sus cadenas medievales; nosotros, quienes le dimos orden, vida, conocimiento tecnológico y riqueza, ahora somos maldecidos por nuestra cooperación y por nuestras virtudes civilizatorias!*".

Luego de su tensa salida de Cuba, el agente secreto David Atlee Phillips estaba decidido a abandonar la Agencia y se había mudado a Nueva York con su esposa y sus cinco hijos. Pero nadie abandona la Agencia como si nada. Una noche recibió un llamado para una misión especial. Phillips se negó varias veces pero el agente "Cliff" insistió:

—Te voy a dar tres pistas…

—No necesitas decirme nada —dijo Phillips—. Sé cuáles son: Cuba, Cuba y Cuba.

—Es por eso por lo que te necesitamos —dijo Cliff.

—¿Cuál es el plan?

El agente Cliff responde: —*Otra Guatemala, según me dijo Len.*

Len es el superior de Cliff, conocido entre los agentes secretos sólo por ese nombre y por tener una pierna ortopédica.

Varios altos oficiales de la CIA que habían participado en el exitoso golpe de Guatemala son convocados, entre ellos Richard Bissell, William "Roto" Robertson, Richard Helms y Everette Howard Hunt Jr. Todos con un envidiable prontuario. Helms será el futuro director de la CIA y uno de los responsables del complot contra Salvador Allende en 1973. Hunt será condenado por el escándalo que terminará en el impeachment de Richard Nixon en 1974. Una de sus llamadas desde Uruguay (donde operaba desde los años 50) al argentino Dandol Dianzi en un hotel de México, será grabada el 20 de noviembre de 1963, dos días antes del asesinato de John Kennedy, en el que Hunt mencionará *"un asunto de grave importancia para nuestra nación"*. Hunt no se cansará de culpar a Kennedy del fiasco de Bahía Cochinos. Luego de muerto, sus hijos John y David reconocerán que, en su lecho de muerte, su padre había confesado varias veces que la CIA había participado del asesinato del presidente. John y David serán acusados de inventar la historia.

La estrategia para "una nueva Guatemala" es obvia: guerra mediática primero e invasión armada después. David Phillips no está seguro. Su intuición le dice que el éxito rotundo en Guatemala sólo se puede repetir en Cuba con varios cambios. Eisenhower y casi todos los miembros de su gobierno habían quedado impresionados por el bajo costo y la facilidad con la que lograron sus objetivos en aquel país centroamericano. Ahora, el plan aprobado por el Pentágono y por la Casa Blanca consiste en invadir por aire en la costa sur, cerca del pueblo Trinidad, donde todavía quedan algunas fuerzas del depuesto Fulgencio Batista. Si el aterrizaje saliera mal, siempre habría la posibilidad de fugar hacia las montañas y esperar a que nuevos recursos caigan del cielo.

Los pilotos entrenados en Guatemala no tenían mucha experiencia y necesitaban entrenamiento en tiempo y espacio real. Al principio, arrojaban bolsas de arroz y frijoles para los milicianos de Batista que operan en las montañas, pero erraban el objetivo y los combatientes se quejaban de que debían recorrer largas distancias para recoger el cargamento. Gracias a la experiencia, los pilotos mejoraron la puntería, pero esa vez recibieron un mensaje con una nueva ronda de quejas: *"Hijos de puta, ¿qué es lo que pretenden? ¿Matarnos a todos con bolsas de arroz?"*

Repitiendo la estrategia que diera tan buenos resultados con Guatemala, la CIA instala una emisora de radio en las Islas del Cisne, frente a Honduras. Como los cubanos no están acostumbrados a la onda corta, como los guatemaltecos, deben recurrir a un potente transmisor de 50 KW de onda media AM que obtienen del ejército estadounidense en Alemania. En lugar de seis semanas, la guerra psicológica había tomado seis meses.

Guatemala es elegida como el campo de entrenamiento de los cubanos reclutados en Miami. El presidente, el general Miguel Ydígoras Fuentes (quien en 1950 perdió las elecciones contra Jacobo Árbenz y en 1958 y se hizo con el poder prometiendo un pollo por familia) le garantiza a la CIA la finca La Helvetia, en Retalhuleu, para alojar y entrenar a 5.000 cubanos a cambio de una cuota mayor en la venta de azúcar a Estados Unidos. Para explicar los movimientos extraños en la zona, el gobierno guatemalteco hace circular el rumor de que los comunistas cubanos se están organizando en algún lugar de Guatemala para lanzar un ataque contra la patria y la libertad de sus ciudadanos.

La campaña de desinformación ya se había extendido a América del Sur. El 15 de febrero, el agente de la CIA Philip Franklin Agee, por entonces apostado en Ecuador, informa de la compra de opinión en los diarios más importantes de Colombia, Ecuador y Perú (como *El Comercio* y *El Tiempo*) para inculpar a Cuba de un envío inexistente de armas y dinero a esa región. El plan, confiesa Agee, es preparar a la opinión pública antes de la invasión de Cuba.

Pero Eisenhower está a punto de dejar el poder y no quiere nuevos compromisos. Aplaza la operación y deja todo en manos del nuevo presidente, John Kennedy. Tal vez porque luego de tanto tiempo de preparación era probable que el plan se hubiese filtrado (Fidel Castro y el *New York Times* estaban al tanto de las operaciones en Guatemala), la Agencia decide cambiar el punto de desembarco para conservar el inestimable factor sorpresa. Cambia el pueblo de Trinidad por Bahía Cochinos, un área más cerca de La Habana pero menos poblada y de más difícil acceso. Cuando Phillips es informado del cambio, se agarra la cabeza. *Pigs* y *cochinos* no son exactamente la misma cosa. "*¿Cómo creen que los cubanos van a apoyar una invasión que comienza con ese nombre?*" protesta Phillips.

El 15 de abril se había iniciado la operación desde Nicaragua. La idea era destruir, con bombarderos B-26, las fuerzas aéreas y antiaéreas de Cuba en el norte antes de desembarcar al sur. La destrucción es significativa, pero el impacto es mínimo. Los aviones cubanos T-33, más pequeños y peor armados, tienen mejor puntería y derriban 10 de los 12 bombarderos. La CIA pasa los bombarderos como obra de los desertores de la fuerza aérea cubana para desmoralizar a la población. Los aviones piloteados por exiliados cubanos llegados de Nicaragua aterrizan en Miami y, con perforaciones de balas diseñadas para la ocasión (si hay algo en que la CIA ha sobresalido siempre es el obsesivo cuidado del detalle propagandístico), se dejan fotografiar por la prensa libre.

El gobierno de la isla acusa a Washington de la maniobra, mencionando las bases operativas de Florida y Guatemala, pero el embajador de Estados

Unidos en la ONU, Adlai Ewing Stevenson, al tanto de los detalles del plan, lo niega con vehemencia y convicción: *"Las acusaciones de un complot orquestado en Washington son totalmente falsas"* —dice—. *"Estados Unidos está comprometido con una política de no agresión"*. El agente David Phillips recordará en sus memorias de 1977 que *"Adlai Ewing Stevenson era un gran actor; nadie le ganaba mintiendo"*. Phillips recordará también que el agente de la CIA Kermit Roosevelt (nieto del presidente Theodore Roosevelt) había logrado manipular a un número crítico rebeldes en Irán para derrocar al presidente electo Mohammad Mossadegh y que lo mismo había logrado hacer él mismo, Phillips, con el gobierno de Árbenz en Guatemala, pero que la misma estrategia un día tenía que salir mal.

Como una reminiscencia del Día D en Normandía, el 16 de abril a la medianoche y hasta las 7: 30 de la mañana, la Brigada 2506 (1.400 cubanos de Miami entrenados por meses en Guatemala) desembarca con tanques M41 Bulldog en Playa Girón. Luego de una batalla que deja cien muertos, la resistencia de la isla captura a más de mil cubanos de la CIA, los que más tarde serán cambiados por alimentos, gracias a una colecta organizada en Florida. Mientras tanto, la televisión de Estados Unidos informa de un ataque de los rebeldes cubanos contra el régimen de Castro y anuncia que *"como es previsible, se culpa otra vez a Estados Unidos"*. Los latinoamericanos nunca se hacen responsables de sus propios fracasos. Siempre le echan la culpa a Estados Unidos.

Las calles de La Habana se inundan de gente manifestándose contra la invasión. La invasión fracasa. El agente de la CIA Howard Hunt culpará a Jack Hawkins, encargado del grupo paramilitar de exiliados cubanos, *"un veterano de guerra con botas tejanas y aspecto de borracho malhablado"* que no creía en el genio revolucionario de Castro sino en su buena suerte. *"Esto es pan comido"*, había dicho Hawkins, prometiendo *"enviar postales de navidad desde Cuba este año"*. Pero el mismo Hunt, en un reporte desde La Habana lo había anunciado con tiempo: *"todo posible apoyo de los cubanos a la invasión debe ser descartado de plano; se debe asesinar a Castro antes de la invasión y debe ser hecho por patriotas cubanos"*. La primera evaluación no fue creíble, pero la CIA en Washington toma su última sugerencia, la que también fracasa cuando el secretario de Castro, Juan Orta, contratado para envenenar su bebida, una semana antes de la invasión se acobarda y se refugia en la embajada de Venezuela, donde permanecerá por más de tres años antes de un periplo por otras embajadas que terminará en Miami.

1963. A presidente arrepentido, presidente depuesto

DALLAS, TEXAS. 22 DE NOVIEMBRE DE 1963—A treinta minutos pasados del mediodía de un día soleado de primavera, en una brillante limusina converti-ble, otro presidente estadounidense es asesinado. Otra vez, hay muy buenas razones y, otra vez, se atribuye el magnicidio a pequeñas pasiones de indivi-duos insignificantes. Será clasificado como mera coincidencia el hecho de que Kennedy planeaba alcanzar un acuerdo con Cuba y Vietnam. También, que el movimiento por los Derechos Civiles en Estados Unidos, con los cuales los Kennedy simpatizaban, es acusado de ser parte de un complot comunista.[102] Kennedy había culpado del fracaso en Bahía Cochinos a la CIA, por informar que el pueblo cubano se uniría a la invasión, y había resuelto la renuncia de su poderoso director, Allen Dulles.

En abril de 1963, el presidente se había contactado con el periodista Wi-lliam Attwood, para una posible mediación con Fidel Castro. Poco después, Kennedy contactó al periodista francés Jean Daniel, quien se iba a reunir con Fidel Castro en La Habana, para solicitarle una intermediación. En la reunión que tienen ambos, Kennedy reconoció: "*Creo que no hay otro país en el mundo, incluido los países africanos... donde la colonización, la humillación y la explotación fueron peores que en Cuba, en parte gracias a las políticas de mi país... Estoy de acuerdo con la declaración de Fidel Castro en Cierra Maestra cuando hizo un llamado a la justicia... En gran medida, el régimen de Fulgencio Batista fue la encarnación de nuestros pecados. En este sentido, estoy de acuerdo con los revolucionarios cubanos. Esto debe quedar claro*". Kennedy le envió un mensaje a Castro en manos de Daniel: podemos aceptar una Cuba independiente y hasta comunista, solo que no queremos a la Unión Soviética aquí.

En la Habana, no menos interesado se mostró Fidel Castro, quien fue al hotel donde se alojaba Daniel para una entrevista de seis horas. Por entonces, Castro había confirmado: "*Kennedy todavía puede ser, ante la historia, el mejor presidente de Estados Unidos, si es capaz de entender que podemos existir juntos*". Horas después, el presidente Kennedy sería asesinado en Da-llas.

Bastante aparte, la CIA había recibido la información sobre las intencio-nes del presidente de negociar con Cuba y Vietnam, pero el embajador de

---

[102] Entre otros grupos influyentes de la derecha cristiana, la Sociedad John Birch in-siste que el movimiento de Derechos Civiles no ha sido infiltrado por los comunistas, sino que, en su totalidad, es obra de los comunistas que, entre otras cosas, pretenden crear una "*Soviet Negro Republic*". Entre sus miembros y donantes se encuentra el padre del futuro presidente Donald Trump.

Estados Unidos en la ONU, Adlai Stevenson, dhabía desestimado la nueva diplomacia porque *"Cuba todavía está en manos de la CIA"*. A su vez, el presidente será señalado como el culpable del fiasco en Cuba y, probablemente, ha pagado con su vida sus planes de desmantelar la CIA. Según el agente Antonio Veciana *"los cubanos y la CIA odiaban a John F. Kennedy por no lanzar una guerra total contra Cuba"*. El indicio más claro de la participación de la CIA en el magnicidio nunca resuelto permanecerá por múltiples generaciones delante de las narices de todos: ninguna otra organización en el mundo pudo haber planeado el asesinato del presidente de Estados Unidos, un país donde se resuelven miles de asesinatos por año, y pudo luego cerrar todos los caminos a una condena bajo el principio de "negación plausible". El modus operandi (asesinar al asesino e intimidar a sus colaboradores, como ocurrirá con el mismo Veciana doce años más tarde) lleva la firma de la Agencia.

Por si esas razones fuesen pocas, los indicios son muchos. La Liga Anticomunista del Caribe (fundada por los poderosos dictadores Rafael Trujillo de República Dominicana y Anastasio Somoza de Nicaragua) tenía una oficina en Nueva Orleans bajo el mando del agente del FBI Guy Banister.[103] Lee Harvey Oswald, el francotirador que asesinará al presidente John Kennedy, tiene contactos con esta oficina ubicada en la calle Camp 544. Aparentemente, también será sólo casualidad que el agente cubano de la CIA, Antonio Veciana, reconocerá haber visto a Oswald reunido con su jefe, el agente David Atlee Phillips, en la Southland Center de Dallas, el mes anterior al asesinato del presidente, en Dallas.

Otro agente cubano de la CIA, Félix Ismael Rodríguez (encargado de los cubanos de Miami en Guatemala previo a la invasión de Bahía Cochinos y luego ascendido a coronel del ejército de Estados Unidos) logrará que el ejército boliviano ejecute a El Che Guevara en 1967. Entre otros méritos que incluirá en su currículum se encontrarán el haber trabajado para Rafael Trujillo, el haber participado de la Operación Mangosta (sabotaje y acoso económico a Cuba), en la guerra de Vietnam y en el apoyo al grupo terrorista Contras en Nicaragua (conocidos por la prensa como *Luchadores por la libertad*), todos fracasos históricos.

Otros cubanos participantes de la fallida invasión de Bahía Cochinos organizarán diversos grupos paramilitares en Miami, como Poder Cubano o Alpha 66 (el que lanzará una nueva invasión fallida a Cuba desde República Dominicana, el 24 de enero de 1965) y se dedicarán a plantar bombas y

---

[103] La Liga Anticomunista del Caribe será denunciada por la FPCC, formada por estadounidenses en contra del intervencionismo en Cuba como Norman Mailer, Truman Capote, James Baldwin y Allen Ginsberg. Todos escritores, es decir, peligrosos radicales.

asesinar disidentes y otros desprevenidos en coordinación con otras mafias del sur, como Operación Cóndor, creada por Augusto Pinochet y la CIA (los tres grupos coordinarán el atentado terrorista que mató a Orlando Letelier y a su secretaria en 1976, en Washington DC). Muchos de ellos, como Luis Posada Carriles, serán clasificados por el FBI como "peligrosos terroristas" y tendrán un retiro apacible en Miami. Otros, como Orlando Bosch, pagarán algunos años de cárcel en Estados Unidos cuando la prensa los ponga en evidencia por alguno de sus complots. Otros, como Antonio Veciana, coordinará múltiples atentados; cuando intente abandonar la CIA por negarse a asesinar a sus camaradas luego del fracasado atentado a Fidel Castro en Chile, será baleado frente a su casa de Miami y, luego de sobrevivir, será encarcelado injustamente por narcotráfico, pero no dirá toda la verdad hasta que cumpla ochenta y ocho años.

La invasión militar de Estados Unidos no sólo fracasa, sino que terminará por empujar definitivamente al nuevo gobierno de Cuba a los brazos de la Unión Soviética, algo que hasta el más radical de los guerrilleros, Ernesto Guevara, había criticado como otra forma de imperialismo y continuará criticando en 1965 como un proyecto burocrático inviable. Fidel Castro, quien había sido despachado con arrogancia de la Casa Blanca por el mismo Richard Nixon unos meses atrás, ahora declara oficialmente a Cuba como un Estado socialista. Inmediatamente recibe el previsible apoyo de la Unión Soviética y, poco después, los misiles nucleares que desatarán la mayor crisis internacional en el hemisferio.

Como solución, el general Curtis LeMay le recomendará al presidente lanzar algunas bombas atómicas sobre La Habana como forma de prevenir un mal mayor.[104] Kennedy no parece convencido, pero pocos en el círculo más próximo de LeMay se sorprenden. El general LeMay había sido el cerebro que planificó el bombardeo de varias ciudades de Japón, como Nagoya, Osaka, Yokohama y Kobe, entre febrero y mayo de 1945, tres meses antes de las bombas atómicas de Hiroshima y Nagasaki. En la noche del 10 de marzo, LeMay ordenó arrojar sobre Tokio 1500 toneladas de explosivos desde 300 bombarderos B-29. 500.000 bombas llovieron desde la 1:30 hasta las 3:00 de la madrugada. 100.000 hombres, mujeres y niños murieron en pocas horas y un millón de otras personas quedaron gravemente heridas. Un precedente de las bombas de Napalm, unas gelatinas de fuego que se pegaban a las casas y a la carne humana fueron probadas con éxito. "*Las mujeres corrían con sus bebés como antorchas de fuego en sus espaldas*" recordará Nihei, una sobreviviente. "*No me preocupa matar japoneses*", había dicho el general LeMay.

---

[104] Veinte años más tarde, el secretario de Estado Alexander Haig le dirá al presidente Ronald Reagan: "*Sólo deme la orden y convertiré esa isla de mierda en un estacionamiento vacío*". Continuarán intentándolo por las décadas siguientes.

Cuando la guerra estaba decidida y acabada, una semana después de las bombas atómicas, cientos de aviones estadounidenses regaron con otras decenas de miles de bombas diferentes ciudades de Japón dejando otro tendal de miles de víctimas prontas para el olvido. El general Carl Spaatz, eufórico, propuso arrojar una tercera bomba atómica sobre Tokio cuando la guerra había acabado semanas antes, antes de las bombas de Hiroshima y Nagasaki. La propuesta no prosperó porque Tokio ya había sido reducida a escombros mucho tiempo atrás y sólo quedaba en los mapas como una ciudad importante.

El Japón imperial también había matado decenas de miles de chinos en bombardeos aéreos, pero no eran los chinos lo que importaban ahora. De hecho, nunca importaron y hasta fueron prohibidos en Estados Unidos por la ley de 1882. El mismo general Curtis LeMay repetirá esta estrategia de masacre indiscriminada y a conveniente distancia en Corea del Norte y en Vietnam, las que dejarán millones de muertos civiles como si fuesen hormigas. Todo por una buena causa. Poco después, LeMay reconocería que *"si hubiésemos perdido la guerra, yo hubiese sido condenado como criminal de guerra"*. Por el contrario, al igual que el rey Leopoldo II de Bélgica, LeMay también fue condecorado múltiples veces por sus servicios a la civilización, entre las que se cuentan la Légion d'honneur, conferida por Francia y la Orden del Sol Naciente conferida por el gobierno de Japón en 1964. Por las generaciones por venir, los gobiernos de Japón no ahorrarán en pedidos de perdón por el crimen de haber sido bombardeados en todas las formas posibles y sin piedad. En 1968, el general LeMay será el candidato a la vicepresidencia por el partido racista y segregacionista Partido Independiente de Estados Unidos.

Cuando "la revolución de los barbudos" triunfó en Cuba, dos años antes que el agente de la CIA Len definiera el Plan Trinidad para la invasión de la isla como *"otra Guatemala"*, Ernesto Che Guevara, quien había huido del golpe de Estado en Guatemala en 1954, había advertido: *"Cuba no será otra Guatemala"*. Dos años después, previendo la invasión de Bahía Cochinos, Guevara había anunciado que todos los cubanos debían ser armados y cada uno debía convertirse en guerrillero. Unos días después del primer gran fiasco de Washington, el mismo Guevara, con su característico sarcasmo rioplatense, le envía una nota al presidente Kennedy: *"Gracias por Playa Girón. Antes de la invasión, la Revolución era débil. Ahora es más fuerte que nunca"*.

En sus memorias, el coordinador de la CIA para el exitoso golpe en Guatemala y luego de la fallida invasión a Cuba, Howard Hunt, escribirá en 2008: *"la razón por la que no se repitió el éxito del golpe en Guatemala se debió a que revolucionarios como Ernesto Che Guevara y Fidel Castro aprendieron más de Guatemala de lo que pudo hacerlo Estados Unidos"*.[105] De formas diferentes, José Figueres en Costa Rica y Fidel Castro en Cuba habían cortado el brazo que tradicionalmente unió y continúa uniendo a Washington con las repúblicas latinoamericanas: el primero eliminó el ejército en 1948 y el otro ejecutó a centenares de colaboradores acusados de crímenes y violaciones durante la dictadura anterior. La CIA intentó derribar a los dos, pero sólo Figueres disfrutó de las contradicciones de Washington, mientras que el segundo se convirtió en su mayor obsesión, nunca resuelta.

Guatemala había tenido un presidente democráticamente electo y había mantenido su compromiso de un sistema político abierto, el que fue fácilmente inoculado por la propaganda de la CIA en 1954. En el patio trasero de Estados Unidos no hay espacio para las democracias autónomas, por más capitalistas que sean. Hasta ese año, el joven médico argentino todavía tenía esperanzas en el experimento democrático de Guatemala. Cuando huyó del complot, en México conoció a los hermanos Castro. Cuando en Cuba se convirtió en El Che y triunfó la Revolución cubana, aseguró que Cuba no iba a ser otra Guatemala.

Y Cuba no fue otra Guatemala.

1962. La verdadera función de los ejércitos latinoamericanos

WASHINGTON DC. 11 DE ABRIL DE 1962—A las 5: 40 de la tarde, el embajador venezolano José Antonio Mayobre se encuentra sentado en la Casa Blanca. Frente a él, el carismático presidente John Kennedy, el líder del mundo libre, mesurado y amable, el joven inexperiente de las frases históricas (muchas robadas, como suelen hacer los políticos) lo mira con su cara de eterna sonrisa. El embajador se anima y va al grano. Le informa sobre la gran preocupación de algunos países del sur sobre la posible influencia golpista que tendría en los militares latinoamericanos que son educados por Estados Unidos. Kennedy intenta tranquilizar al embajador asegurándole que el efecto será el contrario. Es más, diferente a la anterior diplomacia de Washington de

---

[105] El espía Hunt, como el senador Joseph McCarthy, continúa viendo comunistas por todas partes. Medio siglo después de la destrucción del gobierno democrático de Guatemala y más de sesenta años después de la destrucción de la Segunda República española, Hunt continuará viendo el mundo a través del mismo lente distorsionado del fanatismo anglosajón de Washington: *"Por primera vez, luego de la Guerra Civil española, un gobierno comunista había sido derrocado"*.

apoyar las dictaduras militares en la región, el presidente le asegura su total respaldo a la democracia en el continente.

Treinta años antes, sumergido en la mayor crisis económica de la historia de Estados Unidos, Franklin Roosevelt había decidido retirar los marines de su patio trasero y hacer realidad la idea utópica del "Buen vecino", al menos por un tiempo y mientras los nuevos dictadores amigos no necesitasen más que dólares. Sin embargo, luego de que los aliados, con la participación central de la Unión Soviética y su dictador Joseph Stalin derrotaran a los alemanes amigos del KKK y de una larga lista de pro nazis en Estados Unidos, el nuevo gobierno de Harry Truman había vuelto a las raíces de la política internacional y había promovido el militarismo en América latina como forma de decidir las políticas del continente habitado por las razas híbridas y las culturas que no entienden la democracia, pero que son de interés principal para la proyección de Estados Unidos al resto del mundo.

Para 1946, de veinte países latinoamericanos, quince habían logrado derribar dictaduras proto capitalistas o amigas de Washington para organizar gobiernos democráticos. Solo de 1944 a 1946, once dictaduras habían dejado lugar a democracias liberales. Los principios de *No intervención* reivindicado por los Estados latinoamericanos desde la Convención de Montevideo de 1933, como las nuevas ideas sobre los Derechos Humanos (que habían reemplazado ideas más antiguas, pero similares, sobre el Derecho Natural), se habían convertido en una bandera de la diplomacia de esos países del sur, no por casualidad protagonistas decisivos en la misma creación de las Naciones Unidas.

Este cambio dramático se debió, en parte, a la distracción de Washington con la Gran Depresión, primero, y con la Segunda Guerra Mundial, después. El cuatro veces presidente Franklin Roosevelt necesitaba consolidar los mercados de América latina para salir de la depresión y conquistar aliados con un discurso más o menos coherente en contra de los fascismos europeos. No es menos cierto el otro factor, olvidado por los historiadores del norte: por entonces, la clase media y trabajadora latinoamericana había alcanzado un número y una conciencia crítica que no existía en Estados Unidos y había logrado una mayor democratización, no gracias sino a pesar de una larga tradición de caudillos militares primero y de una tradición militarista y golpista apoyada y financiada por Washington después, desde mucho antes de Roosevelt.[106] A pesar de que fueron los países latinoamericanos los que lideraron la

---

[106] Aparte de una clase media y trabajadora mucho más culta y educada en América latina que en Estados Unidos, otro de los frentes de la democratización de las sociedades latinoamericanas estuvo y continúa estando en sus universidades. Las universidades de Estados Unidos, por su sistema y funcionamiento se asemejan a la

creación de las Naciones Unidas y el establecimiento de la Declaración Universal de los Derechos Humanos desde sus inicios en San Francisco, el coronel Truman (considerado un izquierdista de Franklin y enemigo personal del general Eisenhower) había sido el primero en revertir la política del Buen vecino hacia esos mismos países que se creyeron el cuento del derecho, la libertad y la democracia más allá de un límite razonable a sus posibilidades. En 1953, su sucesor, el general Eisenhower, había ordenado descolgar de las paredes de la Casa Blanca los retratos de los héroes de las independencias de los países latinoamericanos colgados por Franklin Roosevelt. Luego del general Eisenhower, Kennedy, Johnson, Nixon y Ford radicalizarán esta tendencia militarista e intervencionista, el viejo control ajeno en nombre de la "defensa de nuestras libertades" y de nuestro *way of life*. A finales de los 70, Jimmy Carter logrará un tímido cambio, pero pocos años después Ronald Reagan y el nuevo lobby belicista de Washington llevarán esta política militarista al extremo.

Una vez ganada la Segunda guerra mundial contra los fascismos de extrema derecha, la lucha por la democracia pasó a ser algo relativo para Washington, desde la Casa Blanca hasta el Congreso. Destruida Europa y eliminado Japón como posibles adversarios imperiales, ahora la segunda nueva potencia mundial se había convertido en el único enemigo y en la primera obsesión, lo que degeneró en una paranoia macartista donde ni siquiera los comunistas tenían alguna chance de obtener un representante en el congreso de sus países. Pero era el enemigo perfecto para prevenir reformas democráticas en los países del sur que, inevitablemente y como ya lo había demostrado la historia, siempre tendían a desafiar la tradicional influencia de Washington y de las corporaciones estadounidenses.

Desde antes de la Segunda guerra mundial se había abandonado por un tiempo la costumbre de enviar marines a las repúblicas bananeras para cambiar sus gobiernos o para gobernar directamente. Ahora la estrategia es usar los ejércitos nacionales con el mismo propósito, incluso en países con gobiernos democráticos. Las dictaduras continuarán imponiéndose bajo nuevos métodos y nuevas excusas, como la lucha contra el comunismo, que abarca todo tipo de protesta y reclamo social.

En 1949, desde el recién construido edificio del Pentágono salió la asistencia para la creación de la Escola Superior de Guerra de Brasil que, bajo la bandera de la neutralidad política y el patriotismo puro, graduó a miles de civiles y militares en las doctrinas mesiánicas y salvadoras de la tradicional extrema derecha. A partir de 1952 Washington ya había aprobado una ayuda de 90 millones de dólares para los ejércitos del sur. En gran parte, debido a

---

estructura de El Vaticano; no pueden competir en el alto grado de democracia alcanzado por sus pares del sur.

este cambio de política en Washington, para 1955, la mayoría de los gobiernos de América Latina habían retornado a dictaduras tradicionales, fenómeno que coincide directamente con las masivas inversiones de Washington en los ejércitos latinoamericanos, las que se incrementarán durante las décadas por venir. La nueva política pasó al siguiente presidente, el general Dwight Eisenhower. Para 1959, su administración había aportado 8.000 militares estadounidenses a América latina y al menos 400 millones de dólares (4,6 mil millones al valor 2020) para sus ejércitos. Un año después, se reunieron en Fort Amador, Panamá, los comandantes de 17 países latinoamericanos para coordinar estrategias políticas que dieran algún sentido a esta avalancha de dólares.[107]

Naturalmente, tenía sentido. Todas estas inversiones comenzaron a mostrar resultados concretos a corto plazo, por ejemplo, con el golpe de Estado de 1964 en Brasil. Ese mismo año, la CIA no sólo apoyará con diez millones de dólares la campaña presidencial de Eduardo Frei contra Salvador Allende, sino que Washington agregará otros 91 millones (770 millones a valor de 2020) para el ejército chileno, a pesar de que para entonces Chile no se encontrará en guerra con ningún otro país, sino más bien lo contrario.

Luego de las protestas y escupitajos que habían recibido al vicepresidente Richard Nixon y a su esposa en Venezuela cuatro años atrás, en 1958, meses después del derrocamiento de otra dictadura amiga de Washington en ese país, el gobierno de Eisenhower había confirmado la conocida idea de que la democracia no les hace bien a todos y que los países del sur no están preparados para algo tan complejo. Algunos congresistas habían reconocido que el problema no era, como decía la Casa Blanca y lo repetía la prensa, que había comunistas infiltrados entre los organizadores de las asquerosas protestas de Caracas, sino las mismas ayudas de Washington a las dictaduras del Sur, como la de Pérez Jiménez en ese mismo país. Otros congresistas, dolidos por la ofensa nacional, habían propuesto recortar la asistencia a los ejércitos de esos países malagradecidos. Entre ellos, y por otras razones, el senador Wayne Morse, quien años antes había abandonado el partido Republicano y

---

[107] No por casualidad, la diversidad ideológica del ejército estadounidense es mucho mayor que la de los ejércitos latinoamericanos. Entre los más feroces críticos y activistas opositores a las guerras de Washington se suelen encontrar veteranos de las mismas guerras imperialistas en las que participaron. En las elecciones de 2016, los militares donarán más al candidato Donald Trump que a Hilary Clinton. En las elecciones de 2020, el candidato socialista Bernie Sanders recibirá más donaciones de los soldados que el presidente Trump y el doble que el candidato demócrata Joe Biden. Con escasas excepciones, un militar latinoamericano está uniformado por dentro y por fuera.

se había sentado solo en la cámara.[108] En total desacuerdo con algún tipo de recorte presupuestal, el por entonces senador John F. Kennedy, en la sesión del miércoles 10 de junio de 1959, explicó por qué esas propuestas eran una mala idea: *"La ayuda que le damos a los países latinoamericanos no es para prepararlos para resistir una invasión de la Unión Soviética. Los ejércitos son las instituciones más importantes en esos países, por lo que es necesario mantener lazos con ellos. Los 87 millones de dólares que les enviamos es dinero tirado por el caño en un sentido estrictamente militar, pero es dinero invertido en un sentido político"*.[109] Once años más tarde, en una reunión del Consejo de Seguridad Nacional del 6 de noviembre de 1970, sentado al lado del intocable Henry Kissinger, el presidente Richard Nixon lo confirmará: *"Nunca estaré de acuerdo con la política de restarle poder a los militares en América Latina. Ellos son centros de poder sujetos a nuestra influencia. Los otros, los intelectuales, no están sujetos a nuestra influencia"*.

Un mes antes de su reunión con el embajador venezolano, el 13 de marzo de 1962, en una recepción en la Casa Blanca el presidente Kennedy había declamado: *"Aquellos que hacen imposible una revolución pacífica, harán inevitable una revolución violenta"*. La frase se la había robado al historiador Arthur M. Schlesinger quien le había enviado una carta advirtiendo de los cambios sociales en el sur. Con mayor realismo y con el mismo oculto temor por los de abajo, Schlesinger le escribió: *"Si las clases dominantes en América latina hacen imposible cualquier revolución de la clase media, harán inevitable una revolución de trabajadores y campesinos"*. Como buen político, Kennedy es un escritor de *best sellers* con frases musicales y fáciles de repetir. Su versión de la advertencia de Schlesinger es más simple y, además, se vende mejor. Pero no es para poner en práctica. Como presidente, Kennedy prefirió siempre la vía del control por la fuerza en nombre del diálogo y la negociación, una especie actualizada de la política del Garrote de Theodore Roosevelt. Para entonces, Kennedy acaba de aprobar un incremento en el presupuesto para los ejércitos latinoamericanos, aparte de la creación de grupos paramilitares en la región (a sugerencia del general William Yarborough), etiquetada como *"Ayuda para la Seguridad Interna"*. De esta forma, en América Central y en varios países de América del Sur, el discurso del poder llamará *autodefensas* a los poderosos grupos paramilitares (financiados y

---

[108] Morse también luchará contra el macartismo, por los Derechos Civiles en los 60 y se opondrá a la Guerra de Vietnam, por lo que será conocido como El Enojado o El Tigre del Congreso.

[109] Casi 600 millones de dólares anuales en valor de 2020. La cifra real continuará creciendo, sin contar la destinada a las operaciones secretas, como las de la CIA ni los recursos empleados para la educación de oficiales y expertos en represión en distintas instituciones militares estadounidenses.

entrenados por Washington y las grandes empresas y responsables del 90 por ciento de las masacres), mientras que las guerrillas, las autodefensas de los campesinos desplazados y masacrados por el terrorismo paramilitar serán calificados de *grupos terroristas, subversivos, antipatriotas, vendepatrias al servicio de intereses extranjeros.*

Considerando que el centro de la preocupación de Washington ahora son las crecientes protestas sociales contra las clases dominantes y las organizaciones populares que reclaman por una democracia participativa, los ejércitos latinoamericanos abandonan el rol principal de cualquier ejército (la protección nacional contra posibles ataques de otros ejércitos) y pasan a especializarse en la represión interna. De las acciones internacionales se encarga el Pentágono y la NSA.[110] Se traducen manuales de técnicas, tácticas y operaciones al español y al portugués, donde se explican (como en el caso del manual *Combat Intelligence*, parte del "Project X") las técnicas de represión y de identificación de grupos sospechosos, por ejemplo, a través del seguimiento de niños que en sus escuelas no muestran mucho entusiasmo por los símbolos del ejército estadounidense o los del ejército nacional, así como expresiones de reservas o ausencias en la participación en eventos nacionales y religiosos. La compleja realidad latinoamericana queda simplificada a un caramelo: si el niño no es patriota, su familia es comunista, terrorista o anti americana, por lo que se recomienda una investigación y seguimiento cuidadoso del entorno.[111] El manual también enseña cómo manipular el entorno de los locales usados para interrogación y cómo llevar hasta la inconsciencia a un detenido usando el confinamiento, la privación del sueño, la hipnosis o, directamente, las drogas. Una vez obtenida la información, reconocen los patriotas graduados de la School of the Americas, por obvias razones se debía eliminar la fuente, es decir, la víctima.

En línea con la misma lógica, así como las militares latinoamericanos se especializan en asuntos de control interno, la policía se militariza bajo la excusa de una intervención exterior. El gobierno de Kennedy destina otra partida presupuestaria para la militarización de la policía latinoamericana, la que se entrena en tácticas de guerra sin cambiar el uniforme de sus oficiales. Las embajadas son instruidas para acoger y colaborar con las nuevas "misiones militares" (MAAGs) para proveer entrenamiento, equipos y asistencia financiera a las "fuerzas del orden" en cada país. El 7 de agosto de 1962, el

---

[110] Entre 1789 y 1947, antes de la creación del Pentágono y su nuevo bautismo como "Departamento de Defensa", el mismo organismo se llamaba "Departamento de Guerra". Luego dicen que las palabras sólo les importa a los inútiles poetas.

[111] Estos manuales proceden de los años 50 y son permanentemente actualizados en detalles técnicos, pero sin cambiar la filosofía que los motiva: la manipulación de nuestros aliados para el control de los otros (los pueblos rebeldes) que no nos sirven.

comunicado NSAM 177 lo establece de forma explícita: *"Estados Unidos debe asistir a la policía en los países subdesarrollados para la lucha contra la subversión y la insurgencia"*. Por supuesto que estos dos últimos sustantivos serán sujetos a libre interpretación por parte de la policía, los ejércitos y su clase dominante. Cuando no haya una amenaza real, se la inventará y Washington abrirá más el grifo de la Reserva Federal.

Desde los años cuarenta, la asistencia de Washington a los ejércitos latinoamericanos se ha ido ampliado desde la transferencia de millones de dólares y equipamiento hasta la instrucción directa del personal policial y militar en las sedes académicas de Washington y del Canal de Panamá, entre otros centros. En 1960, en Fort Bragg de Carolina del Norte, habían comenzado a dictarse cursos de *"contrainsurgencia y guerra psicológica"*. En el NSAM 88, bajo el título de *"Training for Latin American Armed Forces"* el presidente Kennedy había solicitado *"una mayor intimidad entre nuestro ejército y el de los países latinoamericanos"*. En un memorándum fechado exactamente un mes después, el 7 octubre de 1961, el general Maxwell Taylor, nombrado por el presidente, había informado de la asistencia regular a cursos de 600 militares latinoamericanos en la sede de Panamá y había confirmado el objetivo del plan: *"lograr un acceso directo a los ejércitos latinoamericanos, las instituciones que mayor influencia tienen en sus gobiernos"*.

En 1961, Kennedy había aprobado una partida extra de 34,9 millones de dólares (más de 300 millones al valor de 2020) para los ejércitos latinoamericanos. Nada nuevo, si no fuera por el propósito explícito de la inversión en política interna de, al menos, la mitad de esos países. Ahora los ejércitos ya no son para la defensa de la nación contra otros países sino contra sus propios ciudadanos que no están de acuerdo con Washington o con alguno de los gobiernos criollos. La nueva narrativa se centra en el tema de la "Seguridad nacional" y la "prevención de la insurgencia popular".

Para eso es necesario enviar a los futuros oficiales de los ejércitos satélites a ser entrenados, ideológica y técnicamente en las escuelas militares de Estados Unidos. Washington también financia y provee de ayuda a los cuerpos de las policías del subcontinente en su objetivo de conquistar *"mentes y corazones"*. En 1962, el mismo Kennedy emite la orden de apoyar a la policía latinoamericana contra la insurgencia, también llamada subversión (NSAM 177) y luego se crea la Inter American Police Academy en el siempre estratégico canal de Panamá, cuya sede estará más tarde en Washington y cuyos principios destacan *"las técnicas de interrogación y control de protestas populares"*. Según una investigación de 2015 del profesor de la Naval War College, Jonathan Caverley, existirá una directa proporción entre la cantidad de tropas extranjeras entrenadas por Washington y las probabilidades de un golpe de Estado en el país de origen.

Naturalmente, estos objetivos siempre enfrentan, aquí y allá, opositores idealistas y románticos. Como respuesta, el general Taylor aclara que "*la indoctrinación es poca*" y que, en los cursos y en sus visitas a las academias del norte, los militares latinoamericanos más bien "*absorben*" los valores estadounidenses. Al mes siguiente, el 20 de noviembre, un análisis de lectura ambigua por parte de la agencia de inteligencia Bureau of Intelligence and Research había concluido que la asistencia e influencia de Washington en los ejércitos latinoamericanos "*podría crear las condiciones y la justificación para algún golpe militar... los oficiales entrenados podrían entender que deseamos que ellos se hagan cargo de sus gobiernos e impongan reformas sociales y económicas; los cursos y entrenamientos sobre represión anti insurgente podrían hacerles creer que estamos en favor de regímenes totalitarios... lo cual generalmente no es nuestra intención*". El secretario de Estado, Robert McNamara, no está de acuerdo y declara que la exposición de los militares latinoamericanos a los valores estadounidenses los hará apreciar una forma de pensamiento democrático.[112]

Pero los oficiales que vuelven de la Superpotencia a sus países, como lo teme el embajador de Venezuela José Antonio Mayobre, vuelven no sólo adoctrinados y con nuevos conocimientos sobre "control de masas" sino, sobre todo, con un fuerte sentimiento de superioridad moral e intelectual. Como sea, el plan sigue adelante. Según otro memorando secreto del Departamento de Estado al presidente, fechado el 29 de junio de 1962, los oficiales de policía de Argentina seleccionados serán instruidos en "*técnicas de vigilancia, de recolección de información, de interrogación, de manejo de redadas, razias, protestas y de control de masas*". Continuando con la idea de Kennedy de prevenir cualquier "revolución inevitable" de la clase media y de la clase trabajadora, la Escuela de las Américas se establece como centro para la preparación de miles de oficiales latinoamericanos en técnicas de represión de protestas y de movimientos populares contrainsurgentes.[113]

---

[112] McNamara se ocupa de varios frentes. En Vietnam multiplica por cien los efectivos estadounidenses para el entrenamiento de los soldados locales, los que aumentará hasta medio millón en 1968. Más millones, de dólares y de muertos, no resultarán en una victoria, excepto en las películas de Hollywood y en la imaginación popular. De 1968 a 1981 será el presidente del Banco Mundial, desde donde distribuirá créditos a los países pobres que controlen el crecimiento de su población.

[113] Esta academia militar para países extranjeros había sido fundada en 1942 como "Centro de Entrenamiento Latino Americano", renombrada en 1946 como *U.S. Army Caribbean School*, en 1963 como *School of the Americas* y en 2002 como *Western Hemisphere Institute for Security Cooperation*. Tantos escándalos y cambios de nombres no pudieron ocultar el hecho de que fue una universidad del terror, de cuyas aulas

En apenas un año, Washington reconocerá de forma casi automática tres nuevas dictaduras, producto de cuatro nuevos golpes de Estado en Argentina y Perú en 1962, y en Guatemala, Ecuador y Honduras en 1963, aparte de lanzar una operación encubierta contra el primer ministro electo de Guyana, Cheddi Jagan, graduado en Estados Unidos pero demasiado progresista para el gusto de Washington. En Honduras, los militares golpistas portarán rifles "Made in USA" y serán acompañados por militares con el uniforme de Estados Unidos, al tiempo que su embajador negará cualquier responsabilidad política, excusándose en el argumento de que de todas formas el golpe se hubiese realizado con o sin participación de militares estadounidenses.

Para finales de esta década, Washington habrá apoyado 16 golpes de Estado liderados por oficiales graduados de sus academias militares. Aparte de los cientos de misiones militares enviadas a América latina para educar a los ejércitos nacionales, medio millar de oficiales latinoamericanos serán preparados en Fort Gulik, Panamá. En 1966, los investigadores Willard Barber y Neale Ronning observarán que en estos cursos se cubren *"todos los aspectos de la contrainsurgencia: técnicas militares, paramilitares, políticas, sociológicas y psicológicas"*.

Para 1967, con este objetivo de entrenamiento y educación política, Washington tenía casi diez mil oficiales y agentes, civiles y militares, distribuidos por toda América latina con la excepción de México y Haití. Un año después, el Departamento de Defensa enviará otro memorándum al presidente: *"El hecho de que hoy por hoy en América latina no hay ninguna misión militar relevante aparte de la nuestra, es una prueba del éxito de Estados Unidos para establecerse como la influencia predominante en esa región... El hecho de que las fuerzas armadas latinoamericanas son las instituciones menos antiamericanas del continente es otro indicio de nuestra influencia... La adopción de la doctrina estadounidense, las tácticas, los métodos de entrenamiento, su organización y las armas que usan son el resultado directo de la presencia, el predominio y la influencia Estados Unidos"*.

Como lo informará el *New York Times* del 22 de diciembre de 1968, desde 1950 Estados Unidos ha entrenado a 21.000 oficiales latinoamericanos en territorio estadounidense y 25.000 más en el Canal de Panamá. En una abrumadora proporción, los graduados de esa escuela, conocida como "La escuela de los dictadores", participarán en una docena de regímenes de corte fascista y alineados a la voluntad de Washington. Sólo en dos casos, más bien excepcionales, como en Perú con el general Juan Velasco Alvarado y en Panamá con el general Omar Torrijos, los golpistas tomarán caminos no alineados e impulsarán políticas de nacionalización de recursos o de reformas

---

salieron múltiples dictadores, represores, genocidas de alto rango y hasta narcotraficantes.

sociales consideradas progresistas o de izquierda. Para cuando se consuma el largamente planeado golpe de Estado contra Allende en Chile y la imposición del experimento neoliberal, casi doscientos oficiales graduados en la Escuela de las Américas ocuparán cargos de relevancia en el gobierno, al igual que en otras dictaduras del continente.

En los años setenta, el presupuesto de Washington para el entrenamiento técnico e ideológico de los militares latinoamericanos ascenderá a 500 millones (3.000 millones al valor de 2020).[114] En estas academias no solo aprenderán a manejar armas, estrategias y técnicas de tortura y represión sino algo mil veces más letal y efectivo: aprenderán literatura política (ficción realista, por género), de la misma forma que los medios de prensa dominantes en el continente repetirán versos y cuentos plantados por la CIA y por las Embajadas, las que luego el pueblo y sus políticos consumirán como folklore propio. No habrá Plan Marshall para América latina porque un pueblo inmaduro no debe recibir asistencia pública sino privada, para que aprenda las reglas. Cuando se aprueben fondos para el desarrollo, serán para infraestructura que, como en el siglo anterior se trazaron los hermosos bulevares de París para introducir fuerzas armadas contra las revueltas, en las repúblicas infantiles del sur será para aplastar las revoluciones armadas y las protestas pacíficas con más facilidad.

Cuando en 2004 el presidente de Haití, el cura Jean-Bertrand Aristide (sospechoso de ser demasiado amable con los pobres y derrocado en un golpe de Estado organizado por la CIA en 1991) decida desmantelar el ejército haitiano, como lo hiciera Costa Rica en 1948 y Bolivia en 1952, será derrocado por un nuevo golpe de Estado—organizado y apoyado por Washington, está de más decir.

1963. Las inversiones continúan dando resultados

TEGUCIGALPA, HONDURAS. 3 DE OCTUBRE DE 1963—Diez días antes de las elecciones, en otro país donde los herederos de la United Fruit Company todavía reinan sin adversarios, para evitar el triunfo de Modesto Rodas Alvarado se decide un nuevo golpe de Estado contra Villeda Morales. Los soldados hondureños portan armas estadounidenses y acompañan orgullosos

---

[114] Según la investigación del profesor Edwin Lieuwen de la Universidad de Nuevo México, para los años setenta, Washington proveerá más del 50 por ciento del presupuesto de los ejércitos latinoamericanos. En los casos de pequeños países, más del 90 por ciento.

a otros héroes que visten uniforme de Estados Unidos. La embajada de ese país se defiende diciendo que, de todas formas, el golpe era inevitable.

El 18 de julio del año anterior, el presidente peruano Manuel Prado, antiguo aliado de Washington, había sido secuestrado de su cama por una unidad militar entrenada por el ejército estadounidense y sacado de la casa de gobierno en un tanque Sherman de Estados Unidos. Kennedy, que tantas veces había repetido aquello de apoyar las democracias en el mundo, una vez más reconoce la legitimidad del nuevo gobierno de la junta militar. En 2009 se repetirá la misma historia cuando el ejército hondureño secuestre en pijamas al presidente Manuel Zelaya con la complicidad de Washington.

Las compañías estadounidenses no sólo bloquean cualquier atisbo de reformas que la propaganda se encarga de llamar socialismo; también liquidan cualquier posibilidad de un capitalismo independiente. Porque el problema de fondo nunca fue el socialismo del siglo XX ni las repúblicas negras del siglo XIX, sino la posible independencia y el abuso de soberanía de cualquier país en la Frontera sur.

En 1958, luego de generaciones de ocupaciones y dominio estadounidense, el presidente Ramón Villeda Morales, como buen médico, había empezado por hacer un diagnóstico de la realidad de su país: "*Honduras es el país de los 70: 70 por ciento de analfabetos, 70 por ciento de nacimientos ilegales, 70 por ciento de muertes prevenibles*". Un año después, los sindicatos y los estudiantes habían frustrado un intento de golpe de Estado. De todas formas, Villeda Morales no terminará su mandato. Diez años después del golpe de Estado bananero en Guatemala que derrocó al presidente electo Jacobo Árbenz, Villeda Morales intentó hacer lo mismo: democratizar su país luego de las dictaduras militares, proveer de beneficios sociales básicos a los trabajadores, desarrollar el sistema de salud y educación pública y nacionalizar algunas tierras sin usar en manos de las bananeras estadounidenses. Para peor, y por las mismas razones que en Costa Rica 1948, Bolivia 1952 o Haití 1994, Ramón Villeda Morales se había hecho eco de las protestas que reclamaban la desmantelación del ejército. Luego de algunos años en el gobierno, la popularidad de Villeda Morales no había disminuido sino lo contrario, por lo cual el candidato de su partido Liberal, Modesto Rodas Alvarado, se perfilaba como el futuro presidente.

La United Brands Company le encomienda al general Oswaldo López Arellano, ex miembro de la Guardia de Honor Presidencial y miembro de la junta militar anterior, la suspensión del gobierno. Poco después el general López Arellano es proclamado presidente plenipotenciario de Honduras hasta 1971. Luego de permitir elecciones libres este año, volverá a la presidencia unos meses después por un nuevo golpe de Estado en 1972. Aunque (o por eso mismo) en los últimos años de su presidencia intentará negociar con los sindicatos una tímida reforma agraria, se filtra la información que la United Brands Company le había pagado a López Arellano 1.250.000 de dólares para obtener beneficios como una disminución de impuestos y, el 22 de abril de 1975, es derrocado por un nuevo golpe de Estado a manos del general Juan Alberto Melgar, el que a su vez será removido por otro golpe de Estado… Washington ha acelerado la militarización de la sociedad hondureña, la que continuará dando frutos bien entrado el siglo XXI.

Tres meses antes, un poco más al sur, en Ecuador el presidente Carlos Julio Arosemena, quien se había declarado en favor de la propiedad privada y el libre comercio, es derrocado en otro golpe de Estado el 11 de julio. Arosemena no había roto relaciones con Cuba y, luego de dos copas, había recibido en malos términos a un funcionario de la empresa estadounidense Grace. Al igual que el presidente electo José María Velasco Ibarra, removido por un golpe de Estado el 7 de noviembre de 1961, la CIA resuelve derrocarlo y el ejército ecuatoriano, ansioso por poner en práctica los conocimientos adquiridos por sus generales en las academias estadounidenses, no se hacen rogar. El golpe cae como una fruta madura cae de su árbol sin mucho esfuerzo.

José María Velasco Ibarra volverá a ganar las elecciones de Ecuador en 1968 y, para no perder la costumbre, también será removido por otro golpe de Estado en 1972. Sus mayores pecados serán los mismos de siempre: insistir con una política de reforma agraria para Ecuador, negarse a romper relaciones diplomáticas con Cuba y recibir la visita de Salvador Allende y Fidel Castro. Para entonces, una docena de gobiernos constitucionales en América Latina habrán sido derrocados por golpes militares en apenas una década, casi todos con asistencia directa de Washington y la CIA.

Por su parte, Honduras se sumergirá en otras dos décadas de una nueva dictadura militar y en muchas décadas más de una cultura militarista inoculada por la United Fruit Company a principios de siglo y confirmada por las políticas de Washington para América latina luego de la Segunda guerra mundial. Todo disidente, que antes era acusado de pertenecer a alguna raza inferior, ahora será estigmatizado como *comunista* o *vendepatria* y deberá enfrentar las consecuencias del implacable patriotismo latinoamericano.

1964. Negros, indios y pobres no deben portar armas

LA PAZ, BOLIVIA, 3 DE NOVIEMBRE DE 1964—Pese al extraordinario crecimiento de la economía boliviana y pese a la purga de sus aliados de izquierda, como el vicepresidente Juan Lechín, el presidente electo Víctor Paz Estenssoro debe abandonar el Palacio Quemado. Durante su gobierno, Bolivia había recibido un incremento del 600 por ciento en ayuda de Washington bajo la sombrilla de la Alianza para el Progreso, en gran medida para la reorganización de su ejército nacional. Como es una tradición en los países periféricos, uno de sus generales promovidos, en este caso su vicepresidente, el general René Barrientos, es el encargado del golpe militar.

El ahora depuesto presidente había sido una de las figuras centrales de la Revolución de 1952. Una de las pocas revoluciones armadas que tuvieron éxito en el siglo XX en América latina y la única revolución popular que fue tolerada por Washington. El 22 de mayo de aquel año, 43 días después del triunfo armado del Movimiento Nacionalista Revolucionario, el Secretario de Estado Dean Acheson le había enviado un reporte confidencial al presidente Harry Truman advirtiéndole de la necesidad de reconocer la revolución popular liderada por Hernán Siles Zuazo y el marxista Juan Lechín. Sería la primera y la última vez en la historia de América Latina que un gobierno de Estados Unidos apoyaría una revolución popular y no un golpe de Estado conservador. ¿Por qué? ¿Cómo se explica semejante aberración? De no hacerlo, había explicado el embajador, Bolivia se iba a radicalizar aún más contra la presencia de las compañías estadounidenses.

Truman aceptó la sugerencia de Acheson y algunos cambios en el país más rico y más pobre de América del Sur tomaron forma a la velocidad de un rayo. Por primera vez, los indios y los mineros comenzaron a existir como seres humanos. En el primer gobierno revolucionario de Víctor Paz Estenssoro, se nacionalizaron las principales minas de estaño, se realizó una extensa reforma agraria, se extendió el derecho al voto a todos los indígenas analfabetos y se crearon escuelas rurales donde nunca antes había pisado una maestra.

Para que todo esto fuese posible, en ningún momento los revolucionarios entregaron sus armas. Es más, la Revolución Nacional desmanteló el ejército, tradicional brazo armado de la oligarquía criolla. Pero Washington y la elite dominante en Bolivia tenían un plan muy simple: revertir el proceso. Es decir, desarmar a los mineros y a los campesinos y reorganizar un ejército fuerte, como en el resto del continente. Todo esto se logró unos años después. Ahora, la costumbre de transferir riqueza de abajo hacia arriba se llama *seguridad* y el plan para volver a entregar los recursos más valiosos del país a los intereses extranjeros se llama *defensa nacional*.

La sagrada segunda enmienda de la Constitución de Estados Unidos, aprobada en 1791 establece, en una sola línea: "*Al ser necesaria una milicia bien organizada para asegurar la seguridad de un Estado libre, el derecho del Pueblo a poseer y portar armas no debe ser vulnerado*". Naturalmente, como en otras partes de la constitución, como en la Declaración de independencia y como en las sucesivas leyes, ni los negros, ni los indios ni los mexicanos entraban en la categoría de *Pueblo* sino, apenas, de *pobladores*. Esta es y será la bandera de la derecha conservadora en Estados Unidos, donde quienes se consideran los apóstoles de Jesús se identifican con las armas como el amor se identifica con el sexo. Aunque durante la Revolución estadounidense de finales del siglo XVIII (y debido a la ineficacia del ejército de George Washington) las milicias cumplieron con eficacia la función de las guerrillas en los países colonizados, ahora por *milicia* no se entiende *guerrilla* sino individuos que no necesitan ir a ninguna guerra porque de eso se encargan los poderosos ejércitos de Washington. Durante siglos, incluso después que los negros en Estados Unidos se convirtieron en ciudadanos 99 años atrás, las armas estuvieron restringidas al uso de los blancos. Aunque más tarde los negros revindicarán el mismo derecho a portarlas, la policía y las milicias de este país los verá como potenciales criminales, mientras que los blancos continuarán siendo percibidos como honestos ciudadanos en defensa de la libertad individual en *El país de las leyes*. Claro que nunca ninguno de estos valientes usó sus poderosas armas de guerra contra su gobierno en Washington, pero todos aquellos que en los países de la Frontera sur reclamaron el mismo derecho fueron percibidos como los indios y como los negros en Estados Unidos, es decir, como una inminente y peligrosa amenaza. Consecuentemente, fueron aplastados.

Cada vez que las revoluciones latinoamericanas recurrieron al razonable y civilizado uso de las urnas y sus ciudadanos votaron por un cambio, las democracias independientes fueron destruidas por un golpe militar o sustituidas por una democracia obediente. Cuando recurrieron al uso inevitable de las armas fueron demonizadas, pero resistieron mucho más tiempo.

En el caso de la Revolución boliviana de 1952, las reformas democráticas resultaron demasiado radicales, por lo que el siguiente paso era obvio: Washington comenzará a exigirle al nuevo gobierno boliviano que desarme las milicias que lo hicieron posible y, en su lugar, consolide un ejército tradicional. La petición es la misma que se ha repetido innumerables veces, luego hundidas en el olvido de la historia, como fue el caso de la Nicaragua de Sandino. El 10 de mayo de 1927 el enviado de Washington, Henry Stimson, en un acuerdo con el presidente Adolfo Díaz había negociado unas elecciones bajo ocupación con la condición de "*un desarme general del país*". Como en Estados Unidos, las armas son para los adultos y para los niños sólo cuando son blancos.

Pero si antes de la Guerra fría la costumbre era enviar a los marines a implantar algún dictador local, o para gobernar directamente con alguno de sus propios oficiales, a partir de ahora la idea central será invertir agresivamente en los ejércitos nacionales para continuar haciendo lo mismo. Una de las figuras de la revolución, el presidente Víctor Paz Estenssoro, se enamorará del sillón presidencial y comenzará a alinearse con las directivas de

Washington. Como le fuera solicitado, en su segunda presidencia consolidará un ejército fuerte en Bolivia hasta que él mismo sea derrocado por un nuevo golpe de Estado. El golpe, que terminó con otra democracia, también fue organizado en las pulcras oficinas de la CIA. A partir de hoy, Bolivia sufrirá otras dictaduras oligárquicas con la ayuda de criminales nazis, como el carnicero de Lyon, Klaus Barbie, contratado por la CIA para ayudar a reprimir los movimientos populares que eran estratégicamente calificados como "comunistas", como si sólo los comunistas fuesen capaces de luchar por la justicia social, la libertad individual y los derechos humanos de los pueblos.

Como en casi todas las crisis latinoamericanas, la función tradicional de sus ejércitos no fue ni será luchar ninguna guerra contra ningún invasor sino reprimir a sus propios pueblos cuando éstos se rebelan contra la explotación de poderosos intereses criollos y extranjeros, protegidos por dictadores puestos y alimentados por las grandes potencias imperiales. En América Latina, los imperios tuvieron más éxito cuando las rebeliones populares llegaron al poder por elecciones. Fue el caso de Venezuela en 1948, Guatemala en 1954, Brasil en 1964, Chile en 1973, Haití en 2004, y tantos otros. Fracasaron estrepitosamente cuando éstas revoluciones llegaron por una acción armada, no por sus ejércitos sino por sus milicias rebeldes. Así fue en México en 1920, Bolivia en 1952, Cuba en 1959 y Nicaragua en 1979.

Paz Estenssoro (como Andrés Pérez en Venezuela y como tantos otros en la región) había llegado a su primera presidencia como revolucionario primero y como progresista reformador después. Luego de un par de mandatos, y víctima él mismo de sus concesiones en los 60, terminará como servidor aliado de un Washington que en los 80 querrá sacarse de encima algunas escandalosas dictaduras fascistas que siguieron a una borrachera de golpes de Estado con uno de los peores historiales de violaciones de los Derechos Humanos en la historia del hemisferio.

De las nacionalizaciones y las reformas en favor del pueblo, Paz Estenssoro se convertirá en otro campeón de las privatizaciones y en protector las sagradas corporaciones extranjeras. Por eso mismo sobrevivirá y volverá a ser electo por cuarta vez en 1985 para extender la ola neoliberal a Bolivia, esta vez bajo la bendición de un gobierno legitimado en las urnas. No habrá golpe de Estado porque el pueblo, sin saber del plan de reformas privatizadoras (como en la Argentina de Carlos Menem), votará por el candidato de Washington. Las protestas populares que lo acusarán de traición serán calificadas de manipulaciones de los vendepatrias de siempre. Los líderes campesinos y sindicales serán secuestrados y encarcelados hasta que todo vuelva a la calma de la resignación.

1964. Num país tropical

BRASILIA, BRASIL. 1 DE ABRIL DE 1964—A pesar de una popularidad del setenta por ciento, el presidente electo de Brasil João Goulart es sustituido por un nuevo golpe de Estado y debe huir a Uruguay. El embajador estadunidense Lincoln Gordon informa de *"una rebelión democrática de los generales, una gran victoria para el Mundo Libre... que asegurará las inversiones privadas"*. Siguiendo el conocido protocolo, luego de 48 horas Washington reconoce al nuevo gobierno. El presidente Lyndon Johnson saluda la nueva dictadura elogiando su acción *"dentro del marco de la constitución"*. Ante los congresistas de su país y ante el mundo, el secretario de Estado, David Dean Rusk, asegura que *"Estados Unidos no ha tenido nada que ver con el golpe en Brasil"*.

El 5 de abril, João Goulart llega exiliado a Uruguay. La CIA organiza una recepción en su contra pero, de todas formas, el ex presidente es recibido por una multitud que lo saluda como héroe. La CIA toma nota y les ordena a miembros infiltrados de la policía uruguaya vigilar día y noche su nueva residencia. Y la residencia de sus amigos. Y la de sus simpatizantes. Y la de cualquier otro que no tenga nada que ver con el asunto pero que pudiera compartir alguna de sus ideas y sus peligrosas intenciones de controlar el mundo.

La cúpula militar, la cúpula católica y la cúpula de los medios de comunicación festejan la liberación. Otra democracia en la Frontera salvaje ha sido destruida en nombre de la democracia. Hasta entonces, la prensa brasileña había informado de *"la gran insatisfacción popular"* contra el gobierno. Para confirmar estas acusaciones, el lobby opositor, la Federação do Comércio de São Paulo, le había solicitado a Ibope un estudio de opinión, el que debió enterrar cuando Ibope informó de un fuerte apoyo popular al presidente, el cual llegaba hasta el setenta por ciento. De esta forma, se podrá imponer la razón, a fuerza de repetición, de que el nuevo golpe de Estado se debe a la gran impopularidad del presidente.[115] Sin demoras, se crea la SNI (Serviço Nacional de Informações) a instancias de la CIA, de la misma forma que se crearán otros organismos de tortura y represión como la DII en Uruguay, La Técnica en Paraguay y la DINA en Chile nueve años más tarde. La ola de agentes secretos de la CIA y de colaboradores de Washington en la organización de la policía represiva de Brasil se había disparado apenas Goulart

---

[115] El estudio de Ibope, concluido días antes del golpe, no será revelado hasta 2003, cuando una investigación de la Universidade de Campinhas lo saque a la luz, como siempre, cuando la verdad ya no sea peligrosa. Aun así, pasará desapercibido y la mayoría de la población continuará mencionando las causas inexistentes como explicaciones del golpe.

asumió como presidente en 1961. Entre sus asesores se encontraba el reconocido experto en represión y tortura (según el New York Times, aparte de múltiples fuentes locales) Dan Mitrione, asesinado en 1970 en Uruguay por el MLN y bajo las mismas acusaciones.

Un año antes, el 7 de marzo de 1963, un memorándum de la reunión en la Oficina oval había concluido que, en palabras del embajador Gordon, el peligro en Brasil radicaba "*en el comunismo del gobierno y otros nacionalismos extremos*". Aparte del oxímoron, lo único cierto, y que siempre ha preocupado a Washington desde el siglo pasado, es lo segundo. Ahora, el martes 21, se realiza una elección express en el Congreso de Brasilia, en la cual es elegido, por 361 votos en 475, el único candidato posible, el general Humberto Castelo Branco. En los memorándums de la CIA será registrado como una "*democratic rebellion*". A pesar de que se trata de una ceremonia falsa, como tantas otras que seguirán en ese mismo recinto, la CIA se asegura que la imagen del nuevo dictador sea lavada con veinte millones de dólares (165 millones al valor de 2020) y poco después fuerza la suspensión de una investigación sobre su propia intervención. La comisión encargada de la investigación es brasileña, pero 5 de los 9 miembros están en la nómina de sueldos de la CIA. Los otros cuatro son amablemente intimidados.

Tres días antes del golpe, el 29 de marzo, el embajador Gordon había enviado un cable informando sobre la limpieza de izquierdistas en el ejército y la necesidad del envío de "*armas no identificadas*" para apoyar "*unidades paramilitares que trabajan con militares democráticos o militares amigos... Debido a que a los brasileños les gusta sumarse a las fuerzas ganadoras, es necesario que el golpe sea exitoso desde el principio... El riesgo de que se descubra la mano de Estados Unidos en esta operación encubierta es mínimo comparado a los beneficios*" En cambio "*no es la intención que las operaciones de los navíos pasen desapercibidos; por el contrario, su presencia en el Atlántico sur sería de una influencia saludable*".

La vieja y oligárquica "*política do café com leite*" se había convertido, como una higuera da higos, en la nueva política de la *Coca-Cola*.[116] Desde su rancho en Texas, atento a los reportes de su embajador e instigador del golpe, el presidente Lyndon Johnson había dado la orden de movilizar la marina para

---

[116] La política del café con leche se refería al dominio casi absoluto desde 1880 a 1830 de los políticos procedentes de las elites de San Pablo (productores/exportadores de café) y los de Mina Gerais (productores/exportadores de ganado y leche). Como en el caso de la Argentina de Perón, la nueva clase de obreros industriales amenazó este orden y, debido a la tradición oligárquica y militarista del régimen anterior que se resistió a cualquier cambio económico, político, cultural e ideológico, surgieron profundos conflictos políticos y sociales que no encontrarán solución por generaciones. Washington magnificó y explotó esas contradicciones ajenas a su favor.

asegurar que los militares en Brasil tengan éxito. Luego ordenó a los agentes de la CIA, al Secretario de Defensa y a todos aquellos *"con imaginación"* que se hicieran cargo del asunto.

Como ha sido y continuará siendo una fórmula repetida, el nuevo golpe militar fue precedido por un número conocido de prácticas de ingeniería social por parte de Washington: bloqueo económico; acción directa e indirecta de la CIA en las prácticas policiales de interrogación y tortura; inoculación de la prensa, de los sindicatos, de las organizaciones estudiantiles y religiosas; organización de "protestas populares" contra el gobierno desobediente; campaña de miedo dirigida a las "amas de casa" con ideas y eslóganes simples para el consumo; acoso empresarial y financiero; apoyo económico a las organizaciones no gubernamentales afines (educación, cultura, "institutos independientes de investigación"); acoso directo a través de la marina estadounidense, el que se llamó *Operation Brother Sam*, por el cual Washington envió barcos de guerra, portaaviones y destructores cargados con toneladas de municiones y gas antidisturbios para prevenir cualquier irresponsable resistencia al golpe.

Poco antes, el 27 de marzo, el embajador Gordon había informado a Washington de la necesidad de que *"se tomen medidas prontas de seguridad y se prepare un envío clandestino de armas producidas en cualquier país que no sea Estados Unidos para los seguidores del general Castelo Branco en San Pablo"*. Dos días después, en un segundo cable con fecha del 29 de marzo, el embajador precisa que la asistencia y las armas debían ser para *"grupos democráticos paramilitares"* que neutralicen cualquier posible resistencia dentro del ejército brasileño. Para el 31 de marzo, Washington ya había enviado 110 toneladas de municiones y *CS agent* (gas lacrimógeno) para controlar las protestas populares. El nuevo gobierno inaugura y protege los escuadrones de la muerte que, como es el principio establecido y según el embajador estadounidense, solo entre 1968 y 1972 habrán sumado 800 víctimas. La mayoría será calificada como "marginados", como varios disidentes políticos. En un documento desclasificado del Departamento de Estado con fecha del primero de julio de 1972, el embajador William Rountree reconocerá las prácticas de tortura por parte de las fuerzas de represión de Brasil. Otro documento, fechado el 8 de julio, el mismo embajador reportará la aparición de los *Esquadrões da morte* a partir del golpe de Estado, como el liderado por Sergio Fleury en San Pablo. Frecuentemente, las víctimas son opositores a la dictadura militar apoyada por Washington o, simplemente, pobres. De la misma forma que en 1962 el teniente general William Yarborough justificó la idea de promover grupos paramilitares en Brasil, Colombia y otros países de la región, la ventaja de los escuadrones de la muerte radica en la posibilidad de mantener al gobierno alineado libre de implicaciones y responsabilidades en su lucha contra los

activistas sociales, por lo cual tanto Washington como las dictaduras latinoamericanas de turno no tendrán problemas en negar o desvincularse de estas
acciones terroristas para combatir lo que la prensa local llamará terrorismo.

Exactamente dos años atrás, Goulart había realizado una visita oficial al
presidente John Kennedy en la Casa Blanca. Poco después, en julio de 1962,
Kennedy le preguntó a sus asesores: "*¿cómo es nuestra relación con los militares en Brasil?*". La respuesta era obvia, dadas las inversiones hechas con
décadas de anterioridad. Washington no sólo había invertido, a través del Pentágono, en la Escola Superior de Guerra de Brasil desde 1949 sino que la CIA
no había dejado de operar en el país. Al bueno de su hermano Bob tampoco
le gustó el presidente brasileño cuando lo visitó en Brasilia poco antes de la
navidad de 1962. Goulart se tenía demasiada confianza para sus reformas y
su plebiscito.

Por entonces, la CIA y la USAID habían invertido varios millones de
dólares en las elecciones parlamentarias de 1962 para lograr que fueran elegidos los candidatos opositores al presidente Goulart y, de esa forma, tuvieran
poder legislativo y narrativo.[117] El 30 de julio de 1962, en una reunión grabada
en la Casa Blanca, el presidente principiante confiesa lo que no es ninguna
novedad: "*Creo que nuestra tarea es reforzar la columna militar en Brasil*".
Poco después, Washington envía al coronel Vernon Walters, quien se convertirá en uno de los pivotes del golpe.

Aunque Goulart había colaborado en la resolución de la crisis de los misiles con Cuba, según Washington no se había comprometido completamente
con la causa estadounidense de bloquear la isla rebelde en la OEA. Si algo no
tolera Washington de un gobierno es su posible independencia. Ahora, otra
preocupación ideológica es la Teología de la Liberación y la "economía nacionalista" del depuesto brasileño. Como un dios celoso, Washington exige
fidelidad ciega y fe absoluta mientras profesa el derecho a la disidencia. La
élite colonizada y militarizada de Brasil encaja perfectamente dentro de este
esquema ideológico. Los fanáticos de más abajo, también. El problema fue
resumido por uno de los miembros de la Teología de la Liberación, el arzobispo de Recife, Hélder Câmara: "*Cuando doy comida a los pobres, me llaman santo. Cuando pregunto por qué son pobres, dicen que soy
comunista*".[118] Para colmo de males, João Goulart, electo presidente en 1961,

---

[117] Una nueva frustración de Washington con João Goulart se sumó este mismo año
cuando Brasil no aceptó votar una condena a Cuba en la reunión de la OEA en Punta
del Este, Uruguay.

[118] Hélder Câmara sobrevivirá a varios atentados hasta que le sea prohibido presentarse ante los medios. Al igual que muchos otros teólogos de la liberación, profesaba
un cristianismo próximo al de los primeros cristianos, por lo que fue acusado de ser
un "cura rojo". La CIA, la Escuela de las Américas y El Vaticano entre otros,

simpatizaba con esta corriente teológica. Desde el comienzo, sus políticas sociales en favor de los trabajadores encendieron las alarmas en el dormitorio de J. F. Kennedy. Por si eso fuese poco, Goulart era un independentista como Getúlio Vargas, quien se suicidó diez años atrás luego de una fuerte campaña periodística contra sus programas sociales. En su carta de despedida de 1954, Getulio Vargas había escrito sobre la presión del capital extranjero y el ciclo préstamo-deuda: *"Não querem que o povo seja independente. Assumi o Governo dentro da espiral inflacionária que destruía os valores do trabalho. Os lucros das empresas estrangeiras alcançaram até 500% ao ano. Nas declarações de valores do que importávamos existiam fraudes constatadas de mais de 100 milhões de dólares por ano..."*

Como parte de una vieja lógica regional, los dictados políticos de las poderosas empresas y financieras estadounidenses que decidían sobre el crédito otorgado o el bloqueo concedido según las reglas del libre mercado, iban complementado con el brazo armado de los ejércitos nacionales y su correspondiente ideología y repetido discurso sobre el patriotismo. En Brasil, la CIA, la USAID, el Embajador Lincoln Gordon y la misma llegada de los Cuerpos de Paz no sólo apoyaron económicamente a sus políticos y periodistas favoritos sino también a los grupos paramilitares, parapoliciales y paranormales. De forma más legal, en 1949 el Pentágono había asistido a Río para crear la Escola Superior de Guerra. Aunque la institución militar, como las iglesias, se declara apolítica y neutral, sus graduados reciben una instrucción acorde con la tradición de la derecha latinoamericana.

Apenas João Goulart fue confirmado como presidente en 1961, los agentes de la CIA comenzaron a llegar en mayor número con la misión de desestabilizar al peligroso antipatriota. Aunque hubo esfuerzos diplomáticos para seducir a Goulart para alinearse con las políticas de Washington, la conclusión fue lapidaria. Nada que hacer con el muchacho. Es zurdo, no se dobla, no entiende.

Además de grandes recursos técnicos y logísticos, la Agencia cuenta con grandes sumas presupuestales para decidir sus inversiones y comienza por apoyar a los grupos contra el gobierno, como el Instituto Brasileiro de Ação Democrática, grupo conservador y con gran poder económico fundado en 1959 para combatir al presidente Juscelino Kubitschek, por entonces considerado *populista*. El agente de la CIA Philip Agee recordará que antes del golpe la CIA había trabajado por más de dos años con *"la misma estrategia usada contra los presidentes [José María] Velasco y [Carlos] Arosemena Monro unos años antes en Ecuador: financiar las protestas con el viejo tema*

---

demonizarán y silenciarán esta corriente latinoamericana, la que será desplazada por los misioneros anglosajones y las más poderosas iglesias protestantes llegadas desde Estados Unidos con sus banderas de neutralidad política.

de 'Dios, la patria, la familia y la libertad'. Sin lugar a dudas, la caída de Goulart fue producto de la cuidadosamente planificada campaña propagandística que había comenzado antes de la campaña electoral de 1962". Dos años más tarde, el Congreso de Washington inicia una investigación sobre la legalidad de las intervenciones de la CIA, debido a un gasto de 20 millones de dólares. Pero todo queda en la nada debido a que cinco de los nueve miembros del comité de investigación habían recibido dinero de la CIA. Por si no fuese suficiente, los tres bancos involucrados en las maniobras (el First National City Bank, el Bank of Chicago, y el Royal Bank of Canada) se niegan a aportar datos sobre los donantes.

Una vez consolidada la dictadura del general Humberto Castelo Branco, megaempresas como la Swift & Company, la Volkswagen y Rio Tinto comienzan a recibir privilegios impositivos para contribuir al orden y al progreso del país tropical. Sus trabajadores y los sospechosos de organizar reuniones sindicalistas serán acosados y torturados en la sagrada lucha contra el comunismo. La Teología de la Liberación será prohibida, tan prohibida como las ciencias durante la Inquisición europea o como Jesús en tiempos de Jesús. Cientos de curas desaparecerán o serán asesinados por ofensas como aparecerse por una comisaría para preguntar por sus amigos desaparecidos. Algunos, como los seminaristas dominicanos (según fueron registrados por el consulado estadounidense el 10 de diciembre de 1969) fueron arrestados bajo la acusación de "terrorismo" por su insistencia en la defensa de la lucha contra "la injustica económica y social". Esas no son cosas de curas, ni de seminaristas, sino de marxistas. En la misma línea, el educador más célebre de la historia de Brasil, Paulo Freire (autor de *Pedagogía de la liberación* y de una profunda crítica al anacrónico sistema educativo) es encarcelado y luego expulsado del país *"por ignorante"*.[119]

El "Milagro brasileño", como el "Milagro chileno", recibirá protección y préstamos multimillonarios aprobados por Washington. Entre sus logros se contará una población inoculada por la narrativa de la CIA. Por generaciones por venir, incluso décadas después del fin de la Guerra Fría, toda revolución,

---

[119] Al igual que cientos de religiosos sospechosos en la región, el obispo de Nova Iguazú, Dom Adriano Hipólito, por denunciar a la Alianza Anticomunista de Brasil (AAB) como un escuadrón protegido por las autoridades, fue secuestrado, torturado y abandonado a un costado de un camino rural. Pero suerte corrió el sacerdote jesuita João Bosco Burnier, quien el 11 de octubre de 1976 fue a una comisaría para denunciar la tortura de dos campesinas y al día siguiente fue ejecutado por la policía en Mato Grosso. Diferentes documentos desclasificados (como el procedente del Departamento de Estado y fechado el 10 de diciembre de 1969) revelarán el arresto de religiosos bajo la conocida acusación de "terrorismo" por su activismo en favor de la "justicia social". La lista es demasiado larga para un libro.

todo lucha social por reformas y justicia social serán demonizadas como propaganda comunista. El eterno país del futuro también se convertirá en el país con la mayor brecha social del mundo y confirmará su estado de subdesarrollo crónico.

João Goulart morirá en Argentina de un infarto, el 6 de diciembre de 1976. Cuarenta años después, en una conversación privada, el agente de la dictadura uruguaya Mário Neira Barreiro confesará, sin saber que estaba frente al hijo de su víctima, que Jango había sido asesinado con fármacos para que parezca un paro cardíaco. La operación a cargo llevará el nombre de *Operação Escorpião*, otro resultado de una coordinación entre la CIA y la Operación Cóndor. Las declaraciones de Barreiro serán ratificadas ante la policía federal de Brasil el 29 de enero de 2008.

En 2014, para celebrar el 50 aniversario del golpe de Estado, el futuro presidente de Brasil, el capitán Jair Bolsonaro, continuará repitiendo la versión inventada en 1964: *"Estávamos à beira de ser implantada aqui a ditadura do proletariado. Os empresários e a igreja queriam que os militares assumissem o poder. Ou seja, toda sociedade queria afastar o fantasma da ditadura do proletariado que estava presente em nosso país"*. Los empresarios, la iglesia y los militares (*"es decir, toda la sociedad"*), siempre defendiendo la democracia contra la interferencia extranjera...

1964. Si el golpe blando funciona, mucho mejor

GEORGETOWN, GUYANA. 7 DE DICIEMBRE DE 1964—MÁS del noventa por ciento de la población participa en las elecciones para primer ministro. El oficial del Consejo de Seguridad Nacional de Estados Unidos, Gordon Chase, reporta sobre la respuesta ciudadana: *"es una excelente noticia, suponiendo que lo han hecho como esperamos"*. Al día siguiente el conteo de votos no resulta como lo esperado pero eso tiene solución. El Primer ministro rebelde, Cheddi Jagan, ha obtenido más votos que en las elecciones pasadas (del 43 ha subido al 46 por ciento) y su adversario, el candidato financiado y apoyado por la CIA con múltiples acciones de boicot, propaganda y de protestas encubiertas, Forbes Burnham, se queda con el 41 por ciento, exactamente igual que en las elecciones de 1961. Sin embargo, debido a la manipulación del nuevo sistema electoral promovido en secreto por Washington, ahora Burnham ha duplicado sus escaños de 11 a 22. Peter D'Aguiar, el tercer candidato promovido y apoyado por la CIA, alcanza a hacerse con el 12 por ciento de los votos, mientras que su tercer candidato no logra ni un escaño. Aunque el partido de Jagan ha ganado el voto popular y la mayoría en el parlamento, el gobernador británico saliente, informado por años de las preocupaciones en

Washington, decide que Burnham será el nuevo Primer ministro de la nueva nación y obliga a Jagan a renunciar. En 1962, el presidente John F. Kennedy le había informado al Primer ministro británico que la sola idea de un país independiente dirigido por Cheddi Jagan lo perturbaba: *"simplemente no podemos tolerar el establecimiento de otro estado al estilo de Castro en nuestro hemisferio"*.

En 1804 Thomas Jefferson había dicho lo mismo de Haití, por entonces Saint Domingue, y también había ordenado medidas similares de acoso y castigo. Jefferson había apoyado la independencia de la isla porque no quería otra potencia imperial en el hemisferio y, luego de que en ese año Haití se convirtió en la primera república libre de las Américas, Jefferson no la reconoció. Por el contrario, bloqueó y llevó a la hambruna al pueblo bajo el "régimen de Toussaint Louverture" con un embargo comercial. Por entonces, la economía haitiana se encontraba empobrecida por la larga y violenta rebelión contra el imperio francés, al que además debió compensar por daños de guerra hasta mediados del siglo XX. El argumento por entonces no tenía nada que ver con el comunismo sino con los negros. Permitir un mínimo ejemplo de independencia latinoamericana y de libertad de hombres de piel oscura era un terrible mal ejemplo para los negros esclavos que tenía en su país y en su pulcra, admirada, próspera y endeudada residencia de Monticello. Como hiciera en 1960 Fidel Castro al visitar la Casa Blanca poco después de la Revolución cubana, en 1804 el nuevo líder de la Revolución haitiana Jean-Jacques Dessalines le había escrito al presidente Jefferson expresando su deseo de mantener relaciones comerciales con su país, pero Jefferson nunca le contestó. Eisenhauer nunca recibió a Castro y, en su lugar envió a Richard Nixon a que lo entretenga mientras continuaban planeando la invasión de Playa Girón. El problema no era el comunismo de los otros sino la independencia de un país bajo la Doctrina Monroe y un posible mal ejemplo de éxito o, al menos, de una nueva alternativa. En 1821 el Congreso se negó a reconocer la independencia de República Dominicana para no tener cónsules negros o mulatos que pasearan su mal ejemplo de éxito entre los negros esclavos del gran país de la libertad. Durante el resto del siglo pasado y las primeras décadas de éste, las múltiples intervenciones militares en la región fueron motivadas por intereses económicos y hegemónicos en base a la convicción declarada de la superioridad racial anglosajona, elegida por Dios, y la incapacidad mental de los negros del sur (es decir, cualquiera que no fuese anglosajón), a quienes se les hacía un favor humanitario no dejándolos decidir sobre sus propios países y sus propias vidas aunque para ello se tuviese que matar a unos pocos cientos de miles de humanoides y se tuviese que imponer decenas de sangrientas dictaduras amigas que, sólo por casualidad, dejaron interesantes beneficios.

Como en tantos otros casos, Kennedy le ordenó a la CIA impedir que Cheddi Jagan acceda al poder interviniendo en las elecciones para primer ministro de la Guyana británica, en el proceso de obtener su independencia de Gran Bretaña. Jagan ganó las elecciones de 1961 y se convirtió en Primer ministro hasta que en 1964 se presentó a las elecciones para una Guyana ahora independiente. Entre ambas elecciones, Washington había presionado a Londres para retrasar la independencia de Guyana mientras sus ingenieros políticos cambiaban el sistema electoral de una elección directa a otra más indirecta, con el único objetivo de evitar un triunfo de Jagan. La propuesta había sido apoyada por el candidato de la oposición, el nuevo amigo de la CIA Forbes Burnham.

Desde los primeros registros, los servicios de inteligencia de Estados Unidos habían descrito a Jagan como un comunista, lo cual había sido cuando inició su actividad política décadas atrás antes de fundar y militar en partidos socialistas y progresistas. Los informes de inteligencia reconocieron, una y otra vez, no haber podido encontrar ningún vínculo de Jagan con Moscú o con alguna organización soviética, pero sí encontraron una conexión directa con el comunismo de su esposa, la estadounidense Janet Rosenberg, a quien el futuro padre fundador de Guyana había conocido mientras estudiaba en Chicago.

Para el 25 de octubre de 1961, el Departamento de Estado había fijado una reunión de Jagan con Kennedy, pero no logra negociar cómo sería presentado el nuevo líder sudamericano. Jagan había insistido en definirse como socialista. Para no herir sensibilidades, había agregado que seguía la línea del socialista y líder del partido laboral inglés Aneurin Bevan. Pero nada de eso importó, porque en el fondo no era un problema ideológico sino de independencia y de mal ejemplo. Un socialista sudamericano no es lo mismo que un socialista del Imperio británico, por alicaído que se encuentre. Una vez arribado a Nueva York, la CIA, el FBI y el resto de los colaboradores del gobierno analizan cada palabra y cada coma de Jagan buscando al comunista escondido detrás de esa cara de hindú bueno. Como sus palabras no pudieron condenarlo, lo condenó su política de impuestos en Guyana, bastante similar a las de cualquier país europeo pero que en su caso fueron considerados una prueba de sus tendencias marxistas leninistas. Los informes de la CIA vuelven a confirmar que Jagan no tiene relaciones con Moscú ni con algún interés soviético, temores por los cuales Churchill ya había removido a Jagan de su cargo de Primer ministro en 1953. Este detalle se archiva.

Para terminar con la serie de triunfos electorales y manifestaciones populares en favor de Jagan, la CIA invierte en un nuevo líder, Forbes Burnham. Irónicamente, Burnham se había separado de su camarada por razones aparentemente ideológicas: Jagan era socialista y Burnham era comunista. Pero los servicios de inteligencia son como los topos; viven bajo tierra, su escasa visión les impide ver las consecuencias de sus actos, pero en cambio tienen un gran olfato para detectar a sus presas.

En mayo de 1963, Forbes Burnham había visitado Washington para solucionar el problema. La CIA entendió que la mejor opción era apoyar al ex compañero de Jagan, cuyos principios ideológicos eran más bien controlables y tenía la ventaja de ser alguien fácil del cual desvincular cualquier sospecha en caso de ser necesario un golpe de Estado. Ente los placeres diplomáticos que siempre incluyen buenas noches, Burnham no se había hecho rogar y aceptó el apoyo económico de Washington para su futura campaña electoral.

En abril de ese mismo año se realizó una huelga general contra el gobierno de Jagan. Los organizadores recibieron 800.000 dólares para mantener la presión y generar inestabilidad, lo cual incluyó la explosión de bombas en edificios del gobierno.[120] Al menos doscientas personas murieron en esta disputa antes de las elecciones. En marzo, Jagan había expulsado a uno de los agentes de la CIA, Gene Meakins, quien estaba dedicado a editar un semanario y una estación de radio contra el gobierno. Para junio varias casas comenzaron a arder en Georgetown y 15.000 personas debieron huir a la periferia.

Pese a esta fuerte campaña conspiratoria, Jagan gana otra vez las elecciones, esta vez con un mayor margen, pero su rival Burnham se convierte en el nuevo Primer ministro. Burnham volverá a ganar las elecciones en 1968 con la ayuda de la CIA y se consolidará como el dictador corrupto que fue desde el principio. Como muchos otros dictadores corruptos puestos por Washington, un día se le ocurrirá jugar al niño rebelde e independiente.

Esta vez no fue necesario el Plan B. Si un golpe de Estado suave es suficiente, mucho mejor. Al fin y al cabo, ese ha sido siempre el Plan A.

1964. OEA, todos para uno y uno para todos

MONTEVIDEO, URUGUAY. 25 DE JULIO DE 1964—Después de sumar con Brasil una nueva dictadura militar en América latina, Washington insiste con excluir a Cuba de la OEA por ser una dictadura. Millones en el continente apoyan la idea. El fascismo destruye cualquier foco de democracia para salvarnos del comunismo, incluso donde hay menos comunistas que en Texas o Nueva York. El 25 de julio, México, Chile y Uruguay se oponen a la expulsión.

Luego de la derrota en Bahía Cochinos, Washington se había obsesionado con Cuba. Todo presidente sospechoso de no alinearse en el bloqueo

---

[120] Casi siete millones de dólares al valor de 2020.

contra la isla se convierte en enemigo político y, sobre todo, en objetivo militar. El año pasado, el presidente de Ecuador, Carlos Julio Arosemena, aunque era favorable a la propiedad privada y al libre comercio, había sido derrocado por un golpe de Estado auspiciado por la CIA. Su pecado, aparte de no ser un capitalista radical, consistió en ejercer la soberanía de su país y no romper relaciones con Cuba.

En Argentina, al presidente electo Arturo Frondizi no le fue mejor. Aunque también había asegurado que no era comunista y se ofreció como mediador entre Washington y La Habana, en la reunión de Punta del Este de enero se abstuvo de votar en favor de la resolución de Estados Unidos para expulsar a Cuba de la OEA. Para peor, luego tomó unos mates con Ernesto Che Guevara, lo que propició un acto de desagravia al mate por parte de grupos puritanos uruguayos. Mientras algunos peones rurales estaban ocupados en estas discusiones irrelevantes alrededor de sus radios AM, en Washington se discutía el futuro del presidente argentino, un presidente lejos del nacionalismo de Perón y con voluntad de poner en práctica los planes de la Alianza para el Progreso de Kennedy.

Aunque Frondizi finalmente cede ante las presiones de sus generales para romper relaciones diplomáticas con Cuba, de todas formas, el 29 de marzo de 1962 es depuesto por otro golpe de Estado. Los medios y los militares se cuidan de ocultar cualquier interferencia al respecto, pero un cable secreto del Departamento de Estado fechado el 10 de febrero a su embajada de Buenos Aires no dejó muchas dudas: *"apoyamos los cambios en la política internacional producidos por la presión militar"*.[121] El 13 de abril, el embajador Robert Mills McClintock recomendó a Washington reconocer el nuevo régimen de José María Guido mencionado que la plataforma de los oficiales argentinos es totalmente compatible con los intereses de Washington. En una carta fechada el 31 de mayo, el embajador lo confirmó, pese a las dudas de algunos críticos en Estados Unidos: *"los militares argentinos serán de una gran utilidad si se los sabe usar apropiadamente"*. Seis días después el presidente Kennedy reconocía oficialmente al nuevo gobierno de facto como legítimo. Un mes después, aprobó 50 millones de dólares en créditos para Argentina y logró que el FMI otrogase otros 100 millones para asegurar el éxito de otra dictadura amiga.

Medio siglo después, en sus memorias, el agente de la CIA Howard Hunt reconocerá que *"como muchos otros involucrados, yo tampoco pude nunca superar el trauma de Bahía Cochinos"*, por lo que se había desplegado un plan más vasto y a largo plazo llamado Operación Mangosta. La operación,

---

[121] Otro hecho que precipitó este golpe fue el triunfo del peronismo en varias provincias, incluida la provincia de Buenos Aires, en las elecciones de 1962. Ni Washington ni su brazo armado en el país estaban dispuestos a una oposición política de ese tipo.

supuestamente secreta, tendrá un efecto devastador para Cuba pero no logrará su objetivo de cambiar el régimen político en la isla. Tampoco tendrá éxito en sus seiscientos intentos para asesinar a Fidel Castro, ni siquiera con la colaboración de la mafia italiana que quiere recuperar los casinos de La Habana ni con todos los colaboradores latinoamericanos de la CIA. Según el mismo Hunt, esta operación estaba dirigida por William Harvey, otro borracho que cuando iba a un restaurante ponía su pistola sobre la mesa para apurar a la mesera.

No muy diferente es la política internacional, sólo que Harvey es lo que es, un agente de la CIA, la comida es Cuba y la mesera es el resto de los países latinoamericanos. Claro que algunos países son más difíciles que otros. En Montevideo, el agente de la CIA Philip Agee resume en su diario la frustración de los esfuerzos para que Uruguay, pese a su gobierno conservador, acepte las decisiones de Washington. Hasta el momento, todos los esfuerzos han sido en vano. El problema es que *"Uruguay tiene una larga tradición contra los intervencionismos de unos países sobre otros"*. Sin embargo, todavía es posible inventar que los cubanos tienen operaciones en ese país: *"Podemos escribir documentos con un poco de información y mucha imaginación"*, escribe Agee.

En este sentido, la CIA vuelve a invertir en la prensa y planta nuevos artículos y editoriales anónimas en *El Día*, *El País* y *El Plata* para crear un ambiente hostil que termine en el rompimiento de relaciones con Cuba, según lo indicado por la OEA, lo que finalmente se logra el 8 de setiembre de 1964 en una votación dividida. Al enterarse, los manifestantes que esperaban la decisión en la Plaza Independencia abandonan su vigilia frente a la casa de gobierno y se dirigen a la histórica avenida 18 de Julio y rompen las vidrieras de algunos comercios. La regla de oro nunca se devaluará: no hay nada mejor para justificar más represión que un poco más de protestas violentas. Las clases medias siempre le temen más a los reclamos desordenados de los de abajo que a los abusos sistemáticos de los de arriba. Poco después, la Universidad de la República es sitiada por la policía.

En la reunión de Estados americanos de 1954 llevada a cabo en la Venezuela del dictador amigo Pérez Jiménez, la OEA había condenado el comunismo en Guatemala, un comunismo inventado por la CIA de cabo a rabo. De la misma forma que por entonces la OEA condenó a Guatemala al infierno, ahora se hace eco de la nueva campaña diseñada por Washington. La diferencia es que Cuba sí es un país comunista y, como reconocerán los mismos analistas de la CIA, Ernesto Guevara y Fidel Castro aprendieron de la derrota de la democracia en Guatemala lo que Washington no aprendió de su devastador éxito de imponer otra dictadura con la sola fuerza de la propaganda. A Washington no le duele que una isla sea comunista sino que algún país, sobre todo si es pobre y pequeño, se atreva a desafiar sus deseos. Eso establece un muy mal precedente.

Ahora, el único país que no rompe relaciones con Cuba es México. El agente Philip Agee tiene una explicación: la CIA quería mantener desde México un canal de infiltración en la isla rebelde.

1965. El marine rebelde

DELANO, CALIFORNIA. 17 DE MARZO DE 1966—Cuatro años después de que el jornalero César Chávez y la maestra Dolores Huertas fundasen el sindicato United Farm Workers of America, marchan junto a los trabajadores filipinos hacia Delano para reclamar por condiciones de trabajo dignas para los trabajadores agrícolas. Bajo el estandarte de la virgen de Guadalupe y el lema "*Sí se puede*", miles de jornaleros y voluntarios caminan, con zapatos o descalzos, por 400 kilómetros. Poco después se realiza en Delano una asamblea abierta en la que participan el sheriff Kern County y el senador Robert Kennedy. Kennedy cuestiona las detenciones de los manifestantes. El sheriff responde que tuvo que detener a los trabajadores por información recibida de los propietarios de las plantaciones de que los huelguistas eran gente peligrosa organizando una revuelta.

—¿Cómo puede usted arrestar a gente que ni siquiera ha violado ninguna ley? —pregunta el senador Robert Kennedy.

—Estaban listos para violarla— responde el sheriff.

La rebelión de César Chávez, como la de Martin Luther King, continúa la filosofía y la estrategia de Mahatma Gandhi. Como Gandi, los chicanos entienden que deben caminar despacio y en silencio, pero con determinación. Cualquier otra opción será usada como una nueva excusa en su contra.

Terminada la Segunda Guerra mundial, en enero de 1948 el joven marine nacido en Arizona y con aspecto de mexicano pobre, a la vuelta de Guam, había entrado a una sala de cine de San José y se había sentado en una de las butacas del medio, reservadas a los verdaderos americanos. Todos lo conocían como CC, y si CC se sentaba en el medio, los demás de su condición también. Chávez había abandonado la Marina y se había dedicado a trabajar como jornalero en los campos de California. Con su esposa, Helen Fabela, se había radicado en Sal Si Puedes, en San José, donde conoció al padre Donald McDonnell. En un acto conocido como subversivo o peligroso, el cura del barrio le solía prestar todo tipo de libros. A partir de ahí CC no pudo dejar de leer. Quería saber por qué el mundo es como es y descubre que los hombres lo hicieron así. En 1952, mil jornaleros de Corcoran, California, se habían animado a abandonar la plantación para discutir ciertos planes de unos sindicalistas que habían llegado de otras plantaciones. Según ellos, trabajar sin derechos y por salarios de hambre no servía o no era justo. Entre los jornaleros que ese año interrumpieron la labor antes de tiempo estaba el joven César Chávez y desde entonces se suma al llamado de La Causa. En 1957, el FBI abrirá un archivo con su nombre, por la sospecha de que su actividad en favor de los sindicatos, de las organizaciones comunales y del registro de jornaleros para votar en las elecciones está inspirado en el marxismo.

César Chávez será el rostro más visible de un movimiento plagado de líderes comunales que se organizarán contra la discriminación racial y la explotación de clase. Vegetariano, en favor de los derechos de los homosexuales y activista contra los pesticidas, organizará varias huelgas de trabajadores rurales y se someterá él mismo a huelgas de hambre. Logrará convertir en ley varios derechos laborales y reivindicará el orgullo de ser diferente por diferentes razones. En 1969, Rodolfo *Corky* Gonzales organizará una conferencia de chicanos. Los mexicoamericanos ya no lucharán por ser reconocidos como "otro tipo de caucásicos" sino por reconocer a quienes los miran cada mañana en el espejo. El Movimiento, como se llama su movimiento, mira hacia la historia para apoyarse en un mito fundacional y descubre Aztlán, la antigua residencia de los aztecas que ahora se desgaja en diversos estados de Estados Unidos.

1965. Cambio de estrategia

SAN ISIDRO, REPÚBLICA DOMINICANA, 30 DE ABRIL DE 1965—Durante la madrugada, como el déjà vu de un 5 de mayo medio siglo atrás, 23.000 marines desembarcan en la base militar ubicada a veinte kilómetros de la capital. Tres días antes, Washington le había ordenado a su dictador interino, el general Antonio Imbert Barrera, que solicitara la intervención inmediata de Estados Unidos. Como en 1916, ahora la operación es justificada por el presidente Lyndon Johnson con las mismas buenas intenciones de entonces: *es necesario poner orden en el caos de la república caribeña*. Ya no se habla de negros libidinosos ni de razas inferiores incapaces de gobernarse a sí mismas. Ahora hay un nuevo ingrediente que se le agrega hasta en la sopa: es para evitar que la republiqueta caiga en manos de los comunistas, enemigos de la democracia y de la libertad de los pueblos.

En 1961, luego de décadas de abusos de poder y de flagrantes violaciones a los derechos humanos, la CIA había decidido apoyar el asesinato de uno de sus dictadores favoritos, el Generalísimo Rafael Trujillo.[122] Por entonces, ni el senador McCarthy ni el más fanático anticomunista hubiese imaginado que Washington se sacaría de encima al sangriento dictador que sus mismos marines entrenaron y empujaron al poder en los años veinte, y que Washington apoyó de forma incondicional a lo largo de más de treinta años.

En su juventud, Trujillo se había destacado como policía por su crueldad y falta de escrúpulos, mucho antes de ser sentado en el poder para continuar dando riendas sueltas a sus apetitos sexuales y políticos, permitiéndole organizar una mafia de dictadores en el Caribe para actuar contra sus críticos, como lo hará Augusto Pinochet décadas más tarde, en el mismo territorio de Estados Unidos, y para acosar a cualquier régimen o presidente que pudiese ser hostil a sus intereses y a los intereses de Washington.

Luego del fiasco de Bahía Cochinos en Cuba y del atentado que sacó del medio al dictador Trujillo, una junta militar prometió organizar elecciones libres. Washington apoyó el plan y, no por pura casualidad, en el 20 de diciembre de 1962 fue elegido el candidato moderado y ex colaborador de la CIA, Juan Bosch. Por entonces, el presidente venezolano Rómulo Betancourt le había asegurado al presidente Kennedy que Bosch no duraría mucho en el cargo. No sin correcta ironía, Betancourt había razonado que, siendo un novelista de izquierda, Rómulo Gallegos había durado nueve meses en la presidencia de Venezuela hasta el golpe de 1948. Siendo un escritor de cuentos, su colega de República Dominicana, Juan Bosch, duraría menos. No se equivocó. [123]

Eliminado Trujillo por razones de retórica, el presidente John Kennedy había apoyado al gobierno de Bosch con cientos de millones de dólares. Pero pronto concluyó que Bosch era demasiado benevolente con la izquierda de su país. Para peor, había agarrado la costumbre de hablarle a los campesinos y a los empresarios por igual, lo que puso en alerta a la jerarquía de la iglesia y a la clase dirigente que lo acusó de comunista. Peor aun cuando se le ocurrió

---

[122] Según el reporte final de la Comisión Church del Senado en Washington que se publicará en 1976, *"Estados Unidos había apoyado a los asesinos del dictador Rafael Trujillo para evitar una revolución semejante a la de Castro"*.

[123] En los años cincuenta, Betancourt había acusado a Trujillo de ser un dictador protegido por Estados Unidos, por lo cual Trujillo ordenó su asesinato. El atentado frustrado, que dejó secuelas físicas en el presidente venezolano, fue organizado por el exilio venezolano y se realizó en Caracas el 24 de junio de 1960, un año antes de que la CIA decidiera que Trujillo pertenecía a una estrategia pasada de moda. Este cambio no duró mucho tiempo. Sobre todo, con el regreso de Richard Nixon a la Casa Blanca y, más tarde, de Ronald Reagan. Entonces, las recetas del pasado (un dictador amigo es mejor que un demócrata independiente) volverán al primer lugar en la lista de preferencias de la CIA y de Washington.

promover una reforma constitucional y algunas leyes a favor de los trabajadores, los sindicatos, las mujeres embarazadas, los mendigos y los huérfanos. Según un escrito del mismo Bosh desde su exilio en Puerto Rico, "*John Bartlow Martin sabía, porque había sido Embajador norteamericano en Santo Domingo durante más de un año, que en mi país no había comunistas suficientes ni para administrar un buen hotel, mucho menos el país. Pero el embajador Martin no tenía preparación suficiente para distinguir entre una revolución democrática y una revolución comunista. Si el pueblo estaba armado y disparaba aquí y allá, eso era comunismo*". En Washington, el senador William Fulbright está de acuerdo y protesta contra la costumbre de identificar cualquier revolución latinoamericana con el comunismo.

Para 1963, la oligarquía católica ya había removido a Bosch con un golpe militar. Lyndon Johnson reconoció sin demoras al nuevo gobierno golpista y redobló la ayuda económica. Como ocurrirá con la invasión de Irak en 2003, también el gobierno de Johnson había recibido "información incorrecta" por parte de la CIA. Correctamente incorrecta. En parte, como observó un funcionario de la embajada, porque sus informantes eran los dominicanos bien vestidos, los católicos que hablaban inglés. En parte, porque los agentes secretos y los oficiales de la embajada siempre exageraban una posible influencia comunista hasta hacer temblar al nuevo ocupante de la Casa Blanca. Cuantos más comunistas, reales o ficticios, más millones de dólares para los operativos secretos y para las oligarquías criollas. Pero el Partido Socialista Popular, el Movimiento Revolucionario 14 de Junio, el Movimiento Popular Dominicano y hasta los pocos comunistas de la isla estaban a favor de la continuidad constitucional del gobierno de Bosch y, luego del golpe, en favor de su retorno, al extremo de ser acusados de "*rebeldes constitucionalistas*".

Como es costumbre, el golpe de Estado contra Bosch, encabezado por el general Wessin y Wessin, ocurrió en el mes de septiembre y fue seguido de una junta de militares patriotas. La junta sentó en el sillón presidencial a Donald Reid Cabra y Washington lo premió con cien millones de dólares (850 millones al valor de 2020). Nuevo cambio de estrategia: en lugar de depender de un dictador como Trujillo, alguien que puede ser objeto de críticas fáciles y puede ser fácilmente eliminado, lo que ahora se lleva es apoyar juntas militares que operan como empresas monopólicas, mucho más estables en caso de magnicidio y mucho más alejadas de la palabra *dictador*, como es el novedoso caso de Cuba.

Luego de una serie de *correcciones* sociales por parte del nuevo régimen, el pueblo dominicano se levantó contra la Junta reclamando el regreso de Bosch. Una parte del ejército se hizo eco de estas protestas, pero la facción leal solicitó la intervención militar de Estados Unidos por orden de Estados Unidos. Según reportó el embajador William Tapley Bennett al director de la

NSA y al Departamento de Estado el 28 de abril, durante varios días militares como el coronel Pedro Bartolomé Benoit les habían estado rogando asistencia militar. El telegrama en inglés es una traducción del pedido (ahora perdido) de los militares patriotas de la isla a Washington: "*La junta militar de gobierno, consciente del actual movimiento revolucionario contra las instituciones democráticas que representa nuestra junta, está dirigida por comunistas... como lo demuestran los excesos cometidos contra la población, asesinatos masivos, saqueos de la propiedad privada... Solicitamos, con responsabilidad y de forma categórica, que el Gobierno de los Estados Unidos nos preste su asistencia militar ilimitada y de forma inmediata para que esta grave situación sea definitivamente controlada*". Las masacres por parte de los rebeldes comunistas nunca existieron y los pocos comunistas que había en la isla ni siquiera tenían la más mínima posibilidad de enfrentar al ejército dominicano.

De cualquier forma, la solicitud oficial del ejército dominicano era la formalidad que había estado esperando Washington. En cuestión de horas, miles de marines se habían dirigido a la isla para reprimir a los manifestantes seguidores del expresidente Bosch. La OEA, haciendo honor a su tradición de independencia, había creado la Fuerza Interamericana de Paz para apoyar la invasión, fuerza integrada por soldados de seis países, cinco de los cuales son dictaduras leales a Washington. Luego de 2.850 dominicanos muertos en los operativos de invasión y luego de la elección (con el apoyo económico de Washington) de Joaquín Balaguer como presidente, las fuerzas invasoras se retirarán. Joaquín Balaguer será reelecto presidente varias veces y varias veces reprimirá con violencia todas las manifestaciones populares, sean sindicatos de obreros o gremios de estudiantes, como si fuesen el mismo diablo comunista. Al menos 11.000 dominicanos serán asesinados y desaparecidos y 45.000 haitianos trabajarán como esclavos en las plantaciones de azúcar para competir con las exportaciones de la dictadura cubana. Con la generosidad que caracteriza a los países ricos y democráticos, Estados Unidos otorgará miles visas de refugiados a los seguidores de Bosch, para evitar mayores problemas en la isla.

En las décadas por venir, una de las esperanzas de la CIA en los años cincuenta, José Bosch, se inclinará cada vez más hacia la izquierda e insistirá en varias elecciones hasta que en 1990 sea derrotado por el 0,5 por ciento de los votos en unas elecciones manipuladas por el gobierno a favor de Joaquín Balaguer. Balaguer seguirá presentándose a más elecciones hasta que cumpla 90 años. En 1994 vencerá al candidato afro dominicano José Francisco Peña Gómez, por el mismo margen, bajo las mismas acusaciones de fraude y pese a haber sido acusado de portar algo de sangre haitiana.

A la una y media de la tarde del 25 de marzo de 1988, en el Rose Garden de la Casa Blanca, poco después de un almuerzo abundante con otro latinoamericano simpático, el presidente Ronald Reagan leerá un discurso en honor de un amigo del cual no recuerda su nombre: "*El presidente Balaguer ha impulsado el desarrollo democrático de su país. En 1966 logró recuperar la democracia en la República Dominicana después de años de inestabilidad y conflictos. De hecho, podríamos decir que Balaguer es el padre de la democracia dominicana... Compartimos los mismos principios democráticos... Usted es un líder de la libertad, de la democracia y de la paz*". Como en tantos otros casos, el presidente de turno leerá las tres páginas que los profesionales de la literatura política escriben para los presidentes que no entienden mucho de qué va la cosa.

Allá lejos, en tierras del realismo mágico, el espíritu sin descanso del Generalísimo Rafael Trujillo no renunciará a caminar cada noche por las calles de la que fuera su ciudad. En 2013, en Santo Domingo, el Tribunal Constitucional, en una extraña resolución retroactiva, revocará la ciudadanía a 250.000 descendientes de haitianos sin papeles, muchos de los cuales habían emigrado medio siglo atrás, violando la constitución dominicana y los derechos humanos más básicos. Para entonces, República Dominicana dejará de ser importante para Washington y podrá dedicarse al turismo sin tantas interrupciones anticomunistas.

1965. La academia infiltrada

SANTIAGO DE CHILE. 22 DE ABRIL DE 1965—El profesor Galtung escribe una carta rechazando la invitación para participar en una conferencia el próximo mes de junio. Galtung se encuentra en el país trabajando con la Facultad Latinoamericana de Ciencias Sociales, FLACSO. En su carta, enumera varias razones por las cuales no puede aceptar la invitación, entre ellas porque, al parecer, el proyecto al cual es invitado se sostiene con dinero del ejército estadounidense, porque el objetivo declarado es estudiar a los supuestos grupos insurgentes de la región, y porque, claramente, revela un carácter imperialista en la gestión de los conflictos sociales, como el hecho de concentrarse en desarrollar estrategias de contrainsurgencia en lugar de estudiar las razones y los efectos de la lucha contra las intervenciones de Washington.

El documento fundador de Camelot, escrito en inglés y fechado el 4 de diciembre del año pasado, establece el "*estudio de las condiciones sociales, políticas y militares para luchar contra la insurgencia en países en vías de desarrollo*", con particular atención a América Latina, además de disponer "*de un millón y medio de dólares anuales*" (más de 12 millones al valor del año 2020).[124] El profesor Galtung pregunta algo por demás obvio que, quienes están sumergidos en la cultura de poder, no pueden ver: ¿por qué hay estudios sobre cómo puede proceder Estados Unidos en América Latina en caso de conflictos internos y no hay estudios sobre cómo puede intervenir América Latina en Estados Unidos en casos similares?

El nexo para esta infiltración y explotación de la red académica latinoamericana por parte del Ministerio de Defensa de Estados Unidos es un chileno nacido en Italia, ahora profesor de la Universidad de Pittsburg, Hugo G. Nutini, deseoso y dispuesto a servir a su nuevo país a cualquier precio, económico y moral.[125] Otros, como el chileno Álvaro Bunster y los estadounidenses Roy Hansen y Lewis Coser, experto en "Teoría del conflicto", participan en el Proyecto Camelot.[126] Quien destapa la caja de Pandora es otro extranjero, el profesor noruego Johan Galtung, quien también se da cuenta de la manipulación de los documentos recibidos por Nutini para esconder la participación del ejército estadounidense en el proyecto.

Pero la carta de Galtung no queda ahí. Preocupados por el reciente desembarco de decenas de miles de marines en República Dominicana, otra vez para "estabilizar el país" (seguido por una ocupación que durará más de un año y finalizará formalmente con el restablecimiento de las viejas y conocidas autoridades amigas), los profesores de FLACSO envían una copia de la carta al senado de Chile y, poco después, estalla el escándalo en varios medios de prensa alternativos. Según Irving Louis Horowitz, de la Washington University, varios periodistas chilenos denuncian que el estudio sociológico propuesto y financiado por Washington *revela su intención de estudiar y preparar el terreno político y militar para un futuro golpe de Estado*. El ministro de relaciones exteriores de Chile, Miguel Ortiz (ministro del entonces presidente Eduardo Frei, candidato apoyado por la CIA con millones de dólares en las elecciones del año anterior contra Allende), protesta por los planes de la Alianza para el Progreso que esconde planes de contrainsurgencia

---

[124] Según Irving Horowitz de la Washington University, sólo el año pasado, en 1964, Washington ha invertido 8,6 millones dólares (más de 71 millones ajustados a 2020) en "ciencias sociales", con preferencia en el estudio de la contrainsurgencia.

[125] La oficina encargada del proyecto era la Special Operations Research Office (SOROS) del ejército de Estados Unidos.

[126] Según Robinson Rojas, en su libro *Estos mataron a Allende: Reportaje a la masacre de un pueblo* de 1974, Hansen tenía acceso a los documentos y la biblioteca de las cúpulas del ejército chileno, y terminará escribiendo un informe victimizando al ejército chileno por su escasa participación en la política de su país al mismo tiempo que detecta un sentimiento de desprecio de los generales por la población y, en algunos casos, el deseo de un cambio institucional en donde los militares tengan una participación menos pasiva sobre la política del país. .

en países donde ni siquiera existen grupos insurgentes. El mismo embajador estadounidense en Santiago, Ralph A. Dungan se queja a Washington de la burda maniobra y el Proyecto Camelot es suspendido en Chile y en Colombia (donde había sido bautizado como *"Project Simpático"*), y es reemplazado por nuevas estrategias en base a la fallida experiencia.

El nuevo fiasco, esta vez debido a su paso por la academia *"para el estudio de situaciones de guerra interna"* y de *"guerra psicológica"*, no se detuvo allí. Según el libro que publicará Robinson Rojas en 1974, luego del escándalo y suspensión del Proyecto Camelot *"el trabajo en las Fuerzas Armadas chilenas no se suspendió. Las misiones militares de los Estados Unidos (que tienen su sede en el propio edificio del Ministerio de Defensa de Santiago, vedado a los civiles chilenos) iniciaron una 'asesoría a presión' sobre los planes de estudio de la Academia de Guerra, y recomendaron que todos los alumnos del último curso de la Escuela Militar Bernardo O'Higgins y de la Escuela de Aviación Capitán Avalos, deberían pasar un período de instrucción de cuarenta días en los fuertes del Comando Sur del Ejército de los Estados Unidos, en la Zona del Canal de Panamá"*.

Ahora pongamos las cosas en perspectiva. El 22 de mayo de 1958, el vicepresidente Nixon, luego de su escandalosa visita a América del Sur, en una reunión del Consejo de Seguridad Nacional le había informado a Eisenhower: *"los países del sur se han tomado en serio eso de la democracia y las dictaduras han ido en retirada; sin embargo, lo que en algunos países es bueno, en otros es malo"*. Debido a que los venezolanos en lugar de aplausos recibieron al vicepresidente con escupitajos, algunos senadores ofendidos habían propuesto recortar el gasto en sus ejércitos, pero el senador John F. Kennedy, con una lógica muy simple, explicó por qué ésta era una mala idea: *"Los ejércitos latinoamericanos son las instituciones más importantes en esas países, por lo que es importante mantener lazos con ellos. El dinero que les enviamos es dinero tirado por el caño en un sentido estrictamente militar, pero es dinero invertido en un sentido político"*. Traducido de lo literal a lo conceptual: es cierto que los ejércitos latinoamericanos valen un carajo para cualquier batalla, pero nuestra ayuda económica nos asegura siempre una inestimable influencia en esas instituciones, las cuales son vitales para las decisiones en esos países. Diez años después, el 6 de noviembre de 1970, el presidente Richard Nixon, en una reunión del Consejo de Seguridad, confirmó que siempre será necesario apoyar a los ejércitos latinoamericanos porque *"son centros de poder sujetos a nuestra influencia; los otros, los intelectuales, no"*.

Aunque la estrategia de desacreditación reaccionaria será acusar a las universidades de casi todo el mundo de ser "bastiones del marxismo", en realidad su mayor pecado consistía en ser más diversas y más contestatarias que el resto de la población, por lo cual en sus programas incluía, entre muchos otros, el estudio de las teorías marxistas como cualquier universidad en Estados Unidos. Sin embargo, las universidades de la región eran, sobre todo, independentistas y, en términos económicos, eran keynesianas, como lo había sido el cuatro veces presidente de Estados Unidos Franklin D. Roosevelt, igualmente acusado de socialista pero nunca derrocado por ningún golpe de Estado.

La infiltración, de hecho y a todas luces, no era de Moscú sino de Washington. En algunos casos, como en el Instituto de Educación Política de Costa Rica, el propósito era crear líderes conservadores o promotores de una izquierda obediente que reemplazara a las otras opciones contestatarias. El curso "Entrenamiento de Líderes Políticos, Responsables de la Defensa de la Democracia en América", por ejemplo, estaba a cargo de dos figuras relevantes asistidas por la CIA: el dominicano Juan Bosch Gaviño y el expresidente costarricense José Figueres Ferrer. El instituto fue financiado por la CIA a través de instituciones como la Kaplan Foundation y supervisado por el agente de la CIA, el rumano Sacha Volman. Pese a los esfuerzos, los observadores estadounidenses no entendían por qué sus estudiantes se negaban a condenar a Fidel Castro y, por el contrario, no olvidaban las intervenciones estadounidenses en la región. Cuando Juan Bosch sea electo presidente de República Dominicana en 1962, será derrocado por un golpe militar de la extrema derecha. El presidente venezolano Rómulo Betancourt le había recordado al mismo presidente Kennedy que, siendo un novelista de izquierda, Rómulo Gallegos había durado nueve meses en la presidencia de su país hasta el golpe de Estado de 1948 y que su colega escritor de República Dominicana, Juan Bosch, duraría menos porque era un escritor de cuentos. No se equivocó. Cuando las protestas contra la junta militar se vuelvan incontrolables, Washington enviará 41.000 marines para dar su apoyo moral a la junta y desmantelar los grupos reclamando por el regreso de Juan Bosch.

Considerando los fracasos de las millonarias inversiones de la CIA en propaganda en los medios y en la cultura de las repúblicas del sur luego del golpe de Guatemala, la larga historia de abusos de la Frontera sur a manos de Washington parecía pesar demasiado en América Latina, al menos de forma subconsciente, y la gente continuaba desconfiando de Estados Unidos y pensando en alternativas radicales como la de Cuba. Para ensayar nuevas estrategias, Washington y la CIA se habían propuesto conquistar y promover a una parte de la izquierda moderada de la Frontera sur. Cada vez que ha sido derrotado, el sentido de la negociación del fanatismo anglosajón no ha tenido competencia.

En Costa Rica, el Instituto de Educación Política, financiado por la CIA, tuvo como objetivo crear líderes conservadores o promotores de una izquierda obediente que pudiera reemplazar a las otras opciones contestatarias. El curso "Entrenamiento de Líderes Políticos, Responsables de la Defensa de la Democracia en América", estaba a cargo de dos figuras relevantes: el dominicano Juan Bosch Gaviño y el expresidente costarricense José Figueres Ferrer. Pero nada de esto funcionó. Observadores estadounidenses no entendían por qué cuánto más estudiaban, sus estudiantes se negaban más a condenar a Fidel Castro y, por el contrario, más recordaban las intervenciones estadounidenses en la región —no sólo la democracia; también la cultura les hace mal a los pueblos del sur.

1966. Mentes cortas, bastones largos

BUENOS AIRES, 29 DE JULIO DE 1966—Eduardo Señorans Cerruti escucha a su padre hablando por teléfono. "*Andá a la Facultad de Ciencias y matalos a palos*", ordena el general Señorans. Eduardito, como es conocido para distinguirlo de su padre, intenta avisar a sus amigos, pero es tarde. La única resistencia que pueden poner los estudiantes es cerrar las puertas. Por la noche, la policía federal entra en varias facultades de la Universidad de Buenos Aires, desaloja a cientos de profesores y estudiantes a fuerza de garrote y bombas de gases lacrimógenos y destruye cuanto laboratorio comunista encuentra a su paso. El general Señorans, especulan los amigos de Eduardito, odia la universidad por haber cambiado la forma de pensar de su hijo. Los generales fascistas y los fascistas en general, lo saben todos, odian las universidades y los libros por todas las demás razones.

Entre los estudiantes que empujaban de afuera para entrar y sumar a la débil resistencia de los de adentro estaba Eduardo Señorans, hijo renegado de uno de los generales golpistas, Eduardo Argentino Señorans. Entre los profesores desalojados a golpes estaba el reconocido matemático estadounidense Warren Arthur Ambrose, quién denunciará la agresión en un artículo titulado "*Short Minds, Long Sticks* (Mentes cortas, bastones largos)" enviado al *New York Times* el 29 de julio y nunca publicado. Para garantizar la humillación, "las fuerzas del orden" los hacen pasar entre dos filas de oficiales que los golpean uno a uno en la cabeza y en la espalda con palos y bayonetas. Cuatrocientos terminarán en la cárcel. De ahora en adelante, queda terminantemente prohibida toda forma de libertad académica. A los sospechosos se los acusa de subversión y comunismo y se los condena por haber ocupado las facultades en protesta por el golpe militar del mes anterior.

Hasta entonces, y sobre todo a partir de la reforma universitaria de 1918, la universidad se había transformado, gradualmente, en una de las instituciones más independientes del país y su ejemplo de democracia radical y cogobierno, inexistente en Estados Unidos, se había propagado por varios países latinoamericanos. Nunca hubo nada que molestara más a Washington que la independencia ajena. Ni siquiera el comunismo más hermético, mientras sea capitalista, como el de la próspera China de treinta y cincuenta años después.

Un mes antes, el 28 de junio, el general Juan Carlos Onganía había removido por la fuerza al presidente democráticamente electo Arturo Illia, había suspendido la Constitución, el Congreso, el Poder judicial, la libertad de prensa y había comenzado a gobernar por decreto. A partir de entonces, todo disidente es y será sujeto de arresto bajo la acusación militar de *desacato*. El país se convierte en un gran cuartel donde casi ninguno es soldado ni quiere serlo.

Para el ejército argentino, intervenir en política no es algo ajeno a su tradición, pero su politización consciente comienza con el golpe de Estado de 1955 contra Perón. Igual que la abrumadora mayoría de los ejércitos latinoamericanos, desde el siglo pasado su función principal había sido proteger los intereses especiales de la oligarquía criolla. Sin embargo, diferente a la mayoría de otros ejércitos del continente (con excepciones como Chile y Uruguay), hasta pocos años atrás el ejército argentino se había mantenido independiente de la influencia de los dictados de Washington. Durante el periodo de industrialización nacional del gobierno de Perón, las fuerzas armadas argentinas habían logrado desarrollar, con la ayuda de ingenieros alemanes (con un pasado tan sucio como los alemanes propulsores de la NASA), su propio modelo de avión de combate a propulsión de hélice, el Pulqui II. Luego del golpe de Estado de 1955 y durante las dictaduras de Eduardo Lonardi y Pedro Aramburu, se sustituyó este programa industrialista por aviones estadounidenses de segunda mano. Por algún tiempo, la mayor influencia extranjera continuó siendo la del ejército francés, cuyas técnicas de tortura desarrolladas en Argelia eran enseñadas en Argentina. Como la diplomacia argentina desde los años 30, la tradición del ejército argentino de resistir la hegemonía militar de Estados Unidos en el hemisferio también continuó por unos años más. Incluso en el golpe de Estado de 1962 contra el presidente demasiado neutral en los temas de la Guerra fría, Arturo Frondizi, algunos oficiales del ejército se opusieron a la ruptura del orden constitucional, entre ellos el general Juan Carlos Onganía. Hasta entonces, Onganía pertenecía a la facción azul del ejército que, sin ser peronista, apreciaba la tercera vía del nacionalismo peronista.

Sin demora, Washington encontró un canal para reemplazar a Francia e imponer sus intereses militares y políticos en Argentina, conocida y detestada por décadas como el país rebelde o arrogante que le plantaba cara a las delegaciones de Washington en cada cumbre interamericana. Una brecha fue el descubrimiento de que Onganía se había movido del nacionalismo y su tolerancia hacia los peronistas, al grupo de generales colorados, aquellos que estaban en contra de la neutralidad política del ejército y no veían mal la hegemonía estadounidense en el Cono Sur.

Durante la dictadura de José María Guido, en mayo de 1963 el general Onganía fue oficialmente invitado por Washington para una visita a las instalaciones militares en Estados Unidos. Sin duda, el general argentino quedó impresionado como se esperaba. Antes de su regreso a Buenos Aires, Washington lo condecoró con la medalla Legión al Mérito por su apoyo a la democracia, la misma que habían recibido otros dictadores latinoamericanos. El general Onganía la recibió con lágrimas en los ojos. La ceremonia había oficializado un casamiento que daría varios hijos a corto, mediano y largo plazo.

Por entonces, en diciembre de 1963 el presidente electo Arturo Illia había decidido terminar los contratos con las empresas petroleras estadounidenses y se había negado a compensarlas, lo que provocó la ira de Washington y la profundización de su luna de miel con el ejército argentino. Para peor, en abril de 1964 el presidente Illia se había negado a participar en la invasión de Washington a República Dominicana, más tarde habían levantado la proscripción del peronismo y, poco antes del golpe, el Congreso había votado en favor de la limitación de los privilegios de las farmacéuticas extranjeras en el país. El 9 de junio de 1995 la CIA reporta una recuperación económica y un crecimiento cercano al ocho por ciento. La CIA no abandona su práctica de plantar artículos y editoriales de opinión en los grandes medios de prensa, pero la prensa argentina no necesita de los dólares de Washington para destruir otro gobierno democrático. Suficiente tiene con la rica oligarquía nacional. Se burlan sin tregua de Illia, el presidente anciano. Lo representan como una tortuga ridícula, ineficaz. Periodistas como el omnipresente Bernardo Neustadt, fiel representante de esta clase que coquetea con el poder a lo largo de la segunda mitad del siglo, en 1987 reconocerá que, como todos, esperaba un golpe de Estado. Como todos se arrepentirá, pero su clericalismo continuará siendo el mismo, más refinado, en favor de los de arriba.

En mayo de 1964 con la firma del acuerdo Military Assistance Agreement, como variación inversa de la política del buen vecino, Argentina se convierte en el último país latinoamericano en confirmar su sumisión a los intereses de Washington. De la pasión antiperonista de la vieja oligarquía y del actual ejército argentino a la obsesión anticomunista había un solo paso. Porque en Estados Unidos y, sobre todo, en Europa abundan los progresistas, los socialdemócratas y los socialistas, en América Latina nadie desaparecerá bajo alguna de estas acusaciones. Los progresistas, los socialdemócratas y los socialistas, sean individuos o sean gobiernos, desaparecerán bajo la acusación de ser comunistas.

Cuando, finalmente en octubre de 1962, la marina y luego el resto de las fuerzas armadas argentinas se declararon a favor de la colaboración con Estados Unidos en su lucha contra Cuba, el presidente Kennedy no dejó escapar la oportunidad largamente esperada. El embajador en Buenos Aires, Robert McClintock, la calificó como una oportunidad histórica. La excusa dorada de la lucha contra el comunismo no podía fallar, sobre todo cuando la mancha de aceite se había extendido, en palabras de Simón Bolívar un siglo y medio atrás, por el rebelde Río de la Plata. El único obstáculo era convencer al ejército de que la nueva Doctrina de la Seguridad nacional y la lucha anti insurgente tenía algún sentido, cuando sus mismos generales reportaban que la insurgencia en el país era irrelevante. No sólo los generales argentinos eran de esta idea. La misma CIA, en un reporte más tardío del 9 de junio de 1965 informó que, con menos de 65.000 miembros *"el Partido comunista argentino es el más numeroso del hemisferio, pero no es una fuerza política influyente; ni los comunistas ni los castristas son una fuerza subversiva con algún potencial de relevancia, excepto si deciden participar en algún acto masivo con los peronistas frustrados"*.

Sin embargo, el discurso del "peligro comunista" será central en todas las dictaduras subsiguientes. El informe agrega que, a pesar de sus recursos naturales y su riqueza humana (bajo analfabetismo y, además, *"casi todos son descendientes de europeos"*), su mayor problema radica en las contradicciones y conflictos de su dirigencia. Por entonces, el problema del ejército y de la oligarquía no eran los comunistas sino los peronistas. Pero los peronistas eran demasiados millones, como había quedado claro cuando Illia fue elegido presidente en 1963 con solo un cuarto del electorado debido a la prohibición del peronismo y con elecciones posteriores en las que el peronismo fue habilitado a presentarse en alguna elección. Así que la idea era crear un enemigo más débil pero narrativamente insuperable por su carácter internacional. El comunismo.

Por esta razón Washington convence a los generales argentinos de que la lucha contra el comunismo era una lucha contra la insurgencia interna, al extremo que los generales de Onganía colaboran inventando la idea de la defensa de las "fronteras ideológicas" contra la influencia extranjera, de la misma forma que antes un ejército defendía las fronteras físicas. El cuento era creíble hasta para el sector constitucionalista del ejército argentino y servía, naturalmente, a Washington. Negocio redondo.

Como ocurrirá en Chile con la eliminación y corrupción de los generales constitucionalistas por parte de la CIA antes del golpe de 1973, el 28 de junio de 1966, tres años después de haber sido distinguido en Washington con la Medalla del Mérito, el general Juan Carlos Onganía remueve de su cargo al presidente constitucional de Argentina. Como ocurrirá con el general

Pinochet, nombrado comandante del Ejército por el presidente electo Salvador Allende, como ocurrirá con el general Rafael Videla promovido por la presidente Isabel Perón, nueve años más tarde, y como ha sido y será una larga tradición de los dictadores, el general Onganía había sido promovido por el mismo presidente Arturo Illia a comandante del ejército.[127] Escandalizado (nunca nadie supo por qué) el Congreso de Estados Unidos romperá relaciones diplomáticas con la nueva dictadura. Por un momento, el general Onganía se sorprende. Según el *New York Times* del 14 de julio, un vocero de la nueva Junta declaró: "*pensábamos que el Pentágono estaba a favor de una alianza de los ejércitos de Argentina y de Brasil contra el comunismo*". El artículo (al lado de otro denunciando la presencia de un curso comunista de verano en Nueva Jersey, investigado por el FBI y denunciado por el representante Joelson) informa de la visita al nuevo presidente de una comisión de judíos preocupados por los elementos antisemitas del nuevo régimen de extrema derecha, como el cuñado del general Onganía, el capitán Enrique Green y el general Eduardo Argentino Señorans, Enrique Martínez Paz y Patricio Errecarte Pueyrredon, ambos con altos cargos en el gobierno y miembros del grupo patriota y antisemita Movimiento Nacionalista Tacuara.[128]

El 30 de junio de 1966, la Embajada en Buenos Aires envía un cable recomendando a Washington reconocer al nuevo gobierno, "*aunque recomendamos no ser ni los primeros ni los últimos en hacerlo*". Diecisiete días más tarde, el presidente Lyndon Johnson restablece las relaciones diplomáticas con la nueva dictadura y profundiza la "asistencia" militar al régimen, la que nunca se interrumpió. La inversión valdrá la pena. Un informe secreto de la CIA, fechado el 7 de diciembre de 1967 reportará que el nuevo régimen ha "*reducido de forma dramática el poder de las organizaciones de trabajadores... lo cual ha atraído inversiones privadas desde el exterior*" y asegura que, aunque el nuevo dictador no permitirá elecciones libres en el mediano plazo, "*sigue siendo un aliado de Estados Unidos*".

El nuevo dictador designa a un economista de la dictadura anterior de Aramburu, Adalbert Krieger Vasena como su ministro de economía y se

---

[127] La lista de generales promovidos por presidentes que sufrirán golpes de Estado a manos de sus generales es larga, pero se pueden recordar algunos casos, entre otros: Francisco Franco en España (1936), René Barrientos en Bolivia (1964), Onganía en Argentina (1966), Pinochet en Chile (1973), Manuel Noriega en Panamá (1981) y Williams Kaliman en Bolivia (2019). De una forma menos trágica y del todo constitucional, Manini Ríos en Uruguay (2019).

[128] Otras fuentes (HAOL, 17, 2008) aseguran que Enrique Green era coronel y católico militante, obsesionado con la "inmoralidad" de la sociedad debida a la modernidad y el comunismo. Las leyes 17.741 y 18.019 de 1968 legalizaran la censura de cualquier publicación o programa de radio y televisión.

implanta en el país las recetas neoliberales de Milton Friedman antes que en el Chile de Pinochet. El país se abre a la inversión extranjera al tiempo que congela los salario por veinte meses. La inflación se reduce a costa de la estrangulación de la economía de los trabajadores. Opuesto al plan nacionalista del peronismo, elimina los subsidios a industrias como la azucarera. Igual que lo hará Domingo Cavallo en 1991, fija la conversión del dólar al peso argentino (en este caso a 350 pesos).

El 11 de mayo de 1967, Richard Nixon repetirá su tour latinoamericano de una década atrás. Esta vez no encontrará ni críticas, ni manifestaciones de estudiantes ni escupitajos como en 1958. Tampoco tantas democracias. Al día siguiente, en un rincón minúsculo, al lado de casi la página entera dedicada a los bikinis de Macy's, el *New York Times* reproducirá un cable de UPI con las declaraciones de Nixon en Buenos Aires: el general Onganía *"es uno de los mejores líderes que conocí en mi vida"*.[129] Al igual que su amigo Henry Kissinger, sabe y dice la verdad: nada importante ocurre en América del sur o a nadie en el norte le importa.

Miles de estudiantes abandonaron sus carreras y 1.500 profesores renuncian y 700 abandonan el país. Entre ellos, Gregorio Klimovsky, Mariana Weissmann, Juan G. Roederer, Sergio Bagú, Manuel Sadosky y Tulio Halperín Donghi. En 1994, el premio Nobel de biología, César Milstein, recordará que *"un ministro del gobierno militar decía que en la Argentina las cosas no se iban a arreglar hasta que no se expulsaran a dos mil intelectuales"*. Cuando efectivamente, en esta década de los 60 se expulsa a Milstein y a unos cientos de intelectuales, la Argentina se encuentra a la par intelectual y académica de Australia y Canadá. Ahora que las mentes más lúcidas son expulsadas del país, irán a contribuir con las mejores universidades de Europa y Estados Unidos. En el Río de la Plata las cosas se arreglarán como quieren los que ostentan el poder pero sufren de un conocido complejo de inferioridad. El régimen de Onganía hace posible el sueño decretado y Argentina pasa de ser una de las potencias mundiales en investigación científica a lo que todos conocerán en pocos años más. Por no entrar en asuntos más importantes,

---

[129] Arriba de la minúscula nota sobre Nixon en Argentina, una columna titulada: *"Chica estadounidense le da una clase al gobierno de Atenas sobre minifaldas"*. La joven Susan Osgood Farrell, de 14 años, protestará por la prohibición de usar minifaldas. Su carta enviada al dictador Stylianos Pattakos, en el poder desde el golpe de Estado ocurrido semanas atrás, ocupará la prensa griega por días. Pattakos cederá en parte en su campaña de salvación de la moral y permitirá que los extranjeros de pelo largo puedan entrar al país. Washington, y el resto de la OTAN bajo presión, también otorgará apoyo a esta nueva "dictadura anticomunista" de Pattakos a pesar de los múltiples informes de serias violaciones a los derechos humanos en ese país.

como la sistemática violación de los Derechos Humanos de los regímenes por venir.

En los años 40, mientras las potencias mundiales estaban distraídas con la Segunda Guerra mundial, América latina había experimentado una ola de cambios democráticos que habían terminado con una decena de dictaduras bananeras. Ahora, gracias al sacrificado esfuerzo de Washington por promover la democracia en la Frontera sur, decenas de nuevos golpes de Estado y de nuevas dictaduras militares alfombran sus países con cientos de miles muertos, con el miedo de los de abajo que sube y el odio de los de arriba que baja. Las décadas siguientes no serán mejores, por las mismas razones.

De la afirmación de los militares en 1962 sobre la existencia irrelevante de grupos guerrilleros en el país, se pasará primero a adoptar la doctrina de Washington de la "Seguridad Nacional", a exagerar el potencial subversivo (desestimado hasta por los informes secretos de Washington) y, finalmente, a los hechos con la existencia real de fuertes grupos guerrilleros. En una dictadura, la violencia es una forma de hacer política. Los grupos subversivos que luego servirán de excusa para otros golpes militares como el del 76, nacen en la clandestinidad de las dictaduras anteriores. A finales de esta década, la represión, aparte del terrorismo paramilitar de extrema derecha, producirá un incremento en los ataques violentos de grupos armados de izquierda, los que se financiarán principalmente a través de asaltos y secuestros. Si en Uruguay este fenómeno servirá como excusa para un golpe de Estado en 1973, en Argentina el incremento de la violencia y el fracaso económico llevará a la caída del general Onganía en un golpe interno en 1970 y en la cesión momentánea del poder político por parte de las Fuerzas armadas en 1973.[130] Hasta que en 1976 se vuelva a aplicar, con toda su crudeza, la doctrina inoculada por Washington más de diez años antes.

Eduardito, el hijo renegado del general Eduardo Argentino Señorans Lasso de la Vega, como sus amigos, deberá abandonar la universidad y morirá veinte años después. Su padre, el general Señorans, lo sobrevivirá por otros diez años. También servirá como ministro en otra dictadura, la del general Roberto Levingston, y morirá en 1993 defendiendo en un tribunal a uno de los últimos dictadores genocidas de ese país, el general Fortunato Galtieri.

---

[130] Una de las explosiones sociales que terminarán con la dictadura fue el Cordobazo. Las organizaciones populares, como sindicatos y gremios de estudiantes, llevaron sus protestas al extremo de salir a las calles en masa y armados, lo cual provocó la derrota total de la policía y sus fuerzas de choque en Córdoba en 1969.

1967. Apunta bien; solo vas a matar un hombre

CATAVI, BOLIVIA. 24 DE JUNIO DE 1967—Por la madrugada, probablemente a las 4:00, se produce la matanza de al menos veinte mineros de Llallagua y Siglo XX, ordenada por el dictador general René Barrientos Ortuño. Casi cien hombres, mujeres y niños son heridos de gravedad por disparos de metralla y bombas arrojadas por el patriótico regimiento Ranger y Camacho. Como en la *Masacre de las bananas* en Colombia, los cuerpos son arrojados en los vagones de un tren con rumbo desconocido. La prensa local reporta "serios enfrentamientos" y algunos mineros desaparecidos. Por su parte, el general graduado de la Escuela de las América, René Barrientos, justifica la matanza como *"una acción de defensa propia por parte del ejército"*. Lo mismo dirá el gobierno de facto boliviano en 2019, cuando 36 personas sean asesinadas en las Masacres de Senkata y Sacaba por el ejército tras el golpe de Estado contra el presidente Evo Morales.

Las matanzas de mineros son una tradición en Bolivia. Aparte de los miles que mueren con los pulmones llenos de polvo y los estómagos vacíos, los soldados bolivianos, casi tan pobres como los mineros, han practicado tiro con estos indios ignorantes durante décadas y bajo diferentes excusas, como en la masacre de 1942, allí mismo, en Catavi, cuando los huelguistas pusieron en peligro la producción de recursos necesarios para la Guerra del hemisferio norte. La última matanza de Catavi se la atribuyen a El Che Guevara: la sospecha de una organización sindical y la protesta por el 50 por ciento de rebaja salarial debía ser una inspiración foránea. Ningún patriota protesta, aunque se esté muriendo.

Como en las elecciones de Chile de 1964 y de otros países, Washington había comprado las elecciones de 1966 en Bolivia por 600 mil dólares (casi cinco millones para 2020) con la patriótica colaboración de la Gulf Oil Co. de 200 mil dólares (1,6 millones), todo para el patriota general René Barrientos Ortuño que, como se esperaba, favoreció el libre mercado y los escuadrones de la muerte.

Según los registros de la CIA, el Che había arribado a Bolivia en un vuelo desde Uruguay, el 3 de noviembre de 1966, y se encontraba a setecientos kilómetros de Catavi, setecientos kilómetros de tortuosos caminos de tierra. La argentina polaca Tamara Bunke renuncia a sus cargos de maestra de alemán y amiga infiltrada de los generales bolivianos y exige integrar la guerrilla de El Che. El 23 de marzo, las minúsculas fuerzas del Che se enfrentaron por primera vez al ejército boliviano. Casi sin recursos militares, los guerrilleros vencen y toman armas y prisioneros. El 10 de abril, tiene lugar el segundo choque. Otra vez vence el Che, con casi nada. Sólo uno de sus hombres ha muerto, pero de los escasos 50 guerrilleros, a esa altura el Che solo contaba con 22 y se encontraba enfermo. El 31 de agosto, la bailarina guerrillera, Tamara Bunke, había caído en una emboscada del ejército boliviano. Pese a las victorias iniciales, el Che escribe en su diario con pesimismo. Sin comida ni recursos, la CIA, el criminal de guerra nazi Klaus Barbie y el ejército boliviano lo siguen de cerca. Según documentos que Washington desclasificará en 1986, Josef Mengele, Walter Rauff, Friedrich Schwend y Reinhard Gehlen y otros criminales nazis *"colaboraron en la represión contra izquierdistas, sobre todo cuando la CIA tuvo que organizar el golpe de Estado contra Allende"*.

El agente cubano de la CIA, Antonio Veciana, había conocido a Klaus Barbie (por entonces Klaus Altman) en el Club Alemán de La Paz. Habían bebido varias cervezas en distintas ocasiones y, en una de ellas, Barbie le había comentado sobre su estadía en Lyon, Francia, aunque sin entrar en detalle sobre los 14.000 asesinados bajo sus órdenes. Veciana recordará uno de los mejores consejos del nazi alemán: *"la mejor forma de obtener buenos resultados es infiltrar el enemigo"*.

El 7 de octubre, los hombres de El Che se encuentran con una anciana y sus cabras en Quebrada del Churo. Le dan cincuenta pesos para que se vaya y no diga nada del encuentro. Al día siguiente el ejército boliviano despliega dos mil soldados y rodea a los 17 guerrilleros. Herido en el breve combate, el Che se rinde. A la mañana siguiente, el 9 de octubre, el agente cubano de la CIA Félix Rodríguez se hace presente en la escuela de La Higuera. A las 13:15, un joven sargento de mano temblorosa entra en el saloncito donde está el Che y se impresiona por su altura, a pesar de que el Che no era particularmente alto.[131] Le apunta con una poderosa M2 automática y demora en disparar. El Che le dice, *"dispara, cobarde, sólo vas a matar a un hombre"*.

Al día siguiente, los soldados bolivianos llevan el cuerpo del rebelde al hospital Vallegrande y se invita a la prensa a documentar la derrota de la opción rebelde. El fotógrafo Freddy Alborta toma una fotografía que titula "La pasión del Che", con claras referencias a la crucifixión de Cristo. Por alguna razón, nadie se ha atrevido a cerrar los ojos del Che y el poeta Mario Benedetti escribe *"los ojos incerrables del Che miran como si no pudieran no mirar"*.

El agente de la CIA, Philips Franklin Agee, en su diario *Inside the Company* publicado en 1975, escribe: *"El Che era el hombre más temido por la CIA, porque tenía la capacidad de desafiar la misma represión política de la tradicional oligarquía latinoamericana en el poder"*. Peor aún: el mítico guerrillero (mencionado como el "frío asesino" por los terroristas de Alpha 66 y

---

[131] El mismo relato de impresión ante la estatura de un hombre que no es particularmente alto coincide con el del agente y coordinador de la CIA David Atlee Phillips, cuando lo conoció en un bar de La Habana en 1960. El nunca arrepentido Phillips reconocerá que admiraba a su enemigo.

de otros grupos paramilitares de Miami, autores de bombas y asesinatos de disidentes que quedarán en la más absoluta impunidad) había dicho en público y había escrito en diferentes lugares que el enemigo no será nunca el pueblo de Estados Unidos sino el imperialismo de sus gobiernos.[132] El Che, aunque más radical que Fidel Castro al principio, también había dicho que los soviéticos eran imperialistas. Diferente a cada uno de los complots de la CIA, de los múltiples y diversos grupos paramilitares, de los tradicionales presidentes que en sus higiénicas oficinas firman guerras a las cuales ni ellos ni sus hijos irán nunca, el Che había puesto el cuerpo y el alma al frente de sus batallas.

Ahora esa es la misión encomendada por el coordinador de la CIA David Phillips (alias Maurice Bishop) al agente cubano Antonio Veciana: detener el mito del Che Guevara. Otra misión destinada al fracaso de la agencia secreta más poderosa y más temida del mundo. Pero en América Latina nadie los llamará *perdedores*, porque allá no se entiende cómo perder (como ser crucificado o condenado a beber la cicuta) puede ser un insulto, cuando los ejecutados poseen eso que nadie, ni los ganadores pueden comprar con sus billones en dólares.

1968. Pero no podrás matar el mito

LA PAZ, BOLIVIA. 2 DE ABRIL DE 1968— El agente David Phillips vuelve a contratar a su antiguo empleado, Antonio Veciana, para trabajar con la USAID como consultor del Banco Nacional de Bolivia. Veciana sabe que esta "Agencia para el Desarrollo" también funciona como fachada de la CIA, pero esto no le incomoda sino todo lo contrario. Aunque trabajó como cajero de un banco durante los años de Batista, no es un experto en economía ni sabe que su amigo de la CIA no se llama Maurice Bishop sino David Phillips. Tampoco sabe que su amigo no es su amigo sino que negará, en su propia cara, haberlo conocido cuando años después se vuelvan a reunir en Washington en una fiesta de conspiradores profesionales.

Por alguna razón, en sus memorias de 2017, Veciana repetirá más veces de las necesarias que la CIA le había puesto en Bolivia una mansión con cinco baños, que su salario eran 30.000 dólares anuales y que su esposa Sira le

---

[132] El 18 de julio de 1960, en el "Primer congreso latinoamericano de juventudes", Guevara lee: *"quisiera también saludar hoy, por paradójico que parezca, a la delegación que representa lo más puro del pueblo norteamericano. Y quisiera saludarla porque no solamente el pueblo norteamericano no es culpable de la barbarie y de la injusticia de sus gobernantes, sino que también es víctima inocente de la ira de todos los pueblos del mundo, que confunden a veces un sistema social con un pueblo".*

pagaba 15 dólares mensuales a sus sirvientes. Luego de sus primeras bombas en La Habana y de su primer gran fracaso de matar a Fidel Castro con una bazooka provista por el mismo agente Phillips, Veciana había escapado a Miami el 7 de octubre de 1961. Había llegado en un barco con su suegra, a quien había usado para alquilar el apartamento en aquel intento frustrado, y no tardó ni una semana en conseguir papeles y trabajo en la tierra de la libertad. Apoyado por los agentes de la CIA, había fundado la organización paramilitar Alpha 66 la que, como otras similares de Miami que se harán célebres por las mismas razones, fácilmente recibió fuertes donaciones de los cubanos exiliados.

La mayor preocupación del agente Phillips (alias Bishop) era que, luego del asesinato de Ernesto Guevara, su figura no había desaparecido sino todo lo contrario: había crecido enormemente. En parte, se debió al mismo asesinato de un guerrillero que, diferente a todos los complots de la CIA y del gobierno de Estados Unidos, había ido siemrpe al frente en sus batallas y no con lo mejor de la tecnología de su tiempo.

Por el contrario, uno de los principios reconocidos y promovidos por la CIA y sus agentes más importantes, consistía en no confundir planeamiento con ejecución. Es decir, la cabeza de cada complot debía desvincularse del cuerpo, de la acción, haciendo que otros hagan el trabajo y se hagan responsables de cualquier cosa que salga mal. En este caso, la prensa local boliviana debía informar lo que ellos querían que fuera informado mientras los cubanos del exilio ejecutaban el trabajo.

Pero hay otra explicación que hunde sus raíces en la cultura. Luego de la ejecución de El Che, la CIA sobornó a los oficiales bolivianos para que le hicieran llegar una copia del diario del guerrillero argentino a Fidel Castro, sabiendo que se publicaría en Cuba y luego en otros países.[133] La dictadura militar de René Barrientos en Bolivia mantenía el diario bajo dos llaves y había pedido un millón de dólares por la joya literaria, pero una copia era suficiente. La idea era difamar al guerrillero con una historia de derrota y, así, desmoralizar a sus seguidores.

Otra muestra de los estrechos límites culturales y de comprensión del mundo de la inteligencia de Washington. En Estados Unidos, cuando alguien

---

[133] El ministro del interior de René Barrientos, Antonio Arguedas Mendieta (ex revolucionario de izquierda, oportunista y agente de la CIA él mismo) se atribuye la genialidad de copiar el diario. Según Antonio Veciana, Arguedas admiraba al Che y fue el responsable de enviar las manos del guerrillero a Cuba como prueba del éxito de la operación. Como ministro del interior, sin mucha idea de las responsabilidades de su cargo, pero con conciencia de sus obligaciones, en 1967, antes de la ejecución del Che, ordenó la masacre de 80 mineros huelguistas y del acoso de sus familias. Poco después, la historia oficial los masacrará con el olvido.

quiere insultar a otra persona la llama *perdedor*, insulto que se globalizará con Internet medio siglo después. En otras culturas, como en la latinoamericana, ser un perdedor no es un insulto ni una ofensa. Dependiendo de la causa, puede ser un elogio. La publicación de el *Diario del Che en Bolivia* no fue leída desde el código cultural del Norte sino con el código de lectura del Sur y El Che creció aún más hasta convertirse en un mito. Más millones de dólares tirados por el caño.

Ahora que se publica el *Diario del Che en Bolivia* en La Habana, en lugar de una desmoralización continental se producen protestas callejeras. Los disturbios llegan hasta Bolivia y la sorpresa llega a las oficinas de la CIA. No importa las montañas de dinero; siempre hay algo que la inteligencia más cara del mundo no entiende.

Luego de la ejecución de El Che en La Higuera, Bolivia, con la asistencia y aprobación de la CIA, como muchas otras veces, las cosas no salen como se habían previsto. Abrumados por la reacción del mundo, la Agencia decide contactar a un viejo conocido, Antonio Veciana, para contener la leyenda. "*Mi trabajo era matar el mito del Che*", reconocerá Veciana en sus memorias de 2017. El problema era que nadie sabía bien cómo, ni siquiera un experto en manipulación de la opinión pública como David Phillips, "*un maestro de la desinformación, alguien que sabía muy bien que no hay nada más poderoso que un rumor*", según reconocerá el mismo Veciana.

Fracasado, una vez más, en el intento de matar al mito de El Che, Veciana será elegido en 1971 por la CIA para organizar el asesinato de Fidel Castro durante su visita al país vecino, Chile, luego que la Agencia no logre evitar que Salvador Allende se convierta en presidente electo de ese país. Será una oportunidad de oro para sustituir una cámara de fotos por una pistola y será uno de sus 638 intentos fracasados para asesinar a Castro.

La CIA explicará este nuevo fracaso por la carencia de testículos de los cubanos.

1969. No se permiten rubios aquí

POTOMAC, MARYLAND. 17 DE FEBRERO DE 1969—Al señor Tom Warren, director de la secundaria Cabin John Junior High School, se le ocurre un experimento: recrear conocidas prácticas discriminatorias, pero esta vez contra los rubios. El lunes, los estudiantes desprevenidos se encuentran con carteles que dicen: "*Rubios usar la puerta lateral*", "*No se permiten rubios aquí*". Durante tres días, los estudiantes rubios del rico suburbio deben ir a los baños asignados a gente con su color de cabello.

Desde Nueva York hasta California, el experimento levanta la indignación de los padres y de la prensa nacional. Dan Kuykendall, teniente durante la Segunda guerra y congresista republicano desde hace dos años, protesta: *"Le están metiendo todo tipo de prejuicios en la cabeza de nuestros hijos; en mi casa trabaja una negra que come en nuestra mesa y es considerada como parte de la familia"*.

La segregación en las escuelas había sido prohibida por ley ocho años antes. Prohibida, no eliminada. Cincuenta años más tarde, quienes sufrieron discriminación por ser rubios, recordarán con dolor ese traumático día. Algunos fueron capaces de digerir el mal trago. Ann Shipe Cooper, una de las alumnas rubias de entonces, reconocerá: *"hay cosas que no se pueden entender con palabras si no se las vive; imagino lo que debe ser vivir lo que nosotras vivimos ese día, pero toda la vida"*.

Cincuenta (cien, doscientos) años más tarde, la discriminación y el racismo continuarían contaminándolo todo y sirviendo a intereses de clase. La desesperación teutónica de una posible degradación de su raza superior en los siglos por venir, no se curará con ninguna invasión. Ni con ninguna guerra ni con ninguna masacre salvadora de la civilización. Como un eco del *best seller* de 1893, *National Life and Character* de Charles Henry Pearson, o del libro publicado en 1916 por Madison Grant y tan admirado del otro lado del Atlántico por Adolf Hitler, *The Passing of the Great Race*, una minoría frustrada de hombres y mujeres de ojos celestes protestará por las calles del todo el país contra el *genocidio de la raza blanca*. De este lado del Atlántico, la vieja desesperación echará raíces en millones de estadounidenses, los que lograrán llevar a la Casa Blanca a un presidente a su imagen y semejanza en 2017.

1970. Nixon decide que los chilenos votaron mal

WASHINGTON DC. 4 DE SETIEMBRE DE 1970—El embajador Edward Korry envía un cable a Washington informando que *"Chile ha votado en calma por un gobierno marxista leninista, constituyéndose en la primera nación en decidirse, libremente y de forma consciente, por esta opción... hemos sufrido una derrota miserable"*. Al día siguiente, el sábado 5, el presidente Nixon le ordena al director de la CIA Richard Helms, que evite que el presidente electo de Chile asuma el poder en noviembre. En la reunión del Consejo de Seguridad del martes 8 se discute el alarmante informe del embajador Edward Korry. Las soluciones son dos: Plan A y Plan B (*Track I y II*). El primero apunta a evitar que Allende tome posesión del gobierno convenciendo al Congreso chileno que esta vez, rompiendo una larga tradición en aquel país, no confirme al ganador de las elecciones. El Plan B se refiere a un golpe militar y se pondrá en marcha pocos días después, cuando el presidente Nixon lo apruebe el 15 de setiembre.

En la reunión secreta del 8 de setiembre se encuentran presentes el Asesor de Seguridad nacional, Henry Kissinger, el fiscal general John Newton Mitchell, el almirante Moorer, Mr. William McAfee, Mr. Packard, y el director de la CIA Richard Helms, entre otros.[134] El Comité 40, creado por el presidente Nixon para este fin, había solicitado que tanto la CIA como la Embajada en Santiago hicieran todo lo posible para sacarse de encima al doctor Allende. Según Henry Kissinger, Allende, como Árbenz en Guatemala dos décadas atrás, era un peligro mayor que Fidel Castro por haber llegado a la presidencia a través del voto, lo cual serviría no sólo como ejemplo para otros países de la región sino, incluso, para Europa, como era el caso inminente de Italia.

Richard Helms es partidario de un golpe de Estado rápido. Mr. Packard es optimista de que el ejército chileno se va a decidir fácilmente por un golpe. Mr. Johnson y Mr. Meyers argumentan que, si el golpe es inmediato, los seguidores de Allende podrían salir a las calles en apoyo de su líder, por lo cual antes es conveniente cierto trabajo psicológico. En conclusión, el Comité 40 decide ordenar a la Embajada en Santiago estudiar *"con sangre fría"* las dos opciones: 1) un golpe de Estado en Chile con la asistencia de Estados Unidos y 2) la organización y ayuda a una oposición al gobierno de Allende. El 16 de octubre de 1970, la CIA insiste: *"Es inamovible nuestro propósito de que Allende sea derrocado por un golpe de Estado... Los medios incluirán propaganda, operaciones encubiertas, desinformación, contactos personales o cualquier otra cosa que se le ocurra"*. Desde Langley, Virginia, el agente principal de la CIA para Chile, David Atlee Phillips ordena que se intensifique la creación de un ambiente de inestabilidad social y económica, que se refuerce la convicción del ejército chileno para llevar a cabo el golpe de Estado *"y que se les informe que el gobierno de Estados Unidos quiere una solución militar, la que será apoyada antes y después de lograda"*.

El 12 de setiembre, Kissinger le comunica a Richard Helms la decisión de impedir que Allende tome posesión del cargo a cualquier precio. Más tarde, Kissinger, con su arrogancia clásica, confirma la filosofía fundacional del proyecto: *"No veo por qué razón deberíamos limitarnos a ver cómo un país se convierte en comunista por la irresponsabilidad de su propia gente"*. El director de la CIA, Richard Helms, le escribe a Kissinger con la solución, por

---

[134] Entre sus célebres miembros están Richard Helms (removido como director de la CIA el 2 de abril, probablemente por oponerse a un plan de asesinato del presidente electo, sugerido por Kissinger), el fiscal general John Newton Mitchell (conocido por su lema "la ley y el orden" y enviado a prisión por unos meses por el caso Watergate) y David Packard (filántropo y cofundador de Hewlett-Packard).

cierto, nada creativa: "*Un repentino desastre económico será el pretexto lógico para justificar una acción militar*". Tres días después, el martes 15, en reunión secreta con Kissinger, Helms toma nota de las palabras del presidente Nixon. Con letra apurada, escribe en forma de verso: "*cualquier gasto vale la pena / ningún riesgo que pueda preocuparnos / mantener la embajada por fuera / diez millones de dólares o más si es necesario / haremos que la economía chilena grite de dolor*". El 25 de noviembre, Henry Kissinger le envía un memorándum al presidente Nixon para la actuación en Chile con el título "*Acción encubierta en Chile*", en la cual resume la estrategia a seguir: "*1) Fracturar la coalición de Allende; 2) Mantener y extender los contactos con el ejército chileno; 3) Proveer de ayuda a los grupos no marxistas; 4) Darle visibilidad a los diarios y los medios contrarios a Allende; 5) Apoyar a los medios como* [CENSURADO] *para que inventen que Cuba y los soviéticos están detrás de su gobierno. El Comité ha aprobado las medidas de actuación de la CIA y el presupuesto necesario*".

Dos meses después, Nixon confirma el temor de la potencia hegemónica sobre los peligros del mal ejemplo entre los nativos latinoamericanos. En la reunión del Consejo de Seguridad del 6 de noviembre, luego de discutir cómo manipular el precio del cobre, el presidente dice: "*No importa lo que los países verdaderamente democráticos de América Latina tengan para decir. El partido está en Argentina y Brasil*", dos dictaduras amigas. "*Nunca voy a estar de acuerdo con reducir el apoyo a los ejércitos latinoamericanos. Ellos son centros de poder sujetos a nuestra influencia. Los otros, los intelectuales, no están sujeto a nuestra influencia... Nuestra principal preocupación en Chile es la perspectiva de que Allende se consolide y proyecte su éxito al resto del mundo... Debemos ser amables y muy correctos mientras les enviamos un mensaje claro*". Al mismo tiempo que se decide estrangular la economía de Chile, Nixon ordena invertir más dinero ("*put in more money*") en las dictaduras de Argentina y Brasil. A las diez de la mañana, como para que no queden dudas sobre la salud de la Doctrina Monroe y la sensibilidad racial que permea la política internacional de Washington como un viejo fantasma, Nixon sentencia: "*América Latina no es Europa, con Tito y Ceausescu, con la cual no tenemos más remedio que entendernos y donde no es posible ningún cambio... Si hay alguna forma de hacer daño en Chile, ya sea usando las fuerzas de nuestro gobierno o a través de los negocios privados... Que en América Latina no quede ninguna impresión de que pueden salirse con la suya*". Nixon sólo se equivoca en su conclusión final, cuando ordena hacerle saber al nuevo presidente chileno, de forma privada, sobre el disgusto de Washington: "*Allende no cambiará sino por su propio interés*", dice, y la reunión se disuelve.

Pero la masiva conspiración que culminará con el golpe de Estado en 1973 no había comenzado en Washington sino, como tantas otras veces, en los directorios de las poderosas empresas estadounidenses que operaban en Chile, en el desesperado llamado a una intervención estadounidense por parte de la elite criolla y en las alcobas de la vieja clase dominante. El embajador Edward Korry no sólo había discutido con el embajador de la dictadura brasileña, Antonio Cândido da Câmara Canto, el plan de abortar la inauguración de Allende como presidente; también había recibido varias veces al dueño del diario *El Mercurio*, Agustín Edwards Eastman, beneficiario de la CIA por muchos años y amigo personal del embajador, solicitando una intervención militar en Chile. También había recibido llamadas del gerente de la mega telefónica estadounidense ITT y del gerente de *Pepsi Cola*, Donald Kendall, preocupados porque las políticas del nuevo gobierno pudiesen afectar sus ventas. Poco después, Kendall visitó a Richard Nixon en la Casa Blanca. (Son viejos conocidos. Cuando Nixon perdió las elecciones con John Kennedy, Kendall lo contrató como abogado de Pepsi. Unos años después, Pepsi fue uno de los donantes más poderosos de la exitosa campaña presidencial de Nixon en 1969.) Por supuesto, Nixon atendió inmediatamente los reclamos de Kendall y de su amigo chileno en una reunión en la Casa Blanca y prometió encargarse personalmente del asunto. Agustín Edwards había pintado un futuro apocalíptico para las empresas en Chile en caso de que Allende sea confirmado como presidente. Su amigo, el embajador Korry, había echado leña al fuego: Allende podría acelerar la nacionalizar las principales compañías mineras de Chile, iniciada en el gobierno conservador de Eduardo Frei Montalva el año anterior. Las mineras son las estadounidenses Kennecott Utah Copper Company y Anaconda Copper Company, las cuales habían explotado el yacimiento de El Teniente por lo que iba del siglo.

El acoso de un país más débil, las *fake news* y la búsqueda de una excusa para proceder por la fuerza no son algo nuevo para la geopolítica estadounidense desde la independencia de Texas en 1836. Nueve años atrás, Salvador Allende había perdido las elecciones de 1964 con Eduardo Frei, al que la CIA había financiado con diez millones de dólares de la época, más de la mitad de todo el presupuesto de su partido.[135] Sin pruebas ni conocimiento de este hecho, Allende había concedido y Chile tuvo otros seis años de "paz y democracia". Pero Allende y sus seguidores eran tercos y estaban decididos a jugar según las reglas de la democracia liberal. Cuando se presentan a las elecciones

---

[135] El agente Philip Agee recordará años después que la CIA también había participado activamente en las elecciones de 1958 para asegurarse que Allende no ganara, lo cual efectivamente ocurrió. Si consideramos la inversión de dólares por habitante, la CIA invirtió más en su candidato chileno que de los candidatos a la presidencia en Estados Unidos, Johnson y Goldwater, invirtieron en las elecciones de 1964.

de 1970, el Gobierno de Estados Unidos no tenía dudas. Aunque las estadísticas de su hombre de confianza, Agustín Edwards, habían pintado un escenario optimista para el candidato de la CIA, Jorge Alessandri Rodríguez, la cosa se había puesto cada vez más difícil. El dinero enviado a Alessandri no había tenido el mismo efecto de torcer la opinión pública como en las elecciones de 1958 y 1964, en las cuales Allende había estado cerca de ganar. Tampoco el millón y medio de dólares inyectados en *Teletrece* y en el diario *El Mercurio,* campeón de la libre competencia y de la empresa privada. Agustín Edwards, el mogul de la prensa chilena, el hombre más rico de ese país y filántropo en su tiempo libre, había sido un canal de la CIA por muchos años, facilitando la operación propagandística orientada a manipular la opinión pública llamada *Operation Mockingbird* (Operación Sinsonte, en español, por la habilidad de ese pájaro de engañar a otros imitando su canto; en náhuatl, *cenzon-tlahtol-e* significa cuatrocientos cantos). Bajo la supervisión de la CIA, la *Operation Mockingbird* había infestado los mayores medios de prensa estadounidenses desde los años cincuenta, promoviendo todo tipo de políticas conservadoras y, sobre todo, de la extrema derecha. Esta red de filtros periodísticos, inoculación de información falsa y creación mercenaria de opinión, participó en diferentes golpes de Estados en América Latina, como el de Guatemala en 1954, impidiendo que periodistas estadounidenses considerados de izquierda se sumaran al grupo que debía reportar sobre ese país.

Ahora, la operación destinada a estrangular la economía de Chile se llama FUBELT, en referencia a "*belt*" (cinturón). Como lo había ordenado Nixon, la economía chilena debía *gritar de dolor* (la orden fue "*make the economy scream*") por estrangulamiento cuidadosamente planificado. El 80 por ciento del precio del cobre es manipulado desde Wall Street (como a principios del siglo XXI, en coordinación con Arabia Saudita, Washington manipulará el precio del petróleo para desestabilizar a Venezuela, entre otras medidas de bloqueo) para castigar al "régimen" chileno. Para sumar, los bancos internacionales le cortan los créditos a Chile y, asistido por una intensa propaganda que es plantada en los principales medios y en rumores callejeros (en pocos meses, la CIA gasta casi seis millones de dólares en propaganda oculta, cuyos beneficiarios directos son los medios dominantes), el país comienza a sufrir las consecuencias que serán atribuidas al "gobierno ineficaz e irresponsable del socialista Allende". En menos de dos años, los alimentos comienzan a escasear. No hay repuestos suficientes para los autos y camiones. Como hicieran Mohammed Mossadegh de Irán y el embajador de Guatemala ante la misma situación de acoso previo al golpe, Allende acude a la ONU para denunciar la injerencia y el complot de las transnacionales. Con el mismo resultado. Como los dos casos anteriores, como Patrice Lumumba en el Congo y como tantos otros, Allende es demonizado como un peligro comunista. Esta vez, el plan no podía fallar como en Cuba. Chile iba a ser otra Guatemala.

Pero no todo es tan fácil como en Guatemala. Como de costumbre, los expertos de la superpotencia ignoran la realidad profunda de los países en los que intervienen. Lo que Nixon, Kissinger y la CIA ignoran es que Allende no es un producto extraño y menos foráneo de la política chilena. Ignoran que, pese a las comisiones y entrenamientos de miles de oficiales en bases estadounidenses, un número crítico de militares chilenos todavía es constitucionalista y no está de acuerdo en tomar posición política, realidad que cambiará drásticamente durante y después de la dictadura de Pinochet. Ignoran que la abrumadora mayoría de los políticos chilenos, incluso muchos conservadores, tampoco está de acuerdo en subvertir las leyes para perjudicar al ganador. La nacionalización de las mineras había sido iniciada en gobiernos anteriores y su culminación no será decretada por Allende sino por el voto del Congreso chileno, el 11 de julio de 1971. Años después, una comisión investigadora del Congreso de Estados Unidos determinará que la acusación de que Allende iba a llevar a Chile al comunismo no tenía una sola fundamentación en los hechos; los documentos probatorios son inexistentes, la probabilidad es prácticamente cero. Según la comisión Church, lo que se debía esperar era que, pese a los antiguos problemas sociales, tanto Allende como el resto del sistema político chileno repitieran una larga tradición de estabilidad y respeto al orden constitucional. Lo más probable sería que, luego del injusto bloqueo económico, Allende perdiese las próximas elecciones. ¿Cómo podría un presidente imponer un sistema comunista si el ejército chileno era anticomunista? En sentido contrario a las conclusiones del congreso estadounidense, los conservadores latinoamericanos continuarán repitiendo el invento narrativo de la CIA, inoculado con millones de dólares en la prensa de casi todos los países, incluso hasta bien entrado el siglo XXI, décadas después de terminada la Guerra fría. Este fenómeno se dará más entre los latinoamericanos que entre los estadounidenses, porque los inoculados fueron y serán los latinoamericanos; los estadounidenses básicamente se mantendrán ignorantes de las acciones de su propio gobierno.

Lo que no es materia de probabilidades es que Allende nunca violó la constitución de Chile y que Washington nunca tuvo legitimidad para autoproclamarse juez y policía del mundo, imponiendo dictaduras a su alegre antojo. Luego de varios meses, y a pesar de una intensa campaña de propaganda encubierta en la prensa, la radio y televisión chilena, la CIA no logra el objetivo deseado del Plan A. Contactan a legisladores e intentan convencer al expresidente Eduardo Frei Montalva para que apoye la primera opción, el bloqueo en el congreso chileno. Frei no está de acuerdo y los legisladores terminan confirmando al ganador, Allende. Pese al asesinato del comandante en jefe, el general Schneider, el 24 de octubre de 1970 (atribuido a los partidarios de Allende, pero orquestado por la CIA debido a la oposición de Schneider a intervenir contra el presidente electo y) el Congreso chileno ratifica la designación de Allende por 153 a 24 votos, por lo cual Washington decide proceder con el Plan B.[136]

Nixon reemplaza al embajador Korry por Nathaniel Davis y al director de la CIA, Richard Helms, por James Schlesinger en procura de una mayor agresividad en la ejecución del plan. La CIA canaliza millones de dólares, esta vez no para los políticos amigos sino para crear rabia e insatisfacción popular contra el gobierno que apenas había asumido y para torcer el ejército chileno en contra del orden constitucional, alegando razones morales y patrióticas. El Plan B funcionará a la perfección. La estrategia es efectiva: continuar la guerra económica y psicológica antes de la solución final. El 21 de setiembre, el embajador Edward Korry le escribe un reporte oficial al Consejero de Seguridad Nacional, Henry Kissinger: *"No permitiremos que ni una tuerca ni un tornillo llegue a Chile mientras Allende sea presidente. Haremos todo lo que esté a nuestro alcance para condenar a Chile y a todos los chilenos a la mayor miseria que sea posible"*.

Sin más demora, Nixon instruye a Henry Kissinger para que estudie un plan de acción. Kissinger levanta el teléfono y solicita colaboración a su viejo amigo, David Rockefeller, director general del banco de la familia, el Chase Manhattan Bank (luego JPMorgan Chase), y uno de los principales bancos en Chile. Nixon procede a cortar los créditos de aquel país, pero no las ayudas millonarias a la oposición. Mientras tanto, el gerente de ITT en Chile, John McCone (ex director de la CIA, dueño del 70 por ciento de las telefónicas en ese país y distinguido en 1987 por Ronald Reagan con la Medalla Presidencial de la Libertad) ya había informado de su disposición de poner un millón de dólares para desestabilizar a Allende. Su primera donación había sido de 350.000 dólares para la campaña política del rival de Allende, Jorge Alessandri, la cual había sido igualada por múltiples donaciones de otras grandes

---

[136] Con el tiempo, Eduardo Frei Montalva se convertirá en uno de los pocos críticos sobrevivientes del régimen de Augusto Pinochet. Morirá en 1982 por una dosis de talio, gas mostaza o gas sarín (una especialidad del químico Eugenio Berríos, empleado de la DINA y de la nazi Colonia Dignidad) que tenía la ventaja de no dejar rastros en los cuerpos de las víctimas. Esta acusación será enfáticamente negada por los diarios de la familia Edwards, *El Mercurio* y *La Segunda*. Berríos participará en la ejecución de Orlando Letelier en Washington en 1976, en coordinación con el exilio cubano de Miami, y será ejecutado en Uruguay en 1992 por orden de Pinochet y en colaboración con miembros del ejército uruguayo, como parte de la Operación Cóndor que todavía actuaba en el nuevo periodo democrático en el Cono Sur y quería asegurar el silencio de algunos testigos.

corporaciones estadounidenses en Chile. Ahora está dispuesto a redoblar la apuesta. El viejo socio de la gran empresa privada, el maldito gobierno de Washington, también.

1971. El peligro de una Asamblea popular en Bolivia

WASHINGTON DC. 6 DE JULIO DE 1971—El Comité 40, epicentro del golpe de Estado que se dará en un par de años más en Chile contra el gobierno democrático de Salvador Allende, se vuelve a reunir para tratar otro asunto regional. El señor Henry Kissinger, miembro de peso en esta comisión, no ha podido asistir a la reunión de hoy porque está ocupado con otro tema más importante. La Casa Blanca le ha encomendado al Comité eliminar al nuevo gobierno de Bolivia, liderado por un militar con tendencias izquierdistas llamado Juan José Torres. El análisis de la situación se inicia con una pregunta retórica: *"¿Alguien aquí cree que es posible solucionar este problema apoyando a una oposición carente de liderazgo?"* El comité considera que la nueva Asamblea del Pueblo establecida el pasado 19 de enero donde obreros, mineros, campesinos y universitarios participan por igual, es una de las mayores amenazas inspiradas por los soviéticos y permitida por el nuevo régimen. Charles Meyer (quien un año antes participara activamente en las elecciones de Chile y más tarde negase cualquier intervención de Estados Unidos en elecciones ajenas) observa que la Asamblea popular no puede ser tan mala como parece, pero no queda claro si se trata de una ironía. Para William Broe, el Movimiento Nacionalista Revolucionario, domesticado por Washington luego de la exitosa Revolución de 1952, no posee recursos para propaganda, por lo cual es necesario ayudarlo en este aspecto.[137] Johnson pregunta si antes hemos interferido en la política boliviana y Broe le recuerda que apoyamos el golpe del general René Barrientos siete años atrás.[138] Hasta

---

[137] William V. Broe es un agente de la CIA en actividad en Oriente Medio, en Sudáfrica y en América del Sur. Dos años más tarde, ante un comité de investigación del Congreso de Estados Unidos, reconocerá que, bajo órdenes de Richard Helms, trabajó en colaboración con la compañía ITT para desestabilizar al gobierno de Salvador Allende. Junto con el gerente ejecutivo Harold Geneen y el vicepresidente de la compañía Edward Gerrity, coordinará la desestabilización financiera de Chile para crear las condiciones del golpe de 1973. Después de su jubilación, trabajará como tesorero de su iglesia en Massachusetts y se dedicará la mayor parte de su tiempo a cuidar las rosas de su jardín. Morirá el 28 de setiembre de 2010, a los 97 años.

[138] El general René Barrientos no aparecerá en ninguna lista de graduados de la School of the Americas, pero, como muchos otros salvadores de patrias, tomó varios cursos en su sede de Panamá.

ahí llega la memoria de la inteligencia. Charles Meyer aclara: *"pero entonces teníamos un líder a quien apoyar; ahora tenemos un auto en marcha y estamos en la búsqueda del conductor".*

Para entonces, Washington había aprobado un millón de dólares para los militares bolivianos, pero el nuevo régimen no había sido notificado aún. Ahora, el Comité está a favor de la ayuda económica a la oposición. El general Cushman insiste que no se puede esperar nada bueno si no se toma acción, pero otros creen que la ayuda de Estados Unidos al MNR (el antiguo enemigo) es un arma de doble filo. Como en el ejército boliviano, hay una gran división ideológica en la oposición y la ayuda puede ayudar tanto como provocar una reacción en contra. Finalmente, el comité acuerda que es necesario una respuesta del embajador. El MNR es muy desorganizado y es casi imposible guardar un secreto en La Paz. Después de todo, concluye la Comisión 40, J. J. Torres no es el peor de los presidentes posibles, considerando que lo que podría seguir es una guerra civil.

Tres días después, el embajador Ernest Siracusa envía su reporte a Washington sugiriendo la necesidad de 410.000 dólares para un golpe. La financiación debe ser limitada y destinada mayormente a propaganda para mantener cierto control sobre los golpistas. Es necesario poner algún dinero para los privados, que son los que están mejor organizados y ya han tomado medidas encubiertas para el golpe. Esta ayuda será más fácil de disimular, ya que este grupo es el que tiene algo de dinero en Bolivia. De otra forma, *"los políticamente sofisticados",* dice el embajador, se darían cuenta de la participación de la Embajada en el golpe. Pero el escenario político es tan fragmentado que incluso una dictadura de derecha no garantizaría la prevención del fuerte sentimiento "antiimperialista" que reina en el país, por lo cual el embajador tiene sus reservas en seguir apoyando los planes de otro golpe. Un plan B sería mantener la facción del ejército fiel y presionar al gobierno de Torres a través de las inversiones, que las necesitará para cualquier reforma.

El 17 de octubre de 1970, el general Juan José Torres, más indio que mestizo, nacido en una familia humilde de Cochabamba, se había convertido en el nuevo presidente de Bolivia. Diferente a los dictadores anteriores, Jota no culpa a los trabajadores sino al capitalismo y a las empresas extranjeras por mantener a su país en perpetuo subdesarrollo y dependencia. Un año antes, en el gobierno de Alfredo Ovando Candia (proclamado presidente por otro golpe de Estado) J.J. Torres había promovido y logrado la nacionalización de los pozos petroleros bolivianos en manos de la gigante Gulf Oil Corporation. Poco después, y luego de un año en el gobierno, el 6 de octubre de 1970, un nuevo golpe militar de extrema derecha, liderado por el general Rogelio Miranda, había derrocado a Alfredo Ovando, acusado de desviarse peligrosamente hacia la izquierda. Antes de refugiarse en la embajada de

Argentina, como un gesto simbólico de despedida, Ovando había nombrado a su amigo J.J. Torres como su sucesor. La sangre corrió por las calles de Bolivia y el ejército entró en una abierta lucha interna que terminó con el inesperado triunfo militar del general J.J. Torres.

Torres es parte de un nuevo fenómeno de los años sesenta que tendrá corta vida. Es uno de los pocos y raros militares con ideas revolucionarias, progresistas, populares o directamente socialistas, como Juan Velasco en Perú, Líber Seregni en Uruguay y Omar Torrijos en Panamá, quienes romperán con doscientos años de servicio castrense a la oligarquía exportadora. Para defender la soberanía nacional y su derecho a los recursos de Bolivia, Torres había propuesto una alianza de lo que él llama *los cuatro pilares del país*: trabajadores, universitarios, campesinos y militares. Esta idea de darle voz y voto a los indígenas y a la clase trabajadora en un parlamento llamado *Asamblea del Pueblo* fue considerada, por la tradicional clase dirigente y por el gobierno de Richard Nixon, como una inspiración del diablo soviético. Para colmo de males, en pocos meses Torres aumentó el presupuesto universitario y los salarios de los mineros, creó el Banco del Estado para el desarrollo, nacionalizó las minas de estaño y expulsó a los cuerpos de Paz de Estados Unidos.

Como es natural, un mes después de la reunión de la Comisión 40 en Washington, el 21 de agosto de 1971 Torres será derrocado por un nuevo golpe de Estado. Otro general, uno de los de arriba, el general Hugo Banzer, la tendrá más fácil. Descendiente de alemanes y (como tantos otros dictadores) graduado de la Escuela de las Américas, Banzer será apoyado por la colonia alemana en Bolivia y por los gobiernos de Estados Unidos y Brasil. En el golpe participará el embajador de Estados Unidos, Ernest Siracusa, quien ya tenía probada experiencia en la materia por su participación en el golpe militar organizado por la CIA en 1954 contra el presidente democráticamente electo de Guatemala, el que devolvió a ese país a la United Fruit Company.

Exiliado en Argentina, el 2 de junio de 1976, J. J. Torres será secuestrado y asesinado en Buenos Aires por miembros del Plan Cóndor. La misma mafia de generales sudamericanos coordinados por el general Augusto Pinochet y auspiciada por la CIA que, para 1974, ya habrá asesinado en Buenos Aires, con un auto bomba, al general Carlos Prats y su esposa Sofía Cuthbert. En setiembre de 1976 asesinarán a otro chileno del gobierno de Salvador Allende, Orlando Letelier, y a Ronni Moffitt del Institute for Policy Studies, con otro auto bomba en Washington DC. El Plan Cóndor será responsable del asesinato de al menos 40.000 disidentes en diferentes países.

A todo esto, la prensa libre latinoamericana, subsidiaria de los fondos de la CIA y de las embajadas de Estados Unidos, seguirán llamando cada una de estas acciones como "lucha por la libertad", "lucha contra el comunismo", de la misma forma que antes de la Guerra fría la misma brutalidad se llamaba "lucha por el orden" y "contra la rebelión de los negros, indios y mestizos".

1971. 638 intentos de asesinar a un desalineado

SANTIAGO DE CHILE, 9 DE NOVIEMBRE DE 1971—Aprovechando la visita de Fidel Castro a Chile, la CIA planifica uno de sus 638 intentos fallidos para asesinar al dictador caribeño. Para esta ocasión, recurre a uno de sus viejos servidores, el cubano Antonio Veciana Blanch. En sus memorias, Veciana reconocerá: *"mi deseo de asesinar a Castro me había consumido; estaba dispuesto a poner en riesgo la vida de mis propios hijos para lograrlo"*.

Los intentos por asesinar a Castro habían sido múltiples, e iban desde cigarrillos y zapatos envenenados hasta recursos más tradicionales como disparos con armas de fuego a corta distancia. En 1961 el dictador dominicano Rafael Trujillo había ofrecido 100.000 dólares a Antulio Ramírez Ortiz para matar a Castro, pero la operación que incluyó uno de los más de cien secuestros de aviones entre Cuba y Estados Unidos en un lapso de tres décadas, fracasó por las dudas ideológicas de Ramírez.

Después de la mansión con sirvientes de La Paz para matar el mito del Che Guevara, la CIA le consigue un apartamento más modesto en Santiago de Chile. También le provee de cuantiosas sumas de dinero para distribuir según su criterio entre los oficiales del patriótico ejército de Chile que están *"dispuestos a colaborar con el gobierno de Estados Unidos"* contra su propio gobierno. Es lo que tradicionalmente se llama *patriotismo* en América latina. Además, el cubano Antonio Veciana tiene la libertad de entrar y salir de Chile todas las veces que quiera con documentos falsos y con diversas identidades.

La CIA tiene otro plan perfecto. Falsos periodistas, con acreditaciones falsas de Venevisión de Venezuela, asistirán a una conferencia de prensa de Castro en Santiago. Castro ama las cámaras. Como de costumbre, la CIA emplea a terceros y cuartos y quintos intermediarios: hace que una boliviana alquile un apartamento en la calle Huérfanos, para no levantar sospechas. El agente principal, Maurice Bishop (David Atlee Phillips), quiere que el asesinato parezca como una obra del exilio cubano. Luis Posada Carriles planea implicar a los asesinos, luego de que sean capturados, con un plan ruso que no nunca queda del todo claro. Veciana colabora, pero se atribuye la gran idea: si logran responsabilizar a los rusos del magnicidio, Cuba entraría en conflicto con su principal socio económico y su economía terminaría completamente destruida. Para el atentado que cambiaría el rumbo de la historia, Veciana y Phillips contratan a los cubanos Marcos Rodríguez y Diego Medina.

Fidel Castro llega a Santiago el 9 de julio. A último momento, los asesinos se asustan y alegan distintas excusas, como una peritonitis crónica y la posibilidad de que un primo del servicio secreto de Castro lo pueda reconocer. La operación se cancela a último momento. Furioso, el agente de la CIA David Atlee Phillips (quien organiza, pero nunca participa) le dice a Antonio Veciana:

—Los cubanos no tienen huevos; son todos unos cobardes.

Enseguida le ordena eliminar a Rodríguez y a Medina.

—¿Cuánto cuesta matar a un hombre en Bolivia? —pregunta Phillips— ¿Cien, doscientos dólares? Dinero no te falta. Invítalos a una reunión y págale a alguien para que los mate. De ninguna forma podemos permitirnos que sigan vivos. Son un riesgo. No podemos permitir que el Departamento de Estado sea expuesto de ninguna forma. ¿Imagina si cualquiera de estos te implica, ahora que eres un miembro del cuerpo diplomático de Estados Unidos en Bolivia?

—Pero ese era el riesgo que corríamos —dice Veciana—, aun cuando el plan hubiese sido un éxito y ahora Fidel Castro estuviese muerto. Los asesinos podrían haber sido arrestados...

Philips, fuera de sí, responde.

—¿Arrestados? De ninguna forma iban a sobrevivir. No te lo dije antes, pero eso ya había sido decidido.

—No puedo hacerlo—contesta Veciana.

Luego de mirarlo un momento, Phillips le ordena:

—Vuelve a Bolivia.

El mismo procedimiento había sido aplicado al asesino del presidente Kennedy, cuando Lee Oswald fue asesinado poco después de ser capturado.

1971. Vas a encontrar más comunistas en Texas

WASHINGTON DC. 27 DE NOVIEMBRE DE 1971—Mañana son las elecciones en Uruguay. Theodore Eliot, secretario ejecutivo del Departamento de Estado, concluye su informe. Washington está preocupado por la posibilidad de que el nuevo partido de izquierda, el Frente Amplio, pueda ganar la intendencia de Montevideo y no quiere un nuevo Allende, aunque sea en una alcaldía. Echando recurso a una estrategia más indirecta que la usada en Chile, Washington ha intervenido en el proceso electoral, como lo ha hecho a lo largo de las décadas anteriores propagando información conveniente, plantando editoriales e inoculando las fuerzas de represión locales. Aunque lejos de la violencia desatada por generaciones en las repúblicas tropicales (despectivamente llamadas "repúblicas bananeras" o, simplemente, "repúblicas de negros"), ahora en Uruguay también se cuenta con la excusa perfecta del combate a un grupo subversivo llamado Tupamaros. Hoy, sábado 27, Theodore Eliot le ha enviado un memorándum a Henry Kissinger informado sobre las buenas posibilidades que tiene su candidato preferido, aunque también advierte que en Uruguay *"existe una gran insatisfacción, especialmente entre los jóvenes de la clase media debido a la falta de oportunidades; el fenómeno de los Tupamaros es básicamente una revolución de la clase media en contra de un sistema que no ofrece oportunidades de participación"*.[139]

Uno de los países más estables y desarrollados de América Latina durante la primera mitad del siglo (primera potencia del fútbol mundial con una población de apenas dos millones, con las leyes más progresistas del mundo, con sistemas de salud y de educación gratuitos que redujeron el analfabetismo a casi cero, y con una seguridad social que no existía ni en Estados Unidos hasta Franklin Roosevelt) había entrado en una lenta y persistente decadencia económica y social a partir de los años 50. Para entonces, el Partido Colorado del fundador del Uruguay moderno, el progresista José Batlle y Ordoñez, se encontraba en el proceso de convertirse en una fuerza conservadora junto con su adversario, el Partido Blanco. Como consecuencia, los progresistas comenzaron a ser desplazados al margen del espectro político y mediático, y a nuevas opciones políticas que, paradójicamente, fueron representadas como foráneas y peligrosas por no llevar los colores blanco o colorado de los partidos tradicionales.

Para Washington, el problema era otro: de ninguna forma iba a ver cuestionada la doctrina Monroe de 1823 que, para entonces, ya había cambiado de nombre y de excusas varias veces. Por el contrario, necesitaba extenderla desde su Patio trasero de las repúblicas tropicales a las regiones más frías del Cono Sur como forma de prevención, aunque para ello debía extender su costumbre centenaria de provocar o implantar dictaduras militares "que pongan orden en el caos".[140] Según lo reconocerá el agente de la CIA Philip Agee y en base a sus experiencias anteriores en el continente, este país era más difícil de corromper, precisamente, por su educación popular establecida mucho tiempo atrás.

La aparición de un grupo subversivo armado de izquierda que pudiese justificar y radicalizar las prácticas anteriores de intervención pública y

---

[139] Antes que los tupamaros, habían surgidos grupos denominados Comandos del Hambre, los que asaltaban camiones de comida de la cadena de supermercados Manzanares para distribuirlos en los irónicamente llamados *cantegriles*, los nuevo asentamientos de villas miserias en los perímetros de Montevideo.

[140] El caos de los indios, de los negros y de los hispanos en Estados Unidos también se controló con una larga dictadura, pero nunca fue militar y siempre se la llamó democracia.

secreta de Washington tardó pero llegó. Los Tupamaros, un grupo guevarista, había sido fundado unos años después de la visita del Che Guevara a Uruguay y pese a la recomendación contraria del propio Guevara. El 17 de agosto de 1961, pocos meses después del fiasco de Bahía Cochinos, el Che habría afirmado, en un discurso en el paraninfo de la Universidad de la República: *"Tengo la pretensión de decir que conozco América y que cada uno de sus países, en alguna forma, lo he visitado, y puedo asegurarles que en nuestra América, en las condiciones actuales, no se da un país donde, como en el Uruguay, se permitan las manifestaciones de ideas... Ustedes tienen algo que hay que cuidar que es, precisamente, la posibilidad de expresar sus ideas; la posibilidad de avanzar por cauces democráticos hasta donde se pueda ir"*. Esa tarde, a su lado, escuchaba atento un senador chileno llamado Salvador Allende. A la salida de la multitud, alguien había disparado y la bala, probablemente destinada al Che, mató al profesor de historia Arbelio Ramírez. Alguien había logrado que el discurso más conciliador del famoso revolucionario fuese refutado con un solo disparo. Fue el primer asesinato sin resolver en la lucha armada de la Guerra Fría en ese país, como corresponde en los casos planeados por agencias secretas que juegan en la primera liga. Algunos especularán sobre la amistad del profesor con la familia de una española que trabajaba como informante de la embajada soviética. Seguramente no por casualidad, el agente cubano de la CIA, Orlando Bosch se encontraba entre la multitud esa tarde. Bosch ya había participado en diversas operaciones en el continente. Entre sus más de cien atentados terroristas, sus obras maestras serán (en sociedad con otro cubano de la CIA definido por el FBI como terrorista peligroso, Luis Posada Carriles) la bomba detonada en Cubana de Aviación, la que costará la vida a 73 personas, y el coche bomba que matará al ex ministro de Salvador Allende, Orlando Letelier y su secretaria en la misma capital de Estados Unidos. De la misma forma que Bosch, Posada Carriles y decenas de otros terroristas fueron sistemáticamente condenados y perdonados en Estados Unidos (la mayoría vivió en suntuosas casas en Miami), tampoco en Uruguay se investigó a fondo el terrorismo de la derecha criolla y mucho menos las múltiples actividades de la CIA, la que precedió a la misma creación del conocido grupo guerrillero de izquierda Tupamaros.

Antes de la llegada de Agee, en 1957 Howard Hunt (uno de los cerebros de la CIA en la campaña de propaganda que culminó con el derrocamiento de Jacobo Árbenz en Guatemala tres años antes) había sido asignado a la estación Montevideo.[141] Poco después, el mismo Jacobo Árbenz había llegado con su

---

[141] Howard Hunt será investigado en Estados Unidos por el asesinato de Kennedy debido a una grabación realizada en Montevideo dos días antes del asesinato del presidente, en la cual se mencionaba *"un asunto de extrema importancia para el país"*. En 1975 será condenado por conspiración en el escándalo Watergate que derivó en la

familia desde Checoslovaquia y había alquilado una casa a pocas cuadras de la residencia de Hunt. Ambos coincidieron en una reunión social pero Hunt, pese a la tentación de su arrogancia, se contuvo y, copa en mano, no le reveló la verdad a su víctima, a quien en 2007 todavía llamaba *dictador*. El nuevo embajador de Estados Unidos, John Woodward, un idealista contra las políticas intervencionistas, le había dicho que esperaba que su nueva misión no fuese hacer en Uruguay lo que había hecho en Guatemala. Hunt, seguro de su independencia en cuestiones diplomáticas y legales, le informó que su único objetivo era que los comunistas no llegasen al gobierno en Uruguay. El embajador Woodward le respondió: *"no vas a encontrar más comunistas aquí en Uruguay que en Texas"*.

Según Hunt y el embajador anterior, el presidente conservador Luis Batlle Berres era antiamericano, y el hecho de que Uruguay, junto con México y Argentina, fuese uno de los tres países que tenían una embajada de la Unión Soviética, era una prueba. Por esta razón y por alguna otra, Hunt había reclutado a Benito Nardone, un periodista aficionado y político mediocre, sin preparación pero mediático y con una gran audiencia rural gracias a su programa de CX4 Radio Rural que se emitía a las 11: 30 de la mañana, justo a la hora del descanso y de la conversación del mate antes del almuerzo. Contra todos los pronósticos y las encuestas del embajador Woodward, Nardone, conocido como Chicotazo, terminó ganando las elecciones presidenciales de 1958 y demostrando el poder de Hunt y de la CIA para el trabajo fino. Como Washington, Moscú tenía sus espías trabajando en Uruguay bajo el escudo de su embajada. Diferente a Washington, no se registran golpes de Estado ni sangrientas dictaduras financiadas por Moscú.[142]

En los años sesenta las protestas sociales se habían incrementado al igual que las acciones secretas de Washington en el país. Los cargos más importantes de la policía habían sido reemplazados por individuos entrenados por la CIA y la tortura en las comisarías, según sus propios agentes, se habían convertido en práctica habitual. Entre 1963 y 1965 se fundó el grupo guerrillero Tupamaros, lo que les dio una excelente excusa a las fuerzas de represión en un contexto generalizado de decadencia económica, social y moral. Poco

---

renuncia del presidente Richard Nixon. En 2007, en su lecho de muerte, reconocerá que la CIA organizó el asesinato de Kennedy. El testimonio de sus familiares fue clasificado como poco confiable.

[142] Ni siquiera la Revolución cubana fue orquestada en Moscú. La Unión Soviética se convirtió en aliado y subsidiario estratégico de Cuba luego del desprecio de Eisenhower y Nixon a la visita de Fidel Castro a la Casa Blanca y, sobre todo, luego de la fracasada invasión militar de Bahía Cochinos en 1961, de los sabotajes y actos de terrorismo, del acoso legal y del masivo bloqueo económico y diplomático que le siguió.

después y mucho antes de la dictadura militar, como parte de la lucha anti-subversiva, la Dirección Nacional de Información e Inteligencia operará escuadrones de la muerte, aparte realizar detenciones y apremios ilegales.

Pero el mayor temor de Washington y de la oligarquía criolla no eran los tupamaros sino el Frente Amplio. No eran las balas, sino los votos que herían mil veces más los intereses de las transnacionales y de las elites criollas. El 27 de agosto de 1971, la embajada de Estados Unidos en Buenos Aires le envió un telegrama secreto al Departamento de Estado detallando la preocupación del gobierno militar de Alejandro Lanusse sobre las elecciones en Uruguay. La embajada preveía que el gobierno argentino, con o sin la ayuda de Brasil, intervendría en Uruguay de forma secreta para evitar un triunfo del Frente Amplio en las elecciones *"a través de un autogolpe comandado por el presidente Jorge Pacheco Areco"*. En marzo de 1970, Pacheco Areco se había reunido con el dictador argentino Juan Carlos Onganía, y en febrero del año siguiente con su sucesor, el general Levingston. Poco después, Argentina le envió equipos especializados en interrogatorios. En diciembre de 1970 y en julio de 1971, hubo contactos entre las cúpulas de Argentina y Brasil. Los agregados militares de Brasil informaron a sus pares de Estados Unidos (USMILAT) que desde mucho antes, durante las pasadas dictaduras de Onganía y Artur da Costa e Silva, existía un acuerdo para intervenir en Uruguay cuando ellos lo considerasen necesario.

Sin embargo, el mismo Lanusse enfrentaba una fuerte oposición popular en Argentina y la opción de una intervención directa fue sustituida por el apoyo al presidente Pacheco Areco para un autogolpe que impidiese la toma de poder por parte del Frente Amplio en caso de una votación favorable a la izquierda, como había ocurrido en Chile un año atrás y para lo cual Washington ya había resuelto un nuevo golpe de Estado. Señalando fuentes directas vinculadas a los altos mandos, la Embajada de Estados Unidos reportó: *"este plan ya se encuentra en marcha"*. Más adelante: *"los recientes eventos en Bolivia, en los cuales el gobierno de Argentina estuvo involucrado, han alentado a sus militares a repetir la misma solución"* (Se refiere al golpe de Estado del general ultraconservador Hugo Banzer contra el general progresista J. J. Torres) *"La embajada espera que el gobierno de Argentina haga lo necesario para apoyar militar y económicamente al gobierno de Uruguay contra la amenaza de un posible triunfo del Frente Amplio"*.

Ahora, para las cruciales elecciones de 1971, Washington y Brasilia ya se han encargado de que el partido de izquierda Frente Amplio obtenga una mala votación y que el Partido Blanco, el partido de Nardone (ahora posicionado unos pasos hacia la izquierda con su candidato nacionalista Wilson Ferreira Aldunate) pierda las elecciones. Luego de meses de recuento y de denuncias de fraude, el candidato del Partido Colorado, ahora en manos de la derecha militarista, resultará vencedor. Juan María Bordaberry obtendrá unos pocos miles de votos más que Wilson Ferreira y se encargará de entregar el país a la dictadura militar dos meses antes del golpe en Chile. Este mismo año, en la Casa Blanca, Richard Nixon, Henry Kissinger, Vernon Walters y otros funcionarios de Washington le agradecen personalmente al dictador brasileño Emílio Garrastazu Médici por la manipulación de las elecciones en Uruguay, como antes habían colaborado con Chile, y por ser el brazo secreto de Estados Unidos en la represión de los movimientos sociales de América Latina y en el bloqueo de Cuba como miembro de la OEA.

A la vuelta de la democracia vigilada en 1984, los militares primero y luego los políticos conservadores, no se cansarán de justificar la dictadura uruguaya como una consecuencia de las acciones de los Tupamaros y de la influencia extranjera. Como la mayoría de los grupos armados de ideología marxista, indigenista o alguna otra variación de la izquierda del siglo XX en América latina, los Tupamaros habían nacido en los años sesenta, al menos un siglo después de las profusas dictaduras que en ese continente comenzaron a ser implantadas por Washington en su patio trasero. Pero la tradición de rebeliones armadas es aún más antigua y se remonta a los primeros días de la conquista y colonización ibérica en el continente. El patrón del siglo XVI, la misma historia elogiada por Hernán Cortés, denunciada por Bartolomé de las Casas y sufrida por los rebeldes como Hatuey o Enriquillo, se repite en otros escenarios mil y una vez a lo largo del siglo XX y es explotado por el imperio de turno: el poder de la elite colonial y exportadora en los puertos y los indios, los negros y los blancos rebeldes escondidos en las sierras. No por casualidad, un análisis secreto sobre las actividades subversivas del Departamento de Estado fechado el 31 de diciembre de 1976 afirma que "*el terrorismo en América Latina tiene raíces indígenas*". No por casualidad el nombre Tupamaros, en un país predominante europeo y urbano como Uruguay, hace referencia al rebelde peruano Túpac Amaru II.

En Uruguay, el golpe de Estado de 1973 tampoco tuvo como objetivo derrotar a los tupamaros que ya habían sido derrotados.[143] Había que eliminar la amenaza de una opción popular por la fuerza de los votos. En Chile, el

---

[143] La derrota armada de los tupamaros ni siquiera fue mérito del ejército. Muchos meses antes del golpe de Estado de 1973 este grupo había sido reducido por la policía, también bajo la órbita de Washington y la CIA desde hacía más de diez años. La misma creación y organización de la DNII (Dirección Nacional de Información e Inteligencia) había sido obra de los enviados de Washington dirigidos por enviados a Washington, como su director Víctor Castiglioni. La DNII también se especializó en el secuestro y tortura de disidentes no vinculados a los grupos armados pero sospechosos de pensar diferente.

golpe de Estado no fue posible antes del triunfo de Allende, sino después. Esta fue la diferencia.

En Argentina, la decepción de los peronistas por el nuevo peronismo de derecha y la experiencia subversiva creada por la dictadura de Onganía en los 60 habían formado el cóctel perfecto para el caos y, sobre todo, para una nueva excusa de las fuerzas de represión. ¿Qué mejor que el desorden para los profesionales del orden? Pocos meses antes de las elecciones de 1976, los militares decidirán dar un nuevo golpe de Estado y evitar el triunfo del ala izquierda del peronismo, reagrupada detrás de Héctor Cámpora y con serias posibilidades de llegar a la Casa Rosada.

Cuando pocos años después, en el Cono Sur, el dominó de las dictaduras militares tiña de sangre y arbitrariedad toda la región, Washington deberá justificarse. El lenguaje será, como siempre, el principal instrumento y la primera víctima. En un Memorándum del Departamento de Estado enviado a Tony Lake con fecha del 31 de diciembre de 1976, el terrorismo de Estado que azotará la región gracias a estas políticas de manipulación internacional apenas merecerá referencias tangenciales como la preocupación por la percepción negativa de otros países sobre el apoyo de Washington a "*países que no observan estándares internacionalmente reconocidos*" en materia de derechos humanos. Los grupos de izquierda son repetidamente señalados como terroristas mientras que las matanzas de los gobiernos y de los grupos paramilitares de derecha que "*secuestran, violan, torturan y asesinan disidentes... sospechosos de simpatías izquierdistas*" son referidos como excesos. La clausura del parlamento en Uruguay es mencionada como una consecuencia de la lucha contra los terroristas, mientras que "*en los gobiernos del Cono Sur existe una clara tendencia a rechazar las preocupaciones internacionales sobre derechos humanos por tratarse de injerencias extranjeras en asuntos internos... algo que no puede ser permitido*". El futuro ministro de Relaciones Exteriores de la dictadura en Uruguay, Juan Carlos Blanco, protestará cuando, durante la administración Carter, la Enmienda Koch limite la ayuda de Washington a las dictaduras amigas, por considerar que constituye una interferencia inaceptable en asuntos internos de esos países. El embajador estadounidense en Montevideo, Ernest Siracusa, en defensa de la dictadura, la llamará "*gobierno civil con una fuerte influencia militar*".

Años, décadas, generaciones después, las elites en el poder político y social no se cansarán de repetir que, de no haber sido por los grupos rebeldes de izquierda como los Tupamaros en Uruguay o los Montoneros en Argentina, las dictaduras militares nunca hubiesen existido. Esta fabricación se convertirá en un dogma. Como los traumas de las dictaduras, sobrevivirá en las generaciones por venir.[144]

1972. Machetes y motosierras por la libertad

CAAGUAZÚ, PARAGUAY. MARZO-ABRIL DE 1972—En la Capital de la madera, 171 miembros de la tribu Aché son desalojados de sus tierras y llevados a una reserva. Como en Chile, como en Bolivia o como en Brasil, los indios que se resisten son masacrados con machetes, de la misma forma que se limpia el terreno para extender las tierras de los hacendados, vanguardia de los capitales interesados en invertir en la explotación de los bosques y la minería paraguaya. Los machitos son vendidos como esclavos para el trabajo en los campos; las hembritas para placeres sexuales. Como en tiempos de la conquista española, muchos mueren por las pestes de los blancos que sus cuerpos no conocen. El misionero James Stolz observa que, para algunos, tener un indio aché es un signo de estatus, como tener un tigre, porque son más blancos y más feroces que los miembros de otras tribus.

En Asunción deben esperar a que el 21 de enero de 1974 el *New York Times* publique un artículo sobre esta matanza para darse cuenta de lo que estaba ocurriendo en su país. El régimen del general Adolfo Stroessner le restará importancia al asunto, estimando que se trata de menos de mil indios aché. Además, no pocos ciudadanos tienen una repulsión histórica por los indios de su país indio. El coronel Tristán Infanzón afirma que "*en Paraguay no tenemos ningún problema con los indios; ellos representan el cuatro por ciento de la población*". Para el coronel la cosa es obvia: las acusaciones tienen una motivación política de los radicales de izquierda.

Un año antes, en 1971, el antropólogo alemán Mark Münzel había acusado a Stroessner de abusos contra los derechos de los pueblos indígenas, exterminados o desplazados de sus tierras. Pero las naciones civilizadas no reaccionan. En Paraguay no hay comunismo. Paraguay es una dictadura

---

[144] El 19 de abril de 1995 Timothy McVeigh, un terrorista de extrema derecha y soldado de la Guerra del Golfo, logrará detonar una bomba que destruirá un edificio federal en Oklahoma matando a 168 personas y dejando más de 600 gravemente lesionadas. En los años por venir, los atentados terroristas de la extrema derecha en Estados Unidos proliferarán por miles ante la distracción de la gran prensa, totalmente ocupada con los casos minoritarios del terrorismo islámico. Ni siquiera se aprobarán leyes limitando las libertades civiles (como fue el caso de la Ley Patriota contra los críticos luego del 9/11 de 2001). Nadie propondrá un golpe de Estado en Washington para luchar contra el terrorismo doméstico. No habrá narrativa que lo justifique ni propaganda extranjera que la promueva.

amiga—amiga de Washington, de los capitales, de las transnacionales y del progreso que no mitiga la pobreza pero promueve la violencia.

Más de veinte años atrás, en 1949, el general Stroessner había apoyado el golpe de Estado del general Raimundo Rolón contra el presidente poeta Juan Natalicio González, electo el año anterior, quien en apenas meses en la presidencia había tenido la pésima idea de nacionalizar la American Light and Traction Company (CALT). Finalmente, el 5 de mayo de 1954, Stroessner derrocó al presidente electo Federico Chávez, quien, poco antes, había propuesto armar a la policía nacional e impulsar reformas sociales que fueron del desagrado de los bancos internacionales, como el FMI. Chávez era demasiado nacionalista, que para un país latinoamericano no tiene nada que ver con alguna idea de superioridad racial, propia del Primer mundo; significaba que era, o parecía ser, independentista e insumiso.

De esta forma, y al igual que en muchos otros países latinoamericanos, luego del breve desaliento a las dictaduras fascistas o pronazis en América Latina como consecuencia de la guerra de los Aliados contra el Eje, todo había vuelto a la normalidad y, una vez más, Washington apoyaba de forma abierta y de forma secreta a los dictadores de extrema derecha que, naturalmente, son los protectores de los capitales del Primer mundo. Así se sucedieron golpes de Estado en Guatemala, en Bolivia y en otros países, para restaurar el viejo orden militarista y dictatorial bajo la bandera de la vieja Libertad anglosajona.

El general Alfredo Stroessner, hijo de bávaros alemanes, aficionado al sexo con jovencitas y perteneciente a la clase selecta del país guaraní, había dado asilo a criminales nazis como Josef Mengele, pero esto nunca fue un problema. La CIA se había encargado de enviar a otros criminales nazis a la región como Klaus Barbie, Walter Rauff y Friedrich Schwend para apoyar sus dictaduras amigas. Stroessner será reelecto siete veces como candidato único a la presidencia hasta 1989 sin que se escuchen voces críticas de Washington sobre la "perpetuación en el poder" de su dictador amigo. Por el contrario, no habrá bloqueo ni acoso sino apoyo económico y moral para que se pruebe el éxito social que nunca llegará. Paraguay se convertirá en uno de los países más pobres de América del Sur, pero la literatura de Washington y de los grandes medios internacionales harán que ese dato pase desapercibido. La prensa extranjera más sarcástica definirá su gobierno como "*el régimen nazi de los pobres*".

Aparte de los capitales privados, Washington había invertido cientos de millones de dólares para apoyar su dictadura. A cambio, Stroessner ofreció lo que mejor sabía hacer: eliminó la disidencia interna (calificada invariablemente como "comunista" y como "enemigos de la libertad", según los manuales de la CIA y según los cursos de la School of the Americas) a los pocos críticos que se animaron a de decir algo.[145] También (como Colombia en la guerra de Corea, como Argentina en la guerra de Kuwait) Paraguay había enviado tropas a Vietnam y había apoyado la invasión a República Dominicana en 1965.

Para proteger la libertad en su país, el general Stroessner había impuesto la ley marcial y el Estado de sitio, el que durará más de tres décadas, por la cual las libertades civiles se convirtieron en irrelevantes o inexistentes cuando los acusados no pertenecían a la clase dirigente. Para proteger los intereses de las compañías extranjeras, su régimen continuará desplazando a los comunistas y a los indios sucios de sus tierras improductivas.

Bajo Stroessner, Paraguay participará en la mafia de generales de Chile, Argentina, Bolivia, Paraguay, Uruguay, Brasil y Estados Unidos, conocida como Operación Cóndor, la que eliminará a miles de disidentes desde Washington hasta Tierra del Fuego, pasando por Europa. Sus logros aparecerán flotando en el Río de la Plata, en el Río Paraguay o no aparecerán nunca y se llamarán *desaparecidos*.

Por supuesto que el sadismo mágico no fue una excepción en Paraguay. Antes de la navidad de 1975, el secretario del partido comunista, Miguel Ángel Soler, será picado vivo con una motosierra y el presidente Stroessner seguirá la escena vía telefónica para su propia satisfacción. Haciendo uso de las novedades tecnológicas de la época, varias sesiones de tortura y asesinato de este tipo serán grabadas para luego ser enviadas a sus familiares.

El 22 de diciembre de 1992 el abogado y docente Martín Almada descubrirá una monumental colección de informes policiales escondidos en un sótano de Lambaré con miles de fichas conteniendo los datos, los métodos de tortura y la ejecución de disidentes. Los documentos probarán la implicación directa de Washington y del Plan Cóndor en el terror impuesto en el Cono Sur durante décadas. Para entonces, más de 70.000 paraguayos disidentes habrán sido asesinados o desaparecidos durante este régimen de terror que Asunción y Washington protegen en nombre de la patria, vida, de la libertad y de los derechos humanos.

De una forma u otra, más aquí o más allá, despés de siglos de civilización y progreso, el despojo de tierras, la tortura, el abuso sexual, el genocidio, la muerte y la mentira continúan tan campantes como si nada. De la misma forma que Stroessner es conocido como "El viejito bueno", Washington continuará siendo el Líder del mundo libre.

---

[145] Como es natural, durante la dictadura de Stroessner los oficiales paraguayos serán enviados a la School of the Americas en Panamá tanto como en Fort Benning, Georgia, para ser formados, junto con otros futuros dictadores latinoamericanos, en literatura política (según la cual todo activista por los Derechos Humanos es un comunista que, además, debe ser eliminado) y en técnicas de tortura y represión.

1973. Papá, ¿por qué los grandes medios son de derecha?

MONTEVIDEO, URUGUAY. 27 DE JUNIO DE 1973—Con la oposición de la marina, el presidente electo Juan María Bordaberry y otro ejército latinoamericano deciden salvar la libertad, la democracia, la patria y el honor contra la influencia extranjera. Para eso debe suprimir las libertades individuales, el parlamento, los derechos humanos y permitir que el plan de Washington se lleve a cabo al mismo tiempo que se culpa a alguien más (en este caso, los Tupamaros) de la necesaria dictadura. Como otros casos en América latina, la campaña electoral de Bordaberry había sido en parte financiada por la dictadura brasileña, otra hija de la desestabilización programada del gobierno de Washington que terminó con el gobierno progresista de João Goulart en 1964 y la instalación de otra dictadura militar y la creación de los Escuadrones de la muerte.

El agente de la CIA asignado a Uruguay en 1964, Philip Franklin Agee, se encuentra en Londres escribiendo sus memorias, de donde será expulsado, no por sus operaciones encubiertas sino por sus revelaciones. Durante la década anterior, escribe Agee, los grandes medios en Uruguay, como en otros países latinoamericanos, estaban inoculados. Con un presupuesto de un millón de dólares anuales (equivalente a más de ocho millones para el año 2020) y siguiendo los lineamientos de Mockingbird Operation (Operación Sinsonte) cada día se plantaban "*dos o tres artículos de propaganda*" en diarios como *El País, La Mañana* y *El Día*. Los artículos eran pasados como editoriales sin firmas, lo cual aumentaba la idea de realidad objetiva y luego eran, previsiblemente, citados por otros medios. En abril de 1964, recuerda Agee, la CIA había plantado un artículo de media página en el diario colorado *La Mañana* firmado por Hada Rosete, representante del Consejo revolucionario cubano, en el cual había hecho circular la idea de la presencia de armas rusas y cubanas en el hemisferio para apoyar a grupos subversivos en Venezuela, Honduras, Perú, Colombia, Argentina, Panamá y Bolivia, operación supuestamente dirigida a muy larga distancia por las embajadas soviéticas y cubanas en México, Buenos Aires y Montevideo, las tres únicas embajadas soviéticas existentes en el continente durante los años cincuenta. El artículo había sido escrito por los agentes Gerald O'Grady y Brooks Reed. Otros artículos publicados en los principales diarios del país habían sido escritos en Nueva York por el cubano Guillermo Martínez Márquez, editor de la Sociedad Interamericana de Prensa.

Estas son prácticas comunes en el continente y más allá. En 1976 la Comisión Otis Pike de la Cámara baja y la comisión Church del Senado de

Estados Unidos reproducirán uno de los informes de la CIA fechado en octubre de 1970 sobre su actividad sistemática de plantar editoriales y proveer información falsa o conveniente en los medios locales para influir o preparar una intervención. En sus propias conclusiones, la comisión Church revelará el *"uso sistemático de la prensa, de las radios, del cine, de panfletos, de posters, de correo directo"* por parte de la CIA. En el caso del programado golpe de Estado en Chile, a semanas de la asunción de Salvador Allende: *"San Pablo, Tegucigalpa, Lima, Montevideo, Bogotá, Ciudad de México reportan que se continúa reproduciendo el material sobre el tema Chile. Incluso algunas partes se han reproducido en el* New York Times *y en el* Washington Post. *Los esfuerzos de propaganda continúan dando resultados satisfactorios en la cobertura de noticias según nuestros lineamientos..."* Las memorias de agentes de la CIA, como las de Howard Hunt publicadas en 2007, reconocerán estas prácticas y sumarán otras, puestas en duda por la misma comisión Church del senado que lo investigó treinta años antes. El 26 de diciembre de 1977 el *New York Times* publicará una investigación con otros nombres de medios involucrados en esta operación millonaria de desinformación, entre ellos *Avance, El Mundo, Prensa Libre, Bohemia, El Diario de las Américas* y *The Caracas Daily Journal*, aparte de múltiples programas de radio por toda la región y agencias de noticias como EPS y Agenda Orbe Latin American. Diversos agentes de la CIA también operan encubiertos o con permiso en agencias de noticias como Reuters, The Associated Press y United Press International. En algunos casos, como *Combate*, ni siquiera sus editores sabían del origen de la financiación. Nueve años atrás, un desconocido profesor de Harvard llamado Henry Kissinger, sobreviviente de la persecución nazi en Alemania, había resumido toda la filosofía imperialista con su clásico cinismo: *"Existen dos tipos de realistas: aquellos que manipulan los hechos y aquellos que los crean; Occidente necesita hombres capaces de crear su propia realidad"*.

Radios como *La Voz de la Liberación* fueron creadas de la nada para el golpe de Estado en Guatemala en 1954, pero la práctica más común por sus costos y, sobre todo, por su credibilidad fue la inoculación de medios establecidos y con algún prestigio. La televisión y algunas radios de Uruguay también habían caído en esta red, pero se prefería a los diarios porque eran el espacio ideal para introducir ideas e información política que luego sería repetida por los otros medios. En el tranquilo país del extremo Sur, la CIA, que también había trabajado con funcionarios, policías y políticos, había encontrado dificultades en la universidad y en las organizaciones populares. Diferente a su anterior experiencia en otros países del continente, había reconocido el agente Agee, Uruguay era más difícil de corromper con dinero debido a su alto desarrollo social y económico y a una fuerte educación que procedía de los tiempos de José Batlle y Ordóñez a principios de siglo. Por esta razón, en lugar de infiltrar grupos de izquierda y organizaciones universitarias como la FEUU, habían decidido trabajar más a nivel de la educación secundaria, esperanzados de que estos estudiantes más jóvenes un día serían universitarios.[146] También habían invertido en la promoción de "sindicatos libres" alternativos y en políticos mediáticos y ruralistas como Benito "Chicotazo" Nardone (luego presidente por un año) los cuales también eran canales para la narrativa y las políticas de la CIA.[147] Durante la Guerra Fría la estrategia era subsidiar los grandes medios de prensa latinoamericanos con dinero secreto o a través del pago de publicidad. Durante la Era de Internet la estrategia será posicionarlos en las autopistas más transitadas de Internet, en manos de las compañías estadounidenses con frecuentes conexiones con Washington. Como lo demostrarán diversos estudios de instituciones como la American Institute for Behavioral Research and Technology, para 2015 las grandes compañías habrán invertido 20 mil millones de dólares anuales sólo en forzar la búsqueda de información para privilegiar una opción política sobre otra.

El plan resultó según lo previsto. No sólo se estableció una dictadura por once años en uno de los países más democráticos de América Latina, sino que, además, como en cualquier otro país al sur del río Grande, se inoculó la idea de que la barbarie militarista no era un ataque sino una defensa contra las injerencias extranjeras. Por las generaciones por venir, una considerable proporción de la población y de los políticos continuará justificando la dictadura militar y culpando de sus violaciones de los derechos humanos a un grupo guerrillero llamado Tupamaros, surgido en los años sesenta y desarmado mucho antes del golpe de Estado. El argumento de que un país puede suprimir los derechos humanos para luchar contra quienes desean destruir los derechos humanos seguirá siendo un éxito casi absoluto de la propaganda organizada en Washington desde el siglo XIX. La idea de que los grandes medios de

---

[146] El agente Gerald O'Grady estaba a cargo de financiar estos grupos.

[147] Benito Nardone había sido reclutado por el jefe de la CIA en Uruguay, Everette Howard Hunt, uno de los autores intelectuales del golpe de Estado en Guatemala contra Jacobo Árbenz en 1954, participante de la invasión de Bahía Cochinos en Cuba en 1961 y futuro cómplice del presidente Richard Nixon en la eliminación de las grabaciones que, finalmente, lo llevarían a renunciar a la presidencia de Estados Unidos. Cuando Herrera y Nardone ganen las elecciones, el lunes 1ro. de diciembre de 1958 el diario *El País* titulará a lo ancho de toda su portada "VENCIÓ EL PUEBLO". El 9 de noviembre de 1960, la CIA informará del discurso del presidente Nardone denunciando "*las actividades cubanas en Uruguay*". Dos meses después, el 10 de enero, Nardone expulsará a los embajadores de Cuba y de la Unión Soviética por intromisiones en los asuntos nacionales.

prensa y los ejércitos latinoamericanos defienden el honor y las injerencias extranjeras, también.

Los negacionistas funcionales (muchos de ellos educados en estos grandes medios de manipulación) se encargarán de descalificar a Agee por haber desertado de la CIA y no mencionarán que sus revelaciones no fueron negadas por otros agentes y directores de esa agencia, sino lo contrario. Diferentes confesiones de agentes que se mantuvieron fieles a su misión hasta sus últimos días reconocerán y confirmarán estas prácticas sin ninguna comezón de conciencia.

La CIA opera en cada país desde dentro de compañías aéreas, mineras y de servicios de limpieza (en mucha de las cuales es accionista) hasta sindicatos y centros de educación. Pero los medios de información y entretenimiento siempre han sido un área de extrema sensibilidad y utilidad. Los medios son los principales creadores de opinión y de sensibilidades y, como lo reconoció Edward Bernays mucho antes de que se inventara la CIA, la mejor forma de administrar una democracia es decirle a la gente lo que deben pensar. Como lo practicó innumerables veces el mismo Bernays cuando fue contratado por Washington para vender un golpe de Estado o por una empresa privada para vender tocino, la Opinión pública es un producto, algo que se fabrica y se vende como cualquier otro producto. Sólo hay que hacer que otros digan y repitan lo que nosotros queremos que se diga y se repita sin que nunca se sepa su verdadero origen. "*Sobre todo cuando la gente no tiene ni idea de dónde procede realmente una mentira*".

Por las décadas y por las generaciones por venir, los grandes medios de prensa dominantes y creadores de opinión pública en casi todo el mundo serán conservadores, de derecha. Como parte de la misma lógica, serán acusados de ser liberales, de izquierda.

En sus manuales, la CIA y del National Security Council ("A Plan for National Psychological Warfare" del 10 de julio de 1950) compartían un consenso que les habían robado al propagandista Edward Bernays: la forma más efectiva de propaganda "*es aquella en la cual el sujeto se mueve en la dirección deseada por las razones que él cree que proceden de su propia libertad*".

En Argentina, la decepción de los peronistas por el nuevo peronismo de derecha y la actividad subversiva (nacida bajo la dictadura de Onganía en los 60) habían alcanzado niveles de nerviosismo nacional y sirvieron para una nueva excusa de las fuerzas de represión. Pocos meses antes de las elecciones de 1976, con una violencia paramilitar de la extrema derecha actuando a su antojo, los militares decidirán dar un nuevo golpe de Estado y evitar el triunfo del ala izquierda del peronismo, representado por Héctor Cámpora y posibilidades de recuperar el poder.

En Uruguay, el golpe de Estado de 1973 tampoco tuvo como objetivo derrotar a los tupamaros que ya habían sido derrotados. Había que eliminar la amenaza de una opción popular por la fuerza de los votos. En Chile, el golpe de Estado no fue posible antes del triunfo de Allende, sino después. Esta fue la diferencia.

Años después, las elites en el poder político y social no se cansarán de repetir que, de no haber sido por los grupos rebeldes de izquierda como los Tupamaros, las dictaduras militares nunca hubiesen existido. Esta fabricación se convertirá en un dogma. Como los traumas de las dictaduras, sobrevivirá en las generaciones por venir.

1973. Si no es por las buenas, será por las malas

SANTIAGO DE CHILE, 11 DE SETIEMBRE DE 1973—El general Augusto Pinochet, ascendido el 23 agosto pasado al rango de Comandante General del ejército de Chile por el presidente electo Salvador Allende, bombardea la casa de gobierno donde se encuentra el presidente. Como es costumbre, los generales que dirigen las acciones patrióticas nunca van delante sino detrás de sus poderosos ejércitos. Con insultos y a la distancia, ordena que no hay rendición posible del *enemigo*. La Moneda arde bajo las bombas. Luego de un discurso de despedida en la radio Magallanes que recuerda a la despedida de Jacobo Árbenz en Guatemala veinte años atrás, Allende se dispara con la AK-47 que le regalase Fidel Castro, para evitar ser tomado prisionero, lo que erróneamente la prensa y las enciclopedias calificarán como suicidio.

A las 9:00 de la noche, el general Pinochet, con una voz chillona y afeminada que recuerda a la de Francisco Franco, anuncia por cadena de televisión: "*Las fuerzas armadas y del orden han actuado en el día de hoy sólo bajo la inspiración patriótica de sacar al país del caos que de forma aguda lo estaba precipitando el gobierno marxista de Salvador Allende*".

El general Augusto Pinochet era considerado un militar sin ambiciones políticas (de la misma forma será calificado el futro golpista y general Rafael Videla antes de ser promovido por la presidente Isabel Perón en Argentina), por lo cual había sido el reemplazo natural del general Carlos Prats, un férreo constitucionalista que, a su vez, había reemplazado al general René Schneider, asesinado en un complot de la CIA por obstaculizar sus planes de desestabilización y golpe de Estado contra Allende. El 2 de agosto, en una reunión en la base militar de El Bosque, oficiales de la dictadura brasileña habían informado a la CIA sobre los generales que apoyarían el golpe, según su experiencia del golpe en Brasil promovido por la CIA. Incluso llegarán a escribirle al nuevo dictador su primer discurso ante las Naciones Unidas para presentar un crimen de lesa humanidad como un acto de defensa de la humanidad.

En Washington, Henry Kissinger da una conferencia de prensa y, como copia del discurso exculpatorio del Secretario de Estado John Foster Dulles luego de destruir la democracia en Guatemala en 1954, niega cualquier participación del gobierno de Estados Unidos en el golpe militar de Chile. Kissinger sigue, letra por letra, el manual de la CIA que, por décadas, exige que todo lo que sea hecho debe ser hecho *"permitiendo una negación plausible"* y, bajo cualquier circunstancia, *"nunca se debe admitir alguna participación en ningún hecho, aunque todas las pruebas indiquen lo contrario"*.

Otro caos social decidido y planificado por la CIA y por el gobierno de Richard Nixon con la ayuda de otro ejército patriota latinoamericano. Las pruebas serán reveladas tiempo después debido a las investigaciones del comité Church del senado de Estados Unidos en 1975, a las confesiones de los involucrados décadas después y a los documentos desclasificados bajo la ley Freedom of Information Act. Las actas secretas de las reuniones en Washington no dejarán lugar a dudas.

El Plan B de la Comisión 40 de Washington fue todo un éxito. Sin embargo, hubo varias resistencias. El 9 de agosto, uno de los jefes de operaciones de la CIA (nombre no desclasificado) no estaba seguro: *"Me temo que vamos a repetir el mismo error que cometimos en 1959, cuando empujamos a Fidel Castro a los brazos de la Unión Soviética"*. En Chile, el general René Schneider, comandante en jefe de las Fuerzas Armadas, había bloqueado los planes de la CIA, considerando inaceptable una intervención del ejército en política y menos para un golpe de Estado. Para sacarlo del medio, la CIA había contactado a los generales Roberto Viaux y Camilo Valenzuela para asesinarlo y, de paso, culpar a los seguidores de Allende. Antes de cualquier respuesta, la Agencia les había enviado veinte mil dólares para *"mantenerlos financieramente lubricados"*. El 21 de octubre, llegó al aeropuerto Arturo Merino de Santiago un cargamento diplomático con armas, granadas y municiones. El coronel estadounidense Paul Wimert, amigo del general Schneider, fue el encargado de recoger las armas y entregárselas al general Viaux. El agente de la CIA Henry Hecksher le entregó a Wimert 250.000 para invertirlos en el asesinato de su amigo y el 22 de octubre el general Schneider fue emboscado mientras conducía su auto. Había intentado defenderse, pero cinco hombres lo rodearon y le dispararon con las armas todavía relucientes y oliendo a nuevo. Un informe oficial de la CIA en 2000 reconocerá que la agencia había provisto armas y, luego del asesinato de Schneider, había entregado a los asesinos 35.000 dólares (241.000 al valor 2020) *"para mantener el contacto secreto, la buena voluntad del grupo y por razones humanitarias"*.

Schneider murió tres días después y el presidente Eduardo Frei nombró en su lugar al general Carlos Prats. Pero Prats era otro constitucionalista y, como su predecesor y amigo, hizo posible que el voto del Congreso en favor de Allende fuese respetado, por lo que será acosado de diversas formas. Prats es objeto de protestas e intentos de linchamiento. La CIA le pagará a un grupo de esposas de generales para organizar una manifestación frente a su casa, la que terminará en trifulca y en la renuncia de Prats como Ministro de defensa y como Comandante en jefe del ejército. El tercero en línea de sucesión era el general Augusto Pinochet, quien un año después logrará asesinar a Prats en Argentina. Aunque recomendado por el mismo Prats para sustituirlo, por considerarlo un militar profesional y apolítico, Pinochet era conocido en la Escuela de las Américas de Panamá y, según la CIA, el general, alto y con aires de alemán, estaba comprometido con la operación. Finalmente, la CIA había logrado despejar el camino para el Plan B e invierte otro millón, subiendo la cifra hasta el momento a nueve millones de dólares. Parte de ese dinero fue para apoyar las huelgas, como la de camioneros. Como era de prever, más y más gente comenzó a protestar en las calles por la inflación descontrolada y los cada vez más frecuentes cortes de luz.

Aunque el 3 de julio de 1972 el *New York Times* había publicado el informe de uno de sus enviados identificado como Mr. Merriam filtrando los sobornos de ITT en Chile, ni a Nixon ni a Kissinger les importó, como alguna vez les importó a sus predecesores. Años antes, el Pentágono había financiado y organizado diferentes infiltraciones en la academia sudamericana con programas como el Proyecto Camelot en Chile, el que debió ser suspendido por el Secretario de Defensa de entonces, Robert McNamara, el 8 de julio de 1965 *"debido a la mala publicidad de la que ha sido objeto"*. El mismo proyecto debió continuar de formas más sutiles y secretas. Para entonces, el Departamento de Defensa de Estados Unidos ya había recabado información suficiente y se encontraba estudiando los escenarios posibles de un golpe militar en Chile. Según el modelo informático de nombre *Política*, y según las necesidades de sus programadores, la recomendación de la computadora era clara: Allende no debía sobrevivir a un posible triunfo de su partido. El mismo programa predijo que, luego de su asesinato, Chile permanecería *estable*.

Según el agente cubano de la CIA, Antonio Veciana (cabeza del fallido intento de asesinar a Fidel Castro en Santiago, dos años antes), *"Salvador Allende era un peligro mayor que Fidel Castro porque había llegado al poder por elecciones"*. Transferido a los placeres de Río de Janeiro y protegido por la dictadura militar de Brasil, su jefe, el agente David Atlee Phillips, veterano del exitoso golpe contra Árbenz en Guatemala y del fiasco de Bahía Cochinos en Cuba, había recibido la misión de organizar la desestabilización de Chile, un país que le traía nostalgias de su juventud. Esta vez, la estrategia consiste no sólo en aplicar el principio de "negación plausible" sino de fragmentar el conocimiento del plan de forma que nadie dentro del equipo que llevará a cabo el complot sea capaz de saber qué está pasando ni qué ha ocurrido. Ni siquiera el presidente Nixon, quien es el primer interesado en el éxito de la operación. El secretario de Estado, William Rogers, tampoco será informado de todo el plan. Tanto él como el embajador Korry debían participar en los esfuerzos diplomáticos por erosionar al gobierno de Allende, pero no debían estar al tanto de los detalles del *Track II*, aprobado por Washington y, desde entonces, en manos de la CIA. El 4 y 21 de setiembre de 1970, el embajador Korry ya se había reunido con diplomáticos brasileños para comenzar a torpedear al presidente electo. Como resultado, la dictadura brasileña, hija de otro complot de Washington, colaboró en la organización de revueltas sociales en Chile (apoyando grupos terroristas como Patria y Libertad) y luego asesorará a la nueva dictadura de Pinochet con su experiencia de casi una década.[148]

En la reunión del Consejo de Seguridad Nacional del 6 de noviembre de 1970, Richard Nixon había confirmado una obviedad que será disimulada a muerte por el discurso patriótico latinoamericano: *"Nunca estaré de acuerdo con la política de restarle poder a los militares en América Latina. Ellos son centros de poder sujetos a nuestra influencia. Los otros, los intelectuales, no están sujetos a nuestra influencia"*. Sólo entre 1950 y 1970, cuatro mil oficiales chilenos habían sido entrenados en diferentes bases militares de Estados Unidos, la mayoría en la Escuela de las Américas en Panamá, y habían recibido de los distintos gobiernos de Washington al menos 163 millones de dólares en "ayudas estratégicas". En el mismo período, se había reclutado un ejército de estudiantes de economía de la Universidad Católica de Chile, los que habían sido enviados a la Universidad de Chicago a estudiar bajo las doctrinas de Milton Friedman, quienes serán más tarde conocidos popularmente como los Chicago Boys, artífices del modelo neoliberal impuesto a la fuerza por la dictadura de Augusto Pinochet lo que, a su vez, prueba las teorías de Antonio Gramsci sobre los intelectuales clericales, orgánicos, funcionales al poder.

El agente David Phillips, uno de los cerebros del golpe de Estado de Guatemala, había volado desde Rio a Washington y había pasado varias noches fumando y bebiendo whisky sin poder dormir. Casi tanto como cuando la gran invasión a Cuba fracasó. En sus memorias reconoce que le atormentaba el hecho de que iban a eliminar a otro presidente democráticamente

---

[148] Aparte de apoyo logístico, el dictador brasileño, el general Emílio Garrastazu Médici, apoyará a la nueva dictadura de Chile con cientos de millones de dólares, parte del apoyo de Richard Nixon a Garrastazu Médici.

electo, alguien que no había quebrantado ninguna ley, ni escrita ni moral, esta vez porque se había reconocido marxista o con un pasado marxista. Pero las picazones morales se alivian con un poco de crema. Phillips reflexiona sobre el fiasco de Bahía Cochinos y llega a la conclusión que necesitaba y que cuatro años después publicará en sus memorias *The Night Watch*: "*mi mayor remordimiento por el fiasco de Bahía Cochinos consistía en la mala planificación de la invasión, en un mal trabajo; no se trataba de ninguna cuestión moral*". El grupo fascista "Patria y Libertad" recibe 35.500 dólares de la CIA (más de 200.000, a valor de 2020) e inmediatamente organizan una marcha por las calles de Santiago. Poco después, el oficial de inteligencia Henry Hecksher informa: "*Nos han encomendado la tarea de provocar el caos en Chile y les hemos entregado un plan, el cual no podrá ser ejecutado sin el derramamiento de sangre*". Según el manual más básico de psicología, los individuos capaces de cometer crímenes con una absoluta ausencia de emociones se los define como psicópatas. Cuando son muchos y operan organizados por un Estado, se llaman imperialistas.

Un día antes del golpe de Estado perpetrado por el general Augusto Pinochet, un cable del agente Jack Devine, le había informado a Washington que "*el golpe de Estado comenzará el 11 de setiembre. Las tres fuerzas militares chilenas y los Carabineros de Chile están comprometidos con el plan. Una declaración post factum será leída en Radio Agricultura a las 7: 00 de la mañana del día siguiente*". Los militares comienzan a moverse por la madrugada y exactamente a las 7:00 comienza el acoso. Se clausuran las radios menos la opositora Radio Agricultura, que usa Pinochet para anunciar el destino del país. A las 9: 30 de la mañana, Allende emite un mensaje de despedida desde La Moneda, similar al de Jacobo Árbenz veinte años atrás. Pero Allende está dispuesto a morir. Los militares reportan una "*inesperada resistencia en la Moneda*". Los aviones británicos Hawker Hunter bombardean la casa de gobierno de una forma que los expertos aseguran que sólo podrían haberlo hecho pilotos estadounidenses.[149] A las 2: 45, el general Javier Palacios Ruhmann reporta: "*Misión cumplida. La Moneda tomada. Presidente muerto*".

Las compañías mineras reciben cientos de millones de dólares por parte del estado chileno. Sólo ITT se hace con un cheque de 128 millones. Dos semanas después del sangriento golpe de Estado, un cortejo popular lleva el

---

[149] El 24 de noviembre, *El Mercurio* publica una entrevista con los supuestos pilotos en la cual uno de ellos confiesa "al principio estar preocupado por atacar su propio país" pero luego "sentir satisfacción por la misión cumplida". Cuando un año después los aviones arriben a Escocia para mantenimiento, el sindicato de ingenieros se negará a acercarse a los instrumentos del golpe en Chile. En 2011 se dará a conocer dos de los nombres de los supuestos pilotos: Fernando Rojas Vender, alias *Rufián* y López Tobar.

féretro del poeta Pablo Neruda. Al dejarlo descansando en su nicho, alguien grita "*¡Camarada Pablo Neruda!*" y la multitud responde "*¡Presente!*". El cementerio está rodeado de militares. El Estadio Nacional de fútbol se convierte en un apretado campo de concentración. El 8 de octubre, las morgues reportan 9.796 cadáveres, la mayoría con signos de tortura. 27.255 torturados sobreviven como pueden. Los disidentes serán secuestrados, torturados y ejecutados por miles, incluso en países lejanos. Una comisión investigadora del Congreso de Estados Unidos concluye que no existe ni una sola prueba de las conexiones de Allende con Moscú ni alguna posible amenaza para Estados Unidos. A los fanáticos militaristas en América latina no les importa: seguirán, por generaciones, repitiendo el manual de la CIA.

Mientras tanto, en Chile varios militares mueren inesperadamente, como el general Óscar Bonilla Bradanovic en un accidente de helicóptero poco después de denunciar las torturas de las que fue testigo. Otros son pasados a retiro. Si antes del golpe la mayoría de los oficiales del ejército era constitucionalista, ahora ya no tienen lugar y el ejército chileno es reconvertido en el modelo clásico de ejército latinoamericano al servicio de los grandes capitales internacionales y en nombre de la defensa de la patria.

El golpe de Estado será un acto reaccionario pero también una forma de revolución fascista que producirá fracturas y cambios permanentes en la sociedad chilena. La agresiva implementación neoliberal por parte de los economistas de Chicago, una intolerancia social mayor y la casi definitiva ideologización de las fuerzas armadas extenderán su sombra por varias generaciones aún después de la salida de Pinochet del gobierno.

Las iglesias y los ejércitos comenzarán a perseguir y asesinar a los teólogos de la liberación mientras restauran su rol tradicional. En 1954, una carta pastoral redactada por la CIA a los obispos Mariano Rossell y Arellano había alertado sobre los "*enemigas de Dios y la Patria*" en Guatemala. Los obispos y la iglesia de ese país se sumaron al golpe de Estado contra Árbenz y bendicieron al genocidio que siguió después. En 1974, un grupo de 32 pastores pentecostales y presbiterianos publicará una carta justificando las acciones de las Fuerzas Armadas de Chile como una "*respuesta de Dios a la oración de todo los creyentes que ven en el marxismo la fuerza satánica de las tinieblas en su máxima expresión*".

En 1976, Henry Kissinger llegará a Santiago y le entregará al general Pinochet el discurso que piensa leer al día siguiente. Le asegura que ninguna mención a los Derechos Humanos se refiere a Chile sino a los regímenes comunistas. "*Usted es una víctima de la izquierda internacional*", dice el poderoso Kissinger, como forma de consuelo. Luego agrega: "*Queremos ayudarlo. Usted ha hecho un gran servicio a Occidente derrocando a Allende*".

Kissinger había sido distinguido con el Premio Nobel de la Paz en 1973.

Justo en 1973.

1973. Los yanquis también desaparecen

SANTIAGO DE CHILE, 16 DE SETIEMBRE DE 1973—Charles Horman es detenido por los soldados de la patria y, poco después, es conducido al Estadio Nacional de fútbol. Ahora el estadio es un campo de concentración en pleno centro de Santiago, donde serán torturados diez mil prisioneros, todos peligrosos de opinión. En un rincón oscuro, rodeado de carteles de Pepsi Cola, Charles es brutalmente interrogado sobre el comunismo que no alcanza a llegar al país y sobre los degenerados extranjeros que creen que existe el imperialismo. Los torturadores no pueden obtener ninguna información relevante porque lo que sabe Charles lo saben mejor los militares y esto es, precisamente, el problema. Desechado como informante sin valor, se lo desecha como informador peligroso. Tres días después, es ejecutado y emparedado entre dos muros del estadio. Cuatro días más tarde, su amigo Frank Teruggi correrá la misma suerte.

Por el estadio pasará un cuarto de los detenidos que el régimen del general Pinochet torturará hasta 1990. Nueve años atrás, había sido el escenario de la final de la Copa del Mundo entre Brasil y Checoslovaquia. Ahora, los gritos son de dolor. Miles son torturados por varios días. Los militares se divierten rompiéndole los dedos al cantor popular Víctor Jara y le aseguran que ya no podrá tocar la guitarra. Ni la guitarra ni nada. Su cuerpo aparecerá con 44 disparos, como expresión catártica del odio de clase ajena, como forma de desmoralizar a sus seguidores y de aterrorizar a posibles disidentes.

Para compensar, los soldados y los expertos en tortura, graduados en las academias militares del norte, usan canciones de moda para mantener despiertos a los detenidos. Por entonces, se hace popular la canción "Libre" de Nino Bravo, inspirada en Peter Fechter, un obrero fugitivo de la República Democrática Alemana que, en 1962, no logró cruzar el doble muro de Berlín y cayó delante del grito de advertencia del soldado comunista. En Chile, al principio esta canción será usada por quienes tenían la suerte de salir del estadio Nacional, pero la dictadura tenía que recurrir, como Washington desde el siglo XIX, a monumentos lingüísticos como la Libertad y la Democracia. Junto con miles de chilenos, la dictadura secuestrará la canción de Nino Bravo, muerto en un accidente de tránsito en España meses antes de que alguien escuchara hablar de Pinochet. Por los años por venir, la CIA y su hija menor, Operación Cóndor, usarán canciones populares del momento para torturar a sus feroces enemigos, disidentes con las manos atadas. La práctica común será someterlos al placer de hermosas canciones como las de Nino

Bravo o las más alegres de Palito Ortega (*La felicidad, ja, ja, ja, ja...*), hora tras hora, día tras día, año tras año.

Para su padre, un pragmático hombre de negocios de Nueva York, Charles Horman era un inmaduro que se había graduado con honores de Harvard en 1964 y en todas las universidades por las que había pasado. En 1967 había recibido el premio Grand Prize del festival de Cracovia por su documental *Napalm* y se había sumado a las masivas protestas en Estados Unidos contra la guerra en Vietnam. Para 1972, su amigo Frank Teruggi también formaba parte de los archivos secretos del FBI y del ejército de Estados Unidos por sus ideas antiimperialistas, es decir, por desobediencia ideológica.[150]

Cuando Charles, su esposa Joyce Marie Hamren y otros amigos decidieron mudarse al país del sur, los sospechosos pasaron a la esfera de la CIA. El primer pecado que cometieron fue simpatizar con el presidente electo de Chile, el socialista Salvador Allende, y trabajar como periodistas por un salario que les daba para vivir con pocas comodidades y con muchos amigos. El segundo pecado fue creer que la profesión del periodista es investigar y decir la verdad, sobre todo aquellas verdades inconvenientes. El tercer y último pecado fue descubrir que los oficiales de su país, alojados en un hotel de Viña del Mar, estaban involucrados en el golpe de Estado del pasado 11 de setiembre.

Uno de ellos, el capitán Ray Davis, se había ofrecido para llevar a Charles y Terry Simon de regreso a Santiago. Terry, de visita en Chile y sin convicciones políticas, se quedó con el peligroso cuaderno de notas de Charles. Por entonces, Charles se encontraba investigando el asesinato del general chileno René Schneider, gracias al cual la CIA logró (y luego de forzar la renuncia de su sucesor, el general Carlos Prats) que el mismo presidente Allende nombrase el 23 de agosto al tercer general en sucesión para el cargo de Comandante en Jefe del Ejército de Chile, el general Pinochet. En este proceso, Charles había terminado en Viña del Mar, donde sus compatriotas generales organizaban el golpe nacido en Washington y bajo la batuta de Henry Kissinger, tres años antes.

Cuando su padre Edmund y su esposa Joyce logren encontrar su cuerpo un mes después, demandarán al capitán Ray Davis, al embajador Nathaniel Davis y al Secretario de Estado Henry Kissinger, entre otros, por complicidad

---

[150] El 14 de diciembre de 1971, el FBI reportó que Frank Teruggi había asistido en Chicago a una asamblea de la NAAIC (Coalición Norteamericana Contra el Imperialismo) donde se discutió la "liberación de las Américas" bajo el título "Chicago Area Group on the Liberation of the Americas", compuesto mayormente de Voluntarios de Cuerpos de Paz retornados al país que apoyaban las revoluciones en el Tercer mundo y consideran las intervenciones de Washington como imperialistas y al servicio de las grandes corporaciones.

con su desaparición y asesinato. La embajada de Estados Unidos en Santiago le prometerá enviar a Estados Unidos el cuerpo de su hijo en pocos días, pero tardará meses, los suficientes como para complicar cualquier autopsia. Según el *Washington Post* del 18 de enero de 1983, los acusados serán representados por los abogados del Departamento de Justicia, quienes dejarán en claro que, de cualquier forma, el gobierno democrático de Washington se deslinda de toda responsabilidad. El juicio será desestimado.

Ahora, Edmund ha perdido a su único hijo y ha perdido la inocencia. Ahora comprende que quien vivía en el País de las Maravillas no era su hijo poeta sino él mismo, el pragmático hombre de negocios que creía a ciegas en la ley y en la sagrada misión de su gobierno, campeón de la justicia, la libertad y la democracia. Desde entonces, Washington continuará negando haber tenido algo que ver con la muerte de Charles Horman y su amigo Frank Teruggi. Hasta que, como de costumbre, se revelen documentos que demuestren lo contrario. Algunos memorándums de Washington, como el del 25 de agosto de 1976, revelarán la preocupación de varios funcionarios del Departamento de Estado por este *"asunto molesto"*, probablemente por la ciudadanía de las víctimas, y por *"nuestra complicidad en la muerte de Horman"*. Otros documentos indicarán que un oficial chileno, al servicio de la CIA, había aprobado la ejecución porque los jóvenes *"sabían demasiado"*. Cada diez o veinte años se removerán algunas tachas negras a las copias clasificadas y los hechos se acercarán más y más hacia la verdad: tanto la CIA como la Embajada en Santiago fueron cómplices en la desaparición de esos yanquis que odiaban demasiado la Guerra de Vietnam y decían que el Imperialismo no era cosa de la imaginación de los perdedores.

En 2011, una corte de Chile acusará a los oficiales chilenos Pedro Espinoza y Rafael González Verdugo junto con el capitán estadounidense Ray Davis de ser responsables de la desaparición y ejecución de Frank Teruggi y Charles Horman. Cuatro años después, los primeros serán condenados a dos y seis años por su complicidad en ambos asesinatos. Una orden de captura y extradición será emitida contra el capitán Davis, comandante de la misión militar estadounidense en Viña del Mar cuando se produjo el golpe. Cuando el gobierno de Chile solicite la extradición de Ray Davis, Washington le dará largas al asunto. Se asumirá que Davis, como tantos otros criminales latinoamericanos, se debía encontrar disfrutando de su jubilación en Florida, pero Davis morirá el 20 de abril de 2013 en un lujoso hogar para ancianos de Santiago a los 88 años. En Estados Unidos, Joyce, la viuda de Charles, reclamará pruebas del supuesto deceso. En Chile, los jueces tampoco estarán seguros de que el muerto sea el capitán Ray Davis.

Joyce Horman se recluirá en su casa de Niceville en Florida y vivirá con sus suegros hasta el último de sus días. Nunca se volverá a casar ni abandonará su lucha para que Washington entregue todas las pruebas que mantiene clasificadas sobre el asesinato de Charles. Un caso entre más de tres mil asesinados por el terrorismo de Estado en aquel país de la Frontera sur y por la iniciativa del imperio de turno.

En el Festival de Viña del Mar de 1974, el payaso de la televisión chilena, Bigote Arrocet, vegetariano y polígamo, imitará a Nino Bravo cantando "Libre" en presencia del dictador Pinochet y su respetable esposa, ataviada de pieles. Repetiría su hazaña en 1978 y, luego de la dictadura inventará repitiendo que, en realidad, era en honor a las víctimas de la dictadura.

1975. La ideología sin ideología

SANTIAGO DE CHILE. 21 DE MARZO DE 1975—EL profesor de la Universidad de Chicago y premio Nobel de Economía, Milton Friedman, visita al general Augusto Pinochet en Santiago. Lo acompaña su colega Arnold Harberger, propagador de la idea del análisis objetivo de la economía y del "*uso de las herramientas analíticas aplicadas al mundo real*", ilustrado con su famoso y abstracto *Triángulo de Harberger*. En otros tiempos, como era el dogma de la época, Harberger había asociado el capitalismo con la democracia, pero ahora, debido a las malas experiencias con el mundo real, queda claro que solo uno de ellos importa de verdad.

Chile es un experimento que, sin importar el resultado, será vendido hasta en sus países de origen, Estados Unidos y Gran Bretaña. Las ideas no son novedosas, pero los políticos necesitan ejemplos para citar, frases cortas e imágenes simples. La gran teoría se llama *Trickle-down theory* (Teoría del goteo) y la imagen se ilustra con una botella de Champagne llenando las copas que están más arriba de la pirámide de copas. El problema de la alegoría es que asume que el cristal de las copas no crece ni se estira de forma ilimitada como la capacidad de los de arriba para acumular lo que nunca chorrea hacia los de abajo. La imagen tampoco considera una figura similar que no existe en inglés y que ningún traductor puede resolver, pero en español se llama "La ley del gallinero". Lo que gotea no es riqueza, sino mierda de las gallinas de más arriba.

Esta novedosa ideología ya existía a finales del siglo XIX. En medio de la gran recesión de los años 90 y de la extensión del imperialismo estadounidense sobre el mar, el representante por Nebraska y candidato a la presidencia, William Jennings Bryan, en la convención demócrata del 9 de julio de 1896 en Chicago, lo puso en términos por demás claros: "*Están aquellos que creen que, si legislamos para hacer que los ricos se vuelvan más ricos, su riqueza goteará hacia los que están abajo. Nuestra idea de demócratas es que, si legislamos para que las masas sean más prósperas, su prosperidad subirá a todas las clases sociales que se encuentran por encima"*. Bryan acusó a los legisladores de ser abogados de los *"business-men* (hombres de negocios)" y, según el *Chicago Tribune* del día siguiente, la asistencia aplaudió sus palabras de forma masiva y continua *"como nunca antes... durante 25 minutos"*. Bryan perdió las elecciones con McKinley en 1896 y en 1900, las primeras dos elecciones donde las donaciones millonarias de las grandes corporaciones decidieron los resultados a pesar de la mayor crisis económica desde la fundación del país.

En 1964, el profesor e ideólogo Milton Friedman había visitado una de las tantas dictaduras latinoamericanas apoyadas por Washington, Brasil, y había propuesto el mismo plan de privatizaciones y desmantelamiento del Estado. En aquella oportunidad, el nuevo dogma ideológico del neoliberalismo todavía no se había consolidado ni en las dictaduras ni en las democracias latinoamericanas y Brasilia decidió no seguir las sugerencias del célebre profesor estadounidense, sino el camino contrario de la industrialización nacional del economista argentino Raúl Prebisch y, de alguna forma también, del peronismo argentino y del indeseado izquierdoso Getúlio Vargas en Brasil. Por entonces, las universidades latinoamericanas no eran marxistas (como eran acusadas por la CIA y por la oligarquía criolla) sino keynesianas, tanto como el mismo Franklin Roosevelt. El keynesianismo era el enemigo número uno de una nueva ola que tenía a Friedman y Hayek como sus dos mesías.

Ahora, a pesar del repentino "Milagro chileno" sostenido con millones de dólares de Washington, el miedo y la inflación alcanzan los tres dígitos y Friedman recomienda otra solución mágica: una política de *shock*, es decir, despidos, ajuste fiscal, recortes en los servicios sociales y privatizaciones sin mirar a qué, con la natural excepción del ejército y los demás aparatos represivos del maldito Estado. Esta receta se repetirá más tarde en varios países latinoamericanos como experimento y, de paso, como fuente de ganancias históricas para las grandes empresas amigas del gobierno. Augusto Pinochet, alabado por su *rectitud*, derivará millones de dólares a sus cuentas secretas en bancos extranjeros mientras las empresas del Estado chileno son rematadas por un precio muy inferior al de su valor de mercado. Negocio redondo, para algunos.

Friedman no fue la única estrella académica en manipular al dictador. Friedrich von Hayek también visitó el Chile de Pinochet varias veces y hasta le recomendó el nuevo modelo chileno a Margaret Thatcher. Como Friedman y como Harberger, Hayek decidió abandonar eso de la democracia como principio y lo convirtió en lo que para muchos siempre fue: una excusa y un instrumento. *"Prefiero una dictadura liberal a una democracia que no respete el liberalismo"*, declarará el 12 de abril de 1981 a un periodista de *El*

413

Mercurio, el diario de Agustín Edwards, protagonista del boicot contra Allende y preferido de la CIA por décadas para plantar sus editoriales. De regreso a Estados Unidos, Hayek declarará: "*no puedo decir que en mi visita a Chile haya encontrado a alguien que dijera que las libertades individuales bajo Pinochet fuesen inferiores que en tiempos de Allende*". Hayek debía imaginar que los *alguien* estaban todos muertos o no había ninguno de ellos en los elegantes salones a los que fue invitado en Santiago. También la influyente embajadora de Estados Unidos ante la ONU, Jeane Kirkpatrick, conocida partidaria de la fuerza militar para resolver disputas filosóficas y morales, visitará Chile en agosto de 1981 y lo pondrá como modelo para el resto del mundo. Unos meses después de su partida, Chile se hundirá en otra crisis económica, la que los mayores diarios del norte informarán en letra chica.

Ninguno de los teóricos chilenos, tan bien educados en Chicago, surgió de la nada con el golpe de Estado del 73. Cuando en los años cincuenta se hizo evidente el sostenido crecimiento de la izquierda en Chile, se comenzó el envío de estudiantes de economía de la Pontificia Universidad Católica de Chile a la Universidad de Chicago. No a cualquier departamento sino a estudiar bajo el directo tutelaje de Milton Friedman y Arnold Harberger, los ideólogos de la reacción contra la corriente iniciada por el cuatro veces presidente de Estados Unidos, Franklin D. Roosevelt, por la cual la superpotencia volvió, por unas décadas, a políticas sociales y por lo cual fue acusado de socialista. En 1958 Jorge Alessandri le había ganado a Allende por una mínima diferencia de votos y en 1964 la CIA financió exitosamente la campaña electoral de Frei contra Allende con al menos diez millones de dólares de la época. En 1970 el dinero no fue tan efectivo y Allende terminó ganándole a Jorge Alessandri, por lo cual la mafia en Washington recurrió al tradicional Plan B para otros países pobres: golpe de Estado y dictadura militar para salvar al país de alguna amenaza de moda contra la libertad.

Gracias a esta dictadura y a otras en América Latina, los Chicago Boys, los economistas entrenados en la ideología de Friedman y Hayek, tuvieron carta libre para actuar en Chile y en otros países. Este grupo, sus ideólogos y sus apologistas, centraron sus elogios en la idea de que son ellos quienes han promovido el "libre mercado" y las "libertades individuales", dos ideas nobles si no fuese porque no hay libre mercado bajo una relación absolutamente desigual entre países sino lo contrario. Mucho menos hay libertades individuales, ya que estas políticas necesitan múltiples dictaduras militares primero y, más tarde, dictaduras bancarias sobre países arruinados y endeudados por las dictaduras anteriores. El libre mercado y las libertades individuales significan, bajo estas políticas, libertad de algunos mercados para imponer sus condiciones e intereses sobre el resto, y libertad de unos pocos individuos para decidir sobre unos muchos.[151]

Pinochet no sólo no fue acosado económicamente por Nixon, como lo fuera Allende, sino que, al igual que tantas otras dictaduras amigas del continente, recibió todos los beneficios posibles (morales, ideológicos, militares y económicos) de la superpotencia. En octubre de 1973, en un sólo mes, Nixon le aprobó a Pinochet 24 millones de dólares sólo para comprar trigo, ocho veces el presupuesto de Allende en los pasados tres años para el mismo rubro. Para 1974, Chile recibió el 48 por ciento de toda la ayuda de alimentación destinada a América latina. No sea cosa que la Gran propaganda del éxito fracase.

Pese a todo, la pobreza y el desempleo no solo continuaron creciendo en el llamado Milagro chileno (mito propagado y diseminado por la poderosa ultraconservadora Heritage Foundation, fundada por Paul Weyrich, Edwin Feulner y Joseph Coors) sino que, además, en los ochenta, el país se sumergió en una dolorosa crisis económica que ocurrió simultáneamente en otras dictaduras menos exitosas del continente. Quienes entregaron al país y sus recursos naturales a las transnacionales a fuerza de una dictadura sangrienta, no se los llamó "vende patrias" sino "patriotas salvadores de la libertad". A las ideas indoctrinadas como un dogma por una simple decisión estratégica de las agencias de Estados Unidos, tampoco se las llamó "ideas extranjeras".

Fue una operación perfecta, o casi perfecta. Otro típico caso de ideología reversa. La mafia neoliberal se encargó siempre de acusar a cualquier grupo universitario, de activistas sociales o de intelectuales críticos de practicar las ideas del teórico marxista italiano Antonio Gramsci. Sin embargo, si bien la izquierda tradicional fue gramsciana por su análisis de la realidad y por su natural resistencia crítica al poder, la derecha internacional fue siempre gramsciana en la aplicación del poder a través de las ideas colonizadas.

Milton Friedman volverá a Chile en 1981. Luego de dar varias conferencias triunfales sobre su modelo económico aplicado en ese país, Chile se hundirá en una profunda crisis económica. La crisis social ya había comenzado con la estrangulación financiera del gobierno de Salvador Allende y se había profundizado en los sectores más bajos de la sociedad, incluso durante "El milagro". Siguiendo los lineamientos de los Chicago Boys, Pinochet privatizará la educación, la salud y las jubilaciones. El PIB se desplomará 13 por

---

[151] Este discurso, esta efectiva manipulación ideoléxica, es semejante al mito que celebra la independencia de Texas de México aduciendo que fue para gozar de "mayores libertades políticas" sin aclarar que se trataba de mayores libertades de unos a esclavizar a otros, ya que el gobierno mexicano les había regalado tierras a los inmigrantes anglosajones sin haber legalizado la esclavitud, verdadera fuente del "milagro económico" del sur estadounidense y verdadera causa de la independencia de Texas.

ciento y la producción industrial 28 por ciento. El desempleo trepará hasta las nubes. Otra vez, Chile recibirá tsunamis de ayuda económica y financiera del norte. Luego de negárselos al gobierno de Allende, el Banco Mundial y el Banco Interamericano de Desarrollo ayudarán a la dictadura amiga con 3,1 mil millones de dólares.[152] La economía se recuperará en 1981, pero un año después volverá a caer en otra crisis que se expandirá por otras dictaduras militares de la región. En Uruguay se llamará el "quiebre de la tablita", cuando el dólar se dispare hasta arruinar a miles de empresarios menores. Como solución, el FMI y los ejércitos de especialistas propondrán más de lo mismo.

En América latina (propiciado por una deuda externa impagable, herencia de los préstamos excesivos a las dictaduras amigas con tasas de interés fluctuantes) sólo entre 1985 y 1992 más de dos mil industrias y empresas públicas serán puestas a remate con un previsible resultado de la prosperidad: el salario mínimo se desplomará y el número de multimillonarios se multiplicará varias veces. En Bolivia, entre 1995 y 1996 su gobierno, alineado con el asalto, vendrá a los buitres sus principales empresas a precio de carroña. Por si perder la soberanía y los ingresos de esas empresas no hubiese sido suficiente, los nuevos y exitosos empresarios privados, que todo lo hacen mejor por el progreso del país, aumentarán las tarifas de insumos básicos, como el agua, hasta un 200 por ciento. En Argentina y en otros países de la región, la historia fue estrictamente la misma y, de igual forma, terminó en la crisis masiva de 2002.

A su regreso del primer viaje del profesor Milton Friedman a Chile, los estudiantes de la Universidad de Chicago miembros del grupo Spartacus, organizan una protesta por su colaboración con la dictadura de Pinochet. Naturalmente, los estudiantes son acusados de inmaduros y de marxistas. El profesor Friedman defiende su amistad con Pinochet con un colorido argumento que provoca una risa que resuena a lo largo del campus de la universidad: *"si se hubiese permitido que Allende continuara en el poder, es posible que, además de una terrible crisis económica, miles de disidentes hubiesen sufrido una persecución injusta, la cárcel, la tortura y miles hubiesen sido asesinados"*.

Cincuenta años más tarde, en 2019, tsunamis de chilenos llenarán las calles reclamando una nueva constitución que reemplace la constitución neoliberal aprobada por Pinochet en 1980. El muro neoliberal abre sus grietas. Por meses, los chilenos serán reprimidos con impune brutalidad por las mismas fuerzas represoras creadas por Pinochet, una especie de paramilitarismo legalizado llamado Carabineros. Antes de Pinochet, el ejército chileno era

---

[152] 10 mil millones al valor del año 2020.

constitucionalista. Después de años de limpieza ideológica, de persecución y asesinato de oficiales disidentes, será otra cosa.

En 2020, comandos pinochetistas como Capitalismo Revolucionario o La Vanguardia organizarán acciones violentas contra la marea de manifestantes reformistas. Uno de los líderes de estos grupos de extrema derecha será identificado como Sebastián Izquierdo. Uno de sus socios, Roberto Belmar Vergara, confirmará: "*Si gana el aprueba, créeme que cambiaremos los bastones por fusiles*".

Pese a todo, luego de un año de violentas represiones, el pueblo chileno forzará el primer plebiscito desde la dictadura. El 25 de octubre de 2020, el ochenta por ciento de los votos en todo el país demandará una nueva constitución y casi el mismo porcentaje confirmará la necesidad de una Convención constitucional para redactarla. De todo el país, sólo la mayoría de Colchane (poblado de 1.700 habitantes al norte del país), de los barrios Lo Barnechea y Las Condes de Santiago, donde reside la clase-alta-patriota, votantes del *Sí* en el anterior plebiscito de 1989 a favor de mantener la dictadura de Pinochet, votarán a favor de mantener la constitución de su héroe y benefactor.

1976: Escritores, libros, editoriales, reseñas mercenarias

WASHINGTON DC. 26 DE ABRIL DE 1976—El senado de Estados Unidos publica el informe final de las investigaciones de la Comisión Church sobre abusos de la Agencia de Seguridad Nacional y de la CIA, desde el planeamiento de golpes de estado y asesinatos de líderes de países extranjeros hasta el seguimiento de disidentes nacionales y la introducción planificada de propaganda ideológica en los ámbitos de la cultura, la academia, los medios de comunicación, las agencias noticiosas, sindicatos y grupos religiosos. Cualquier grupo u organización con cierto prestigio social ha sido infiltrada con el propósito de crear opinión pública a favor o en contra de algo o de alguien o, simplemente, para evitar que algo o alguien cobre alguna relevancia social y se hunda en la oscuridad y en el ostracismo. Cuando en 1963 la CIA supo antes que nadie que Pablo Neruda era un fuerte candidato al premio Nobel de Literatura de 1964, comenzó de inmediato una campaña de desprestigio, inoculando los medios y apuntando a los lectores de izquierda con el rumor de que en 1940 León Trotsky había sido asesinado, con la complicidad del poeta chileno.[153] Neruda, García Márquez, Eduardo Galeano y muchos otros

---

[153] El rumor se había basado en la visa que el por entonces cónsul Neruda le otorgara al pintor para viajar a Chile, cuando Siqueiros se encontraba en la cárcel por la posible conspiración fallida del 24 de mayo, tres meses antes del asesinato de Trotsky en su

estaban en la lista de visitantes prohibidos de Washington, pero como los otros, en 1966 Neruda había logrado realizar una gira por Estados Unidos, no sólo debido a los reclamos de Arthur Miller y otros intelectuales estadounidenses sino porque no convenía a la imagen del gobierno hacer pública la prohibición de nombres respetados en tantos países. La CIA y el FBI no le perdieron pisada, siempre a la búsqueda de algún dato comprometedor, como la afición por las mujeres de Martin Luther King y la nunca descubierta debilidad de John Lennon. Cuando el premio Nobel guatemalteco Miguel Ángel Asturias (otro feroz crítico de la guerra de Vietnam y el imperialismo estadounidense) fue propuesto para la presidencia del PEN de Nueva York, la CIA presionó para que Miller obtenga el puesto. Esta vez tuvo éxito, pero los fracasos de sus éxitos se irán acumulando a largo plazo.

La CIA y otras fundaciones indirectas invirtieron montañas de dólares, como ninguna otra organización en el planeta podría hacerlo, y usaron la poderosa red de inteligencia de Washington para promover "el arte por el arte" y neutralizar la ola latinoamericana del "autor comprometido", pero una vez que se dan cuenta que la ola era más grande que el surfista, sobre todo porque los interminables golpes de Estados auspiciados por Washington habían tenido terminado por promocionar a sus autores rebeldes, hubo un cambio de estrategia. Se recurrió a la negociación donde una de las partes cede un poco de su terreno para incluir a su adversario en terreno propio. Es decir, la misma CIA, con sus propios agentes y espías, como Howard Hunt, y a través de sus fundaciones satélites, como el Congress for Cultural Freedom, comenzaron a publicar al mismo Neruda y a García Márquez en medios culturales que, en su mayoría, iban en contra de las ideas radicales de los estos escritores. Los involucrados en estas manipulaciones culturales, como Howard Hunt, no le llaman ni *propaganda* ni *ideología* sino "defensa del país" y "propagación de los valores estadounidenses".

Ahora, a un par de años del escándalo de Watergate que terminó con la renuncia del presidente Nixon, una parte menor de estas actividades secretas son reveladas en Washington. De ahora en más las conspiraciones y las manipulaciones serán más herméticas y sofisticadas. En base a las leyes y al derecho vigentes, Frederick Schwarz Jr., asistente del senador Frank Church de Idaho que encabeza esta comisión, solicita más información a la NSA y su director, considerando que su área de acción no es Estados Unidos, le responde que "*la Constitución no se aplica a la NSA*". Aunque lleva el título de *Final*, es un informe y una investigación de quince meses que se queda corta por varias leguas. Aunque valiente en su contexto, no deja de revelar los

---

estudio a los fondos de la casa de Diego Rivera y Frida Kahlo en Coyoacán, México. Finalmente, el premio Nobel no será otorgado a Neruda ese año sino a otro comunista y, como Neruda, crítico de la guerra de Vietnam, Jean Paul Sartre.

problemas de su cultura y de la ideología dominante (desparramada por los servicios de propaganda de la CIA en coordinación con los diarios dominantes de América Latina) como cuando considera que las relaciones internacionales del presidente Salvador Allende con algún país socialista o comunista podrían ser atenuantes de una intervención extranjera.

El escándalo, que será silenciado por otros ruidos y olvidado rápidamente por una mayoría suficiente de la población, había comenzado menos de dos años antes cuando, el 22 de diciembre de 1974, en su primera página, el *New York Times* había publicado información filtrada que, por algún tiempo, se intentará negar acudiendo a la acusación de "teoría conspiratoria". El diario había acusado a la administración Nixon de usar a la CIA para acosar a los disidentes estadounidenses que protestaban contra la guerra de Vietnam y otros movimientos pacifistas. La CIA, afirmaba el artículo, había creado al menos diez mil archivos sobre ciudadanos pacifistas, sospechosos de no ser estadounidenses de verdad o poco patriotas.

En su interpelación a varios agentes, el senador Frank Church había acusado a la CIA de pagar a periodistas, escritores, académicos y a otros cientos de medios de prensa para propagar propaganda alrededor del mundo. La CIA no acepta entregar una lista de nombres, pero el poderoso agente Howard Hunt, con extensa experiencia en América Latina, no niega ninguna de las acusaciones.[154] Por el contrario, las confirma y reivindica como "actos de patriotismo". Una de las prácticas más comunes consiste en financiar en diferentes países la traducción o la publicación en su idioma original de miles de libros afines, sobre todo de "comunistas arrepentidos" o de escritores "no comprometidos", funcionales a la causa de Washington. Otro recurso, según el agente Hunt y administrador por un tiempo de los millones de dólares que se destinaban a este tipo de cultura, consistía en amplificar el alcance de las reseñas de críticos reconocidos que eran favorables a los libros promocionados por la Agencia o, de lo contrario, de lograr reseñas negativas de libros no deseados.

En Estados Unidos, el proyecto para la profusa intervención ideológica en los medios de prensa había sido establecido mucho tiempo atrás, en 1948, por el Consejo de Seguridad Nacional, conocido más tarde como Mockingbird Operation, en honor al pájaro que imita el canto de otros. En América Latina tomó el nombre náhuatl de Sinsonte, el pájaro de los cuatrocientos cantos, por el cual la CIA plantaba editoriales y noticias ficticias en los diarios más importantes del continente, sobre todo cuando estaba a punto de

---

[154] Algunos, como el agente arrepentido Philip Agee en sus memorias *Inside the Company: CIA Diary* menciona directamente diversos diarios latinoamericanos que publicaban editoriales escritas por empleados de la CIA, a veces desde Estados Unidos, y habituales artículos con información falsa.

perpetuar una invasión, un golpe de estado o simplemente necesitaba una votación favorable en la OEA. Algunas veces esta creación de opinión pública era realizada a través de cientos de escribas a sueldo, por mercenarios zafrales o facilitando con información secreta el trabajo a escritores y periodistas que trabajaban de forma honoraria, con mayor convicción y alguna necesidad de promocionar sus carreras. En otros casos iba precedido del necesario cultivo de la amistad de los dueños de los principales medios que frecuentaban fiestas y reuniones caras donde nunca falta un agente de la CIA o de la Embajada cumpliendo con su trabajo de Relaciones Públicas. Agustín Edwards Eastman, dueño de *El Mercurio* en Chile e instigador del golpe contra Allende en Santiago y en la Casa Blanca, es sólo uno de los casos más conocidos que también incluyen dueños o directores de radios, canales de televisión, revistas y todo medio creador de opinión.[155]

Aunque se trata de la agencia de inteligencia más estricta, disciplinada y poderosa del mundo, la CIA tuvo múltiples fracasos y no pocos fiascos. Pero siempre fue extremadamente creativa y sus ideas nunca carecieron del apoyo de millones de dólares de Washington. Cuando fue destinado a Uruguay en 1957, sus agentes solían usar enormes grabadoras que recibían por correo diplomático las que se descomponen cada semana y, luego de un tiempo, las arrojaban a la bahía de Montevideo para no levantar sospechas. Como jefe de operaciones de la CIA en México durante los años 50, Hunt había logrado empapelar las calles de la ciudad de México con posters alentando el sentimiento de la población contra políticas específicas del gobierno, las que lograba asociándose con la amenaza comunista. Como lo había demostrado Edward Bernays años antes, todo debía ser hecho en nombre de terceros, y éstos debían ser individuos o grupos con prestigio social. Los posters estaban firmados por organizaciones creíbles que sin darse cuenta se prestaban para la maniobra. Según reconoce Hunt en sus memorias de 2007 *"estos posters, atribuidos a una respetable institución, tenían una enorme influencia entre la población"*.

Para el derrocamiento Jacobo Árbenz en Guatemala veinte años atrás, los recursos de la CIA fueron múltiples, pero uno de ellos, invento del agente David Phillips en Chile, fue las caceroleadas, luego convertidas, paradójicamente, en símbolos de resistencia de la izquierda latinoamericana. En sus orígenes, la CIA los había promovido las caceroleadas en las "amas de casa" contra la "influencia comunista" que menguaba los recursos en las cocinas del subcontinente. En Asia, la CIA prefería financiar películas pro-Washington, pero en América latina la cultura escrita tenía más peso. Lo mismo los

---

[155] Edwards fue uno de los principales colaboradores de Operación Sinsonte para América Latina. Al retorno de la democracia en Chile, en 1993 recibió el Premio Nacional de Relaciones Públicas.

grafitis. Al menos como campaña planificada, la primera vez fue organizada por la CIA: 32 muros y autobuses son pintados en Guatemala contra Árbenz, acusándolo de comunista. Como corresponde, y como dicta el manual de conspiraciones reales, cada nueva innovación debe ser atribuida al adversario. En otros países los estudiantes serán acusados de responder a una ideología infiltrada desde el exterior. Para redondear, los estudiantes de secundaria (según la CIA en Uruguay, los estudiantes universitarios estaban perdidos; tenían demasiada conciencia ideológica, por lo que eran imposible de manipular y se recomendaba invertir en los estudiantes de secundaria) pegan carteles en las puertas de aquellos que apoyaban a Árbenz con la advertencia: "AQUÍ VIVE UN COMUNISTA".

Cuando un representante del Partido Comunista de México visitó Pekín, Hunt, que también es un novelista prolífico, inventa una historia en la cual el enviado mexicano denigra a sus propios compatriotas. Con orgullo por un trabajo de inteligencia perfecto, recordará que se la envió a Washington, donde un equipo técnico la tradujo al mandarín y copió la tipografía usada por un diario en China. Cuando Hunt recibió las copias falsas, se las pasó a los periodistas mexicanos con los que había trabajado una relación de amistad y la historia fue traducida al español y publicada. Cuando el viajero afectado protestó (Hunt no revelará su nombre), una investigación independiente demostró que la tipografía del diario filtrado en México y la usada por el original en China eran las mismas.

En México, Hunt reclutó políticos, estudiantes y sacerdotes para su gran misión de derrocar al presidente democrático de Guatemala, Jacobo Árbenz, al que nunca dejó de llamar dictador. Diferente a la batalla financiera y política, la batalla cultural siempre fue ganada por la izquierda, tanto en Estados Unidos como en América latina, motivo por el cual se inoculó la idea de que la intelectualidad en el mundo había sido infestada por el marxismo. Paradójicamente, los principales agentes perturbadores del libre proceso de debate y pensamiento a través del dinero y la manipulación de los servicios de inteligencia fueron los de Washington y la CIA. Hunt financiaba a estudiantes mexicanos favorables a su ideología, los que lograba enviar a Guatemala para amplificar la narrativa y el miedo al comunismo.

La CIA no sólo invertía en artículos para crear opinión directa en los principales medios de comunicación del continente sino, incluso, en arte abstracto. En Estados Unidos, el Congress for Cultural Freedom (Congreso por la Libertad de la Cultura), con presencia en decenas de países, fue ideado y financiado por la Agencia, preocupada porque no sólo los científicos y los escritores tenían inclinaciones hacia la izquierda sino también los artistas plásticos.[156] En el caso de revistas culturales como la *Partisan Review* fundada en Nueva York por el Partido Comunista de Estados Unidos en 1934, a partir de los años 50 fue inoculada por la CIA, la que la financió por las décadas siguientes. Al mismo tiempo, las derechas estadounidense y latinoamericana se esforzarán por propagar la idea de que la cultura había sido infiltrada por el marxismo mucho antes que esta corriente tuviese alguna relevancia en las universidades latinoamericanas y estadounidenses.

Por esta época, aparte de los programas de radio para los trabajadores rurales, aparte de las editoriales de los diarios de gran circulación para la clase obrera y de los pequeños empresarios urbanos, las revistas culturales tienen un peso abrumador (algo que nunca recuperarán) en la creación de opinión de la clase culta, rebelde o dirigente, un grupo minoritario pero con una relevancia que no existe en Estados Unidos. La CIA lo sabe y sabe dónde invertir sus excedentes presupuestales. Diferentes publicaciones latinoamericanas como *Amaru* de Lima, *Eco* de Bogotá o *Combate*, fundada por el ex presidente de Costa Rica José Figueres, fueron financiadas por la Agencia a través de terceros, como fundaciones fachadas, muchas veces sin el conocimiento de sus propios directores. La revista *Mundo Nuevo,* fundada en París por el reconocido crítico uruguayo Emir Rodríguez Monegal, fue financiada por la CIA.[157] Los principales autores del *Boom latinoamericano* como Octavio Paz, Carlos Fuentes, García Márquez y Vargas Llosa, y los del Boom alternativo, como los cubanos Cabrera Infante y Severo Sarduy, publicaron y fueron promocionados por esta influyente publicación internacional. Con manifiesto disgusto, Rodríguez Monegal renunció a su dirección cuando una investigación del *New York Times* reveló esta nueva manipulación de Washington. En el número 14 de *Mundo Nuevo* publicado en agosto de 1967, Rodríguez Monegal (antagónico, en el archi célebre semanario *Marcha* de Montevideo, de otros dos respetados críticos del continente, el cubano Fernández Retamar y el uruguayo Ángel Rama) publicó un alegato algo tibio y exculpatorio contra la CIA y el estalinismo en un largo artículo titulado "La CIA y los intelectuales". Su afirmación de que *"no formamos parte de la propaganda de nadie"* seguramente fue honesta, pero no la verdad. Seguramente se trató de otra víctima de otro complot. Las estrategias de engaño verosímil de la CIA tienen un patrón

---

[156] Esta fundación operaba en 35 países bajo la dirección del agente de la CIA Michael Josselson. Debido a su origen judío fue perseguido por los nazis en Europa y, por alguna razón, en Estados Unidos se dedicó a perseguir a todo el que pudiera ser sospechoso de simpatías comunistas. En su catálogo secreto se contaban decenas de medios y artistas para los cuales realizaba exposiciones y promovía sin importar el valor artístico de sus obras.

[157] Sólo la fundación Kaplan donó 35.000 dólares de su bolsillo, pero sirvió de túnel para transferir más de un millón de dólares de las hinchadas arcas de la CIA.

común. En 1972 Rodríguez Monegal fue acusado de financiar al movimiento guerrillero de izquierda Tupamaros, de la cual su hija era miembro. Su hija fue detenida por la dictadura militar uruguaya y a él se le negó la entrada al país hasta el final de la dictadura, en 1985.

La filtración de esta operación desencadenará en una extensa investigación sobre otras costumbres de la CIA y de Washington en otros países, como los golpes de Estado y los asesinatos de líderes incómodos, lo que será posible por un Congreso estadounidense con un número histórico de representantes y congresistas progresistas, algo que será revertido en los años ochenta con la reacción mediática, religiosa y política del nuevo movimiento neoconservador. También la CIA y la NSA deberán reconsiderar cómo hacen las cosas. Si antes eran academias del secreto y el engaño, desde ahora tendrán que ir más allá del posgrado. Furioso por los comités de investigación del Senado y por la desclasificación de unos pocos documentos secretos, el Secretario de Estado Henry Kissinger propone radicalizar las medidas que impidan futuras acusaciones bajo nuevos estándares de "*unconditional secrecy*". Las estrategias son infinitas. Según el National Security Archive, el mismo Kissinger había filtrado documentos secretos por lo cual se intentaba castigar a las comisiones investigadoras y, según uno de los periodistas que destaparon el escándalo que terminó con la renuncia de Nixon, Carl Bernstein, la misma comisión Church omitió información más comprometedora.

El senador Frank Church morirá en 1984 a los 59 años, luego de luchar sus últimos años contra dos cánceres diferentes, primero un cáncer de testículo y luego otro cáncer de páncreas. El cáncer ha sido con frecuencia una causa de muerte natural de muerte entre los disidentes. Claro que estas son especulaciones exageradas basadas en meras coincidencias. Los servicios secretos más poderosos del mundo jamás atentarían contra la integridad física de un disidente. Mucho menos contra uno que los ha desnudado y goza de cierta popularidad.

Durante los años 90, la CIA invertirá fuerte en películas y programas de televisión. Desde 1996, un veterano del golpe contra Allende en Chile, colaborador de Operación Cóndor y experto en guerra psicológica, Chase Brandon, será el principal operador de medios visuales de la CIA en América Latina. Brandon actuará como productor y asesor de decenas de películas, de prestigiosos canales como Discovery, Learning Channel e History Channel y, sobre todo, programas de entretenimiento de consumo rápido y alcance masivo. No por casualidad, entrado el siglo XXI, la misma Agencia continuará secuestrando, torturando, manipulando información o haciendo pasar muertos inocentes como resultado de ataques clínicos contra terroristas en Medio

Oriente con total y absoluta impunidad.[158] El 31 de enero de 2016, el *Washington Post* revelará una de las estrategias de la Agencia llamada *Eyewash*, que consiste en difundir información falsa no sólo al público inexperto sino a sus propios agentes de segunda categoría, de forma que nunca nadie sepa si algo es verdad o producto de alguna teoría conspiratoria. En un cable enviado a un país extranjero, la CIA desautoriza cualquier operación contra el objetivo X y en otro, enviado a un círculo pequeño de oficiales, ordena desestimar cualquier información anterior para proceder con el plan Z. Desde entonces, los malditos historiadores la tendrán más difícil cuando se hagan con alguna prueba o documento. Cuando descubran algo, serán silenciados, desestimados por reseñas lapidarias o por la burla del pueblo burlado.

1976. Los cubanos de Miami llevan el plan Cóndor a Washington

WASHINGTON, DC. 21 DE SETIEMBRE DE 1976—A las nueve de la mañana, una bomba hace saltar por el aire el auto que lleva a Orlando Letelier, su asistente estadounidense Ronni Karpen Moffitt y su esposo Michael, justo en la rotonda de Sheridan Circle de la Avenida Massachusetts, a diez minutos de la Casa Blanca. Letelier, quien iba al volante, pierde sus dos piernas y, poco después una dolorosa agonía, muere desangrado. También Ronni muere y su esposo queda mal herido. Letelier se une a la lista de generales y miembros constitucionalistas del gobierno de Salvador Allende (como los generales René Schneider y Carlos Pratt) que fueron asesinados para facilitar el Proceso chileno de sumisión de otro país a los intereses de Washington, de las transnacionales y de la oligarquía criolla.

Según el agente del FBI Carter Cornick y otros oficiales asignados a la investigación, la bomba fue colocada por mercenarios cubanos en coordinación con la mafia de generales dirigida por el dictador chileno Augusto Pinochet, conocida como Operación Cóndor, la que a la fecha lleva miles de disidentes muertos en varios países. Los cubanos pertenecen a conocidas

---

[158] La historia de la prisión de Guantánamo será sólo uno de los casos más conocidos de una larga lista. Por ejemplo, en 2019 el *USA Today* revelará que, luego del bombardeo de Azizabad en Afganistán el 22 de agosto de 2008, los oficiales del ejército estadounidense (incluido Oliver North, convicto y perdonado por mentirle al Congreso en el escándalo Irán-Contras) informaron que todo había salido a la perfección, que la aldea los había recibido con aplausos, que se había matado a un líder talibán y que los daños colaterales habían sido mínimos. No se informó que habían muerto decenas de personas, entre ellos 60 niños. Un detalle.

organizaciones terroristas operativas en Estados Unidos y en el Caribe y poseen experiencia en bombardeos, sabotaje e intimidación, pero no se llaman así ni la prensa los conoce por ese nombre. Tampoco los conocerá por ese nombre cuando sus representantes lleguen al Congreso de Estados Unidos y dirijan la política de Washington para América Latina en nombre de la comunidad hispana que no representan y con el objetivo de acosar a los gobiernos no alineados del sur.

Entre los involucrados en el acto terrorista de la Avenida Massachusetts, estarán los cubanos Rolando Otero, Orlando Bosch, Felipe Rivero, Virgilio Paz y Dionisio Suárez, algunos de los cuales ya habían participado en la colocación de al menos 30 bombas en diferentes lugares de Miami, desde las oficinas de medios no alineados a su causa hasta el aeropuerto, todo en nombre de la libertad hasta el extremo que la policía de Miami estaba más preocupada por los grupos anticastristas que por los castristas. El cerebro de la operación, Michael Townley, estadounidense al servicio de la DINA de Chile, fue condenado a cinco años de prisión, menos años de los que hubiese recibido por cometer un delito común. El general Manuel Contreras y el brigadier Pedro Espinoza, ambos miembros de la DINA, también serán encontrados culpables del asesinato por una corte de Chile en 1993 y serán condenados por decenas de otros crímenes, lo que no impresionó demasiado a la prensa internacional y, consecuentemente, a la opinión pública. Ninguno será torturado ni ejecutado. Como es tradición entre los dictadores latinoamericanos acusados de genocidio o de crímenes de lesa humanidad, todos morirán con edad avanzada en un hospital.

La CIA no sólo es miembro fundador de Operación Cóndor, también sabe de sus pasos más secretos debido a que sus agentes usan un sistema de encriptación de mensajes creado y administrado por la CIA. Como es norma, Washington y la CIA negarán cualquier participación en los hechos hasta el 19 de setiembre de 2000 cuando, en un reporte oficial al Congreso de Estados Unidos, la CIA reconozca que el general Manuel "Mamo" Contreras Sepúlveda había sido uno de sus más activos colaboradores y receptor de pagos de la agencia desde 1974 a 1977. En el mismo informe se descubrirá que pocos meses después que la CIA clasificara a Contreras como "*el principal obstáculo para una política razonable de derechos humanos dentro de la Junta*", la misma agencia lo había promovido como jefe de la DINA en Chile.

Años más tarde, el expresidente Eduardo Frei (apoyado por la CIA con millones de dólares para su campaña presidencial de 1964) será asesinado con una inyección letal en la misma habitación del hospital donde muriese el poeta y premio Nobel Pablo Neruda. Para entonces, Frei se habrá convertido en uno de los pocos disidentes todavía residentes en el país, algo que Pinochet no pudo tolerar.

Gracias a la Operación Minerva, la CIA estaba informada de la persecución y exterminación de disidentes en América del Sur. Según se desclasificará muchos años después, por esta operación, usando la dictadura brasileña como intermediario, la CIA vendía a los países del Sur y del Este los instrumentos de decodificación que los servicios secretos locales usaban para enviar mensajes secretos, por lo cual Washington estaba perfectamente informado, entre otras cosas, del atentado terrorista que terminó con la vida de Letelier y su asistente, del atentado con bomba contra Cubana de Aviación unas semanas después, en octubre de 1976, y de los planes y estrategias para la Guerra de las Malvinas en 1982. Los aparatos de encriptación *Crypto AG* eran producidos en Suiza, pero la NSA, la CIA y la BND de Alemania Occidental eran los verdaderos propietarios, por lo cual controlaban los mensajes supuestamente encriptados de amigos y enemigos. En 1993, la CIA le compró a la BND su parte por 17 millones de dólares.

De la misma forma que el FBI actuó en asuntos internacionales, la CIA opera dentro de fronteras contra grupos estadounidenses opuestos a la guerra de Vietnam y a las dictaduras en América Latina. Probablemente como consecuencia de una generación joven que dio al país ideas como las de descolonización, el antiimperialismo, los derechos civiles y que resistió la Guerra de Vietnam con protestas y muertos, poco antes se había inaugurado en el Congreso más antiimperialista y antimilitarista de la historia de Estados Unidos, el que durará unos pocos años más. Cuando las actividades secretas de la CIA salen a la luz con el escándalo de Watergate y las investigaciones de la Comisión Church en el Congreso, se aprueban leyes que pretenden limitar la libertad de acción de Washington, sobre todo en la costumbre de destruir democracias y promover sangrientas dictaduras de extrema derecha en nombre de la libertad. En 1973, la ley de Poderes de Guerra intentó limitar el poder del gobierno para enviar tropas a otros países. Más tarde, se limitará el poder de los servicios de inteligencia para actuar sin control del Congreso. Limitar, no prevenir. En 1974, la enmienda Hughes-Ryan había obligado a la CIA a informar a los comités del Congreso de sus operaciones secretas y un año después, se anulará el Comité de Investigación de Actividades Antiamericanas, considerado por muchos como fascista.

A partir de entonces, el secreto de las intervenciones se reinventará bajo otras retóricas y convicciones. Es más, el lobby conservador preparará un regreso épico en los años y en las décadas por venir.

Cuando en 1977 Jimmy Carter se convierte en presidente, intentará reactivar algunas políticas de F. D. Roosevelt en los años treinta. No las llamará "Política del buen vecino" sino "Política de los derechos humanos", por la cual se propondrá, aunque con paños tibios, recortar las ayudas de

Washington a las dictaduras latinoamericanas y dejar a los países raros del sur hacer de su vida lo que les parezca mejor.

Semejante *approach* no podía durar mucho tiempo.

El cuerpo Osvaldo Letelier, o lo que queda de él, será enviado a Venezuela. No podrá descansar en su país, Chile, hasta que su dueño, el general Pinochet, no sea removido del poder.

1976. Un par de borrachos charlatanes

WASHINGTON DC, 13 DE DICIEMBRE DE 1976—A un mes de la elección del presidente Jimmy Carter, Harry W. Shlaudeman, asistente de la secretaría de Asuntos interamericanos, le informa al subsecretario de Asuntos políticos, Phillips Habib, sobre la necesidad de instruir a la embajada en Montevideo para denegar las visas a los militares José Pons y José *Nino* Gavazzo, a pesar de que ambos pertenecen a una dictadura amiga. Un informe del Departamento de Estado cita un telegrama del embajador en Uruguay, Ernest Victor Siracusa, informando sobre la decisión del gobierno uruguayo de enviar a Estados Unidos a los oficiales, a quienes identifica como miembros del Servicio de Inteligencia uruguayo en coordinación con la Inteligencia chilena, DINA y el Plan Cóndor. El Departamento de Estado considera que "*Gavazzo es un tipo peligroso*", por lo cual recomienda que se informe al embajador en Montevideo que "*esos dos caballeros no serían bienvenidos a Estados Unidos*". El informe señala que sólo la amenaza contra el representante de Nueva York, Edward I. Koch, es suficiente razón para bloquear la entrada de estos dos militares al país. Koch es parte de la renovación ideológica del Congreso de Estados Unidos, crítico de la Guerra de Vietnam y partidario de reducir las millonarias ayudas a las dictaduras amigas en América latina por sus sistemáticas violaciones a los Derechos humanos. Como miembro del comité de Operaciones extranjeras, propone un fuerte recorte en la ayuda económica a la dictadura de Uruguay debido a "*la represión de su gobierno contra su propio pueblo*" y, especialmente, por los "*actos de terrorismo perpetrados en Argentina contra los refugiados uruguayos*" antes que ese país caiga en su propio infierno militar. El senador Ed Koch es uno de los congresistas conocidos como *reformistas* y *antimilitaristas* surgidos del movimiento antibélico y crítico con la guerra de Vietnam, que buscan limitar las libertades de los servicios de Inteligencia para planear asesinatos y golpes de Estado en otros países. Esta nueva izquierda culminará con la elección de Jimmy Carter y la idea de los "derechos humanos" como principio orientador en la política exterior (Jimmy y su esposa Rosalynn hablan español, y eso es peligroso). Esta generación será derrotada unos años después por una nueva generación neoconservadora que se asentará en el poder por las generaciones siguientes, la que considerará que *"la única legitimación real de la política es la fuerza"*.

En una carta enviada al jefe del Departamento de Justicia de Estados Unidos, fechada el 9 de octubre de 1976, el congresista Edward Koch menciona que los servicios de inteligencia de Estados Unidos habían detectado la intención de los militares uruguayos de enviar a alguien a Estados Unidos para atentar contra su vida. La CIA, objeto de cuestionamiento por el ala progresista del nuevo Congreso e involucrada desde hace dos décadas en la compra de informantes, periodistas, políticos, policías y militares en aquel país, intenta minimizar el plan de los uruguayos calificándola como la *"amenaza de unos charlatanes borrachos"*. Sin embargo, luego del asesinato del chileno Orlando Letelier en un atentado con bomba en Washington DC a manos de los agentes de la DINA de Pinochet y del exilio cubano de Miami el 21 de setiembre pasado, la denuncia es tomada en serio y los uniformados no pueden viajar a Estados Unidos.[159]

A mediados de 1978, el Departamento de Estado bajo la nueva política de derechos humanos de Jimmy Carter, recortará hasta 800 millones de dólares en ayuda militar a la dictadura argentina, como lo hará con las de Chile, El Salvador y Uruguay. No todos están de acuerdo. El 25 de febrero de 1977, el influyente senador de Carolina del Norte, Jesse Helms, criticará la decisión del presidente Carter. Según Helms, los gobiernos de Argentina y Uruguay son gobiernos decentes. *"He visitado esos países y les puedo decir que son absolutamente anticomunistas. Es un error no apoyar a esos gobiernos"*, declara Helms a la prensa. En Argentina, luego de décadas de adoctrinación ideológica y de millones de dólares en "asistencia", los militares están furiosos con Washington. No pueden creer que les recorten la asistencia económica de 48 millones por simples razones humanitarias de un presidente manicero, idealista e inexperto. El dictador Videla rechaza la limosna restante de 15 millones de dólares y su ministro de Exteriores, César Augusto Guzzetti declara: *"ningún Estado, cualquiera sea su ideología o poder, puede erigirse por sí mismo en una corte internacional de justicia, interfiriendo en la vida doméstica de otros países"*. Si una regla moral es aquella que puede ser aplicada en cualquier circunstancia, esta no es una de ellas.

---

[159] En mayo de este año. Los legisladores Zelmar Michellini, Héctor Gutiérrez Ruiz y otros disidentes uruguayos habían sido asesinados por el Plan Cóndor en Argentina. Sus cuerpos fueron hallados bajo un puente en Buenos Aires. Poco después, el legislador Wilson Ferreira Aldunate se salvó del mismo destino por una oportuna intervención del Scotland Yard en Londres. Los tres representantes pertenecen al centro izquierda del partido de derecha, el Partido Nacional. Otros disidentes serán envenenados de forma que sean clasificados como "muertes por causas naturales".

Treinta años más tarde, cuando el 9 de marzo de 2007 el presidente George W. Bush visite Uruguay, recibirá una carta de los familiares de los pocos militares de la pasada dictadura que no serán amparados totalmente por la Ley de amnistía de 1986, entre ellos Jorge "Pajarito" Silveira, Luis Maurente, Ricardo "Conejo" Medina, Ernesto Ramas y el célebre torturador Nino Gavazzo. En su carta, los familiares acusarán al nuevo gobierno democrático del socialista Tabaré Vázquez de tener presos políticos, de permitir "procesos judiciales infieles" y de recluir a sus familiares "en una cárcel del régimen". La vieja práctica del terrorismo de Estado de los años 70 (el secuestro, la suspensión de la constitución y los derechos humanos más elementales, la tortura, la desaparición y la muerte) será definida como *"la moral, la disciplina y un profundo amor por la tierra que las vio nacer"*. En base a estos principios, le rogarán al presidente estadounidense que intervenga una vez más para ayudar a quienes en el pasado ayudaron a ese país.

La carta nunca será contestada, pero quedará como otro documento tardío del patriotismo latinoamericano. Para peor, ni los familiares ni nadie será castigado en aquel país por ejercer su libertad de expresión. El régimen del gobierno uruguayo continuará situándose por encima de Estados Unidos y de muchos países europeos en el *Índice de libertad de expresión* y en el *Índice democrático* medido por diferentes organismos independientes, por muchos años más.

1977. Dios está ocupado con otros asuntos

BUENOS AIRES, ARGENTINA. 6 DE SEPTIEMBRE DE 1977—Los soldados entran en la casa y Nicasia Rodríguez lleva a sus tres hijos al baño. Marcela, Sergio y Marina se aprietan en un rincón y esperan. La madre les dice: *"Pórtense bien, porque mamita los quiere mucho"*. Luego la mujer resiste el allanamiento a tiros y muere esa misma tarde junto con su compañero Arturo Alejandrino Jaimez. Los niños son arrastrados del baño y, poco después, pasan al lado de su madre muerta. Los cómplices del futuro, desde sus computadoras opinantes, leerán este reporte y dirán que las víctimas se lo merecían, que los culpables eran los padres. A la mayor, Marcela, la llevan por un paseo por el barrio para que señale qué vecinos son amigos de los enemigos. Marcela no sabe mucho. Los soldados le dicen que es una puta y, en un rincón, le retuercen los pezones que apenas comenzaban a desarrollarse. Como los soldados están cansados y muy malitos, Marcelita inventa respuestas. Esta no, aquella sí. De ahí la llevan a caminar sobre los muertos y torturados de La Tablada, de Vesubio y de Sheraton durante tres meses. Marcela Quiroga, de doce años, se ha salvado porque, según los manuales del Pentágono, es una fuente de información. Sus dos hermanos desaparecen y su madre, Nicasia, será encontrada décadas después en un cementerio de La Plata, bajo el acostumbrado acrónimo en inglés N.N. (*No Name*, Sin Nombre). En otro taller de la tortura, uno de los patriotas conocido como el Capitán Beto, le dice al periodista Jacobo Timerman: "*Sólo Dios da y quita la vida. Pero ahora Dios está ocupado en otro lado, y somos nosotros quienes debemos ocuparnos de ese trabajo en la Argentina*".[160]

Aunque la Junta militar justifica el golpe por la violencia de los grupos subversivos de izquierda, los registros muestran que la violencia terrorista de los grupos paramilitares es muy superior. Durante el primer año del gobierno neoperonista de Isabel Perón, los asesinatos de la Alianza Anticomunista Argentina (la Triple A creada por José López Rega, la mano derecha de la presidenta) suman 503 víctimas, más que todas las víctimas de los atentados de los grupos de izquierda. El mismo embajador Robert Charles Hill, el 24 de marzo de 1975, había reportado al secretario de Estado, Henry Kissinger, sobre 25 ejecuciones políticas en solo 48 horas, de las cuales dos tercios eran víctimas del paramilitarismo de extrema derecha. "*El mayor incidente* —escribió el embajador en un memorándum— *ocurrió el pasado viernes cuando 15 terroristas (aparentemente de la Triple A) secuestraron a jóvenes de la izquierda peronista en ocho Ford Falcon. Una mujer fue asesinada cuando intentaba evitar que se llevasen a su esposo. Más tarde, aparecieron otros seis cuerpos... En Mar del Plata, como represalia por la muerte de un abogado de la derecha peronista a manos de un grupo de montoneros, otros cinco izquierdistas fueron asesinados, los que suman más de cien asesinatos políticos en lo que va del año*".

Apenas confirmado el nuevo golpe de Estado en Argentina el 24 de marzo del año pasado, el embajador Hill ni siquiera había esperado las reglamentarias 48 horas para reconocer al nuevo gobierno en nombre de Washington. "*Éste ha sido, probablemente, el golpe de Estado mejor ejecutado y el*

---

[160] Timerman, nacido en la Unión Soviética en 1923, escapará con su esposa del nuevo régimen de extrema derecha a Israel. Aunque un sionista en sus orígenes, comparará a Israel con el régimen racista de Sudáfrica y en 1982 publicará el libro *Israel: la guerra más larga. La invasión de Israel al Líbano* en la cual criticará duramente la brutal "*ocupación y explotación*" de Palestina, la cual considerará una traición del Estado de Israel a la verdadera tradición judía. Será acusado de ser "*vergonzosamente pro-Palestina*". Naturalmente, el libro fue cubierto por el silencio de la propaganda y la contrapropaganda estatal organizada por el gobierno de Israel en Estados Unidos. No obstante, el ministro de Exteriores de ese país, Yehuda Ben Meir, en el programa de televisión estadounidense 60 Minutes, declarará sobre Timerman: "*Lo sacamos de Argentina y ahora nos paga con esta crítica... sus calumnias nacen de su odio a sí mismo*".

más civilizado en la historia de Argentina… Los intereses de Argentina, como los nuestros, dependen del éxito del gobierno moderado del General Videla" había informado. "El golpe más civilizado en la historia Argentina" dejará una montaña de al menos una docena de miles de cadáveres en apenas nueve años, sin contar con los miles de torturados y violados que sobrevivirán, sin contar decenas de miles los exiliados y de toda una nación traumatizada por las generaciones por venir debido al civilizado terrorismo de Estado que algunos llamarán, como forma de distracción semántica, Guerra sucia.

Una noche, harto de vivir recluido en la embajada leyendo informes secretos y rodeado de un ejército cada vez que debe asistir a alguna reunión de urgencia, el embajador decide ir con su esposa a cenar a un restaurante de Puerto Madero. Apenas es reconocido, los comensales comienzan a retirarse hasta que no queda nadie, aparte de los diplomáticos. Unos dirán que por miedo a los atentados, otros que por desprecio. Pero justo cuando el prodigio diplomático de Hill llega al final de su carrera y de su vida, el hombre comienza a ver el mundo bajo un lente totalmente diferente. De repente, a la velocidad de algo que se cae, lo persigue el remordimiento, las decepciones y una peligrosa pérdida de fe en Washington y en su propia misión a lo largo de décadas.

Apenas un año después, ahora el desprecio del embajador Hill se proyecta sobre el secretario de Estado, Henry Kissinger. Poco antes de dejar este mundo, como una reacción moral al final de su larga carrera imperialista, el embajador Robert Hill intentará resistir la aprobación de Henry Kissinger a la dictadura argentina debido a las obvias violaciones a los derechos humanos. En la reunión de la OEA en Santiago de Chile de junio (en el Hotel Carrera, el mismo usado por la película *Missing*, filmada en secreto sobre la desaparición de Charles Horman), Hill intentará revertir sin éxito la poderosa diplomacia no oficial del todopoderoso Kissinger. Uno de los hechos que precipitaron la crisis moral del embajador Hill poco antes de su muerte (casi nunca es tarde para ver la realidad) fue cuando el hijo de treinta años de uno de los empleados de su embajadora, Juan de Onis, fue secuestrado y desaparecido por el gobierno de Videla. Cuando en octubre de 1987 *The Nation* reporte sobre este caso, Kissinger se burlará de las excesivas preocupaciones del fallecido embajador Hill sobre los derechos humanos.

Kissinger es intocable e indestructible. El 25 de marzo de 1976, en el telegrama 72468 del Departamento de Estado, había enviado a la Casa Blanca una copia de la conclusión del *Bureau of Intelligence and Research*, confirmando los beneficios del nuevo golpe en América Latina, razones que sólo repiten otros argumentos usados en el siglo XIX: *"Los tres líderes de la Junta son conocidos por sus posiciones en favor de Estados Unidos… y por sus preferencias por las inversiones de los capitales extranjeros. Además, el nuevo gobierno buscará la ayuda de asistencia financiera de Estados Unidos, sea moral o en dólares"*. Como es costumbre, la nueva dictadura amiga no fue bloqueada sino lo contrario. El FMI aprobó, en cuestión de pocas horas, un préstamo de 127 millones de dólares (575 millones al valor de 2020) para asegurar el éxito del nuevo régimen terrorista, de la misma forma que habían hecho con Chile y otras dictaduras militares.

Ahora, la nueva dictadura es una consecuencia de la olvidada manipulación ideológica de Washington del ejército argentino y de sus mayordomos a principios de los años 60. Cuando el proceso y la violencia habían madurado, en 1967 Richard Nixon realizó un viaje por América del Sur, esta vez sin protestas ni escupitajos. Según los medios y la narrativa social, la cosa había sido pacificada a fuerza de dictaduras. Según los datos duros, la violencia había escalado hasta niveles nunca antes visto. En Brasil, Nixon había aplaudido la *"plena libertad de la prensa"* bajo la dictadura auspiciada por Washington. No lee ni escucha que varios periodistas estadounidenses y brasileños del exilio le recuerdan que en Brasil gobierna el fascismo y no existe la libertad de prensa. En Argentina, Nixon había reconocido que el dictador general Juan Carlos Onganía *"es un líder fuerte y respetuoso de las instituciones libres"*. Ante los periodistas declara: *"Aunque quisiera, una democracia al estilo de la que tenemos en Estados Unidos no funcionará aquí"*. Un año antes, el 29 de julio de 1966, el ejército argentino y sus oficiales condecorados por Washington (como el mismo Onganía) y graduados en Escuela de las Américas habían intervenido las universidades consideradas *"cuevas de marxistas"*, deteniendo a estudiantes y a profesores por sus ideas, como la bien vernácula idea de la "autonomía universitaria" nacida de la rebelión argentina de 1918 y eliminada por decreto-ley 16.912. Por entonces, la academia argentina se encontraba entre las más prestigiosas del mundo. Como lo recordará el científico y premio Nobel César Milstein, cuando los militares en Argentina tomaron el poder decretaron que el país se arreglaría apenas se expulsaran a todos los intelectuales. Brillante idea que llevaron a la práctica para hundir a la Argentina en los sótanos más oscuros de la historia. En pocos meses, 1500 profesores fueron enviados al exilio para reforzar el poder intelectual de las universidades en Europa y Estados Unidos.[161]

El golpe militar del general Onganía había acabado con el gobierno legítimo de Arturo Illia sin ninguna crisis social o económica, aparte de la propia crisis interna del ejército entre azules y colorados, de la diversión burlesca

---

[161] Entre muchos otros, como lo resume Lucas Doldan, el informático Manuel Sadosky, el epistemólogo, físico y meteorólogo Rolando García, el historiador Sergio Bagú, la astrónoma Catherine Gattegno, el historiador Tulio Halperín Donghi, el epistemólogo Gregorio Klimovsky, el geólogo Amílcar Herrera y la física atómica Mariana Weissmann.

y conspiradora de la prensa nacional y del complot de Washington contra las nuevas medidas del gobierno democrático. Cuando unos años después el país se sumerja en la realidad de lo que cuatro años antes era una ficción inventada (crisis económica, revuelta social, nuevos grupos subversivos organizados y ganando experiencia en la insurgencia) la junta dictatorial resolverá que su original razón de ser, el peronismo, en lugar de ser el problema principal podría ser la solución para canalizar el descontento, la frustración y la radicalización de la izquierda. Es por esta razón que los militares abren la puerta al regreso de Juan Perón y de los peronistas en 1971. No sería exagerado especular que los servicios de inteligencia sabían perfectamente que este Perón, que ahora representaba a los grupos más radicalizados de la izquierda, producto de la dictadura fascista de Onganía, en su exilio en la España de Franco se había caído, conveniente e irremediablemente, hacia la derecha.

El Perón que había regresado del exilio no era Perón, sino un espectro. Ahora Perón es antiperonista. De la misma forma que su casamiento con la actriz Eva Duarte lo había inclinado hacia las políticas progresistas, la nueva esposa Isabel Martínez, una bailarina argentina de clubes nocturnos que conoció en Panamá, lo había terminado de empujar hacia la derecha. A su regreso al país y luego de ganar las elecciones en 1973 (gracias a la amable renuncia del presidente electo Héctor José Cámpora ese mismo año), el 12 de octubre entró en la Casa Rosada con su esposa y vicepresidenta Isabel Martínez de Perón. Detrás entró la sombra de Isabel y un miembro de la ultraderecha católica y exotérica, José López Rega. Perón murió un año después y la presidencia quedó a manos de Isabel y de Lopecito. Desde entonces, los asesinatos de disidentes de izquierda se multiplicaron con un patrón conocido. El 11 de mayo de 1974 fue asesinado el padre Carlos Mugica por un comando de la Triple A (Alianza Anticomunista Argentina). Como el padre Romero o el jesuita Ellacuría en El Salvador, como muchos otros sacerdotes rebeldes, asesinados o perseguidos en el continente bajo la acusación de ser marxistas por cuestionar la brutalidad oligárquica, Mugica era un católico próximo a la Teología de la liberación y a la iglesia del Tercer mundo que abogaba por la dignidad de los trabajadores, por la resistencia pacífica y por el regreso a las raíces del Evangelio, es decir, lo opuesto a las raíces del catolicismo imperialista y oligárquico del emperador Constantino, del papado y, ahora, de López Rega en el poder.

Para entonces, el primer ajuste tarifario de la historia conocido como El Rogrigazo, aplicó medidas neoliberales llevando a una explosión de la inflación hasta casi el mil por ciento. El ajuste fue bautizado como "sinceramiento de la economía" y tendrá varios déjà vu, como el del presidente neoliberal Mauricio Macri, exactamente cuatro décadas después. La decepción de los peronistas por el nuevo peronismo y la experiencia subversiva creada por la dictadura de Onganía en los 60 habían formado el cóctel perfecto para el caos y, sobre todo, para una nueva excusa de las fuerzas de represión. ¿Qué mejor que el desorden para los profesionales del orden? ¿Qué más peligroso que el desorden sino el mismo orden? Pocos meses antes de las elecciones de 1976, los militares decidieron dar un nuevo golpe de Estado para evitar, de esa forma, el triunfo del ala izquierda del peronismo, reagrupada detrás de Cámpora y con posibilidades de obtener una fuerte votación.

Así, gracias a la dictadura de la Junta encabezada por el general Rafael Videla, el neoliberalismo y el Consenso de Washington alcanzarán un nivel máximo en el Cono Sur, después de Chile. Las empresas privadas, nacionales y extranjeras, gobernarán de forma paralela, al extremo de que el gobierno llegó a privatizar deuda adquirida por las empresas privadas creando la mayor deuda externa de la historia del país, la cual pagarán los trabajadores argentinos a lo largo de las décadas por venir, deuda que, además, como en el resto de los países latinoamericanos bendecidos por los préstamos y las dictaduras de Washington, impedirá el crecimiento y mucho más el desarrollo del país.

El 7 de octubre 1976, luego del golpe de Estado, Henry Kissinger, en una reunión en la que se encontraba el subsecretario de Estado de Estados Unidos Philip Habib, le dirá personalmente al ministro argentino de Relaciones Exteriores, el almirante César Guzzetti: "*Nuestro interés es que tengan éxito. Tengo una visión pasada de moda según la cual a los amigos hay que defenderlos. En Estados Unidos la gente no entiende que ustedes tienen una Guerra civil aquí. Leen sobre la necesidad de los Derechos Humanos pero no entienden el contexto… Así que cuanto antes lo hagan, mejor*".

1977. Los Derechos Humanos descubren a Jimmy Carter

WASHINGTON DC. 9 DE SETIEMBRE DE 1977—Como hará dos años después con el revolucionario nicaragüense Daniel Ortega, el presidente Jimmy Carter recibe en la Casa Blanca al dictador argentino Rafael Videla. Videla pone en juego sus habilidades de dramaturgo, como lo había hecho el año anterior en un almuerzo con los escritores Jorge Luis Borges y Ernesto Sábato, y convence a Carter de sus buenas intenciones. Carter, por entonces un improvisando sobre su política bandera de los Derechos Humanos, declara que cree en el compromiso del presidente argentino para mejorar la dramática situación en su país. Videla compra más tiempo.

Poco después de la reunión con Videla, la inundación de informes sobre secuestros, asesinatos y desaparecidos en Argentina decepcionará al ingenuo presidente de Estados Unidos, quien optará por el recorte de la tradicional asistencia de Washington a las dictaduras funcionales de la Frontera sur. Estos recortes presupuestales y la nueva política de derechos humanos pondrán furiosos a los militares del sur y a los políticos del norte. Unos años más tarde, en Washington, el proyecto de ingeniería política de la secta neoconservadora (reacción furiosa a la ola rebelde de los años 60 que terminó con el Congreso progresista de los 70) liquidará los planes de la política internacional basada en la moral de "El peor presidente de la historia". Washington volverá a la normalidad en 1981 con el gobierno de Ronald Reagan, reemplazando la frustrada política de derechos humanos con la *realpolitik,* la Doctrina Kirkpatrick (la verdad le pertenece a los vencedores) y sus halcones en el gobierno que dominarán Washington por los próximos cuarenta años. Las dictaduras genocidas en la frontera sur serán definidas como "dictaduras amigas" y los genocidas como Ríos Montt y los terroristas como los Contras serán bautizados como "*freedom fighters (luchadores por la libertad)*".

A finales de 1976, en su último debate televisivo contra el presidente Gerald Ford, Jimmy Cárter había mencionado al pasar algo sobre la política internacional y los derechos humanos. Las cuatro palabras juntas resonaron en una parte de la población, la generación cansada de la masacre de Vietnam y de la violencia racial en su propio país, y lo apoyó en una medida que Carter se convirtió en el nuevo presidente y convirtió la novedad en su política internacional. A partir de 1977, la financiación y el apoyo logístico y moral de Washington a las dictaduras latinoamericanas comienzan a ceder. Su asistente, Patricia Derian, fogueada en la lucha por los derechos civiles de su país en la década anterior, reporta desde Argentina los horrores del infierno: secuestro y desaparición de activistas, periodistas, disidentes de todo tipo. En muchos casos, la creatividad del sadismo militar supera la imaginación pornográfica de la inquisición en Europa, como la Silla de Judas. El 7 de abril de 1977, Fernando Enrique Rondon informó al embajador Robert Hill sobre casos como los de una madre obligada a escuchar a su hija en una sesión de tortura y el de una joven, hija de un líder sindicalista, encontrada en una morgue de Buenos Aires a la que se le introdujo dos ratas vivas en la vagina hasta que las ratas, desesperadas por escapar, comenzaron a cavar en el cuerpo de la víctima hasta provocarle una muerte lenta, dolorosa y humillante.

Durante los años 60, como en otros países de América Latina, la cooperación del Departamento de Defensa de Estados Unidos y los ejércitos nacionales se había intensificado, derivando en más de una decena de golpes de Estado en diferentes países. En el caso de Argentina, la estrategia consistió en reemplazar la influencia militar de Francia por la de Estados Unidos. Con anterioridad, el ejército argentino ya se había familiarizado en técnicas de acoso, represión y tortura similares aplicadas por el ejército francés en sus guerras neocoloniales en Argelia y en Vietnam. *L'Organisation Armée Secrète* era un grupo paramilitar francés con experiencia en las colonias, el cual dictó cátedra en el ejército argentino durante los años 50 luego de derrocado el gobierno de Perón. Hasta entonces, y desde hacía un par de décadas, la tradición de la diplomacia argentina había sido desafiar a las delegaciones de Estados Unidos en cada cumbre de países. En sus memorias publicadas en 1969, el ex secretario de Estado Dean Acheson, con esa afición al aforismo propia del Norte, había simplificado el problema en los años cuarenta: *"Perón fue un dictador fascista detestado por toda persona de bien, excepto por los argentinos"*. Al mismo tiempo que Estados Unidos reemplaza a Francia en Vietnam, reemplazó a Francia en el Cono Sur. En Argentina, el encargado de la transferencia fue el general Juan Carlos Onganía, a partir del cual se comenzó a refinar la doctrina de la Seguridad Nacional en aquel complicado país de blancos desalineados. Luego de siete años de dictadura y de oficiales enviados a las escuelas militares del norte, luego de una insurgencia creada por los mismos dictadores, muchos argentinos, como en cualquier otro país latinoamericano, comenzarán a repetir los libretos escritos en Washington sobre "la patria", "la defensa de la soberanía", "la lucha contra la influencia extranjera", "los militares que debieron responder a la amenaza del comunismo", y ya no pararán más. Pese a toda la repetida retórica que sobrevivirá por medio siglo más, diez años después del golpe del general Onganía y casi nueve meses después del golpe del general Videla, un análisis secreto del Departamento de Estado fechado el 31 de diciembre de 1976 había afirmado que *"Cuba ha proveído ayuda logística al ERP y a Montoneros, aunque ésta no ha sido relevante ni para la existencia de estos grupos ni para su capacidad operacional"*.

Como en todos los golpes militares anteriores, la prensa más poderosa de Argentina está del lado de los golpistas. Figuras legendarias del cine mudo, como Mirtha Legrand, quien continuará apareciendo en programas políticos de televisión bajo la fachada de un almuerzo y de la frivolidad del espectáculo hasta entrado el siglo XXI, apoyarán el golpe y el proceso como "una necesidad" que, según ellos, todos los argentinos reclaman desesperadamente. El influyente periodista Bernardo Neustadt, quien apoyó el golpe del general Onganía en 1966 y el del general Videla en 1976, también viajó a Estados Unidos para explicarle a los estudiantes que la nueva dictadura era la consecuencia de la guerrilla de izquierda. De esa forma, la retórica cumple su cometido tradicional de volver a su origen como si fuese una novedad. Pero Neustadt es tomado por sorpresa y los estudiantes lo acribillaron con reclamos sobre las graves violaciones a los derechos humanos que ocurren en Argentina, por lo cual Neustadt (como Legrand y otras caras populares de la farándula argentina), se queja de la campaña marxista en contra de la nación argentina en el extranjero. Como descubrió el propagandista Edward Bernays y lo recomiendan los manuales de la CIA, alguien con prestigio debe decir lo que nosotros queremos que sea dicho al tiempo que la gente no sea capaz de identificar el origen de una idea o de un rumor. Carter está decidido a terminar con esta tradición y no sabe que la tradición terminará con su presidencia. Cuando le retire el apoyo a "Tachito" Somoza, poco después la dictadura nicaragüense (inventada y sostenida durante décadas por Washington y las compañías estadounidenses) caerá ante el avance de los sandinistas. En un gesto intolerable por el establishment y los servicios secretos, Carter recibirá en la Casa Blanca al nuevo presidente, Daniel Ortega, en diciembre de 1979. Diferente a la visita que le hiciera Fidel Castro a Richard Nixon en 1959, Carter ordenará a su gobierno reconocer y colaborar con el nuevo gobierno de Nicaragua, surgido de una revolución nacional y sin la intervención de Washington. Esta política no tendrá larga vida. Ni los fanáticos angloamericanos en Washington ni los fanáticos latinoamericanos en Miami se quedarán de brazos cruzados.

Un par de años antes, el 24 de marzo de 1977, el nuevo consejero de Seguridad nacional del presidente Carter, Zbigniew Brzezinski, pecando de un exceso de optimismo, había declarado que la doctrina Monroe *"ya no es válida; representa un legado imperialista que ha destruido nuestras relaciones internacionales"* y que lo que corresponde es tener una relación más igualitaria con los vecinos del sur. Los idealistas no durarán muchos años. Ni siquiera podrán gobernar cuando les toque gobernar. En un memorando secreto dirigido al mismo Brzezinski con fecha del 11 de julio de 1978, Robert Pastor le informará sobre la visita de Kissinger a la Argentina con motivo de la Copa Mundial de Fútbol. Refiriéndose a la Junta militar, Pastor informará que las palabras de reconocimiento del ex secretario de Estado Henry Kissinger *"por los logros del gobierno en su lucha contra el terrorismo fueron música para sus oídos, algo que habían estado esperando por mucho tiempo"*. Luego: *"sus declaraciones sobre la amenaza soviético-cubana me parecieron desactualizadas, con un retraso de quince o veinte años... Lo que me preocupa es su deseo de atacar las nuevas políticas de la administración Carter sobre los derechos humanos en América Latina. Por otra parte, no queremos una discusión pública sobre esto, sobre todo porque necesitamos su ayuda para el SALT"*[162].

En julio de 1978, el *Buenos Aires Herald* publicará declaraciones de Henry Kissinger que se parecen a su respuesta ante las cámaras de televisión sobre el desconocimiento del golpe de Estado en Chile cuatro años atrás. Ahora, el intocable Kissinger (su apellido significa "más que un beso") vuelve a hacer uso de su clásica hipocresía. *"Se supone que soy un experto en asuntos internacionales, pero no he tenido mucha información sobre lo que ha*

---

[162] Se refiere al tratado internacional para limitar el uso de armas nucleares.

ocurrido en Argentina en los últimos diez años", declara. El embajador Robert Hill, en un momento de crisis de fe, toma un bolígrafo y subraya estas palabras. Al margen del diario, escribe: "PERFECTA MIERDA".

Un año después, el 5 marzo 1979, Pastor reportará que la situación de los derechos humanos en Argentina es una de "*las peores del hemisferio*", con "*el 90 por ciento de los prisioneros políticos torturados o ejecutados con un promedio de 55 desaparecidos por mes*", aunque el "*Ministro del Interior argentino insiste que son solo 40 por mes*" y los vínculos de los desaparecidos con la izquierda son "*cada vez más vagos*" y "*a pesar de que, según los Servicios de Seguridad Federal de Argentina, en 1978 hay sólo 400 terroristas desaparecidos y Videla ha declarado que la guerra ya se terminó*".

Poco después, Robert Pastor le solicita a Brzezinski que trate de preguntarle a Kissinger si no le importaría el hecho de que un miembro de su *staff* ("*yo mismo*") pudiese cuestionar los objetivos de su viaje a Argentina. Con cierta ambigüedad o ingenuidad, Pastor concluye: "*Eso podría darme un indicio sobre si a él realmente le interesa algo sobre nuestras políticas de derechos humanos para promover una campaña y darle alguna información sobre la efectividad de nuestra política de derechos humanos para América Latina*".

Cuarenta años después, aparte de la sistemática y masiva violación de los derechos humanos en Argentina, los documentos desclasificados en Washington abundarán en menudencias como la costumbre de las fiestas, los conciertos y las cenas de rigor a los que estaban expuestos los diplomáticos en Argentina; la reunión de Henry Kissinger en abril con Jorge Luis Borges, con Martínez de Hoz (el representante del proyecto neoliberal en ese país) y con el ministro de exteriores, Cesar Augusto Guzzetti, a quien Kissinger autorizó ("*[gave] explicit permission*") para actuar de la forma que fuese necesario para "*reprimir el terrorismo*".

1977. Bulbocapnina, pentathol, desoxyn y la libertad

WASHINGTON DC. 20 DE JULIO DE 1977—Entre la espada y la pared del nuevo Congreso, la CIA entrega documentos que revelan nuevos detalles sobre los experimentos con drogas exóticas, choques eléctricos y radiaciones llevados a cabo con el objetivo de manipular la conducta de los ciudadanos. "*Era un programa para manipular la mente de la gente*", reconoce John Marks, un ex oficial de inteligencia del Departamento de Estado, quien trabaja ahora para el Centro de Estudios de Seguridad Nacional.

Una de esas drogas es bulbocapnina, había sido usada de forma experimental en las cárceles. Un documento fechado el 30 de julio de 1956 afirma que, en altas dosis, la droga causaba esquizofrenia y estupor. La CIA estaba interesada en saber si esta droga podría lograr la pérdida del habla o la pérdida de la fuerza de voluntad ajena, dos cosas que, obviamente, poseen un valor inestimable. *"La efectividad de estas sustancias en los ciudadanos estadounidenses y extranjeros es de gran interés para la agencia, por lo que diversas pruebas han sido realizadas en los dos grupos"*, reconoció el inspector [nombre tachado] el 14 de agosto de 1963". A veces el experimento se extendía por muchas horas *"hasta que el individuo debía ser hospitalizado y sólo podíamos seguir la información de forma indirecta"*. El 29 de noviembre de 1949, una carta de [nombre tachado] describe la forma en cómo se podía matar a alguien sin dejar siquiera un rastro mínimo. Entre las sugerencias estaban técnicas tan simples como la *"estrangulación usando una almohada o una toalla de baño, exponiendo a alguien a rayos X, lo que podría causar su muerte en cuestión de días, o confinado al sujeto en un espacio cerrado con un bloque de hielo seco"*, de forma que muriese por inhalación de monóxido de carbono. En 1953, usando sodium pentathol y desoxyn, un agente logró convencer a un sospechoso soviético que él era un *"amigo querido y confiable"*.

Los documentos liberados por la CIA hoy, constan de aproximadamente mil páginas, la mayoría de ellas censuradas con tachaduras. Una de las páginas reconoce que el objetivo del proyecto es mantener cada operación bajo un secreto extremo recurriendo a un mínimo de documentación.

Un periodista le pregunta al vocero de la CIA cuántas personas fueron sujetos de experimentación en este proyecto, pero el vocero responde que no lo sabe. Muchos nombres han sido eliminados. Imposible recuperar esa memoria sino por la imaginación de los malintencionados de siempre.

Debido al nuevo Congreso (hijo de la generación contra la guerra en Vietnam y destinado a corta vida), se aprobarán algunas leyes limitando el poder de la CIA, como el de decidir el asesinato de líderes extranjeros. Desde entonces, la agencia extremará sus ya extremas medidas para engañar y ocultar, por lo menos hasta que el presidente George W. Bush, bajo la excusa del ataque contra las Torres Gemelas en 2001, libere a la agencia y a sus subcontratistas privados de reportar acciones o de pedir permiso al Congreso o al presidente, todo en nombre de la eficacia y como forma de desvincular a los políticos en el poder cualquier responsabilidad.

La CIA continuará creyéndose con el poder de decidir sobre la vida y la muerte de los humanos sobre la tierra y bajo sus agentes, desde dictadores como Manuel Noriega hasta mercenarios de las calles de Miami como los cubanos Luis Posada Capriles o Enrique Prado. *Ricky* Prado, por ejemplo, será acusado de crímenes que nunca se resolverán. Luego de una larga carrera como entrenador de los Contras en Nicaragua, entre otras misiones, recibirá la mayor condecoración de la CIA, la medalla Distinguished Career Intelligence. Una vez retirado como agente secreto, será contratado por la compañía privada paramilitar Blackwater, subcontratista en la ocupación de Irak. El 16 de setiembre de 2007, Prado participará de la masacre con metralla y granadas realizada por Blackwater en el mercado de Nisour de Bagdad donde morirán 17 civiles, entre ellos niños, y otras decenas de personas quedarán mutiladas. Naturalmente, Blackwater y sus mercenarios serán eximidos de toda responsabilidad legal por el juez de distrito Ricardo Urbina, alegando defectos de forma en la acusación. Como lo indica la tradición, de los cuatro condenados por la masacre, cuatro serán perdonados por el presidente Trump en 2020, un año después de la sentencia. Diferente (y de la misma forma que ocurriese con el marine y analista militar Daniel Ellsberg, quien en 1973 fue procesado por revelar los crímenes del Pentágono en Vietnam), el australiano Julian Assange será perseguido, recluido por años en la embajada ecuatoriana de Londres y amenazado por Washington con la pena de muerte por revelar al mundo verdades inconvenientes del poder máximo.

Desde las revelaciones de estas actividades descalificadas y a partir de los nuevos límites impuestos por el Congreso de Estados Unidos a las actividades secretas de Washington, los líderes rebeldes en los países del sur y los críticos indeseados en el país del norte sufrirán de una recurrencia significativa de diferentes formas de cáncer, de epilepsias y desórdenes psicológicos que luego los médicos pondrán nombres científicos seguidos del sustantivo *síndrome*.

1979. Mentir es nuestra profesión

MIAMI, FLORIDA. 21 DE SETIEMBRE DE 1979—A las 7: 00 de la noche, una camioneta espera al agente cubano de la CIA Antonio Veciana, cerca de su casa. Aunque Veciana siempre cambia de camino cada día para evitar sorpresas, dos desconocidos encuentran el momento adecuado y le disparan varias veces. Una de las balas calibre 45 se aloja en el estómago y otra en la cabeza. Veciana logra recuperarse en un hospital. Sospecha de la CIA y de Fidel Castro. Su hija, periodista de *The Miami News*, solo puede sospechar de Fidel Castro, que es lo único que conoce y sobre lo único que ha escuchado toda su vida.

Cuando en 1971 el intento de asesinar a Fidel Castro en Chile fracasó, el agente David Atlee Phillips le ordenó a Veciana matar a sus colaboradores cubanos para evitar exponer al Departamento de Estado. Decepcionado, luego de tantos lujos con los cuales lo había rodeado la CIA en Bolivia, Veciana se negó y Phillips, visiblemente alterado por el fracaso, le contestó: "*Los cubanos no tienen huevos. Son unos cobardes. ¿Crees que hubieras podido hacer otra cosa si el plan resultaba un éxito? No te lo dije antes, pero la eliminación de los asesinos de Castro ya estaba decidida de antemano".*

Por esta razón, y luego de muchos años de atentados contra gente que no encajaba en su surco ideológico, Antonio Veciana había intentado alejarse de la CIA. Alguien tomó nota. Veciana regresó a su casa de Miami ese mismo año, pensado que podía tomarse unas vacaciones, pero poco después fue acusado de narcotráfico por el FBI. Lo más probable, pensó Veciana, es que Phillips haya hecho con uno de sus empleados lo que se hacía siempre con cualquier otro luego de alguna misión importante. Silenciarlo.

Ahora el periodista Gaeton Fonzi, contratado por el Comité Church del senado (encargado de investigar las actividades de inteligencia del país), convence a Veciana de ir con un dibujante experto de la policía para hacer un retrato hablado de su jefe, Marcel Bishop, el cual no consta en los registros declarados de la Agencia. Fonzi lleva el retrato a Washington y el senador republicano de Pensilvania, Richard Schweiker, reconoce a David Atlee Phillips. Luego lleva a Veciana a una reunión de camaradería donde lo presenta a Phillips, pero Phillips, con su español chileno, finge no conocer a Veciana. Ese día, Veciana también se dirige a su antiguo jefe como si fuese un extraño, pero hablan de temas que ambos conocen bien. Fonzi sabe que los dos están mintiendo, lo que Veciana reconocerá en 2017 cuando Phillips y Fonzi, estén muertos.

Veciana nunca renunciará a la lealtad hacia su jefe, David Phillips, ni a su obsesión de matar a Fidel Castro. Cuando en 1995 Castro visite las Naciones Unidas y sea recibido como héroe en una iglesia de Harlem, Veciana planeará una vez más su asesinato, esta vez por su cuenta. Con todas las armas listas en su casa de Miami, el FBI le ordenará entregarlas. Por este incidente tampoco habrá cargos; solo el cómplice silencio de las mascotas descansando en el hombro del gigante.

El programa de asesinatos impunes de la CIA no se limitará a líderes latinoamericanos. En Vietnam, por ejemplo, la CIA tenía licencia para matar bajo el bonito nombre de Phoenix Program. Luego de las incómodas investigaciones del senado de Estados Unidos en los 70s, la licencia fue renovada con otras precauciones. En el siglo XXI, durante las administraciones de presidentes tan opuestos como Barak Obama y Donald Trump, la CIA continuará sus programas de asesinato selectivo usando diferentes medios, como los drones. La diferencia entre las ejecuciones llevadas a cabo por el Pentágono y la CIA radicará en que sólo los primeros deberán informar al gobierno de los muertos. Tal vez haya otra diferencia: las víctimas de la CIA casi nunca mueren en campos de batalla. Probablemente nunca se conocerá la larga lista de disidentes y líderes víctimas de muertes naturales, como muertes por cáncer, como sí se conocen sus pasados experimentos con drogas y todo tipo de químicos, sus manipulaciones mediáticas y sus sangrientos golpes de Estado.

1980. Los arios de Bolivia

LA PAZ, BOLIVIA. 17 DE JULIO DE 1980—Los narcotraficantes presionan a la presidenta Lidia Gueiler para nombrar a su primo y graduado de la Escuela de la Américas, el general García Meza, como Comandante del Ejército. El general Mesa es hombre de confianza del exdictador Hugo Banzer y pertenece a la facción derechista del ejército boliviano, molesta por las investigaciones sobre abusos contra los Derechos humanos en el país. En este sangriento Golpe de la Coca, el nazi Klaus Barbie, funcionario de la CIA, tiene una participación relevante.

De la misma forma que en Estados Unidos la poderosa ideología racista de la superioridad anglosajona atraviesa el siglo pasado y termina influyendo e inspirando hasta el mismo Adolf Hitler, los nazis alemanes tuvieron una influencia ideológica y moral relevante en la alta sociedad estadounidense antes de la Segunda guerra hasta que la traumática experiencia los convierte en enemigos oficiales y los envía a los sótanos de sus altas torres ejecutivas. Terminada la guerra y comenzada la caza de nazis, serán estos mismos agentes cruciales para el establecimiento de la CIA en Europa y para la fundación de la NASA a través de Operación Paperclip. Por estos años se produce un fenómeno fundacional: el principal aliado de Estados Unidos contra Alemania, la Unión Soviética, se convierte en el único enemigo restante y, consecuentemente, en casi la única obsesión y excusa para continuar una tradición de intervenciones ilegales y por la fuerza que procede del siglo pasado. Uno de los grupos cruciales de Washington que informaban de las actividades soviéticas era la Organización Gehlen, red de espionaje creada por Hitler y adoptada por la CIA. La dirección quedó a manos del general Reinhard Gehlen, asistido por un centenar de otros nazis criminales de guerra, ex miembros de la Gestapo y otras divisiones del grupo paramilitar SS. Para la vieja guardia nazi, los comunistas eran los principales enemigos. La alianza con Washington no sólo era una oportunidad de venganza sino una necesidad de sobrevivencia. Por esta razón, los informantes de esta red de espías nazis exageraban las capacidades militares y de operación de los soviéticos que, por entonces luchaban por recuperarse de la devastación de la guerra, devastación que nunca afectó a Estados Unidos de igual forma sino todo lo contrario (la Segunda guerra había arruinado a las principales potencias europeas que, hasta entonces, habían dominado el tablero geopolítico). De la misma forma, tanto la propaganda de la CIA en América Latina como de las clases altas y dirigentes latinoamericanas emplearán este método: la CIA exagera la capacidad de Moscú para actuar en América Latina y las clases criollas en el poder agitan el fantasma del comunismo para asegurarse el flujo de la millonaria asistencia de Washington a sus dictaduras militares o a los grupos paramilitares de extrema derecha.

No es casualidad que ahora los militares golpistas desplieguen una bandera con la esvástica nazi ni será casualidad que esta tradición sobreviva, aunque en los sótanos de algunos cuarteles, bien entrado el siglo XXI. Décadas antes la CIA había enviado alguno de estos criminales nazis, como Otto von Bolschwing y Klaus Barbie, para asesorar a las dictaduras en su lucha por la libertad.[163] Von Bolschwing es un veterano criminal del servicio secreto de Hitler, la paramilitar SS directamente responsable de la muerte de millones de judíos y otras razas inferiores, hasta el final de la Segunda guerra. La CIA lo contrata como espía luego de servir brevemente en el Cuerpo de Contrainteligencia de Estados Unidos. El jefe de Bolschwing, Adolf Eichmann, fue secuestrado en Argentina por el Mossad y ejecutado en Israel en 1962, pero Bolschwing se mantiene intocable por su servicio contra todo tipo de movimiento popular en Europa. Para evitar su extradición a Israel, fue enviado a California, donde trabajó como vicepresidente de la Trans-International Computer Investment Corporation, compañía que mantenía contratos con el Departamento de Defensa de Estados Unidos. Este año, algunos datos sobre el pasado nazi de Bolschwing se hicieron público. Un año después el Departamento de Justicia no tendrá otra opción que enjuiciarlo, acusándolo de haber mentido ocultando su verdadero pasado. Bolschwing morirá el 7 de marzo de 1982, a los 73 años, en un hogar de ancianos.

Como Eichmann y tantos otros, Klaus Barbie había logrado escapar por la popular *ruta de las ratas* con ayuda de los vencedores. Diferente a Eichmann, Barbie había logrado entrar en la nómina de sueldos de las agencias de inteligencia de Estados Unidos y de Alemania en 1947 y complementa sus ingresos con la venta de quinina y, junto con otros dos prominentes nazis, Friedrich Schwend y Hans Rudel, con el tráfico de armas. Según una publicación interna de 1986 que la CIA liberará en 2010, el doctor Josef Mengele, el Ángel de la muerte de Auschwitz, había sido capturado por agentes de Washington en 1947 en Austria, y había sido dado por muerto ese mismo año en Europa y luego varias veces en América del Sur (antes de reaparecer en Perú, Paraguay, Argentina y casándose en Uruguay), al igual que otros criminales de guerra como Friedrich Schwend, enviado a Perú y Walter Rauff, supervisor

---

[163] Una de las operaciones secretas y de largo alcance en Europa y en América Latina fue la Operación Bloodstone, por la cual la CIA trabajó en coordinación con varios criminales nazis de alto rango para mantener su área de influencia en América Latina y contener la nueva influencia de la Unión Soviética.

de las cámaras de gas de la SS, responsable de la muerte de cien mil personas y empleado de la CIA, del Mossad israelí y de la policía secreta de Augusto Pinochet, DINA. Según el informe publicado en el número 25 de *CovertAction*, republicado por la CIA el 3 de junio de 2010, "*todos colaboraron en la represión contra izquierdistas, sobre todo cuando la CIA tuvo que organizar el golpe de Estado contra Allende*".

Luego de la Revolución boliviana de 1952, la que Harry Truman no se atrevió a suprimir de un solo golpe debido a la ausencia de un poderoso ejército nacional y a la presencia de fuertes milicias populares, armadas hasta los dientes, Estados Unidos siguió una estrategia más gradualista. Para apoyar un proceso de *restauración de la democracia* en Bolivia, en los años 50 el gobierno estadounidense había al presidente Víctor Paz Estenssoro para que rearme al ejército y desarme las milicias populares. La sagrada Segunda enmienda en Estados Unidos, considerada por los conservadores de este país como la razón principal por la cual, aparentemente, nunca hubo una dictadura en Estados Unidos, no aplicaba a países pobres y poblados por indios que no saben gobernarse.

Por estos años, el país vecino (el Chile de Augusto Pinochet, uno de los protegidos de la CIA y de Washington) mantenía activa la célebre y paradójica Colonia Dignidad, fundada por el nazi alemán Paul Schäfer Schneider. Aunque esta colonia será conocida por sus sistemáticos abusos sexuales de cientos de niños y jóvenes, por el momento es reconocida en los cuarteles de Santiago por su conocimiento en materia de tortura. Lograr que un individuo sufra por horas y por días sin morirse es un arte que Colonia Dignidad aportó al nuevo gobierno chileno, hasta entonces inexperiente en la materia.

Desde los años sesenta, Klaus Barbie se había hecho respetar por la comunidad alemana de Bolivia (muchos de ellos judíos) y, en particular, por la alta sociedad de Cochabamba con el nombre de Klaus Altmann. Barbie fue conocido de importantes integrantes de la sociedad, como el oficial graduado de la Escuela de las Américas en Georgia y dictador Hugo Banzer, de Alberto Natusch Busch, nieto del expresidente Germán Busch y presidente él mismo por dos semanas en 1979, y de su sucesora, Lidia Gueiler Tejada.[164]

En 1980, Klaus Barbie, también conocido como el Carnicero de Lyon por su asesinato sistemático de prisioneros franceses durante los mejores años de Hitler, se luce una vez más como parte de la inteligencia detrás del sangriento golpe de Estado del general Luis García Meza contra la presidenta Lidia Gueiler.

---

[164] El primer esposo de Jeanine Áñez (presentadora de Totalvisión y futura presidenta de facto luego del golpe de Estado en 2019), Tadeo Ribera Bruckner, también tiene raíces germánicas.

Gueiler también pertenecía a la comunidad alemana, pero era judía y un poco izquierdosa.

1980. Ecuador es integrado al terrorismo del Plan Condor

SANTA MARTA, COLOMBIA. DICIEMBRE DE 1980—En la cumbre de presidentes, el dictador de El Salvador, José Napoleón Duarte, se cruza con el presidente de Ecuador, Jaime Roldós, y Roldós se niega a saludarlo. Molesto, Napoleón Duarte aprovecha su intervención para burlarse del joven colega, a quien acusa de inexperiente. Roldós comete un error o un inesperado acto de valentía. Sin que le tiemble la voz, le responde a uno de los dictadores protegidos de Washington: *"Puede que sea inexperiente, pero mi gobierno se asienta en una montaña de votos y el suyo en una montaña de cadáveres"*. Casi al mismo tiempo, Roldós rechaza la invitación de Washington para asistir a la inauguración del presidente Ronald Reagan el 20 de enero.

El doctor Roldós es el primer presidente democráticamente electo luego de diez años de dictaduras amigas y apoya la idea del presidente Jimmy Carter de poner los derechos humanos como condición de cualquier política. Pero esta debilidad del imperio tiene corta vida. Jimmy Carter ha fracasado en su intento de reelección y, en exactamente un mes, Ronald Reagan asumirá su cargo en la Casa Blanca.

Pocos meses después, el 24 de mayo de 1981, el presidente Roldós morirá en un accidente aéreo junto con su esposa Martha Bucaram y otros siete acompañantes. Su aliado en la región, el presidente de Panamá Omar Torrijos, morirá en otro accidente aéreo dos meses después, el 31 de julio.

Roldós había sido electo presidente en 1978, terminando con otra dictadura militar que había comenzado en 1963 cuando la CIA derrocó al presidente constitucional Carlos Julio Arosemena. Aunque Arosemena se había alejado de cualquier sospecha de simpatías con la izquierda comunista, confirmando su protección a la propiedad privada y su apoyo al libre mercado, Washington no estaba satisfecho. Arosemena no se había doblado ante su presión internacional para que Ecuador rompiese relaciones con Cuba. En menos de tres años, había puesto en marcha políticas sociales y había impulsado una agenda de derechos humanos utópica para un continente asfixiado por múltiples dictaduras militares, todas apoyadas directa o indirectamente por Washington y las transnacionales. La gota que derramó el vaso ocurrió una tarde cuando, luego de dos copas de más, el presidente Arosemena recibió a un funcionario de la empresa estadounidense Grace con palabras que no fueron de su agrado. El presidente no demostró ni lealtad incondicional a Washington ni sumisión ante la sacralidad de las compañías internacionales.

Como había ocurrido con Salvador Allende en Chile siete años antes y con João Goulart en Brasil hacía ya casi dos décadas, el Plan A de las agencias secretas de Washington era evitar un triunfo de Roldós en las urnas y, luego del fracaso de las operaciones de propaganda de la CIA, se había procedido al conocido Plan B. Ese mismo año, 1978, Ecuador entró sin saberlo al club del Plan Cóndor encabezado por el dictador chileno Augusto Pinochet. Inmediatamente, el 31 de marzo, en su reporte secreto sobre terrorismo, la CIA informó sobre la actividad de *"un oficial militar argentino encargado de la supervisión del sistema de telecomunicaciones del Ministerio de Defensa de Ecuador"* con el objetivo de filtrar cualquier movimiento del nuevo gobierno. Esta operación de la mafia internacional contó con diversos recursos, como el control casi absoluto de la información y la propagación de la información conveniente. Según revelará una investigación del *Washington Post* publicada el 11 de febrero de 2020, las máquinas *Crypto AG* desarrolladas en Suiza, que supuestamente eran capaces de codificar mensajes cifrados (criptografías) para mantenerlos seguros y en el poder de cada país, en realidad habían sido programadas para ser controladas por la CIA y la NSA (y por la Inteligencia alemana hasta 1993), por lo cual los supuestos secretos de Estado de cada país eran recibidos a diario en Bonn y en Washington. En realidad, la revelación no será una novedad. El ex agente de la CIA Philip Agee, destinado a Ecuador entre otras estaciones, en sus memorias *Inside the Company* publicadas en 1975 ya lo había revelado. Agee será ferozmente desacreditado porque años después de huir de un país a otro se refugiará en Cuba, donde morirá en 2008. Otros agentes que se mantuvieron fieles a la CIA hasta sus últimos días revelarán, una y otra vez, lo mismo que Agee, pero serán considerados héroes y patriotas.

Ahora, la amenaza de otro presidente demasiado independiente y preocupado por los derechos humanos en un país insignificante del sur no es una buena noticia. Por una coincidencia milagrosa, dos de los cuatro presidentes rebeldes del continente morirán en dos accidentes aéreos, con pocas semanas de diferencia.

En 2014, cuando ya no importe ni nadie escuche, la CIA permitirá la desclasificación de algunos documentos que mencionan la incorporación de Ecuador a las operaciones del Plan Cóndor, el cual, según el Departamento de Estado, *"tenía como objetivo mantener a América Latina como el patio trasero de Estados Unidos"*. Desde hace siete años ya, tanto el Plan Condor como la CIA participan directamente en el asesinato de miles de disidentes en distintos países, como el asesinato con un auto bomba en la misma capital de Estados Unidos del depuesto ministro de Allende, Orlando Letelier, el que será rápidamente enterrado bajo la pesada literatura mediática sobre la democracia y libertad del capitalismo en Occidente.

Ecuador no será la excepción. El vicepresidente Osvaldo Hurtado Larrea se convertirá en presidente y, para no romper con la regla, anunciará un plan de austeridad contra los servicios públicos "para evitar una crisis económica". Como en muchos otros países del Sur, la crisis en Ecuador estallará de todas formas en 1982. Para entonces, la FED habrá subido las tasas de interés hasta las nubes para proteger a Estados Unidos de la inflación. Como consecuencia, los préstamos dulces (con tasas de interés fluctuantes que Washington aprobó para las dictaduras militares de la región que protegían las nuevas políticas neoliberales) se convertirán en impagables y hundirán hasta a las llamadas *milagrosas* economías de los países del Cono Sur, como la de Chile. Como en Argentina, Hurtado nacionalizará deudas privadas contraídas en el exterior, convirtiéndolas en más deuda externa para el pueblo ecuatoriano.

1981. El enemigo es numeroso y está armado con niños y mujeres

MORAZÁN, EL SALVADOR. 10 DE DICIEMBRE DE 1981—El batallón Atlacatl del ejército se dirige al campo de batalla, seguro de un triunfo histórico. El enemigo es más numeroso pero los líderes del famoso batallón han sido entrenados en la School of the Americas y saben lo que hacen. La derrota no es una opción, se repiten los soldados que no saben dónde queda la School. En pocas horas, a un paso de Honduras, rodean el pueblo El Mozote. El pueblo está acusado de proteger a guerrilleros vendepatrias del Frente Farabundo Martí.[165] Los soldados entran en cada una de las modestas casas, sacan a sus ocupantes, toman los pocos objetos sin valor que encuentran y amontonan a sus habitantes en la plaza central.

La resistencia es terrible. Las mujeres gritan por piedad y los niños gritan por gritar. Un grupo de hombres es ejecutado en la iglesia del pueblo. Algunos son fusilados y el resto pasan a degüello, que da más trabajo pero es más económico. Las mujeres más jóvenes son llevadas fuera del pueblo para ser violadas por largas horas. Luego las ejecutan para que no se quejen. Sus hijos también son ejecutados a punta de metralla en sus propias casas. A los más pequeños se los toma por los pies y se los revienta contra las piedras. Al tercer

---

[165] El grupo guerrillero izquierdista FMLN había sido fundado el año anterior como respuesta de defensa a los abusos de dictadura militar contra los campesinos. Como en otros países de América Latina, los guerrilleros no podían ser de derecha, como los gobiernos que habían dominado esos países por generaciones.

día, el ejército patriota vence en la ardua batalla e incendia el pueblo para que no queden rastros de la victoria. En su gloriosa retirada por poblados más pequeños, próximos a El Mozote, los soldados comen, abusan y ejecutan a sus habitantes. En apenas tres días y tres noches, poco antes del descanso de la navidad, el heroico batallón Atlacatl (también conocido como "Los Ángeles del Infierno") deja una alfombra pestilente de mil muertos. Los cuerpos permanecerán por días donde cayeron, muchos de ellos quemados por el incendio que arrasó el pueblo, hasta que algunos familiares se atrevan a volver para enterrarlos.

Pocos días antes, unos soldados habían pasado por El Mozote y le habían comprado café y tortillas a una mujer. El día de la masacre, el hijo de la mujer reconoce a algunos de aquellos hombres tan importantes que, por alguna razón, ahora le disparan a su madre con sus poderosas M-16 automáticas donadas por Washington, mientras ella le daba el pecho a una niña de cuarenta días de vida hasta que ambas caen muertas. Enseguida, se dirigen a donde está su hermano y lo acribillan a balazos. Adelio, puede ver sus intestinos. Lo mismo hacen con su hermana en la cocina.

Adelio Díaz Chicas tiene seis años y, mal herido, los soldados lo dan por muerto. Esa ha sido siempre la mejor forma de sobrevivir a las brutalidades políticas en América Latina: *darse por muerto* en sus múltiples formas: callarse, colaborar, pasarse al bando vencedor o morirse de pobreza, ostracismo, olvido o bajo tortura.

El Mozote es una de las innumerables masacres que acostumbraron a la Frontera sur y, en particular, a América Central a la injusticia, la muerte temprana para los de abajo y la corrupción y la impunidad para los de arriba. 70.000 salvadoreños morirán en lo que la narrativa dominante prefiere llamar "guerra civil". Casi todas estas vidas se frustrarán en masacres perpetradas por el ejército y los escuadrones de la muerte apoyados y financiados por Washington con miles de millones de dólares y por la "clase bien" de El Salvador. Otros tendrán algo de suerte en medio de la tragedia que los priva de sus familias de las formas más violentas. Entre ellos, el poeta Carlos Ernesto García, quien debió huir de su país con veinte años, cuando una noche de 1980 los soldados entraron a la casa de sus padres y masacraron a quienes encontraron.

Elliott Abrams, actual oficial del Departamento de Estado de Ronald Reagan y asesor de futuros gobiernos como el de George W. Bush y Donald Trump en el próximo siglo, es consecuente defensor de las fuerzas paramilitares en América Latina, por lo cual les restará importancia a los testimonios de indios y campesinos, a los que descalificará como *"propaganda comunista"*. Cuando ya no pueda negar la tragedia, intentará disminuir el número de muertes argumentando que en El Mozote solo vivían quinientas personas, estratégicamente ignorando las matanzas aledañas.

Un año atrás, el mismo Abrams había defendido al jefe paramilitar salvadoreño Roberto D'Aubuisson y lo había eximido de cualquier responsabilidad por el asesinato del padre Óscar Romero, como siempre mucho antes de que se pruebe lo contrario y de que la verdad deje de ser peligrosa o un obstáculo para nuevas empresas. Igual apoyo había recibido D'Aubuisson de su amigo, el senador republicano por Carolina del Norte Jesse Helms. Mientras tanto, D'Aubuisson, condenado y absuelto de otras masacres y luego de declarar que es necesario "*matar a 200.000 personas para restaurar la paz en El Salvador*" (países chicos, matanzas grandes), fundará el influyente partido de extrema derecha ARENAS, el que, naturalmente se definirá como demócrata y recibirá el apoyo millonario de su tradicional aliado del norte.[166] En 1988, cuando D'Aubuisson ya se había convertido en una basurita en el ojo de Washington por las múltiple acusaciones de genocidio (el embajador estadounidense Robert White lo había definido como un "*asesino patológico*"; más de veinte años después, en 2010, el capitán Álvaro Saravia reconocerá que la orden de asesinar al padre Óscar Romero había partido de D'Aubuisson), en una entrevista con su odiado diario del norte, *The Washington Post*, reconocerá que él mismo había robado los archivos de inteligencia de El Salvador nueve años atrás, con los cuales había logrado hacer una lista con nombres de sindicalistas, profesores y disidentes sospechosos de ser izquierdistas. En 1980, en un programa de televisión, había leído la lista y, en cuestión de pocos días, varios de los mencionados esa noche estaban en la morgue, sumando a las estadísticas de las víctimas de la llamada "guerra civil" en El Salvador. Aparte de los detalles, nada muy diferente a las guerras sucias en otros países de la región y de América del Sur.

La búsqueda de verdad y justicia devendrá cada vez más compleja. Ahora, la participación de Washington es cada vez más cuidadosa, pero igual de letal. Luego de que los reformistas antimilitaristas en el Congreso de Estados Unidos lograron algunas victorias en favor de limitar las libertades de la CIA y del gobierno para decidir asesinatos, complots y golpes de Estado en otros países, una nueva generación de conservadores conocida como "los halcones", habían tomado oficialmente el poder con el triunfo de Ronald Reagan

---

[166] Para entonces, Washington enviará un promedio de 1,5 millones de dólares diarios para apoyar el heroico trabajo de los paramilitares y de las fuerzas armadas en El Salvador. Cada vez que falte dinero, estos grupos criollos sacudirán el miedo a una posible "influencia comunista" como resorte automático para más ayuda financiera, la cual se convertirá en un negocio lucrativo para los de arriba y una adicción narrativa popular para los de abajo. Este modelo y esta dinámica serán comunes, con sus variaciones naturales, en muchos otros países de la Frontera sur.

en las elecciones del año pasado.[167] En una de las primeras conversaciones sobre el tema Cuba, Alexander Haig, nuevo Secretario de Estado de Ronald Reagan, le había dicho al presidente: "*Sólo deme la orden y convertiré esa isla de mierda en un estacionamiento vacío*". La Nueva Derecha estadounidense es, naturalmente, militarista y considera los derechos humanos como una abstracción ingenua: *sólo la fuerza legitima la política*. Su futura embajadora ante la ONU, Jeane Kirkpatrick (exsocialista y convertida a la extrema derecha), en una reunión del Gabinete de seguridad insiste que no hay legitimidad política sin el triunfo de la fuerza y que "la razón humanística" es basura. Reagan titubea; no quiere más fiascos y derrotas a manos de pequeños países. Después de Vietnam, el país necesita una inyección de euforia patriótica. La heroica lucha por la verdad y los derechos humanos no sirven a ese propósito.[168]

Haig le recomienda intervenir en un país débil. Nicaragua, tolerada por Jimmy Carter, es la oportunidad de oro. "*Esta es una que usted puede ganar*", le asegura el secretario. Su círculo de influencia es uno de los más duros de la historia. Luego conocidos como *Los halcones* de la Casa Blanca, Robert Kagan, Elliott Abrams y Paul Wolfowitz serán alguno de los nombres que dominarán la política exterior de Estados Unidos por casi medio siglo sin haber sido elegidos nunca en ninguna elección. Cuando en 2019 Abrams sea nombrado por el presidente Donald Trump Representante Especial para Venezuela, tendrá un profuso currículum de varias décadas que incluyen el haber sido Subsecretario de Estado para Democracia, Derechos Humanos y Trabajo para América Latina, haber participado en el complot de golpes de Estado como los de Chile en 1973 hasta el de Venezuela en 2002 y de insistentemente apoyar y justificar grupos terroristas como los Contra en Nicaragua, los paramilitares en Colombia y diversos escuadrones de la muerte desde Argentina hasta América Central, justificando o calificando de "accidentes" las matanzas realizadas por las dictaduras amigas, como la de El Mozote. Al igual que el coronel North, por mentirle al Congreso de Estados Unidos será condenado

---

[167] La Nueva Derecha o Neoconservadores tiene expectativas mesiánicas tan altas que llegarán a considerar a Ronald Reagan "un idiota útil" al servicio de la Unión Soviética, sobre todo cuando Reagan y Gorbachov lleguen a un acuerdo para reducir su arsenal atómico.

[168] Con fanatismo religioso, una parte significativa de la Unión nunca reconocerá una derrota, que es como si nunca hubiese sido derrotada. La Confederación nunca reconocerá el contundente resultado de la Guerra civil en 1865 y de la consecuente liberación de los negros esclavos. Tampoco la derrota de Playa Girón en Cuba o la de Vietnam. Tampoco reconocerá la insignificante derrota del presidente Donald Trump en las elecciones de 2020.

a pagar 50 (cincuenta) dólares y a dos años de cárcel que no cumplió, gracias a un perdón del presidente G. H. Bush en 1992.

Ahora, luego de las leyes pasadas por el anterior Congreso dominado por los progresistas demócratas, es más difícil decidir complots y asesinatos en países lejanos. Los reportes secretos de inteligencia se vuelven más sutiles, de una mayor perfección literaria debido a la conciencia de que tarde o temprano podrían ser desclasificados. Ronald Reagan invierte con prudencia. En lugar de financiar a los militares latinoamericanos por ser fáciles de manipular por Washington, como lo dijera Richard Nixon, Reagan habla de la "lucha por la democracia" y, mientras bloquea la dictadura rebelde de Cuba, ayuda a las "dictaduras amigas" con tsunamis de dólares, como lo hicieran los gobiernos anteriores. Sólo la dictadura genocida de El Salvador recibe un millón de dólares diarios durante una década.

Según Jeane Kirkpatrick, *"las dictaduras tradicionales son menos autoritarias que las revolucionarias"*, por lo cual es necesario apoyar a las primeras las que, de paso y por coincidencia, servían a la perfección los intereses de los capitales occidentales. Como en las dictaduras militares latinoamericanas, la brutalidad de los ejércitos es complementado por brazos paramilitares. En El Salvador, uno de ellos es el escuadrón de la muerte Maximiliano Hernández Martínez, nombrado así en honor al dictador que en 1932 masacró a 25.000 campesinos acusados de ser indios o votantes del Partido comunista. Esta masacre se llamó La Matanza. Según Kirkpatrick, los salvadoreños consideran a Hernández Martínez un héroe nacional.

Las nuevas políticas de la fuerza como legitimación de la política dejan en 300.000 muertos en América Central, un millón de torturados, varios millones de exiliados, corrupción, violencia de mafias callejeras y una mentalidad autoritaria en nombre de la democracia que se fosilizará, sin posibilidades de apertura, en una parte significativa de la población dentro y fuera de sus países.

Sólo por casualidad, el grupo élite creado por la School of the Americas para El Salvador, el batallón Atlacatl, entre otras masacres será el encargado de asesinar a seis jesuitas, una empleada y su pequeña hija en la Universidad Centroamericana José Simeón Cañas, ocho años más tarde.

1982. Si no puedes pescar el pez, seca el mar

LAS DOS ERRES, GUATEMALA. 6 DE DICIEMBRE DE 1982—A la medianoche, disfrazados de guerrilleros, las fuerzas especiales para la lucha contra el terrorismo, los temibles Kaibiles, comienzan la desaparición del pueblo que aún se llama Las Dos Erres, en La Libertad. Buscan las armas robadas en una emboscada o confrontación con los guerrilleros ocurrida tres meses atrás, la que dejó 17 soldados y un número desconocido de rebeldes muertos. El gobierno acusa a la comunidad, una cooperativa agrícola, de ser un refugio de guerrilleros. Como las evidencias no se adecúan a la versión oficial, los soldados violan a las mujeres que encuentran y ejecutan a sus hijos y hermanos que logran cazar como perros. Al amanecer, luego de los gritos desesperados de los niños, de las risas y de los orgasmos oficiales sobre las hembras más bonitas, el escuadrón antiterrorista amontona a los hombres que quedan en la iglesia para ser ejecutados. Para el mediodía, a punta de fusiles, obligan a las mujeres que quedan a cocinar para la tropa extenuada. Luego de la digestión y sin más deseos sexuales, las fusilan.

Por dos días, entre los muertos y los escombros, los soldados buscan las armas que justificaron la operación, pero no encuentran más que algunos machetes, metates y metlapiles de dos mil años, con restos de tortillas de maíz todavía frescos. De cualquier forma, el gobierno y los soldados acusan a los campesinos de ser guerrilleros de las FAR (Fuerzas Armadas Rebeldes) y, como prueba, muestran bolsas de frijoles marcadas con las siglas FAR, impresas por el productor de frijoles Federico Aquino Ruano (FAR). En total, son asesinados 220 campesinos. La mayoría son niños, ancianos y mujeres que no pudieron escapar a tiempo. 14 son recién nacidos y 67 son menores de doce años ("chocolates" en la literatura militar). 162 son enterrados en fosas comunes para que no hablen, ni vivos ni muertos. Algunos de los enterrados, con culetazos en la cabeza, todavía están vivos, pero apenas se mueven. No son más porque muchos, alertados por el falso rumor de un inminente bombardeo del gobierno sobre la cooperativa, habían huido a los montes un día antes.

Las Dos Erres es borrada del mapa. Ni el nombre quedará, excepto en los inevitables registros de papel amarillo y en la memoria de los niños que se salvaron como esclavos de los asesinos de sus padres. Dese ahora, la región abandonada será conocida como Las Cruces y los hechos de 1982 apenas como una masacre más de las cuatrocientas perpetuadas por otra dictadura amiga. El pueblo y el ejército están acostumbrados. El pasado 13 de marzo, en las tierras comunales del pueblo maya achí en Rio Negro, otros cuatrocientos campesinos habían sido masacrados para facilitar la construcción de la presa Chixoy. Los soldados y los miembros de las patrullas de Autodefensa Civil (PAC) también habían violado a las mujeres antes de ejecutarlas. Luego mataron a sus hijos. Dos meses después, en mayo, el mismo ejército volvió a la ribera del río para masacrar a otro centenar de indeseables comuneros. Los instrumentos de la brutalidad son diversos. En Olopa, por ejemplo, los soldados habían ahorrado municiones quebrando las espaldas de los niños sobre sus rodillas, como quien pica leña. Por lo general, a las mujeres más jóvenes se las viola antes de matarlas y a sus niños llorones se los arroja en las casas que arden como el infierno. El 17 de marzo de 1983 Stephen Kass, el abogado de Nueva York que investiga estas matanzas informará sin escandalizar a muchos que, cuando no hay fuego donde arrojar a los niños, *"se los toma de los pies y se les revienta la cabeza contra las piedras"*.

Entre otras fuentes, estos testimonios, desestimados como versiones de antipatriotas y de radicales foráneos, serán confirmados en 2009 cuando se descubran cientos de registros del ejército que se refieren a los indios pobres como *"el enemigo"* y a su tierra como el campo de batalla que se debe *arrasar* por haber sido *"concientizados"* por los rebeldes. La Misión es: *"exterminar los elementos subversivos en el área"*, es decir, toda la población indígena y campesina (en una palabra, *marxistas*) que no abandone su tierra para unirse al llamado del ejército. Aparte de las masacres y los desplazamientos, los informes de Operación Sofía incluyen técnicas definidas como *"guerra psicológica"* y sermones para consumo de los campesinos como: *"Somos guatemaltecos, no subversivos que solo hablan del poder… Pueblo de Nebaj, los subversivos no creen en Dios tu si crees en Dios. Debemos arreglar nuestras iglesias que son la fuente de nuestra fe de ~~creyentes~~* [corregido a mano: *cristianos*]*… Pues ejército y pueblo unidos lograremos la paz y la libertad… El ejército está mejor capacitado y entrenado pero con la ayuda de Dios y de nosotros acabaremos con estos bandidos. Digo bandidos porque solo los bandidos se visten así, solo los bandidos atacan de noche… No podemos como cristianos exigir justicia con armas en la mano… Nos han metido en la cabeza que luchamos contra los ricos, eso es la mentira más grande, no somos ciegos para ver que peleamos contra nuestra misma gente, nuestra misma raza, acaso los soldados no son campesinos como nosotros?"*.

Los informes oficiales de la Operación no sólo abundan en errores ortográficos y en referencias obsesivas a los paracaidistas, sino en definiciones de códigos cifrados. Por ejemplo: *"Platino"* significa *"elimínenlo, mátenlo"*. Los helicópteros y las municiones usadas en cada operativo de *"control de la población"* se reportan con más precisión que los muertos: *"Munición gastada… Cart. Cal. 5.56 mm. = 8,242, Granadas de fusil Galil A/P = 117…"* Los muertos son referidos como algunos centenares de *"evacuados"* (*"familias amenazadas por la subversión"*). En el caso de un joven de 17 años, de quien nunca se sabrá su nombre, se lo resume con una sola línea: *"se eliminó un elemento vestido de civil y sin documentación que intentó huir de la patrulla"*. Cuando la patrulla descubre una familia escondida en una quebrada, se reporta que el padre fusiló a su mujer y a sus *"chocolates* (hijos)*"*.

Pero nada es suficiente para ganar la supuesta guerra. Para el 22 de julio, el coronel Francisco Ángel Castellano reporta que los esfuerzos ideológicos no han tenido el efecto esperado en la población, cuyas mentes siguen cerradas, por lo que solicita el establecimiento de una radio local, de "*un equipo de Operaciones Psicológicas*" y equipos de mimeógrafo "*para elaborar volantes que contrapesen las malas propagandas comunistas*". Los campesinos son analfabetos pobres, pero no tontos. Saben que la brutalidad de la lucha "contra la insurgencia" y la "injerencia extranjera" hunde sus raíces en el desprecio por los indos y por los pobres, y sus intereses son claros. Sólo por casualidad, unos años antes la Exxon, la Basic Resources y la Shenandoah Oil de Texas habían comenzado la exploración de petróleo en el área del pueblo ixil, por lo que la población fue progresivamente despojada de sus tierras comunales.[169] Los despojados comenzaron a protestar contra los jefes políticos y las trasnacionales, por lo que el gobierno, acusándolos de estar influenciados por la guerrilla y por Fidel Castro, respondió con más matanzas, como la de Panzós en 1978, donde fueron asesinados más de cuarenta campesinos. En 1980, los manifestantes tomaron la embajada de España en protesta contra la Shenandoah Oil (de la cual el presidente, el general Lucas García era accionista) y el ejército patriota resolvió el problema lanzando fosforo blanco, exterminando a los 39 ocupantes. Aunque la ocupación de la embajada tenía como propósito llamar la atención internacional y solicitar la mediación de España, al norte de la Frontera salvaje ni los medios ni los exitosos senadores de Florida ni los puritanos cristianos de Pennsylvania y Nueva York dirán una sola palabra sobre las nuevas masacres y las ejecuciones sumarias del terrorismo capitalista, promovidos y organizados por Washington y la libre empresa privada y eclesiástica.

Todo lo contrario. El pasado 23 de marzo, otro general servidor de la misma extrema oligarquía, Efraín Ríos Montt, tomó el poder para llevar el terror y el genocidio guatemalteco a niveles históricos. El buen cristiano evangélico nacido-de-nuevo (*born again*) y general del ejército patriota cuenta con el apoyo espiritual de El Verbo, grupo pentecostal fundado en 1976. Varios miembros de esta iglesia evangélica han sido nombrados ministros de su gobierno. Los nuevos salvadores afirman que los católicos de abajo, los teólogos de la liberación, se han corrompido con su preferencia por los pobres. Jesús era capitalista y amaba el éxito de los ricos. Aquello del camello había sido una broma. Es más, el rebelde hijo de Dios estaba con el imperio romano, el imperio que lo crucificó. Ahora, los nacidos de nuevo, los pentecostales, traen

---

[169] Las comunidades negras de La Guajira en Colombia corren la misma suerte desde que se descubrió carbón en el subsuelo que habitaban. La estrategia es la misma que dejó a la mayoría de los campesinos sin tierras en México un siglo antes; la misma de tantas otras dictaduras y democracias: se les otorgó títulos de propiedad a los miembros de las comunidades que habían sobrevivido por siglos bajo otras formas de producción y convivencia. Luego de una aparente prosperidad, la privatización de La Guajira sólo traerá un monopolio empresarial, contaminación y más pobreza.

la verdad verdadera a la Frontera salvaje: si crees en la resurrección de Jesús, todos tus pecados serán perdonados y olvidados. Tantos años de trabajo misionero de las poderosas sectas estadounidenses comienzan a mostrar resultados milagrosos. Los nuevos fieles no se cansan de desmayarse en los templos, de temblar en el suelo como poseídos desposeídos, fulminados por el rayo de la iluminación, y los viejos dueños del país no se cansan de pecar a su antojo.

Para celebrar el milagroso ascenso del general Ríos Montt, el poderoso *The 700 Club* de Virginia Beach organizó una cadena de oración satelital. Guatemala tiene 6,5 millones de habitantes y, ese día, más de tres millones estaban sentados al lado de una radio o frente a un televisor, escuchando con atención al famoso pastor Pat Robertson, declarado enemigo de los sindicatos, de las feministas y de los profesores. El sesenta por ciento son indígenas. Muy pocos saben leer. Muchos creen saber escuchar. La traducción no es mala. La inoculación es buena.

No conforme con este apoyo moral, evangélico y tecnológico, a menos de una semana del nuevo golpe militar, el pastor Robertson voló a Guatemala para rezar, con expresión de cólico y junto a millones de guatemaltecos, por el nuevo salvador: *"Dios, te rogamos por Ríos Montt, tu servidor, y te agradecemos por llevar tu espíritu a Guatemala"*. Aparte de Dios, Roberson había convencido a los fieles de distintos países para aportar millones de dólares a su campaña *International Love Lift* (*Ascenso del Amor Internacional*) para apoyar a los dictadores amigos en África y América Latina. Ríos Montt revela que la promesa de Robertson (y de Dios) es enviar a Guatemala más de mil millones de dólares en ayuda cristiana y humanitaria. Aparentemente, Dios cumple con una parte, pero el pastor Robertson, a pesar de millones de oraciones, no alcanza a recolectar el resto, que es más de la mitad de la promesa. Como aporte secular, al norte y al sur la televisión continúa reportando sobre el peligro de los indios guerrilleros que intentan apoderarse del país para entregárselo a los intereses extranjeros.

Ríos Montt es un general más de la larga lista de dictadores y genocidas que compiten por quién masacra más indios y criollos pobres para terminar con el fantasma comunista que ellos mismos alimentan. Si el gobierno anterior asesinó a 11.000 personas, el de Ríos Montt lo superará en solo dos años. El orgulloso graduado de la Escuela de las Américas de Georgia arrasará 662 poblados y masacrará a 18.000 guatemaltecos molestos. El plan militar de exterminación, bautizado como Operación Sofía, tiene como objetivo limpiar a Guatemala de indios, que es como limpiar la Amazonia de árboles.

La escala de este genocidio no sería posible sin el infame golpe de Estado organizado por Washington contra la democracia guatemalteca en 1954 para proteger las astronómicas ganancias de la United Fruit Company ni sin su continuo apoyo a las sucesivas dictaduras. Desde principio de los años 60, como en cualquier otro país de la frontera sur, la CIA arma y financia grupos paramilitares como el G-2, ahora instalado en el cuarto piso del Palacio Nacional y con frecuente comunicación con la Embajada. Desde 1971, Israel provee de armas a las dictaduras centroamericanas, entre otras, pero de 1977 a 1980 (debido al recorte de ayuda militar del presidente Jimmy Carter) se convierte en el principal proveedor junto con el régimen de apartheid de África del Sur. Durante diversos gobiernos militares de la región, y con la venia de Henry Kissinger, Israel también provee ayuda técnica y logística en control interno y según la doctrina de la Seguridad Nacional. Como en casi todos los otros casos, la razón de esta doctrina (la existencia de grupos subversivos) es una consecuencia de la misma doctrina. Incluso cuando la resistencia armada existe es, en proporción, irrelevante. La Corte Interamericana de Derechos Humanos insiste que los grupos guerrilleros carecen del armamento y de las fuerzas necesarias para convertirse en una amenaza para el gobierno de Guatemala. Pero el terrorismo de Estado necesita una razón para existir. El ejército y los paramilitares se encargan de casi todas las matanzas y a eso se le llama "Guerra Civil". Ametralladoras importadas y penes nacionales son las principales armas del genocidio y la humillación sistemática.

Estas no son interpretaciones solo de radicales antiimperialistas. En febrero de 1982, la misma CIA había enviado un informe actualizado desde el campo de acción. Luego de años de abusos, la mayoría de la población apoyaba a la guerrilla del EGP (Ejército Guerrillero de los Pobres) contra el ejército y el gobierno. Por esta razón, afirma el informe, *"para el ejército, toda la población maya ixil es enemiga…; cuando encuentran alguna resistencia en un pueblo, consideran que todo el pueblo es enemigo y lo arrasan, y cuando no encuentran a nadie en el pueblo, consideran que son enemigos y destruyen sus casas…; por esta razón, hay miles de refugiados en las montañas y el EGP no tiene recursos para alimentar a todos ellos".*

Mientras tanto, en el poderoso norte continúa el fanatismo que apoya las masacres en el sur. Los raros años de Jimmy Carter, sin lluvias de dólares o con lluvias menguadas sobre las dictaduras del sur y con dictadores ofendidos por el recorte, habían terminado con el triunfo de Ronald Reagan. En junio de 1980, en su campaña presidencial, Reagan había señalado la consecuencia como la causa de todos los problemas: *"No nos engañemos. Los soviéticos están detrás de todas las protestas que tenemos hoy. Si ellos no se hubiesen metido en este juego de dominó, hoy no tendríamos ninguna zona de conflicto".* En veinte segundos, el futuro presidente había borrado un siglo de historia y la idea, como tantas otras ocasiones cuando ni siquiera existían los soviéticos, se vendió como pan caliente. Como el mismo presidente Reagan discursará dos años más tarde en la Biblioteca del Congreso, *"la creación de los mitos nacionales nunca estuvo libre de conflictos; los estadounidenses no creían del Oeste lo que era verdad sino lo que para ellos debía ser verdad"*. Para la paranoia angloamericana, no hay nada más poderoso que fingirle una ofensa o inventarle un enemigo mortal, sea indio, mexicano, marciano, árabe o socialista, y decirle que es urgente destruirlo a fuerza de ataques defensivos y bombardeos preventivos.

Dos días antes de la masacre de Las Dos Erres, el 4 de diciembre, en una reunión en San Pedro de Sula, Honduras, Reagan había elogiado al más reciente genocida de Guatemala como *"un gran hombre, íntegro, que ha luchado por la justicia social de su país"*. No se trata de ingenuidad ni de falta de información. Aunque Reagan suele dormirse chupando dulces *jelly belly* cuando le leen reportes de inteligencia, está al tanto sobre las masacres de indios y campesinos en la tan temida América Central. Pero no lo encuentra relevante para considerarlo y, mucho menos, para mencionarlo. *"Guatemala sufre el azote de la guerrilla que es apoyada por fuerzas extranjeras"* dice ante las cámaras. A las 18:05, antes de pasarle el micrófono al presidente Ríos Montt, remata: *"Le he dicho al presidente Ríos Montt que Estados Unidos apoya su lucha por la restauración de la democracia"*.

También el influyente tele evangelista Pat Robertson insiste en elogiar los valores morales de Ríos Montt y se descarga contra los indígenas mayas que han caído en las redes del comunismo por luchar por sus derechos y por sus tierras. El pastor millonario Jerry Falwell estará de acuerdo. En agosto de 2002, advertirá: *"los sindicatos deberían estudiar la Biblia en lugar de protestar por mejores salarios; cuando las personas entienden a Dios se convierten en mejores trabajadores"*. Falwell predica una ideología parecida a la de Pat Robertson que no quiere que la llamen ideología sino religión. Por décadas, y ante millones de seguidores, Robertson continuará defendiendo al dictador guatemalteco: *"Ríos Montt tiene un gran apoyo por haber llevado el orden a su país donde, al igual que en otros países de América Central, las guerrillas marxistas se habían levantado contra los regímenes militares"*. Hasta un reloj descompuesto da la hora exacta dos veces al día. Roberson está de acuerdo con su amigo general: si no se puede agarrar el pez, hay que *"secar el mar humano en el que nadan los peces de la guerrilla"*. En 2015 (diez años después de proponer el asesinato del presidente electo de Venezuela, Hugo Chávez, por resultar la opción más económica) Pat Robertson definirá a Ríos Montt como *"un hombre honesto, perseguido por la izquierda"*.

En la Frontera salvaje, los católicos de abajo, como Juan Gerardi, la tienen complicada. No sólo deben resistir la nueva ola de evangélicos capitalistas sino también el viejo dedo del clero oligarca. Un año después de la visita triunfal de Pat Robertson en 1982, y meses después de la reunión con el presidente Reagan en Honduras, Ríos Montt recibirá al papa Juan Pablo II. El papa reconocerá su *"gran pena"* por la ejecución de seis disidentes guatemaltecos, tres días antes de su llegada, el 6 de marzo de 1983, pero su cruzada contra los católicos de teología de la liberación y contra los fanáticos protestantes que queman sus retratos es más importante. Diferente al sacerdote Oscar Romero, asesinado dos años antes por denunciar las matanzas en El Salvador, el sumo pontífice no se la jugará ni con su ausencia. Una oportuna cancelación de su visita habría dejado en claro que su llamado al respeto de los derechos humanos iba en serio. En Guatemala, el Papa no dedica una sola palabra a las ejecuciones y mucho menos a las masacres conocidas por todos. Su llamado al fin de "*la lucha entre hermanos*" será una clara legitimación del terror, vestida de sabia neutralidad.

Ríos Montt no será depuesto por ninguna revolución de izquierda, como denunciará Pat Robertson por décadas, sino por otro militar fascista, en 1984. Doce años después, sin el dorado negocio de las bananas que asoló al país durante la primera mitad del siglo y sin la perfecta excusa de la lucha contra el comunismo que lo hundió en el infierno durante la segunda mitad, por unos años Washington perderá interés en la región y, en los años noventa, Guatemala logrará firmar una suerte de acuerdo de paz, un desarme de la guerrilla y de los grupos paramilitares. En 1996, el país volverá a la formalidad menos violenta de una democracia vigilada. Para la clase dominante del país y para sus mayordomos, la culpa de todo la tendrán siempre los revoltosos, que son siempre los pobres desplazados o los inadaptados que están del lado de los de abajo. Para la ONU y otros organismos de derechos Humanos, los militares serán los responsables del 93 por ciento de los 200.000 guatemaltecos masacrados. Las guerrillas campesinas, consecuencia (presentadas como causas) de las dictaduras inducidas por Washington, serán responsables del tres por ciento de los asesinatos. Aparte, el terrorismo de Estado dejará 45.000 desaparecidos y al menos 100.000 desplazados. Sin considerar el secuestro y el trauma histórico de un país entero que perdurará por generaciones.

A la espera de nuevas inversiones del norte, pocos recordarán el verdadero origen de un siglo trágico. En 1998, el sacerdote Juan Gerardi será asesinado por miembros del ejército. Como otros sacerdotes asesinados bajo la acusación de ser comunista, marxista o algo parecido, Gerardi es conocido por su defensa de los derechos humanos y culturales de los mayas y, en los años 90, insistirá con eso tan molesto de conocer la verdad histórica. No será canonizado santo ni su iglesia lo recordará como mártir.

Como la abrumadora mayoría de los genocidas, Ríos Montt no terminará sus días en la cárcel. En 2013 será condenado por genocidio y crímenes de lesa humanidad, pero, debido a desprolijidades técnicas, el fallo será anulado diez días después por la Corte de Constitucionalidad por tres votos a favor y dos en contra.

Los semidioses del mundo civilizado ni siquiera deberán enfrentar la incomodidad de un tribunal. Nunca. Jamás. Never. Ever.

1983. El heroico Día D en Granada

WASHINGTON DC. 26 DE OCTUBRE DE 1983—El presidente Ronald Reagan decide liberar la isla de Granada o llevarle ley y orden o rescatar a los 700 estudiantes estadounidenses en eminente peligro. En uno de los informes que rara vez lee, escribe a mano la orden de invasión con una sola palabra, *"go* (adelante)".[170] Como no es una declaración de guerra, sino algo parecido, Reagan entiende que no necesita la aprobación del Congreso y el Congreso se enreda en discusiones vanas. Algunos representantes demócratas y republicanos objetan que ningún ciudadano estadounidense ha sido amenazado por el gobierno de Granada y, al menos de forma simbólica, la bancada de siete legisladores negros presenta los artículos para iniciar un impeachment contra el presidente.

Bajo presión, el mismo gobierno de Granada había contribuido a la precipitación del plan de Washington. Diez días antes, el líder histórico de la Revolución, Maurice Bishop, había sido derrocado por un golpe de Estado encabezado por su viceprimer ministro y ex compañero de otras batallas, Bernard Coard. Bishop fue mantenido bajo arresto domiciliario, pero las protestas populares posibilitaron su huida junto con su compañera al Fuerte Rupert. El 20 de octubre, ambos fueron capturados y fusilados a las diez de la noche junto con algunos oficiales leales y un líder sindicalista. Luego de la aventura de Bernard Coard, quien duró tres días en el gobierno, y luego de una sucesión caótica de líderes que no gobiernan, el 9 de diciembre será elegido un hombre de confianza de Washington, Sir Nicholas Brathwaite, quien presidirá un gobierno interino y organizará unas elecciones protegidas por Washington en 1984.

La vertiginosa inestabilidad de octubre había sido precedida por una larga campaña de acoso mediático y por un cuidadoso plan de invasión a la

---

[170] Ronald Reagan será conocido por sus asesores y hasta por su vicepresidente George H. Bush como un actor de Hollywood y un creyente conservador con ideas muy simples que resonaban fácilmente en sus electores, alguien que carecía de cualquier inquietud intelectual. El presidente solía quedarse dormido ante los informes complicados de sus asesores y, cuando despertaba, buscaba su enorme frasco de caramelos Jelly Belly que nunca faltaba sobre su mesa de trabajo. Los historiadores lo calificarán como uno de los presidentes menos inteligentes de la historia de su país, pese al altísimo nivel de prestigio alcanzado luego de retirarse a su *Rancho del Cielo* en California.

isla por parte del gobierno de Ronald Reagan. La estrategia es antigua, pero la nueva desestabilización tuvo su sello propio: crear el pánico de un inminente ataque foráneo al gigante asustado para luego liberar la angustia con una victoria rotunda, elevando la moral decaída del público estadounidense por las vergonzosas derrotas de Playa Girón y de Vietnam.

Para Jeane Kirkpatrick, asesora del nuevo gobierno, la pobre y debilitada Nicaragua era la oportunidad perfecta para mostrar los músculos aún jóvenes de Estados Unidos. *"Esta es una guerra que usted puede ganar"*, le había dicho Jeane. Pero el nuevo presidente no se había animado y temía un fiasco como el de Cuba. Antes de acelerar el financiamiento de grupos paramilitares en América Central (los cuales no dañarían la reputación del gigante en caso de una nueva derrota), la potencia militar más poderosa del mundo necesita un contrincante aún más débil que asegure una victoria ejemplar. ¿Y qué mejor que una isla de cien mil habitantes que no figura ni en los mapas de los colegios y su líder se define como un revolucionario socialista?

Maurice Bishop había llegado al poder el 13 de marzo de 1979 sin disparar un solo tiro, cuando aprovechó una visita del dictador Eric Gairy a Estados Unidos, poniendo así fin al terror parapolicial de la Brigada Mongoose. Pocos días después, el embajador estadounidense en Barbados le había advertido que no hiciera negocios con Cuba. No hubo, en cambio, mención alguna a la asistencia del dictador chileno Augusto Pinochet al régimen anterior. El 13 de abril, en la radio Free Grenada, Bischop le respondió: *"Aunque pequeños, somos una nación soberana e independiente... Nadie tiene el derecho de decirnos qué hacer y cómo administrar nuestro país y de quién debemos ser amigos o no... No estamos en el patio trasero de nadie ni estamos a la venta"*.

Pero lo que no está a la venta se toma por la fuerza. Al igual que Jacobo Árbenz en 1954, Fidel Casto en 1959 y Patrice Lumumba en 1960, Bishop le ofreció a Washington normalizar las relaciones internacionales en base al reconocimiento mutuo de soberanía. Al igual que los casos anteriores, sólo recibió un profundo silencio diplomático, adornado de palabras elusivas y de un contundente operativo militar que no fue revelado hasta que los aviones supersónicos Corsair y los helicópteros Black Hawk y Sea Knight comenzaron a bombardear la isla.

Diferente a Jacobo Árbenz en Guatemala o a Fidel Castro en Cuba, Bishop no nacionalizó ni tierras ni empresas privadas, pero su comercio con Cuba y su insignificancia militar eran la oportunidad de oro para que el gigante del norte tuviese, finalmente, una victoria bélica para mostrarle al mundo. Como hará el general Colin Powell en las Naciones Unidas mostrando un tubito con ántrax, té u orín (supuesta prueba de que el dictador Sadam Hussein poseía armas de destrucción masiva) para justificar la invasión a Irak de 2003, Ronald Reagan había recurrido a unas borrosas imágenes aéreas de un aeropuerto cerca de la Universidad de Saint George. En la cadena de televisión del 23 de marzo de 1983, el presidente había logrado convencer o aterrorizar al público, que esa noche miraba desde los bares y desde las decentes cocinas del país, sobre la necesidad de una nueva aventura en un país que, otra vez, casi nadie lograba localizar en el mapa: "*Granada no tiene siquiera una fuerza aérea. ¿Para qué se ha construido este aeropuerto?*"

Dos semanas más tarde, el mismo presidente aseguró que el aeropuerto podría ser usado por Libia o por los soviéticos para ayudar, de forma secreta, a los sandinistas en Nicaragua. Para aclarar el entuerto, en mayo Maurcie Bishop visitó Washington y explicó que el nuevo aeropuerto, iniciado en 1955, es crucial para una de las industrias más importantes de la isla, el turismo. De hecho, inversores estadounidenses y europeos estaban involucrados en el proyecto. Pero la Casa Blanca no escucha y menos si se la contradice. Poco después, llegó la excusa final: el aeropuerto estaba demasiado cerca de los estudiantes de medicina, lo cual significaba una amenaza inminente a inocentes ciudadanos estadounidenses, quienes podían ser tomados como rehenes en cualquier momento.

A pesar de que Granada es una isla, no tiene marina. Tampoco fuerza aérea. Apenas dos mil militares, más o menos dispuestos a enfrentar la furia de Dios. Su mayor fuerza son las torpezas ajenas. En las primeras horas de la invasión, cuatro paracaidistas se ahogan antes de alcanzar la isla, debido a errores de cálculo. De los restantes 19 marines muertos en la operación, 17 son abatidos por fuego propio. Nueve helicópteros de última tecnología son derribados por alguno de los doce cañones antiaéreos que Granada le ha comprado a la Unión Soviética. Aparte, y sin que importe demasiado, 18 pacientes de un hospital psiquiátrico mueren en un bombardeo de los invasores, aparentemente de forma accidental. Los buenos sólo cometen errores.

Los marines que logran alcanzar la costa no encuentran ninguna resistencia de la población ni del ejercito patriota. Unos no están informados y los otros no tienen formación ni recursos suficientes para repeler ninguna agresión extranjera. Pese a que el campus universitario está sobre la costa y a metros del nuevo aeropuerto denunciado por Reagan, los marines y los nuevos *rangers* tardan tres días en localizar la residencia de unos pocos estudiantes estadounidenses y los rescatan a la fuerza. La mayoría, casi todos, se encuentran en otro campus universitario que los marines no logran ubicar. Cuando los estudiantes son localizados el 25 de octubre, el noventa por ciento se niega a abandonar la universidad alegando que nunca han sido acosados por el gobierno y, mucho menos, se encuentran secuestrados.

En Washington, el futuro vicepresidente Dick Cheney se pone furioso cuando el congresista Don Bonker cuestiona la razón principal de la invasión. "*Los estadounidenses estaban en peligro inminente*", escribe Cheney en el

Washington Post y remata: Granada era *"una amenaza para la seguridad de toda la región"*. Aunque el presidente Reagan escribe en su diario *"he dado la orden de invasión"* y repite la misma palabra para describir la situación, acusa a la prensa de llamar *invasión* lo que, en realidad, se trata de *"una misión de rescate"*.

Durante siete días, 7.000 marines estadounidenses y 300 agregados de la OEA combaten contra 1.500 soldados del ejército de Granada, asistidos por 790 cubanos (de los cuales 636 son albañiles), 40 rusos y cuatro libios. Esta vez no se permite que la prensa acompañe a las fuerzas libertadoras. Naturalmente, ni el ejército ni las poderosas armas soviéticas apuntando a Estados Unidos se hacen presente. Durante los dos meses que durará la ocupación, la televisión mostrará algunos revólveres y una bazooka de origen soviético guardadas en unas cajas viejas, más dignas de un granjero que de una superpotencia mundial. La Asamblea General de las Naciones Unidas condenará la invasión calificándola de *"una flagrante violación a la Ley internacional"*. Lo mismo resolverá su Consejo de Seguridad, pero el veto de Estados Unidos será más que suficiente para concluir que nada había pasado ni iba a pasar.

En Estados Unidos, en los bares y en las casas adornadas para navidad, el 71 por ciento de la población aprueba la invasión. A no pocos se les inflama el pecho de patriotismo y la aprobación del presidente Reagan escala de un mínimo histórico hasta un sesenta por ciento. El 91 por ciento de los granadinos (según reporta la prensa mundial) que unas horas antes apoyaba la revolución de Bishop, ahora aprueba la invasión. Poco después, regresará el depuesto dictador Eric Gairy desde su exilio en Estados Unidos.

El objetivo se ha cumplido a la perfección y según el espíritu inicial. El 18 de agosto de 1980, en un discurso de campaña electoral en Chicago, el entonces candidato republicano Ronald Reagan había declarado ante un vasto público de ex combatientes derrotados en Vietnam: *"Por mucho tiempo, henos vivido con el síndrome de Vietnam. Por diez años, los vietnamitas del norte nos han dicho que fuimos nosotros los imperialistas agresores. Ellos tenían un plan, y era ganar en el terreno de la propaganda, aquí en Estados Unidos, lo que no podían ganar en el campo de batalla. Es tiempo de reconocer que nuestras guerras tienen una causa noble"*. El público, de pie y levantando los carteles con el eslogan de campaña "LET'S MAKE AMERICA GREAT AGAIN" había explotado de euforia patriótica.

Tres años después, el 13 de diciembre de 1983, luego de la invasión masiva a la minúscula e indefensa isla de Granada, el presidente Ronald Reagan dará otro discurso eufórico sobre la tan ansiada victoria: *"Nuestros días de debilidad han terminado. Nuestras Fuerzas Armadas están de vuelta, de pie y sobre lo más alto"*.

El 30 de marzo de 1984, el *Indianapolis Star* informará: *"El ejército estadounidense ha otorgado 8.612 medallas en reconocimiento a la actuación individual en la invasión de Granada, aun cuando en la acción no participaron más de 7.000 soldados y oficiales"*. La mayoría de los valientes condecorados ni siquiera llegaron a conocer el Caribe. Ni siquiera dejaron sus oficinas en Washington para participar en una guerra tan desigual y tan heroica.

1985. Contras, el equivalente moral de los Padres fundadores

NICARAGUA. 7 DE ENERO DE 1985—Frank Wohl, estudiante de Northwestern University, acompaña a los Contras en un día regular de operaciones. Wohl tiene 21 años y detesta a los socialistas, aunque nunca ha visto uno de cerca. Pero hoy los Luchadores por la Libertad que tanto admira han encontrado uno que es acusado de ser sandinista e informante. Lo detienen y lo obligan a hacer un hoyo en la tierra con sus propias manos. Un hoyo tan grande como una fosa. Wohl toma una foto. La víctima se persigna porque, como todos los seguidores de la Teología de la liberación, los sandinistas son marxistas cristianos. Luego lo degüellan con el cuchillo favorito de los Contras, el tipo de cuchillo de guerra donado por la CIA. Edgar Chamorro, uno de los líderes, asegura que *"todos querían tener ese tipo de cuchillos para cortar gargantas"*.[171] Otra foto registra a uno de los combatientes clavando el famoso cuchillo en la garganta de la víctima y un segundo combatiente probando su efectividad en su abdomen.

Luego de la heroica operación, los Contras se retiran dejando el cuerpo en el hoyo. Wohl toma 32 fotografías y vende cuatro al *Newsweek*. Enseguida, la prensa y el congreso de Estados Unidos se escandalizan con las imágenes de los *freedom fighters* de Nicaragua. Adolfo Calero, líder de Fuerza Democrática Nicaragüense dirá que estas fotografías son *fake*, porque en ellas se ve a los Contras usando un tipo de uniforme que hacía seis meses ya no se distribuía entre sus miembros. Viajará a Estados Unidos para evitar la catástrofe y allí será asistido por el mismo Wohl, quien no puede negar la veracidad de las imágenes.

Primero de forma legal y, luego de las fotografías, de forma ilegal, la CIA provee de 77 millones de dólares a los Contra, además de entrenamiento militar y apoyo logístico. En Honduras, los jugosos recursos también sirvieron

---

[171] Edgar Chamorro terminará reconociendo que la CIA no sólo financiaba y entrenaba a los Contras en técnicas de sabotaje, intimidación y exterminación, sino que era, de hecho, quienes tomaban las decisiones más importantes.

como forma de atemorizar a la población y eliminar la disidencia interna. En Estados Unidos, las encuestas de opinión son claras: los estadounidenses no quieren una invasión a Nicaragua. Pero la historia demuestra que la opinión del pueblo siempre tiene solución. Como siempre, la opinión pública es puesta a dieta. La *Office of Public Diplomacy for Latin America and the Caribbean* (fundada por el cubano Otto Reich durante el gobierno de Reagan, clausurada con discreción en 1989 debido a la exposición de sus manipulaciones de la opinión pública y por hacer uso no declarado de los recursos del Pentágono y de la CIA) se encarga del trabajo.

Al principio, los Contra se habían organizado con miembros de la anterior dictadura de los Somoza y habían recibido la asistencia de expertos en tortura de la moribunda dictadura argentina, financiados en gran parte por la CIA.[172] Ahora, el coronel Oliver North es el encargado de diseñar las estrategias para la detención de disidentes en la región en caso de que se apruebe una invasión a Nicaragua, pero este plan será abortado por el fantasma de Playa Girón. Temeroso de otro fiasco semejante y desesperado por olvidar la derrota de Vietnam, dos años atrás Washington había apostado por dos estrategias diferentes: una masiva invasión militar a Granada, una isla minúscula poblada por noventa mil habitantes pobres en un rincón del Caribe, y por el financiamiento de los Contras en Nicaragua, quienes también fracasarán pero sin hacer responsable a la maquinaria de Washington que detesta que la llamen imperio y hasta es capaz de gestos humanitarios como financiar e instigar a la rebelión a grupos históricamente marginados, como los indios misquito.

Los nombres que participan en la nueva aventura terrorista son veteranos de otras operaciones. Por ejemplo, el conocido mercenario, por décadas en las nóminas de sueldos de la CIA, el cubano Luis Posada Carriles, aparte de múltiples actos de terrorismo llevados a cabo en Cuba, Estados Unidos y en otros países de la región como el bombardeo del Cubana de Aviación, colaboró con el proyecto de los Contras. Una vez fugado de Caracas, donde iba a ser juzgado por alguno de sus crímenes, la CIA lo estaciona en la base aérea de Ilopango, El Salvador, a las órdenes de Oliver North, para colaborar con la campaña de acoso contra Nicaragua. Aunque calificado como peligroso terrorista por el mismo FBI, Luis Posada Carriles disfrutará por años de su retiro en las playas de Miami y de la adulación de la prensa local que lo calificará como héroe y mártir de la libertad, hasta su muerte en 2018.

---

[172] Para evitar este fenómeno repetido, la Revolución cubana había realizado juicios relámpagos y ejecuciones sumarias de los miembros del régimen de Batista. La misma CIA reconocerá que las ejecuciones el primer año en Cuba habían sido producto de un rápido aprendizaje de Castro y Guevara de las experiencias anteriores en el continente. Diferente al cubano, el caso de Nicaragua no fue otra excepción a la regla.

El gobierno de Ronald Reagan necesitaba una inyección de euforia nacional para demostrar que la superpotencia mundial seguía siendo superpotencia y líder del Mundo Libre. No un imperio. La empobrecida y desangrada Nicaragua (que alguna vez fuera el país más próspero de la región hasta que Washington derrocó al independentista José Santos Zelaya en 1909, asegurándose una absoluta dependencia de ese país a Washington y a las poderosas empresas norteamericanas por más de medio siglo) era la oportunidad ideal.

Como es una costumbre establecida, por su poderosa capacidad de crear opinión pública Washington financió instituciones como la *National Endowment for Democracy* a cargo de diversas publicaciones y provista de millones de dólares para desestabilizar gobiernos desobedientes, como el de Nicaragua. Pero los millones de dólares no sólo fluían de las arcas públicas de Washington sino también de las empresas privadas, de las iglesias cristianas (que en muchos casos vienen a ser la misma cosa, solo que no pagan impuestos) y de grupos paramilitares estadounidenses como la CMA (Civilian Materiel Assistance), con lazos personales con la CIA, el Ku Klux Klan de Alabama, el mercado negro de armas y con la aprobación del coronel Oliver North. Este grupo, la CMA, fundado por cinco ex combatientes de Vietnam, de igual forma que Washington y una buena parte de la población, llevará las frustraciones de su derrota en la "frontera oriental" a América Central, *"una guerra que se puede ganar"* para levantar el espíritu nacional, como lo definiera la consejera de Reagan y embajadora ante las Naciones Unidas, Jeane Kirkpatrick.[173] El CMA asistirá y entrenará a los Contras en Honduras y a los Escuadrones de la muerte en El Salvador. Luego, cuando las víctimas más pobres de esta guerra emigren a Estados Unidos, "milicias vigilantes" como el mismo CMA se encargarán de "defender el límite fronterizo" de la "invasión silenciosa", patrullando y practicando tiro con hombres y mujeres de razas inferiores, muchos de los cuales nunca serán identificados.

Desde los años 70, la iglesia Gospel Outreach, Full Gospel Business Men's Fellowship (Fraternidad Internacional de Hombres de Negocios del Evangelio), Transworld Mission y su radio evangélica TWR también envían donaciones a las dictaduras militares de América Central. Dinero contante y sonante y propaganda política en nombre de Jesús. En una campaña de recaudación bautizada como *"International Love Lift"* (*Elevación del Amor Internacional*), el pastor televangelista del Club700, Pat Robertson, derivó millones de dólares a su amigo evangélico de Guatemala, el dictador Efraín

---

[173] Luego de la derrota en Vietnam, el Washington Post del 14 de marzo de 1975 tomó nota de las palabras de Henry Kissinger: *"Estados Unidos debe realizar algún tipo de acción en alguna parte del mundo que deje en claro nuestra determinación de seguir siendo la mayor potencia mundial"*. Luego del paréntesis de los años Carter, Jeane Kirkpatrick propondrá otra vez el Patio trasero como solución al enigma.

Ríos Montt, responsable por la masacre de decenas de miles de campesinos mayas.[174] Los Contras en Honduras reciben donaciones de grupos religiosos como Gospel Crusades Inc. Al mismo tiempo, combaten a muerte a los Sandinistas que habían surgido en los años 60 de las bases católicas y de la Teología de la liberación quienes, a su vez, son acusados por los evangélicos de ser una *religión infestada de ideología*". Los teólogos de la liberación no fueron los únicos religiosos que se opusieron al militarismo y a la avaricia del poder y del dinero, pero, a diferencia del resto, pagaron con su sangre por ello. Los grandes medios de prensa y televisión de Estados Unidos acusarán a los grupos que denuncian las violaciones de Derechos Humanos, como Americas Watch (Human Rights Watch), de tener inclinaciones políticas. Los Medios, como las iglesias protestantes y evangélicas, son medios neutrales que informan objetivamente sobre la realidad.

A finales de 1983, el terrorismo de los Contra en Nicaragua había escandalizado hasta al Congreso de Estados Unidos, el que terminó votando para limitar la ayuda a esa organización a sólo 25 millones de dólares "para ayuda humanitaria" hasta que, en junio de 1984, impuso la prohibición total de asistencia financiera para el año próximo (Enmienda Boland). Pero el gobierno de Ronald Reagan continúa transfiriendo legalmente millones de dólares para la dictadura en El Salvador y ahora debe hacer lo mismo pero de forma ilegal para financiar la Contra en Honduras y Nicaragua. Cuando en noviembre de 1984 la Revolución sandinista y la oposición organizaron, según los observadores internacionales, las elecciones más libres de la historia de Nicaragua, el presidente Reagan las calificó de "*farsa estilo soviético*". Luego del revés político en Nicaragua y en el mismo Congreso de Washington, Reagan le comunicó a Robert McFarlane del Consejo de Seguridad Nacional que, sin importar lo que hayan resuelto los legisladores, la política del gobierno es "*mantener a los Contra activos y enteros de cuerpo y alma*" y el 2 de marzo de 1985 afirmará, en un discurso ante el Conservative Political Action Conference, que los Contras de Nicaragua, los "*luchadores por la libertad*", "*nuestros hermanos*", "*son el equivalente moral de nuestros padres fundadores*". La

---

[174] Cuando Ríos Montt sea acusado de genocidio, el televangelista lo volverá a defender el 27 de octubre de 2015 por ser un buen cristiano y víctima de la izquierda de su país: "*Una persona increíble, sostén de la iglesia El Verbo y cabeza de un gobierno maravilloso, pero la izquierda se ensañó con él; hasta el Departamento de Estado lo persiguió; fue algo terrible*". A través de Operation Blessing (Operación Bendición), su Club700 apoyó la campaña guerrillera de los Contras en Honduras y en África sirvió de instrumento para las operaciones de la minera Development Corporation, propiedad de Robertson, que extraía diamantes en sociedad con el dictador Mobutu Sese Seko de Zaire.

afirmación, que parece algo exagerada, nos recuerda que fue uno de los padres fundadores, Thomas Jefferson, quien en 1805 logró un cambio de régimen en Libia usando mercenarios paramilitares bereberes apoyados desde el mar por bombarderos estadounidenses y organizados por el cónsul de Estados Unidos en Trípoli.

Poco después, la Corte Internacional de Justicia determinará que el gobierno de Ronald Reagan es culpable de violar la Ley internacional ordenando el uso de minas de puertos y bombas de las reservas de petróleo de Nicaragua. La misma CIJ dictaminará que, bajo el control de la CIA, los Contas se dedicaron a cometer diversos crímenes de lesa humanidad, los cuales incluyeron el secuestro, la violación y el asesinato de prisioneros. Cuando en 1986 Washington sea informado que la decisión de la Corte no le había sido favorable, retirará su posición de aceptar su veredicto y, simplemente, lo ignorará.

Luego de la Enmienda Boland, los Contras, como diversos grupos paramilitares de extrema derecha apoyados por Washington, echan mano al narcotráfico y recaudan 14 millones de dólares. Aparte de las donaciones privadas, Washington tiene un Plan B. El plan clandestino se pone en marcha de forma que el presidente no pueda ser implicado en caso de que algo salga mal. Una estrategia recurrente. El comité de investigación del Congreso no tendrá forma de probar que el presidente está implicado, pero hay una grieta en la lógica de justificaciones y exculpaciones: los consejeros del presidente y las agencias informantes de la Casa Blanca no son operadores ni pueden tomar sus propias decisiones sin consultar al presidente. Es una vieja grieta. No importa. El presidente nunca miente. Sólo se equivoca.

De todas formas, a la potencia más poderosa del planeta siempre le sale algo mal. El coronel Oliver North es el encargado de coordinar la venta de armas al enemigo, Irán, a través de Israel. El sobreprecio, unas decenas de millones de dólares, son transferidas por Tel Aviv a Suiza y de Suiza directamente a la Contra en Honduras. Durante los años que dura la operación clandestina, Washington no se cansa de insistir en un bloqueo a Irán, al tiempo que se asegura que el resto de los países exportadores de armas se abstengan de venderle a Teherán. Desde enero de 1984, Washington ha declarado oficialmente a Irán país promotor del terrorismo mundial.

Cuando la maniobra internacional se filtre al semanario libanés *Ash-Shiraa* el 3 de noviembre de 1986, el coronel North y sus colaboradores serán llamados a testificar ante el Congreso. North mentirá bajo juramento y, poco después, bajo el peso de las evidencias, deberá reconocerlo. Su secretaria Fawn Hall, inclinada bajo un voluminoso cabello rubio que recordará una década de pizza y cerveza por algún tiempo, se pasará horas picando documentos secretos que nunca nadie leerá, sobre todo, como declarará más tarde, aquellos documentos recibidos de la Casa Blanca. El consejero de Seguridad

Nacional, Robert MacFarlane, se declarará culpable de engañar y mentir al Congreso, por lo que será condenado a dos años de libertad condicional. John Poindexter, miembro del Consejo de Seguridad, será acusado de conspiración. El secretario de defensa, Caspar Weinberger será acusado de perjurio y obstrucción. El coronel Oliver North será condenado por múltiples cargos como perjurio, destrucción de documentos, obstrucción y recibo de coimas. El asistente de la Secretaría de Estado, Elliott Abrams, se declarará culpable de obstrucción, ocultamiento de documentos ante el Congreso y conspiración. Otros nueve funcionarios serán condenados por cargos similares, aparte de evasión de impuestos, falsificación de documentos, robo y conspiración. Algunos, como la secretaria del coronel North, recibirán inmunidad a cambio de algo de la verdad, como un asaltante de bancos queda libre por devolver una parte del dinero robado. Casi todos serán perdonados por el próximo presidente. Ninguno pagará una sentencia completa ni por aproximación. Algunos pescados grandes, como Oliver North y Elliott Abrams, continuarán ocupando cargos relevantes en el gobierno, como especialistas internacionales hasta bien entrado el siglo XXI, conspirando para derrocar presidentes demasiado fuera de control, como Hugo Chávez en Venezuela. Weinberger recibirá en 1987 la Medalla Presidencial de la Libertad y será nombrado Caballero honorario por la reina de Inglaterra. Otros, como Robert McFarlane, también recibirán el perdón del presidente G. H. Bush y más medallas militares de muchos honores y colores.

1985. ¿Qué hace uno con un perro rabioso?

CORREDORES, PANAMÁ. 13 DE SETIEMBRE DE 1985—Hugo Spadafora regresa al país desde Costa Rica. Para evitar ser emboscado, evita tomar un taxi y se sube a un autobús rumbo a la capital. A pocas horas, el autobús es detenido y un militar le ordena que se baje. Spadafora le dice al conductor: "*Soy el doctor Hugo Spadafora y estoy siendo detenido por un miembro de las Fuerzas de defensa*". Poco después, el general Manuel Noriega recibe un llamado en Génova, donde está recibiendo un tratamiento facial para mejorar su aspecto. Es el mayor Luis Córdoba y la conversación es registrada por los servicios de inteligencia de Estados Unidos y de Francia:
—Tenemos al perro rabioso —dice el mayor.
—¿Y qué hace uno con un perro rabioso? —sentencia Noriega, con una pregunta.
Spadafora había estudiado medicina en la Universidad de Bolonia y en 1966, junto con un equipo de médicos cubanos, había participado en la revolución que liberó a Guinea-Bisáu de Portugal. Cuando en 1968 el general

Omar Torrijo dio un golpe de Estado en Panamá, Spadafora fue uno de sus críticos, pero terminó convirtiéndose en viceministro de Salud del nuevo gobierno. En el golpe de Torrijos, contradiciendo la tradición, no hubo derramamiento de sangre. Tampoco fue promovido por ninguna superpotencia extranjera. En poco tiempo, Torrijos inició una serie de reformas sociales en favor de las clases sociales más necesitadas, lo cual lo convirtió en uno de los líderes más populares de la región. También insistió en la necesidad de recuperar la soberanía del Canal.[175] En 1977, mientras Spadafora organizaba un grupo guerrillero contra la dictadura de Somoza en Nicaragua, Torrijos lograba un acuerdo con el presidente Jimmy Carter por el cual Estados Unidos cedería el Canal a Panamá en el 1999 y Panamá garantizaría su neutralidad.

En 1969, Torrijos había asegurado que *"la más grande riqueza que este pueblo tiene, que es el Canal, debe estar al servicio de la economía de este pueblo y no al servicio de unos pocos. No crean que vamos a cambiar por amos nativos los amos yanquis"*. Pero había cometido un error clásico y difícil de prevenir: en recompensa por su apoyo, en 1970 había promovido a su futuro enemigo, el teniente Manuel Noriega, a Oficial de inteligencia. Poco a poco, el pequeño general, conocido como Cara de piña, comenzó a construir su propia red de influencia internacional con la CIA, a la cual había servido esporádicamente desde los años cincuenta, y con el cartel de Pablo Escobar, indistintamente. Probablemente Torrijos toleró el trabajo sucio de Noriega contra quienes intentaron derrocarlo debido a su efectividad, pero Hugo Spadafora le advirtió del peligro de Noriega. En una reunión con Torrijos, Spadafora se lo dijo de frente. Acusó a Noriega de tener relaciones con el narcotráfico y con el comercio ilegal de armas. Noriega, un hombre inseguro, supersticioso y rodeado de amuletos africanos, para entonces acostumbrado al poder pero tan emocionalmente inestable como cuando era un joven pobre, feo e insignificante, quedó petrificado.

Como el Che Guevara, Spadafora no sólo era médico y había sido guerrillero en África y Nicaragua sino que tenía la costumbre de decir las cosas de frente, el exacto contrario de los servicios de inteligencia más poderosos del mundo, lo que también le costó la vida. Seis meses después de aquella vergonzosa reunión y seis meses después de la instalación de los nuevos halcones en la presidencia de Ronald Reagan, el 31 de julio de 1981 Omar Torrijos murió en un accidente aéreo, un género clásico de las muertes por

---

[175] El país que había sido inventado por Theodore Roosevelt en 1903 apoyando una rebelión independentista contra Colombia, había sido gobernado por una oligarquía blanca (los "rabiblancos") que apoyaban el statu quo en favor de Estados Unidos. Desde hacía décadas, la disconformidad popular había ido en aumento.

conspiración.[176] Torrijos no sólo simpatizaba con la revolución sandinista en Nicaragua sino que, además, se había atrevido a negociar una ampliación del Canal con una empresa japonesa, a espaldas de las poderosas empresas del norte. El avión que llevaba a Torrijos no fue encontrado hasta varios días después. Cuando Noriega sea capturado en la invasión de 1990, sus abogados ofrecerán mostrar documentos que probarían la existencia de varios intentos de asesinar a Torrijos por parte de los servicios secretos de Washington. El juez, a instancias de una orden del gobierno de Estados Unidos, se negará a que los documentos sean presentados en el juicio. Estas son las ventajas de enjuiciar a criminales en territorio estadounidense donde la justicia es siempre independiente.

Spadafora acusó a Noriega del supuesto accidente y marchó a Nicaragua. En 1984, con dinero de la CIA y de la NED (Fundación Nacional para la Democracia), Noriega organizó el fraude de las elecciones en las que ganó su candidato, el economista graduado de la Universidad de Chicago, Nicolás Ardito Barletta, pero las sospechas sobre la implicación de Noriega y la CIA en el asesinato de Torrijos no desaparecieron.

Ahora, desilusionado con el nuevo gobierno sandinista y opuesto a la injerencia de la CIA en la oposición de Nicaragua, Hugo Spadafora regresa a Panamá. El viernes 13, a poco de cruzar la frontera en un autobús, es secuestrado por miembros del ejército y es llevado al cuartel de La Concepción, el que limita al fondo con la iglesia donde es castrado y torturado de diversas formas antes de ser lentamente decapitado. Al día siguiente, un campesino costarricense encuentra en un pantano su cuerpo sin cabeza, en una bolsa del correo de Estados Unidos.

Ante la conmoción popular, el presidente Barletta exige una investigación del asesinato por lo que el Comandante de las Fuerzas de Defensa Manuel Noriega lo hace renunciar de inmediato. Enseguida se levantan voces críticas, desde Panamá hasta Washington. El embajador de Estados Unidos y varios senadores acusan al régimen de Noriega de ilegítimo, pero en Washington el Subsecretario de Estado de Derechos Humanos y Asuntos Humanitarios Elliott Abrams, el asesor de seguridad teniente Oliver North y el director de la CIA William Casey los hacen callar: *"Ustedes no entienden la importancia estratégica de este hombre"*.

Elliott Abrams y Oliver North tendrán un rol destacado en el escándalo Irán-Contras pocos años después. A pesar de que el marine North será condenado por actividades ilícitas y por mentirle al Congreso, no estará ni un solo

---

[176] La lista de ejemplos es extensa, pero basta mencionar que dos meses antes el presidente de Ecuador, Jaime Roldós, conocido por sus políticas sociales, su compromiso con los derechos humanos y su denuncia sobre las masacres en las dictaduras militares de la región, también había muerto en un accidente aéreo.

día en prisión, gracias a un perdón presidencial de George H. Bush. Entre múltiples otros cargos, Abraham ha sido asesor de varias dictaduras genocidas, como las de El Salvador y la de Ríos Montt en Guatemala. En el siglo siguiente, será nombrado asesor del presidente Bush hijo y, muchos años más tarde, en 2019, será designado por el presidente Donald Trump para acosar a Venezuela. North se destacará, entre muchas otras operaciones, en el bombardeo de pueblos en Afganistán, entre los cuales se cuenta la matanza de 60 niños en Azizabad, el 22 de agosto de 2008.[177] Será empleado como comentarista de *Fox News*, como presidente de la Asociación del Rifle y como asesor de los videojuegos de guerra *Call of Duty*, que para un psicópata viene a ser más de lo mismo.

El tratado Carter-Torrijos hará posible la transferencia del Canal al gobierno de Panamá en 1999. A partir de entonces, otra república bananera comenzará, al fin, a prosperar como cualquier nación independiente. Las modernas torres de cristal florecerán para el orgullo nacional y la sorpresa de los distraídos habitantes del norte, que nunca creyeron en las capacidades intelectuales de los negros y de los híbridos del sur. Sin embargo, la historia, como siempre, continuará pesando. La riqueza no se traducirá en desarrollo. Los multimillonarios ingresos derivados de la actividad del Canal serán suficientes para equiparar a los panameños a cualquier país europeo, suficientes para eliminar completamente la pobreza de ese país, pero esto no ocurrirá. Los grandes negocios, los que importan, seguirán siendo administrados por una elite criolla con interesantes contactos internacionales. El índice de pobreza y la moralidad infantil continuarán siendo superiores a la de su vecino, la modesta y desposeída Costa Rica.

1986. No son comunistas, pero son negros

PUERTO PRÍNCIPE, HAITÍ. 30 DE ENERO DE 1986—El presidente Ronald Reagan le niega asilo a uno de sus dictadores amigos, Jean-Claude Duvalier, pero le ofrece encontrarle una salida segura a otro país. Confiados en un reporte de la CIA, el que aseguraba haber visto a la familia Duvalier dirigirse al aeropuerto, Washington anuncia la remoción del líder haitiano como si no

---

[177] El récord de Australia no estará libre de manchas. Un informe que se publicará el 22 de noviembre de 2020 detallará sobre decenas de ejecuciones y degollamiento de niños y mujeres con los ojos vendados, perpetuadas por militares australianos en Afganistán. Una de las ejecuciones, según los marines estadounidenses, se realizará para hacer espacio en un helicóptero. Los hechos no menguarán el prestigio de ese país como vanguardia de la civilización. Ni siquiera serán recordados ni en memoriales ni en recordatorios de presa en ningún aniversario.

tuviese nada que ver en el asunto. Pero Baby Duvalier, enredado entre las rebeliones de su pueblo y los caprichos de su bella esposa, por alguna razón cambia de opinión, vuelve al palacio presidencial y se queda por una semana más, hasta que el 7 de febrero debe volar a París con los restos del botín familiar.

Para Duvalier hijo, todo comenzó con la crisis del cerdo negro siete años atrás. Para el pueblo haitiano, todo comenzó siglos antes. La crisis del cerdo negro tiene múltiples antecedentes, sólo en este siglo. Sin contar con las matanzas de los marines que intentaban poner orden en un país de rebeldes cacos y de negros ingobernables, las recetas para el éxito económico de las grandes corporaciones y de los expertos del Norte dejaron otro tendal de muertos en la isla a lo largo de largas décadas.

En 1929, por ejemplo, un informe del jefe de American Service Technique había reconocido que los campesinos haitianos cultivaban algodón de una forma más efectiva que las grandes plantaciones estadounidenses. Los campesinos no aplicaban ningún método científico, sino la acumulación de experiencia de sus antepasados, experiencia y métodos que los superiores hombres blancos se negaban a considerar siquiera. Sin embargo, para suplir la demanda del mundo desarrollado, decenas de miles de haitianos fueron enviados a Cuba y a República Dominicana para trabajar como asalariados, lo que significó un abandono de sus tierras y de sus tradiciones para convertirse en empleados dependientes de las grandes compañías internacionales. Luego de un breve período de prosperidad económica, todo se derrumbó como un castillo de naipes cuando los vientos del mercado internacional cambiaron de un día para el otro. Como suele ocurrir en cada crisis económica, la gente siempre encuentra culpables entre aquellos que pueden ver con sus propios ojos y, sobre todo, cuando el enemigo parece venir de abajo, son feos, visten mal y parecen peligrosos. Si los de abajo parecen extranjeros, aún peor. En 1937, otro dictador puesto y apoyado por Washington en República Dominicana, Rafael Trujillo, ordenó la matanza de 30.000 haitianos que habían sido acusados de robar el trabajo a los dominicanos. Esta matanza hizo olvidar los asesinatos de haitianos disconformes a manos de los marines estadounidenses, por lo que en el congreso de Washington se levantaron algunas voces de protesta, hasta que Trujillo las hizo callar con algunas donaciones de cientos de miles de dólares y el pago de publicidad en el *New York Times*.

En 1944, por decisión de la Société Haïtiano-Américane de Développement Agricole (SHADA), las mejores tierras de Haití fueron obligadas a producir sisal y caucho para la guerra en Europa, lo que no sólo desplazó a otros 40.000 campesinos sino que, cuando la guerra se terminó, las tierras quedaron inutilizadas para aquellos que retornaron sin poder siquiera reconocer el paisaje que dejaron las exitosas corporaciones. Un memorandum del 30 de junio de 1952 firmado por William B. Connett, concluirá: "*This program was a failure (este plan resultó un fracaso)*". Solo otro error.

Historias semejantes, alfombradas de muertos sin importancia, habían completado la saga de la familia Duvalier. Ahora, un nuevo acto de surrealismo golpea al pueblo haitiano. En 1978, para prevenir cualquier brote de fiebre porcina detectado en República Dominicana, los expertos del Norte habían recomendado la matanza de un millón de cerdos negros en Haití, la cual se intensificó en 1982 cuando la amenaza ya había sido declarada bajo control. Por los primeros cien mil cerdos, los campesinos más pobres no recibieron ninguna compensación. Aunque este plan les costó a la OEA y a Washington 23 millones de dólares (de los cuales solo siete millones llagarán a algunos perjudicados en forma de compensaciones), para los haitianos, la desaparición de cerdos negros significó la pérdida de 600 millones dólares y de una forma de vida propia. Gracias al maravilloso plan, las compañías estadounidenses y canadienses, a salvo de cualquier histeria anti consumista, pudieron continuar cubriendo la demanda de carne de cerdo. Según la University of Minnesota, si la enfermedad hubiese alcanzado el mercado estadounidense, el país habría perdido hasta cinco mil millones de dólares —el país o las corporaciones.

Pero la enfermedad de los cerdos negros de Haití no se transmitía a los humanos ni a otros animales. Incluso, según los especialistas, convenientemente preparada podía ser consumida sin problemas. Por siglos, los cerdos negros se habían adaptado a las condiciones de la isla, mientras que el plan de sustitución de los expertos de Washington requería que los nuevos cerdos de Iowa fueran cuidados mejor que los mismos campesinos podían cuidar a su propios hijos. Los cerdos de Iowa, más blancos y más gordos que los tradicionales cerdos negros, solo podían beber agua filtrada. Las malas lenguas de aquel país aseguraban que también necesitaban aire acondicionado para sobrevivir al calor de la isla.

En Haití, el valor de un solo cerdo negro equivalía a dos años de educación de un niño. Para los campesinos y para los haitianos pobres, esta matanza fue peor que un terremoto. La lógica del mundo racional y desarrollado fracasó con resultados trágicos. Trágicos para los otros, no para sus grandes compañías. El desempleo escaló hasta el 30 por ciento, la economía entró en recesión y la deuda externa pasó de 53 a 366 millones de dólares. La pobreza aumentó al mismo tiempo que aumentaba la riqueza de las cien familias más ricas de Port-au-Prince. También aumentó la dependencia del país con Estados Unidos a través de sus intermediarios, las familias más ricas de la media isla, los entreguistas de siempre que nunca dejaron de festejar con champagne.

Eliminados los cerdos negros del país, el arroz se convirtió en el alimento y en el producto de mercado más importante del país. Para 1990, dos tercios de la economía de Haití dependerá, de una forma u otra, del arroz. En 1994, como fórmula mitológica de un libre mercado inexistente, los cultivadores de arroz de Haití se arruinarán en masa cuando el FMI y el presidente Bill Clinton los oblige a eliminar los aranceles a la importación de arroz. El acuerdo beneficiará a los arroceros de Arkansas, el estado natal del presidente Clinton, pero arruinará a los modestos arroceros en la isla, por lo que muchos, desesperados, se arrojarán al mar para buscar trabajo en otras tierras. Muchos se hundirán en las aguas del Caribe y en el olvido del mundo desarrollado.

Las explicaciones de los habitantes del mundo con aire acondicionado a esta realidad serán las mismas que las de un siglo atrás sin aire acondicionado. En 1918, el secretario de estado del presidente Woodrow Wilson, Robert Lansing, en una carta al almirante y gobernador de las Islas Vírgenes, James Harrison Oliver, había explicado el problema: "*Las experiencias de Liberia y de Haití demuestran que la raza africana carece de capacidad de organización política y carece de inteligencia para organizar un gobierno. Sin lugar a discusión hay, en su naturaleza, una tendencia a volver al mundo salvaje y a dejar a un lado los grilletes de la civilización que tanto molestan a su naturaleza física... El problema de los negros es prácticamente irresoluble*".

Luego de siglos de explotación y de brutalidad imperial, desde el imperio francés hasta el imperio estadounidense, luego del exterminio de revoluciones y de rebeliones independistas y luego de generaciones de dictaduras títeres, unos pocos haitianos logran llegar a la tierra del éxito. En Estados Unidos, los menos exitosos dirán que los fracasados del mundo vienen a robarles el trabajo y a aprovecharse de sus lujosos hospitales. Nadie podrá decir que esta desesperación por huir de un país quebrado es consecuencia del comunismo en la isla. Tampoco dirán que es consecuencia del capitalismo dependiente. Como antes de la Guerra fría, dirán que se trata de los defectos de la raza negra.

Luego de perder al dictador amigo Jean Claude Duvalier por culpa de los cerdos de Iowa, Washington invertirá 2,8 millones de dólares para sostener el Conseil National de Gouvernement (CNG). Como en los años sesenta los escuadrones de la muerte apoyados por Washington, los Tonton Macoutes, ahora las fuerzas paramilitares aterrorizarán al país en nombre del orden. Los militares y paramilitares matarán más haitianos pobres que la misma dictadura de "Baby Doc" Duvalier en los últimos quince años. Cuando Leslie Manigat (candidato de la junta militar por el partido Agrupación de Demócratas Nacionales Progresista) se presente a las elecciones de 1988, sólo el cuatro por ciento de la población asistirá a la fiesta de la democracia. El electo presidente durará unos meses, pero el terror de la CNG durará unos años más.

Hasta que el pueblo haitiano insista, e insista, e insista y logre elegir al sacerdote de la Teología de la liberación Jean-Bertrand Aristide. Aristide abolirá el ejército en 1995 y Washington lo removerá, por segunda vez, en 2004. En 2017, el exitoso hombre de negocios y candidato de Washington, Jovenel Moise, reinstalará las Forces Armées d'Haïti y, a partir del cierre del parlamento en enero de 2020, gobernará por decreto. Por si el ejército no fuese suficiente en su rol tradicional, los grupos paramilitares acosarán el resto de los pobres para mantenerlos calmados.

Nada mejor que un buen ejército especializado en la represión de su propio pueblo para corregir los errores del éxito ajeno.

1987. Las maras vienen del norte

LOS ANGELES, CALIFORNIA. 7 DE JULIO DE 1987—El martes por la noche, Yanira Corea es secuestrada a punta de cuchillo frente a la sede de CISPES y conducida en una furgoneta a un lugar desconocido donde es interrogada sobre sus actividades políticas. Corea reconoce el acento de dos de ellos, originarios de El Salvador, y un tercero de Honduras o Nicaragua. Antes de ser liberada para que informe a sus cómplices de lo que puede pasarles si insisten en sus denuncias, es violada con un palo.

Indocumentada, la joven estudiante y madre de 24 años duda en reportar el secuestro y la violación, pero los otros miembros del CISPES la convencen para hacer la denuncia. Craig Stephens, el médico que la atiende, informa de "*múltiples contusiones en la cabeza, en la espalda y en el abdomen, además de cortes en las manos, en la lengua, marcas de cigarrillos en las manos y evidencia de violación con algún objeto*", todo lo que coincide, según el mismo profesional, con las evidencias de torturas y violación observadas en otras víctimas secuestradas en El Salvador.

Corea integra el Committee in Solidarity with the People of El Salvador (CISPES), un grupo que se opone a las políticas de Washington en El Salvador. Unos días antes, Corea había recibido una nota que decía: "*Las flores en el desierto se mueren*". Para algunos, es un código conocido de los escuadrones de la muerte. Aunque estas prácticas no son tan frecuentes en Estados Unidos como en otros países de la Frontera sur, otros activistas son intimidados de la misma manera mientras se los acusa de terroristas.

En El Salvador, los escuadrones de la muerte fueron creados y financiados de la misma forma que los Contras en Nicaragua, para intimidar a cualquier disidente o activista. A la administración Reagan no le preocupan estos casos sino los insurgentes en El Salvador, que son todos aquellos que deben sufrir cada día la violencia de los grupos paramilitares, tengan o no tengan armas en su poder. Por el contrario, en Estados Unidos el FBI investiga a los grupos activistas que informan sobre el apoyo de Washington al terrorismo en América Central. Según el *Washington Post* del 11 de julio, uno de ellos, Frank Varelli, reconoció que había infiltrado la sede del CISPES en Dallas, grupo del cual Corea es miembro. Corea continuará siendo amenazada de muerte, sobre todo a partir de sus conferencias sobre la represión en su país. Algunos de los mensajes anónimos dicen: "*¿Sabes donde y como esta tu hijo?*"

Para el 24 de julio, 60 activistas centroamericanos residentes en Estados Unidos habrán recibido las mismas amenazas. Pero la estrategia no consiste sólo en silenciarlos, sino en eliminarlos. Como en "El país de las leyes" eso es mucho más complicado, el método consiste en provocar la deportación de los charlatanes a sus países de origen donde son asesinados. Según el Political Asylum Project of the American Civil Liberties Union Fund, de los 154 refugiados salvadoreños deportados entre 1983 y 1984, 54 fueron asesinados por la Guardia Nacional, 47 desaparecieron y otra docena fue encarcelada por razones políticas. Todo con el conocimiento del FBI, según lo reportan sus propios informantes.

El modelo, sin embargo, es algo más antiguo. Luego de las intervenciones directas de los marines en los países caribeños y centroamericanos, luego de los dictadores criollos puestos y apoyados por Washington con un solo golpe de pluma, la cosa se había vuelto mucho más complicada. Mucho más cuando en los años 70 el Congreso progresista de Estados Unidos creó el Comité Church para investigar las operaciones ilegales y criminales de la CIA.

Dos años antes del golpe de Estado en Brasil, aprobado por Washington y ejecutado por el patriota ejército brasileño en 1964 contra otra democracia, el enviado de John Kennedy a Brasil, el general William P. Yarborough había propuesto una idea que se convertiría en todo un éxito. En 1962, Yarborough concluyó que una forma efectiva de defender los intereses de Washington, según la recientemente establecida doctrina de la CIA de la "negación plausible", eran los Escuadrones de la muerte ("*Special forces*").[178] Con estos grupos paramilitares, Washington y hasta sus gobiernos locales en América Latina siempre podrían negar cualquier acusación de represión ilegal. Cualquier cosa que hagan los grupos paramilitares en el continente podría ser atribuía a su propia responsabilidad, algo bien protestante. La idea de Yarborough, como no podía ser de otra forma, estaba en la línea de las preocupaciones del gobierno de John Kennedy y de los sucesivos gobiernos en Washington: las opciones progresistas o cualquier grupo en América Latina, ateo o religioso, que viniese con eso de las injusticias sociales, naturalmente iban a ser más o menos independentistas o rebeldes. Incluso el Pentágono, en

---

[178] El general Yarborough también creó cursos académicos sobre *Unconventional Warfare course and the Counter-Terrorism course* (*Curso antiterrorista no-convencional*).

su Field Manual para oficiales estadounidenses y, sobre todo, para los miles de oficiales latinoamericanos educados en academias militares estadounidenses, como el *Combat Intelligence*, abrirán capítulos especiales para las *Special forces* (es decir, paramilitares) contra la insurgencia en los países subdesarrollados (es decir, colonizados).[179]

En Colombia proliferaron a partir de los años 60 y serán los responsables del 80 por ciento de las ejecuciones de indeseables viviendo sobre deseadas tierras. Lo mismo en Brasil luego del golpe de 1964 y en América Central desde el inicio de la brillante idea y luego de los golpes de Estado—cuando hubo algún atisbo de democracia para golpear.

En 2004, el candidato a la presidencia de la izquierda FMLN, Schafik Jorge Handal, prometerá retirar a los soldados salvadoreños de la absurda guerra de Irak y reconsiderará el proceso de privatizaciones en El Salvador. El candidato conservador de Washington, Tony Saca (condenado en 2018 por lavado de dinero y corrupción), prometerá mejores relaciones con Washington y libre mercado para todos en El Salvador. En febrero, el conocido administrador de noticias falsas para América latina (condenado por el Congreso estadounidense por eso mismo) el cubano Otto Juan Reich, se reunirá con todos los candidatos menos con Handal, advirtiendo de fuertes represalias económicas, aparte de la pérdida de las visas de 300.000 salvadoreños en Estados Unidos, fuentes de remesas, en caso de que Handal gane las elecciones.

Cientos de integrantes de las maras serán deportados de Estados Unidos a El Salvador, donde continuarán con lo mejor que saben hacer: aterrorizar a los pobres indefensos a cambio de una protección que el Estado ausente no puede proveer. Algunos de sus miembros permanecerán en Estados Unidos y se reunirán con otros retornados más tarde de América Central para asustar con sus tatuajes y su cultura tribalista a los ciudadanos civilizados del Norte desarrollado. En Estados Unidos, los políticos conservadores sacarán provecho de toda esa violencia urbana, tan estadísticamente insignificante como la rebeldía del rap, del trap y otras distracciones. Como siempre, como las drogas, eliminarán la memoria, el origen y la historia del fenómeno culpando a los peligrosos hombrecitos oscuros, venidos de la Frontera sur a trabajar como esclavos y a violar a nuestras tiernas mujeres, cándidas Blancanieves, víctimas de la violencia del mundo que no entiende la Libertad anglosajona. Todo lo que recuerda la carta que en 1830 Stephen Austin le escribió a Richard Ellis desde la ciudad que unos años después llevará su apellido, advirtiendo de las absurdas leyes mexicanas de abolir la esclavitud: "*Supongamos que vas a*

---

[179] En la versión actualizada de 1973, el manual identifica estas "special forces" bajo el capítulo "*Unconventional warfare* (Guerra no convencional) contra grupos guerrilleros o locales ("*indigenous*") de cualquier tipo que no reconozcan la legitimidad de los ejércitos nacionales apoyados por el Pentágono.

estar vivo para cuando los negros sean libres y que para entonces tendrás una familia adorable con esposa, hijas y nietas. El futuro de esas pobres criaturas será terrible… Hablar con un esclavista americano sobre humanismo y justicia social, es como hablar con un sordo, pero no creo tampoco que alguien quiera vivir en ese futuro escalofriante que acabo de describirte al principio".

1989. El Caracazo, otra masacre irrelevante

CARACAS, VENEZUELA. FEBRERO DE 1989—Miles de venezolanos se vuelcan a las calles para protestar. Como lo indica el manual en estos casos, se pone en marcha la segunda fase. Una represión brutal de las fuerzas policiales y militares. También, como es común en las protestas sociales que alcanzan proporciones de rebelión, se suceden varios destrozos y saqueos que son usados para aumentar la represión y confundir el huevo con la gallina. Cientos de manifestantes son asesinados en las calles con disparos de bala. Momento previsible para que el presidente Carlos Andrés Pérez dé la orden de sacar a los militares de sus cuarteles para colaborar con una represión sin límites, como se supone que es una acción de guerra (en América Latina, los enemigos de los generales no son otros generales de otros países hostiles; más como regla que como excepción, son civiles de su propio país).

El Caracazo no ocurrió sólo en Caracas. Varias ciudades serán testigos de la súbita protesta y de la prolongada represión. Diferentes reportes informarán de miles de muertos, pero el número exacto no se sabrá debido a que, aparte de los cientos de muertos en las calles, otros cientos son detenidos desaparecidos a manos de las mismas fuerzas del orden, una institución del terrorismo de Estado de las dictaduras amigas que no se conocía en Venezuela en las últimas décadas. Amnistía Internacional y otros organismos internacionales denunciarán las matanzas y las prácticas que siguen al Caracazo. Por años, policías y militares secuestrarán y torturarán con técnicas refinadas en otros países, como golpes en los oídos o asfixia controlada con bolsas de nylon en la cabeza conteniendo insecticida, todo estimulado por la suspensión de Derechos Constitucionales emitida por el mismo presidente contra los revoltosos. Por lo general, las torturas lograrán la confesión de culpabilidad de las víctimas, en su mayoría estudiantes, críticos, activistas sociales y con cualquier representante de los sectores más pobres de la sociedad. Aunque el gobierno minimiza la cifra a 300 muertos, en los años subsiguientes algunas fosas comunes serán descubiertas con decenas de cadáveres, pero no todas serán descubiertas. En 1990, en la localidad de La Peste, se descubrirán otros 68 cadáveres no contabilizados por el gobierno.

Unas semanas antes, el presidente Carlos Andrés Pérez había sido investido por segunda vez, el 2 de febrero. El 28 de este mismo mes, había firmado una carta de intención en favor de las ahora clásicas prescripciones neoliberales en favor de la libertad de las corporaciones, lo que significaba un aumento inmediato de los precios de los productos básicos y la liberación de obligaciones con los trabajadores. Para este año, la pobreza ya había alcanzado el 44 por ciento y uno de cada cinco venezolanos vivía en la pobreza extrema.

En realidad, no hay nada del todo novedoso, excepto la destrucción del sueño desarrollista de los sesenta y de las esperanzas de independencia de los setenta. Similar a las "repúblicas bananeras" más al norte y a las "repúblicas cafeteras" de sus vecinos, Venezuela fue la "república petrolera" desde principios del siglo XX. Como en los casos anteriores, Washington apoyó al dictador de turno, Juan Vicente Gómez, desde 1908 y por casi treinta años, a cambio de protección para sus petroleras y sus mineras, las que no sólo recibieron trato preferencial en la explotación del petróleo y del acero venezolano, sino que podían administrar la sangre de la economía mundial a su gusto. Hasta la ley de nacionalización del petróleo de 1975.

Para 1928, mientras Henry Ford inundaba Estados Unidos de automóviles y comenzaban a construirse las primeras autopistas que unían las grandes ciudades y las costas de los dos océanos, Venezuela se convertía en el mayor exportador de petróleo del mundo. Pero mientras el país del norte se convertía en una superpotencia, el proveedor del sur no lograba alcanzar el desarrollo ni por lejos. Ni siquiera lograba una reducción significativa de la pobreza y la desigualdad, las otras dos características del subdesarrollo. Para peor, la dramática destrucción del sector agrícola en favor de la mono producción había fortalecido los lazos de dependencia con Europa y Estados Unidos. Las petroleras estadounidenses no sólo se llevaban la mitad de todas las ganancias sino que, además, controlaban la vida política y la narrativa ideológica de la clase dirigente del país que, como es tradición, era la más beneficiada después de las poderosas trasnacionales.[180]

Fuera de Caracas, la población negra y mestiza, la mayoría del país, comenzó a sufrir un aumento de la segregación económica, de la pérdida de sus tierras y de la desmoralización racial. Las enciclopedias definirán este *período de resentimiento* popular como *xenofobia* contra los ricos estadounidenses que, supuestamente, llevaban el progreso al país subdesarrollado. Los exitosos saben cómo hacerlo. Hay que copiarles, hay que obedecer.

---

[180] El 50 por ciento de las ganancias de la Standard Oil procedían de Venezuela, un detalle que sus gerentes en Nueva Jersey no estaban dispuestos a dejar en manos del pueblo venezolano.

Henri Wilhelm Deterding, CEO de la petrolera angloholandesa Shell, reportó: "*estoy satisfecho... puedo decir, en base a la experiencia, que en los 26 años de la dictadura de Gómez, el general ha sido siempre consistente en el* fair play *con los capitales extranjeros*". Pero las compañías estadounidenses encontraron la forma de sustituir al imperio decadente comprando las tierras petroleras en manos de los familiares y amigos del dictador, como su yerno, el que vendió su parte a la Sun Oil Company. Para legalizar esta corrupción, las petroleras estadounidenses (en particular la Standard Oil de New Jersey) redactaron la Ley del petróleo de 1922 aprobada por Caracas, de la misma forma que ahora continúan redactando las leyes que aprueban los congresos de Estados Unidos. En cuatro años, seis compañías petroleras entraron al país y se hicieron cargo de casi todo, entre ellas la Standard Oil of California, la Standard of Indiana y la Texas Company.

En 1976, décadas después de la nacionalización del petróleo mexicano y aprovechando la crisis internacional del petróleo, Caracas se atreve a un movimiento similar. El recientemente inaugurado presidente Carlos Andrés Pérez es uno de los propulsores de la Ley de nacionalización del petróleo como forma de lograr más independencia y desarrollo. Carlos Andrés todavía sufre del idealismo de los jóvenes que aún no han sido corrompidos por la experiencia y el pragmatismo de las clases dirigentes. La nacionalización y el alza de los precios del petróleo aumentaron los ingresos de divisas, con las cuales el presidente Pérez pudo invertir en infraestructura. En línea con su entusiasmo juvenil, se opuso a las dictaduras de Augusto Pinochet y de los Somoza, restableció relaciones diplomáticas con Cuba y apoyó, en vano, el levantamiento del bloqueo estadounidense que todavía estrangula la isla para demostrar su fracaso y el fracaso de todos sus defensores. Naturalmente, y pese a la bonanza económica, se lo acusó de gastar en exceso en programas sociales y de no recuperar el sector agrícola, por lo cual su partido fue derrotado en 1978 por el Partido Socialcristiano.

Pero todo cambió de repente. En Estados Unidos, los rebeldes años 60 contra la guerra de Vietnam y las dictaduras latinoamericanas llegaron al Congreso en los 70 y fueron aplastados por la reacción neoconservadora de los años 80. La economía mundial también tembló. Desde principios de los años 80, los países latinoamericanos, sobre todo aquellas dictaduras militares que Washington había apoyado moral, militar y económicamente con préstamos masivos y con intereses flotantes para crear *milagros artificiales* como en Brasil y en Chile, se encontraron que, para combatir la inflación en Estados Unidos, la Fed decidió subir las tasas de interés hasta un histórico 18 por ciento, lo cual multiplicó las deudas en las dictaduras amigas hasta hacerlas impagables. Por muchos años, esos países trabajarán para cubrir los intereses de sus deudas, con frecuencia tomando más préstamos y, tal como es el deseo de los centros de poder, endeudándose aún más hasta niveles de sumisión y esclavitud.

Es en este preciso momento cuando aparecen los iluminados prestamistas, como el FMI. Luego de la desastrosa década los 80, Carlos Andrés Pérez volvió a ganar las elecciones de 1988 criticando al neoliberalismo y al FMI como *"una bomba de neutrones que mata pero deja los edificios intactos".* Pero este Carlos Andrés ya no es Carlos Andrés. Apenas vuelto a la presidencia, en febrero de 1989 traiciona sus promesas electorales y acepta la oferta del FMI de recibir más de cuatro mil millones de dólares a cambio de implementar la doctrina conocida mundialmente como Consenso de Washington, es decir, las recetas neoliberales que habían sido impuestas durante la dictadura de Pinochet en Chile y en otras dictaduras amigas. Como en el Chile de 2019, el detonante de la profunda insatisfacción popular acumulada durante los años 80 será el aumento del precio de transporte urbano. Uno de los primeros efectos de la lista del Consenso fue la suba de combustibles y de las tarifas del transporte público.

Pero el rebelde Carlos Andrés Pérez de los sesenta ahora ha sucumbido a la obediencia a Washington y, consecuentemente, no será acosado ni bloqueado ni depuesto por ningún golpe militar. Por el contrario, es una víctima amiga de las propias políticas de Washington, y se lo debe rescatar con la mayor discreción y silencio posible. El presidente amigo, George H. Bush, saldrá al rescate de su nuevo aliado con 500 mil millones de dólares (más de mil millones en valor de 2020). Cuando exactamente treinta años después, en 2019, un presidente venezolano rebelde, luego de sufrir años de bloqueo económico y de las excepciones contra el tan mentado "libre mercado" solicite el retiro de una suma similar, 1,2 mil millones de dólares depositados en el Banco de Londres para cubrir sus urgencias sociales, Washington telefoneará al viejo imperio para que el oro depositado sea retenido. A los amigos obedientes se los premia y a los independientes se los castiga para demostrar que sus ideas sociales, políticas e ideológicas son un fracaso. Así, cuanto más sufra el pueblo, mejor, porque tarde o temprano se deberá revelar contra el fracaso y la tiranía del presidente desalineado y Washington y sus escoltas aparecerán como la opción salvadora.

Ese mismo año, apenas dos meses después del Caracazo, el mundo se horrorizará por la masacre de Tiananmen. La prensa mundial no dejará de repetir y analizar la brutalidad del régimen comunista chino contra las manifestantes. En un país con el tres por ciento de población de China, el Caracazo cobró más vidas a manos de la represión del gobierno que en Tiananmen, pero casi no recibió cobertura de la gran prensa de Noroccidente y hoy en día nadie que no sea latinoamericano sabe qué significa la palabra *caracazo* mientras casi no queda habitante del planeta que no sepa lo que ocurrió en Tiananmen.

Unos meses después Washington lanzará otra invasión a un pequeño país, Panamá, para secuestrar a uno de los dictadores amigos, Manuel Noriega, empleados de la CIA y narcotraficante tolerado mientras fue obediente. La invasión dejará miles de muertos y desaparecidos, lo que no será reportado en la gran prensa con el dramatismo que merecen países no alineados. Las transcripciones del llamado del presidente George H. Bush en la madrugada del 20 de diciembre de este mismo año al presidente Andrés Pérez revelarán una incondicional sumisión a los deseos del Washington.

El alto precio del precio del petróleo y cierto crecimiento económico en años anteriores no mitigan las consecuencias de la ideología de moda y de las políticas del Consenso de Washington. Para 1992, el gobierno de Andrés Pérez admitirá que sólo el 57 por ciento de la población come más de una vez al día. Mientras el sector más rico de la sociedad continúa enriqueciéndose, la pobreza continuará creciendo hasta el 48 por ciento con el 27,66 por ciento en extrema pobreza. La deuda externa pasará de 1.709 millones de dólares en 1980 a 35.842 en 1994.

En 1992, el teniente coronel Hugo Chávez intentará derrocar a Andrés Pérez con un golpe de Estado. Fracasará, entre otras cosas porque es un golpe de Estado que no ha sido organizado ni apoyado por una superpotencia extranjera. No satisfecho por ver al golpista Chávez en prisión, el presidente Pérez suspenderá por decreto las garantías constitucionales de los ciudadanos y prohíbirá las huelgas y todo tipo de reuniones. Las víctimas de detenciones y torturas nunca serán compensadas por la justicia. Los muertos menos.

En 1999 Chávez se convertirá en presidente electo de Venezuela y sufrirá un golpe de Estado apoyado por Washington en 2002. Devuelto al poder por la resistencia venezolana, Chávez comenzará una política alienada de Washington. Aunque tendrá una década de elecciones ganadas, una remarcable prosperidad económica y social, sobre todo en las clases bajas y entre los mestizos del país, la propaganda de la clase blanca tradicionalista, aliada a Washington, no descansará hasta lograr bloquear y destruir la economía venezolana, catástrofe que se atribuirá exclusivamente a su sucesor, Nicolás Maduro. En Miami dirán que el éxito económico y social de Chávez se debió al precio del petróleo, como si fuese una excepción en la historia petrolera de Venezuela.

1989. La guerra contra las drogas

WASHINGTON DC. 5 DE SETIEMBRE DE 1989—EN su primer mensaje como presidente televisado a la nación, mientras sostiene un paquetito de cocaína en su mano, el presidente George H. Bush hace un diagnóstico razonable del problema: quienes venden, quienes consumen y quienes miran para otro lado son responsables de la pandemia de drogas que vive el país. Como solución, anuncia la militarización de la "Guerra contra las drogas", un incremento de 1.500 millones de dólares sólo para la guardia fronteriza y dos mil millones para los ejércitos de los países andinos.

Al mismo tiempo que Washington se dispone otra vez a inundar los ejércitos latinoamericanos con dólares, en Estados Unidos el rol del Estado en la salud y en la educación es duramente cuestionado, combatido o desmantelado en favor del puñado de corporaciones privadas que dominan el mercado de coberturas médicas. La ley de la oferta y la demanda, una de las leyes más simples y más básicas de la economía de mercado, indica que si se reduce la demanda se reduce la oferta, lo que en el mercado ilegal de las drogas significa más o menos violencia en los países proveedores. Pero los fanáticos del libre mercado confían más en la intervención del Estado cuando está en sus manos: si hay consumo y hay violencia, hay negocio. Negocio de armas y negocio de seguros médicos. Control social de un lado de la frontera y control social del otro.

El problema es tan viejo como el fracaso para solucionarlo. De la misma forma que la extendida cultura del licor barato acompañó las guerras de despojo a lo largo del siglo XIX (el alcohol abundante inspiró canciones de tabernas e incitó guerras patrióticas para cobrar la ofensa de algún país próximo o lejano), otras drogas pesadas fueron usadas en diversas guerras a lo largo del siglo XX. En 1914 se aprobó la Ley Harrison sobre narcóticos, la cual estableció un gravamen impositivo sobre la importación y procesamiento de coca y opio. Poco a poco, las prohibiciones se hicieron más estrictas, aunque no más populares. En 1920, los congresistas se cebaron con el alcohol, una de las tradiciones más arraigadas en la cultura anglosajona. Aunque los Padres fundadores bebían licor desde la mañana y George Washington distribuía whisky entre sus soldados antes de entrar en acción, la enmienda 18 a la constitución prohibió el alcohol completamente. Los evangélicos protestantes del sur y el Ku Klux Klan, "los guardianes de la libertad", se habían convertido en los campeones de la prohibición y habían salido a la caza de bebedores nacionales y de extranjeros abstemios. Casi inmediatamente, en Estados Unidos surgieron las mafias para honrar la sagrada ley de la oferta y la demanda. El consumo de alcohol cayó un 30 por ciento el primer año de la prohibición, pero poco después terminó por incrementarse hasta en un 60 por ciento. Solo los doctores estaban habilitados para prescribir whisky como medicina, y miles de estos profesionales comenzaron a firmar cientos de recetas por día para atender a la poderosa demanda. Pero los doctores eran más caros que el whisky más fino. Entonces, La Habana, Tijuana y otros pueblos del otro lado de la frontera se transformaron, de un día para el otro, en ciudades nocturnas, en centros del pecado donde los honestos ciudadanos de Estados Unidos iban a buscar alivio para su sed y para las necesidades que el capitalismo protestante les negaba. Consecuentemente, los inversionistas estadounidenses construyeron hoteles, casinos y prostíbulos para sus sedientos compatriotas de clase media. Para la prensa y para la opinión pública, los buenos negocios eran estadounidenses. La mala reputación era mexicana o caribeña.

Durante la Segunda Guerra mundial, Washington apoyó el cultivo de amapola en Sinaloa, el que pasó de ser una planta de huerta familiar para dolores de muela a un lucrativo negocio. El opio era necesario para cientos de miles de soldados mutilados, pero el mercado de Asia estaba trabado. La droga había sido introducida a México luego del uso extensivo en la Guerra Civil en Estados Unidos y durante la prohibición de la inmigración china en este país a finales del siglo XIX. A su vez, la adicción china al opio había sido una tradición inoculada por el Imperio británico desde India, pese a la prohibición del gobierno chino. Por entonces, Londres había enviado a sus marines para forzar a este gobierno desobediente a firmar el tratado de Nanking, por el cual amablemente aceptaba las reglas del libre mercado que, sólo por casualidad, dictaba: té para despertar a los europeos, opio para dormir a los asiáticos. Los países civilizados, inventores del *fair play*, siempre se destacaron por respetar las reglas.

Aunque el poder le declare la guerra a las drogas, las drogas nunca dejan de ser funcionales al poder, como la gran prensa, como las religiones oficiales, como casi cualquier institución secuestrada. En México, el mercado del opio fue establecido por Washington en los años cuarenta. En los cincuenta y sesenta, aparte de traficar opio y heroína de Asia a través de terceros, la CIA introdujo en masa el LSD en Estados Unidos (Proyecto MK Ultra) como parte de sus frustrados planes de controlar la mente ajena sin necesidad de recurrir a la complicada propaganda. Esta costumbre de hacer dinero extra del narcotráfico continuará en América Latina por muchas décadas más, desde la financiación de los Contras en Nicaragua y Honduras hasta los carteles colombianos y mexicanos.

Este mismo año, el *Comité Kerry* (encabezado por el veterano de Vietnam y futuro candidato a la presidencia de Estados Unidos, John Kerry) acaba de publicar su reporte, según el cual "*sin lugar a dudas hubo individuos, mercenarios, que proveyeron dinero proveniente del narcotráfico para los Contras*" mientras que "*las agencias del gobierno estadounidense estaban informadas*". Aunque Edén Pastora es acusado de ser uno de los líderes más impredecibles de la Contra, tal vez por su pasado sandinista, el mismo informe cita una declaración de un jerarca de la CIA: "*Siemrpe supimos que alrededor de Pastora todos estaban involucrados con el tráfico de cocaína*". El mismo reporte reconoce la complicidad de Washington con el dictador y narcotraficante panameño Manuel Noriega y con líderes del exilio cubano en Miami involucraos en el tráfico de drogas. Entre ellos, Félix Rodríguez, empleado de la CIA desde los años cincuenta, veterano de la frustrada invasión de Bahía Cochinos a Cuba y participante de la ejecución del Che Guevara en Bolivia, quien había aprobado diez millones de dólares del narcotráfico para apoyar a los Contras en Honduras y Nicaragua.

Desde hace al menos dos décadas, las drogas son un pivote de las políticas de Washington. En 1994, en la cárcel de Atlanta, Georgia, John Ehrlichman, consejero del presidente Richard Nixon, le confesará al periodista Dan Baum que en 1970 el presidente "*tenía dos enemigos: los activistas antiguerra de la izquierda y los negros. Sabíamos que no era posible ilegalizar ni a los críticos ni a los negros, pero podíamos asociar a los hippies con la marihuana y a los negros con la heroína. Una vez identificados unos con los otros, ahí sí podíamos joderlos. Entonces sí podíamos arrestar a sus líderes, entrar en sus casas, dispersar sus reuniones y criminalizarlos cada noche en las noticias. ¿Acaso sabíamos que todo era una mentira? Por supuesto que lo sabíamos*". De la misma forma que Al Capone terminó preso por no pagar algunos impuestos, John Ehrlichman, consejero de asuntos internos de Nixon, fue procesado y condenado por el escándalo de las grabaciones ilegales que hizo renunciar al presidente. Fue liberado un año y medio más tarde. Desde el inicio de la Guerra contra las drogas en los años 70, en Estados Unidos y en América Latina, la adicción y las muertes (las muertes por adicción y las muertes por la prohibición) se habían multiplicado varias veces. Lo único que se redujo fue el número de críticos y activistas que tanto preocupaban a Nixon.

Ahora la historia se repite con algunas variaciones. La vasta producción mundial de opio es consumida en su casi totalidad por unos pocos países ricos. No sólo los ejércitos nacionales de la Frontera salvaje recibirán, una vez más, millones de dólares de Washington; también los paramilitares continuarán recibiendo millones de las tradicionales clases dirigentes y de las transnacionales como Chiquita Bananas. Por su parte, las empresas privadas de seguridad estadounidenses recibirán millonarios contratos de Washington para educar a los sudamericanos. Military Professional Resources Inc. y DynCorp International llenarán sus arcas para entrenar a grupos locales en países como Bolivia y Colombia. DynCorp entrenará pilotos y proveerá servicios de inteligencia. En el 2001, los campesinos ecuatorianos demandarán a la empresa por la contaminación y envenenamiento del medio ambiente y de su población a través de la fumigación aérea con herbicidas. En Colombia, la fumigación de plantaciones de coca será realizada sin supervisión de las autoridades locales ni consentimiento de la población. Para el año 2020, el 96 por ciento de los tres mil millones que ingresarán a las arcas de estas compañías procederá directamente del gobierno federal de Estados Unidos.

En diciembre de este año, para silenciar por un tiempo una contradicción imposible de ocultarle a la historia, el mismo presidente Bush lanzará una invasión sobre Panamá y secuestrará a un viejo amigo, asalariado de la CIA desde que Bush fuera su director, colaborador de los Contras en Nicaragua, cliente de Pablo Escobar en Colombia y con secretos de Estado listos a ser vendidos al mejor postor.

1989. Señor Noriega, está usted despedido

CIUDAD DE PANAMÁ. 20 DE DICIEMBRE DE 1989—Un mes después de la caída del Muro de Berlín, es hora de deshacerse de algunos empleados. El general Manuel Antonio Noriega, dictador de facto de Panamá desde 1983, es capturado por una invasión aérea del ejército de Estados Unidos. El general Colin Powell es el encargado de dar nombre a la operación y, luego de varias deliberaciones, resuelve que se llame "Operación causa justa". De esa forma, el famoso militar que hará el ridículo histórico presentando pruebas inexistentes en 2003 ante la ONU para invadir Irak, explica la razón literaria del nombre escogido: *"hasta nuestros más férreos críticos tendrán que usar ese nombre, Causa justa, mientras se dedican a denunciarnos"*. En eso estamos.

Al igual que Rafael Trujillo en República Dominicana, otro de los sangrientos dictadores de Washington asesinado con la asistencia de la CIA en 1961, Manuel Noriega correría la misma suerte propia de los miembros de una mafia: se usa y se tira. Noriega no era un psicópata, según una definición médica, porque dicen que lloraba. Algún sentimiento por los otros o por sí mismo tenía. Aunque emocionalmente inestable, era un paranoico, cualidad apetecible para la CIA que lo había reclutado siendo un cadete en la Escuela Militar de Chorrillos de Perú. Noriega había trabajado para la CIA desde los años cincuenta, pero recién aparece de forma regular en su nómina de salarios a partir de 1971 con un ingreso anual de 100.000 dólares, el que complementaba con la venta de alguna información secreta a Cuba y, sobre todo, con pagos del cartel de Medellín, dirigido por Pablo Escobar, con transferencias de hasta 120.000 dólares.[181] En diciembre de 1976 había viajado a Washington donde fue recibido por el director de la CIA, George H. Bush, pero una de sus funciones más importantes será servir de canal para el dinero estadounidense hacia los contrarrevolucionarios nicaragüenses, colaboración que terminará con el escándalo Irán-Contras. En los ochenta, le había asegurado a la CIA el uso de la base militar aérea Howard, donde arribaban armas y dinero para los contra en Nicaragua. Cuando en 1986 el *New York Times* y el

---

[181] Equivalentes a 666.000 y 810.000 dólares para el año 2020.

Washington Post publicaron investigaciones implicando a Noriega con el narcotráfico, el embajador de Estados Unidos, Everett Briggs, comenzó a cuestionarlo, por lo que Noriega viajó a Washington una vez más y se reunió con Elliot Abrams y con el director de la CIA, William Casey, a puertas cerradas. Poco después, el embajador Briggs fue reemplazado por Arthur Davis, quien apoyó a "el MAN", como era llamado por sus iniciales. Para las elecciones de 1984, la CIA apoyará (naturalmente, de forma secreta) al candidato títere de Manuel Noriega, Nicolás Ardito Barletta. El embajador de Estados Unidos hará campaña a su favor de forma pública. En 1989, cuando sea hora de desechar al viejo colaborador, el embajador Davis acusará a Noriega de ser el autor del asesinato del candidato a la vicepresidencia Guillermo Ford. El 16 de mayo, *El País* de Madrid informará: "*Arthur Davis manifestó que, pese a su salida del país, seguirá actuando como embajador y que regresará a Panamá 'cuando las condiciones permitan el restablecimiento de relaciones normales entre Estados Unidos y un Gobierno legítimo en Panamá'. Anunció mientras tanto, seguirá trabajando 'para conseguir un Panamá libre y democrático'... Hizo, por último, un llamamiento al mundo para que 'no adopte un posición pasiva cuando dos millones de personas son rehenes de Noriega y de su minúscula banda de cómplices'*".

Pero el periodista Bob Woodward no solo acusará a Noriega sino también a la CIA de mantener una relación de colaboración mutua. A lo largo de los años ochenta, tanto Elliott Abrams como Oliver North lo habían defendido acusando a los políticos más críticos en Washington de desconocer el alcance de la importancia de Noriega en la política de Estados Unidos. Cuando el castillo de conspiraciones del financiamiento ilegal de la Contra y las denuncias de terrorismo se acumularon, el 26 de junio de 1987 el Senado de Estados Unidos aprobó la petición de renuncia de Noriega. Ronald Reagan se opuso.[182]

Como consecuencia del escándalo Irán-Contras, Elliot Abrams y Oliver North fueron depuestos, con lo cual Noriega perdió dos de sus principales aliados en Washington. Noriega no pudo retirarse antes de caer porque sabía demasiado. Demasiado de la CIA y demasiado de los carteles de las drogas en Colombia. Un hombre sucio en el poder es un hombre confiable, porque tiene mucho para perder. Un hombre caído en desgracia no puede ser

---

[182] Aunque todavía son necesarias más desclasificaciones de documentos, hasta el momento la lógica del escándalo parece ser la siguiente: Washington le había transferido un arenal de armas a Israel (el canal más seguro para este tipo de envíos), el cual Tel Aviv se las había vendido al enemigo Irán por un precio exorbitante. La diferencia entre la compra y la venta, o al menos una parte (30 millones de dólares) había sido depositada en un banco de Suiza, desde donde había sido transferida en cuotas a la Contra somocista de Nicaragua en Honduras.

extorsionado. Hay que eliminarlo de alguna forma. Su mayor error fue creer que sus cómplices del norte nunca lo iban a abandonar y mucho menos invadir, como intentaron hacerlo con Cuba treinta años atrás.

Ayer 19 de diciembre a las 7:00 de la mañana, el presidente Bush había echado mano al manual y había emitido un mensaje mesurado asegurando que la operación se había decidido en el momento en que se comprendió que "*las vidas de ciudadanos estadounidenses estaban en peligro*". Ahora es el encargado de explicar las razones de la invasión a los presidentes del continente y de escuchar sus silencios que no podrán contradecir más tarde. A partir de las 3:00 de la madrugada, mientras el barrio El Chorrillo arde en llamas bajo las bombas, el presidente, ex director de la CIA y ex amigo de Noriega, llama a sus colegas extranjeros y, como una grabadora, les repite las mismas frases a cada uno: "*Disculpe que lo moleste a estas malas horas de Dios. Hemos resuelto lanzar una operación militar en Panamá para proteger la vida de ciudadanos estadounidenses y restaurar la democracia en ese país*".

El presidente de Venezuela, Carlos Andrés Pérez (quien pocos meses atrás había sido acosado por las trágicas protestas populares y poco después había sido rescatado por el presidente Bush con 600 millones de dólares) luego de manifestar su preocupación por la violación del principio internacional de no intervención, le otorga su apoyo incondicional a la invasión y "*al futuro régimen de Guillermo Endara*". También promete hacer todo lo posible para "*suavizar las reacciones contra la intervención, lo más que pueda*".

27.000 soldados, bombarderos provistos con rayo láser guiados por GPS y helicópteros Apache de última generación sobrevuelan el país en busca del hombrecito loco. Los acompañan un equipo de periodistas independientes. El ejército panameño, idea y obra del gobierno de Estados Unidos, nada puede hacer para evitar el secuestro de su líder. En la base militar norteamericana Howard, la misma que Noriega usará para recibir armas y dinero de Washington destinada a los contras de Nicaragua, los rangers llevan a Guillermo Endara y le comunican que él será el nuevo presidente de Panamá. Endara queda felizmente impactado. Mientras, el padre Xavier Villanueva, acérrimo enemigo de Noriega, es el encargado de facilitarle una salida al exilio. Acuerda un encuentro secreto por la noche en un estacionamiento de un Dairy Queen y lo lleva de una embajada a otra. España y México rechazan darle asilo, por lo que debe llevarlo a la embajada de El Vaticano. "*Sin una pistola, es un pobre hombre indefenso*", recordará Villanueva. En la nunciatura, las fuerzas estadounidenses, y por recomendación del equipo de Operaciones Psicológicas (PSYOPS), lo acosan por once días con música de Guns N' Roses, The Doors y Van Halen a un nivel de decibeles intolerable, hasta que se entrega el 31 de enero de 1990 y es llevado a Miami para enfrentar, en palabras del presidente George H. Bush "*un juicio justo*". Justo como la causa. Cuando

Noriega llega al aeropuerto de Miami, un grupo de exiliados cubanos cantan jubilosos: "*¡Hoy Noriega, mañana Fidel! ¡Arriba Bush!*".

Atrás quedan cientos de civiles y soldados panameños muertos, los que son apilados en fosas comunes. Panamá se hunde en el caos. Los saqueadores de comercios rompen puertas, vidrios y rejas mientras gritan "*¡Viva Bush!*". Adelante quedará el compromiso de los subsiguientes gobiernos electos en Panamá para nunca investigar el incidente a fondo. A cambio, el gobierno de Estados Unidos levantará las sanciones económicas que habían bloqueado a su aliado rebelde y premiará la nueva democracia con 450 millones de dólares para reconstruir otro ejército patriota. El nuevo elegido, Guillermo Endara, decide que el 20 de diciembre sea recordado como el "Aniversario de la liberación", pero, poco a poco, los panameños comienzan a descubrir la verdad más obvia: Noriega era un protegido de Washington. Entonces, en 2014 el famoso aniversario debe cambiar la palabra *liberación* por algo más neutral, pero todavía bonito: *reflexión, Día de la reflexión.*

En 1990, la abrumadora mayoría de los panameños estará de acuerdo con la invasión. Como siempre, treinta años después, se sabrá una buena parte de la verdad cuando en Washington se desclasifiquen los documentos el 15 de diciembre de 2019, cuando la verdad ya no sea ni peligrosa ni relevante. Los documentos dirán que los invasores sólo pudieron contar algo más de quinientos muertos, pero los gobiernos panameños insistirán que fueron menos, que no está bien mirar hacia atrás como la mujer de Lot.

En 1997, en medio de la investigación para su película sobre la invasión, el cineasta Gary DeVore le confesará a su esposa Wendy haber descubierto que Washington lavaba dinero en Panamá. DeVore había cometido el error de compartir información con un viejo conocido suyo y de la industria del cine, el agente secreto de la CIA para América Latina Chase Brandon. Luego de un misterioso llamado telefónico a su esposa el 28 de junio, en su camino a su casa de Carpintería, DeVore desaparecerá en Nuevo México o en Arizona y aparecerá en su auto un año después, en un acueducto de Antelope Valley en California, área cercana a la base de la Fuerza Aérea Edwards. El registro de su última llamada desaparecerá por alguna razón técnica. El guión para su película *The Big Steal* (*El gran robo*) nunca aparecerá. Tampoco sus manos. La policía más poderosa del mundo nunca podrá resolver este caso y los periodistas que sugieren un complot del gobierno serán acusados de propagar teorías conspirativas. Cualquiera, con un poco de sentido común, se dará cuenta de que el cineasta fue víctima de un ladrón de manos.

1989. Se tomaron demasiado en serio eso de Jesús

SAN SALVADOR. 16 DE NOVIEMBRE DE 1989—El comando antiterrorista Atlacatl, como tantos otros, creado y entrenado en la School of America de Panamá, entra en la Universidad Centroamericana José Simeón Cañas (UCA) y asesina a seis jesuitas, a una empleada, Julia Ramos, y a su hija Celina. Los terroristas, que nunca serán llamados terroristas por la gran prensa y mucho menos por Washington, ultiman a sus víctimas con un disparo de gran calibre en sus cabezas. Según los militares salvadoreños, los profesores y los estudiantes de la UCA eran *subversivos* y, como tales, no podían vivir como cualquier otro patriota. Entre los responsables, se encuentra el general Inocencio Montano, el cual residirá por años en Florida con la protección de la justicia estadounidense hasta que, décadas más tarde, sea deportado a España para ser juzgado, no por las muertes de salvadoreños sino por la de Ellacuría y otros ciudadanos españoles.

El batallón Atlacatl cuenta, entre sus victorias militares más destacadas, la masacre en sólo tres días de casi mil residentes pobres y desarmados en El Mozote, ocho años atrás. El hecho, que no se investigará hasta décadas después, fue cuidadosamente ocultado por la dictadura militar de El Salvador y por sus patrocinadores en Washington, como Elliott Abrams y la CIA. En 1984 un sacerdote también había sido asesinado en Polonia por las fuerzas comunistas, pero el crimen ocupó la atención de los principales medios del mundo y los asesinos fueron juzgados y condenados inmediatamente. En su libro *Manufactured Consent*, Chomsky y Herman hacen un análisis estadístico de crímenes que ni siquiera merecieron un juicio más o menos justo, pero nunca alcanzaron los grandes titulares. Sólo Para hablar de sacerdotes y miembros de alguna religión católica, en apenas catorce años, entre 1964 y 1978, 72 religiosos latinoamericanos fueron asesinados. Entre 1980 y 1985 sólo en Guatemala fueron ejecutados 23.[183] Por supuesto que los casos más conocidos, aunque pocos logran identificarlos, son los del padre Carlos Mugica, asesinado en Argentina en 1974 (por tomarse demasiado en serio eso de ayudar a los pobres, y no con limosnas) y del arzobispo Romero, asesinado en El Salvador en 1980. Romero era un sacerdote conservador llegado de España que, sensible a la tragedia del pueblo salvadoreño que conoció de primera mano, había tenido la dignidad de defender, por lo cual fue acusado de rojo, de comunista y, consecuentemente, asesinado sin remordimientos por militares del régimen de ese país. Pocos meses después del asesinato del padre

---

[183] Incluso años después del retorno formal de la democracia en Guatemala, en 1998 el ejército asesinará al activista por los derechos humanos de la población indígena, el sacerdote Juan Gerardi.

Romero, en diciembre, cuatro misioneras católicas estadounidenses fueron emboscadas, violadas y ejecutadas por razones similares. Demasiado hablar de los pobres suena cubista o comunista.

Uno de los jesuitas ejecutados en El Salvador, el español Ignacio Ellacuría, aparte de profesor y rector de la UCA, era convencido partidario de la Teología de la Liberación, lo que para la comunidad religiosa no era otra cosa que consistencia con las enseñanzas de Jesús y de las prácticas sociales de los primeros siglos de los cristianos perseguidos en Medio Oriente y Europa, en oídos de los militares, de Washington y de las corporaciones y, consecuentemente de la clase dirigente criolla latinoamericana, sonaba a marxismo-comunismo.

Para hacer las cosas más complicadas, Ellacuría había participado en las negociaciones de paz entre la dictadura militar apoyada por Washington y los rebeldes del Frente Farabundo Martí. Entre las propuestas del acuerdo, se había manejado la posibilidad de juzgar a aquellos que estuviesen involucrados en crímenes de lesa humanidad.

Según Noam Chomsky, los teólogos de la liberación en América Latina fueron perseguidos, acosados y asesinados de forma directa o indirecta por Washington y, en particular, por los militares organizados y educados en la Escuela de las Américas por la misma razón por la cual los líderes laicos en el mundo árabe fueron acosados y derribados por Estados Unidos: porque ambos habían reconocido un problema fundamental, porque se habían propuesto trabajar por y para los pobres, los históricamente marginados de sus países.

Pare peor, los teólogos de la liberación habían insistido en la existencia del pecado colectivo, algo imposible de comprender para la mentalidad protestante. Washington, un centro de poder que no se puede sospechar de fundamentalismo católico, fue el principal agente en la lucha y exterminio de los teólogos y de la Teología de la liberación en América Latina. Para empezar, ya con el nombre los nuevos teólogos se habían ganado su enemistad. Para Washington, los amigos son quienes hablan de la libertad. Si alguien habla de liberación es un elemento peligroso que debe ser erradicado del mundo libre. El 27 de setiembre de 2005, un reporte originado en la embajada de Estados Unidos de San Salvador reporta que, gracias a la derrota de la Teología de la Liberación, *"la iglesia católica ha sido 're-romanizada', por lo que ahora puede concentrarse en una moralidad individual y en una salvación individual"*. Es decir, la iglesia ha vuelto a su función tradicional desde el concilio de Nicea en 325 de ser la religión oficial del imperio de turno. Y también reporta que la iglesia católica ha perdido, desde entonces, el doce por ciento de los creyentes en El Salvador. En Colombia, país dominado y aterrorizado por el paramilitarismo inventado por Washington en 1962, en los últimos treinta años la iglesia católica informará del asesinato de 80 sacerdotes y decenas de otros religiosos asesinados, aparte de sistemáticas de amenazas de muerte para quienes hablaban demasiado de las injusticias sociales.

En 2018 el arzobispo Romero será canonizado santo. Para los pueblos latinoamericanos que regaron con su sangre las luchas contra la brutalidad militar apoyada por Washington, no hay santos sino mártires. Los santos solo ayudan a los poderosos, por lo que canonizar como santo a un mártir es otra forma de lavar viejas heridas y neutralizar nuevos reclamos de justicia.

1990. Las elecciones son legítimas cuando ganamos nosotros

MANAGUA, NICARAGUA. 25 DE FEBRERO DE 1990—Violeta Barrios de Chamorro, candidata por el frente conservador Unión Nacional Opositora (UNO) gana las elecciones por un amplio margen. El régimen sandinista de Daniel Ortega, confirmado en las elecciones en 1984, había garantizado la continuidad democrática (electoral) con nuevas elecciones libres para este año. Lo de "libre" queda entre comillas, no por la intervención del gobierno de Nicaragua sino por la intervención del gobierno de Estados Unidos.

A pesar de las reformas sociales que desde la revolución de 1979 llevaron educación y salud a los nicaragüenses acostumbrados a vivir como animales domésticos sobre tierras ajenas, y a pesar del fuerte crecimiento económico logrado por Nicaragua hasta 1987, el PIB no alcanza los 4.000 millones de dólares. Terminada la década de la Revolución sandinista y de su constante acoso a través de los Contras de Washington, Estados Unidos ha invertido 10.000 millones de dólares sólo en las guerras civiles de Nicaragua y El Salvador. Cuando se firme la paz en los años noventa, Washington dejará los esfuerzos de reconstrucción en manos de la ONU. Para entonces, los Contras habrán dejado más de 40.000 nicaragüenses asesinados, una sociedad aterrorizada y una economía bloqueada por los buenos, sin opción a compensación ni reparación alguna.

Pero no todos son éxitos. Siempre hay aguafiestas. En 1988 veinte ex agentes de la CIA y ex miembros del gobierno, protagonistas directos de las operaciones secretas que conmocionaron el siglo, habían fundado ARDIS, *Association for Responsible Dissent.* En su manifiesto público, denunciaron que millones de personas en el Tercer Mundo, quienes ni siquiera estaban en guerra contra Estados Unidos, fueron acosadas, aterrorizadas y asesinadas por las múltiples operaciones encubiertas de Washington. Entre sus miembros fundadores están el coronel de la marina Philip Roettinger, veterano de la Segunda Guerra y del golpe de Estado en Guatemala; el oficial del Pentágono y economista Daniel Ellsberg; John Ryan, oficial despedido del FBI un año antes por negarse a investigar a miembros de grupos no violentos que protestan contra la Guerra en América Central; el ex analista de la CIA David McMichael; y el oficial paramilitar y el marine John Stockwell, según el cual "*la misión de la CIA es mantener la inestabilidad en el mundo, inocular a los ciudadanos estadounidenses con propaganda y odio de forma que el Establishment pueda continuar invirtiendo cuantiosas sumas de dinero en armamento*". Los expertos en inteligencia correctamente aseguran que la influencia de este grupo, como la de otros, es mínima o irrelevante. Stockwell, miembro condecorado por la misma CIA, había publicado el libro *In Search of Enemies* (*A la búsqueda de enemigos*) en 1978, según el cual las guerras secretas de la Agencia no han contribuido a la seguridad de Estados Unidos sino lo contrario: le han creado al país nuevos enemigos y a un precio muy alto.

En 1989 el presidente George H. Bush había amenazado con que, de ganar el sandinismo las elecciones en Nicaragua, se podrían reiniciar las ayudas al fracasado grupo terrorista de los Contra ("*Luchadores por la libertad*", en el lenguaje de Reagan) y un embargo aún peor, estilo Cuba, sería impuesto sobre ese país. En cambio, si la oposición ganaba, podrían recibir una importante ayuda económica para su sufrida economía. Aparte de las violaciones y de los asesinatos asistidos y financiado por Washington, los que se cuentan en varias decenas de miles, la guerra psicológica parece a punto de culminar el conocido proceso. Dos meses antes de las elecciones, en diciembre de 1989, el Veterans Peace Action Team (un grupo de militares retirados de Estados Unidos que asisten como observadores) había denunciado a Washington por su acoso permanente al pequeño país centroamericano, mediante recursos como el embargo y los "*inusuales caudales de dinero del Congreso y de la CIA para apoyar a la oposición... estrangulando la economía y comprando las elecciones*". Aparte, el soldado veterano de la guerra en Vietnam, Brian Wilson (quien perdió sus piernas en las vías de un tren intentando evitar el envío de armas de Washington a América Central), denunció que la CIA había destinado 14 dólares por voto a favor de Violeta Chamorro.

El pueblo nicaragüense, exhausto después de una década de conflicto armado y de sabotajes, acudirá a las urnas el 25 de febrero de 1990. Naturalmente, y pese a que todas las encuestas daban ganador al Frente Sandinista un mes antes de las amenazas del presidente Bush, Violeta Chamorro se convertirá en la nueva presidenta de Nicaragua.

Satisfecho por el resultado de las elecciones en Nicaragua y distraído con su examigo Saddam Husein en Irak, George H. Bush se olvida del tema y la supuesta ayuda nunca llega. El analfabetismo volverá a crecer al 32 por ciento y, en pocos años, Nicaragua, el país que fuese el más próspero de la región antes del golpe de Estado promovido por Washington en 1909 y el que más progresos sociales había logrado a partir de su revolución de 1979, se convertirá en el país más pobre del hemisferio, luego de Haití. Países, como otros estados fallidos de la región, más capitalistas que Estados Unidos —pero sin poder de coacción.

Hasta que los pobres desesperados comiencen a molestar en la frontera del país más poderoso del mundo, modelo indiscutible de éxito, no como revolucionarios sino como inmigrantes desesperados. Con todo, en las décadas por venir serán una minoría en comparación a los inmigrantes de Guatemala, El Salvador y Honduras, tres ejemplos fallidos de las dictaduras de Washington. Cuando ese momento llegue, los vientres de sus mujeres serán considerados tan peligrosos como cuando sus hombres tenían armas y no querían irse de sus países.

Cuando Daniel Ortega se presente de nuevo a las elecciones de 2001, el embajador de Estados Unidos hará campaña pública por su oponente, Enrique Bolaños. Aunque Ortega liderará las encuestas hasta el final, las declaraciones de Washington sobre la posible pérdida de mercados y el bloqueo de remesas, darán el triunfo a Bolaños.

En 2018, el presidente Trump firmará la ley aprobada por el Congreso de Estados Unidos, conocida como el "Nica Act", bloqueando el acceso a créditos internacionales por parte de la Nicaragua del nuevo Ortega debido a sus sospechosas elecciones presidenciales de 2016. Todas las demás elecciones sospechosas de regímenes obedientes al sur del Río Grande, incluido nuevos golpes de Estado como el de Honduras en 2009 y las elecciones manipuladas en los años subsiguientes, recibirán la desinteresada solidaridad de Washington.

La verdadera razón es siempre la misma: no juegues a la independencia. Obediente te ves más bonito, más libre y más próspero.

1992. ¿Noriega? No lo conozco

MIAMI, FLORIDA. 10 DE JULIO DE 1992—El general Manuel Antonio Noriega es juzgado y condenado por tráfico de drogas y lavado de dinero, pese a que el director de la CIA, William Webster, reconoce que el acusado ha sido un importante aliado en la llamada "Guerra contra las drogas". Naturalmente, esta no es toda la historia. De hecho, es todo lo contrario. En Washington no es un secreto. Noriega, otro perro loco del Caribe, es un antiguo funcionario de la CIA y un aliado de Washington.

Las cosas comenzaron a complicarse cuando el piloto Eugene Hasenfus fue derribado en Nicaragua, el 5 de octubre de 1986. En su avión viajaban los cubanos de Miami Max Gómez y Ramon Medina, los cuales llevaban armas para la Contra y suficiente información como para involucrar en el tráfico de drogas al dictador panameño Manuel Noriega, al coronel Oliver North y a la CIA. El presidente Ronald Reagan y su Secretario de Estado George Shultz afirmaron, como si fuera una razón suficiente, que el incidente se trataba de un asunto privado. Acusado de terrorismo e inmediatamente liberado por el gobierno sandinista ante la petición de clemencia de su esposa, el piloto reconocerá que el vuelo había sido parte de una operación supervisada por el gobierno de Estados Unidos.

Noriega no es juzgado ni es condenado por haber trabajado para la CIA en su red de espionaje, apoyando dictaduras amigas y desestabilizando gobiernos no alineados.

No es juzgado ni es condenado por haber apoyado la brutal y genocida dictadura militar de El Salvador, por orden del gobierno de Estados Unidos.

No es juzgado ni es condenado por haber traficado armas y dinero ilegal del gobierno de Ronald Reagan a los Contras en Nicaragua, grupo clasificado como terrorista por distintos organismos internacionales y por el mismo Congreso de Estados Unidos.

En diciembre de 1983, el entonces vicepresidente y ex director de la CIA, George H. Bush, se había reunido con el general Manuel Noriega para asegurarse su colaboración en el financiamiento ilegal de los Contras en Nicaragua.

En junio de 1985, Noriega había mantenido otra reunión de trabajo con el teniente coronel de marina Oliver North, para coordinar una invasión a Nicaragua.

Mientras fue dictador, Noriega recibió un salario de más de 100.000 dólares anuales de parte de la CIA para acciones ilegales que incluían el permiso de bases militares en el Canal y el encubrimiento del tráfico de armas y de dinero de Irán, vía Israel y bancos suizos. En el juicio contra Noriega, el gobierno de Estados Unidos cuestionó la cifra de este salario y reconoció haberle pagado sólo 320.000 dólares, por lo cual el ex agente de la CIA, ahora reo procesado, había resuelto vender alguna información al gobierno cubano para complementar su exiguo salario.

En el juicio, la defensa de Noriega apela la decisión del jurado por no considerar que el acusado había trabajado bajo las órdenes de la CIA y del gobierno de Estados Unidos durante las últimas décadas. Sin embargo, la Corte de Apelaciones del Estado rechaza considerar estos argumentos por considerarlos irrelevantes y el reo Manuel Noriega es condenado a cuarenta años de prisión.

En Miami, Noriega se convierte al protestantismo, más exactamente, se convierte en un *Nacido de nuevo*. Por ser considerado prisionero de guerra, es recluido a una celda propia con las suficientes comodidades como para que los guardias la llamen *La suite presidencial*. Por su probada buena conducta, se le reduce la pena a solo 17 años.

Por su parte, su amigo, el teniente coronel Oliver North, encontrado culpable del juicio político sobre el *affaire* Irán-Contras, en el cual Noriega sirvió de forma patriótica, nunca pisará cárcel alguna. Será perdonado por el presidente Bush en 1991. Sólo el Señor puede perdonarlo todo.

North se dedicará al espectáculo en la cadena de televisión de la extrema derecha de Estados Unidos, *Fox News*, y trabajará como asesor militar de la serie de videojuegos *Call of Duty*.

1994. NAFTA y el Efecto Tequila

MÉXICO DF, MÉXICO. 20 DE DICIEMBRE DE 1994—A 20 días de la asunción del presidente Ernesto Zedillo, el banco central de México decreta la devaluación del peso mexicano como forma de paliar la inundación súbita de consecuencias derivadas del Tratado de Libre Comercio de América del Norte con Estados Unidos y Canadá, en vigor desde enero, y el déficit creado por la administración de Salinas de Gortari, quien había privatizado la banca nacional, según lo establece el manual del FMI.

Luego de la euforia neoliberal, semejante a la de Argentina de Carlos Menem por estos años, México había sido aceptado como miembro de los países desarrollados OCDE el pasado mes de mayo y los políticos ya hablaban del País del Primer Mundo. Pero los sagrados inversores se asustan de la creatura y abandonan el nido. A quienes se les ruega para que vengan no se les puede impedir que se vayan.

Para justificar este tratado, el ministro de trabajo del presidente Bill Clinton, Robert B. Reich, lo había dicho sin ambigüedades el 17 de noviembre de 1993: *"si nuestro país ha tenido un mito, es que los hijos siempre van a tener una vida superior a la de sus padres; se trata del equivalente moral de la frontera en el siglo XIX".* Lauren Summers, el futuro secretario del Tesoro, está de acuerdo con el envío de las industrias contaminantes a la nueva frontera. Siendo asesor económico del Banco Mundial, había impulsado esta idea bajo la lógica de que el costo en la salud provocado por la contaminación industrial es más bajo en los países baratos. *"Creo que la lógica económica detrás del vertido de material tóxico en los países con los salarios más bajos es impecable y debemos ponerla en marcha".*[184]

---

[184] Este memorándum de enviado el 12 de diciembre de 1991 por Lant Pritchett y lleva la firma de Summers. Pritchett intentó defenderse alegando que la recomendación estaba llena de sarcasmo. Cuando Summers debió enfrentar al Congreso de

Pero la idea del Tratado de Libre Comercio no es de su principal promotor, Bill Clinton. Es de Ronald Reagan. En los años 80, para justificar la asistencia militar y financiera a los Contras, a los Escuadrones de la muerte y a las dictaduras militares en América Central, el presidente Ronald Reagan había definido la región como *"nuestra frontera sur"*. No exageraba, sino lo contrario; había minimizado la realidad, ya que la frontera sur, a través de intervenciones directas e indirectas, había sido extendida hasta el Cono Sur varias décadas antes. Después que Washington promovió y financió el conflicto armado en América Central durante los años 80, dejando decenas de miles de masacrados que se sumaron a cientos de miles de las décadas anteriores, los abandonó a su suerte apenas derribado el muro de Berlín en 1989. [185] Como consecuencia de la doble violencia, la militar y la civil (alimentada por la ausencia de los Estados que no fuesen meras fuerzas de represión, por una economía de explotación y una cultura de la guerra y el tribalismo), cientos de miles de centroamericanos desesperados comenzaron a migrar al país del dólar. Ahora, como parte de una contradicción que es sólo aparente, la violencia ilegal e ilícita de la *frontera* del sur se complementa con el refuerzo y el control del *límite fronterizo* del norte, no sólo por parte del Gobierno y de los Estados sino por grupos y milicias privadas, todas con una ideología de extrema derecha y cargadas de armas y racismo, como es el caso del Ku Klux Klan, los WAR (*White Aryan Resistance*) y los CMA (*Civilian Materiel Assistance*), nada diferente a los civiles voluntarios que mataban y violaban a su antojo durante la Guerra de Despojo contra México en 1845. La desesperación de los pobres desarmados que huían de la explotación y de las guerras de Washington, fue vendida en los medios del norte como *"una silenciosa invasión"* de la cual debíamos defendernos. De la misma forma que la toma de tierras indias y del norte de México sirvió para expandir la esclavitud, lo que fue definido como "expansión de la libertad" sobre razas que no comprendían el concepto, los golpes de Estado y el centenario apoyo a las dictaduras militares en América Latina un siglo después fueron entendidos como la

---

Washington para su ratificación como Secretario del Tesoro, alegó no haber leído bien el texto. *"Nadie en su sano juicio estaría a favor"* de semejante idea, dijo, y recibió el voto de la mayoría de los legisladores.

[185] El 13 de enero de 1981, John D. Lofton, abogando por la ayuda de Reagan a los Contra en América Central, había criticado las palabras del embajador soviético, Leonid Zamyatin, según el cual su país estaba ayudando al gobierno de Afganistán contra los rebeldes para defender la frontera sur de la Unión Soviética. Lofton, haciéndose eco de una narrativa conocida en la prensa y en las cocinas del país, advierte: *"Zamyatin miente. Lo que los soviéticos están haciendo en Afganistán es pura agresión, un clásico ejemplo del imperialismo ruso"*.

"protección de la libertad" en la *frontera sur* y de nuestro *way of life* de este lado del límite fronterizo.

La Revolución mexicana de 1910, la primera revolución latinoamericana del siglo que no sólo explotó contra la privatización de tierras indígenas y la dictadura de los tecnócratas al servicio del modelo extranjero, sino que además le plantó cara al intervencionismo de Washington y a los dictados del capital internacional, la primera revolución que se atrevió a nacionalizar sus recursos nacionales, su petróleo y su subsuelo, setenta años después está de rodillas. Acosado por los servicios secretos desde décadas atrás, por la propaganda dominante de Washington y por su propia corrupción, siempre funcional a los intereses extranjeros y de su élite criolla desde los tiempos de la colonia española, ahora México termina por revertir los últimos logros de su Revolución. Desde el final de las acciones armadas en 1920, la criminalidad no había dejado de disminuir hasta que Nixon inventó la guerra contra las drogas en los 70. Esa misma década, para combatir la inflación en Estados Unidos derivada de la crisis del petróleo, la FED había subido las tasas de interés a un nivel nunca visto (18 por ciento), por lo cual los préstamos con intereses flotantes, no sólo a México sino a las dictaduras amigas, se habían convertido en impagables. Gracias a esta catástrofe, no del todo prevista por Washington, los países del sur recuperaron sus democracias en los 80 y 90 pero debieron trabajar por décadas sólo para pagar los intereses de la deuda externa.

Como solución, México y otros países recurrieron al FMI, pero el banco de los ricos para los pobres les exigió a todos la misma condición: privaticen, vendan sus empresas estatales, flexibilicen el mercado laboral, desregulen el sistema financiero, y la Mano invisible del mercado solucionará todos los problemas. El premio Nobel Joseph Stiglitz, economista del Banco Mundial, asesor del presidente Bill Clinton y miembro del FMI, en 2002 acusará al FMI de que "*en lugar de ayudar a los países en crisis, el banco se ha convertido en un mero recaudador*". En 2003 reconocerá: "*el FMI, cuya supuesta misión es la estabilidad económica de los países, ha fracasado miserablemente*".

Pero en este momento, el mundo se encuentra bajo la euforia de la *Pax Americana* y del *Fin de la Historia* del profesor Francis Fukuyama y no alcanza a entender que, más importante que el capitalismo o el comunismo o cualquier otra ideología en disputa, lo que importa es Quién domina la geopolítica, Quién imprime la divisa global para extraer valor de los ahorros extranjeros, Quién tiene cientos de bases militares alrededor del mundo y puede enviar sus ejércitos para hacer buenos negocios en nombre de la *paz* y de la *libertad*, Quien es capaz de acosar y destruir las opciones diferentes y Quién es capaz de secuestrar tres mil años de progreso acumulado de la Humanidad como quien patenta el cero, la rueda y la pólvora al mismo tiempo. No importa quién. Cualquier sistema, cualquier ideología dominante, sea de izquierda o de derecha, de arriba o de abajo podría hacer lo mismo y agregar una narrativa glorificante de sus arbitrariedades y de sus propios crímenes.

Los países latinoamericanos que, por generaciones fueron más capitalistas que Estados Unidos, no por el monto sino por la monta, continuarán hundidos en la miseria, la violencia y la emigración, y recibirán las limosnas necesarias de las remesas—y deberán estar agradecidos por ello. No por casualidad, al mismo tiempo que el gobierno de Clinton lograba que el Congreso aprobase el acuerdo, incrementó notablemente el gasto en control del límite fronterizo con México. Otra vez, las dos caras de una misma realidad: la idea es extender la frontera para los capitales y para los inversores y hacer que el límite fronterizo se vuelva impermeable para los trabajadores que deberán seguir la misma ley de la oferta y la demanda, la mano invisible que regula la creación y la destrucción del trabajo y de los medios de subsistencia de los trabajadores.

El sector agroindustrial y hasta los pequeños granjeros del norte tenían una ventaja con respecto a los agricultores mexicanos: desde los programas socialistas de Franklin Roosevelt en los años 30, son subsidiados. No se trata del subsidio tipo limosna que reciben unos pocos agricultores mexicanos. El Estado socialista de Estados Unidos le aseguraba un precio mínimo de sus producciones; si la mano invisible del mercado decía algo por debajo, la mano visible del Estado compensaba la diferencia. Esas políticas temporales debidas a la Gran depresión nunca fueron eliminadas durante las posteriores bonanzas, por lo cual los agricultores estadounidenses continúan recibiendo miles de millones de dólares en subsidios mientras se quejan de los inmigrantes ilegales que trabajan en sus campos. Para 2015 habrán recibido casi un millón de millones en menos de una década, sobre todo aquellos ubicados en el borde fronterizo, como Texas, y seguirán quejándose como dicen que se quejan los latinoamericanos, adictos a la auto victimización.

Gracias al gran acuerdo del NAFTA, los agricultores estadounidenses producen el doble de maíz y a mitad de precio que los agricultores al sur del río Grande. Sólo en Kansas, el 99 por ciento de la producción de maíz, base de la cocina tradicional mexicana y más allá, se exporta a México. Pero hay más buenas noticias: los mexicanos, en absoluta desventaja para competir en el "libre mercado", quiebran. Desaparecen como competencia y los precios suben. Al sur, millones no tienen otra opción que emigrar a Estados Unidos como jornaleros. Del otro lado, los anglos se quejarán de la invasión de ilegales. Según la narrativa anglosajona, no hay razones para violar las leyes cuando hay leyes de inmigración. El racismo de doscientos años ahora se escuda en la frase políticamente correcta del momento: "no estamos contra la inmigración sino contra la inmigración ilegal; si quieren venir al país de las leyes, que sigan las leyes". Según esas leyes, un trabajador pobre tiene cero chance de recibir una visa de turista y aún menos que cero para emigrar como trabajador, por lo que cruzan la frontera como pueden, en busca del dólar fuerte que permita a sus familias sobrevivir. Todos saben que la palabra "trabajo" está prohibido en las embajadas estadounidenses y que cualquier solicitante de visa debe decir "odio trabajar; yo vivo de mis inversiones". Si la cuenta llega a un cuarto de millón, se asegura por ley una visa en el país de las oportunidades.

En México, los productores locales y hasta los restaurantes de comida tradicional se reducen de forma dramática mientras que, también gracias al tratado de libre comercio, las sodas y las *fast food* están libres de impuestos o son muy bajos, por lo que ejercen la libertad de empujar la frontera e invadir los países del sur con el nuevo tabaco. México se hace adicto a la *Coca Cola* y se convierte en el segundo país más obeso del mundo, al tiempo que uno de los más desnutridos junto con Guatemala y Honduras, entre otros.

La subida de los intereses de la FED y el encarecimiento del dólar hizo que las importaciones de muchas industrias estadounidenses se convirtieran en inviables. Los capitales migran del sector industrial al postindustrial, pero los obreros quedaron donde estaban, desempleados. Desde finales del siglo XIX hasta avanzado el siglo XX, el cinturón proletariado (industrial, por si a alguien no gusta la palabra) antes de ser convertido por la millonaria propaganda conservadora de los años 80 en la ideología opuesta, era fuertemente progresista.[186]

Las políticas neoliberales que, irónicamente, son la bandera de los conservadores, acosan los programas socialistas de Franklin en Estados Unidos y todos los demás programas comunistas de América latina. *Los empresarios lo hacen mejor*, sin duda. Pero no todos. Sólo los empresarios con mucho dinero. Desde los años 80, tanto en Estados Unidos como en América latina el uno por ciento de la población ve incrementados sus capitales varias veces mientras el resto se estanca y los de más de abajo caen en la línea de pobreza. Es el prestigioso efecto del *trickle down*: si se llena la copa de arriba, algún día, tal vez en esta década o en el próximo siglo algo goteará a los de abajo que, supuestamente, no contribuyen en nada. Solo trabajan.

Gracias a esta catástrofe del libre mercado, el narcotráfico y la inmigración a Estados Unidos de los perdedores aumenta casi al doble. El presidente Bill Clinton, poco antes de la firma del acuerdo del NAFTA, había incrementado el presupuesto para controlar el límite fronterizo, que es un queso para

---

[186] La brutal represión de Kent State University y la matanza de cuatro estudiantes el 4 de mayo de 1970 por protestar contra la ampliación de Nixon de la guerra de Vietnam a Camboya, se explica por la fuerte tradición obrera y sindicalista de Cleveland, tradición que los tradicionalistas de los 80 se encargarán de terminar.

los capitales pero un muro pintado de sangre para los trabajadores, que todavía son seres humanos. Más guardias, más cámaras, más vallas, más milicias voluntarias para protegernos de la frontera.

El mismo mes de enero en que el NAFA se firma, en Chiapas nace el Ejército Zapatista de Liberación Nacional en oposición al acuerdo. Los irresponsables de izquierda tenían razón según los irresponsables de derecha. 22 años después, en Estados Unidos, cuando el discurso del *límite fronterizo* (el muro) supere al de la *frontera*, el empresario y personaje de *reality show*, Donald Trump, ganará las elecciones en base al miedo racial, el muro que protegería este miedo y, consecuentemente, de la maldición del NAFTA.

El héroe, ahora mítico, de su partido conservador, Ronald Reagan, no sólo estaba contra el muro que apoyaba el demócrata Jimmy Carter sino que fue el primer impulsor de lo que luego sería el NAFTA. Reagan, el republicano de la *frontera* será reemplazado por Trump, un republicano del *límite fronterizo*. Ninguno tiene idea de dónde están pero ambos están en el lugar en el momento adecuado. El miedo racial superará por un tiempo el racismo de la conquista y el dictado sobre los pueblos inferiores.

1995. Castra más mujeres pobres y reducirás la pobreza

LIMA, PERÚ. 9 DE ABRIL DE 1995—El presidente Alberto Fujimori arrasa en las elecciones con el 64 por ciento de los votos. Como Richard Nixon en 1972, casi no hay comarca, estado o provincia que no haya votado por otro presidente que representa la seguridad, el progreso y los grandes medios.

Entre sus varios méritos se encuentra el programa de control de la natalidad, responsable de la reducción de los nacimientos en el país a menos de la mitad. Gracias a un acuerdo firmado con Washington en 1993, los médicos estadounidenses se han hecho cargo de la salud del país. El programa de esterilización de pobres se llama Proyecto 2000. La USAID, donante de 85 millones de dólares, lo define como un *"family planning"* y el gobierno de Japón se suma. Sólo por casualidad, el miedo a los pobres y a gente horrible de piel oscura siempre logra financiamientos millonarios de control y exterminio. Desde que Francisco Pizarro pisó suelo peruano, la población de diez millones declinó hasta un par de millones en unas pocas décadas y se mantuvo controlada en esos niveles por varios siglos. Ahora que los peruanos comienzan a reproducirse, asusta a los de arriba.

No por casualidad la primera ley de esterilización en el mundo para presos y personas con dificultades psicológicas fue aprobada en Indiana, Estados Unidos, en 1907. Lo siguieron otros Estados, como California, los cuales se convirtieron en ejemplo y modelo de los nazis en Alemania, al igual que la manipulación de la opinión pública a través de los libros y experimentos exitosos de Edward Bernays.

El zoólogo de la Universidad de Berkeley Samuel Holmes propondrá la esterilización forzada de los mexicanos en Estados Unidos (de la misma forma que se esterilizará a diez mil idiotas sólo en California) para resolver el serio problema racial que significa disminuir la calidad de la raza anglosajona. *"Los hijos de los trabajadores de hoy serán ciudadanos mañana"*, afirmará en su artículo "Perils of the Mexican Invasion (El peligro de la invasión mexicana)" publicado en 1929. En artículos sucesivos, repetirá la advertencia hecha por Theodore Roosevelt sobre el *"suicidio racial"* que encontrará eco no sólo en los miembros del Ku Klux Klan sino en una vasta masa de ciudadanos anglosajones, la que derivará, durante la Gran Depresión, en la persecución privada de mexicanos y en la deportación de medio millón de ciudadanos estadounidenses con aspecto de mestizos.

En California, las esterilizaciones forzadas de mujeres hispanas, con o sin su consentimiento, se convertirán en política oficial. En algunos casos se les informará a las pacientes de que se trata de algo reversible. En otros, nunca se enterarán de que han sido esterilizadas o se enterarán muchos años después. Al menos 20.000 mujeres serán sometidas a esta operación. Algunas, unas pocas, demandarán al Estado, pero en 1978 un juez dictaminará que las demandas no tendrán lugar, argumentando que todo se habría tratado de errores de interpretación de las mujeres que hablan español.

Pero los híbridos, como son llamados los mestizos y otras razas impuras desde el siglo XIX, no son sólo una amenaza aquí, son allá también. Entre 1930 y 1970, Puerto Rico batirá un récord mundial: un tercio de sus mujeres serán esterilizadas para disminuir la pobreza evitando el nacimiento de nuevos pobres. El programa será auspiciado por Washington y, como es de esperar, por el gobierno de la isla. Los doctores Lanauze Rolón y Clarence Gamble (reconocido experto en el control de natalidad) se ofrecerán para liderar el patriótico programa. Los profesionales de la salud de Estados Unidos recorrerán la isla vendiendo la maravillosa idea. La pequeña isla tiene más habitantes que Alaska, las Dakotas, Nebraska, Montana y Wyoming juntos; no puede votar por presidente alguno ni tiene representantes en el Congreso, pero está peligrosamente llena de ciudadanos estadounidenses. Las mujeres recién paridas en los hospitales serán convencidas de que *"la operación"* es la solución a todos sus problemas. El resto, gracias a fondos humanitarios de la USAID y de las grandes farmacéuticas, serán esterilizadas de forma gratuita.

Más allá del viejo Patio trasero, desde 1971 a 1977 y con un presupuesto de cinco millones de dólares (más de 30 millones a valor de 2020), el Programa de Educación Internacional en Ginecología y Obstetricia entrenó 500 médicos en 60 países, entre ellos el Chile de Pinochet y el Irán del Shah. El

21 de abril de 1977, el director del Federal Government's Office of Population, el doctor R. T. Ravenholt informó que el objetivo de Washington era esterilizar 570 millones de mujeres pobres, un cuarto de todas las mujeres fértiles del mundo. El programa, en el cual participaron varias universidades, fue conocido como PIEGO (Program for International Education in Gynecology and Obstetrics). Aparte de razones morales, el doctor Ravenholt mencionó que el control de la población era necesario para mantener "*la normal operativa de los intereses comerciales de Estados Unidos en el mundo*". Unos pocos (los profesores Garland Allen y Miriam Golomb y el estudiante Andrew Goodman) se manifestaron en contra, esgrimiendo la peligrosa idea de que la pobreza se combate con desarrollo y equidad. El doctor Ravenholt respondió diciendo que estos críticos son "*un grupo de radicales (a really radical extremist group) apostando al deterioro de la situación social en el mundo para promover su revolución*".

Para 1999, el programa peruano-estadounidense habrá logrado esterilizar sin consentimiento a más de trescientas mil mujeres, algunas de las cuales murieron por complicaciones derivadas de "la operación". Por décadas, las familias afectadas lucharán en vano ante los tribunales de su país. Perú no se hará más rico ni se reducirá la pobreza. Todo lo contrario. En Europa y Estados Unidos, como en el siglo XIX pero valiéndose de teléfonos inteligentes y redes tribales, hombres y mujeres de rostros pálidos y pendejos claros continuarán insistiendo en el peligro de la fertilidad de las razas inferiores y en la necesidad de defenderse de la extinción a punta de rifle, con civilizados programas sanitarios y sangrientas guerras preventivas.

1996. Pies secos, pies mojados

WASHINGTON DC. 12 DE MARZO DE 1996—El presidente Bill Clinton firma la *Ley de la Libertad Cubana y Solidaridad Democrática*, también conocida como Ley Helms-Burton. Por esta ley se refuerza el embargo contra Cuba, lo cual es otro curioso homenaje de Washington al libre comercio. El poder es casi siempre consistente en su lógica de acción, pero no está obligado a limitarse a sus propias narrativas porque las narrativas son instrumentos, no principios. La ley decreta que toda empresa estadounidense, europea o de dónde sea, que tenga negocios con la isla será sujeta a juicio ante tribunales de Estados Unidos mientras se declara en favor de un "*gobierno de transición*" en la isla.

La isla atraviesa su peor crisis económica en décadas, eufemísticamente llamada "Período especial" por su gobierno, como consecuencia de la desaparición de la Unión Soviética en 1991, su único socio político y comercial de importancia. Ahora, la nueva ley aprobada en Washington es otro tsunami, pero tampoco logrará convertir a *"esa isla de mierda en un estacionamiento vacío"* con le había prometido el Secretario de Estado, Alexander Haig, a Ronald Reagan. Los grandes hombres de negocios en Estados Unidos, con la excepción de la industria del turismo en Miami, están listos y frotándose las manos para llevar la prosperidad a la isla como nunca lo hicieron en el resto del Caribe. Pero con Cuba nada es como en el resto de América Latina.

Cuatro años antes, el profesor de George Mason University, Francis Fukuyama, había publicado su apologético libro *El fin de la historia y el último hombre*, según el cual el triunfo definitivo de la democracia liberal había acabado con toda disputa ideológica y el mundo sólo tenía que disfrutar del paraíso capitalista. Sin embargo, todavía hay que darle un impulso más para que la historia termine de terminar. Por esta razón, ahora el Congreso en Washington aprueba una modificación a la Ley de Ajuste cubano de 1966, conocida como "Pies secos, pies mojados", según la cual los cubanos que no reciban una visa en el consulado de La Habana, que se decidan por la inmigración ilegal y sobrevivan a los tiburones y a las tormentas del Caribe serán premiados con el asilo automático y la residencia express después de un año de buena conducta. La lógica es perfecta: acosar y presionar por un lado y abrir una válvula de escape dorado por el otro. El acoso y el bloqueo económico multiplican la miseria en la isla y miles de desesperados cubanos se arrojan al mar probando que la gente es capaz de arriesgar sus vidas para escapar de un régimen desobediente que sólo sabe multiplicar la miseria y el autoritarismo.

El día de los muertos de 1966, el presidente Lyndon Johnson había firmado la Ley de Ajuste cubano aprobada por el Congreso, según la cual todos los cubanos residentes o admitidos en Estados Unidos, con por lo menos dos años de estadía, tienen derecho a la residencia permanente y luego pueden convertirse en ciudadanos y en electores. Los cubanos exiliados son tan especiales que son exentos de cualquier cuota de inmigración aplicable al resto de los países del mundo (incluidos aquellos países que sufren sangrientas dictaduras apoyadas por Washington) y están libres de cumplir con cualquier otro requisito legal, como demostrar que no serán una carga para el gobierno, que poseen propiedades, cuenta bancaria y un empleo en sus países de origen, que poseen algún contrato serio de empleo o algún familiar que los albergue y, sobre todo, que detestan trabajar y nunca se les ocurriría ejercer ese vicio durante su estadía en Estados Unidos (en pocas palabras, que no son pobres trabajadores). Todos aquellos que declaren temer algún tipo de persecución política en la isla, comenzaron a ser amparados por la nueva ley. No necesitan probar que son perseguidos pero sí que son cubanos, lo cual es más fácil que jugar al dominó en La Habana.

Diferente a otros países de América latina, desde 1966 los cubanos tienen derecho a diversas formas de inmigración a Estados Unidos, desde la lotería de visas cubanas y las visas por lazos familiares hasta las visas para refugiados. A partir de 1976, aquellos que logren sobrevivir al viaje entre tiburones desde Cuba hasta las playas de Florida, son protegidos y premiados con la residencia automática en sólo un año. A partir de 1996, si no tienen éxito en la prueba y son capturados con los pies mojados por las autoridades de cualquier país, deberán ser devueltos a Cuba. Un fracaso no significará derrota y los participantes repetirán el intento varias veces durante varios años hasta llegar, por cientos de miles, a "El país de las leyes", al país donde se dictan las leyes.

Luego de la Ley de Ajuste cubano de 1966, de múltiples acosos de Washington y del lobby de Miami a la isla, los esfuerzos por legalizar este flujo inmigratorio, natural de un país pobre hacia otro inmensamente más grande y más rico y a solo noventa millas de distancia, se convirtieron en acuerdos firmados por Fidel Castro y Jimmy Carter en 1977. Sin embargo, la nueva Sección de Intereses de los Estados Unidos en La Habana nunca cumplió con la cuota de visas para los perseguidos o descontentos.

La tentación y el conflicto no terminaron allí. El 18 de diciembre de 1979 se produjo la crisis del puerto Mariel, a pocos kilómetros de La Habana. Luego que miles de cubanos entraron en la embajada de Perú con miras a alcanzar el sueño de Miami, el gobierno de Fidel Castro había decretado que cualquiera que quisiera abandonar la isla podía hacerlo sin trámites de ningún tipo. Entre abril y octubre de 1980, 124.779 inmigrantes entraron a Estados Unidos procedentes de El Mariel. Hasta entonces, el exilio cubano en Miami había estado dominado por la ola inmigratoria más rica de cubanos llegados por motivos de negocio durante la dictadura de Fulgencio Batista en los años 50 y como exiliados en los primeros años de la Revolución cubana durante los 60. Ahora, en 1980, el problema consistía en que los *marielitos* eran todos pobres, por lo que no todos los cubanos de Miami los recibieron con los brazos abiertos. Ni los ricos ni los pobres que se creían ricos. Por un lado, eran futuros votantes del lobby republicano y potenciales colaboradores de la CIA, pero por otro no eran los cubanos de la clase alta y distinguida que llegó veinte y treinta años atrás. De hecho, casi un veinte por ciento (aproximadamente 25.000) eran criminales comunes, asesinos y violadores que pasarán como perseguidos políticos y que el irónico dictador Fidel Castro envió a Miami para limpiar sus propias cárceles. Otros, como el escritor Reinaldo Arenas, son verdaderos disidentes. Años atrás, Arenas había sido acusado por el gobierno de Cuba por "desviación ideologica", para no decir que había sido enviado a la prisión de El Morro por homosexual.[187]

La misma historia se repitió en 1994 cuando, en pleno Período especial tras la desaparición la Unión Soviética, la situación económica de la isla, bloqueada como Gaza, se convirtió en insoportable para muchos cubanos, comunistas o anticomunistas. Fidel Castro y Bill Clinton acordaron otorgar 20.000 visas por año a los cubanos que quisieran emigrar. En mayo de 1995, 30.000 cubanos habían sido detenidos de forma ilegal en Guantánamo, aparte de otros cientos detenidos en las Islas Caimán y en la misma Florida. Diferentes medios nacionales, como el *New York Times* del 15 de febrero de 1995, reprodujeron la alerta del sheriff del condado de Sarasota, Florida, Mike Bessette, alertando a la población y solicitándoles denunciar a los "*illegal aliens of Hispanic origin* (extranjeros de origen hispano)" en la zona.

El límite fronterizo de Estados Unidos con México es algo muy reciente. Existió en los mapas de las escuelas desde finales del siglo XIX, pero el desierto del sur no lo registró hasta hace pocos años. Por generaciones, los mexicanos llegaban a Estados Unidos a trabajar en los campos del otro lado para plantar y para recolectar sus frutos, pero se regresaban apenas podían. Pocos (algunos solteros, algunos perseguidos) querían quedarse en este país. A pesar de la abrumadora propaganda cultural y mediática, pocos querían quedarse en un país como este que se cree el ombligo del mundo. Aquí se ganaban un salario; allá tenían una vida de verdad. No fue hasta las racistas leyes inmigratorias de 1924 y luego las novedosas leyes antirracistas de 1965 que la frontera sur comenzó a existir con más fuerza. Entonces, los trabajadores zafrales se encontraron que ya no podía entrar y salir como antes y, temerosos de perder sus trabajos, comenzaron a quedarse. Fue como un efecto invernadero: se podía entrar, pero no salir, exactamente lo contrario a lo que (dicen) pretendían las leyes en Washington. Por esta razón, la inmigración ilegal de mexicanos y centro americanos comenzó a crecer a partir de los años 60. No porque no podían quedarse, sino porque no les convenía salir. Entonces, las mismas vallas metálicas que se habían usado para el campo de concentración de cientos de miles de japoneses, italianos y latinoamericanos en Crystal City, Texas, fueron arrancadas y plantadas de nuevo en la frontera con México. Así,

---

[187] Reinaldo Arenas, injustamente perseguido en la isla e injustamente promovido en Estados Unidos por sus valores literarios, morirá en Nueva York en 1990. Enfermo terminal de sida y amargado por la experiencia del exilio que detestaba, se suicidara el 7 de diciembre. En su carta de despedida, más propia de un escritor romántico que de un suicida desesperado, culpó de su muerte a Fidel Castro. Del resto de la historia, ni una palabra. Los conservadores de la extrema derecha cubana harán lo posible por promover su martirio político, pero tendrán el mismo problema para aceptar su extraña sexualidad, como los comunistas de la isla en los años 70.

los vallados de los campos de concentración estadounidenses se convirtieron en los primeros 1.400 metros del *muro* al sur de California. Por primera vez, el límite fronterizo al sur comienza a tener una realidad material, algo que las manos y las lágrimas podrán tocar.

Del otro lado del continente, la historia fue diferente, como si se tratase de otra América latina. En 1848 más de la mitad de México le había costado a Washington una masacre y quince millones de dólares para obligar a los mexicanos a firmar la cesión de sus territorios a los esclavistas del sur de Estados Unidos. Dos años después, el pequeño territorio de Cuba no pudo ser comprado a España ni por cien millones, y fueron necesarios cincuenta años y una guerra que no fue para instalar en la isla un protectorado estadounidense y convertirla en otro títere habitado por "negros cobardes" que no se sabían gobernar a sí mismos.

Esa diferencia continúa de otras formas. Si el resto de los desesperados inmigrantes latinoamericanos logran cruzar el mortal desierto en busca de trabajo o de refugio a la violencia del sur, se convierten en criminales perseguidos. Su destino es contribuir de sol a sol con la nueva sociedad y vivir huyendo y callando. Los cubanos tienen una poderosa motivación para arriesgar sus vidas: la ley de la potencia mundial le garantiza protección automática a todo inmigrante ilegal. Todo cubano ilegal es inocente hasta que se pruebe lo contrario. Si se prueba. Como en la frontera del desierto con México, miles de cubanos pobres mueren intentando cruzar de forma ilegal a la tierra prometida. Los muertos son contados como víctimas del régimen de la isla, no del régimen de Washington. Como a millones de otros inmigrantes, a muchos los mueve la persecución política y, sobre todo, la necesidad económica y el pocas veces reconocido deseo de éxito personal sobre sus amigos y parientes que dejaron en la miserable y fracasada isla. Para demostrarlo se sacarán fotos frente a sus maravillosos autos de segunda mano y sus bolsas cargadas en Walmart. Los pocos cubanos exiliados que entiendan el fondo del problema son perseguidos y pierden los mejores trabajos por no pertenecer a la religión oficial del lobby cubano.

En enero de 2017, días antes de dejar la Casa Blanca, el presidente Barack Obama derogará por decreto la Ley de Ajuste cubano de 1966 y sus enmiendas de 1976 y 1996. Su sucesor y enemigo personal, el presidente Donald Trump, no revertirá esta decisión. Probablemente sea la única decisión de su predecesor que Trump no intentará revertir. Al fin y al cabo, desde su perspectiva los cubanos hablan español, comen burrito, cantan rancheras y no son inmigrantes caucásicos. Los inmigrantes de piel morena, aunque sean fervorosos y repentinos anticomunistas, como su suegro (aunque se bañen en las playa de Miami Beach con pantalones hechos con alguna bandera estadounidense para demostrar su nuevo patriotismo por la mayor potencia del mundo), no son de su agrado. Ni del agrado de millones de verdaderos estadounidenses pertenecientes a la raza superior.

1998. Matar es una obligación para cualquier cristiano

SAN SALVADOR, EL SALVADOR. 3 DE ABRIL DE 1998—Los asesinos de las cuatro religiosas estadounidenses en 1980 confiesan su crimen. Conocidos por ser en 1984 el primer caso en el cual un juez condenaba a militares, los soldados son liberados por buena conducta. Como en otros miles de asesinatos inexistentes para la prensa del mundo civilizado, los soldados Daniel Ramírez, Carlos Contreras, Francisco Contreras y José Moreno alegan que "*actuaron por órdenes de arriba*" y que se les instruyó negar cualquier acusación para que no les pase nada.

El 2 de diciembre de 1980, Maura Clarke, Jean Donovan, Ita Ford y Dorothy Kazel se dirigían al aeropuerto Comalapa para recibir a otras dos compañeras desde Nicaragua. Los soldados las emboscaron en un camino de tierra, las torturaron y, por supuesto, las violaron antes de incendiar la Combi en la que viajaban. Luego abandonaron los cuerpos para que los campesinos las enterrasen en una fosa común. Por casi veinte años, los gobiernos de Estados Unidos y El Salvador habían jugado la carta más segura: los asesinos actuaron por cuenta propia. Nunca nadie se creyó esta historia, sobre todo a pocos meses del asesinato del arzobispo Óscar Romero, debido a fuertes sospechas de su preferencia por los más pobres y vulnerables.

Años atrás, el eterno miedo de los dueños del mundo a perder el control se había ensañado con los teólogos de la liberación, un nuevo grupo surgido dentro de la iglesia católica que no proponía la invasión militar de ningún país sino la liberación espiritual y material de los pobres. No pocos creían en el derecho de los pueblos a decidir qué carajo querían hacer con sus países. Naturalmente peligrosos, como todo movimiento de liberación, esta nueva corriente en realidad era un intento de volver a las raíces del cristianismo, degenerado por siglos y al servicio político del poder social y de los imperios occidentales de turno. El movimiento fue duramente condenado y combatido, no sólo por los protestantes sino también por el papa Juan Pablo II y por el cardenal Joseph Ratzinger, su futuro sucesor. Aunque ni el padre Romero ni las monjas estadounidenses pertenecían a la Teología de la liberación y mucho menos eran comunistas sino religiosos conservadores, ante el panorama desolador de América Central se habían sumado a la mala costumbre de imitar a Jesús, aquella de rodearse de pobres y marginados, de renunciar al poder de las armas y del dinero, mucho antes que sus seguidores convirtiesen el

508

cristianismo en la religión preferida de los imperios occidentales, de los ricos, de las armas y del capital.

El 3 de mayo de 1981 en Washington, cien mil personas protestaron frente al Pentágono contra las políticas militaristas de Ronald Reagan en América Central, casi al mismo tiempo que Jeane Kirkpatrick (la influyente consejera de seguridad del presidente y partidaria de una victoria contundente en algún país pobre que hiciera olvidar décadas de fiascos militares) afirmase que las cuatro religiosas asesinadas en El Salvador "*más que monjas eran activistas políticas*". Eso de defender a los más débiles es siempre política. Al mismo tiempo, ejércitos de misioneros protestantes invadían África y América latina "llevando la palabra de Dios" donde ya había llegado siglos antes. Pero el problema de fondo, tan al fondo que no se puede ver, no es la palabra de Dios sino lo que se supone que en realidad dijo Dios o quiso decir. Es decir, interpretaciones convenientes, formas de pensar y de creer que, con el tiempo, se convertirán en la palabra del Capitalismo corporativo y del Militarismo de Estado. Por estos años pululaban libros, programas de radio y televisión que asociaban al capitalismo con la democracia como si fuesen hermanos gemelos y nadie hubiese leído una sola página de historia latinoamericana. El novelista y teólogo católico Michael Novak, autor del libro *The Spirit of Democratic Capitalism* de 1982, ya había afirmado que "*el Capitalismo corporativo es el reflejo de la presencia de Dios*". El Capitalismo había logrado que pasaran camellos por el ojo de la maldita aguja como pájaros pasan por el arcoíris. Por supuesto que la idea, que solo se puede inocular en un niño después de cincuenta domingos, llevó mucha paz moral y consuelo espiritual a los inversores que cada día deciden la suerte de millones en el mundo, por lo cual la Corona inglesa le otorgó el premio Templeton a la libertad, dotado con un millón de dólares. Para Novak, la Teología de la liberación era "*el problema más grave que el cristianismo ha debido enfrentarse en dos mil años*". Por su parte, el economista Gary North, autor de varios libros sobre religión, se hizo popular con la idea de que los problemas del Tercer mundo no se deben a ninguna relación desigual, injusta o imperialista con el Primer mundo sino a sus propios pecados morales. La culpa es siempre de los pobres. Por algo son pobres y, algunos, homosexuales: "*Los habitantes del Tercer mundo deberían sentirse culpables, deberían arrodillarse y arrepentirse de su ateísmo, de sus rebeliones y de su socialismo*", escribió. Los *reconstruccionistas* estaban y están decididos a que la ley de los países sea la del Antiguo Testamento, por lo cual hubiesen sido los primeros en arrojar las piedras para ejecutar a la adúltera que Jesús había perdonado, ya que esa era la ley bíblica antes del falso mesías. Los teólogos de la liberación, en cambio, prefieren el Nuevo testamento, aquel donde aparece Jesús, como en Estados Unidos algunos prefieren la Constitución reformada por las enmiendas de Lincoln y no la antigua que protegía la esclavitud.

Pero el activismo político de la Nueva derecha religiosa y militarista (renacida a fines de los 70 y llegada al poder en los 80) no sólo se reduce a las justificaciones narrativas de sus teóricos sino, sobre todo, al activismo mediático de los multimillonarios pastores evangélicos, a las intervenciones políticas y económicas de las Corporaciones privadas y a la ayuda, por acción y por omisión selectiva, del gobierno de Washington.[188]

En el verano de 1986, el evangelista John Steer, miembro de Paralife Ministries, con sede en Texas, en un sermón frente a miles de soldados salvadoreños los había consolado diciendo: *"matar, porque es necesario para luchar contra un sistema anticristiano como el comunismo, no solo es lo correcto sino además una obligación para cualquier cristiano"*. Esta justificación y consuelo moral son parte de un reducido manual de hojas amarillas. En 1844, luego de que el presidente James Polk inventara ofensas de los mexicanos para invadir y quedarse con la mitad de su país, el pastor y esclavista de Luisiana R. A. Stewart, había dado un sermón a los soldados vencedores citando a Dios cuando aparentemente se refería a Palestina: *"te daré esta tierra para que vivas en ella para siempre, porque ya se las había dado a tus antepasados"*. Y luego, citando el mito anglosajón: vamos a *"echar luz hasta Tamaulipas y así obligar a sus habitantes a aceptar las bendiciones de la libertad… esta historia demuestra, de forma hermosa e incuestionable, que nuestra lucha ha sido por una orden del Señor. Que Dios nos ordena, no sólo a que la raza anglosajona tome posesión de todo el continente de Norteamérica, sino que, además, cambiemos para siempre el destino del resto del mundo"*.

El televangelista del Club700 y dueño él mismo de compañías transnacionales, Pat Robertson, es un viejo amigo de varios dictadores en África y América Central. Aparte de acérrimo defensor del genocida (pero evangélico) Efraín Ríos Montt en Guatemala, también hizo campaña moral en favor del dictador de El Salvador, Roberto d'Aubuisson, dictador por un año pero responsable de los escuadrones de la muerte en su país y del asesinato de al menos 40.000 salvadoreños entre 1979 y 1985 (más tarde confesará que para pacificar el país aún era es necesario matar más de 200.000). Aunque tiempo después la misma embajada de Estados Unidos informó que no había dudas de la responsabilidad de d'Aubuisson en la ejecución del padre Romero, el gobierno de Ronald Reagan prefirió no darse por enterado, exactamente como

---

[188] Según calcula el *New York Times* (Larry Rohter, 3 de abril de 1998), en pocos años se habían inyectado en la dictadura de El Salvador siete mil millones de dólares. La lucha contra la rebelión del Frente Farabundo Martí era, sobre todo, un negocio redondo, no sólo para el gobierno sino para la clase dirigente.

hizo con el caso de las monjas asesinadas el mismo año.[189] Los religiosos estaban lejos de ser comunistas (razón suficiente para ser asesinado en nombre de Dios y la moral), pero habían decidido trabajar con los pobres. Maura Clarke, una de las monjas asesinadas había vivido en Nicaragua desde 1959 y poco antes de regresar a El Salvador, en una entrevista para la televisión de Estados Unidos había defendido su peligrosa política: *"mostrándoles a los pobres que ellos también tienen belleza y dignidad"*.

Por su parte, d'Aubuisson será recompensado por el servicio. El 5 de diciembre de 1984, en una cena a puertas cerradas en el Capitolio del Congreso en Washington, el Comité de las Fuerzas Armadas, la Mayoría Moral, los Jóvenes estadounidenses por la libertad y el Comité provida distinguirán a d'Aubuisson con una placa *"por sus continuos esfuerzos por la libertad, contra la agresión del comunismo y por ser una inspiración para todo amante de la libertad en el mundo"*. La noche siguiente dio una charla en Georgetown University, la cual fue recibida por la protesta de los estudiantes, esos revoltosos de siempre. D'Aubuisson se defendió acusando a sus críticos marxistas. Lo suyo, repite, es la lucha por la libertad y la libre empresa. Este tipo de justificaciones lleva la marca del manual de la CIA y del mismo gobierno de Washington, inoculada de forma explícita en los años cincuenta.[190] D'Aubuisson también participará en la masacre de seis jesuitas en la Universidad Centroamericana José Simeón Cañas en 1989.

Mejor suerte que los asesinos de las monjas tuvieron quienes dieron las "órdenes de arriba". En 1993, una comisión investigadora de las Naciones Unidas descubrió que tanto el coronel Carlos Eugenio Vides Casanova, por entonces director de la Guardia Nacional, y el general José Guillermo García, ex Ministro de Defensa, fueron los responsables de ocultar la verdad sobre el asesinato de las religiosas estadounidenses. Pese a todo, el gobierno de Estados Unidos les aprobará la residencia legal, gracias a lo cual, al igual que una larga lista de otros terroristas amigos, pudieron retirarse tranquilamente a las playas de Florida. Luego de varios juicios en su contra por parte de familiares de las víctimas, en 2015 el coronel Vides Casanova será deportado. El general José Guillermo García será deportado un año después. La amplia mayoría de

---

[189] Mr. D'Aubuisson tiene *"una mente enferma... es un psicópata asesino"*, reportó el embajador estadounidense Robert E. White.

[190] En 1958, en una reunión del Consejo de Seguridad, el presidente Eisenhower había observado que la palabra *capitalismo* había sido asociada en los países del sur con la palabra *imperialismo*, por lo cual propuso que de ahora en adelante, en lugar de emplear la palabra *capitalismo* había que usar *mundo libre*. Este cambio lingüístico fue introducido de forma más sistemática en los editoriales de los grandes medios latinoamericanos plantados por la CIA y luego repetido por una importante parte del pueblo.

los casos de genocidio permanecerán impunes, ignorados, protegidos o enredados en laberintos legales.[191]

1998. Los ganadores se sienten inseguros

WASHINGTON, D.C. 26 DE ENERO DE 1998—En Washington, la estrategia de financiar milicias y escuadrones de la muerte en Medio Oriente se llama "El Salvador Option". Aunque se refiere a la última experiencia de los años ochenta, la estrategia se remonta al siglo XIX, cuando la Frontera sur fue usada como plataforma y laboratorio para todas las intervenciones de Washington más allá del continente. Ahora, el Project for the New American Century (PNAC, Proyecto para el Nuevo Siglo estadounidense) decide que la remoción de Sadam Hussein *"debe ser el objetivo de la política exterior de Estados Unidos"*.

Tres semanas después, el 19 de febrero, en una entrevista para el programa *Today Show* de la cadena de televisión NBC, la secretaria de estado de Bill Clinton, Madeleine Albright, aclara: si para eso *"debemos usar la fuerza la usaremos, porque somos Estados Unidos; somos la nación indispensable; podemos mirar más alto y más lejos hacia el futuro que cualquier otra nación"*. En febrero de 2003, en contra de la ONU y de masivas protestas alrededor del mundo, Estados Unidos, Inglaterra y España (según su presidente José María Aznar, desesperada por *"salir del rincón de la historia"*) harán realidad la tan ansiada invasión a Iraq bajo la excusa de que el dictador iraquí posee armas de destrucción masiva. Cuando estas armas no aparezcan por ninguna parte, a pesar de años de búsqueda y de un millón de muertos en la aventura, los líderes de los tres países reconocerán que poseían información equivocada y que, de todas formas, no la masacre y la desestabilización de Medio Oriente no fue tan mala idea ya que se promovió la democracia en la región. No dirán que mintieron porque queda feo y la honestidad no les dará para tanto. Todo se reducirá a un pedido de disculpas, que es lo que hacen los poderosos, en el mejor de los casos.

Las agencias secretas de las dos superpotencias mundiales y su aliada del momento, España, no serán capaces de *"mirar más alto y más lejos hacia el futuro que cualquier otra nación"*. Ni siquiera serán capaces de mirar el presente y mucho menos el pasado, donde el dictador Hussein recibía armas de

---

[191] El coronel Inocente Orlando Montano, uno de los responsables de la masacre de Ignacio Ellacuría y otras siete personas en 1989 a manos del ejército salvadoreño en 1989, será descubierto en Florida en 2018 y extraditado a España. El padre Ellacuría era de nacionalidad española.

Europa con la aprobación de Estados Unidos y la bendición del enviado especial de Ronald Reagan, Donald Rumsfeld, en su visita a Bagdad en 1983. O no les importaba o, más probablemente, sabían que, como los muertos sin nombre, toda mentira pasa y se olvida pero los beneficios permanecen.

Entre los miembros del PNAC se encuentran el escritor neoconservador Robert Kagan, los profesores Francis Fukuyama y Donald Kagan, el futuro vicepresidente Dick Cheney, el futuro secretario de Estado Donald Rumsfeld, el futuro secretario de defensa Paul Wolfowitz y el futuro consejero de seguridad de Donald Trump, John Bolton. El informe publicado por el PNAC, "Rebuilding America's Defenses (Reconstruyendo las defensas de Estados Unidos)", demuestra que, a pesar de que el ejército de Estados Unidos es, por lejos, el más caro y el más poderoso del mundo, Washington no se siente seguro. El militarismo, renacido como reacción a los años sesenta en Estados Unidos, se ha consolidado como realidad material e ideológica, pero los neoconservadores no están satisfechos. El lobby del PNAC, entre sus recomendaciones establece que el ejército estadounidense debe descartar cualquier competencia en cualquier parte del mundo. El régimen de Sadam Husein en Irak debe ser removido por la fuerza y todo Medio Oriente debe ser rediseñado según el plan de Washington. Sin embargo, convencer al pueblo estadounidense de apoyar las acciones que hagan posible este plan llevará mucho tiempo, excepto si no se produce *"un evento catalítico y catastrófico, algo como un nuevo Pearl Harbor"*. ¿Algo como el atentado a las Torres Gemelas?[192]

Para América latina el plan es el mismo que el aplicado durante el siglo XX, pero con diferente maquillaje. Desaparecida la excusa del comunismo, aunque no el comunismo, los especialistas en Washington concluyen que el uso de la palabra *terrorismo* tiene efectos psicológicos más profundos que la palabra *comunismo*, por lo que se vuelve a hacer un cambio lingüístico en el aparato político y propagandístico. Como la presencia islámica en América Latina es muy menor (la mayoría de sus inmigrantes y descendientes de origen árabe son cristianos), la excusa del terrorismo islámico debe ser reemplazada según las regiones: en países como Colombia es el terrorismo de las FARC (rara vez se menciona el terrorismo militar y paramilitar, responsable del 88 por ciento de las muertes)[193]; en Bolivia, Ecuador y Venezuela, se

---

[192] En su página 51 el documento establece *"Further, the process of transformation, even if it brings revolutionary change, is likely to be a long one, absent some catastrophic and catalyzing event—like a new Pearl Harbor"*.

[193] Según la ONU y la ONG Washington Office on Latin America (WOLA), entre 1952 y 2012, el conflicto armado en Colombia causó 218.094 civiles muertos, de los cuales las guerrillas son responsables por el 12 por ciento, mientras el ejército es responsable por el ocho por ciento y los paramilitares del restante 80 por ciento. En solo

señalará el terrorismo del socialismo no alineado o el de los indígenas organizados contra la explotación de los recursos naturales; en Brasil, será el terrorismo de los Sin Tierra o de las favelas; en México, la excusa será el terrorismo de los carteles que son alimentados con las armas y con millones de millones de dólares de los consumidores en Estados Unidos.

En nombre de la seguridad, Washington recomienda que los países latinoamericanos involucren más a sus ejércitos en tareas de control policial de sus propias sociedades. El control dentro de fronteras nacionales queda a cargo de los ejércitos nacionales mientras el control internacional queda en manos del ejército de Estados Unidos. Es una relación complementaria y simbiótica que en el pasado ha funcionado como un matrimonio con sus propios conflictos. El número de militares latinoamericanos entrenados por Estados Unidos crece un 53 por ciento sólo en 2003. En algunos países, esta ayuda necesita un complemento. Una es la asistencia económica a los paramilitares. Otra es la ayuda a los escuadrones de la muerte locales, como los establecidos por Washington en América Central. Esta opción es considerada una de las más efectivas y exitosas para contrarrestar rebeldes, aunque en El Salvador la guerra civil terminará con la negociación de un acuerdo de paz y no por una victoria militar del ejército salvadoreño. No se consideran los efectos colaterales que luego se llamarán *maras*, *mafias* o simplemente *criminales comunes*. El mismo caos creado por esta opción en América Central se repetirá en Irak y en otros países incivilizados.

Luego de que la Comisión Church y el Congreso más crítico de la historia de Estados Unidos aprobara algunas leyes limitando los poderes de la CIA para asesinar a su antojo, en 2001 el presidente George W. Bush aprobará una resolución por la cual la CIA y otras agencias se arrogarán el derecho a ser jueces y verdugos, eliminando individuos y decidiendo masacres en nombre de la lucha contra el terrorismo. Según lo explicará el periodista investigador Evan Wright (como si fuese un eco de los manuales de la CIA de los años de la Guerra fría) el mecanismo que liberaba a los comandos del gobierno y a empresas privadas como Blackwater para asesinar sin una orden del presidente tenían como objetivo mantener a las figuras públicas (lo políticos receptores de votos) inmaculados de toda responsabilidad criminal.[194]

---

tres años (1999-2002) los paramilitares realizaron más de cien masacres y plantaron falsos positivos responsabilizando a las guerrillas.

[194] Entre los mercenarios de estos grupos del gobierno se encontrará el cubano Enrique (Ricky) Prado, otro residente de las playas de Miami y acusado de asesinatos nunca resueltos, quien escalará posiciones en la CIA hasta llegar a SIS-2. Blackwater, receptor de cientos de millones de dólares de Washington es un ejército privado fundado por el ultraconservador cristiano Erik Prince, hermano de la futura secretaria de educación del presidente Donald Trump, Betsy DeVos.

2002. La mitad de las riquezas del país están en esta sala

LONDRES, INGLATERRA. 26 DE OCTUBRE DE 2019—Un columnista de *The Economist* de nombre desconocido (desde 1843 es política del semanario liberal, es decir, conservador, no firmar los artículos para dar idea de revelación bíblica a cada una de sus afirmaciones), escribe: *"Hace algunos años, este columnista asistió a una fiesta de unas 60 personas en Santiago de Chile. Un amigo me susurró al oído: '¿Te das cuenta de que la mitad del PIB de Chile está en esta sala?'"* Afuera, y sin champagne, los trabajadores chilenos trabajaban más horas que en cualquier otro país (2.250 horas) pero los milagrosos beneficios van siempre para otro lado. Los salarios, altos o bajos, no traen estabilidad y mucho menos seguridad: son fuentes de la ansiedad sin tregua que mueve el mundo de los capitales. Sobre todo cuando no se participa en el proceso de inversión sino de servicio.

En Chile, luego de la promocionada dictadura de Pinochet (apoyada por cientos de millones de dólares de Washington, trato preferencial para los buenos clientes, poblada por inexplicables crisis económicas y sociales pero vendida como un éxito que nunca fue), las nuevas democracias constitucionales chilenas lograron un crecimiento de hasta el siete por ciento, no por radicalizar el modelo neoliberal de Friedman sino porque los sucesivos gobiernos de una izquierda moderada logró aprobar algunas políticas contrarias, como la suba de impuestos para las clases altas. Como en el resto de América Latina, la clase empresarial y dirigente continuará quejándose del peso de los impuestos que no les permite despegar, a pesar de que en esa región del mundo los impuestos son varias veces menores que en Europa.

Aunque la pobreza se reduce, las tensiones sociales (producto de una reforma a la fuerza) siguen creciendo. El *New York Times* reporta que las pensiones derivadas del sistema privado chileno son inferiores a las pensiones en manos del Estado en otros países. En los años 90 en países como Uruguay, se copian los modelos de retiro privado de Chile (AFAPS) hasta que en la segunda década del siglo siguiente, cuando los trabajadores comienzan a jubilarse, el Estado debe rescatar a los creyentes del modelo neoliberal que no reciben de los privados ni siquiera la inversión de sus años productivos. El "exitoso modelo económico" es un fraude prestigioso, un fuerte maquillaje de elegantes edificios de vidrio y una avasallante propaganda mediática que se pretende pasar por realista, pragmática, en defensa de la ideología del libre mercado y de la libertad de empresa, así, en abstracto.

En Uruguay, un ministro se vanagloria de que durante su gobierno se vendieron más teléfonos celulares que en toda la historia anterior del país. La vastamente demonizada política de industrialización guiada por los Estado entre 1947 y 1973 (Industrialización por Sustitución de Importación, ISI) produjo en América Latina un crecimiento del 73 por ciento del PIB, mientras que en similar período, entre 1980 y 1998, sin contar con la catástrofe económica que seguiría después, las políticas neoliberales contribuyeron, contrariamente a lo repetido por la euforia mediática, con un crecimiento nulo, cero. Nada. Mientras en este período del dogma del pseudo libre mercado aumentaba la dependencia con los grandes bancos internacionales, la concentración de la riqueza volvía a crecer al igual que la pobreza.

Para complacer al FMI y al dogma de Washington, en 1988 México había comenzado a desmantelar el Estado que, poco a poco, el país había ido construyendo desde la Revolución mexicana (consecuencia violenta de treinta años anteriores de otro liberalismo privatizador del dictador Porfirio Díaz, el que convirtió al 80 por ciento de los campesinos mexicanos en peones sin tierra). En los años treinta, en plena crisis económica en Estados Unidos, la post Revolución mexicana había nacionalizado el subsuelo del país sin que las petroleras estadounidenses se atrevieran a una nueva intervención, a un nuevo golpe de Estado o una nueva contrarrevolución. En los noventa, la Argentina de Carlos Saúl Menem siguió el mismo camino. Para pagar las deudas masivas heredadas de las dictaduras amigas, imposibles de pagar por las nuevas democracias (el presidente Raúl Alfonsín había dejado el cargo en 1989 con una crisis económica y una hiperinflación previsible), primero debió invertir casi todas sus ganancias para cubrir los intereses de la deuda externa y, finalmente, caer arrodillado ante el FMI que apareció para "salvar al país" a cambio de políticas de shock: despidos, desregulación laboral, privatizaciones baratas. Argentina vende sus bancos, sus industrias y, obviamente, sus trabajadores que, al fin y al cabo, es lo que más importa. Capitales sin trabajadores es como abono sin plantas. Tanto en México como en Argentina (los indios del norte y los europeos del sur) durante los primeros años noventa, sus economías vuelven a crecer como crece la desocupación, la ansiedad y la estratégica inestabilidad laboral. Cuando los de abajo comiencen a sentir el goteo de la prometida riqueza, vendrá la previsible crisis que frustre sus mejores esperanzas. Quedarán en la calle una vez más y a los dueños del dinero comprarán el resto a precio de remate.

En 2000 ya se había privatizado hasta el agua en Cochabamba, Bolivia (en favor de corporaciones internacionales), la que llevó a un aumento de hasta el 300 por ciento de las tarifas y el colapso de otros servicios, lo que se conoce como la Guerra del agua. Naturalmente, las políticas del éxito neoliberal siempre terminan en una profunda crisis económica y social. En 2001 Argentina había caído en default y el 58 por ciento de su población había caído por debajo de la línea de pobreza, con el agravante de que ahora, a diferencia de Estados Unidos, el Estado ha sido desmantelado y no puede imprimir papel moneda sin producir más inflación para salvar a los bancos ni puede ocuparse de los sintecho o de los desempleados. No puede o no quiere evitar que los capitales se fugan del país. Los ahorros de la clase media son secuestrados, no por un gobierno comunista sino por los bancos capitalistas.

Brasil también fue golpeado por la crisis de 1998 originada en Asia y por sus políticas neoliberales. Sin embargo, éstas nunca fueron tan radicales como en el resto de la región debido a que Brasilia nunca abandonó su objetivo de industrialización con participación del Estado, como lo había hecho durante la mayor parte del siglo pasado. El Estado continuó reteniendo el control del 40 por ciento de los bancos inversores.

En Bolivia, durante los años noventa casi la totalidad del campesinado, el 97 por ciento, vivía por debajo del nivel de pobreza, lo que obligó a muchos a pasarse a la producción de coca, actividad legal en el país durante sigilosa. Pero la población comienza a confiar una vez más en su propia fuerza y se organizan para bloquear la privatización del agua, lo cual logran luego de masivas protestas.

2002. El golpe de un respetado hombre de negocios

La Orchila, Venezuela. 13 de abril de 2002—El presidente electo de Venezuela Hugo Chávez es trasladado a la base Naval de Turiamo en la isla La Orchila. Mientras el país y el mundo son informados de la "carta de renuncia" del presidente, un joven soldado, de apellido Rodríguez, entra en la celda oscura en medio del luminoso Caribe donde se encuentra el presidente depuesto, lo mira y le pregunta: *"¿Es verdad eso que dicen, que usted renunció?"*. Chávez le responde: *"De ninguna manera. No renuncié ni voy a renunciar"*. El soldado le dice: *"Sólo puedo estar aquí dos minutos. Le voy a pedir un favor..."* El favor consiste en que el presidente escriba en un papel que él no ha renunciado y que lo arroje a la basura. Ese es su trabajo. Recoger la basura. A las 2: 45 de la tarde, el recluso se apresura y escribe en un papel: *"Al pueblo venezolano (y a quien pueda interesar). Yo, Hugo Chávez Frías, venezolano, presidente de la República Bolivariana de Venezuela, declara: No he renunciado al poder legítimo que el pueblo me dio"*.

Con disimulada prisa, el joven soldado sale de la celda y, poco después, busca la nota en la basura. Cuando sale del servicio, busca una máquina de fax, desde la cual envía copia de la nota escrita a mano a varios teléfonos. Poco después, las protestas afuera del Palacio de Miraflores se hacen incontrolables. El joven soldado acaba de echar a perder años de planificación y cientos de millones de dólares invertidos por Washington, la CIA, instituciones privadas y organismos de ayuda humanitaria. El presidente es restituido y, poco a poco, se comienzan a filtrar a la prensa los planes del golpe.

Dos días antes, el 11 de abril de 2002, Hugo Chávez había sido secuestrado por una facción del ejército y llevado a varios lugares secretos mientras la oposición proclamaba a Pedro Carmona (exitoso empresario y miembro del Opus Dei) como nuevo presidente. Para confirmar su naturaleza democrática, Carmona suspendió la Asamblea Nacional, clausuró la Corte Suprema de Justicia del país y ordenó la remoción de los gobernadores y alcaldes elegidos que estaban contra el golpe. En su editorial, el *New York Times* saludó el cambio de régimen encabezado por "*un respetado hombre de negocios*", el que tiene como propósito acabar con la dictadura electa en Venezuela.

Debido al escaso apoyo que tienen los conspiradores por parte de la población y del resto del ejército, el golpe se frustra rápidamente. Varios grupos privados y la prensa internacional se apresuran a desvincularse del caso. La NED (Fundación Nacional para la Democracia) intenta aclarar en la prensa que "*ninguno de nuestros fondos fueron usados para el golpe contra Chávez*". La NED fue fundada por la CIA y actualmente se define como una organización sin fines de lucro. Casi la totalidad de su presupuesto (más de cien millones de dólares anuales) procede del Pentágono a través de la USAID. A lo largo de su historia, la NED, como otros grupos con nombres y propósitos similares, ha contribuido con miles de millones de dólares para apoyo moral a grupos opositores en países no alineados con Washington. La idea de canalizar millones de dólares a través de ONGs y de respetables instituciones locales en todo el mundo (como el apoyo económico de la CIA a la AFL-CIO para financiar sindicatos industriales contra los sindicatos industriales) no sólo surge en los 70, cuando el Congreso de Estados Unidos investiga los crímenes de la CIA, sino que se acelera y profundiza durante los años ochenta durante la administración Reagan. La idea era una radicalización del principio de "negación plausible" establecido en los años cincuenta y practicado en los sesenta. Según uno de sus ideólogos, Allen Weinstein, la idea del director de la CIA, Bill Casey, era "*continuar haciendo lo que la CIA ya hacía pero de forma privada*". Privada y discreta, en lo posible.

Mientras el Inspector General del Departamento de Estado, Clark Ervin, trata de desvincular a Washington de los golpistas, afirma: "*está claro que tanto el NED como otros programas de asistencia proveyeron ayuda financiera para el golpe*". Según documentos que se desclasificarán años después, la CIA sabía que el presidente George Bush sabía. De hecho, la inversión en el golpe había comenzado con la donación de dinero de Washington a través de diversos canales hacia las organizaciones sociales dispuestos a manifestarse en las calles contra el presidente rebelde. El 25 de abril, desacreditando su propio editorial a favor del golpe, el *New York Times* informará que este dinero para la agitación social previa al golpe había sido canalizado por terceros, como el *National Endowment for Democracy* en, por lo menos, 877.000 dólares. Según un cable del 13 de julio de 2004 filtrado por Wikileaks, organizaciones como la USAID habían enviado casi medio millón de dólares para proveer *"entrenamiento para los partidos políticos"*, aunque reconocerá que varios candidatos del gobierno se habían negado a recibir este tipo de ayudas.

En otro frente, como es costumbre, el cubano Otto Reich (uno de los organizadores del acoso de los Contras en Nicaragua veinte años atrás, parte de la maniobra Irán-Contras y, según el Congreso de Estados Unidos, fundador de la oficina de informaciones falsas para América Latina, la *Office of Public Diplomacy*) es encargado de contribuir a la desestabilización del presidente venezolano. El golpe repite las tácticas y los procedimientos propagandísticos de otras decenas de golpes en la región durante la segunda mitad del siglo pasado. Como en muy pocas ocasiones, como en la fallida invasión de Bahía Cochinos cuarenta años atrás, el fiasco fortalece al presidente electo de Venezuela.

Cumpliendo con su misión fundadora, la OEA no condena el quiebre institucional. En contra de los reclamos de algunos países sudamericanos, su Comisión Interamericana de Derechos Humanos se niega a emitir declaración alguna, la que deja en manos de Washington y Madrid. Los presidentes George Bush y José María Aznar (quien, con la guerra de Irak, quería *"sacar a España del rincón de la historia"*) no ahorran en deseos abstractos de *orden, paz* y *democracia*, pero tampoco condenan el golpe. El silencio de la OEA es significativo y no es extraño en una organización acostumbrada a apoyar diversas dictaduras amigas en América latina y a manifestarse con premura contra cualquier acción soberana en la misma región. La OEA fue amable con la dictadura de Batista en Cuba, con el golpe de Estado en Guatemala contra Árbenz, estuvo a favor de los Somoza en Nicaragua, no dijo nada cuando Allende fue derrocado en Chile, se cayó contra los crímenes de la Operación Cóndor, no apoyó ninguna investigación contra otros presidentes disidentes asesinados, como Torrijos en Panamá, nunca condenó la invasión militar contra Cuba en 1961, en los 60 y 70 mantuvo diversos silencios contra múltiples golpes de Estado contra gobiernos democráticos, no se manifestó contra las invasiones a Granada en 1983 y a Panamá en 1989 que dejaron miles de inocentes muertos… Sólo por mencionar los casos más estudiados y de menos actualidad que confirman la razón de su existencia.

Devuelto al poder, el supuesto dictador Chávez indultará a varios responsables del golpe de Estado en su contra y del secuestro de sus ministros. Entre ellos, los opositores Henrique Capriles y Leopoldo López, quienes continuarán su actividad política "denunciando la dictadura". El 14 de agosto, el Tribunal Supremo de Justicia de Venezuela absolverá a los militares Efraín Vásquez, Pedro Pereira, Héctor Ramírez y Daniel Comisso, también participantes del golpe de Estado "contra la dictadura".

La dictadura de Chávez, como muchas otras dictaduras derrocadas por Washington en América Latina, es producto de múltiples elecciones abiertas a la oposición y a los observadores internacionales y no se apoya en paramilitares masacrando a miles de incómodos ciudadanos, como en Colombia, ni tiene escuadrones de la muerte financiados por el Estado, como en América Central, como en otros países del Caribe y de América del Sur durante las décadas de dictaduras amigas. En las dictaduras apoyadas por Washington no había elecciones y cuando las había era una válvula de escape, un último recurso para una salida disimulada; no había libertad de expresión, ni congresos ni parlamentos, y las únicas libertades garantizadas eran las libertades del capital, sobre todo del capital extranjero. Los disidentes, sus amigos y sus familiares eran secuestrados, violados, torturados de otras formas y aparecían flotando en algún río o en alguna fosa común. Cuando aparecían. En cualquier caso, los muertos se contaban por decenas y cientos de miles, mientras sus fanáticos seguidores confirmaban la propaganda plantada por la CIA y otras instituciones privadas en los medios locales, la que aseguraba que tanta tragedia se justificaba por la protección de la libertad y la democracia contra posibles dictaduras de otros colores que algún día podían hacerse realidad.

En Venezuela, el dictador ha sido elegido repetidas veces en elecciones libres y, para colmo de males, es el preferido de las clases bajas, de los negros, de los mestizos, de la chusma, de los gays, de las lesbianas y de otros grupos históricamente marginados. Su vecino, Colombia, continuará sufriendo por los asesinatos sistemáticos de activistas por los derechos humanos a manos de grupos paramilitares, pero esta antigua tragedia tampoco alcanzará los titulares de la gran prensa mundial y sus sucursales locales, siempre ocupados en escandalizarse por las dificultades de los enemigos de Washington que Washington se encarga de crear o de multiplicar.

Este año la economía venezolana sufrirá por la baja del precio del petróleo y por la crisis política e institucional derivada del fallido golpe de Estado. Poco después, la oligarquía petrolera inicia una huelga que empeorará la situación. Ni ExxonMobil ni ConocoPhillips aceptan quedarse con menos del 50 por ciento de las empresas, ya que esto significa perder la mayoría en las votaciones del directorio, por lo cual retiran todas sus inversiones del país. En 2007, Chávez nacionalizará la mitad de los nuevos recursos petroleros de la franja del Orinoco.

Sin embargo, pese a que "*Chávez arruinó la economía*", el ingreso per cápita de Venezuela crecerá de 3.270 dólares en el año 2003 a 11.280 en 2012.

El 5 de enero de 2012, la BBC informará que "*Venezuela es el segundo país de América Latina donde más se ha reducido la pobreza en los últimos 12 años, detrás de Ecuador, que entre 1991 y 2010 la redujo en 26,4%.... El 27,8% de los 29 millones de venezolanos viven por debajo de la línea de pobreza. Cuando el presidente Chávez llegó al poder en 1999, era el 49,4%*".

Frustrado por el fracasado golpe, el 23 de agosto de 2005 el influyente televangelista Pat Robertson, frente a las cámaras de televisión de su poderoso *Club700*, le hablará a un millón de fieles que siempre escuchan con devoción, y propone asesinar a Hugo Chávez "*por destruir la economía de Venezuela, por permitir la infiltración de los comunistas y de los extremistas islámicos en su gabinete*". No importa que nada de esto sea cierto más allá de la imaginación del confortable fanatismo anglosajón. El famoso pastor hace números y hace política, como cualquier buen hombre de negocios: "*la opción de un asesinato es claramente más económica que lanzar una guerra... no creo que con esto vayamos a interrumpir el suministro de petróleo desde Venezuela... tenemos la doctrina Monroe y otras doctrinas para aplicar, tenemos el poder de sacarlo de ahí y creo que el momento ha llegado... no vamos a gastar 200 mil millones en otra guerra*". El influyente pastor, amigo del dictador Efraín Ríos Montt de Guatemala y de otros genocidas cristianos como Roberto D'Aubuisson de El Salvador o Mobutu Sese Seko de Zaire, quiere asesinar a un presidente legítimo elegido por el pueblo que, además, también es un ferviente cristiano. La diferencia entre Ríos Montt y Hugo Chávez es obvia y explica este deseo de sangre tan común entre los dueños del mundo civilizado. El primero, con el apoyo económico y moral de Washington, en 1982 masacró a decenas de miles de indígenas y campesinos pobres; el segundo, más consistente con la vida de Jesús, orientó sus políticas sociales en favor de los indios, de los mestizos y de los pobres de su país y le plantó cara a la Roma anglosajona y a la tradicional élite dominante de su país, tradicional provincia petrolera de las poderosas compañías estadounidenses.

Como no habrá muchos fundamentos sociales y económicos para condenar al supuesto régimen de Chávez, se lo continuará acusando de dictador hasta en la sopa. Si la gran prensa estadounidense dice que es dictador, entonces es dictador. En diciembre de 2007, en un debate del partido Republicano en Miami, todos se pelearán por defender, cliché tras cliché, el récord de Ronald Reagan en las guerras y masacres inducidas de Washington en América Central, todo sazonado con referencias a la democracia y la libertad. Para aumentar el calor *very latino* de Miami, como si estuviesen en un programa de Don Francisco, los candidatos se disputarán por quién llama a Chávez dictador más veces que sus adversarios y quién propone derrocarlo más rápido. El candidato conservador Ron Paul, con un exceso de inteligencia y de cultura invisible para la mayoría de los votantes, será el único que haya leído algo de la historia de los países del sur, el único que haya entendido el problema, el único que en un debate tendrá el coraje de decirlo y el único que sea ninguneado por los grandes medios de su país pese a ir segundo en la interna del partido Republicano, según las encuestas. Cuando le llegue el turno, el representante de Texas dirá: *"déjenme decirles por qué tenemos problemas en América Central y en América del Sur: porque hemos estado metidos en sus asuntos internos desde hace mucho tiempo, nos hemos metido en sus negocios. Nosotros creamos a los Chávez de este mundo, hemos creado a los Castro de este mundo, interfiriendo y creando caos en sus países y ellos han respondido sacando a sus líderes constituidos..."* Naturalmente el público "hispano" de Miami no resistirá la indignación y lo abucheará con furia. Algunos latinoamericanos necesitan demostrar que son doscientos por ciento estadounidense para sentirse medio estadounidense.

Luego de la muerte de Chávez en 2013, su heredero político, Nicolás Maduro, no tendrá la misma suerte ni el mismo carisma para enfrentar el tradicional acoso del norte. Las sanciones económicas de Washington y de Bruselas se endurecerán *"debido a las protestas sociales"* de 2014 y de 2017. Al igual que su predecesor Hugo Chávez y todos los demás presidentes no alineados que ha tenido América Latina durante el siglo XX, Maduro sufrirá intentos de asesinato financiados por Washington, organizados en Miami y ejecutados desde Colombia. Al igual que otros países no alineados, Venezuela sufrirá un bloqueo económico por parte de Washington, Bruselas y sus políticamente correctos sobrevivientes del sur. Sin posibilidades de recurrir a préstamos internacionales o a sus propias reservas depositadas en bancos internacionales, imprimirá papel moneda casi tanto como Washington imprime dólares. Diferente al dueño de la divisa mundial, la inflación en Venezuela explotará a niveles históricos, para la alegría de los mayordomos en Miami y el sufrimiento de sus hermanos en el sur.

Esta vez, como no pocas otras veces, Washington no pudo derrocar a un presidente legítimo y demasiado independiente. Pero seguirá intentándolo de diversas formas. Habrá un Plan B, un plan el C y otro plan D. A principios de 2004, Washington y sus aliados criollos derrocarán (por tercera vez) a uno de los aliados de Venezuela en la región del Caribe, el presidente Jean-Bertrand Aristide de Haití. Cinco años después, Washington hará lo mismo en Honduras. El 28 de junio de 2009 el presidente electo Manuel Zelaya, otro renegado de la clase alta, también será secuestrado, por atreverse a proponer un referéndum popular, pero esta vez no tendrá opciones de reacción. Diferente a Venezuela, Honduras es una base militar estadounidense y su sociedad ha sido militarizada por Washington desde los años 60. Nada que hacer. El mismo caso será el del "dictador Daniel Ortega" en Nicaragua, el país más estable y más próspero del violento Triángulo Norte inventado y luego demonizado por Washington.

2004. Again, los negros no saben gobernarse

PUERTO PRÍNCIPE, HAITÍ. 29 DE FEBRERO DE 2004—Una vez más, el presidente de Haití, reverendo Jean-Bertrand Aristide, es obligado a renunciar voluntariamente. *"Me dijeron que me vaya si quería evitar un derramamiento de sangre en Haití"*, dice Aristide y acusa a Estados Unidos de organizar el golpe militar. Una vez más, un presidente de ese país lo niega. Para George Bush, las acusaciones de Aristide son infundadas y el secretario de prensa de la Casa Blanca, Scott McClellan, las califica de absurdas. Mientras la verdad importe, la gran prensa recogerá esta versión, no la del presidente depuesto. Las pruebas de la implicación de Washington en el anterior golpe de Estado contra Aristide en 1991 comienzan a salir a la luz. Las pruebas de este último complot, tardarán un poco más.

El primer país libre de las Américas nunca dejó de pagar su osadía desde su escandalosa revolución de 1804. Su independencia nunca fue reconocida por Washington por tratarse de una república de negros que podría esparcir el mal ejemplo entre sus propios esclavos, según lo declararon innumerables veces sus políticos y lo negarán dos siglos después sus fanáticos patriotas y sus racistas más correctos. La sola idea de un cónsul negro paseando su dignidad y su mal ejemplo por las calles de Washington o de Filadelfia era suficiente para que década tras década el gobierno y el Congreso se negaran a considerarlo siquiera. Pero Washington no sólo no reconoció al nuevo país sino que en 1806 le impuso un bloqueo económico que duró 60 años hasta la Guerra Civil en Estados Unidos. Por si fuese poco, en medio de este bloqueo económico, Haití debió pagarle a Francia una pesada "indemnización" por los perjuicios ocasionados a los colonos por su revolución libertadora, la cual le había robado su mercancía, los esclavos. En 1814 Haití le ofreció a Francia 15 millones de francos para que reconozca la independencia, la misma suma que, poco antes, Thomas Jefferson había pagado por Luisiana por un territorio 75 veces más grande. El rey Luis XVIII se negó y en 1825, Francia aceptó reconocer la existencia de la república negra a cambio del pago de 150 millones de francos en oro por daños y perjuicios. Igual que en el caso del tratado de Guadalupe Hidalgo contra México, el "tratado" fue firmado con 500 cañones apuntando a la capital, Puerto Príncipe, desde el mar. Haití terminó de pagar su deuda en 1947, tres años después de la liberación de París. Luego del terremoto de 2010, la Venezuela de Hugo Chávez condonó la deuda de Haití por el petróleo recibido. Francia nunca lo hizo. Cuando el presidente francés

François Hollande reconoció la injusticia del cobro de la indemnización por más de un siglo, el presidente haitiano Jean Bertrand Aristide le puso un precio. François Hollande aclaró: había querido decir que se trata de una deuda moral.

Por décadas, de igual forma que esclavos y pobres estadounidenses huyeron a México en búsqueda de la libertad, otros 13.000 esclavos y algunos blancos se arrojaron al mar desde Florida en busca de refugio y libertad en la isla maldita del Caribe. Maldita y bloqueada, no por comunista sino por negra. Ni Europa ni Estados Unidos podían permitir el más mínimo ejemplo de éxito ni de viabilidad de una república gobernada por una raza inferior, incapaz de gobernarse a sí misma. Aparte de este bloqueo criminal, la Perla del Caribe, que hasta antes de la Revolución era la mayor fuente de ingresos exteriores del Imperio francés en todo el mundo, por más de un siglo debió pagarle a Francia una indemnización por daños y perjuicios.

Gracias a la unilateral Ley Monroe (que, por elegancia del Derecho, se llama *doctrina*) el imperio francés fue reemplazado por una colección de intervenciones y brutales dictaduras promovidas, administradas y apoyadas por Washington a lo largo del siglo XX, donde las justificaciones racistas constituyeron la base no solo de cada uno de las ejecuciones sistemáticas, sino de las sucesivas ocupaciones y explotaciones económicas del país en nombre de la libertad anglosajona y del altruismo del hombre blanco. Los marines que gobernaban el país no se retiraron de Haití hasta 1934, debido a otra crisis nacional y la nueva "política del buen vecino" de F. D. Roosevelt, pero Washington no dejó de controlar el tímido esfuerzo independentista de Sténio Vincent hasta que decidió volver a prácticas más radicales de intervención durante la Guerra fría y apoyó (es decir, las hizo realidad) las dictaduras de los Duvalier. A lo largo del siglo XX, Haití será gobernada directamente por 24 estadounidenses, entre hombres de negocios, generales y otros diplomáticos. A partir de los años 90, otra media docena de generales estadounidenses se hacen cargo de las intervenciones y golpes de Estado, a quienes se sumaban algunos canadienses, chilenos y varios brasileños para darle más diversidad y colorido a la vieja tradición.

Más recientemente, luego de la dictadura amiga de François "Papa Doc" Duvalier (1957-1971), la dictadura de su hijo, Jean-Claude "Baby Doc" (1971-1986), fue igualmente apoyada por Washington a través de diferentes medios, una especie de *bloqueo inverso*, práctica repetida hasta el hastío donde una dictadura sangrienta de extrema derecha recibe apoyo financiero, créditos, consuelo moral, religioso, mediático e instrucción secreta para potenciar y proteger sus crímenes de lesa humanidad —como fue el caso de los grupos paramilitares Tonton Macoutes, luego rebautizados como Volontaires de la Sécurité Nationale, y los Léopards, también entrenados por los marines estadounidenses, que aterrorizaron a la población con remarcable impunidad durante décadas. Tanto los Macoutes como los Leopardos fueron entrenados y asistidos por la CIA. Entre sus prácticas se cuentan el abandono de cuerpos colgados en plazas y calles para ejemplo de lo que podría ocurrirles a los disidentes de izquierdas, por entonces categorizados como socialistas, comunistas, feministas, lectores de Frantz Fanon o rebeldes sin mucha atención a las diferencias.

Más recientemente, cuando en 1986 Baby Duvalier huyó a París con 900 millones de dólares, sin perder tiempo, con un presupuesto de un millón de dólares anuales (casi 2,5 millones al valor de 2020), la CIA organizó el *Service d'Intelligence National* (SIN, en inglés "pecado") para combatir el tráfico de cocaína. Inmediatamente, como fue el caso de Manuel Noriega en Panamá, el nuevo grupo paramilitar fue financiado por la CIA y por el narcotráfico. Las evidencias de las prácticas de abusos contra la población y su participación en el mercado de las drogas de esta organización fueron reconocidas por la embajada de Estados Unidos, como lo reportó el *New York Times* en su primera plana del 14 de noviembre de 1993, para el olvido de la frágil memoria popular ante las narrativas maestras. Si Dios decide exterminar una ciudad entera llena de niños y otros inocentes, por alguna buena razón será. Según el mismo medio, un oficial, amparado por el anonimato declaró que la Agencia les daba dinero, supuestamente para la lucha contra el narcotráfico, pero ellos lo usaban para el tráfico de drogas que luego usaban para asuntos políticos, como la masacre de votantes el 29 de noviembre de 1987 denunciada, entre otros, por el expresidente Jimmy Carter, por entonces actuando como observador internacional.

Pero la obra maestra de la SIN fue el golpe de Estado contra el presidente democráticamente electo de Haití, Jean-Bertrand Aristide, el 29 de setiembre de 1991. Luego de un nuevo crimen internacional perfectamente coordinado, Washington y la CIA se lavaron las manos y declararon, súbito forte, disueltos los lazos con la SIN. Como en otros casos (como en el golpe de Estado de Honduras en 2009) esto es simple literatura para la prensa y la CIA continúa su apoyo económico a la SIN. En 1992, la Administración para el Control de Drogas de Estados Unidos todavía informa que la SIN *"funciona en coordinación con la CIA"*.

Como es un género conocido desde hace un siglo, el golpe militar fue planeado en Washington y ejecutado por un general traidor, Raoul Cédras, ascendido a Comandante en Jefe del Ejército unos meses antes por el mismo presidente Aristide. El presidente había tenido la osadía de desafiar a la USAID (Agencia de los Estados Unidos para el Desarrollo Internacional) al insistir que el salario mínimo en su país debía ser aumentado en 1,18 dólares, lo cual podría amenazar el buen *"clima de los negocios"*. Poco después, el presidente fue obligado a renunciar por el mismo general Cédras, la SIN y la CIA, para que el golpe parezca legal. Aristide salvó su vida por un pelo.

Por si fuera poco, el Vaticano tampoco lo quería porque era un cura seguidor de la Teología de la Liberación y no se limitaba a dar limosnas a los pobres y educación a los ricos. En los siete meses que duró su primera presidencia de 1991, solía invitar a los niños y a los pobres a cenar al Palacio Nacional de Gobierno, el palacio sobre la avenida de la République en Puerto Príncipe que se parece a la Casa Blanca pero más grande e inofensivo. Además, no se dedicaba de cuerpo y alma a la lucha contra el comunismo. Washington no lo quería porque esa teología que predica la humildad, la preferencia de Jesús por los pobres y eso de que para los ricos subir al Cielo es más difícil que un camello intentando pasar por el ojo de una aguja es demasiado comunista.

El pastor Aristide no es un pastor de ovejas. Es un caso peligroso. Cuando fue elegido presidente de Haití por primera vez, se le ocurrió llevar a la práctica las locuras de la Teología de la liberación, cosa de latinoamericanos, y aquello de la solidaridad con los pobres y marginados a los que, dicen, era afecto el Nazareno antes que un milenio y medio más tarde, durante el Renacimiento, otros dos reformadores llamados Calvino y Lutero decidieron corregirlo. El hijo estaba equivocado: en realidad, el padre, Dios, premiaba a los buenos con mucho, mucho dinero. En Inglaterra sus seguidores más pobres y más fanáticos inventaron aquello de que en Europa eran perseguidos e inmigraron a la América más cercana para (dijeron mucho después) defender la libertad, es decir, la libertad de (su) religión.

Luego del golpe del 29 de setiembre (el mes preferido para los golpes) de 1991, la Junta de generales dejó actuar al nuevo grupo paramilitar Front Révolutionnaire Armé pour le Progrès d'Haïti (FRAPH) que se dedicó a continuar la tradición de aterrorizar a la población en nombre del orden, la paz y de la lucha contra el comunismo. Entre otros, para entonces el líder paramilitar y devoto cristiano evangélico Emmanuel "Toto" Constant, ya estaba en las nóminas de salarios de la CIA y había sido asistido por el coronel Patrick Collins en la creación del nuevo grupo terrorista que debía llevar la paz al país. Cuando el pueblo de Haití se levantó por enésima vez reclamando el regreso de Aristide, el FRAPH comenzó a organizar protestas violentas contra el posible regreso del cura de los pobres, al mismo tiempo que masacraba a los seguidores de Aristide.

Aristide tampoco era del agrado del presidente Bill Clinton, pero la Junta militar que lo sacó del poder, las masivas protestas populares en la isla, los 250.000 manifestantes en Nueva York contra la dictadura en Haití y la presión de las Naciones Unidas le movieron el lado pragmático. Por si fuese poco, el caos de quienes impusieron el orden por la fuerza envió a miles de refugiados haitianos a Florida, detalle desagradable para muchos decentes residentes. Como solución del genio anglosajón, el presidente implementó una nueva catástrofe. Mientras la CIA organizaba y financiaba en la isla a las FRAPH que masacraba y aterrorizaba a los seguidores de Aristide, Washington decidía apoyar el regreso de Aristide. Washington saca y Washington pone y el 15 de octubre de 1994 Aristide es devuelto al Palacio Nacional con la asistencia de los marines estadounidenses para que termine los últimos cuatro meses de su mandato constitucional. Esta rareza de la historia, aparte de la insoportable presión nacional e internacional, también tiene una explicación económica.

Durante el embargo aprobado por las Naciones Unidas a la Junta, las empresas estadounidenses no dejaron de hacer buenos negocios con la isla pobre. Pero siempre hay lugar para más, y si parece legal, mucho mejor. En 1994, Bill Clinton (coqueteando como antes entre los racistas confederados de su Sur natal y los progresistas liberales de su norte ideológico) decidió apoyar el regreso de Aristide al Palacio Nacional con una condición: el Haití del nuevo Aristide debía eliminar los subsidios a los arroceros haitianos y permitir la libre competencia. Para esto, la media isla debió acordar con el FMI y el Banco Mundial reducir los aranceles de importación del arroz del 35 al 3 por ciento. Como resultado, los granjeros del estado natal del presidente Clinton, Arkansas, tuvieron preferencia en la exportación de arroz. No solo preferencia: los granjeros de Estados Unidos (en su mayoría conservadores radicales y feroces opositores a la intervención del Estado en la cuestión económica y social) desde tiempos de Franklin Roosevelt nunca dejaron de ser subsidiados por el gobierno federal. Al igual que el tratado de "libre comercio" firmado por México el mismo año, las facilidades otorgadas a la competencia ajena rápidamente destruyeron las plantaciones del cereal más importante en Haití, producción que ocupaba de forma directa a dos tercios de la población. Como consecuencia, los haitianos comenzaron a lanzarse al mar en balsas improvisadas para escapar de la miseria y del hambre. Muchos de ellos murieron sin que la gran prensa llorase por las víctimas de la brutal dictadura de los dueños del mundo. Con una población arrinconada en menos de media isla con suelos exhaustos, la predecible consecuencia fue una hambruna a la que el mundo se acostumbró a culpar a la poca inteligencia de los negros, a su corrupción, a su pereza o a la malaria de su cultura africana, como si el mundo fuese plano y todos tuviésemos las mismas oportunidades y los mismos beneficios. En México, el resultado fue el mismo, aunque los inmigrantes no debieron desafiar las hermosas y mortales aguas del Caribe sino las infernales arenas del desierto del norte.

En un caso inexplicable de sinceridad por parte de un político, años después Bill Clinton reconocerá su error, si se puede hablar de error en geopolítica, todo lo que finalmente resultó en una mayor y angustiante pobreza de

Haití. Según el presidente de Estados Unidos, el tratado "*tal vez fue bueno para algunos de mis granjeros de Arkansas, pero no funcionó para los haitianos. Así que deberé vivir el resto de mi vida sabiendo que Haití perdió su capacidad de producir arroz para alimentar a su gente por mis malas decisiones*".

Por años, los paramilitares se dedicaron a acosar a los partidarios de Aristide, los Fanmi Lavalas, pero nada de esto resultó suficiente para impedir que Aristide fuera empujado por un tsunami de pueblo y volvió a ganar las elecciones en 2000 con el 91 por ciento de los votos y con el boicot de la oposición apoyada por la CIA, por el nuevo presidente George Bush y por los nuevos exiliados haitianos del régimen anterior, muchos de los cuales todavía tienen causas pendientes. En Washington, ningún genio podrá explicar el resultado, pero Washington no está para entender el mundo sino para cambiarlo a su manera. Así que la CIA comienza su trabajo fino de siempre: crear opinión, inventar protestas, desestabilizar, remover presidentes desalineados, asegurar buenos negocios y, sobre todo, control.

Aparte de la ruina de la economía haitiana por la genial idea del supuesto libre mercado, Aristide se le había ocurrido cometer un par de crímenes más por su cuenta. El primero fue reclamarle a Francia la devolución de los 21 mil millones de dólares pagados por el país de 1826 hasta 1947 por supuestas "compensaciones por daños y perjuicios" de su revolución independentista. La cuenta enviada a París fue, sobre todo, un gesto simbólico con motivo de los doscientos años de la Revolución de 1804.[195]

El otro crimen del presidente rebelde, a los efectos más grave y totalmente inaceptable por Washington y la elite dominante criolla de Haití, había comenzado con un proceso de juicios públicos contra los militares implicados en crímenes, contra los grupos paramilitares y los escuadrones de la muerte, y contra conocidos miembros de la clase alta que los financiaba, desde los "duvalistas blancos" hasta los "duvalistas negros". Consciente del rol histórico del ejército y de los grupos paramilitares, Aristide había propuesto el desarme del ejército.

No por casualidad, Washington recibió la novedad con profundo desagrado ya que, como lo habían practicado diversos gobiernos de Estados

---

[195] La mezcla de realismo y simbolismo es representada por la precisión del reclamo que, al mejor estilo estadounidense, incluye 48 insignificantes centésimos: US$ 21.685.135.571,48. La cifra no es arbitraria; equivale a los 90 millones de francos en oro que el presidente de Haití Jean-Pierre Boyer acordó pagarle a Francia por los perjuicios y ofensas de reclamar la libertad de sus habitantes y la independencia de su país. El 18 de diciembre de 2003, el *Miami Herald* se burla de esta osadía y la califica de distracción ante los problemas de Haití por los cuales sólo los haitianos y su presidente izquierdoso son responsable.

Unidos por más de un siglo y lo había resumido el presidente Richard Nixon el 6 de noviembre de 1970 en una reunión del Consejo de Seguridad: siempre será necesario apoyar a los ejércitos latinoamericanos porque *"son centros de poder sujetos a nuestra influencia; los otros, los intelectuales, no"*. Como lo indica la tradición en América Latina, con más frecuencia que excepciones, los ejércitos nacionales fueron el brazo político de intervención y control de Washington en los países latinoamericanos —claro que, en nombre del patriotismo, la libertad y la protección contra la intervención extranjera— mientras el trinitario poder militar de Washington se ocupaba de los asuntos internacionales.

Como es fácil adivinar, sólo esta decisión soberana de un presidente democráticamente electo enfureció a Washington una vez más, por lo cual comenzó a desestabilizar a Aristide por segunda vez y con los métodos de siempre. Si una de las especialidades de la CIA ha sido siempre crear opinión pública y levantar protestas populares antes de algún golpe de Estado, una de las especialidades de Washington ha sido bloquear económicamente a países demasiado independientes, sean democracias o dictaduras. En 2002, Washington impuso un bloqueo de créditos destinados a educación e infraestructura y, al año siguiente, apoyó la introducción de grupos paramilitares desde República Dominicana. Un patrón conocido, a esta altura poco creativo, pero siempre efectivo y con la invalorable colaboración de la pobre, casi inexistente memoria colectiva.

Cuando Baby Doc Duvalier y su refinada esposa huyeron a París, la CIA creó el Servicio de Inteligencia Nacional, la SIN (en inglés "pecado") para combatir el narcotráfico. Como no debe de sorprender a nadie, la SIN fue el principal organismo desde Haití para facilitar el narcotráfico.[196] Una investigación del *New York Times,* bajo el título *"C.I.A. Formed Haitian Unit Later Tied to Narcotics Trade"*, publicado el 14 de noviembre de 1993, reconoce la funcionalidad de esta organización para facilitar el mercado de drogas, aunque los involucrados de la Agencia declaran que su relación con esa organización y el narcotráfico terminó cuando el presidente democráticamente electo Jean-Bertrand Aristide fue depuesto por un golpe de Estado auspiciado por Washington... Funcionarios y militares de Estados Unidos destinados a Haití entre 1991 y 1992 también reconocerán que la nueva agencia *"funcionaba en colaboración con la CIA"*. Bajo anonimato, los oficiales declararon al *Times* que la organización *"se dedicaba a la distribución de drogas en Haití... los financiaba con dinero destinado a la lucha contra los narcóticos y luego eran entrenados para otras cosas relacionadas a la política"*. Una de

---

[196] En los años 80, la SIN recibió hasta un millón de dólares de la CIA por año para sus "diversas" actividades.

esas cosas fue la organización del golpe de Estado contra Aristide el 30 de setiembre de 1991.

El congresista republicano de Carolina del Norte, Jesse Helms, describe a Aristide como "*un sicópata*". Carente de cualquier conciencia histórica y con un firme fanatismo angloamericano, en octubre de 1993 declara que "*Aristide pudo haber ganado las elecciones, pero no es muy probable que reciba una medalla por promover la verdadera democracia*". En cambio, la representante de Connecticut, Christopher Dodd, menciona un detalle que, como todo detalle, será minimizado por la narrativa maestra: Aristide "*fue electo en las elecciones más libres que recuerda ese país y nosotros deberíamos estar apoyándolo*".

Ahora, Aristide es depuesto una vez más por la fuerza de las armas, del complot y de los grandes medios. Todo ha sido realizado con una gran eficiencia, organización y mucho dinero. Al igual que harán con el presidente Manuel Zelaya en Honduras durante el golpe de Estados de 2009, luego de ser secuestrado del Palacio Nacional de gobierno, Bertrand Aristide es puesto en un avión rumbo a África, que es donde, según los fanáticos anglosajones, pertenecen todos los hombres y mujeres de piel oscura. Luego de un periplo por varios países, será reconocido como refugiado en África del Sur. El Secretario de Estado, general Colin Powell, no acepta las acusaciones de Aristide sobre un complot entre Francia y Estados Unidos para sacarlo del poder. Para la gran prensa y la Opinión Pública, el condecorado general tiene un argumento de peso. "*Aristide escribió y firmó su carta de renuncia él mismo*" dice Powell "*y luego, de forma totalmente voluntaria, se fue del país con su esposa*". El presidente George Bush está de acuerdo. El presidente de Haití, su esposa y sus colaboradores abandonaron el Palacio Nacional, escaparon a otro país y nadie sabe por qué. Pero el presidente Bush ya ha ordenado que, como cien años atrás y sus años consiguientes, los marines desembarquen en Haití "*para poner orden*" —la primera excusa para la intervención en un país pobre y el mayor miedo de los civilizados ante las razas, las clases y las culturas inferiores: *el orden*. Según esta mentalidad nivel-retardo-agudo, los imperios luchan por la libertad; los oprimidos, por el libertinaje.

El 29 de febrero, el doctor estadounidense Paul Farmer, profesor de Harvard y colaborador en la lucha contra el SIDA, responde a una consulta del *New York Times*: "*este es un cambio de gobierno violento y antidemocrático. Ya hubo treinta golpes de Estado en Haití y no veo la forma cómo este podría ayudar a mejorar la realidad*".

Por años, Washington había acusado al gobierno de Aristide de violar los derechos humanos, a pesar de que distintos organismos como la ONU insistían en lo contrario. En marzo de 2004, una comisión investigadora dirigida por el exfiscal general de Estados Unidos, Ramsey Clark, confirmará la participación económica y militar de Washington en el nuevo golpe de Estado, esta vez con la complicidad del gobierno de Republica Dominicana.

Según Amnistía Internacional y otros organismos independientes de los años por venir, para 2006 la nueva dictadura amiga de Boniface Alexandre y Gérard Latortue habrá secuestrado, torturado y asesinado con libertad a los partidarios de Aristide y otros disidentes. Será su forma particular de proteger las libertades y los derechos humanos de Washington. Una investigación de *The Lancet* de Wayne State University concluirá que, en poco menos de dos años después del golpe, sólo en la capital del país 35.000 mujeres habrán sido violadas y 8.000 disidentes asesinados.[197] El país se hundirá en el caos y en más miseria. Desde los cómodos sillones del Primer Mundo y desde los apartamentos de las clases acomodadas del Tercero, todo tiene una explicación y, como vimos antes, es la misma de Theodore Roosevelt, Rudyard Kipling y William Taft; la misma de los políticos en Washington por varias generaciones y de sus ecos de América Latina; la misma de la gran prensa y la misma de etnólogos como Charles Henry Pearson y Madison Grant que precedieron e inspiraron a Hitler y a Walt Disney: nada se puede esperar de las razas inferiores que no sea el peligroso caos que podría arrastrar a la civilización blanca al abismo, como un agujero negro se devora las estrellas más brillantes del Universo.

2007. Terroristas por la libertad

EL PASO, TEXAS. 6 DE ABRIL DE 2007—El cubano Luis Posada Carriles (y pese a que un agente de la CIA lo identifica como el único sospechoso de la bomba de Cubana de Aviación en 1976), ha sido perdonado por una jueza federal. Dos años atrás, Posada Carriles había sido detenido por entrar al país, también de forma ilegal, a través de la frontera con México, como cualquier centroamericano pobre.

Exactamente veinte años antes, su más célebre amigo, el cubano Orlando Bosch también había sido arrestado por entrar ilegalmente a Estados Unidos. Ninguno de los dos se había arriesgado a lanzarse en una balsa desde Cuba para ampararse a la vieja ley de los Pies secos. Sin Embargo, el entonces secretario de comercio de Florida, Jeb Bush, intercedió y su padre, el presidente de Estados Unidos y ex director de la CIA, George H. Bush, perdonó a Orlando Bosch quien, según la CIA y el FBI, era el autor de al menos treinta actos terroristas en suelo estadounidense y en otros países, como el auto

---

[197] La misión de Naciones Unidas (Minustah) protestará que esta cifra es incorrecta, ya que los disidentes asesinados en ese período apenas sumarían dos mil.

bomba que, en 1976 le costara la vida en Washington al ex ministro de Salvador Allende, Orlando Letelier.

Entre otras líneas de su currículum, Luis Posada Carriles había participado de la fallida invasión de Cuba en Bahía Cochinos, en diversos atentados terroristas contra la isla hasta entrado el siglo XXI y en el acoso a Nicaragua en los ochenta desde la base aérea estadounidense de Ilopango junto con decenas de otros operadores secretos, a las órdenes del coronel Oliver North.[198]

Enterados de la aparición del ex agente de la CIA, los gobiernos de Cuba y de Venezuela habían reclamado su extradición para ser juzgado por actos de terrorismo. La CIA sabe y el FBI informa que, entre varios actos de terrorismo, Posada Carriles es el principal sospechoso de la bomba que mató a 73 personas del vuelo 455 de Cubana de Aviación en 1976. Su amigo Orlando Bosch había definido el acto como un "*acto legítimo de guerra*", exactamente como Osama bin Laden definirá el atentado contra las Torrs Gemeles en 2001. Pese a que el mismo Posada Carriles reconoce haber sido el autor de otros actos de terrorismo, como explosiones de bombas en lugares públicos, la jueza federal de El Paso, Texas, Kathleen Cardone, establece una fianza de 250,000 dólares para su liberación y obliga al condenado a residir en una casa de Miami con su esposa. Su extradición es desestimada bajo el argumento de que en países como Cuba o Venezuela el acusado podría ser sometido a prácticas de tortura. A pesar de que el FBI lo definió como "*un terrorista peligroso*", Posada Carriles no será enviado al centro de tortura que la CIA y el gobierno de Estados Unidos mantienen en territorio extranjero, en Guantánamo, sino a Miami, donde vivirá sus últimos once años de vida en libertad, caminando por la Calle 8 y disfrutando de las interminables playas de Florida.

No es el único. Según el Center for Justice and Accountability (CJA) con sede en San Francisco, California, cientos de terroristas y genocidas de todos el mundo que alegan haber luchado por la libertad asesinando a todo el que pensara diferente, hoy viven en Estados Unidos, algunos con otros nombres. Algunos no tienen tanta suerte, como el general Inocencio Montano, responsable de las matanzas en El Salvador durante los años 80 y 90. Montano será descubierto en Florida, llevando una vida decente de un honorable abuelo de familia, y será extraditado a España el 5 de febrero de 2016. Su pecado no consistirá en haber matado a miles de salvadoreños sin nombre sino a ciudadanos españoles en la masacre de jesuitas de la Universidad Centroamericana José Simeón Cañas el 16 de noviembre de 1989.

---

[198] Según el *New York Times* del 15 de octubre de 1986, por entonces la base salvadoreña, centro de operaciones de la CIA, contaba con "más de 60 helicópteros comunes, 12 helicópteros de combate y por lo menos cinco AC'47 y 10 aviones de combate".

2007. Chiquita bananas, grandota injusticia

WASHINGTON DC. 19 DE MARZO DE 2007—Chiquita Bananas acuerda pagar 25 millones de dólares al Departamento de Justicia de Estados Unidos por haber financiado, desde los años 90, a grupos paramilitares de extrema derecha como las Autodefensas Unidas de Colombia (AUC) y, en menor medida, a las FARC. Luego del acuerdo, las acciones de Chiquita en Wall Street saltan como un mono liberado de sus cadenas. Ningún alto ejecutivo de la compañía deberá pagar medio minuto en alguna cárcel civilizada del mundo. De esta forma, la compañía, que en 60 países factura más de 1.000 millones por año, se blinda contra cualquier posible demanda en el futuro e incluye una cláusula de confidencialidad por la cual cualquier investigación, judicial o académica, quedará enterrada en el fango del silencio. Así es como funciona el sistema judicial en el país de las leyes. Ni las víctimas del terrorismo paramilitar en Colombia que quedan vivas ni los familiares de los muertos verán un solo dólar de este generoso acto de justicia. Luego de más de cien años de golpes de Estado y de otras prácticas terroristas en América latina, la mega compañía se convierte en la primera corporación estadounidense en ser juzgada y penalizada por su participación en una red terrorista. Naturalmente, todo el proceso debido tiene lugar en Estados Unidos, no en otros países sin leyes que deben sufrir de las leyes ajenas.

Mucho antes, el 6 de enero de 2000, el gerente general de Chiquita, Robert Kistinger ("Individuo D" en otros documentos), había declarado ante la Comisión de Bolsa y Valores del gobierno de Estados Unidos, que tenía conocimiento directo de los pagos realizados a los grupos paramilitares en Colombia desde los años 80, pero se defendió argumentando que los cientos de miles de dólares invertidos por año en este grupo no representaban una suma importante para la compañía. El National Security Archive guarda los documentos de su declaración, según el cual, para Chiquita, no tenía ningún sentido dejar de operar en Colombia por una cifra tan insignificante. *"No vamos a dejar de hacer negocios en Colombia solo porque tenemos que gastar unos 25.000 dólares extras. No es realista, ¿no les parece?"* Un monumento a la insensibilidad de las vidas humanas de tan poco valor.

Gracias a esta colaboración insignificante, la AUC multiplicó sus ataques y asesinatos a sindicalistas, líderes sociales y sospechosos de reclamar alguna forma de justicia que pudiese amenazar a la clase dominante o a los intereses corporativos internacionales. No está claro si los paramilitares de los estratos más necesitados de la sociedad colombiana, como los policías descalzos en República Dominicana inventados por los marines estadounidenses un siglo atrás (la Policía Nacional Dominicana, conocida como P.N.D.,

"Pobres Negros Descalzos"), tenían alguna idea de esto. Aunque Chiquita declara que estos pagos son *insignificantes*, los documentos revelan que eran muy *sensibles* (*"sensitive payments"*).

Desde 1984, Chiquita Bananas es el nuevo nombre de la United Fruit Company, bananera responsable, entre muchas otras, de la Masacre de las bananeras de Colombia en 1928, con casi dos mil trabajadores asesinados en una sola represión, y de golpes de Estado como el de derrocó al presidente electo Jacobo Árbenz en 1954 e inició una serie de dictaduras que dejaron 200.000 cadáveres a lo largo de cuatro décadas, solo en Guatemala.

Durante los años 80, y a pesar (o por eso mismo) de la presencia de numerosas bases militares estadounidenses en el país, Colombia producía 600 toneladas de cocaína para Estados Unidos al tiempo que miles de sindicalistas, líderes sociales y campesinos eran asesinados por los paramilitares.[199] Por entonces, poderosos hombres de la CIA, como el dictador de Panamá, el general Manuel Noriega, mantenían una intensa relación política, comercial y financiera con el narcotráfico, como el cártel de Pablo Escobar, el cártel de Medellín, ambos relacionados con el presidente Álvaro Uribe según los informes secretos de Washington.

En los 90, los pagos millonarios comenzaron con la continuación de una tradición en Colombia: las empresas importantes (como los hacendados en el pasado, como Washington más recientemente) aportan a los poderosos grupos paramilitares sumas inimaginables por sus víctimas. En este caso, el primer pago había sido para el líder de la AUC, Carlos Castaño. Según Castaño, el 70 por ciento del presupuesto de los paramilitares provenía del narcotráfico. Pero el resto no se reduce al 30 por ciento en donaciones. Una poderosa red de influencia en el gobierno colombiano y en el exterior mantiene con vida el terror de los colombianos que el mundo, por interés de los de arriba y por pereza intelectual de los de abajo, casi exclusivamente atribuye a las FARC.[200]

Pese al acuerdo con el Departamento de Justicia de Estados Unidos, el fiscal colombiano Mario Iguarán acusa a Chiquita Bananas no sólo de aportar dinero sino de usar sus propios barcos para enviar 3.400 rifles AK-47 y cuatro millones de municiones de contrabando. Armas y dólares para asistir a los

---

[199] En 2002, el Departamento de Justicia de Estados Unidos había acusado a la AUC por haber introducido 17 toneladas de cocaína a este país.

[200] Las AUC son responsables de múltiples matanzas. Una de las más conocidas por su crueldad es la de Mapiripán, ocurrida el 15 de julio de 1997. Al menos 30 personas fueron despedazadas con machetes y motosierras. El mismo gobierno de Colombia debió reconocer que la masacre había recibido el apoyo de, al menos, el general Jaime Uscátegui.

paramilitares de la AUC en la tradicional campaña de desplazar colombianos pobres de sus tierras en nombre de una supuesta "autodefensa".[201]

Los paramilitares, con fuertes conexiones con el ejército, la policía y los políticos hundieron a Colombia en la violencia bajo la perfecta excusa de una "defensa" contra "la insurgencia" y este logro los hace merecedor del apoyo de Washington, de la misma forma que en 1962 fueron propuestos por otro fanático, el general William Yarborough, para promover *"entrenamiento clandestino de civiles y militares"* con el fin de usarlos para propaganda, *"para el sabotaje paramilitar y para acciones terroristas contra los simpatizantes comunistas"* cuando ni las FARC ni el ELN existían y los comunistas se encontraban a años luz de alcanzar el gobierno o una minoría significativa entre la población.

Aunque en 2001, y por razones obvias, el gobierno de George Bush finalmente pone a la los paramilitares de la AUC en la lista de grupos terroristas, un memorándum del 10 de julio de 2003 del Pentágono recomendaba a Álvaro Uribe como alguien que, por su probada resolución, podía encargarse del combate contra el narcotráfico. Años más tarde, Washington desclasificará documentos que insistirán con múltiples testimonios sobre el pago realizado por políticos, como el mismo Uribe, a la AUC. El 10 de agosto de 2004, en un memorándum secreto, el secretario de defensa Donald Rumsfeld había informado que *"Uribe, casi sin dudas, estaba relacionado con los paramilitares de la AUC"*. Esto no es ni una crítica ni una acusación. El 20 de marzo de 2001, el mismo Rumsfeld había recurrido a la historia para hacer su propia lectura fanática del presente: *"hay una larga historia sobre cómo aplastar una insurgencia: en Filipinas desde 1898 a 1902, en la Nicaragua de los años 20 gracias a los marines..."* En su delirio, hasta llega a mencionar a Vietnam. *"De cualquier forma* —continúa Rumsfeld—, *si vamos a hacer algo ahí, es algo que cabe dentro de la categoría de nation-building (construcción de naciones)"*, en coordinación con la CIA, la DEA, y el Departamento del Tesoro.

Cuando en 2006 la Suprema Corte de Justicia de Colombia comenzó a investigar a la AUC, el presidente Álvaro Uribe, los paramilitares y las fuerzas del narcotráfico iniciaron una campaña de desacreditación contra la Corte. Diversos testimonios como los de "El Tuso" y "Don Berna" señalaron a Uribe como la cabeza de una red de influencia paramilitar por entonces ocupada en favorecer su reelección. Ese mismo año, el paramilitar Pablo Hernán Sierra, en su calidad de testigo declarante ante la Corte Suprema de Justicia, señaló al presidente Álvaro Uribe y su hermano Santiago como los coordinadores de

---

[201] En 2004, cien paramilitares de la AUC habían sido detenidos en Venezuela por sus actividades terroristas en coordinación con la oposición de ese país y de Miami. Naturalmente, la oposición negó estas acusaciones pese a la confirmación del presidente colombiano Álvaro Uribe.

los grupos paramilitares. Según Sierra, el presidente era el verdadero comandante, alguien que nunca había disparado un arma, pero coordinaba y contribuía con la causa. Otro paramilitar, Juan Guillermo Monsalve, declaró lo mismo ante los jueces y aportó fotografías y grabaciones de reuniones en la hacienda de Uribe en Antioquia. La defensa argumentó que las acusaciones eran mentiras.

Ese mismo año, el presidente Uribe, consciente de la inconveniencia internacional de las matanzas de la AUC, intentó desmantelar este grupo terrorista en un acuerdo que no terminó con las matanzas pero mejoró la imagen del presidente. Por alguna razón, años después, el mismo Uribe se opondrá al acuerdo de paz firmado por su sucesor, el presidente Juan Manuel Santos y las FARC en La Habana. Los pobres son guerrilleros terroristas, los ricos tienen autodefensas, porque "nos atacaron primero".

Chiquita no es la única transnacional donante de los paramilitares colombianos. También están la automotriz coreana Hyundai Motor y las gigantes agroindustriales Dole Food Company y Fresh del Monte Produce, las dos con sede en California. Pero Chiquita no sólo se distingue por haber financiado a los paramilitares por casi dos millones de dólares en más de cien pagos durante diez años sino que, además, se encuentra ocupada en una campaña de presión para que el Congreso estadounidense no apruebe leyes que faciliten la investigación de grupos con conexiones terroristas, como quienes realizaron el atentado contra las Torres Gemelas en 2001. Ahora sus enemigos no son oscuros líderes sociales vestidos de guayabera en la Frontera sur sino familiares de víctimas del 11 de Setiembre, como Terry Strada y Sharon Premoli, quienes acusan a la compañía de hacer lobby contra sus reclamos en el Congreso. Chiquita sabe que cualquier ley que beneficie a las víctimas del atentado en Nueva York, cualquier ley que permita la demanda de indemnizaciones de aquellos que financian grupos terroristas, puede abrir una caja de Pandora y los muertos más recientes de Chiquita en América del Sur podrían salir a molestar una vez más. Por esta razón, la compañía invertirá 780.000 dólares (a través de poderosas firmas de abogados, mercenarios especializados en torcer proyectos de ley) para abortar o limitar el proyecto de ley (Justice Against Sponsors of Terrorism) que permitiría acusar a los cómplices de terrorismo más allá de los límites nacionales.

En 2014 una corte de apelación de Estados Unidos desestimará la demanda de cuatro mil colombianos víctimas del grupo paramilitar AUC, financiado por Chiquita aún después de que Washington, tardíamente, designara a este grupo como un grupo terrorista.[202] A pesar de que las FARC recibieron

---

[202] Los paramilitares de la AUC habían sido finalmente declarados por primera vez como "un grupo terrorista" por el Departamento de Estado en Washington y, por pura coincidencia, el 10 de setiembre de 2001, horas antes de los atentados terroristas

el 11 por ciento de estas donaciones hasta 1999 (220.000 dólares), en febrero de 2018 Chiquita solo indemnizará a los familiares de las víctimas de cinco misioneros cristianos y un geólogo asesinados por ese grupo guerrillero, los seis ciudadanos estadounidenses. En Estados Unidos todos conocen a las FARC pero nadie sabe qué es la AUC o los paramilitares, a pesar de que los guerrilleros no preceden a la existencia de la violencia paramilitar y de que son los responsables del 12 por ciento de las víctimas en el largo conflicto colombiano, cuyo restante 88 por ciento fueron asesinadas a manos del ejército y, en su abrumadora mayoría, masacrados por los paramilitares.

2007. Un debate para la arqueología política

UNIVERSITY OF MIAMI. 9 DE DICIEMBRE DE 2007—A las siete en punto, una voz de evento anuncia el *Primer Foro Presidencial del Partido Republicano en español*, mencionando las reglas: en el foro no habrá debate ni diálogo ni se hablará en español. Otra particularidad: el foro de ideas está organizado por la poderosa cadena Univisión en Miami. La simpática María Elena Salinas modula su voz. El famoso periodista Jorge Ramos, con su habitual seguridad afirma:

RAMOS: *...los votos hispanos pudieran decidir quién será el próximo presidente de los Estados Unidos.*

El público está algo entusiasmado. Los candidatos demuestran su conocimiento sobre la historia y el presente de América latina.

HUNTER: *...luego, muchos años después en El Salvador, un presidente republicano, Ronald Reagan, brindó una barda para protegerlos mientras tenían elecciones libres, que llevaron la libertad a ese país. Fueron dos partidos distintos, pero estoy hablando del partido de la libertad, el Partido Republicano...*

El público comienza a excitarse. El calor de Miami recorre la platea.

SALINAS: *Congresista Paul, la misma pregunta. El Partido Republicano ha perdido terreno. Únicamente el 23 por ciento de los hispanos apoya al partido. ¿Qué hacer para recuperar el terreno?*

PAUL: *...tanto los hispanos como todos los demás estadounidenses están cansados, están a favor de la paz, no a favor de la guerra... Estamos olvidando nuestras necesidades acá bombardeando allá... Se supone que somos los conservadores fiscales y no lo somos. Por eso es que perdimos la elección*

---

contra las Torres Gemelas. Desde esta fecha hasta el 4 de febrero de 2004, Chiquita realizó cincuenta pagos a los paramilitares de la AUC por un cifra de $825.000 dólares.

el año pasado, porque no respaldamos los principios a favor de la paz, de la libertad y de los Estados Unidos de América.

Los aplausos comienzan a decaer. La siguiente pregunta cae sobre el idioma. Mitt Romney sonríe, con su pelo negro impecable y su oído atento a la ola de voces.

ROMNEY: *...somos una sociedad plural y maravillosa, esta estatua que usted tiene acá en pantalla, detrás de nosotros, esta es una luz que ilumina a todo el mundo y dice, "esta es una tierra insólita, esta es una tierra que le da la bienvenida a todos, a todos los individuos de todas las etnias..." (Aplausos) Somos el partido de la fuerza y el partido de la libertad. Gracias. (Aplausos)*

SALINAS: *Congresista Paul, ¿cuál sería el valor práctico del inglés oficial?*

PAUL: *...pienso que aquellos que atacan el bilingüismo tienen envidia, quizás se sienten inferiores porque no son capaces de hablar otro idioma...*

SALINAS: *Hace exactamente hoy una semana, Venezuela rechazó cambios a la Constitución...* (Los aplausos interrumpen a María Elena, quien hace algún esfuerzo por impedir una sonrisa.) *Muchos creen que el presidente Chávez es una amenaza para la democracia en la región. Si usted fuera presidente, ¿cómo lidiaría con Chávez?*

PAUL: *Bueno, él no es la persona más fácil con quien lidiar, pero tenemos que lidiar con todas las personas en el mundo de la misma manera, con amistad, oportunidad de dialogar y comerciar con las personas...*

Los abucheos lo interrumpen. Ron Paul, con su mirada cansada pero con el rostro ya curtido por largos años de disidente conservador, insiste, imperturbable, tal vez resignado.

PAUL: *...hablamos con Stalin, hablamos con Kruschev, hablamos con Mao y hemos hablado con el mundo entero y, de hecho, estamos en un momento en que debemos hablar incluso con Cuba.*

Ahora los abucheos crecen como un huracán sobre Miami y sobre la sala vacía.

PAUL: *...y viajar a Cuba y tener comercio con Cuba. Pero déjenme decirles por qué, por qué tenemos problemas en América Central y en América del Sur... Ha sido porque hemos estado metidos en sus asuntos internos desde hace tanto tiempo, nos hemos metido en sus negocios y nosotros creamos a los Chávez de este mundo, hemos creado a los Castros de este mundo, interfiriendo y creando caos en sus países y ellos han respondido sacando a sus líderes constituidos.*

Los abucheos alcanzan su clímax. Miami se lo quiere comer crudo. Las reglas civilizadas del foro obligan a seguir indiferentes al próximo candidato, que ha escuchado muy bien la voz del pueblo.

HUCKABEE: *...Aunque a Chávez lo eligieron, no lo eligieron para ser un dictador que es en lo que se ha convertido suspendiendo la ley constitucional. Mi mamá decía: 'Si uno le da suficiente soga a alguien, se van a colgar', y yo pienso...*

El pueblo se ha calmado con las últimas palabras.

GIULIANI: *Yo, por cierto, estoy de acuerdo con la manera en que el rey Juan Carlos le habló a Chávez, así mismo lo haría yo.* (Aplausos)[203] *Mucho mejor que lo que quiere hacer el congresista Paul... Hay un contra movimiento en Latinoamérica, se ve en Panamá, en Colombia, se puede ver en México. Yo creo que al presidente Calderón lo eligieron, no es que yo sea experto en política mexicana, pero yo creo que Chávez tuvo algo que ver con eso...*

ROMNEY: *...el curso que tienen que tomar los estadunidenses es continuar el aislamiento de Cuba, mantenerlos aislados, no es como lo que dijo Barack Obama, el demócrata, que iba a visitar personalmente a Castro en Cuba...*

MCCAIN: *Quiero felicitar al pueblo venezolano por rechazar este intento del dictador de hacerse dictador de por vida. Yo también quiero repetir unas palabras del príncipe Juan Carlos* [sic]*: "¿Por qué no te callas?". ...me da gusto que a mí me apoye gente que me aconseja y sabe mucho de esos asuntos... Si yo fuera el presidente de Estados Unidos, yo ordenaría que se hiciera una investigación...* (Aplausos) *a los cubanos que murieron en el avión derribado por órdenes de Raúl y de Fidel Castro, y los enjuiciaría si hiciera falta.*

RAMOS: *Una encuesta revela que dos de cada tres hispanos creen que los Estados Unidos deberían retirar sus tropas de Irak...*

HUNTER: *...si usted averigua qué piensan los hispanos de la Décima División de la Marina y de la Caballería, los resultados en la encuesta serán muy distintos a los de la encuesta que habla usted.* (Aplausos)

ROMNEY: *...lo que estamos haciendo nosotros en Irak es tratar con la protección de las vidas de los ciudadanos estadunidenses, acá y en diferentes*

---

[203] Exactamente un mes antes, el 10 de noviembre de 2007, en la XVII Cumbre Iberoamericana de Jefes de Estado realizada en Chile, el presidente de Venezuela había interrumpido al presidente Zapatero, por lo que el rey de España, Juan Carlos, había pronunciado las coloniales palabras: "*¿Por qué no te callas?*". En 2002, el Reino de España y su entonces presidente, José María Aznar, habían apoyado el golpe de Estado de Washington en Venezuela. Más tarde, Hugo Chávez agregará en la misma cumbre: Quisiera "responderle, con una frase de un infinito hombre de esta tierra, al presidente Zapatero, con todo mi afecto, él sabe que se lo tengo; me refiero a José Gervasio Artigas, cuando dijo: "*con la verdad ni ofendo ni temo*".

partes del mundo, me refiero a las vidas en todas partes del mundo, a la honestidad y a la libertad...

SALINAS: *Gracias. Congresista Paul, de todos usted tiene un punto de vista diferente.*

PAUL: *Sí, así es, yo tengo un punto de vista diferente porque no tenemos razones para meternos ahí. No declaramos ninguna guerra y yo les diría a los hispanos que si de verdad piensan que deben volver a casa, mi respuesta es volvamos a casa lo antes posible. Tengo un punto de vista diferente porque respeto la Constitución y escucho a los padres fundadores que nos dicen "quédense afuera de los asuntos internos de otras naciones..."*

THOMPSON: *...La comunidad hispana se conoce por sus valores. Saben que el matrimonio, por ejemplo, es entre un hombre y una la mujer...* (Aplausos) *Saben que la familia es el centro de la sociedad, y con familias fuertes tenemos sociedades mejores...* (Aplausos)

PAUL: *Lo más importante que pueden hacer los hispanos, o lo que pueden hacer todos los estadunidenses, es unirse para restaurar nuestra Constitución y nuestro gran país; nos hemos extraviado, y esto no es un problema hispano, es un problema de Estados Unidos. Lo que queremos es que el imperio de la ley sirva para que todos tengamos oportunidades, y para eso no solamente tenemos que restaurar la Constitución, sino primero tenemos que leerla y entender lo que quiere decir.*

Los gritos siguen a las palabras de Ron Paul. Ron Paul no es un buen político. No sabe escuchar la voz del pueblo de Miami. Ruddy es diferente, Ruddy sabe cómo hacerlo.

GIULIANI: *Los hispanoamericanos ya han llegado a un gran nivel en Estados Unidos... Algo que ha sido maravilloso para nosotros es que hayan venido los cubanoamericanos aquí, que nos hayan hecho mejores americanos.*

ROMNEY: *...somos la esperanza del mundo... y los hispanos son valientes y son libres.* (Aplausos)

RAMOS: *Muchas gracias por confiar en Univisión y muchísimas gracias por haber participado en este Foro Presidencial Republicano transmitido exclusivamente en español por Univisión...*

SALINAS: *Por supuesto que los candidatos ya hablaron, ahora les toca a ustedes, los votantes. Así que, si usted es ciudadano norteamericano, inscríbase y vote, haga valer su voto.*

Univisión, como cualquier otro gran medio, es un centro de difusión ideológico que incluye no sólo la idea de que los hispanos en Estados Unidos sólo necesitan consumir diversión (distracción), sino también la pretensión de neutralidad ideológica, como es común a toda ideología dominante. Los diarios de Miami se jactan de la libertad de prensa pero no admiten críticas al sistema capitalista, sólo noticias y editoriales contra "el socialismo" y la "ideología progresista". En Cuba, *Granma*, el diario oficial es un medio de propaganda del partido comunista. En los países capitalistas no necesitan semejante pecado. Las corporaciones (deudoras de otras corporaciones privadas que sostienen esos medios con publicidad) hacen el trabajo de propaganda, de forma que la uniformidad y el consenso manufacturado dan la ilusión de pluralidad y diversidad. En Cuba, *Granma* y sus periódicos subsidiarios son medios de propaganda del gobierno. Los medios opositores no sólo son financiados y representan los intereses de las corporaciones dominantes del otro lado del estrecho, sino que el mismo gobierno de Estados Unidos financia directamente publicaciones y emisoras de radios y televisión para difundir lo que ellos mismos llaman "defensa de la libertad de prensa", nunca "propaganda estatal" y menos "intervencionismo imperial". Así, *Radio y Televisión Martí* es financiada por Washington a través de la *U.S. Agency for Global Media* la que, además, con un modesto presupuesto de casi mil millones de dólares, tiene otros medios de propaganda contra la propaganda en otros continentes.[204]

El video y la traducción al español del "*Primer Foro Presidencial del Partido Republicano en español*" serán publicados en la página oficial de *Univisión* el 11 de diciembre. Poco después será borrado. Por los años por venir, no estará disponible, excepto por algunas transcripciones, como la del *Wall Street Journal*, que no ve nada malo ni nada ridículo en el texto.

2009. En Cuba se tortura y se violan los Derechos Humanos

WASHINGTON, DC. 22 DE ENERO DE 2009—El segundo día en el Despacho Oval, Barack Hussein Obama firma el cierre de la prisión de Guantánamo para antes de que acabe el año. En su mano zurda no cabe toda la confianza del nuevo presidente. En Guantánamo, la noticia se filtra a los cientos de prisioneros que festejan el fin de una agonía de muchos años. Está firmado el cierre de la prisión donde se violan todos los derechos humanos en Cuba.

---

[204] Por décadas, desde su fundación, el conglomerado mediático más poderoso de la izquierda latinoamericana, *TeleSur*, funcionará con un presupuesto anual de aproximadamente el cinco por ciento del presupuesto de la *U.S. Agency for Global Media*, una agencia minoritaria en la inversión de propaganda oficial de Washington e irrelevante en comparación con el resto de los conglomerados privados de Estados Unidos o de América Latina.

Sí, pero no. No se puede liberar así no más a prisioneros que han sido torturados por años. La solución es seguir torturando. La mayoría son inocentes de cualquier acto violento. La mayoría no ha colaborado nunca con ningún grupo terrorista. Podrían reclamar alguna compensación y Washington no acepta pagar compensaciones y mucho menos pedir perdón a sus enemigos, aunque sean enemigos imaginarios o enemigos de opinión. Como había afirmado en 1854 el médico y embajador en Nicaragua, Solon Borland (cuando se negó a leer la orden de arresto contra un capitán estadounidense que había matado a un pescador) los oficiales locales no tenían *"ninguna autoridad para arrestar a un ciudadano estadounidense, sin importar el crimen que haya cometido"*.

Guantánamo es un viejo botín de las guerras inventadas de Washington contra España en 1898 en el Caribe y en el Pacífico donde, en Filipinas, se practicó, de forma sistemática, la tortura de rebeldes y sospechosos y el *"adictivo deporte"* de cazar *"negros pacíficos"* a punta de rifle. Por entonces, se había usado distintos métodos de tortura, uno de los cuales, el submarino, sería ampliamente empleado y reportado por los militares y por la prensa de la época.[205] Ahora, Guantánamo es una jaula de oro para las familias de los militares que viven allí, servidos por trabajadores baratos que importan de Filipinas, por un McDonald's y otros comercios ilegales según los tratados firmados sobre bases militares. Ahora, en Guantánamo se aplica la vieja tortura del submarino y otras más sutiles como la reclusión indefinida en celdas minúsculas, la privación de sueño, la exposición a ruidos insoportables, la alimentación forzada con tubos y la humillación diaria por el breve lapso de incontables años.

El investigador David Vine, en su visita a las instalaciones, diez años después escribirá que entre los prisioneros se cuentan ancianos y niños de hasta trece años y *"la mayoría son culpables de nada...; más del 85 por ciento de los 780 detenidos y transferidos fuera de la prisión nunca fueron sospechosos de haber cometido ningún delito de terrorismo"*. La misma CIA, que mantiene otras cárceles secretas por el mundo, reconoce que se trata de gente que no tiene nada que ver ni con Al Qaeda ni con los talibanes.[206] Según el

---

[205] El submarino (*waterboarding*) es una técnica de tortura conocida desde los tiempos de la Inquisición y usada ampliamente por Estados Unidos en sus colonias tropicales y por sus "dictaduras amigas" en América Latina. Una de sus ventajas consiste en no dejar marcas en los cuerpos de sus víctimas.

[206] Según un informe de *Forbes* del 9 de diciembre del 2014, la CIA invierte cientos de millones de dólares (más de lo que gasta el Departamento de Defensa en terapia psicológica para los soldados que regresan de sus guerras) en construir y operar cárceles en otros países, algunas de las cuales nunca llegarán a ser ocupadas. En ocasiones sus pagos secretos de hasta un millón son realizados en billetes de a cien dólares

coronel Lawrence Wilkerson, ex jefe del Estado mayor al servicio de Colin Powell, se trata de gente que estaba *"en el lugar equivocado en el momento equivocado"*. ¿Quién no lo estaba en Medio Oriente cuando el presidente George W. Bush decidió lanzar las guerras de Irak y Afganistán, años antes de reconocer su error como quien reconoce no haber visto un cartel de PARE en una esquina? Wilkerson no se cansa de denunciar su propio trabajo y la nueva guerra como una aventura basada en mentiras. Interpelado en el Congreso, explica las motivaciones para la invasión de Irak: *"Prefiero usar el acrónimo OIL (Petróleo). O de Oil, I de Israel y L de la Logística usada por los neoconservadores"*. Según Wilkerson, los prisioneros de Guantánamo no están ahí porque son culpables de algún delito, sino porque conocen a sus pueblos y, de tanto en tanto, pueden aportar alguna información útil.

Desde 2002, los psicólogos James Mitchell (alias Grayson Swigert) y Bruce Jessen (alias Hammond Dunbar) trabajan en Guantánamo asesorando en nuevas técnicas de tortura, a la que llaman *"enhanced interrogation (interrogación mejorada)"* y por lo cual reciben un salario de 1.800 dólares por día. Algunos prisioneros no sobrevivieron a las avanzadas técnicas psicológicas. Cuando el Congreso cuestione a James Mitchell por esta actividad ilegal, se defenderá diciendo que ha cumplido con su *"deber moral"* de proteger a su país de los terroristas. En in 2005, Mitchell y Jessen fundaron una compañía privada para asesorar a la CIA en materia psicológica, la que poco después le aseguró un contrato por 180 millones de dólares (aunque hasta la fecha solo les han pagado la mitad), aparte de millonarias coberturas en caso de problemas legales que a veces surgen de la ilegalidad.

Diferentes proyectos intentan trasladar a los detenidos a Estados Unidos para ser juzgados según las leyes legales de Estados Unidos, pero fracasan todos. Hay un detalle. Guantánamo no es territorio estadounidense sino cubano (alquilado a la fuerza y contra la voluntad del gobierno de Cuba que cada año se niega a cobrar el alquiler), por lo cual las humanitarias leyes del país de las leyes no se aplican a ese limbo. *"No podemos juzgarlos"*, dice el coronel Wilkerson, *"porque los hemos torturado"*. La mayoría prefiere no pensar en esto y continúa repitiendo la literatura más conveniente. Tres años atrás, el 23 de junio de 2005, el vicepresidente Dick Cheney había respondido a las críticas diciendo que, en realidad, los prisioneros no la pasaban mal. *"Están viviendo en el trópico, están bien alimentados, tienen todo lo que necesitan"*. De hecho, estos turistas forzados les cuestan a Washington 450 millones por año, cuatro mil veces más de lo que costarían en un hotel cinco estrellas, sin contar otros cientos de millones bajo el preciso rubro de *"costos adicionales"*.

(esos papeles que los ciudadanos de Estados Unidos rara vez ven en sus vidas) para no dejar rastro de los pagos. Naturalmente, nada de esto se llama corrupción sino "defensa de nuestros ideales".

Ningún prisionero será juzgado en dos décadas. Muchos inocentes serán distribuidos en países que les son ajenos y a donde llevarán sus traumas y estigmas, o irán muriendo debido a las condiciones de la vida tropical. Obama nunca cerrará la prisión de Guantánamo, aunque renovará su promesa múltiples veces hasta su último año en la Casa Blanca, insistiendo que es "*contrario a nuestros valores*". Ese mismo año, en los debates electorales de 2016, el futuro presidente Donald Trump prometerá lo contrario. No solo mantendrá la famosa cárcel llena de "*chicos malos*" sino que prometerá restituir métodos de interrogación y "*tormentos aún peores que el submarino*". Con una obviedad que aplaudirán sus eufóricos seguidores, afirmará: "*no me digan que no funciona, porque la tortura sí funciona; y si no funciona no importa, porque se la merecen*".

2009. Señor presidente ¿por qué no obedece usted las órdenes?

TEGUCIGALPA, HONDURAS. 28 DE JUNIO DE 2009—El domingo por la mañana, los militares rodean al presidente en pijamas y, armas en mano, le preguntan por qué no ha obedecido las órdenes del general Romeo Vásquez. Sin respuesta, lo invitan a retirarse de la casa de gobierno. De ahí a un auto hasta la base militar estadounidense Soto Cano y luego a un avión de la fuerza aérea hasta Costa Rica. Como lo indica el manual de hojas amarillas, los medios del país han sido tomados y se les sugiere no transmitir información que no sea aprobada directamente por el proceso democrático que se está llevando a cabo. Entre las muchas casualidades, los militares que acaban de secuestrar al presidente han sido entrenados en la School of the Americas —ahora llamada Western Hemisphere Institute for Security Cooperation, para que vuelva a sonar bonito. Entre los graduados de la SOA (o WHINSEC) están los generalísimos Romeo Vásquez Velásquez (varias veces candidato a la presidencia por el no menos bonito Partido de la Alianza Patriótica Hondureña), Luis Javier Prince Suazo, de la también patriótica Fuerza Aérea Hondureña y Luis Javier Prince Suazo, patrióticamente encargado de enviar al presidente Zelaya a Costa Rica. La escena, las razones, el secuestro hasta Costa Rica es una réplica del destino que debió seguir el presidente Modesto Rodas Alvarado en 1963 por intentar limitar la libertad de las bananeras estadounidenses.

La noche anterior al golpe, los militares hondureños y los diplomáticos estadounidenses habían tenido una fiesta en la casa del adjunto de defensa de la Embajada, Andrew Papp. Cuando el plan marche sobre ruedas, la Embajada emitirá una declaración para los indignados de América latina: "*el golpe ha sido un acto ilegal y anticonstitucional*".

Por supuesto que la historia de amor de Washington había comenzado más de un siglo atrás, cuando los capitales estadounidenses literalmente se apropiaron del país para convertirlo en la primer república bananera dedicada de cuerpo y alma al monocultivo. Aparte de las múltiples intervenciones directas, aún antes de la guerra fría, Washington, como en casi todos los otros países de la región, había cambiado su estrategia: en lugar de controlar a los rebeldes y al resto de la población, rápidamente entendió que el negocio radicaba en controlar el ejército nacional, el que convirtió en la mayor y la institución más importante de toda la república, garante del honor y de la protección de la patria contra la intervención extranjera. Durante los años 80, Honduras se convirtió en una gigante base militar estadounidense para esparcir las guerras civiles en América Central, en particular apoyando los escuadrones de la muerte en El Salvador y el grupo terrorista Contras que, por más de una década, sabotearon y asesinaron en Nicaragua sin piedad. Como consecuencia, la sociedad hondureña se sumergió en una profunda cultura militarista al tiempo que aumentaban los desaparecidos y asesinados. Para las décadas por venir, Honduras se convertirá en la capital mundial del crimen y en exportador de hondureños, víctimas desesperadas en búsqueda de refugio en Estados Unidos, donde serán tratados como criminales.

Entre sus varias provocaciones, el presidente Manuel Zelaya había introducido el salario mínimo en su país y había propuesto convertir la base militar de Palmerola, al servicio de Estados Unidos, en un aeropuerto comercial. Había subido el salario mínimo en un 60 por ciento, lo que había enfurecido a Chiquita Bananas, conocida como United Fruit Company antes del maquillaje por el golpe de Estado de Guatemala de 1954. Unos meses antes, la *National Endowment for Democracy* (Fundación Nacional para la Democracia) le había donado 1,2 millones de dólares al International Republican Institute para promover los grupos anti-Zelaya y revertir sus reformas. Por otra parte, a Washington tampoco le gustó que Honduras se entendiese mejor con los nuevos gobiernos, democráticos y rebeldes de América del Sur.

Por todas estas razones, ahora el opositor y presidente del Congreso, Roberto Micheletti, un conservador pro-Washington, es nombrado nuevo presidente de Honduras. Los militares se justifican diciendo que reciben órdenes de la Corte Suprema, a pesar de que la constitución hondureña no prevé este mecanismo súbito para saltarse la autoridad de un presidente legal y legítimo. En América latina, es el inicio de la *judicialización de la política* que en la década siguiente derribará a varios gobiernos democráticos, progresistas y no alineados, y acosará a otros hasta presentarlos como ilegítimos o corruptos. En otros países del sur, millones se indignarán por el supuesto robo de un auto o de un apartamento por parte de alguno de los presidentes rebeldes, pero no se inmutarán por el robo de países enteros. Todo lo contrario; lo defenderán con pasión y patriotismo.

Los artículos de la constitución que parecen darles la razón a los golpistas son el 239 y el 374. Ambos dicen que *"el ciudadano que haya desempeñado la titularidad del Poder Ejecutivo no podrá ser Presidente o Designado. El que quebrante esta disposición o proponga su reforma, así como aquellos que lo apoyen directa o indirectamente, cesarán de inmediato en el desempeño de sus respectivos cargos"*. Más adelante: *"No podrán reformarse, en ningún caso, el artículo anterior, el presente artículo, los artículos constitucionales que se refieren a la forma de gobierno, al territorio nacional, al período presidencial, a la prohibición para ser nuevamente presidente de la República"*. La constitución de 1982, nacida con la muerte de la dictadura de Policarpo Paz García, se cree divina e intocable por los siglos de los siglos. Los partidarios del golpe de Estado de 2009 se arrodillan ante sus palabras y entienden que *"cesar de sus respectivos cargos"* incluye el allanamiento de domicilio, el secuestro por la fuerza de las armas de un presidente, el exilio forzado de todo un grupo, ahora disidente, la desaparición de sus colaboradores, la suspensión de las garantías constitucionales de todos los ciudadanos (disidentes) de ese país, la intervención de los medios de prensa que no les son favorables (como si no fuera suficiente tener de lado a la prensa más influyente), la promoción de marchas a favor del nuevo régimen y la represión violenta de los manifestantes en contra. Pese a todo, la misma sagrada constitución, en el artículo 45, establece que *"se declara punible todo acto por el cual se prohíba o limite la participación del ciudadano en la vida política del país"*. El artículo 2 dice que *"la suplantación de la soberanía popular y la usurpación de los poderes constituidos se tipifican como delitos de traición a la Patria"*. Y el artículo 3 complementa: *"Nadie debe obediencia a un gobierno usurpador ni a quienes asuman funciones o empleos públicos por la fuerza de las armas"*. Claro que, como en religión, el poder siempre se reserva el derecho a la interpretación. Donde dice *banco* puede decir *negro*. Donde dice "gobierno usurpador" puede decir "gobierno legítimo".

Con todo, la decisión más cuestionada de Zelaya es mucho más modesta que todo eso y consistió en convocar al pueblo para una encuesta no vinculante que podría proponer, o no, un referéndum sobre la creación de una Asamblea Nacional Constituyente en las próximas elecciones de noviembre donde él no sería ni podría ser candidato reelegible. Esta práctica está amparada en el artículo 5 de la *Ley de Participación ciudadana* de 2006, según el cual es posible realizar consultas populares no vinculantes sobre una gestión o una propuesta política. El decreto 3-2006 aprobado por el mismo Congreso Nacional de Honduras, establece que *"la Constitución de la República establece que la soberanía corresponde al pueblo del cual emanan los Poderes del Estado*" y considera que "*la evolución y la dinámica del comportamiento social... debe ser modernizada para no limitar el ejercicio de los derechos constitucionales*", estableciendo en su artículo 5 que "*el ciudadano podrá presentar las solicitudes e iniciativas siguientes: Solicitar que los titulares de órganos o dependencias públicas de cualquiera de los poderes del Estado, que convoque a la ciudadanía en general... para que emitan opiniones y formulen propuestas de solución a problemas colectivos que les afecten. Los resultados no serán vinculantes pero sí elementos de juicio para el ejercicio de las funciones del convocante*".

Se alega, también, que la misma constitución de 1982 incluye la imposibilidad de cambiarla, pero no sólo las constituciones se cambian, son papel mojado ante las necesidades de las nuevas generaciones, sino que son de acero cuando le sirven al poder y de manteca cuando no. En abril de 1915, el presidente amigo de Washington y de la oligarquía hondureña, Juan Orlando Hernández, anunciará desde Estados Unidos la modificación del artículo 239 de la Constitución que impide la reelección del presidente. Así, sin más vueltas. Lo que antes mucho menos que eso era "traición a la patria" ahora es un gesto patriótico. No importa. La prensa no le dará mucho espacio a la violación de la lógica más básica. El pueblo hondureño, acosado por la violencia imperante en el país, no le prestará mucha atención ni recordará los detalles del golpe de Estado seis años antes. Y Juan Orlando Hernández podrá presentarse por segunda vez a las elecciones del 27 de enero de 2018, las cuales, según todos los observadores independientes, serán manipuladas como la constitución y la opinión pública, para mantenerlo en el poder. Como es de esperar, Hernández no teme ningún golpe de estado del ejército hondureño con asistencia de Washington. Eso es para los chicos malos que desafían a Washington, instrumento de las transnacionales y de los dueños del dinero.

Un año antes del golpe, el 15 de mayo de 2008, el embajador Charles Ford le había enviado un informe a la CIA, con copia al Secretario de Defensa, a la Casa Blanca y al Comando del Sur de Miami sobre el perfil ideológico y psicológico del presidente de Honduras: "*Zelaya no es nuestro amigo. Su visión no está formada ni por una ideología ni por ambición personal sino por un nacionalismo pasado de moda según el cual Estados Unidos es el culpable de la miseria y la dependencia de Honduras. Estuvo en contra de la guerra de los Contras y está en contra del Joint Task Force-Bravo del Comando Sur instalado en la base aérea José Enrique Soto Cano... Usando una metáfora del fútbol americano, creo que debemos continuar una política de empuje agresivo sin desmantelar la estrategia defensiva de cara a las elecciones de 2009*".

En junio de 2009, la misma embajada había enviado un cable a Washington reconociendo que "*el secuestro del presidente Zelaya*" fue "*un golpe de*

Estado, ilegal e inconstitucional". Entre diversos destinatarios está la Secretaria de Estado Hillary Clinton. La secretaria de Estado, Hillary Clinton, no le da mucha importancia a los hechos y propone la celebración de elecciones en Honduras sin la participación de Manuel Zelaya. Las razones vienen desde las profundidades de la historia. A partir del gobierno de facto de Roberto Micheletti, se acelerarán las concesiones a hidroeléctricas y mineras en Honduras, a pesar de la resistencia de la población indígena de las áreas afectadas. Los asesinatos de activistas, líderes locales y periodistas opositores se sucederán a lo largo de los gobiernos que seguirán al golpe de 2009, siempre con el elogio del presidente Obama y de su secretaria de Estado, Hillary Clinton, por los esfuerzos realizados por los nuevos gobiernos legítimos en procura de la paz y la estabilidad.

Luego del derrocamiento de Zelaya, aumentará la militarización del país bajo la doctrina de la "lucha contra las drogas" y, como en otros casos, la violencia se saldrá de control hasta convertir al país, en pocos años más, en el más peligroso del mundo, incluso comparado con otros países en guerra. Honduras será "una nueva Colombia", es decir, con más bases militares estadounidenses y con más violencia procedente del narcotráfico. Como directa consecuencia, miles de nuevos inmigrantes hondureños tomarán sus hijos y sus pertenencias que caben en una bolsa, y comenzarán a caminar hacia el norte, amenazando la estabilidad psicológica del país más poderoso del mundo, por lo cual Washington propondrá nuevos programas de contención, como la *Alianza para la prosperidad* que, como en otros casos, quedará en el nombre y en decenas de millones de dólares arrojados a las fuerzas represivas locales. Como si la policía y el ejército tradicional no fuesen suficientes, la asistencia para la Prosperidad creará una fuerza represiva especial asistida por Estados Unidos, llamada TIGRES (*Tropa de Inteligencia de Respuesta Especial de Seguridad*), la que será usada para amedrentar a la población y acosar a la oposición política. La violencia continuará en aumento. Entre tantos asesinatos planificados se contarán en 2014 el de doce activistas medioambientales. El 2 de marzo de 1916 Berta Cáceres, otra activista ambiental y líder indígena, será asesinada por miembros de esta misma fuerza, entre ellos dos militares entrenados en *Fort Benning*, Georgia, nombre con el que se rebautizó la famosa *Escuela de la Américas* en un intento de borrar un largo pasado entrenando terroristas y dictadores latinoamericanos. Otros líderes sociales seguirán la misma suerte de Cáceres en el nuevo país de los Tigres.

En junio de 2017, pese a los objetivos fracasos (o logros no declarados) el gobierno de Donald Trump confirmará la pertinencia del "Plan Colombia" para América Central y elogiará los avances en derechos humanos por parte del presidente Juan Orlando Hernández quien, sostenido por unas elecciones fraguadas, será un garante de la presencia militar estadounidense y de las compañías privadas que operan en el país. La consultora estadounidense McKinsey, contratada por el gobierno, logrará diseñar campañas propagandísticas para convencer a los hondureños y a otros del éxito de los planes contra la violencia en el país.

El 26 de enero de 2012, Dana Frank, autora de *The Long Honduran Night*, publicará en el *New York Times*: "*Es hora de reconocer el desastre diplomático en el apoyo de Estados Unidos al presidente hondrueño Porfirio Lobo. Desde el golpe de Estado del 28 de junio de 2009, el que depuso al presidente democráticamente electo Manuel Zelaya, el país se ha hundido en el abismo de violencia y de violaciones a los derechos humanos; ese abismo, en gran medida, es obra de nuestro Departamento de Estado*".

Los operadores del golpe contra Zelaya fueron, sólo por casualidad: Fernando "Billy" Joya, militar hondureño miembro del Batallón 3-16 (grupo entrenado por la CIA y responsable de tortura y asesinato de disidentes en América Central durante los años 80, miembro del Plan Condor y favorito del embajador estadounidense en Honduras ,John Negroponte); Otto Reich, cubano de Miami y creador de la oficina de noticias falsas que incluyó gran parte de la prensa estadounidense y latinoamericana en los años 80, conocida como Office of Public Diplomacy; la jerarquía del Opus Dei, al frente de la lucha contra la Teología de la liberación en los años 80; los conservadores evangélicos, fanáticos del Antiguo Testamento y poco partidarios de citar al Nuevo, donde suele molestar un rebelde llamado Jesús, ejecutado por el imperio de la época; diversos militares entrenados en la vieja Escuela de las Américas, productora de dictadores y mafiosos de todo tipo.[207]

El golpe de Estado de 2009 en Honduras, como el de Venezuela en 2002, reproducen la estrategia tradicional de la Guerra fría. No por casualidad, sus protagonistas, nombre por nombre, participaron directamente en diversas operaciones que llevaron a golpes de Estado o a guerras civiles en América Latina.

Ante la prensa, el presidente Barack Obama y la secretaria de Estado Hillary Clinton condenan el golpe en Honduras. Aparte de un reconocimiento por omisión, nada se hace para revertir un nuevo abuso de la oligarquía internacional, por lo cual el golpe de 2009 se hundirá en la indiferencia internacional. El primero de julio, Washington anuncia que "*ha cortado todos los lazos con aquellos responsables del golpe de Estado*". Sin embargo, a pesar de que la ley Foreign Operations Appropriations (en su Título V, Sec. 506

---

[207] La hija mayor de Augusto Pinochet, Lucía, elogia el golpe militar contra Zelaya. Este es un dato sin mucha importancia para este libro aparte del valor anecdótico. Luego de ser acusada de fraude fiscal, en 2006 pide asilo en Estados Unidos pero es deportada. Lucía es la autora del libro *Augusto Pinochet: Pionero del mañana,* publicado en 1997.

aprobada diez años atrás) obliga a suspender cualquier ayuda militar a un régimen extranjero producto de un golpe de Estado, Washington no suspende la millonaria ayuda al ejército hondureño ni las operaciones del ejército estadounidense en el país se toman un descanso de sesenta segundos. Tampoco hay el más mínimo esfuerzo por parte de Washington para devolver al presidente legítimo al gobierno. Por el contrario, como lo demostrará un informe enviado al Departamento de Defensa y al Departamento de Estado del director del CHDS, Richard Downie, las instrucciones son esperar a que el gobierno golpista pueda organizar y arreglar unas elecciones convenientes en las cuales Zelaya no esté presente. La misma política es la del comando de combate para América Laina, con sede en Miami, el US SOUTHCOM.[208] En sus memorias, la secretaria de Estado Hillary Clinton reconocerá que ésta era también su posición.

Cuando el hacendado Porfirio Lobo Sosa (derrotado por Zelaya en las elecciones anteriores) sea elegido presidente, pocos países lo reconocerán. Sin hacerse rogar, entre los primeros que lo hagan estará el gobierno de Obama. Durante el nuevo gobierno democrático hondureño, ningún golpista irá a la cárcel; por el contrario, formarán parte de él. En cambio, al igual que en Colombia, los garífunas negros de honduras serán desplazados de sus tierras y cientos de otros disidentes desaparecerán o serán asesinados. Entre ellos la activista por los derechos humanos y el medio ambiente Berta Cáceres, asesinada el 2 de marzo de 2016 por las Fuerzas Especiales de Honduras, armadas por Washington para combatir "el crimen organizado".

A pesar de la obviedad del caso, la sola idea de que se tratase de un golpe de Estado fue defendida con ferocidad en Honduras. El mismo director de comunicaciones del Center for Hemisferic Defence Studies, Martin Edward Andersen, reconocerá: *"algunos de mis colegas del Comando Sur debieron ser castigados por su directa participación en el golpe... De hecho, una parte del complot se realizó a pocas cuadras del Capitolio"* —la sede del Comando Sur está en Miami; el Capitolio, en Washington.[209]

Unos días después del golpe, varios militares hondureños se reúnen en Washington con el CHDS (Centro de Defensa y Seguridad Nacional). Los miembros de este organismo le reconocen a los militares el mérito de *"haber evitado que el socialismo se acercara a la frontera de Estados Unidos"*. En agosto, el general Miguel Ángel García Padgett, junto con otros militares

---

[208] Uno de sus actuales miembros, el general John Kelly, ocupará diferentes cargos en el gobierno de Donald Trump unos años más tarde.

[209] El mismo Martin Andersen identificará a alguno de sus compañeros activos como ex miembros de la DINA, la policía secreta de Augusto Pinochet que, en colaboración con miembros del exilio cubano asesinaron a Orlando Letelier y su secretaria Ronni Moffitt con una bomba en Washington, 33 años atrás.

golpistas, ante las cámaras de televisión, con orgullo reconocen esta reunión en Washington.

En cuestión de meses, 58 disidentes políticos y 14 periodistas serán asesinados. Las modestas reformas democráticas serán revertidas y los activistas en favor del ambiente, los grupos indígenas y sus habitantes más modestos serán desplazados de sus tierras, perseguidos y asesinados. Como en la Guatemala posterior al golpe de la CIA en 1954, las cooperativas de campesinos serán eliminadas en favor de los terratenientes. 96 campesinos que reclamarán las tierras por el sistema de cooperativa serán asesinados por grupos paramilitares protegidos por el ejército y la policía militarizada. Algunos servicios, como sectores de la electricidad serán privatizados. Las minorías como los miembros de LGBT volverán a ser perseguidos en nombre de la moral y la tradición. Honduras se convertirá en la capital del crimen y de la expulsión de pobres hacia Estados Unidos. La tasa de homicidios pasará de 44,5 a 93,2 por cien mil habitantes en solo dos años.

El 21 de abril de 2015, la Suprema Corte de Justicia de Honduras sentenciará que el famoso artículo 239 de la intocable constitución es inaplicable. Es decir que, dadas las circunstancias ideológicas a favor de la tradicional oligarquía dominante, se borra el segundo párrafo de un plumazo y (sin necesidad de consultar al pueblo, como hacen los radicales) ahora sí el presidente se puede presentar a una reelección. El candidato de Washington, Juan Orlando Hernández, será reelegido en 2017 a pesar de las protestas populares que dejarán 23 muertos. El *think tank* británico de *The Economist*, entre otros, confirmará que la interrupción del conteo de votos que dará vuelta las elecciones del 26 de noviembre a favor de Hernández es matemáticamente improbable. Washington apoyará el fraudulento proceso democrático. En 2019 hará posible un golpe de Estado en Bolivia bajo el argumento de que Evo Morales, el presidente rebelde, no ganó con el diez por ciento de diferencia sobre el segundo candidato sino (a juicio de una auditoria fraudulenta y apresurada de la misma OEA) ganó por una diferencia algo menor. En 2021, como en 1990 en Panamá, Washington acusará a su presidente protegido en Honduras de estar implicado con el narcotráfico. Como Manuel Noriega con Pablo Escobar, Orlando Hernández será socio de El Chapo Guzmán y esto no se verá muy bien en los tribunales de Estados Unidos.

2010. Nuestras leyes no te protegen de nosotros

CIUDAD JUÁREZ, MÉXICO. 7 DE JUNIO DE 2010—Sergio Hernández juega con sus amigos a metros de la frontera. Cada uno de los cuatro jóvenes debe subir la rampa, tocar el muro de cemento que separa su ciudad de El Paso, y volver corriendo hacia el río sin agua. Un agente fronterizo de Estados Unidos está decidido a terminar con el juego. Captura a uno de los jóvenes y le dispara a Sergio que, desde la perplejidad de sus quince años, mira la escena desde el lado mexicano. Las autoridades estadounidenses alegan que Sergio había tirado piedras hacia el país vecino y el agente tuvo que dispararle en defensa propia. Poco después aparecen videos que niegan esta versión.

En 1930 miembros del Ku Klux Klan, periodistas, representantes de estados fronterizos y algún que otro profesor, como Samuel Holmes, habían alertado de la degradación genética de la raza anglosajona debido al traspaso de inmigrantes del sur. Poco después, se puso en marcha la caza privada y estatal de descendientes de mexicanos (es decir, cualquiera procedente del sur del Río Grande hasta por lo menos, Perú, una o cuatro generaciones atrás) y se deportaron medio millón de ellos a un país donde nunca habían estado, por ser culpables de un rostro mestizo y un acento hispano.

En 1931, un joven de quince años, Ramón Casiano que caminaba de regreso de su escuela fue asesinado en ese mismo límite fronterizo por un niño bien, llamado Harlon Carter. Carter era el hijo de un guardia de frontera de Laredo, Texas, y le había disparado al mestizo por atreverse a contestarle como si fuese un ser igual y, peor, por reírse cuando estaba siendo apuntado con un revólver de verdad. Por entonces, la mayoría de la población de Laredo era de origen mexicano, algo que la guardia fronteriza se había propuesto cambiar con una *"full-scale house cleaning"* ("limpieza completa de la casa"). Carter estaba decidido a colaborar. Como corresponde, el joven homicida fue procesado, condenado por asesinato y perdonado apenas dos años después, alegando "defensa propia" contra un posible cuchillo y contra las palabras inapropiadas de un mexicano. Tres años después, Carter se convirtió en un oficial de la patrulla fronteriza, como su padre, donde hará carrara hasta ser ascendido a jefe de su división. En 1976 será elegido líder de la poderosa Asociación Nacional del Rifle, convirtiéndose en un campeón de "los derechos de las armas" como reacción de la Nueva Derecha al caos de los años 60, cuando hasta los negros y los homosexuales reclamaron sus derechos de ciudadanos. El 4 de mayo de 1981, Ken Feinberg, miembro del comité judicial del senado, en una nota del *New York Times* mencionaba, entre sus virtudes, *"su gran celo por las cosas en las que cree"*. Creer o reventar. Hasta el presidente Jimmy Carter defendió la Asociación y logró promocionar el uso de armas entre los niños, mencionando un caso en el cual uno de ellos había podido asustar a un sospechoso armado como si fuese un adulto. De los niños que le metieron plomo a sus padres o a sus hermanos, ni una palabra. En 1981 alguien recordó el asesinato en 1931 del joven Casiano y Carter lo negó enfáticamente hasta que, por cosas de la vida, recuperó la memoria y terminó por reconocer el incidente.

Otro caso entre miles, sólo como ejemplo ilustrativo de una realidad que atraviesa las generaciones: el 18 de abril de 1986, en San Ysidro, el guardia fronterizo Edward Cole y otros tres agentes de la Patrulla descubrieron a un adolescente de catorce años, Eduardo Carrillo Estrada, quien había estado jugando a saltar la valla. En ese momento, Eduardo intentó saltar de nuevo hacia el lado mexicano, pero los agentes lo arrastraron de nuevo a suelo estadounidense, donde comenzaron a golpearlo. El hermano menor, Humberto, desde el lado mexicano, se acercó a ver y el agente Cole sacó su arma. Humberto, de 12 años, comenzó a correr aún más adentro de su propio país y fue alcanzado por un disparo en la espalda. Una corte de Estados Unidos rechazó la demanda iniciada por tres millones de dólares y votó a favor de una indemnización de medio millón para cubrir cirugías, al tiempo que levantó los cargos contra el agente Cole, considerando que había actuado porque sintió que su vida corría peligro cuando el niño se agachó a tomar una piedra.[210] Las espaldas de los mexicanos atemorizan mucho.

Ahora, con piedras o sin piedras, los pobres siguen siendo más peligrosos que los agentes armados de Estados poderosos. La justicia mexicana solicita la extradición del agente Jesús Mesa Jr, pero el gobierno de Estados Unidos la rechaza, alegando que el agente posee "inmunidad calificada", una figura particular del sistema estadounidense que evita que sus oficiales puedan ser llevados ante cualquier corte de justicia. El Departamento de Justicia, además, alega que no se pueden aplicar las leyes de Derechos Civiles porque la víctima no se encontraba en suelo estadounidense (como en Guantánamo, donde se pueden romper todas las leyes porque es Cuba, ocupada pero Cuba al fin, no el país de las leyes). Si al menos la víctima hubiese podido cruzar de forma ilegal... Pero no, ni siquiera cruzó.

Por esta razón, la familia de Sergio demanda al agente en la Corte Oeste de Texas. Luego de un largo litigio, en 2019 la corte confirmará la inmunidad civil del agente. Casi una década después, el 25 de febrero de 2020, también la Suprema Corte de Estados Unidos confirmará, por cinco votos a favor y cuatro en contra, que la familia de Sergio no tiene derecho a demandar al agente Jesús por la muerte de su hijo. Ser Jesús y perder el acento de la *u* tiene sus ventajas. Caso cerrado.

Cada año mueren varios pobres peligrosos para la Seguridad Nacional baleados por agentes fronterizos estadounidenses.

---

[210] En Estados Unidos han existido y existe una gran variedad de leyes que protegen el miedo de sus ciudadanos, como la ley "*Stand-your-ground*" ("Defensa del territorio propio") según la cual cualquiera puede "aplicar una defensa letal" (por lo general uno o diez disparos) en un café o en un estacionamiento, no por un hecho sino por sentirse amenazado. Está de más decir que rara vez un negro o un mestizo se siente amenazado por un blanco, aunque desproporcionadas razones históricas no les faltan.

Cada año se repite la misma historia de impunidad, complicidad y olvido.

Cada año una horda de nuevos patriotas cómplices, recién juramentados con lágrimas en los labios, apoya el silencio y la impunidad con fanatismo— esa cosa que pretenden que todos identifiquen con un país entero para silenciar cualquier forma de pensamiento que caiga fuera del circulito ideológico del más correcto de todos los racismos.

2010. Washington se preocupa por los indígenas

QUITO, ECUADOR. 30 DE SETIEMBRE DE 2010—Al mediodía, el presidente Rafael Correa se dirige al regimiento donde se encuentran los policías sublevados contra una reciente ley salarial aprobada por la Asamblea Nacional. Correa les explica que sus sueldos se han duplicado durante su administración y seguirán aumentando, pero los amotinados no quieren escuchar y le lanzan gases lacrimógenos. En la confusión, el presidente se lastima una rodilla y es llevado al Hospital de Policía Nacional con signos de asfixia, donde es retenido por los policías sublevados. Algunos proponen asesinarlo para terminar con el problema, pero otros se niegan.

Horas después, diferentes manifestaciones en contra del secuestro toman las calles en varias ciudades y, por la noche, un grupo de operaciones especiales del ejército se enfrenta a los amotinados. Luego de un intercambio de disparos que se extiende por media hora, rescatan al presidente a las nueve de la noche y, aunque el auto que lo transporta es baleado, logra escapar. Dos militares y dos policías quedan muertos.

Las interpretaciones de los hechos que se suceden son dos. Para unos fue una simple rebelión de una parte de la policía y para otros un nuevo intento de golpe de Estado. Al fin y al cabo, la interminable lista de complots organizados y financiados por Washington abarca más de un siglo y, sólo en Ecuador, incluye un golpe de Estado en 1963 y el asesinato de otro presidente en 1981, no por casualidad, dos líderes desobedientes. La intervención más reciente en la región ocurrió apenas un año atrás con el golpe de Estado en Honduras contra Manuel Zelaya. Un par de años después, Fernando Lugo será depuesto con un golpe del Congreso de Paraguay, similar al que le espera a Dilma Rousseff, la presidenta de Brasil, cuatro años más tarde. En 2019 el presidente electo de Bolivia Evo Morales será derrocado con otro complot que vinculará a senadores estadounidenses, generales del ejército boliviano y una lista más numerosa de mayordomos menores.

Todos los golpes de Estado responden a un mismo patrón ideológico, aunque con algunas variaciones de procedimiento. Debido a una experiencia histórica que desprestigió viejas formas de dictaduras militares, estos Golpes

2.0 confían más en la manipulación de la opinión política y mediática que en la tradicional intervención abrupta, visible y desprestigiada de los ejércitos nacionales.

Otro patrón radica en la paciente, continua y millonaria participación de Washington en la política interna, en el estratégico y conocido desgaste psicológico contra los presidentes desobedientes de países ajenos. Desde que a principios de siglo XXI América Latina comenzó a vivir una ola de gobiernos progresistas y democráticos como nunca antes, desde que estos gobiernos demostraron, peligrosamente, que la justicia social también producía prosperidad económica, la prensa dominante y las fundaciones internacionales comenzaron una campaña incesante de acoso y desestabilización de los gobiernos desobedientes en nombre de otros agentes sociales y por alguna causa noble.

De repente, luego de doscientos años de insistir en violar todos los acuerdos y todos los derechos más básicos de los nativos en su propio suelo y en suelo ajeno, Washington se convierte en un poderoso donante de variados movimientos indígenas de Ecuador a través de fundaciones como la National Endowment for Democracy y la USAID, la cual ha venido operando en el país con un presupuesto anual de casi cuarenta millones de dólares.

Ambas organizaciones ya habían participado, entre otros complots internacionales, en el fallido golpe de Estado de 2002 en Venezuela contra otro presidente desobediente. Más allá de las sombras, el presupuesto de la CIA y la NSA ha escalado a decenas de miles de millones de dólares por año (semejante al PIB de uno o dos países centroamericanos). Nadie sabe en qué se invierte esa fortuna, pero, en base a los antecedentes conocidos, no es necesario ser un genio para adivinar dónde y cómo.

Ahora, en Ecuador, también son donantes del "periodismo independiente" y de grupos como la Fundación Q'ellkaj, la que, con el propósito de *"fortalecer la juventud indígena y sus capacidades empresariales"*, se convirtió en una férrea opositora del gobierno de Rafael Correa. En 2005 un grupo integrado por Norman Bailey (agente de la CIA y asesor de diferentes compañías internacionales, como la Mobil International Oil) fundó la Corporación Empresarial Indígena del Ecuador (CEIE).[211] Bailey, un experto en América Latina con un profuso currículum en la NSA y en el gobierno de Ronald Reagan, en 1965 había publicado con el Center for Strategic and International Studies el libro *The Strategic Importance of Latin America* donde dejó claro la importancia de *"la economía radical de la empresa libre"* a la que llamó *"neo-liberalism"*.

---

[211] Una investigación de Eva Golinger revelará que cuatro de los cinco fundadores del grupo indigenista opositor, el CEIE, poseen vínculos directos con el gobierno de Estados Unidos: Ángel Medina, Fernando Navarro, Raúl Gangotena y Lourdes Tibán.

Las tradicionales fachadas de la CIA en Ecuador, como era de esperar, organizaron movilizaciones y protestas contra el presidente desobediente. Según la correspondencia de la misma USAID en Quito, la independencia de Ecuador para entenderse con los enemigos de Washington (Bolivia, Cuba y Venezuela) no podía ser tolerada. Mucho menos que Ecuador, haciendo uso de su soberanía, hubiese decidido dar asilo político a Julian Assange en su embajada de Londres y, peor aún, que no haya renovado el alquiler gratuito que obligaba a Ecuador a ceder la base militar de Manta para uso de la Air Forces Southern en nombre de la conocida excusa de lucha contra el narcotráfico.[212]

En 2014, la USAID será obligada a abandonar sus operaciones en Ecuador. En 2018 el nuevo presidente apoyado por Washington, Lenin Moreno, aprobará el regreso de los aviones militares de Estados Unidos pese a que la constitución, aprobada por el pueblo ecuatoriano diez años antes, establece que *"Ecuador es un territorio de paz. No se permitirá el establecimiento de bases militares extranjeras ni de instalaciones extranjeras con propósitos militares"*.

Como en los últimos sesenta años, el gobierno paralelo de las súper agencias secretas que no conocen fronteras no dejará de vender máscaras y caballos de Troya. Si algo no falta es dinero y recursos humanos con pequeñas ambiciones.

2011. Fútbol rebelde

SÃO PAULO, BRASIL. 4 DE DICIEMBRE DE 2011—A las 4: 10 de la madrugada, a los 57 años, muere Sócrates de Souza Vieira de Oliveira, conocido como Sócrates, uno de los mejores futbolistas de la historia e integrante de la mejor selección de Brasil que, por cosas del fútbol, no pudo ser campeona del mundo en 1982.

Hijo de un padre aficionado a la literatura, Sócrates no fue un jugador profesional hasta muy tarde, luego que, a los 24 años, se graduó de médico. En 1982, junto al sociólogo Adílson Monteiro Alves, rescató al club Corinthians de una temporada que lo había hundido hasta el fondo de la tabla de posiciones. Con Adílson, Wladimir y Walter Casagrande, fundó la Democracia Corinthiana, un experimento anarquista donde los jugadores y los

---

[212] En realidad, el presidente Rafel Correa le ofreció a Washington negociar la permanencia militar de Estados Unidos en Manta. El 21 de octubre de 2007 propuso renovar el alquiler de la base *"con una condición: que nos permitan poner una base militar en Miami, una base ecuatoriana"*. No fue aceptado.

entrenadores tomaban las decisiones más importantes por votación. La idea, ridiculizada por muchos, no fue un fracaso. Luego de veinte años sin ganar nada, el Corinthians salió campeón de la liga paulista dos veces, en 1982 y en 1983. Por si fuese poco, los irresponsables autogestionados lograron pagar las deudas del club y obtuvieron un superávit de tres millones de dólares.

El equipo fue el primero en salir a la cancha con anuncios estampados en su camiseta sin colores como las páginas de un libro, pero no eran anuncios comerciales sino mensajes políticos como *"Democracia"* o *"Diretas Já (Elecciones ya)"*. La osadía causó una profunda molestia entre los militares y entre los amantes del deporte-por-el-deporte, pero una aún más profunda admiración y complicidad de los hinchas hizo imposible detener a los jugadores.

En 1983 se propuso la Enmienda Constitucional Dante de Oliveira para llamar a elecciones nacionales. Sócrates advirtió que, si la propuesta no era aprobada, dejaría el país. El 2 de marzo, la enmienda fue rechazada y Sócrates marchó a Italia. El movimiento iniciado bajo el nombre *Diretas Já* no se detuvo y, junto a la crisis económica agravada en América Latina por la suba de las tasas de interés de la FED y la multiplicación de la deuda de las dictaduras amigas, terminó por derribar al régimen militar. En el mundial de México 86, en momentos en que América Central se desangraba con las dictaduras de Washington y el paramilitarismo de los Contras, Sócrates se puso una vincha blanca con la leyenda "REAGAN ASESINO". En 2002 reconoció: *"Siempre supe que estábamos haciendo política. El fútbol es el único medio que puede acelerar el proceso de transformación de nuestra sociedad porque es nuestra mayor identidad cultural. Todos entienden de fútbol; de política, nada"*.

Pero en una entrevista para *The Guardian* de 2010, Sócrates reveló su mayor debilidad: *"ser sensible no siempre es lo mejor que te puede pasar"*. Ahora, derrotado por su alcoholismo, Sócrates, el jugador más elegante, el capitán de la selección nacional del mejor equipo de la historia, el doctor rebelde que demostró que las cosas pueden ser de otra forma, el pintor, el escritor, el bohemio, acaba de morir esta madrugada. Hoy es domingo. En una entrevista de 1983 había dicho que quería morir un domingo, un día en que el Corinthians salga campeón.

Por la tarde, el Corinthians se consagra campeón de Brasil. Multitudes de futbolistas campeones del mundo serán olvidados. Sócrates no.

2014. Dejen que los niños vengan a mí

MURRIETA, CALIFORNIA. 3 DE JULIO DE 2014—Los autobuses escolares con 140 inmigrantes, la mayoría de ellos menores procedentes de América Central y con destino a El Centro, llegan a Murrieta y son recibidos por una densa manifestación de residentes furiosos que ondean banderas de Estados Unidos mientras gritan: "*¡Vuelvan a sus países!*", "*¡U-S-A, U-S-A!*". El grupo de patriotas nativistas, cristianos compasivos en su abrumadora mayoría, sino en su totalidad, logra impedir que los autobuses continúen camino y deben volverse por donde vinieron. Uno de los patriotas de Murrieta, de nombre Ellen Meeks, con fanática convicción que nadie puede llamar fanática, declara a la prensa: "*lo único que quiero es que América sea América otra vez*". Los manifestantes tienen mucho en común con los seguidores del partido nativista y xenófobo Native American Party, el que inflamó el odio entre católicos y protestantes a mediados del siglo XIX. Este partido, que sembró la violencia contra los inmigrantes en los pueblos más tranquilos de Pennsylvania y de otros estados, fue conocido con el nombre de No Sé Nada porque sus seguidores no podían explicar cuáles eran los sustentos ideológicos de su movimiento y se limitaban a decir "*I know nothing* (yo no sé nada)". El fundador de este violento partido nativista y antiinmigrante, el congresista Lewis Charles Levin, no era miembro de ningún pueblo indígena, sino judío. Ahora el millonario empresario Donald Trump, experto en vender fantasías y *reality shows*, toma nota.

El pueblo, como casi toda California y otros estados, lleva el nombre de los mexicanos Juan y Ezequiel Murrieta. Aunque ni las enciclopedias lo mencionan, Murrieta, con algo más de cien mil habitantes, también lleva el nombre del Murrieta más famoso del siglo XIX, Joaquín Murieta, el inmortal bandido hispano surgido durante el despojo anglosajón a los rancheros mexicanos durante la segunda mitad del siglo XIX. Johnston McCulley se inspiró en este Murieta para crear y adaptar *El Zorro* a la sensibilidad ideológica de sus consumidores. Naturalmente, hasta el lenguaje tiene más memoria que el pueblo.

Las protestas contra los niños invasores que pueden destruir a la mayor potencia mundial se reproducen en otros estados. Los manifestantes no dirán que tanto odio se debe a alguna forma de racismo. Dirán que se trata del histórico y natural apego a la Ley, porque este país, diferente a los países caóticos y corruptos del sur, es un país de leyes. Claro que las leyes sólo se aprueban o se aplican cuando conviene a quienes tienen el poder de aprobarlas y de violarlas a gusto del consumidor. Como hemos visto desde el principio de este libro, tanto Washington como los pioneros y filibusteros anglosajones, siempre apegados a sus leyes, violaron todos los acuerdos firmados con indios, mexicanos y con cualquier otro grupo de raza inferior cuando los acuerdos les impidieron expandir la esclavitud y la propiedad privada de las tierras robadas a punta de escopeta, de cañones y de barcos de guerra, o cuando les negaron beneficios justos a las compañías que gobernaban las repúblicas bananeras. La veneración de las armas nunca fue arbitraria. Más tarde, en el siglo XX, la violación de todas las leyes morales e internacionales continuaron siendo práctica sistemática cuando se destruyeron democracias o se impusieron dictaduras militares en América Latina, las que dejaron un regadero de masacrados junto con fanáticos criollos, oportunistas y cómplices tradicionales. Todo hecho en nombre de la libertad (como la libertad a defender el sistema de esclavitud o la libertad de mercado para destruir cualquier "cultura inferior") y de la "defensa propia", porque el fanatismo anglosajón siempre ha creído o ha querido creer que "fuimos atacados primero". Más recientemente, múltiples grupos mercenarios y paramilitares asociados a la extrema derecha, con su natural obsesión racial (KKK, neonazis, supremacistas blancos) intervinieron y asolaron América Central y, al mismo tiempo, se dedicaron a cazar "invasores centroamericanos" e "inmigrantes ilegales" en Estados Unidos, torturando y matando trabajadores indefensos, por patriotismo, por diversión y con frecuente impunidad para "defender el límite fronterizo".[213]

Claro que no todos los hispanos son creados iguales. Los inmigrantes de países pobres y plagados de violencia al sur del río Grande son considerados criminales y se los trata como tal, incluso cuando son menores. Los inmigrantes ilegales de Cuba desde 1961 (y de Nicaragua durante los años 80) son refugiados. Desde los años 70, los acuerdos entre Washington y La Habana para otorgar 25.000 visas anuales a los cubanos que quieran entrar legalmente a Estados Unidos nunca fueron cumplidos porque los solicitantes cubanos fueron sistemáticamente rechazados en la oficina consular de Estados Unidos (por entonces llamada "Sección de Intereses de los Estados Unidos en La Habana"). Estas políticas de doble rasero de Washington y la crisis en Cuba provocaron los eventos conocidos como El Mariel, cuando Fidel Castro decidió limpiar las cárceles de Cuba y, entre honestos disidentes, llegaron a Miami oleadas de criminales comunes y otros voluntarios para lo que se necesite resolver. En 1981 el Departamento de Estado había negociado con Castro el retorno de "*los indeseados*". No se referían a los terroristas que, bajo asistencia y pago directo de la CIA, desde las discretas tiendas de Miami se dedican a poner bombas en aviones y a asesinar y acosar a verdaderos disidentes en Estados Unidos, sino a los criminales comunes, generalmente pobres y con poca preparación.

En 1984, Ronald Reagan finalmente firmó un acuerdo con Fidel Castro por el cual Cuba aceptaría la repatriación de 2.746 indeseables (un número mínimo considerando que los criminales arribados a Miami ascendían a

---

[213] La misma arbitrariedad del poder se reproduce fronteras adentro. Una investigación de 2019 del *USA Today* titulada "*Copy, paste, legislate*" demostró lo que cualquier observador atento sabía: las leyes aprobadas en el Congreso y en los congresos estatales de Estados Unidos son redactadas por las grandes compañías que donan fortunas a las campañas electorales.

decenas de miles) por lo cual Estados Unidos se comprometía a reiniciar la emisión de visas para los descontentos en la isla, algo que, obviamente, nunca se cumplió. Sólo quienes se arrojan a las aguas "infestadas de tiburones" sirven como propaganda contra el régimen de la isla. Ni Washington ni Miami simpatizan con la inmigración legal. Por su parte, luego de recibir a 200 de estos indeseables, La Habana suspendió la repatriación del resto para protestar la instalación de Radio Martí en 1985.

Una historia similar se repetirá en la crisis de los balseros de 1994. Así, Miami se llenará de excomunistas más anticomunistas que el senador McCarthy y acusando de comunistas a cualquiera que no estuviese de acuerdo con la forma de preparar el daiquiri. La tentación de *residencia y ciudadanía estadounidense express*, es considerable: si se arrojan a las aguas llenas de tiburones y lograron poner pie en una playa de Florida, la Ley de Ajuste Cubano de 1966 y su ampliación, conocida como *Wet feet, dry feet* (Pies secos, pies mojados), los protege automáticamente y, en apenas un año, ya son residentes permanentes y a solo cinco años de convertirse en ciudadanos y votantes del lobby cubano en el Congreso. Si los agarra la guardia costera en plena mar los devuelve a Cuba y, si se ahogan o los comen los tiburones, se culpa al dictador Fidel Castro en todos los medios. Esta ley no se aplica para otras repúblicas caribeñas que han sido sistemáticamente desoladas por brutales dictaduras promovidas y financiadas por Washington, como en Haití o en República Dominicana. Tampoco se aplica a México o a los países de América Central, asoladas por las guerras de Washington y por innumerables grupos de mercenarios estadounidenses desde el siglo XIX hasta recientemente. La razón es simple: excepto Cuba, cuyo gobierno es comunista, todos los demás países con gobiernos fracasados en el Caribe y en América Central son capitalistas, más capitalistas que Estados Unidos. Aunque a estas repúblicas no se las bloquea ni se las acosa como a Cuba o a Venezuela sino todo lo contrario (se las asiste con ayuda financiera, ideológica y mediática para que no den el mal ejemplo) aun así son un problema.

Precisamente, de estos fracasos y de estas violencias, ahora huyen las familias de esos países. Ahora, en California, el alcalde de Murrieta, Alan Long, apoya a los manifestantes contra la llegada de los autobuses escolares y se apoya en lo seguro: "*no es contra los inmigrantes que quieren irse de esos lugares indeseables y venir al mejor país del mundo; es contra las ilegales*". El hecho de que 140 niños pobres procedentes América Central (de esas repúblicas bananeras que Ronald Reagan llamó "*nuestra frontera sur*") sean considerados "peligrosos invasores" no se sostiene más que por el miedo a la degradación genética, propia del siempre vivo fanatismo anglosajón —y por la fantasía pornográfica que ve en cada negro y en cada latino a un violador con un pene tamaño obelisco tentando a sus inocentes mujeres, tipo Marilyn Monroe o Blanca Nieves.

La emigración mexicana se había disparado luego del tratado de Libre Comercio (NAFTA) en 1994 como la emigración haitiana, gracias al tratado de libre comercio que terminó con sus granjeros. Para permitir que el electo presidente Jean-Bertrand Aristide regresara al poder luego de un golpe de Estado en Haití promovido por Washington, el presidente Bill Clinton le puso como condición una reforma económica que salvaría su país: desprotección de sus campesinos y la reducción al mínimo de las tarifas de importación del arroz de Estados Unidos. Libre competencia. Al igual que con la maravillosa idea de la conversión forzada de la producción al caucho y a la sisal durante la Segunda Guerra, la que dejó a los campesinos sin mercados y con las tierras arruinadas, al igual que la masacre de un millón cerdos negros en los años ochenta, la que destrozó la economía de subsistencia de los haitianos, en los noventa las nuevas políticas del desequilibrado neoliberalismo internacional destrozaron la producción de arroz en Haití, la base de la subsistencia de ese país. Cuando los haitianos desesperados llegaron al País del Éxito, no fueron acusados de comunistas sino de negros.

En Estados Unidos, al mismo tiempo que el gobierno de Bill Clinton lograba la firma de un acuerdo de libre mercado con México, el cual expandiría la frontera sur a través de los capitales de Wall Street, se aprobaba un mayor presupuesto para aumentar el patrullaje de otro *wall*, el muro de la frontera. La idea era que pasara el dinero pero no las personas. Como a principios del siglo XX, la realidad produjo lo que se quería evitar. Por generaciones, los jornaleros mexicanos habían cruzado esta línea imaginaria para servir la demanda zafral de mano de obra. Los trabajadores pobres venían por miles según las necesidades del mercado y se volvían a sus casas según las necesidades culturales y afectivas, lo que resultaba muy conveniente para los poderosos agricultores de Estados Unidos. Cuando en 1924 se aprobó la ley racista de cuotas migratorias (que todavía no filtraba a los mexicanos), se creó al mismo tiempo la Patrulla fronteriza y se comenzó la construcción de vallas donde antes sólo había una línea invisible. Paradójicamente, el incremento de la seguridad en el límite fronterizo y la mayor dificultad para traspasarlo, provocó que muchos jornaleros decidieron quedarse de una zafra a la otra y, al mismo tiempo, aumentase el odio de los nativistas por los invasores del sur que venían a quitarles el trabajo que nadie quería hacer.

Cuando se aprobó el Acuerdo de Libre Comercio, el NAFTA, se reforzó el límite fronterizo, una vez más, para que no pasaran los trabajadores que la mano invisible del mercado empujaba desde el sur y tiraba desde el norte. Sobre todo, si eran trabajadores pobres. A nadie le gustan los pobres cuando molestan la conciencia social. La desigual competencia entre agricultores subsidiados por el gobierno en Estados Unidos y agricultores librados al libre mercado en México produjo la quiebra de los pequeños negocios al sur y la pérdida de trabajo de los más desprotegidos. Pronto, varios pueblos se quedaron sin hombres y, del otro lado, la frontera se llenó de patriotas vigilantes contra la invasión de los mexicanos.

A esta inmigración ilegal producida por el libre mercado y por un acuerdo que sólo era libre para los capitales pero no para los trabajadores, se sumó la inmigración de los países centroamericanos. Luego de quince años de sangría, la relativa recuperación en México había hecho que, a partir de 2009, la balanza migratoria con Estados Unidos pasara a ser negativa. Más mexicanos abandonan el sueño americano que quienes venían a buscarlo. Incluso un millón de estadounidenses se radica en México, más del noventa por ciento de ellos sin papeles. Pero la tragedia de los países centroamericanos, en gran medida destrozados por lo que los historiadores llamaron "las guerras de Reagan", comenzaron a emigrar en los años 80 y continuaron migrando de a miles, huyendo de la pobreza del capitalismo y de la violencia aprendida en años de guerra civil y abusos paramilitares protegidos por una aún más antigua cultura de la impunidad.

A medida que se impone "la obligación moral de expandir la frontera sur" con más violencia, sea militar o económica, es necesario reforzar los controles en el límite fronterizo. La Patrulla fronteriza se convierte en el segundo cuerpo de vigilancia y persecución más grande del país después del FBI. Por si eso no fuese suficiente, los voluntarios vigilantes no asisten al FBI en la lucha contra el crimen nacional sino que patrullan el límite fronterizo y, en muchos casos, también actúan en la frontera, es decir, en la intervención ilegal en otros países al sur, como los Minutemen (desmemoriados pero obsesionados con el pasado, al igual que el Tea Party, este grupo al igual que otros busca sus nombres y supuestos orígenes en la Revolución americana de 1776), el grupo paramilitar CMA (*Civilian Materiel Assistance*). No por casualidad, todos tienen algo en común: pertenecen a la extrema derecha, son racistas, necesitan demostrar sus hombrías tipo Rambo, pero se enfrentan siempre a personas o a grupos desarmados y en condiciones de alta vulnerabilidad, legal y económica. Muchos grupos son fundados e integrados por veteranos de la guerra del Golfo y de la más traumática guerra de Vietnam. Pocas veces reconocen sus frustraciones por la derrota ante un adversario inferior (militar, económica y racialmente inferior) pero expresan abiertamente su nostalgia por la guerra. Uno de los fundadores de los Minutemen en 2004, Jim Gilchrist, también es un marine ex combatiente de Vietnam y reconoce que nunca ha dejado de pensar en Vietnam. Para Gilchrist, la inmigración ilegal *"no se trata de pobres buscando trabajo sino de un intento subversivo de reconquista del territorio estadounidense; se trata de una fuerza oscura que trabaja sin que los honestos angloamericanos, apegados a la ley, se den cuenta que intentan desplazarlos"*. Otro integrante Fred Puckett, ante las cámaras de la televisión de Phoenix, declara que entre sus prácticas de caza de migrantes pobres, afirma: *"salimos en grupos de a dos y los golpeamos como hacíamos en Vietnam hace cuarenta años"*. *"Debería ser legal matar ilegales... Esa debería ser la Ley de inmigración: entras al país de forma ilegal y te mueres"*, declara uno de los veteranos de Vietnam de 69 años, identificado como Carl, miembro del grupo nazi National Alliance que incluye al a Station Two de los *minutmen* que cuidan la frontera de la terrible invasión no anglosajona. Otro veterano de la guerra de Irak y Afganistán declara ante cámaras: *"tengo pesadillas; constantemente pienso en mis amigo muriendo; para mí eso de venir y juntarme con mis antiguos compañeros en la guerra es terapéutico; aquí construyo nuevas memorias"*. Decenas de grupos de adolescentes neonazis, como el *Metal Militia*, se hicieron célebres en San Diego, California, jugando a cazar, robar y torturar inmigrantes.[214]

Decenas de inmigrantes son asesinados cada año por estos grupos patriotas. Muchos de los asesinados con armas de guerra son ciudadanos con rostros de extranjeros. Al menos un tercio nunca serán identificados. No poseen papeles y sus familiares son demasiado pobres y viven demasiado lejos. Algunos pocos (como los aspirantes al ejército Kenneth Kovalow y Dennis Bencivenga) son condenados por asesinato por razones de odio, sobre todo cuando las víctimas son residentes legales o ciudadanos estadounidenses con derechos.

Pero no solo los paramilitares estadounidenses han sido fuerzas compuestas por voluntarios racistas, sino también los agentes oficiales de patrulla lo son, no pocos de los cuales colaboran o tienen conexiones con el Ku Klux Klan y otros grupos supremacistas blancos—anglosajones. El secuestro ilegal, la tortura y la violación sexual de menores decora sus currículos, aunque no a la escala practicada en México durante la guerra de 1845. Según el historiador Greg Grandin, una práctica conocida en California es el intercambio de jóvenes mexicanas capturadas por entradas a espectáculos deportivos y el envío de prostitutas mexicanas a los congresistas y a los jueces de su confianza. En Texas, se permite que los inmigrantes ilegales completen sus jornadas laborales en los plantíos de rancheros conocidos y luego se los captura poco antes de que cobren su salario. Antes de los programas de *reality shows*, la diversión acompañada de alcohol por las noches consistía en mirar los videos de capturas e interrogación de esos seres que en el siglo XIX se llamaban

---

[214] Los miembros de los diversos grupos racistas que cazan, torturan y aterrorizan trabajadores pobres sin derechos, al tiempo que se consideran los verdaderos patriotas, rara vez dan declaraciones con sus nombres verdaderos. Su hombría y valentía no les da para tanto.

"corruptos de raza híbrida" que robábamos y matábamos cuando estábamos en suelo mexicano, y violábamos frente a sus familiares cuando las jóvenes estaban buenas, linchábamos cuando estábamos en América, y ahora simplemente llamamos *mexicanos*, para no perder la corrección.

El 30 de diciembre de 1972, el *New York Times* se había hecho eco de las inocuas denuncias de los mexicanos por el rancho que el presidente Lyndon Johnson poseía en Chihuahua, México. El rancho, llamado Las Pampas, tenía una extensión de 44.000 hectáreas (un área similar a la de un cuadrado de veinte kilómetros de lado) a pesar de que la ley de aquel país prohibía la propiedad privada de un área tan excesiva, sea ciudadano o extranjero.

En 2012, de la misma forma que millones continuaban insistiendo que en Irak había armas de destrucción masivas prontas para atacarlos, la mayoría de los votantes del partido republicano creían que el presidente Obama había sido reelegido con millones de votos de mexicanos ilegales. Ninguna de las afirmaciones tuvo algún fundamento; por el contrario, fueron demostradas como falsas. Pero no hay nada que hacer ante un fanático. Si uno cree en contra de todas las evidencias, más mérito para el creyente, porque no hay nada más importante que la fe ni nada más poderoso que la negación incondicional.

A partir de 2017, cuando Donald Trump y el fanatismo anglosajón representado sin máscaras por sus seguidores lleguen a la Casa Blanca, otros miles de niños serán puestos en jaulas de hierro por semanas y meses, cuando la ley de Estados Unidos limita su detención a un máximo de 72 horas. Algunos morirán y otros serán jóvenes y adultos traumatizados.

Según el acuerdo internacional firmado en 1951 sobre refugiados, ningún país puede enviar de vuelta a alguien si es perseguido por el gobierno o por grupos privados de su país. Sólo la existencia de gobiernos militares y de escuadrones de la muerte apoyados en el pasado por Washington serían razones sobradas para aplicar esta ley que sólo se aplicaba con base ideológica, dependiendo si el refugiado era perseguido por el gobierno de Cuba (la *Ley de Ajuste cubano* y su ampliación *Wet feet, dry feet* no distinguían persecución de cualquier otra motivación) o por los gobiernos militares de extrema derecha apoyados y financiados por Washington. Las leyes internacionales reconocen que ningún país puede detener el paso a ningún menor procedente de un tercer país, pero los xenófobos y nativistas antiinmigrantes, enardecidos ciudadanos blancos del país de las leyes responden, como los seguidores de Lewis Charles Levin luego de la matanza de 1844, "*yo no sé nada*".

Para el país de las leyes sólo sus leyes se aplican. A veces ni siquiera sus propias leyes.

2015. El imperialismo y la opresión nunca existieron

MONTEVIDEO, URUGUAY. 13 DE ABRIL DE 2015—Eduardo Galeano, representante insuperable de la estética de la ética, debe dejar el mundo que le dolió y le fascinó al extremo de crear una obra que lo sobrevivirá por insospechadas generaciones.

Por la noche, la cadena de televisión *EuroNews* informa de la muerte del escritor. Como comentario destacado, incluye las declaraciones del escritor Mario Vargas Llosa realizadas en una conferencia de prensa en la Fundación Santillana. Vargas Llosa, como antes hiciera con Gabriel García Márquez, se lamenta de la muerte de Galeano decretando que "*creó una idea de América Latina que es caricatural, dogmática y profundamente equivocada*". De su idea caricaturesca, dogmática y profundamente equivocada al servicio de los de arriba y del imperialismo anglosajón en América Latina, ni una palabra.

En los últimos cuarenta años se ha acusado a Eduardo Galeano de haber explicado el subdesarrollo de América Latina como consecuencia del desarrollo ajeno que, solo por coincidencia, es el desarrollo de aquellos países que por siglos han practicado y continúan practicando la brutalidad imperialista cuando no colonizadora, la esclavitud gratuita cuando no la asalariada, el robo directo cuando no la extorción, el asesinato cuando no las masacres, las opresiones de aquellos que pueden oprimir. Sus enemigos nunca dejaron de explicar ese mismo subdesarrollo como consecuencia de que los latinoamericanos leen a Galeano. El imperialismo, los golpes de Estado, las guerras civiles inducidas, los complots vastamente documentados por sus propios autores, nunca existieron o solo fueron un detalle.

Las cenizas de Eduardo Galeano no se habían enfriado todavía cuando un ejército de funcionarios desenvainó sus viejas plumas para mantener viva la heroica tradición de denuncia contra los "teóricos de la conspiración". Sus generales olvidan o minimizan el rol de los conspiradores, aquellos que no manejaban ni manejan teorías ni palabras hermosas sino estrategias y acciones precisas, aquellos que no escribían ni escriben libros sino abultados cheques y decretos lapidarios.

Galeano dedicó su vida a criticar a los poderosos. Los poderosos nunca se defendieron, porque otros dedicaron sus vidas a criticar a Galeano. Quienes no se resignan a arrodillarse ante los señores feudales continuarán molestando y desenterrando la historia que más les duele a los dueños del mundo y, sobre todo, a sus mayordomos. De igual forma, serán acusados de traidores, de peligrosos radicales, de crear "*una idea de América Latina que es caricatural, dogmática y profundamente equivocada*".

2016. La creatividad de los golpistas

BRASÍLIA, BRASIL. 17 DE ABRIL DE 2016—En el Congreso Nacional se realiza un carnaval llamado *impeachment*. A los gritos, el diputado y capitán Jair Messias Bolsonaro vota por la condena a la presidenta "*contra el comunismo, por la libertad, por la memoria del coronel Carlos Alberto Brilhante Ustra, el terror de Dilma Rousseff, por el ejército de Caxias, por las Fuerzas Armadas, por Brasil por encima de todo... y por Dios por encima de todo...*" Lo mismo o más fuerte grita su hijo en la Cámara para justificar su voto, invocando a Dios y a los "*militares del 64*". Su apasionado discurso concluye con una profecía a medias y una declaración de intenciones sin ambigüedades: "*¡Dilma y Lula a la cárcel!*".

Eduardo Bolsonaro es oficial de policía de San Pablo y también es diputado. Como varios otros miembros de la familia, será acusado de lavado de dinero del narcotráfico y de apoyar a la mafia paramilitar (*esquadrões da morte*), la que se inicia con la dictadura promovida por Washington en 1964. Cuando su padre se convierta en presidente, tres años más tarde, será designado embajador en Estados Unidos.

El coronel Brilhante Ustra fue responsable de decenas de asesinatos y de torturas a cientos de personas durante la dictadura, entre ellas la actual presidenta. Por no hablar de una dictadura que renovó el terror impune y los votos de obediencia de millones de brasileños. Las ideas del capitán Bolsonaro son simples como un sonajero y consistentes con la cultura militarista del continente. En 1999, en una entrevista en la cadena de televisión Bandeirantes de Río de Janeiro, había afirmado que "*los problemas de Brasil van a mejorar cuando marchemos hacia una guerra civil, haciendo lo que los militares no hicieron, matando a 30.000 personas, comenzando con el presidente Fernando Henrique Cardoso; no expulsándolos del país, no, matándolos; van a morir inocentes, pero en todas las guerras mueren inocentes*". Un representante prototípico de los oficiales de las fuerzas armadas latinoamericanas. A la corta lista de ideas se suman: los indios son una especie de vagabundos casi humanos; a los hijos homosexuales hay que corregirlos a fuerza de garrote; Dios está de acuerdo con nosotros y por eso nos ama y odia a los revoltosos.

Cuando sea electo presidente en 2018, Bolsonaro no se cansará de alabar el golpe de Estado de 1964 contra un presidente constitucional y demasiado progresista, João Goulart; no se cansará de alabar a los dictadores que le siguieron, como Castelo Branco y Ernesto Geisel. La insistente referencia a la pasada dictadura tiene múltiples significados. Castelo Branco y sus sucesores no sólo habían removido en 1964 al presidente legítimo con la ayuda de Washington y de los terratenientes más poderosos de Brasil, no sólo habían asesinado a disidentes y habían organizado escuadrones de la muerte (idea promovida por el enviado de John Kennedy, el general William Yarborough), también habían secuestrado, torturado y recluido por años a Dilma Rousseff, la primera vez cuando era una estudiante de 22 años. La militarización de la sociedad brasileña impulsada por Washington y la clase alta de São Paulo, la perseverante evangelización de los misioneros anglosajones y la más antigua feudalización de la política del "Café con leche" enquistadas en el subconsciente brasileño, renacen como la gripe en invierno. No por casualidad, Brasil, una copia del sistema económico, social e ideológico del Sur de Estados Unidos, fue el último país de las Américas en abolir la esclavitud en 1888; y no por casualidad, muchos derrotados confederados de la Guerra Civil de Estados Unidos emigraron a Brasil a finales del siglo XIX. Esclavizar o morir.

Ahora, "*el terror de Dilma*" y el de muchos otros líderes sociales regresa como un espectro para montar el mayor carnaval de la historia de Brasil, para inaugurar una nueva generación de golpes de Estado (esta vez con el Poder Judicial como protagonista central, legitimado por su función, pero igual de corrupto que los anteriores golpes) y para poner en la cárcel al ex presidente Lula da Silva, la figura política más popular y el candidato favorito en las elecciones de 2018, según todas las encuestas.

El día anterior a la votación del impeachment a la presidenta, el *New York Times* había recordado que el sesenta por ciento de los congresistas que discursan sobre moral y corrupción tiene cuentas pendientes con la justicia de su país por corrupción: "*El 60 por ciento de los 595 miembros del Congreso brasileño enfrenta serios cargos ante la justicia por corrupción, coimas, fraude electoral, deforestación ilegal, secuestro y homicidio*". Éder Mauro, por ejemplo, es uno de los acusados de extorción y tortura cuando era oficial de policía en Belém. Otro congresista, Beto Mansur ha sido acusado de mantener a 46 trabajadores en condiciones de esclavitud en sus plantaciones de soja de Goiás. Paulo Maluf, uno de los congresistas que más ha criticado la corrupción del gobierno, conocido como "*rouba, mas faz (roba pero hace)*", tiene varias cuentas pendientes ante la justicia brasileña y es acusado en Estados Unidos no por hacer sino por robar 11,6 mil millones de dólares. Maluf había sido condenado a prisión por lavado de dinero, por evasión de impuestos y, por si fuera poco, había sido requerido por la Interpol. Será condenado este mismo año en Francia por lavado de dinero y en 2017 en su país, pero se acogerá a la ley que permite que ancianos criminales mayores de 70 años puedan cumplir sus condenas en sus casas. Diferente, el expresidente Lula de Silva, condenado de urgencia por el juez Sérgio Moro, no podrá presentarse como candidato a las elecciones presidenciales de 2018 (para las cuales las encuestas lo daban como claro favorito) y deberá permanecer en prisión pese a que, para entonces, tendrá 73 años. Nada de esto escandaliza ni a la gran prensa brasileña, tradicional portavoz de la clase dirigente en nombre del pueblo, ni a millones de brasileños que sólo tienen tiempo de leer la prensa dominante.

Por su parte, el procurador general José Eduardo Cardozo, ante el carnaval en Brasilia, reconoce su confusión: *"estamos ante un proceso kafkiano en el cual la acusada no sabe de qué se la acusa"*. El *New York Times* agrega: *"Mrs. Rousseff es un caso raro entre los políticos importantes del país: no es acusada de robar para enriquecerse"*. En cambio, como lo resume *The Atlantic* el 2 de mayo de 2016, *"Muchos de los legisladores que han votado por el impeachment, incluido el presidente de la Cámara de diputados, quien lidera la campaña en contra de la presidenta, han sido implicados en el multimillonario escándalo de la petrolera estatal Petrobras"*.[215]

Durante la segunda presidencia de Rousseff se había producido una caída de la economía brasileña. Para entonces, los brasileños se habían acostumbrado al optimismo, a una peligrosa euforia de la izquierda y al bombardeo narrativo de los políticos del *Café con leche* de la derecha. Luego de las conocidas mega crisis de la última etapa del ciclo neoliberal latinoamericano de los 90s, entre 2003 y 2014 el PIB de Brasil había pasado de 558 mil millones a casi 2,5 billones de dólares hasta sobrepasar el PIB del Reino Unido. Brasilia había logrado organizar el Mundial de fútbol de 2014 y las olimpíadas de 2016 y el antiguo sueño de "Brasil, el país del futuro" parecía a un paso de realizarse.

En 2010, en plena Década dorada en varios países de América latina, uno de sus líderes más reconocidos, el presidente "Lula" da Silva, había propuesto la creación de una nueva divisa mundial y de un nuevo banco internacional. Aunque el BRIC era una comunidad fantasma (por la diversidad y la desconexión de sus miembros) sus propuestas eran justas y altamente peligrosas para la hegemonía mundial de Washington. El presidente Obama había elogiado a Lula cada vez que pudo, pero el viejo Washington parecía estar en otro capítulo, en su capítulo preferido.

En su monumental libro *The Great Leveler*, el profesor de Stanford University, Walter Scheidel, no sólo explicó la dinámica de las crecientes desigualdades sociales seguidas de mortales crisis a lo largo de milenios, sino que confirmó que el estancamiento de América Latina se debió a la carencia de una profunda revolución que destrozara su tradición colonialista. El mismo Scheidel observará que hubo momentos en la historia en que esta vuelta al equilibrio social se logró a través de cambios graduales y no tan violentos. La misma oportunidad había tenido América Latina con los nuevos gobiernos progresistas: *"Aunque la reducción de la brecha social en América Latina a*

---

[215] En los años por venir, diferentes congresistas que votaron contra la presidenta Dilma Rouseff en el proceso de impeachment, serán condenados por corrupción. Pocos tomarán nota.

partir de la primera década del siglo XXI convierte a esa región en el principal candidato para reducir la brecha social de forma pacífica, lo cierto es que estos cambios no han sido del todo suficientes y su sobrevivencia es más bien incierta". Aparte del crecimiento económico (con la excepción de Honduras, Costa Rica y Guatemala) *"por primera vez en la historia de los registros, la desigualdad se redujo... en 14 de 17 países considerados"* según el índice GINI. Incierta no; como era de esperar, esta revolución democrática, moderada y pacífica fue destruida.

Ahora, el impeachment y la euforia de la derecha que asegura poder solucionar todos los problemas sociales a fuerza de palo en nombre de Dios y de la patria, es sólo un capítulo previsible. A Washington y a la clase monárquica brasileña les había tomado algunos años pero, como en el golpe de 1964, había logrado remover a la presidenta del Partido de los Trabajadores, Dilma Rousseff. Un año antes del carnaval del impeachment y tres días después de la última visita de Rousseff a la Casa Blanca, el ex empleado de la Agencia Nacional de Seguridad (NSA) de Estados Unidos Edward Snowden había revelado una de las puntas del iceberg: la presidenta brasileña y otros treinta funcionarios de su gobierno habían sido espiados por la NSA a través de conversaciones telefónicas, práctica que, por mucho menos, en Estados Unidos le costó el cargo a Richard Nixon y que en Brasil le costará el cargo a la víctima. El presidente Obama reconoció la grabación ilegal a la presidenta Dilma Rousseff, pero este acto simbólico no tuvo ninguna consecuencia. Por el contrario, en tono conciliador, el portavoz del Gobierno brasileño Edinho Silva aseguró que *"el Gobierno estadounidense reconoció sus errores"*. Los poderosos cometen errores; los débiles son responsables por sus crímenes.

El error de la presidenta Dilma Rousseff fue actuar como casi siempre actúa un presidente demócrata en América latina, es decir, no abusando de su autoridad sino dejando pasar un abuso en su contra como moneda conciliatoria. Este tipo de buena conducta ha sido letal en muchos casos y en muchos países de la región, sobre todo desde el inicio de la Guerra fría con el golpe de Estado a Jacobo Árbenz en Guatemala. Poco después de la remoción de la presidenta brasileña, se propondrá sin éxito la privatización de Petrobras, la compañía más importante de Brasil creada en 1953 por otra víctima del complot internacional, el presidente Getúlio Vargas. Organismos reformadores como el Instituto Nacional de Colonización y Reforma Agraria serán acosados con duros recortes presupuestales. En nombre de los sagrados beneficios, la selva Amazónica sufrirá una aceleración de su destrucción como nunca antes. Como en Colombia, los activistas por los derechos humanos de los de abajo volverán a ser perseguidos y asesinados. Por defender sus tierras o por sus protestas contra la catástrofe ecológica, decenas de activistas indígenas serán asesinados. Esta situación empeorará con la llegada de Bolsonaro al

Planalto. Muchos crímenes, sobre todo en áreas aisladas, no serán reportados ni investigados, por lo que las víctimas anónimas no sumarán a las estadísticas oficiales. Los crímenes *for profit* contra el ecosistema y contra sus pobladores por parte de las compañías transnacionales serán múltiples, desde Monsanto hasta las petroleras más poderosas del mundo.[216] Otros casos serán más conocidos, como el asesinato de la activista contra la violencia policial, Marielle Franco, el 14 de marzo de 2019 a manos del paramilitarismo. Los paramilitares serán protegidos por el clan Bolsonaro y las investigaciones sobre la muerte de la activista derivarán en la detención de dos policías pertenecientes a las milicias de Río. Uno de los asesinos acusados, Élcio Queiroz, es conocido amigo del presidente Jair Bolsonaro y el otro, Ronnie Lessa es un antiguo vecino y padre de la novia de uno de los hijos del futuro presidente. Lessa también es miembro del grupo de mercenarios *"Escritório do Crime"* el que, aparte, complementa sus ingresos ofreciendo protección a los comercios de Río contra ellos mismos y contribuyendo a las trágicas estadísticas de la criminalidad brasileña.

2017. Narcoestado, el de los otros

LLORENTE, COLOMBIA. 5 DE OCTUBRE DE 2017—Cientos de campesinos se reúnen para protestar por la destrucción de sus plantaciones de hojas de coca antes de la fecha acordada con el gobierno el pasado 4 de marzo. La policía antinarcóticos se despliega en la zona y se siente intimidada por el número de campesinos reunidos. Las fuerzas del orden siempre sienten que los de abajo (los de más abajo) son peligrosos, por lo que no se demoran en abrir fuego contra la sospechosa multitud. Quienes alcanzan a refugiarse en el monte se salvan. Quince campesinos son asesinados y un centenar queda malherido.

El mundo no se entera. Hay cosas y muertos más importantes. La misma reunión pacífica de demasiados trabajadores y el mismo miedo del poder había terminado en la Masacre de las bananeras casi un siglo atrás, en 1928. Contradiciendo los testimonios de los campesinos y sin poder aportar alguna prueba, las autoridades intentan justificar la nueva matanza mencionando una supuesta presencia de las FARC en la reunión. Los falsos positivos son una especialidad de las fuerzas armadas y pararmadas en Colombia, pero no siempre funciona.

---

[216] Aparte de financiar a los paramilitares en Colombia, en Costa Rica la heredera de la United Fruit Company, Chiquita Banana, recientemente expuso a sus trabajadores de Coyol a pesticidas altamente tóxicos durante años mientras apoyaba grupos privados armados para intimidar a los trabajadores descontentos.

La coca para Coca-Cola sólo se puede producir en una región privada de Perú y bajo la hermética supervisión de la compañía. La coca para el narco tampoco acepta las reglas del libre mercado. Ambos negocios son monopolios y es necesario ser un pedazo de ingenuo para creer que los campesinos pobres podrían tener algún poder de decisión sobre su propio trabajo. Pero todos están de acuerdo que las drogas matan. En el marco de las negociaciones de paz con las FARC, el gobierno y los campesinos de la región habían acordado un plan para sustituir de forma gradual las plantas de coca por otros cultivos. Sin embargo, una semana antes de la matanza, el 28 de setiembre las fuerzas del gobierno se habían hecho presente y habían comenzado con la destrucción de la plantación, lo cual provocó la protesta de los campesinos.

Luego de la desmovilización de las AUC una década atrás, la tradición más violenta del país, el paramilitarismo, fue sustituida por otros grupos armados de la misma extrema derecha. Siempre bajo la convicción de representar el orden y la moral. El grupo paramilitar Los Rastrojos, por ejemplo, con múltiples conexiones con funcionarios del gobierno, se presenta a sí mismo como defensores de "*la ley y el orden*". El acoso, las matanzas y los desplazamientos en Colombia continúan pese a todos los acuerdos y pese a los derechos más básicos. Sobre todo, si un campesino es pobre y, peor aún, si se trata de colombianos negros de la costa del Pacífico.

Pese al diario y omnipresente reporte de los emigrados de la crisis venezolana (crisis inducida por el acoso y bloqueo de Washington desde 2002), pese a la millonaria ayuda de Washington al ejército colombiano, pese a las bases militares de Washington en Colombia o por todo eso mismo, Colombia continúa registrando un gran número de desplazados de la violencia de los paramilitares de extrema derecha, los dueños de Dios, las leyes y el dinero.[217] Las víctimas han sido, en su casi totalidad, civiles no combatientes, pobres o disidentes. En 2001, Coca Cola de Urabá, Colombia, fue acusada de proteger a grupos paramilitares que se dedicaban a intimidar y torturar a sindicalistas en su propia planta embotelladora. En esta planta, en 1996, fue asesinado el activista Isidro Gil con diez disparos mientras los asesinos tomaban Coca Cola gratis. Isidro Gil fue uno de los muchos sindicalistas asesinados en nombre de la "*La chispa de la vida*" (traducción española de "*Coke Adds Life*", cuya traducción literal es "Coca Cola le pone vida"). Por entonces, en las radios y en los canales de televisión latinoamericana sonaba el single de jóvenes cantando "*Me gustaría compartir/la dicha de vivir/tomando Coca Cola/y así*

---

[217] En 2018, un estudio financiado por el mismo ejército estadounidense y publicado con el título *U.S. Presence and the Incidence of Conflict* reconocerá que la presencia militar estadounidense en todo el mundo ha menguado la fuerza de sus adversarios al mismo tiempo que ha aumentado los conflictos bélicos, la inestabilidad y la represión interna en los países donde se encuentra.

ser muy feliz". Mientras tanto, y según datos del propio Estado colombiano, en los años noventa las fuerzas armadas y los escuadrones de "limpieza social" asesinaron a miles de niños que vivían en las calles. Cientos y miles cada año. A ninguno se le pudo atribuir alguna afiliación política, aparte de ser pobres e indefensos.[218]

Del forzado y rentable desplazamiento interno se pasa al forzado y rentable desplazamiento internacional, a la emigración de las víctimas sobrevivientes a algún país vecino o, mejor, a algún país poderoso con leyes y cuya moneda valga algo en el mundo. Los ocho millones de invisibles desplazados por la violencia en Colombia superan a los seis millones de publicitados inmigrantes que huyen de la profunda crisis económica de Venezuela.[219] Los acuerdos no logran disminuir la violencia. No a pesar sino por el mismo acuerdo del gobierno de Manuel Santos con las FARC, el que llevó al desarme de este grupo guerrillero, los asesinatos de activistas por los derechos humanos a manos de los paramilitares se han incrementado ante la mirada ciega, los oídos sordos y las bocas mudas de la prensa del mundo. Desde la firma del Acuerdo de Paz en 2016, 430 activistas por los derechos humanos han sido ejecutados por los paramilitares colombianos. En 2019, la ONU reportará el asesinato de 107 líderes sociales. Solo la última semana de 2020 serán asesinados tres, ante la mirada indiferente del mundo. No habrá titulares de portada en la gran prensa internacional. Debido al mismo desarme de las FARC (el grupo invariablemente calificado como terrorista por la voz oficial, responsables de menos del 10 por ciento de los muertos en Colombia) ahora los responsables del 88 por ciento de las matanzas en el país comienzan a ocupar los espacios vacíos dejados por los guerrilleros.

En 1958, seis años antes de la aparición de las FARC, el embajador de Estados Unidos en Bogotá, John Cabot, lo dejó claro en uno de sus informes: *"Si de verdad queremos que Colombia ponga en práctica programas militares según nuestros intereses, debemos pagar por ello"*. Desde 1950, Colombia había comenzado a recibir de Washington un cheque anual por 18,3

---

[218] Americas Watch, "Generation Under Fire", Ken Dermota (en "Social Cleansing", Christian Science Monitor del 6 de enero de 1994) y Elizabeth Schwartz de la Universidad de Miami, entre otros, recogen datos oficiales según los cuales sólo en 1993 2.190 niños de la calle fueron asesinados mientras que 12 casos terminaron en una corte.

[219] Según el Alto Comisionado de la ONU para los Refugiados, desde 2014, unos años después del endurecimiento de las sanciones económicas de Washington, 4,5 millones de venezolanos abandonaron el país. En el país habría 400 presos políticos. Sin contar que un cuarto de los venezolanos reportados por la prensa internacional como emigrantes, en realidad son colombianos que regresan a su país de donde fueron desplazados.

millones de dólares (casi doscientos millones al valor de 2020), lo que representaba el once por ciento de la "ayuda económica" que Washington destinaba a los ejércitos latinoamericanos en la etapa inicial de la Guerra fría, aparte de una inversión significativa en literatura y cine.

Pero nada de eso fue suficiente. En febrero de 1962, el teniente general William Yarborough había promovido la idea de los grupos paramilitares "*entrenadas de forma clandestina para la represión*" en América Latina como forma de combatir a los nuevos grupos progresistas y a los activistas sociales sin involucrar ni a Washington ni a los ejércitos nacionales que eran financiados, entrenados y adoctrinados por Washington en las escuelas militares de Virginia, Georgia, Panamá y en las propias escuelas militares de los países latinoamericanos. En Colombia, esta idea de "*special forces*" prendió rápidamente porque ya existía en la práctica y en la cultura rural desde las dictaduras de la primera mitad del siglo XX. Desde los años cuarenta, los hacendados financiaban sus propias milicias para extender sus territorios en nombre de la defensa de sus territorios y de la propiedad privada. Con un conocimiento limitado y chueco de *El Bogotazo* de 1948 que siguió al asesinato del carismático candidato Jorge Eliécer Gaitán, el general estadounidense Yarborough recomendó crear en Colombia "*una estructura cívico-militar que pueda ser usada para presionar en favor de reformas a través de la propaganda anticomunista y, en la medida de lo posible, pueda ejecutar acciones paramilitares, sabotajes y actividades terroristas contra cualquier simpatizante comunista. Este plan debe ser apoyado por Estados Unidos*". A continuación, recomendó el envío de *US Special Forces Trainers* (Fuerzas Especiales de Entrenamiento de Estados Unidos) para facilitar una operación a largo plazo. Todo un éxito.

Como observa el activista y profesor de la University of Pittsburgh, Daniel Kovalik, en la primera década del siglo XXI, gracias a los 10.000 millones de dólares transferidos por Washington a Bogotá para la "contrainsurgencia" y la lucha contra las drogas del Plan Colombia, 10.000 jóvenes colombianos pagaron con sus vidas la maravillosa idea nacida en una pulcra oficina de Estados Unidos. En la Frontera sur y, en particular, en Colombia, desde hace décadas, la regla consiste en hacer pasar a las víctimas asesinadas por guerrilleros caídos en combate. Los "falsos positivos" no son solo una tradición colombiana, pero en Colombia se dicta cátedra. Cuantos más falsos positivos, cuantos más peligrosos rebeldes asesinados o reportados como inminentes amenazas, más millones de dólares en *ayuda* es enviada por Washington para apoyar la lucha por la Democracia y la Libertad de las sacrificadas clases dirigentes de esos países. Esta estrategia no es nueva ni nació en Colombia. Es un viejo recurso de la clase dirigente latinoamericana que hunde sus raíces en el siglo XIX y rápidamente olvidó de dónde provenía su pasión y su odio por los de abajo a quienes, más recientemente, se comenzó a llamar *comunistas* o *marxistas* sin que ni uno ni otros hubiesen leído un sol libro o un solo artículo publicado en Nueva York por un lejano y complicado filósofo alemán llamado Karl Marx.

Según la ONU, en Colombia la práctica de los falsos positivos es sistemática sólo en 30 de los 32 departamentos colombianos. El 10 de setiembre de 2016, el *New York Times* detalló cómo un grupo financiado para actividades insurgentes se convirtió en un escuadrón de la muerte que controla la costa norte de Colombia. Desde el año 2000, estos grupos de extrema derecha cometieron cientos de masacres que pasaron desapercibidas por la comunidad internacional. Un día antes de los ataques a las Torres Gemelas de Nueva York, el 10 de setiembre de 2001 el secretario de Estado Colin Powell declaró que, como prueba de la posición contra el terrorismo de Estados Unidos, las Autodefensas Unidas de Colombia (AUC) habían sido clasificadas como "organizaciones terroristas". El comunicado de la Secretaría de Estado reconoció la autoría de 75 masacres por parte de la AUC sólo en un año, aparte de torturas y asesinatos sistemáticos. El reconocimiento moral no afectó de forma significativa las fuentes de financiación de estos (ahora llamados) grupos terroristas. Los paramilitares continuaron secuestrando, torturando y forzando el desplazo de miles de colombianos, en su mayoría pobres y sin poder de organización. Un número significativo de desplazados de forma sistemática en favor de las compañías madereras, son miembros de las etnias afrocolombianas de la costa pacífica mientras más de la mitad de los grupos indígenas se encuentran en el proceso de extinción por las mismas razones. No por casualidad, según diversas ONG como *PBI Colombia* o la británica *ABColombia*, el 80 por ciento de los abusos a los derechos humanos de la población colombiana y el 87 por ciento de los desplazados se registran en áreas donde operan las mineras internacionales. Al igual que en otros países ricos en recursos mineros de oro y de petróleo, la población local no solo será desplazada de sus tierras sino que quienes permanezcan deberán sufrir de la contaminación de una explotación irresponsable, como el envenenamiento con mercurio. Es el caso de la mina de carbón a cielo abierto de Cerrejón, propiedad de ExxonMobile (luego vendida a Glencore and BHP Billiton), la cual en 2001, con la invalorable ayuda de los patriotas paramilitares, arrasó con toda una comunidad de colombianos negros e indígenas wayú, alguna vez conocida como villa de Tabaco, en La Guajira.[220]

---

[220] Desde entonces, activistas como Francia Elena Márquez (también víctima de atentados contra su vida) han logrado algunas victorias en el Congreso colombiano con el reconocimiento de algunos derechos que no serán puestos en práctica por los años por venir.

Por décadas, Washington continuó transfiriendo miles de millones de dólares al ejército colombiano para su lucha contra las FARC y el tráfico de drogas sin disminuir y mucho menos terminar con la violencia y las matanzas de pobres. Luego del comunicado de la Casa Blanca, en un lapso de apenas diez años, los paramilitares (solo por casualidad, algunos visten con uniformes de los Marines Corps) ejecutaron a más de 100.000 personas en Colombia, en su mayoría activistas, campesinos y pobres. Colombia, sede del mayor sistema de bases militares de Washington en América del Sur, no sólo se ha distinguido por sus carteles de las drogas y sus exportaciones a Estados Unidos sino que, sobre todo luego del fin de las guerras civiles en América central, ha sido la capital del crimen paramilitar en el continente. Nada de esto ha sido suficiente para cuestionar su sistema democrático, los crímenes sistemáticos y las injusticias sociales financiadas por los intereses de las corporaciones internacionales. Para este año, de los 321 asesinatos de líderes defensores de los derechos humanos en el mundo, 126 habrán ocurrido en Colombia. El segundo país más peligroso del mundo para los defensores de los Derechos Humanos habrá sido México, con 48 asesinados, el tercero Filipinas, con 39, el cuarto Guatemala con 26 y el quinto Brasil con 23. Todos, menos uno, son países latinoamericanos protegidos por Washington y con una larga historia de intervenciones de sus trasnacionales. Las cifras se mantendrán más o menos iguales por los años por venir. Como observará Dan Kovalik, en los llamados países de la "troika de la tiranía", Venezuela registrará cinco asesinatos ese mismo año, ninguno a manos del gobierno, Nicaragua cero y Cuba cero.

Este fermento de violencia paramilitar en favor de las grandes compañías extranjeras y de los hacendados más poderosos, sedientos de nuevos recursos mineros y más tierras para la industria agropecuaria, hicieron popular al presidente Álvaro Uribe, quien también explotó el lema de "la ley y el orden" como pocos. Uribe es un poderoso hacendado vinculado al narcotráfico, según la misma embajada de Estados Unidos en los años 90 y según los informes del gobierno de George W. Bush en la década siguiente. En 2008, mientras miles de tumbas cerradas por los paramilitares eran abiertas por la investigación de Justicia y Paz, un primo del presidente, Mario Uribe Escobar y exsenador, fue acusado y condenado a cuatro años y medio por sus conexiones con el paramilitarismo. A pesar de las confesiones, los documentos, las fotografías y los abundantes videos que vinculan a los paramilitares con figuras reconocidas de la política colombiana, el gobierno nunca se cansará de negar cualquier vínculo comprometedor. Lo mismo la oposición venezolana, de paso por el país vecino.

Pero el poder es astuto como un zorro. No sólo sabe negociar sino también despistar al más desconfiado. Durante la presidencia de Álvaro Uribe se extraditaron a Estados Unidos varios de los miembros responsables del narcotráfico, de abusos sexuales sistemáticos contra mujeres y menores, y de masacres de miles de víctimas que cada tanto aparecen en fosas comunes. Los acusados sólo son extraditados por la primera razón, el narcotráfico. Para sorpresa o para confirmación de sospechas por parte de los activistas de derechos humanos, en Estados Unidos los criminales obtuvieron condenas que rondan los diez años y algunos recibieron como premio la residencia permanente en este país. Los investigadores independientes entienden que la razón radica en que muchos tenían conexiones con el presidente Álvaro Uribe y con Washington y convenía acusarlos por una parte de sus crímenes en lugar de remover el resto, logrando confesiones parciales a cambio de penas mucho más generosas que no se adecúan ni a terroristas ni a genocidas. Por si esta jugada no fuese suficiente para considerarla una genialidad, de esta forma los paramilitares extraditados no pudieron ser investigados por la justicia de Colombia, a la que el presidente Uribe acusa de izquierdista y de tener simpatías por las víctimas, como si la justicia estuviese para otra cosa. Antes del arresto y deportación de los cabecillas paramilitares, sus casas y oficinas fueron saqueadas por las fuerzas de seguridad, por lo cual la justicia colombiana nunca tuvo acceso a ninguna de sus computadoras o archivos personales. En Estados Unidos, a uno de los jefes paramilitares, Salvatore Mancuso, se le escapan algunos datos en medio de la investigación por narcotráfico. Los escuadrones de la muerta no sólo recibían dinero de Chiquita Bananas, sino de otras multinacionales estadounidenses como Dole y Del Monte.[221]

El 13 de enero de 2009, una semana antes de dejar la presidencia y a su país en medio del caos económico, el presidente George W. Bush le había colgado la Medalla Presidencial de la Libertad a su amigo, el presidente Álvaro Uribe. En su discurso en la Casa Blanca, el presidente, que con su invasión a Irak inventó de la nada una de las peores tragedias humanitarias de la historia de Medio Oriente, resaltó el mérito del presidente colombiano por apegarse siempre a la ley y la democracia en su lucha contra los grupos terroristas que asolaban su país. Una década más tarde, el vicepresidente de Donald Trump, Mike Pence, presionará para que el poderoso servidor y expresidente Álvaro Uribe sea liberado de su arresto domiciliario. El 14 de agosto de 2020, en un apasionado tweet, escribirá: *"nos unimos a todos los amantes de la*

---

[221] Dole Company es el nuevo nombre de la Standard Fruit Company, una de las bananeras responsables de la manipulación política en procura de buenos negocios en América Central que solían resolverse con alguna invasión o "cambio de régimen" a principios del siglo XX. Chiquita Bananas es el nuevo nombre de la United Fruit Company, también responsable de golpes de Estado en países como Honduras y Guatemala, que llevaron a la destrucción de sus democracias, a la militarización de sus sociedades, a la radicalización del racismo local, y a la masacre de cientos de miles de gente sin importancia.

libertad del mundo al llamado a los oficiales colombianos para que dejen a este héroe, distinguido con la Medalla Presidencial de Estados Unidos a la Libertad, pueda defenderse a sí mismo como un hombre libre". Sus históricas conexiones reportadas por los mismos funcionarios de Washington con el terrorismo paramilitar y el narcotráfico en nombre de la paz y la lucha contra el narcotráfico, de repente, no existen.

Luego de la desmovilización formal de la AUC en 2006, diferentes grupos paramilitares se organizaron en diferentes bandas criminales de extrema derecha (BACRIM). En la actualidad cuentan con diez mil miembros activos, continuando así la tradición de los paramilitares de aterrorizar y desplazar a la población más vulnerable en nombre de una autodefensa que precede a cualquier ataque y por el interés de propietarios más poderosos, entre los que se cuentan los mafiosos del narcotráfico.

En los años por venir, las masacres continuarán agregando miles y miles de ejecutados, ninguno rico o poderoso. El dinero inyectado por Washington a la "Guerra contra las drogas" se filtra de la policía y los militares a los paramilitares que ahora dominan los carteles de la droga. Con el desarme de las FARC, la tradición del paramilitarismo, responsable del 80 por ciento de los asesinatos en el largo conflicto, encontrará nuevos espacios para sus negocios. Con excepción de los intereses especiales de las sagradas corporaciones, de las siempre bienvenidas inversiones extranjeras, la indiferencia del resto del mundo continuará como si nada. Cada tanto, los pobladores y la policía de localidades insignificantes descubrirán fosas con decenas de víctimas, cada una (según los dueños del país y del mundo) con su merecido disparo en la cabeza.

El 15 de agosto de 2020, nueve jóvenes serán masacrados al sur del país por uno de los múltiples grupos que actúan por diferentes regiones del país, subiendo a 33 la cifra de masacres de ese año. Aunque al principio se intentará atribuir las muertes al grupo guerrillero ELN, la matanza tendrá como objetivo demostrar el poder de estos grupos paramilitares, como Los Contadores. Diez días después, otros tres jóvenes correrán la misma suerte. El 20 de julio de 2020, el Indepaz registrará que solo en cuatro años fueron asesinados casi mil líderes sociales, *"971 desde la firma del acuerdo de paz el 24 de noviembre de 2016 hasta el 15 de julio de 2020"*. Para finales de 2020 esa cifra habrá superado las mil víctimas. Sólo en 2020 se reportarán 85 masacres y el asesinato de 292 líderes sociales, entre los cuales se contará el activista por los derechos humanos en Colombia, Jorge Luis Solano Vega.

El 20 de setiembre de 2020, el secretario de Estado Mike Pompeo, en su cuarta visita a Colombia en dos años (esta vez para intervenir en una "Cumbre antiterrorista" y anunciar otros 5.000 millones de dólares para el programa Colombia Crece), acusará a Venezuela de ser un narcoestado y acusará al régimen venezolano de haber *"brindado refugio seguro, ayuda y alberge a terroristas"* de las FARC. Del mayor tráfico de drogas de las Américas, del terror sin competencia del paramilitarismo colombiano y de los terroristas de variadas nacionalidades (según el FBI) que disfrutan de las playas de Florida, ni una palabra. El mismo secretario de Estado, para entonces habrá reconocido en la Texas A&M University: *"yo he sido director de la CIA y les puedo asegurar que nosotros mentimos, engañamos y robamos; tenemos cursos enteros de entrenamiento para eso"*.

Pero esta confesión se echará rápidamente al olvido, como casi todo.

2018. Corruptos contra la corrupción

BRASILIA, BRASIL. 5 DE ABRIL DE 2018—Por seis votos contra cinco y sin haber atendido las apelaciones garantizadas por el derecho, la suprema Corte sentencia al expresidente Lula a prisión. El comandante del ejército brasileño, General Eduardo Villas Boas, exige que Lula se entregue a la justicia, lo que ocurre el 7 de abril.

Pero el General Eduardo Villas Boas (otro militar promovido a general durante un gobierno que traicionará) ya había lanzado una advertencia política contra Lula dos días antes *"en nombre de todos los ciudadanos de bien"* para que pase el resto de sus días detrás de las rejas. Violar la constitución es entendido como una defensa de la constitución.

Odiado por haber sacado a treinta millones de brasileños de la pobreza con sus *irresponsables* planes sociales y sin otro título que el de trabajador y sindicalista metalúrgico, Lula fue perseguido y condenado por el juez Sérgio Moro a casi diez años de prisión (más que cualquier genocida latinoamericano) por aceptar, a cambio de favores empresariales, reparaciones gratis realizadas en un apartamento que ni siquiera era de su propiedad.[222] El 19 de julio de 2017, el Fiscal general de Estados Unidos, Kenneth Blanco, había reconocido que *"es difícil imaginar una mejor relación de cooperación en la historia entre el Departamento de Justicia de Estados Unidos y los fiscales brasileños... De hecho, la semana pasada los fiscales brasileños ganaron el veredicto de culpable contra el expresidente Lula da Silva"*. La ley siempre se inclina hacia un mismo lado, incluso para realizar los crímenes políticos más descarados mientras deja impunes crímenes de lesa humanidad. Gracias a este montaje mediático-judicial de corrupción contra la corrupción, conocido

---

[222] El empresario Fernando Bittar, verdadero dueño del apartamento en cuestión, lo pondrá a la venta en 2019. En 2021 un juez brasileño anulará la condena a Lula por las *irregularidades* del proceso.

como *Lava jato*, las recientemente descubiertas riquezas petroleras de Pré-Sal no se destinarán a la educación y al desarrollo de los brasileños sino que se subastará entre la British Petroleum, Energy, Chevron, ExxonMobil, Shell, y la estatal brasileña Petrobras, todas en igual pie de condiciones para honrar al sagrado libre mercado.

El Departamento de Justicia de Estados Unidos también había colaborado con las acusaciones contra Rousseff y Lula mientras los responsables de sobornos y manipulaciones millonarias de Odebrecht, aparte de los políticos corruptos del congreso en Brasilia, pasaban a un tercer plano. En un comunicado publicado el 19 de julio de 2017, había informado que la poderosa empresa Odebrecht había pagado miles de millones de dólares en sobornos. Sin embargo, a Lula se lo condena a prisión, entre otros cargos *ad-hoc*, por la reforma de un apartamento que no era suyo y que, de serlo, pudo pagar con cualquiera de sus conferencias en el extranjero. En contra a esta manipulación propia de las agencias secretas, la Comisión de Derechos Humanos de la ONU se declaró en favor del derecho de Lula a participar de las elecciones presidenciales, pero los dueños de Brasil, los autodenominados campeones contra la corrupción, se reirán de semejantes pretensiones.

Gracias a la persecución del juez Sérgio Moro, Lula, por entonces primero en las encuestas para las elecciones de 2018 es proscripto. La decisión de la Suprema Corte le allana el camino al candidato de la extrema derecha, el capitán Jair Bolsonaro.[223] Cuando el capitán Jair Bolsonaro gane las elecciones en segunda vuelta, prometiendo limpiar la corrupción en Brasil a los tiros, los militares y la policía participarán en las caravanas de festejo por las calles de Río y de San Pablo. Sólo por casualidad, el juez Moro, el juez estrella de los medios, el héroe anticorrupción que condenó a Lula justo antes de las elecciones, será nombrado por el nuevo presidente como Ministro de Justicia.

Diferentes investigaciones revelarán la manipulación legal e ilegal del proceso judicial, como siempre, cuando la verdad ya no sea peligrosa. El 8 de junio de 2018, cinco profesores de cinco universidades británicas denunciarán las irregularidades del juicio que envió a Lula a la cárcel. El 9 de junio de 2019 *The Intercept* revelará grabaciones que demostrarán el objetivo político de la persecución del juez Sérgio Moro al candidato Lula da Silva, en coordinación directa con el mismo fiscal del caso, Deltan Dallagnol, conocido como "el fiscal evangélico".[224] Como decoración, otros fiscales del mismo caso

---

[223] El 12 de marzo de 2020, *The Intercept* revelará las conexiones y la colaboración del Departamento de Justicia de Estados Unidos con los fiscales del caso *Lava jato*. Todo, como no es de sorprender, realizado sobre la violación de diversos tratados y leyes internacionales.

[224] En la segunda década del siglo XXI, los evangélicos y pentecostales habían entrado con fuerza en los congresos, poniendo de rodillas el secularismo de los Estados

Lava jato se manifestarán, en privado, en contra de la posibilidad de que el sustituto de Lula, el profesor Fernando Haddad, pudiese ganar las elecciones.

Naturalmente, una buena parte del pueblo se tragará todas estas historias y votará por el candidato de la pureza, Jair Messias Bolsonaro. Muchos pobres se sienten identificados con el capitán que, según la Embajada de Estados Unidos, es el candidato de la clase rica del país. Su futuro vicepresidente, el general Hamilton Mourão, de orígenes indígenas y africanos, a pocos minutos de votar en las elecciones de 2018 declarará a la prensa: "*mi nieto es un chico bonito; míralo ahí, blanqueando la raza*". Semanas antes, en plena campaña electoral, Mourão explicará que Brasil sufre de "*la indolencia de los indígenas y del espíritu taimado de los africanos*". En 2017, el mismo general había declarado que las Fuerzas Armadas tienen la misión de corregir los problemas de la política para imponer "*la ley y el orden*", una de las frases favoritas del presidente Donald Trump y de los supremacistas blancos que, por siglos, se opusieron a la igualdad de derechos con los negros del continente.

Por su parte, el hijo del futuro presidente, Eduardo Bolsonaro, hará campaña electoral denunciando que el Partido de los Trabajadores transportaba droga en el avión de la presidenta Rousseff, algo que nunca se comprobó. Una vez en el poder, a fines de 2019 el sargento de la Fuerza Aérea Manuel Silva Rodrigues será procesado en España por transportar 39 kilogramos de cocaína en el avión presidencial. El sargento preso implicará al hijo del presidente, Eduardo Bolsonaro, pero será obligado a no declarar. El hermano de Eduardo, Flávio, enfrentará cargos ante la justicia por corrupción y complicidad con la mafia de Río.

En abril de 2020, el juez Sergio Moro renunciará a su cargo de ministro y acusará al presidente de intervenir en los operativos de la policía federal. En 2021 la justica brasileña anulará todo el proceso de condena a Lula da Silva. Como es natural en la Frontera salvaje, ninguna de estas graves revelaciones tendrá consecuencia alguna. Es corrupción amiga.

---

e irrumpiendo con oraciones y sesiones religiosas en los mismos recintos parlamentarios. En algunos casos llegarán a la presidencia (por elecciones, como en Brasil, o por golpes de Estado, como en Bolivia). Los protestantes estadounidenses, que a partir de los años 70 comenzaron a aterrizar en América Latina como inocentes misioneros para ayudar y salvar a los subdesarrollados del por entonces llamado Tercer mundo, tuvieron diversas traducciones políticas en las generaciones siguientes, combatiendo (y asesinando de forma indirecta con su apoyo moral y millonario en dólares, como lo hemos detallado en este libro) a los teólogos cristianos de la liberación. América Latina tuvo muchas noches de San Bartolomé, aunque inversas, las que nunca alcanzaron los titulares de la gran prensa mundial.

2018. Los pobres nos quieren invadir de nuevo

BOZEMAN YELLOWSTONE, MONTANA. 3 DE NOVIEMBRE DE 2018—Al pie del avión presidencial, rodeado de un centenar de seguidores con gorras rojas de béisbol y escoltado por varios hombres con abundantes plumas en la cabeza como si se tratara de los jefes sioux masacrados generaciones atrás, el presidente Donald Trump alerta de una próxima invasión de los *bad hombres* del sur. Ya ni siquiera son mexicanos (porque alguien le informó que, desde 2009, los mexicanos se están yendo del país) sino otro tipo de pobres que vienen caminando por miles de kilómetros desde América Central y parecen ser, según las alarmantes palabras del señor presidente, "*hombres jóvenes y fuertes*". Montana casi no tiene inmigrantes de la Frontera sur, menos memoria, y tal vez por todo eso teme una invasión de pobres como pocos estados donde los inmigrantes son jornaleros esenciales.

La idea es la misma. No hay muchas variaciones en el menú de McDonald's, al que el presidente es aficionado. Cuando era candidato a la presidencia, había dado su primer discurso en la recepción de su torre en Nueva York y había definido la idea central de su campaña electoral, diseñada para promocionar sus negocios en declive, no para llegar a la Casa Blanca. Como una Big Mac con Coca Cola, el mensaje es cualquier cosa menos algo complicado: si por alguna razón no eres feliz en el país más rico y poderoso del mundo, la culpa la tienen los mexicanos, sobre todos los inmigrantes, porque "*traen drogas, traen crimen; son violadores...*" Trump demuestra no tener mucha idea de la historia de su propio país, pero deja hablar al mito nacional, como un brujo deja hablar a los muertos, sin el lenguaje políticamente correcto que lo asfixia. Esta superstición, que contradice la realidad, es más poderosa que la realidad. Es lo que lo ha llevado a la Casa Blanca contra todas las predicciones de los analistas más experimentados y contra sus propias expectativas.

El séptimo presidente, Andrew Jackson, recordado en los populares billetes de veinte dólares, conocido en su época como Mata indios y autor del robo de las tierras de las naciones indígenas, de un lento y brutal genocidio de sus habitantes e instigador principal de la guerra contra México con el solo objetivo de arrancarle la mitad del territorio a su nuevo vecino, es el héroe histórico del nuevo presidente. Apenas ingresado al Despacho oval, Trump había colgado, en un lugar destacado de su nueva oficina, un retrato del demócrata Jackson. Dos meses después, había visitado su tumba en la plantación esclavista de The Hermitage, en Tennessee.

Nada nuevo. En 1968 Richard Nixon había recurrido a la misma estrategia. Su primer discurso lo había dado en el centro de convenciones de Anaheim, California, en el cual culpó a los mexicanos por la epidemia de drogas que sufría Estados Unidos. La introducción del LSD fue obra de la CIA años antes (principalmente a través de su proyecto MK-Ultra), pero ahora servía para demonizar a los mexicanos y criminalizar a otras minorías. El resultado fue el mismo: Nixon ganó las elecciones y, pocos meses después, lanzó "Operation Intercept" para cortar el flujo de marihuana desde México a punta de fusil, sin ningún resultado aparte del efecto mediático. Como lo reconoció en 1994 el consejero de Nixon, John Ehrlichman, la "guerra contra las drogas" tenía como objetivo criminalizar a los hippies, porque eran activistas de izquierda contra la guerra de Vietnam, y a los negros porque eran negros. De esa forma, había confesado Ehrlichman, *"podíamos arrestar a sus líderes, allanar sus casas, interrumpir sus reuniones y demonizarlos noche tras noche en los noticieros; ¿sabíamos que estábamos mintiendo?; pues, claro que lo sabíamos"*.

Trump y Nixon echaron mano, con devastador éxito, al mito fundador del límite fronterizo (*the border*) que, desde hace dos siglos, protege la idea de la raza anglosajona, superior por su negativa a mezclarse con otras razas inferiores, víctima repetida de ataques exteriores que no ocurren y en peligro perpetuo de ser extinguida por el crimen y la portentosa sexualidad de los otros. Cocktail alucinógeno que ha llevado al país a atacar siempre primero y por las dudas aunque sea al otro lado del mundo, controlando o eliminando todo lo diferente bajo el poderoso combustible del miedo individual y la paranoia colectiva mientras otros, unos muy pocos, recogen el botín de guerra. Mientras tanto, la cara opuesta y complementaria del mito fundador, la frontera móvil (*the frontier*) continuará expandiendo la jurisdicción de la superioridad anglosajona bastante más allá de la frontera legal del país, con la continuación de intervenciones (políticas, militares o financieras), de golpes de Estado, de asesinatos selectivos o indiscriminados y de la manipulación de la opinión pública en aquellos países que no son protegidos por sus propios límites legales pero deben sufrir de la frontera de la superpotencia.

Primero los mexicanos y luego el resto de los habitantes oscuros del sur fueron considerados invasores en Estados Unidos al día siguiente en que se declaró la independencia de Texas, no muy diferente a los indios expulsados de sus propias tierras. Aparte del proclamado derecho a correr la frontera en nombre de Dios (y, por las dudas, definido como "derecho de exploración"), aparte de la obligación de defender el límite fronterizo sur ("derecho a repeler al invasor ilegal"), más tarde se sumaron razones más articuladas sobre la defensa de la pureza racial para no degradar el concepto de libertad que sólo la raza anglosajona entendía.

Una vez más, en 1975, el general y exmarine Leonard Chaplan había advertido del peligro de *"una vasta y silenciosa invasión de extranjeros ilegales"*. Entre los patriotas defensores de la frontera continúan estando grupos como el KKK y el WAR (*White Aryan Resistance,* Resistencia de la Raza

Aria Blanca), todos criminales legales. Algunos grupos de "vigilantes", como el CMA (*Civilian Materiel Assistance*, otra forma de decir *paramilitar*), creado por la CIA en 1984 para actuar en América Central, poseen lazos con el KKK de Alabama y otros grupos racistas que, para dispersar sospechas, se autodenominan "anticomunistas". Un informe de la CIA del 5 de setiembre de 1984 los describe como un grupo paramilitar con base en Decatur, Alabama, compuesto de "*voluntarios*" enviados a Nicaragua y Honduras para actos de sabotaje. Como parte de la misma lógica, la milicia de extrema derecha que, por décadas, caza inmigrantes ilegales para *defender* el límite fronterizo sur, al igual que el gobierno de Ronald Reagan se encargó de llevar las frustraciones de Vietnam a América Central asistiendo a los Contra con la complicidad directa del coronel Oliver North. Ahora, de vuelta de su aventura mercenaria en la Frontera sur, el CMA se dedica a cazar "*invasores*" y se financia con el mercado negro de armas, administrado por uno de sus fundadores, Thomas Posey, y otros cuatro ex combatientes de Vietnam.

En 2014, al sur de Texas, aparecieron varias fosas comunes con decenas de cadáveres con impactos de bala. Como antes, como después, como siempre nadie logra calcular el número de otras víctimas que quedan secándose en el desierto o ahogadas en el río Grande. También los ex combatientes de la Guerra del Golfo en Irak se suman. Nada es por casualidad. Algunos de los *vigilantes* recuerdan el desierto y sienten que rejuvenecen. Los habitantes del límite fronterizo sur y los de la frontera del Medio Oriente son muy parecidos. Sus desiertos también. Pero desde la América anglosajona se puede hacer lo mismo que en los países árabes mientras se beben muchas cervezas y no se siguen tantas órdenes.

El grupo paramilitar Civilian Materiel Assistance es sólo el primero de una lista que incluye otros autodenominados (no sin ironía) con la palabra española "vigilantes" en California, Arizona, Texas y Nuevo México como los United Constitutional Patriots o los Minutemen, grupo con conexiones neonazis fundado en 2004 y acusado de asesinatos, arrestos ilegales, acoso de menores y violación sexual de mujeres inmigrantes.[225]

En 2020, Estados Unidos, el país más poderoso del mundo y cuya población se ufana de ser compasiva y donante de los pobres del mundo, se ubicará en la mitad de la lista de países receptores de refugiados per cápita. Para entonces, un país minúsculo y desolado por los conflictos regionales como Líbano se hará cargo de más de un millón de refugiados mientras la gigante

---

[225] El 2 de mayo de 2012, en Arizona, uno de sus líderes, el marine y neonazi Jason Todd Ready, responsable de asesinatos de inmigrantes ilegales abandonados en el desierto, masacró a su propia familia matando, entre otros, a su pareja y a su hija (Lisa, Amber y Lily Mederos junto con otro marine veterano de la guerra de Afganistán) antes de suicidarse.

superpotencia apenas podrá recibir un quinto de esa cantidad. No porque le falten solicitudes ni recursos sino porque le sobrarán excusas para continuar con la antigua tradición de auto victimización. "Nos atacaron primero", "nos hemos sacrificado por la libertad ajena", "nos envidian porque somos ricos…" Su presidente, Donald Trump, no encontrará mejores soluciones que prohibir el ingreso, impedir solicitudes de asilo y deportar pobres de piel oscura que, como el diablo en la Edad Media, podrían seducir a las civilizadas y bellas mujeres blancas.

2019. Otra fortaleza sitiada

CÚCUTA, COLOMBIA. 23 DE FEBRERO DE 2019—Tres camiones intentan cruzar por la fuerza la frontera con Venezuela y son detenidos por migración. Las cámaras están preparadas y no transcurre mucho tiempo hasta que comienzan los incidentes. Uno de los camiones se incendia y el mundo se escandaliza. Mike Pompeo, ex director de la CIA y ahora Secretario de Estado, confiesa que siente asco por la agresión a un cargamento con ayuda humanitaria. Fernando del Rincón, periodista de *CNN en español*, asegura que lo vio con sus propios ojos: el presidente venezolano, Nicolás Maduro, había incendiado el camión cargando medicinas y alimentos. El senador hispano de Florida, Marco Rubio, como siempre está informado antes de los hechos. Casi de forma simultánea, publica un tuit: *"cada uno de los camiones quemados por Maduro llevaban 20 toneladas de alimentos y medicina. Esto es un crimen y si la Ley internacional significa algo, deberá pagar un alto precio por esto"*. John Bolton, el Consejero de Seguridad del presidente Trump, agrega algunos muertos en el incendio que nunca existieron *"como respuesta del presidente Maduro a los esfuerzos de caridad"*. El proclamado presidente paralelo y reconocido por Europa y Estados Undios, Juan Guaidó, declara ante los medios del mundo que se trata de *"una violación al Convenio de Ginebra"*. Muchos otros como la senadora por California Dianne Feinstein y el presidente de Colombia Iván Duque se suman sin pruebas a la narrativa segura.

Hasta ese momento, a través de reconocidas ONGs, miles de estadounidenses habían donado cientos de millones de dólares para alimentos y medicinas en Venezuela desde sus computadoras. Pero había que forzar un conflicto que se pudiese visualizar, empujando de forma ilegal y por la fuerza algunos camiones a través de la frontera de un país soberano. Para colmo de males, en base al análisis de los vídeos disponibles, el *New York Times* y la cadena *Bloomberg* demuestran que el incendio ha sido provocado con una bomba molotov arrojada por el mismo grupo guarimbero de oposición que intentaba introducir por la fuerza los camiones al país vecino.

La estrategia ya ha sido estudiada y practicada desde hace mucho tiempo. William J. Murray, miembro del grupo *Religious Freedom Coalition* y veterano de presión en el Congreso, hizo lo posible por liquidar la Teología de la liberación en América Central. Como otros grupos religiosos y misioneros de Estados Unidos, participó con ayuda económica, ideológica y narrativa para las dictaduras de El Salvador, Honduras y Guatemala, y para grupos terroristas como los "Luchadores por la libertad" (Contras) en Nicaragua y alrededores. Sus métodos nunca fueron ocultos: los alimentos y las medicinas en el mercado internacional son herramientas políticas contra la supuesta e inminente amenaza del comunismo, como en el pasado ocurría con las ciudades sitiadas: el acoso podía durar meses o años hasta que la población moría de sed, hambre, pestes o por rebeliones internas. En América Latina, el sitio a países enteros como Cuba ha durado décadas. En el caso de Venezuela, el sitio y acoso había comenzado contra un país democrático, según los estándares occidentales, casi al mismo tiempo que se convirtió en una democracia rebelde con el triunfo de Hugo Chávez en 1999. Según *The Nation* del 18 de febrero de 2019, sólo las sanciones impuestas por el presidente Trump en 2017 habían provocado una pérdida de 6.000 millones de dólares a Venezuela. Antes de las sanciones, cuando la economía de ese país se encontraba en crecimiento, el gobierno gastaba 2.000 millones por año en medicinas. Poco después, diversos políticos estadounidenses, como el senador Marco Rubio, llegarán a burlarse de esta tragedia y difundirán datos falsos sobre los índices de muerte infantil en el país sitiado. Sin embargo, la tragedia del sitio a Venezuela es real. Como lo demuestra el mismo Center for Economic and Policy Research, 40.000 venezolanos han muerto como consecuencia de las sanciones impuestas por Washington, provocadas por el bloqueo de alimentos y medicinas necesarias para enfermos de cáncer, diabetes, pacientes necesitados de diálisis y con otras urgencias. El abogado, activista y profesor de la University of Pittsburgh, Daniel Kovalik, resume unos pocos ejemplos de esta miseria calculada y criminal: el Citibank se negó a aceptar dinero de Caracas para la compra de 300.000 dosis de insulina; la firma colombiana BSN Medical (en su presentación de su página web, bajo el título de "Nuestros valores" la empresa afirma destacarse por *"Escuchar las necesidades de nuestros* CLIENTES") se negó a enviar medicinas contra la malaria a Venezuela luego de haber aceptado el pago del gobierno venezolano por la compra. Euroclear, compañía belga que provee de servicios financieros, bloqueó 450 millones de dólares en compras venezolanas en medicinas, *"aparte de una larga lista de alimentos y medicinas retenidas o incendiadas por las fuerzas de la oposición"*.

Tras el fracasado golpe de Estado de 2002, Washington había intensificado sus planes de remoción de gobierno en Venezuela. Debido al éxito social y económico de Hugo Chávez (el PIB aumenta considerablemente al mismo tiempo que la redistribución de las riquezas derivadas del subsuelo venezolano) en pocos años Washington acelerará el acoso retórico, mediático, económico y financiero, sobre todo a partir de la muerte del carismático líder venezolano en 2013. Las sanciones incluyen la suspensión de todas las ganancias por las ventas de petróleo de la refinería estadounidense Citgo en Estados Unidos, a pesar de que la mayoría de Citgo pertenecen a la petrolera venezolana PDVSA. Otras estrategias incluyen sanciones a las instituciones financieras que apoyen con créditos a Venezuela y la ayuda tradicional de Washington a huelgas contra las productoras de petróleo de este país. Aparte de las múltiples amenazas de invasión militar (conocida estrategia de guerra psicológica usada desde mucho antes) y de diversos atentados, rebeliones, golpes de Estado y hasta invasiones mercenarias fallidas. Las sanciones también alcanzan y golpean al sector privado venezolano, el cual, según el economista y director del Center for Economic and Policy Research, Mark Weisbrot, a partir de 2015 y en pocos años el sector privado venezolano comenzó a perder acceso al crédito internacional devastando las importaciones hasta un 80 por ciento. Todo lo que, dicho sea de paso, demuestra la solidaridad del capitalismo dominante con los negocios privados periféricos y su verdadero compromiso con la libertad de mercado.

En 1989, luego de una orgía del precio del petróleo en las décadas anteriores y como consecuencia de las políticas neoliberales que el FMI le asignó al presidente Carlos Andrés Pérez, las que hundieron al país en una crisis brutal, el descontento popular terminó en el conocido Caracazo, que dejó cientos de muertos a manos de la represión del gobierno. La escalada inflacionaria de muchos años, la corrupción del gobierno y la masacre final fueron premiadas por Washington. El jefe de la Casa Blanca de entonces, George H. Bush, no llamó al miembro de la oposición venezolana para que remuevan o desconozcan al presidente, sino que lo rescató con casi quinientos millones de dólares (más de mil millones de dólares de 2020 ajustados por inflación). Exactamente la misma cifra que en enero de 2019 el presidente venezolano intentó retirar en oro del Banco de Inglaterra, pero el secretario de Estado en Washington presionó al gobierno británico para que le negaran este retiro, ya que la política del jefe es bloquear todos los activos de Venezuela en el exterior. Un año después, ante los reclamos de Venezuela de retirar su propio oro depositado en el banco inglés, y pese al acuerdo de Banco Central de Venezuela con el Programa de Naciones Unidas para el Desarrollo, una corte en Londres dictaminará que Venezuela no tiene derecho a usar sus ahorros, ni siquiera con el argumento de que los necesita para enfrentar la pandemia de Covid-19. Las cientos de toneladas de oro y las miles de toneladas de plata que durante siglos Europa transfirió a la fuerza desde América Latina (y que continúan valiendo su peso en oro en los sótanos de los bancos nacionales), no se discuten siquiera.

Cuatro años atrás, en 2015, otro exitoso empresario y miembro del club neoliberal se había convertido en presidente en Argentina. Como lo hiciera Carlos Saúl Menem en los años 90, Mauricio Macri volvió a quebrar la economía desmantelando el tejido social en nombre de la reducción del Estado y del aumento de la libertad de los capitales. Como ocurrió en décadas anteriores, luego de la aplicación voluntaria o desesperada de las políticas clásicas del FMI y del Consenso de Washington, Argentina cayó en una profunda crisis económica y social. Como recurso desesperado, luego de muchos años de relativa independencia, el gobierno de Mauricio Macri volvió a solicitar un préstamo del FMI. Una vez más, y pese a la repetida insolvencia de estas políticas, Washington aprobó un rescate histórico del FMI por 50 mil millones de dólares para Argentina, los cuales no resolvieron ninguna crisis y, por el contrario, crearon una deuda nacional que había sido reducida al mínimo en los gobiernos anteriores. Meses después, el vicepresidente de Brasil, Michel Temer, se convertirá en presidente tras el golpe parlamentario contra la presidente Dilma Rousseff y pondrá en marcha las recetas del Consenso de Washington.[226] Unos meses más y, en 2017, el ex vicepresidente de Ecuador, Lenín Moreno, se convertirá en presidente y perseguirá a quien fuese su compañero en la casa de gobierno, el presidente Rafael Correa. Lenín Moreno no sólo aplicará la receta de Washington sino que también recibirá un préstamo de 6.500 millones de dólares. En Argentina, como en la época del peronismo de extrema derecha de López Rega en los años 70, el ajuste se llamó "sinceramiento de la economía". Casualmente en Ecuador también y encaja perfectamente con el Consenso de Washington.

A los amigos se los rescata. A los enemigos, aquellos que vienen con la retórica infantil de la independencia, del antiimperialismo o del socialismo, se los hunde. Nacionalismo para nosotros sí. Para los otros no. Antes del bloqueo y de la crisis inducida en Venezuela, la ampliamente anunciada "dictadura chavista" se había gobernado a fuerza de elecciones y varias mareas de

---

[226] En 2020, Michel Temer publicará el libro *A Escolha. Como um Presidente Conseguiu Superar Grave Crise*, donde reconocerá diversas reuniones con el comandante del Ejército, el general Eduardo Villas Boas, y con el jefe del Estado Mayor del Ejército, el general Sérgio Etchegoyen poco antes del impeachment contra la presidente Dilma Rousseff. El ejército brasileño, como es tradición en la Frontera salvaje, es el brazo armado de la oligarquía criolla desde el siglo XIX y tiene su propia ideología, inoculada por Washington desde 1948: está en contra del Partido de los Trabajadores, en contra de la Comissão Nacional da Verdade, en contra de cualquier cambio a la Ley de amnistía y en contra de los "*avanços democráticos na área de direitos humanos*".

votos que la clase blanca y dirigente nunca toleró. No por casualidad la mayoría de esos votos surgían de aquellas clases y etnias históricamente relegadas en Venezuela que los de arriba calificaban como holgazanes comprados por los favores del gobierno. Entre 2003 y 2011 la economía del país se multiplicó, creciendo de 84 mil millones de dólares a más de 330 mil millones. Durante algunos años, el precio del petróleo había ayudado, pero este fenómeno era harto conocido en la historia venezolana. Lo que no era tan conocido fue la reducción de la pobreza en un tercio y la pobreza extrema en casi un 60 por ciento. Todo sin las donaciones de Washington. Según la FAO, Venezuela había logrado reducir la malnutrición de los niños de un 13,5 en los 90 a menos del cinco por ciento en 2012. La misma FAO atribuye este cambio a los programas creados por el presidente Hugo Chávez. Por su parte, un comité de la ONU reporta que la discriminación racial en Venezuela ha sido reducida significativamente a través de los planes de educación del gobierno.[227] En 2014, en plena guerra ideológica y narrativa contra el rebelde del sur, el coordinador residente de la ONU, Niky Fabiancic, informaba que Venezuela era uno de los países de América Latina que más había logrado reducir las desigualdades sociales.

Nada de estos datos enterrados por la prensa le caían bien a Washington y a la tradicional clase dirigente de Caracas. Para peor, Venezuela le había perdonado a Haití 4.000 millones de dólares de su deuda para que el país devastado por los golpes de Estado y por el terremoto de 2010 pudiera concentrar sus escasos recursos en su población. Luego del bloqueo del petróleo venezolano por parte de Washington, Haití se quedó sin su combustible subsidiado por Caracas y debió ir a Estados Unidos a comprarlo al justo precio del mercado. Cuando el gobierno haitiano no pudo pagar los altos precios del combustible, los barcos estadounidenses estacionados en Puerto Príncipe se negaron a descargar el producto básico para el funcionamiento de la maltrecha economía haitiana. Para este año, 2018, el aumento en el precio de los combustibles comenzó a generar protestas diarias las que en un plazo de un año terminarán costando la vida de 18 personas. Las protestas continúan los reclamos del pueblo haitiano por las cuestionadas elecciones de 2016 en las cuales sólo participó un quinto del electorado y fue elegido el candidato de Washington, el hombre de negocios Jovenel Moïse, con el apoyo de menos del diez por ciento de los habilitados para votar. Para entonces, Estados Unidos es el mayor donante de Haití. Cuando este mismo año, 2018, Venezuela realice elecciones presidenciales, Washington y la oposición venezolana boicotearán el proceso, lo cual resultará en una baja participación electoral del

---

[227] Sólo en 2010, más de siete millones de estudiantes entraron al sistema de educación, lo que significaba un incremento de un cuarto de la población estudiantil con respecto a la década anterior.

47 por ciento. Pese a todo, será casi el triple de la participación en las elecciones de Haití realizadas en 2016. Como el presidente Nicolás Maduro obtendrá el 67 de los votos emitidos, Washington, a través del vicepresidente Mike Pence, llamará a Juan Guaidó para asegurarle el apoyo del presidente estadounidense y, en enero de 2019, grabará un video declarando al mundo que *"Nicolás Maduro es un dictador sin legitimidad para ser presidente; nunca ha ganado la presidencia en una elección libre y justa"*. Guaidó, en un acto ceremonioso desde la Universidad Central de Venezuela el mismo mes, ratificará su compromiso asegurando austeridad y privatizaciones masivas en su futura presidencia, sobre todo en el sector petrolero. Un mes después, el 4 de febrero, ratificará la idea principal en declaraciones a la cadena Bloomberg: *"la mayoría de la producción de petróleo [en su próximo gobierno] estará en manos de los privados"*. Un año después de repetidos fracasos en el sitio a la fortaleza y el asalto final, el presidente Trump intentará, según las memorias de su exconsejero John Bolton, desvincularse de Guaidó. *"El 80 por ciento de los venezolanos no había oído hablar de ese niño"*, dirá Trump y repetirá, hasta el cansancio en sus reuniones de Estado, que la esposa del chico, Fabiana Rosales, de visita en la Casa Blanca el 37 de marzo de 2019, *"no usaba anillo de casada"* lo cual, según el presidente, demuestra la debilidad del muchacho sudamericano. De todas formas, "el muchacho inexperiente" es el único autorizado por Washington para disponer a su antojo de todas las propiedades, oro, efectivo, créditos y ganancias de las empresas venezolanas operativas en Estados Unidos y más allá del Caribe. Guaidó nombra a los administradores de las empresas venezolanas y todos viven en Estados Unidos. De todos los activos, 7.000 millones de dólares que habían sido destinados a alimentos y medicinas son retenidos hasta que el gobierno liberador del muchacho sea confirmado. A la espera están los hermanos Charles y David Koch, pertenecientes a una de las familias más ricas y políticamente más poderosas de Estados Unidos, es decir, del mundo. Entre otras cosas, los Koch son dueños de las refinerías más importantes de la industria petrolera en el Golfo de México. El problema de los hermanos es que sus refinerías procesan petróleo pesado, es decir, no pueden procesar petróleo tejano; debe ser crudo venezolano o crudo canadiense proveniente de los inexistentes oleoductos (*Keystone Pipeline*) que deberían pasar por tierras indígenas, pero los indígenas se resisten y prefieren el atraso y la pérdida de multimillonarias ganancias ajenas.[228]

---

[228] No por pura casualidad, tanto la familia Koch como Exxon en los últimos diez años han invertido 88 millones de dólares sólo en publicidad para crear opinión contra los activistas contra del cambio climático que, aunque no recibimos ni un solo dólar por nuestros artículos críticos, hemos sido acosados y acusados de recibir dinero para promover una supuesta "teoría fake".

Junto con Cuba, Venezuela creó la Operación Milagro, la que desde 2004 y en pocos años devolvió la vista a más de tres millones de personas en todo el mundo, incluido al soldado que ejecutó a Ernesto Che Guevara en Bolivia, Mario Terán. Para el año 2006, Terán se encontraba en la miseria y acudió al hospital de Santa Cruz para ser operado de forma gratuita por los médicos cubanos. El caso salió a la luz debido a que su hijo agradeció públicamente el favor recibido. Más tarde, en algunos países, sobre todo a partir de la nueva ola conservadora en América Latina, la Operación Milagro será cancelada bajo acusación de "infiltración de propaganda".

El acoso a Venezuela, un país que no se pudo intervenir usando su ejército nacional como en los casos más recientes de Haití y Honduras, es moral, mediático y económico, semejante al ejercido contra Cuba desde los 60. Por su multiplicidad de frentes muchas veces resulta caótico e improvisado. Por si el acoso exterior no fuese suficiente, el mismo gobierno de Chávez no se atrevió a liquidar la estructura de corrupción en su país, temiendo ser acusado de iniciar una caza de brujas posterior al fallido golpe de 2002. Algunos poderosos empresarios vinculados al gobierno aprovecharon para transferir cientos de millones de dólares a bancos en el exterior para beneficio personal, como el zar de la construcción Alejandro Jiménez. Cuando en 2020 se filtren y analicen cientos de documentos sugieran estas transacciones secretas, los medios no se cansarán de repetir la noticia y los nombres de los corruptos millonarios del régimen del presidente Maduro. Pasará desapercibido lo más obvio: los bancos utilizados para lavar o evadir billones de dólares en todo el mundo son los gigantes protegidos que administran el dinero del mundo.[229]

Como en el caso de Nicaragua desde su revolución de 1979, a partir de 1999 Venezuela es calificada como una amenaza para la seguridad de Estados Unidos. Seguridad, Libertad y Democracia son los ideoléxicos que siempre funcionan como comodines en el Poker geopolítico. Pero no solo el dueño del casino es el mismo sino, incluso, los jugadores. El teniente coronel Oliver North, uno de los responsables directos del escándalo Irán Contras, de la asistencia a grupos terroristas en América Central en los años 80 y exconvicto por mentirle al Congreso de Estados Unidos, había sido consejero militar del popular videojuego *Call of Duty* desde 2012. En uno de los episodios de 2013, el desafío consistía en atacar la Central Hidroeléctrica Simón Bolívar de Caracas instalando un virus informático que produjese un apagón general. Sólo por casualidad, en los años por venir y en su peor momento económico, la misma Central hidroeléctrica de Venezuela sufrirá varios cortes de energía cuya explicación seguirá en disputa por muchos años más. Algunos expertos

---

[229] Según el informe del Financial Crimes Enforcement Network (FinCEN) publicado en setiembre de 2020, entre los bancos participantes se encuentran JPMorgan Chase, HSBC, Deutsche Bank, y Bank of New York Mellon.

lo atribuirán a la fuga de cerebros de Venezuela y otros a la posibilidad de una operación similar a la Nitro Zeus contra Irán, es decir, un sabotaje cibernético estilo *Call of Duty*.[230] Lo que no está en disputa es que el origen de apagón general radicó en un fallo del control automatizado de regulación del sistema hidroeléctrico de la represa de Guri y, como es costumbre, el senador por Florida Marco Rubio dará las noticias casi antes de los hechos ocurran en algún país latinoamericano. Incluso, el 7 de marzo de 2019, en el comité del Senado para Relaciones Internacionales, el senador Rubio será explícito en la necesidad de que Washington promueva el caos en Venezuela con el objetivo de forzar un cambio de gobierno, y un corte general sería, según los estudios, crucial para este objetivo. Sólo por casualidad, unas horas después, a las 5 de la tarde, se producía el tan deseado apagón. Quince minutos después, eufórico, Rubio twittea sobre las verdaderas razones del fallo antes que los técnicos venezolanos a miles de millas llegasen a la misma conclusión: *"los generadores de respaldo han fallado"*. Según una investigación de Max Blumenthal de 2010, un memorándum redactado por Srdja Popovic del Center for Applied Non-Violent Action and Strategies (CANVAS), detallaba la estrategia de los cortes de energía como forma de socavar el gobierno de Hugo Chávez provocando protestas sociales. En las elecciones de 2018, el presidente Trump amenazará a los votantes venezolanos con más sanciones económicas si se les ocurre realizar elecciones propias y, eventualmente, con una invasión militar si cumplen con la amenaza de no obedecer. Cuando sea electo presidente con tres millones de votos menos que su adversaria, Hillary Clinton, Trump nombrará a otro convicto de las guerras de Ronald Reagan en Chile, Argentina, América Central e Irak, Elliott Abrams, como encargado de las estrategias para América Latina y, especialmente, se ocupará del cambio de régimen de Venezuela. Abrams, entre su largo historial de mafioso internacional que incluye el apoyo a los escuadrones de la muerte y a dictaduras como la de Efraín Ríos Montt de Guatemala, se cuenta también como participante en el intento fallido de golpe de Estado de Venezuela en 2002, por entonces director en la Casa Blanca del Congreso de Seguridad Nacional para la *"democracia, los derechos humanos y las operaciones internacionales"*.

El 4 de agosto de este año, en un desfile oficial conmemorativo del 81 aniversario de la Guardia Nacional, el presidente Nicolás Maduro sufre un atentado con drones cargados con explosivos. El atentado fracasa debido a

---

[230] Para el experto de la ONU, Dr. Albert de Zayas, el apagón de Caracas lleva la firma del gobierno estadounidense. En 1973, aparte del bloqueo económico y del sabotaje financiero y mediático que debió sufrir el gobierno de Salvador Allende, los apagones programados fueron uno de los recursos empleados por los golpistas estadounidenses. Uno de los últimos discursos de Allende fue interrumpido por un apagón.

que la explosión se produce antes de tiempo y las redes sociales se divierten con lo que todos consideran un montaje ridículo del presidente venezolano. El presidente Donald Trump y el senador de Florida, Marco Rubio, se burlan del incidente y de la victimización del régimen venezolano. El 21 de agosto, desde su cuenta oficial del senado, el senador publica un tweet previsible: *"Como es de prever, Nicolás Maduro ha usado drones que provocaron que sus propios soldados salieran corriendo desesperados, todo para justificar su dictadura... Para hacer al pueblo más dependiente de su dictadura, inventa evidencias para luego culpar a sus oponentes"*. El 25 de setiembre, el presidente Trump comenta, en una reunión pública: *"Bueno, todos han visto cómo los militares venezolanos salieron corriendo cuando escucharon las explosiones... No creo que nuestros Marines saldrían corriendo por unas explosiones"*. Segundos después, ante las cámaras de televisión, le pregunta al marine retirado John Kelly, si alguno de ellos hubiese salido corriendo en una situación similar. Kelly responde: *"No, los marines no sabemos cómo huir"* y provoca la risa de los asistentes. *"Yo creo que los militares venezolanos tampoco, porque huyeron directamente hacia las explosiones, aunque eso es aún mejor"*, agrega el presidente Trump, con una muestra contradictoria de astucia que se parece más a los dos siglos de racismo anglosajón en la Frontera Sur. El presidente paralelo de Washington y apoyado por la Unión Europea, Juan Guaidó, está de acuerdo: *"fue algo interno, armado por el gobierno"*.

Poco después del atentado en Caracas, el periodista peruano radicado en Miami, Jaime Bayly, en su programa emitido por la cadena Globovisión y voz de la derecha latinoamericana en Miami, reconoce que, días antes del hecho, había sido invitado a una reunión donde le habían confirmado que los conspiradores habían sido entrenados en Chinácota, Colombia. Bayly da detalles del plan de asesinato del presidente venezolano con drones y confirma haber sido informado en detalle, todo lo que recuerda las reuniones del Plan Cóndor y de otros atentados terroristas con bomba organizados, según sus responsables, en los suburbios de Miami: *"el sábado vamos a matar a Maduro con drones"*, dice Bayly que dijeron los organizadores; *"el grupo que está conspirando es gente bastante competente"*, agrega. Bayly sabe que el apoyo de Washington es indirecto, como siempre ocurre en estos casos, y agrega, ante las cámaras de televisión y sin temer ninguna investigación: *"me dicen que es una reunión que va a ser histórica para Venezuela y yo fui... ¿Usted cree que el gobierno de Estados Unidos no sabía lo que iba a ocurrir el sábado pasado? Está usted mal informado... está subestimando al imperio"*. Poco después se publicarán videos del entrenamiento con drones en Colombia para el atentado en Caracas y poco después son eliminados de YouTube.

Al igual que antes de las elecciones de 1990 en Nicaragua y luego de un largo acoso económico y paramilitar, el 28 de enero de 2019, ante las cámaras de FOX News, el consejero de seguridad nacional de Estados Unidos y futuro enemigo, John Bolton, declarará que, si el gobierno venezolano es removido del poder, el pueblo será arropado por las bendiciones de las inversiones y el aterrizaje de las exitosas empresas estadounidenses. *"En este momento estamos conversando con las compañías más poderosas de Estados Unidos... Haremos una diferencia si las petroleras estadounidenses pueden invertir y explotar petróleo en Venezuela... Será muy bueno para ellos y para nosotros"*, dice, convencido, como cualquier fanático de los negocios a cualquier precio. En abril de 2019, otra vez en referencia a Venezuela, Bolton declarará que *"la Doctrina Monroe está viva y goza de buena salud... es nuestro hemisferio"*.

Por si quedara alguna duda, el 12 de marzo de 2019, el ex subsecretario del Tesoro de Ronald Reagan y reconocido economista conservador, Paul Craig Roberts, lo resumirá sin vueltas: el objetivo de Washington dice, *"es volver a tomar control sobre los recursos de Venezuela, sobre todo de sus inmensas reservas de petróleo. Washington nunca le perdonó a Chávez que haya nacionalizado las reservas petroleras de Venezuela para los venezolanos en lugar de dejárselas a las compañías estadounidenses. Es por eso que Washington quiere instalar un títere en Venezuela que permita la privatización de los recursos del país..."*

Antes de la nueva ronda de las sanciones impuestas por el presidente Trump en 2017, las que aceleraron por tres el declive de la producción de petróleo venezolano, en 2014, durante la administración Obama, Washington y Riad habían acordado la manipulación a la baja de los precios del crudo para castigar a Venezuela, Rusia, Irán y, de paso, mandar una señal a Libia, Angola y Nigeria. Washington facilitó la suba del dólar (divisa obligatoria para los petrodólares desde los años 70) y Arabia Saudí inundó el mercado con una producción excesiva. De todos los países petroleros no alineados, Venezuela es el más vulnerable por su excesiva dependencia de su principal producto. Más del 90 por ciento de sus exportaciones y casi la mitad de los ingresos del Estado dependen del petróleo. Para colmo de males, esas enormes reservas se encuentran en una ubicación estratégica, a una pedrada de Washington. Como en 1851, para justificar el acoso naval de Tokio, el secretario de Estado de Estados Unidos, Daniel Webster, lo había explicado de forma clara: *"el carbón es un regalo de la Providencia, guardada por el Creador de todas las cosas en las entrañas de Japón para el beneficio de la familia humana... La cantidad de carbón que posee ese país es tan abundante que su gobierno no tiene ningún argumento válido para no proporcionarnos de ese recurso a un precio razonable"*.

El 21 de julio de 2020, el gobierno de Trump emitirá orden de captura y una recompensa de cinco millones de dólares por la captura del presidente del

Tribunal Supremo de Venezuela, Maikel Moreno, acusado de corrupción. El secretario de Estado Mike Pompeo explicó la decisión: Moreno *"aceptó sobornos para influir en los resultados de algunos casos criminales en Venezuela; con este anuncio estamos enviando un mensaje claro: Estados Unidos está en contra de la corrupción"*. En agosto de 2001, como respuesta al requerimiento del juez español Baltasar Garzón para que el ex secretario de Estado Henry Kissinger declare ante los tribunales internacionales por su participación en las dictaduras latinoamericanas, el gobierno de George W. Bush emitió un comunicado protestando: *"Es injusto y ridículo que un distinguido servidor de este país sea acosado por cortes extranjeras. El peligro de la Corte Penal Internacional es que un día los ciudadanos estadounidenses puedan ser arrestados en el extranjero por motivaciones políticas, como en este caso"*.

La diferencia entre dos de las mayores potencias petroleras del mundo, Venezuela y Arabia Saudí, es que una es una rica dictadura con todas las letras y es un poderoso aliado estratégico de Europa y Estados Unidos. La otra es un país rebelde, subdesarrollado por un siglo de intervenciones de las gigantes petroleras, donde, a diferencia de la otra dictadura, los disidentes todavía pueden organizar protestas en las calles, entrar y salir del país cuando se les antoja, incluso de forma ilegal; una democracia degradada por años de acoso político y mediático, interno y externo, y con una economía bloqueada desde todos los frentes para que la miseria diseñada en el Norte sirva de ejemplo persuasivo a los consumidores distraídos del Sur y se decidan a seguir apoyando los exitosos negocios del ejemplar Norte.

El 14 de agosto de 2020, la marina de Estados Unidos secuestrará cuatro cargueros de petróleo iraní vendidos a Venezuela. Washington se excusará en que los barcos son iraníes, aunque no lo sean, y ese país también está bloqueado por no obedecer los deseos del nuevo gobierno de Washington de no cumplir con el tratado firmado con Irán en 2015. 1,12 millones de barriles de petróleo serán confiscados, es decir, robados por la superpotencia a un país pobre y empobrecido por un bloqueo brutal que lleva años y un acoso que se remonta al primer día en que Hugo Chávez puso pie en el Palacio de Miraflores como presidente electo. Según el Departamento de Justicia de Washington, el dinero obtenido por la venta de ese petróleo será destinado a las víctimas del terrorismo. De las víctimas del terrorismo propio a lo largo de doscientos años, ni una palabra.

Dos meses después, el 9 de octubre de 2020, en un conversatorio con en el foro empresarial llamado Consejo de las Américas, el almirante Craig Stephen Faller, jefe del célebre Comando Sur de Estados Unidos, llamará a tener paciencia con Venezuela: *"Siempre me preguntan, ¿por qué se demora tanto? ¿Por qué no han funcionado los esfuerzos de Estados Unidos?"* Como respuesta confesará: "*Yo diría que los esfuerzos de Estados Unidos sí han funcionado, aunque no lo suficientemente rápido para el pueblo venezolano... Tomó una generación llegar a este punto y tomará un tiempo implementar el paquete democrático de nuestro representante Elliott Abrams*". Faller acusará a China de intervenir en los asuntos internos de Venezuela, de pescar de forma ilegal en sus costas y de ser "*una influencia corrosiva en este hemisferio*".

Los oficiales de los imperios establecidos no tienen vergüenza. Sus mayordomos, mucho menos.

2019. Nicaragua, otro desalineado

WASHINGTON DC. 18 DE ABRIL DE 2019—El presidente Donald Trump anuncia una nueva ronda de sanciones económicas contra Cuba, Nicaragua y Venezuela, países a los que califica como la "Troika del mal". La clasificación es una copia de el "Eje del mal", repetida por su enemigo político y personal de Trump. En 2002 George Bush la había usado para referirse a otros tres países asiáticos, uno de los cuales, Irak, logró destruir con una guerra que dejó a casi todo Medio Oriente en llamas y al menos un millón de muertos sin importancia sólo en ese país. La misma poca importancia que los medios y la opinión pública le dieron cuando el Trío mafioso (los presidentes George Bush de Estados Unidos, José María Aznar de España y el primer ministro de Inglaterra Tony Blair) reconocieron que todas las razones para lanzar la guerra sin el voto de la ONU se demostraron falsas. Todo lo que prueba que hay algo más allá y más importante que las simples pasiones personales.

Como en el caso anterior del Eje del mal, ahora también uno de los tres países condenados es el objetivo central: Venezuela. Como en el caso anterior, es el país con las mayores reservas de petróleo del mundo y se debe acosar a sus amigos, que sirven de distracción y de mal ejemplo cuando fracasan o los hacemos fracasar.

La idea de hacer marketing con eso de *La troika de la tiranía* ni siquiera es de Trump sino de su consejero de seguridad, John Bolton, amigo y, como todos, futuro enemigo del presidente. La frase le salió de forma poco espontánea un día antes y en un lugar demasiado previsible: Coral Gables, Miami. Para celebrar el 58 aniversario del fiasco de la invasión de Playa Girón, el consejero Bolton declara: "*Mientras el pueblo de Cuba, Nicaragua y Venezuela quieren la libertad, Estados Unidos los apoyará*". Alguien en la audiencia se seca las lágrimas. Según Bolton, las nuevas medidas del nuevo presidente, diferente a las vergonzosas políticas conciliatorias de su predecesor mulato hacia la isla, "*provocarán la caída del presidente cubano Miguel*

Díaz-Canel". La periodista californiana de NPR Carrie Kahn no está de acuerdo y cree que estas políticas son viejas, han fracasado por medio siglo y sólo han servido para aumentar el dolor en los pueblos del sur. Pero ella es estadounidense. No es cubana exiliada de la Primera Ola de los 50 y, tal vez, no entiende. Los cubanos de la clase alta de Miami saben lo que dicen porque nacieron en la isla. Ellos sí son patriotas y están contentos con las nuevas medidas de acoso a la isla.[231]

En Nicaragua, luego del acoso de los años 80, fundamentalmente a través del grupo terrorista Contras financiados por Washington, y pese a la propaganda internacional de la primera década del siglo XXI, Daniel Ortega gana las elecciones en 2006. Este no es el mítico revolucionario de los años 80, pero Washington sigue siendo Washington. De cualquier forma, la Nicaragua de Ortega vuelve a ser un Estado clasificado como rebelde y sus negocios con la Venezuela de Hugo Chávez parecen ser una prueba incuestionable e inaceptable.

Como Venezuela, Nicaragua mejora su economía, sobre todo para los sectores de abajo, lo cual molesta no sólo a los sectores de arriba del país sino, y sobre todo, a Washington. Para el año 2018, Ortega logrará un crecimiento anual promedio, similar a la Bolivia de Evo Morales, de más del cinco por ciento, lo cual para esta década se trata de un promedio muy alto en casi cualquier parte del mundo. Diferente a los "milagros económicos" del pasado en América Latina, los que fueron forzados con inundaciones de capitales del norte, Nicaragua, el segundo país más pobre de la región después de Haití, logró reducir la pobreza en un 30 por ciento.[232] Ambos números son parte de

---

[231] Rafael UsaTorres (es probable que lo de *USA* fue agregado como nombre artístico, el cual usa en sus uniformes del Ejército de Estados Unidos con la etiqueta "*US Army UsaTorres*") declara: "*Este es un gran día; lástima que haya tardado tanto*". Según la decente cadena de radios públicas de Estados Unidos, NPR, Rafael UsaTorres fue un miembro de la Brigada 2506 que, al servicio de la CIA, invadió Cuba en la frustrada invasión militar de 1961. La Brigada 2506 suele contribuir con el Museo de Bahía Cochinos de Miami para "*celebrar el sacrificio de los luchadores por la libertad*" y se reúne periódicamente en distintos locales de Miami para recordar los buenos viejos tiempos de mercenarios millonarios, fracasados por tradición y al servicio de la CIA y del gobierno más poderoso del mundo.

[232] Recordemos que, en 1909, cuando Washington removió al presidente electo José Santos Zelaya e inició casi un siglo de ocupaciones militares, de intervenciones políticas y económicas a través de sus dictadores, Nicaragua era el país más próspero y progresista de América Central. Zelaya había logrado recuperar la costa caribeña de manos del Imperio británico, pero había fracasado en su intento de unificar América Central, por obvias razones. A pesar de que Zelaya era un presidente electo, Washington lo demonizó como un presidente ambicioso y peligroso, lo calificó de "dictador" hasta que decidió sacarlo del medio por la fuerza.

una misma realidad y de la misma frustración de Washington que insiste en demonizar a "el régimen de Nicaragua".

Como la mayoría de los gobiernos de la región, el de Ortega está plagado de escándalos y corrupciones, casi tanto como el de la Casa Blanca o los congresos estatales en Estados Unidos que legislan a golpe de mesa de las mayores corporaciones. No sin razón, muchos ex sandinistas no le perdonan a Ortega su excesiva concentración del poder político. A juzgar por la historia latinoamericana, acosada sin descanso por el intervencionismo de Washington, esta desagradable concentración de poder de un presidente rebelde parecería ser no sólo una consecuencia lógica e inevitable cuando el poder se quiebra, sino también el modelo de éxito en cuestiones de sobrevivencia política y de reformas sociales en la Frontera sur.

Aparte de mejorar la economía y reducir la pobreza, Nicaragua no sufre de la criminalidad de los países centroamericanos del Triángulo Norte. Para este año 2018, el índice de homicidios en el país era del seis por cien mil personas. Como lo observa *The Nation* el 2 de febrero de ese año en su artículo subtitulado *"It's the revolution, stupid"*, Nicaragua posee *"la mitad del índice de homicidios que la más rica Costa Rica"*, lo cual se explica por sus políticas innovadoras (prevención en lugar de políticas policiales de mano dura y gatillo fácil, más comunes en sus vecinos), su sentido de comunidad y el activismo de las mujeres, quienes han logrado revertir la tóxica cultura machista de la región.[233]

De hecho, los inmigrantes pobres que caminan miles de millas hacia la frontera con Estados Unidos y son demonizados como *invasores*, son casi todos procedentes de El Salvador, Guatemala y Honduras, tres países asolados en las últimas décadas por las guerras de Washington, por sus dictaduras militares y por sus cientos de millones de dólares para demostrar que el capitalismo satélite funciona y es la receta que se debe implementar en todos los rincones del mundo.

Pero Ortega, como Morales en Bolivia, estará casi tanto tiempo en el poder como F. D. Roosevelt en Estados Unidos, Angela Merkel en Alemania o Benjamin Netanyahu en Israel. Para no mencionar a la reina de Inglaterra y otros reyes democráticos. Como no pertenecen a la clase elegida, los presidentes electos de América Latina son calificados como corruptos dictadores y enamorados del poder. Cuando son dictadores sanguinarios enroscados por

---

[233] En 2018 la tasa de homicidios en Guatemala es 23, la de Honduras 43 y la de El Salvador 60; los tres países del Triángulo norte históricamente bajo la intervención, influencia y ayuda moral, ideológica, económica y militar de Washington. Un año después, la Oficina de Naciones Unidas contra la Droga y el Delito (ONUDD) confirmará a Nicaragua como el país de América Central con la tasa de homicidios más baja, lejos del segundo.

décadas en el poder, se trataban de "héroes pacificadores", "constructores del orden", "promotores de la prosperidad y la libertad" y de "dictaduras amigas". Para peor, como lo anota el historiador Dan Kovalik, Ortega no sólo destruyó la dictadura amiga de los Somoza, no sólo es un sobreviviente de la Contra de Reagan que costó 50.000 vidas, sino que ahora se atreve a negociar de forma independiente con China un posible canal que podría competir con el de Panamá. Todo por lo cual el Congreso en Washington aprueba la ley NICA para estrangular a Nicaragua con una sequía de créditos internacionales del FMI y del Banco Mundial, tal como lo hiciera con el Chile de Salvador Allende y con otros países (y que ni la economía dominante de Estados Unidos soportaría por un solo año). La Ley NICA fue aprobada por el Congreso de Estados Unidos en 2016 en base a denuncias de posibles irregularidades en las elecciones de ese año en Nicaragua. En diciembre de 2018 fue ratificado por Donald Trump. Lo mismo ocurrirá con las elecciones de Evo Morales en Bolivia en 2019, aunque la OEA y el ejército boliviano, en contacto con los senadores cubanos de Estados Unidos, se encargarán de remover al indio no alineado. Cuando en Honduras el presidente Juan Orlando fue reelecto en 2017 en elecciones consideradas fraudulentas hasta por *The Economist*, Washington se apresuró a reconocer a su candidato oficial como el legítimo presidente. La misma historia de los últimos doscientos años, siempre pronta para el olvido y el déjà vu.

Para 2017, pese a la campaña mediática en su contra, Ortega había alcanzado más del 75 por ciento de aprobación de su gestión. Un año después, según el World Economic Forum de Suiza, Nicaragua se ubicaba en el quinto puesto del ranking mundial en igualdad de género, por encima de Estados Unidos y solo por debajo de Islandia, Noruega, Suiza y Finlandia. Otro logro inadmisible para Washington y sus colaboradores, por lo que, según el periodista del *New York Times* Max Blumenthal, organizaciones como la NED ("Fundación Nacional para la Democracia" creada por la CIA e involucrada en el golpe de Estado contra Hugo Chávez en 2002) ha invertido años y millones de dólares preparando las condiciones para una revuelta social en Nicaragua. En Nicaragua y en Venezuela, este tipo de protestas incluirán bombas incendiarias contra la propiedad privada, contra personas y contra la policía. Lo que, en Estados Unidos, en Colombia o en Chile son calificados como "saqueos" o "violencia instigada por la izquierda totalitaria", aquí son "protestas pacíficas y espontáneas por la libertad".

2019. Nosotros mentimos, engañamos y robamos

COLLEGE STATION, TEXAS. 15 DE ABRIL DE 2019—Reclinado en una silla de cuero sobre el escenario del auditorio de la universidad A&M de Texas, un estudiante le pide que explique las políticas de sanciones a algunos países y concesiones a otros regímenes como el de Arabia Saudí. El secretario de Estado Mike Pompeo comienza a hablar de lo duro que es el mundo allá afuera como forma de encontrar la respuesta. No la encuentra, pero a su mente viene una ocurrencia que le parece divertida. Con una incontrolable risa interior que sacude sus trescientas libras corporales, pregunta: *"¿Cuál es el lema de los cadetes en la academia militar de West Point? 'NO MENTIRÁS, NO ENGAÑARÁS, NO ROBARÁS NI PERMITIRÁS QUE OTROS LO HAGAN'. Pues, yo he sido director de la CIA y les puedo asegurar que nosotros mentimos, engañamos y robamos. Tenemos cursos enteros de entrenamiento para eso. Lo que nos recuerda la grandeza del experimento americano"*. El resto del público lo premia con risas y aplausos.

Las *fake news* fueron populares desde antes de la independencia de Texas en 1836 y se multiplicaron durante la guerra contra México a partir de 1844. Para finales del siglo XIX, con la invención del periodismo amarillo en Nueva York, se convirtieron en una estrategia masiva y más refinada para aumentar las ventas inventando la guerra contra España en 1898. A principios del siglo XX, las *fake news* fueron sistematizadas por Edward Bernays, lo cual sirvió para vender la intervención de Estados Unidos en la Primera Guerra mundial y golpes de Estado como en Guatemala en 1954. La CIA usó la manipulación de la opinión pública como primera arma y lo hizo de formas diversas, plantando editoriales en diarios importantes de la región poco antes de alguna intervención militar o para lograr la condena, el bloqueo o el acoso de algún presidente no alineado a las políticas de Washington y los intereses de las transnacionales.

Las organizaciones, fundaciones y agencias creadas con este objetivo han sido múltiples y diversas, aunque con ciertas características comunes. En los años ochenta, con la aprobación del presidente Ronald Reagan, el cubano Otto Reich creó la *Office of Public Diplomacy for Latin America*, la que debió ser clausurada en 1989 cuando sus prácticas de manipulación de la opinión pública a través de fondos del Pentágono y la CIA se filtraron a la opinión pública. La *Office* colaboraba con el departamento de Operaciones psicológicas de la CIA y reportaba directamente a la Casa Blanca a través del coronel Oliver North. Una de sus estrategias era plantar *op-eds* en los grandes medios de prensa y fingir filtraciones de inteligencia para impactar en la población, creando pánico o temor hacia grupos como los sandinistas en Nicaragua y presentando a los Contras como heroicos "luchadores por la libertad".[234] Reich había inventado que aviones soviéticos habían arribado a Nicaragua, que el régimen ya poseía armas químicas y que estaba involucrado en el narcotráfico, con tanto éxito que en el Congreso comenzaron a escucharse voces en favor de un ataque aéreo a Managua. A los periodistas más serios les tomaría unos años descubrir que la información que recibían de "fuentes confiables" era una burda manipulación.

La *Office* será clausurada por difundir propaganda encubierta e información falsa usando fondos del Departamento de Estado sin aprobación del Congreso. Su delito no fue manipular la opinión pública con noticias falsas sino usar un dinero que no le correspondía. El 7 de setiembre de 1988, el Departamento de Estado, en un documento secreto, registra que el plan de "*este grupo de individuos*" es influenciar la opinión pública a través de la prensa y lograr una votación en el Congreso de Estados Unidos favorable a sus intereses. Este grupo mantendrá cuentas bancarias en las Islas Caimán y en bancos de Suiza (usados para lavar el dinero de la venta de armas a Irán a través de Israel) con la colaboración del coronel Oliver North. Otto Juan Reich continuará trabajando como asesor de los presidente Bush padre y Bush hijo y en 2012 recibirá el premio Walter Judd a la libertad.[235]

El arma de manipular de la opinión pública nunca será abandonada por ninguna revelación en su contra. Entre otras poderosas organizaciones, Rendon Group continuará con esta tradición. El Pentágono le pagará a Rendon para propagar información falsa como arma de guerra. La estrategia se parece a la practicada por Edward Bernays durante el siglo pasado: hacer que alguien con cierto prestigio y no vinculado a nosotros (médicos, líderes religiosos, medios de prensa consolidados) diga lo que ellos quieren que la gente crea y, de esa forma, defender la libertad y la democracia. Rendon logra filtrar y plantar información que será publicada por "periodistas independientes", alguno de ellos en la nómina salarial del Pentágono. John Rendon, contratado para

---

[234] Entre los medios que publicaron las invenciones de La Oficina estaban el *Miami Herald*, *Newsweek*, el *Wall Street Journal*, el *Washington Post*, el *New York Times* y varias cadenas de televisión como *NBC*. La información favorable al gobierno de Nicaragua será descalificada como "propaganda sandinista". Otto Reich y diferentes filtraciones desde su Oficina explican que esta distorsión de la información se debía a que los periodistas estadounidenses recibían favores sexuales del gobierno nicaragüense, mujeres cuando los periodistas eran heterosexuales y gays cuando eran gays.

[235] Aunque el exilio cubano representa una ínfima parte de toda la población hispana en Estados Unidos (cuatro por ciento de la población hispana si se consideran a todos los cubanos en este país), su representación y poder político es casi absoluto en la CIA y en los diversos organismos de comercio, y mayoritario en los medios, en la política y en el Congreso estadounidense.

manipular la opinión pública sobre la guerra en Irak, se jactará: *"yo puedo decirle a usted lo que será una primicia en los diarios de mañana en cualquier país del mundo"*. En su nómina tiene 195 diarios en 43 países del mundo que reproducen sus ocurrencias.

Cualquiera de los fundadores de Association for Responsible Dissent (ARDIS; sus miembros fueron exmarines, ex agentes de la CIA y del FBI, entre otros), hubiese agregado que el secretario Pompeo se olvidó de mencionar que no sólo *"mentimos, engañamos y robamos"* sino también matamos. En 1987, el ARDIS estimó que *"al menos seis millones de personas murieron como consecuencia de las operaciones encubiertas de Estados Unidos desde la Segunda Guerra Mundial… gente que ni siquiera estaba en guerra contra Estados Unidos"* mientras todo fue hecho *"en nombre del pueblo estadounidense"*. También el grupo denunció el reclutamiento de candidatos en los campos universitarios por parte de la CIA, práctica que se continúa hoy en día, más o menos en secreto.

2019. Invasores de esos países de mierda

WASHINGTON DC. 12 JUNIO DE 2019—El presidente Donald Trump anuncia el inicio de redadas para cazar inmigrantes ilegales en las diez mayores ciudades de Estados Unidos a partir del viernes 14. El hecho de que se haya elegido a las grandes ciudades y no a las grandes plantaciones que no pueden levantar sus cosechas sin inmigrantes ilegales, se debe, muy probablemente, a que las minorías (negros, latinos, asiáticos) no tienen representación, ni política ni legal, como el resto, no sólo porque los inmigrantes ilegales no votan sino porque el voto de los ciudadanos de esos grupos vale menos que un voto blanco en un estado ultraconservador.

Por una razón histórica de marginación de la propiedad de la tierra y por las necesidades presentes, las minorías se concentran en las grandes ciudades en el sector de servicios, las cuales están en los estados más poblados, los cuales tienen tantos senadores como cualquier estado despoblado, bastiones de los conservadores desde el siglo XIX: para sumar la misma población que California (40 millones) o Nueva York (20 millones), dos bastiones progresistas y más abiertos a la diversidad y a los inmigrantes, es necesario sumar más de diez estados conservadores (la gigante Alaska no llega al millón de habitantes). No obstante, cada uno de los estados sobrepoblados posee sólo dos senadores, mientras que una docena de estados conservadores y despoblados poseen veinticuatro.

Esta herencia centenaria también elige presidentes. Si durante el primer siglo de existencia "la Gran democracia del norte" en realidad era una dictadura étnica (sólo un quince por ciento podía votar y sólo los blancos podían ser ciudadanos, para no contar que existían esclavos), si por otro siglo más se continuó con la segregación económica y racial (lo que en otros países se llamaba apartheid), actualmente es una democracia muy limitada por sus leyes y aún más por su ejercicio del derecho político, basado en el poder económico.[236] El presidente es elegido de forma indirecta por el Colegio electoral y para el colegio un voto en Nueva York o en California vale menos de un tercio que un voto en estados rurales del centro, como Nebraska o las Dakotas.

Aunque Donald Trump perdió las elecciones en 2016 por casi tres millones de votos, llegó a la Casa Blanca por un sistema electoral inventado para proteger a los estados esclavistas del sur en los siglos XVIII y XIX y lo hizo con un discurso racista, apenas escondido en la eterna y cobarde excusa de la legalidad.[237] Legalidad que siempre se ha promovido y respetado cuando convenía a los grupos en el poder, de la misma forma que históricamente los tratados con otros países más pobres se violaban sin demoras cuando se trataba de tomar tierras o riquezas ajenas y luego las leyes de Washington se aplicaban a rigor en nombre de la legalidad y la defensa propia.

A lo largo de estos siglos, los avances de algunos derechos humanos y civiles nunca se concretaron gracias a esos "representantes". Los políticos en el poder sólo se pusieron del lado de la decencia humana de los de abajo y de la justicia para todos cuando los de abajo pasaron de ser "una minoría" "anarquista" con "ideas peligrosas" "contra Dios y la civilización" a ser una mayoría imparable. Entonces, como buenos políticos, como buenos representantes del poder, negociaron primero y secuestraron estos logros después.

Una mañana de otoño de 2018, ante la inminente caravana de cinco mil pobres desesperados que huían a pie desde América central hacia la frontera de Estados Unidos, un estudiante con mucho sentido común respondía a su profesor: *"No necesitas ser racista para defender las fronteras"*. El problema es que el sentido común puede servir para freír dos huevos o atarse los zapatos

---

[236] La población indígena obtuvo el derecho universal a la ciudadanía en 1924 y hasta 1948 Arizona y Nuevo México todavía no reconocían su derecho al voto. En Puerto Rico, hasta el día de hoy, aunque sus habitantes son ciudadanos estadounidenses, no pueden votar por el presidente de su país.

[237] En tiempos de la esclavitud legal, los estados del sur poseían una población blanca muy reducida en comparación con los estados del norte. En algunos, la población esclava (incluido una minoría voluntaria de blancos pobres, los *"indenture"* o trabajadores "no asalariados") era la mayoría de la población. Los esclavos y cualquier persona no blanca no podía ser ciudadana y menos votar, pero se contaban cabezas como ganado sin voz ni voto para determinar el número de sus representantes blancos, esclavistas.

pero no sirve para entender los grandes problemas. Para el presidente y los medios que comercian con el miedo, se trataba de una peligrosa invasión.

El novelista francés Anatole France, a finales del siglo XIX, había escrito: "*La Ley, en su magnífica ecuanimidad, prohíbe, tanto al rico como al pobre, dormir bajo los puentes, mendigar por las calles y robar pan*". Uno no necesita ser clasista para apoyar una cultura clasista. Uno no necesita ser machista para reproducir el machismo más rampante. Con frecuencia, basta con reproducir, de forma acrítica, una cultura y defender alguna que otra ley.

Cuando Lincoln venció en la guerra civil, puso fin a una dictadura legal de cien años que hasta hoy todos llaman "democracia". Desde mucho antes de Lincoln, racistas y anti racistas habían propuesto solucionar el "problema de los negros" enviándolos "de regreso" a Haití o a África, donde muchos de ellos terminaron fundado Liberia. Lo mismo hicieron los ingleses para limpiar de negros Inglaterra. Pero con Lincoln los negros se convirtieron en ciudadanos, y una forma de reducirlos a una minoría inocente y obediente no fue solo poniéndoles trabas para votar (como el pago de una cuota) sino estimulando la inmigración.

La estatua de la Libertad que los recibía en Nueva York, donada por los franceses, todavía reza: "*dame los pobres del mundo, los desamparados...*" Así, Estados Unidos recibió oleadas de inmigrantes pobres. Claro, pobres blancos en su abrumadora mayoría. Muchos resistieron a los italianos, a los judíos y a los irlandeses porque eran pelirrojos católicos. Pero, en cualquier caso, eran mejores que los negros y los morochos. Los negros no podían emigrar de África, no solo porque estaban mucho más lejos que los europeos sino porque eran mucho más pobres y casi no había rutas marítimas que los conectara con Nueva York. Los chinos tenían más posibilidades de alcanzar la costa oeste, y por eso mismo se aprobó una ley prohibiéndoles la entrada por el solo hecho de ser chinos.

Fue una forma muy sutil y poderosa de romper las proporciones demográficas, es decir, políticas, sociales y raciales de los Estados Unidos. En los siglos anteriores este miedo de una rebelión de las razas inferiores y de los blancos pobres era explícito en las políticas y en las leyes, inspiradas por libros y teorías sobre la pobre y bondadosa raza aria en peligro de extinción por las invasiones de las razas inferiores. Del brutal colonialismo e imperialismo europeo y estadounidense en el resto del mundo, ni una palabra.

El 11 de enero de 2018, refiriéndose a Haití, El Salvador y África, el presidente Trump se había quejado de la llegada de inmigrantes que "*vienen de esos países de mierda (shithole)*" En la conferencia de prensa de la Casa Blanca con la Primer ministra noruega Erna Solberg, enseguida completó la idea: "*deberíamos tener más gente de Noruega*".[238] En junio, el presidente se quejó de que los 15.000 haitianos que habían entrado al país desde entonces eran portadores de enfermedades. "*Todos tienen Sida*", había dicho, aunque no encontró el informe que podría confirmar esta idea. Por su parte, el problema de los 40.000 nigerianos inmigrantes era que no iban a querer "*regresar nunca a sus chozas en África*".

El nerviosismo de un cambio de las proporciones demográficas es sólo la continuación de las políticas del siglo XIX y una reacción desesperada a una realidad cambiante, como lo es la pérdida del poder geopolítico y la pérdida de la hegemonía racial. El miedo a convertirse en una minoría racial esconde un reconocimiento a la lógica de abuso y opresión del orden actual. Si no, ¿qué podría tener de malo pertenecer a una minoría? ¿Qué podría tener de malo ser diferente o especial?

La frustración nacional se ha agravado no sólo con la progresiva pérdida del estatus social y global del "americano blanco", del "verdadero estadounidense" representado por Homero Simpson, sino también por el doloroso espectáculo de las universidades y los profesionales, ahora llenos de mujeres y de rostros extranjeros hablando inglés con acentos extraños o, directamente, hablando otros idiomas. Lo que antes era objeto de burla (incluso en casos como el de Albert Einstein) ahora ha pasado a ser un signo de distinción o, por lo menos, de respeto. Por años, los ganadores del concurso nacional de ortografía serán hijos de hindúes. Estudiantes extranjeros o hijos de extranjeros serán los inventores de visibles empresas como Google, YouTube o Apple además de ser los autores de más de la mitad de las patentes registradas en el país.

Uno no necesita ser racista cuando las leyes y la cultura ya lo son. En Estados Unidos nadie protesta por los inmigrantes europeos, canadienses o australianos. Pero todos están preocupados por los negros, los inclasificables del infinito Oriente (*Asians*) y los mestizos híbridos del sur. Porque no son blancos y porque son pobres. Mucho peor si son gente desesperada solicitando asilo. Actualmente, casi medio millón de inmigrantes europeos viven ilegalmente en Estados Unidos. A nadie le preocupa. Si son bonitos, no son invasores. Si son bonitos, son objetos sexuales, no violadores. Nadie habla de ellos en público ni sirven para la narrativa política, como nadie habla de los ocho millones de estadounidenses que viven en el extranjero, un millón (el noventa

---

[238] Según estudios apoyados en el censo de 1900, un tercio de la población más pobre de Noruega había emigrado a Estados Unidos durante las décadas anteriores. Lo mismo había hecho el abuelo del presidente desde Alemania y, más recientemente, su madre desde Inglaterra. Todos pobres y sin documentos. Poco después de la adulatoria invitación del presidente Trump, miles de noruegos se manifestaron con un irónico "*No, gracias*".

por ciento de ellos ilegales) sólo en México. De hecho, la ley de Lotería de visas fue aprobada en los años ochenta para legalizar a los miles de irlandeses ilegales que vivían en el Nordeste y sólo fue objeto de críticas cuando años después las personas de piel oscura comenzaron a beneficiarse de esta ley tan particular.

Terminada la excusa del comunismo (ninguno de esos "*países de mierda*" es comunista sino más capitalistas que Estados Unidos), se vuelve a las excusas raciales y culturales del siglo anterior a la Guerra fría. En cada trabajador de piel oscura se ve un criminal, un violador; no un ser humano, no una oportunidad de desarrollo mutuo. Las mismas leyes de inmigración tienen pánico a los trabajadores pobres. Cualquiera que haya solicitado una visa sabe que antes de presentarse a una embajada de Estados Unidos en cualquier parte del mundo hay que eliminar la palabra *trabajo* del vocabulario personal. Se puede ser un perfecto zángano con dinero, y presumir de ello, pero nunca un trabajador pobre.

Mientras en Estados Unidos la Seguridad social y la Salud pública continúan bajo ataque mediático, bajo la progresiva desfinanciación de los gobiernos con el objetivo de transferir sus recursos al Pentágono y para promover la cobertura privada de salud y de seguridad, más de 60.000 estadounidense mueren cada año por adicciones a las drogas, la mayoría por prescripciones médicas de opioide.[239] Mientras el negocio de las cárceles privadas (que reciben millones de dólares del gobierno federal) florece en el borde sur del país, la inmigración ilegal y los refugiados legales son criminalizados por pobres y por el pecado de no ser caucásicos. El negocio, como cualquier otro negocio, tiene como único objetivo aumentar el número de clientes. El problema es que aquí los clientes son hombres y mujeres pobres en búsqueda de una vida decente, en búsqueda de un poco de paz y de trabajo duro, que es lo único tan terrible que saben hacer. Como la desesperación ajena y la indignación propia es un negocio, las empresas carcelarias inflan los días y las semanas y los meses y los candidatos a criminales, aunque sean niños, que deben pasar detenidos sin necesidad, contra las leyes internacionales, pero en cumplimiento de las leyes del país de las leyes.

---

[239] En 2017, según el National Institute on Drug Abuse del Gobierno de Estados Unidos, 47.000 personas murieron por sobredosis de opioides. La epidemia de esta droga se había iniciado en los años 90 cuando las poderosas farmacéuticas le aseguraron a los médicos que su producto no producía adicción, pese a estudios que contradecían esta afirmación. La campaña de propaganda y manipulación de los médicos se pareció mucho a la inventada por Edward Bernays medio siglo antes para vender huevos y tocino. Nadie recuerda nada. Sólo ven unos pocos miles de pobres de a pie amenazando con destruir con sus penes y vaginas al país más poderoso del mundo.

Desde 1980, la emigración desesperada desde el Triángulo norte se ha multiplicado por diez. No porque las fronteras se hayan abierto o porque las condiciones de viaje ahora sean mejores, ya que los migrantes siguen usando sus piernas como principal medio de trasporte y las fronteras se han militarizado exponencialmente. El terrorismo paramilitar financiado por las corporaciones del norte, las guerras de Washington en los ochenta y sus golpes de Estado 2.0 en el nuevo siglo han producido un efecto inmediato y persistente. Para 2020 el flujo de migrantes que intentan escapar a la violencia y a la miseria de los neoprotectorados ultracapitalistas de América Central (Guatemala, El Salvador y Honduras), sumarán casi el 90 por ciento del total. De "el régimen de Nicaragua" sólo procede el siete por ciento. Como respuesta, Washington se resistirá a recibir refugiados, sean niños o mujeres pobres. La superpotencia de los compasivos cristianos recibe cien veces menos refugiados por cada mil habitantes que Líbano e, incluso, seis veces menos que la empobrecida Venezuela.

Sin indicios de cambio, los políticos en Estados Unidos continuarán alertando del peligro de terroristas entre los pobres que buscan asilo. Nada mejor que asustar al pueblo con una invasión inexistente para no hablar de la violencia y de las históricas matanzas del terrorismo de los supremacistas blancos de un lado y del otro de la frontera. Nada mejor que asustar a la clase media con el peligro de los pobres de piel oscura para no ver que dos hombres, Jeff Bezos y Elon Musk, en plena crisis de la pandemia han acumulado más riqueza que el cuarenta por ciento de la población de la superpotencia, mientras los sintecho y la precarización del trabajo continúa creciendo.

El racismo, el negocio de explotar a los de abajo no se crea ni se destruye; solo se transforma. Y se seguirá transformando mientras haya intereses especiales y mucho dinero de por medio.

2019. Fuera indios de Bolivia

LA PAZ, BOLIVIA. 11 DE NOVIEMBRE DE 2019—En medio de protestas sociales y para evitar un baño de sangre, el presidente Evo Morales, sobreviviente de varios accidentes aéreos, toma un avión rumbo a México. En la Universidad Mayor de San Andrés, algunos estudiantes pintan en una de sus paredes: *"Fuera indios de la UMSA"*. A diez años del golpe de Estado apoyado por Washington en Honduras, la historia vuelve a rimar, como a lo largo del siglo pasado, pero recurriendo a formas más sutiles de la manipulación mediática y narrativa.

El 15 de noviembre, la nueva presidenta de facto, Jeanine Áñez, decreta que todo miembro de las Fuerzas Armadas que participe en la represión de las manifestaciones *"estará exento de responsabilidad penal"*. En el transcurso de siete días, once personas son masacradas y 120 quedan malheridas en el poblado de Sacaba. Cuatro días después, en Senkata, otras once personas son asesinadas y 78 son heridas en enfrentamientos con los efectivos policiales y militares. El acoso y los muertos de la nueva dictadura promovida por Washington y su secretaría, la OEA, continuarán en distintas partes del país, aunque con menos cobertura mediática. Aunque varios organismos denunciarán la represión y las masacres, el nuevo ministro de gobierno afirmará que los manifestantes se mataron a sí mismos: a ningún represor se le ocurriría dispararle a alguien por la espalda con una pistola calibre 22.

En Bolivia, los indígenas siempre fueron una minoría con apenas el 60 por ciento de la población. Minoría en los diarios, en las universidades, en los colegios importantes, en el clero, en la política, en la televisión. Por siglos, la minoría para el mundo fue la mayoría invisible y explotada de su propio país. Desde tiempos de Franz Tamayo y desde mucho antes, los indios habían sido convenientemente acusados de borrachos, haraganes e insensibles, porque de ellos sólo se veían algunos pocos jornaleros los domingos, cuando malgastaban sus miserables salarios en alguna cantina de pueblo. El resto del tiempo lo pasaban bajo tierra.

En 2004 la representante de Bolivia al concurso Miss Universo, conocido por su racismo y machismo hegemónico, Gabriela Oviedo, había aclarado: *"Desafortunadamente, la gente que no conoce mucho sobre Bolivia piensa que todos somos indios del lado Oeste del país... Es La Paz la imagen que refleja eso, gente pobre, gente de baja estatura y gente india… Yo soy del otro lado del país, del lado Este, que no es frío, es muy caliente; nosotros somos altos y somos gente blanca y sabemos inglés"*. Pero como eso del racismo ya había caído en desgracia mucho antes, se lo había reemplazado con otras formas de discriminación, como los defectos de la cultura y la corrupción ajena. Dos años antes, en las elecciones de 2002, el embajador de Estados Unidos había hecho campaña electoral contra el candidato de los indios pobres: *"los bolivianos —*declaró*— deben considerar seriamente las consecuencias de votar a líderes vinculados de alguna forma con el narcotráfico"*. Todos sabían que no se refería al monopolio de la coca impuesta por Coca-Cola en Perú para evitar la competencia y el aumento del precio de su ingrediente estrella, ni a la coca importada de Bolivia por la misma trasnacional.[240]

---

[240] Históricamente, los directivos de Coca Cola han repetido que la cocaína extraída de las hojas de coca en Estados Unidos es para uso médico, como la producción de calmantes, datos que nunca se pueden verificar con precisión. En agosto de 2016 será descubierto un cargamento de cocaína en una planta de Coca Cola en Francia por un valor de 56 millones de dólares. La noticia será rápidamente olvidada y no derrocará a ningún poderoso gerente.

Tampoco se refería al principal productor de cocaína exportada ilegalmente a Estados Unidos, Colombia, país militarizado por Washington desde los años sesenta, ni a su presidente Álvaro Uribe (vinculado a los más poderosos carteles de la droga por los propios agentes y embajadores de Washington) sino al activista cocalero y candidato a la presidencia de Bolivia, Evo Morales.[241] El Subsecretario de Estado para Asuntos del Hemisferio Occidental, el cubano Otto Reich, advierte al pueblo boliviano de que si se les ocurre elegir al indio sindicalista, la ayuda de Estados Unidos al país podría ser cancelada.[242]

Por supuesto, Morales perdió las elecciones de 2002 y el presidente Gonzalo Sánchez de Lozada fue electo para un segundo mandato por resolución del senado, debido a que el candidato más votado no alcanzó la mitad de todos los votos emitidos. Como en diversos casos anteriores en América Latina, la elección de un protegido de Washington (es decir, de la oligarquía criolla y sus servidores) automáticamente significaba que el sistema democrático funcionaba de forma limpia y justa. Como la supuesta estabilidad a fuerza del silencio de los de abajo terminó un año después en un baño de sangre en las calles de La Paz, Sánchez fue reemplazado por su vicepresidente, Carlos Mesa. Poco después del triunfo de Evo Morales en las elecciones de diciembre de 2005, los tradicionales ganadores, ahora perdedores, propusieron un referéndum de autonomía para dividir el país en dos: de un lado los blancos ricos y del otro los indios pobres. Al Oriente, la Medialuna fértil, las llanuras de los grandes hacendados, y al Occidente las montañas de los campesinos pobres que habían votado por el indio Morales y su partido Movimiento al Socialismo. El problema fue que, aunque del lado de los blancos estaban las reservas de hidrocarburo, del lado de los indios quedaban los mayores recursos minerales del país, desde el cobre y el estaño hasta el 60 por ciento de las reservas mundiales de litio en Uyuni, mineral imprescindible en la elaboración de baterías para aparatos electrónicos de todo tipo que mueven el mundo en la Era digital. El referéndum se llevó a cabo en 2008, pero nunca tuvo valor constitucional.

Un pecado del presidente Evo Morales es ser indio, hablar como indio y haberse atrevido a abrirle las puertas a la población indígena (históricamente relegada a la inexistencia o a un valor inferior al de una vaca) al protagonismo

---

[241] Según diversos informes de la Embajada de Estados Unidos Bogotá, desde fines de los 80 y a lo largo de los años 90, desclasificados y publicados en el National Security Archive el 26 de mayo de 2018, los nexos del presidente Uribe con la mafia del narcotráfico colombiano son, por lo menos, recurrentes.

[242] Otto Reich fue el fundador y director de la Office of Public Diplomacy for Latin América, agencia de noticias que desviaba dinero de la CIA y del Pentágono para crear y difundir noticias falsas en América Latina, clausurada por orden judicial en 1989.

en la política y la sociedad boliviana. Por la misma razón, de repente Washington y la oposición criolla se acordaron de la existencia de los indios en Bolivia. En 2011 un grupo indígena, los tipnis, organizaron diversas marchas y protestas contra el gobierno para evitar la construcción de una carretera a través de sus territorios. Aunque sus reclamos eran legítimos, grabaciones filtradas revelaron que los indígenas fueron usados e instigados por la embajada de Estados Unidos a través de uno de sus oficiales y miembro de la USAID, Eliseo Abelo. Los documentos filtrados por WikiLeaks en 2011 confirmaron esta práctica de la Embajada. Abelo había coordinado las protestas por teléfono con el líder aimara Rafael Quispe y con el diputado Pedro Nuni. Semanas después, en respuesta a las protestas, el presidente Morales canceló el proyecto, con lo cual dejó a la oposición sin su última excusa. En 2013, la USAID fue expulsada de Bolivia y en 2014 de Ecuador, por las mismas razones. El recurso de Washington de apoyar secretamente a grupos indígenas contra gobiernos desobedientes tenía un antecedente en la Nicaragua de la Revolución sandinista y se repitió en el Ecuador del presidente Rafael Correa.

Otro pecado de Morales es, como en el resto de los países desobedientes, el haber logrado un enorme éxito social y económico a lo largo de toda su gestión sin recurrir a la venta de soberanía nacional al FMI y a las poderosas transnacionales que escribieron las leyes y la historia de América Latina en el último siglo. Todo lo contrario. Cuando Morales ganó las elecciones de 2005 con el 54 por ciento de los votos, los representantes del FMI y del Banco Mundial le preguntaron cuánto dinero necesitaba y, por respuesta, Morales les dijo "*nada*". Les pidió que cerraran sus oficinas en el Banco Central de La Paz y logró la nacionalización de los recursos minerales elevando los beneficios del Estado boliviano de un 15 por ciento a un 85 por ciento. El mismo presidente Morales, en la cumbre del G77 de 2014, explicó la lógica de la cláusula conocida como "En boca de pozo" que regía antes: la benevolente ley nacional establecía que los recursos del subsuelo eran de los bolivianos, pero solo en el subsuelo. Una vez que eran extraídos, el 85 por ciento pertenecía a las compañías internacionales. La nacionalización de los hidrocarburos fue otro pecado que cometería también el presidente Rafael Correa en Ecuador. Luego de cuarenta años de déficit fiscal, Bolivia comenzó a tener superávit, es decir, autonomía. Independencia. Demasiada. Intolerable. Inaceptable.

Ahora, la fuerza de los votos no es suficiente. Como escribió Theodore Roosevelt más de un siglo antes, "*la democracia de este siglo no necesita más justificación para su existencia que el simple hecho de que ha sido organizada para que la raza blanca se quede con las mejores tierras del Nuevo mundo*". Washington y la tradicional clase dirigente boliviana han perdido la paciencia y se sacan al indio de encima. Semanas antes de las elecciones que servirán de excusa, diferentes grabaciones habían anunciado el complot desde Florida. Los documentos oficiales, como siempre, tardarán años en aparecer con algunos datos cubiertos por rectángulos negros. Desde los años setenta, como consecuencia de las múltiples confesiones de parte y de las investigaciones de varias comisiones en el Congreso de Estados Unidos, los servicios secretos y la inversión de Washington para manipular la política latinoamericana se han vuelto más herméticos. Los documentos referidos a este nuevo golpe de Estado tardarán muchos años en ser publicados, si ya no han sido quemados en una *burn bag*. ¿Por qué habrían de decirle toda la verdad a los hijos de quienes están tratando de engañar a un costo de varios miles de millones de dólares?[243]

Pero los signos son por demás familiares. Por ejemplo (y aunque ahora resulta casi imposible probarlo) la interrupción del conteo de votos durante veinte horas, hecho que disparó la sospechas sobre la posible manipulación de las elecciones por parte del gobierno, lleva la indeleble marca de la CIA. A lo largo de su historia, el servicio de inteligencia de Washington ha insistido, casi sin excepciones, con la estrategia de la falsa bandera, que además es una tradición angloamericana desde el siglo XIX. La secuencia suele ser la misma: (1) desacreditación de un gobierno popular e independentista; (2) inversión en propaganda en la prensa local, en instituciones nacionales e internacionales; (3) acusación de corrupción, fraude en alguna elección, deseos de "perpetuación en el poder" del líder indeseado, o de tendencias autoritarias del gobierno insumiso; (4) organización de manifestaciones populares, con frecuencia sangrientas; (5) coordinación con la clase criolla dirigente y con el ejército latinoamericano de turno "para poner orden" y, finalmente; (6) un inevitable golpe de Estado que pase como "revolución libertadora" o algo tan bonito llamado "restauración de la democracia" o "recuperación de la libertad" y toda esa literatura popular que no surgió de los escenarios criollos donde se repetía sino de las pulcras oficinas en Washington.

Tres semanas antes del golpe mediático-militar, el 21 de octubre, como en otros sabotajes en la Frontera sur, el senador por Florida, Marco Rubio, había demostrado, una vez más, un conocimiento especial de la situación y se había apresurado a condenar como evidente fraude los resultados de las elecciones en Bolivia. De no haber existido esa interrupción de veinte horas en el conteo de votos durante la madrugada siguiente a las votaciones, el conteo hubiese seguido las variaciones previsibles, según se iban reportando los

---

[243] Las *burn bag* son bolsas de papel reciclado marcadas con franjas rojas y blancas que se usan en Washington (sobre todo por la CIA, la NSA y el Departamento de Defensa) para eliminar o quemar documentos clasificados que resultan demasiado comprometedores.

datos en las áreas urbanas primero y en las rurales después, es decir, votos indígenas y abrumadoramente favorables al presidente Morales.[244]

Días antes se habían filtrado a la prensa y a algunos correos personales 18 audios en los que se podían escuchar a los senadores estadounidenses Marco Rubio, Ted Cruz, Bob Menéndez (hijos de cubanos emigrados a Estados Unidos durante la dictadura de Fulgencio Batista), a varios bolivianos pertenecientes a la clase dirigente y algunos militares sobre los planes de un posible golpe de Estado en Bolivia precedido por protestas callejeras y un atentado incendiario contra la embajada de Cuba. Entre otros involucrados, se encontraba el capitán Manfred Reyes Villa, alcalde de Cochabamba, varias veces derrotado en las elecciones presidenciales y asilado en Estados Unidos por corrupción y enriquecimiento ilícito, delitos que el candidato vende como como persecución política desde Miami. Manfred Reyes Villa pertenece al partido militarista ADN fundado por el exdictador Hugo Bánzer (luego elegido presidente en el año 1997). Entre sus logros políticos se cuenta la privatización del agua en Cochabamba, firmada por el presidente Bánzer en 2000 en favor de las gigantes estadounidense *Bechtel* y *Edison* y la española *Abengoa*, todas bajo la sombrilla más criolla de *Aguas del Tunari*. Como resultado de esta conocida receta del FMI y del Consenso de Washington, las tarifas subieron un 300 por ciento, lo que derivó en el colapso de otros servicios y en la llamada "Guerra del agua". El acuerdo fue suspendido cuando la crisis neoliberal hundió la economía boliviana como lo había hecho con otros países de la región. Luego de esconderse en Miami de la justicia de su país, acusado de otras corrupciones menos legales, Reyes Villa regresará a Bolivia y será protegido por la dictadura encabezada por Jeanine Áñez.

La doble vara en el continente es la vara que vale doble. En 2003 el presidente de Colombia, Álvaro Uribe (ampliamente vinculado al terrorismo paramilitar y al narcotráfico por la misma embajada de Estados Unidos, pero de todas formas un protegido incondicional de Washington), había fracasado en su referéndum para modificar la constitución que le impedía la reelección. Luego de amnistiar a 850 paramilitares acusados de terrorismo y de aumentar el déficit del gobierno en favor del gasto en el ejército, en 2004 logró que el Congreso introdujera una enmienda a la constitución de 1991. En 2005, varios

---

[244] Exactamente lo mismo ocurrirá en las elecciones de Estados Unidos de 2020, pero de una forma más radical. Con el 80 por ciento de los votos escrutados, estados como Michigan, Georgia y Pensilvania mostrarán un claro triunfo del presidente Donald Trump, hasta que se comiencen a contar los votos de los populosos distritos con población latina y afroamericana y, 48 horas más tarde, esos estados sean ganados por el opositor, Joe Biden. El presidente Trump denunciará el cambio de tendencia como fraude masivo. La OEA mantendrá un respetuoso silencio. No habrá golpe de Estado, no al menos al viejo estilo latinoamericano.

miembros de la Corte Constitucional de Colombia se acusaron unos a otros de haber recibido coimas para votar en favor de la reforma constitucional, la cual fue aprobada para que Uribe pudiera presentarse a las elecciones de 2006. Pero la economía estaba mejorando y nadie quería arriesgarse con cuestiones morales. Uribe fue reelecto con un impresionante 62 por ciento de los votos y su popularidad aumentó, como siempre aumenta la popularidad de los ganadores.

Veamos sólo un caso más que confirman la regla. En 2017, debido a un discutido fallo de la Corte Suprema de Justicia de Honduras, el presidente conservador Juan Orlando Hernández había sido habilitado a presentarse a las elecciones de ese año. Durante el conteo que lideraba de forma cómoda el candidato de la oposición Salvador Nasralla cuando ya se había escrutado el 60 por ciento de los votos, una interrupción del sistema le dio un triunfo mágico (según las matemáticas electorales) al candidato oficial, por el cual Hernández se convirtió en el primer presidente reelecto en su país, pese a la constitución de 1982. Nasralla era un político conservador demasiado a la izquierda para el gusto de Washington y de la oligarquía hondureña. Luego de analizar los datos, *The Economist* y otros *think tank* liberal-conservadores, concluyeron que el cambio súbito en la tendencia luego de la interrupción era estadísticamente imposible. Por mucho menos, en 2009, por proponer un referéndum popular no vinculante sobre una posible reforma constitucional que podría derivar en la habilitación de un presidente a ser reelegido, el presidente hondureño de entonces, Manuel Zelaya, había sido secuestrado de su cama y llevado a Costa Rica por los militares patriotas. Enseguida, los golpistas afirmaron que no se trataba de un golpe de Estado, el que se justificó por una orden de arresto contra el presidente emitida por la Corte Suprema que pretendía proteger la constitución de 1982, la que prohíbe cualquier reforma y reelección. Zelaya no había introducido ninguna reforma constitucional, sino apenas una consulta popular sobre la creación de una Asamblea Nacional Constituyente en las elecciones de noviembre de ese año donde él no sería ni podría ser candidato reelegible. La propuesta estaba amparada en el artículo 5 de la Ley de Participación ciudadana de 2006, según la cual era posible realizar consultas populares no vinculantes sobre una gestión o una propuesta política. Pero Zelaya era otro político conservador que se había desviado demasiado, cultivando amistad y comercio con el presidente Hugo Chávez de Venezuela, Rafael Correa de Ecuador y Evo morales de Bolivia. Como se supo con más claridad algún tiempo después, Washington apoyó ese golpe de 2009 en los hechos y desde su mega base militar de Soto Cano. De la misma forma y con la misma doble vara, apoyó la reelección fraudulenta de Hernández en 2017 y ahora apoya el nuevo golpe de Estado en Bolivia, todo con la ayuda y las rodillas al suelo del secretario de la OEA y de Washington, Luis Almagro.

Ahora, las elecciones en Bolivia son casi tan disputadas como las de Honduras, pero el ganador no es el preferido de Washington ni de su oligarquía, dueña de los países de la Frontera sur, la que decide cuándo y cómo vender su propiedad privada. Luego de escrutados más del ochenta por ciento de los votos, el presidente Evo Morales lleva una ventaja del siete por ciento sobre el candidato y expresidente Carlos Mesa (45 a 38 por ciento), pero una caída en el sistema informático interrumpe el conteo. Cuando se reanuda, la diferencia se amplía hasta el diez por ciento, mínimo necesario para evitar una segunda vuelta, y la OEA se apresura a condenar el dato como un *"drastic and hard-to-explain change in the trend"* (*"un cambio drástico de la tendencia, difícil de explicar"*).

Por esta razón, el presidente Morales invita a la OEA para que audite las elecciones en cuestión. La OEA encuentra irregularidades y concluye que, aunque el presidente Evo Morales ha ganado las elecciones, probablemente no lo ha hecho con el margen suficiente del diez por ciento para evitar una segunda vuelta. En base al "juicio técnico" de la OEA, Morales ofrece anular la diferencia del diez por ciento e ir a segunda vuelta. El general y comandante en jefe de las Fuerzas Armadas, promovido por el propio Morales (un patrón demasiado repetitivo en la Frontera salvaje), Williams Kaliman, rechaza esta oferta del presidente. Ahora, la oposición no quiere una segunda vuelta. Carlos Mesa ha obtenido muy pocos votos y Morales podría ganar de nuevo, por lo que, sin pelos en la lengua, se exige su renuncia. En las calles, aumentan las protestas. Morales concede aún más y ofrece anular las elecciones que acaba de ganar, con o sin interrupción, y volver a votar la primera ronda desde cero. Las protestas aumentan aún más.

No es necesario ser un genio para darse cuenta de que no son las elecciones lo que realmente importa. Lo que importa es sacarse al indio rebelde de encima. A Washington y a la oligarquía criolla le interesan los negocios y, sobre todo, mantener su poder de decisión y el monopolio narrativo de los últimos doscientos años. A los dueños del país los mueven los intereses de clase. A un buen margen de los blancos y mestizos de clase media los mueve, como a la miss Bolivia en 2004, Gabriela Oviedo, el racismo endémico, a veces tan cándido y siempre tan funcional para los de arriba y para los de afuera. El 5 de octubre de 2019, la futura presidenta de facto, Jeanine Áñez Chávez, había publicado un tweet con una caricatura de Morales abrazando un sillón presidencial bajo el anuncio *"Últimos Días"*. La futura presidenta escribió: *"Aferrado al poder el 'pobre indio'"*. Poco después, eliminó su tweet, pero WayBack Machine lo conservará por algunos años por venir. La futura presidenta de facto se tiñe el pelo de rubio, pero no puede ocultar sus antepasados bolivianos.

Momento preciso para el próximo movimiento. El general Williams Kaliman tiene nombre y apellido anglosajón y suena alemán, pero es indio como la mayoría de sus generales que se fotografían haciendo el símbolo de la supremacía blanca con sus manos. La tradición de la elite alemana en Bolivia, de los criminales nazis enviados por la CIA y de los dictadores orgullosos de su linaje alemán, como Hugo Banzer en Bolivia o Stroessner en Paraguay, producen estas curiosidades. Como el general Porfirio Díaz (perdonado por Lerdo de Tejada por su intento de golpe de Estado contra Benito Juárez y expulsado de México por el mismo general), René Barrientos (general promovido por Víctor Paz Estenssoro en Bolivia), Augusto Pinochet (general promovido por Salvador Allende en Chile), Manuel Noriega (general promovido por Omar Torrijos en Panamá), Rafael Videla (general promovido por Isabel Perón en Argentina), Manini Ríos (general promovido por Tabaré Vázquez en Uruguay) y tantos otros, Williams Kaliman Romero es un general promovido por el presidente Evo Morales en Bolivia. Como todo ellos, como muchos más a lo largo del continente y de doscientos años de historia, el general Kaliman le clava un cuchillo en la espalda a su *"hermano presidente"*, como lo había llamado alguna vez mientras escalaba rangos militares. Ahora, ante las cámaras de televisión, el general Williams Kaliman declara: *"Sugerimos al presidente del Estado que renuncie a su mandato presidencial, permitiendo la pacificación y mantenimiento de la estabilidad, todo por la unidad y el bien de nuestra Bolivia"*. Por si la sugerencia de las Fuerzas Armadas no queda clara, también el comandante general de la Policía de Bolivia, Vladimir Yuri Calderón, le sugiere que renuncie. Las palabras "pacificación", "estabilidad" y "unidad" resuenan como un eco trágico desde la larga y ancha historia de intervenciones en América Latina. En los últimos doscientos años, ningún general criollo se ha atrevido a decir en público estas palabras contra su propio presidente sin antes estar informado, confirmado y convencido del apoyo de Washington. Como bien lo había resumido en 1958 el por entonces senador y futuro presidente John F. Kennedy, *"en América Latina, los ejércitos son las instituciones más importantes, por lo que es importante mantener lazos con ellos. El dinero que les enviamos es dinero tirado por el caño en un sentido estrictamente militar, pero es dinero invertido en un sentido político"*. Por eso, en América latina nunca hubo sugerencia más sagrada que la de los ejércitos. Los ejércitos criollos sugieren mejor que el pueblo. Para eso el pueblo paga sus salarios. No importan las protestas, no importan los votos. Lo que importa es lo que sugiere el ejército. En consecuencia, el presidente Morales renuncia. El golpe de Estado, como es la norma, ha sido planeado con tiempo y con cuidado, mucho antes de las elecciones que sirvieron de oportuna excusa. En decenas de reuniones, los militares, policías y hombres de iglesia mencionan la colaboración de los senadores estadounidenses Ted Cruz y Marco Rubio. La historia enseña que, en una conspiración de este tipo, lo que se sabe es sólo la punta del iceberg.

Morales se exilia en México. En seguida se suceden ataques a las casas de sus partidarios, a los sindicatos y a las universidades. El 7 de junio de 2020, una nueva investigación de la Tulane University y de la University of Pennsylvania concluirá que la auditoría y la conclusión apresurada de la OEA acerca del posible fraude en las elecciones de 2019 fueron infundadas y que, por el contrario, nunca existió indicio alguno de fraude por parte del ahora ex presidente Evo Morales. Con anterioridad, en 2019, el *Center for Economic and Policy Research* de Washington había publicado un estudio similar con la misma conclusión. El director de la OEA, el uruguayo Luis Almagro (hombre de la izquierda cuando fue ministro del presidente José Mujica y hombre de la derecha ahora que es secretario de la OEA en Washington), con palabras que recuerdan al presidente Donald Trump, acusa hasta al *New York Times* de dedicarse a esparcir *fake news*. El 7 de junio de 2020, el *New York Times* acusará a la OEA de avivar el fuego del golpe en Bolivia con un informe basado en un análisis erróneo de los datos. Entre otras razones, mencionará estudios como los de los profesores Nicolás Idrobo y Dorothy Kronick (University of Pennsylvania) y Francisco Rodríguez (Tulane University), según los cuales "*el análisis estadístico de la OEA era defectuoso*".

Con un patrón que resuena desde otros golpes de Estado, la presidenta nombrada por los golpistas, la ex animadora de televisión Jeanine Áñez, es la segunda vicepresidenta del Senado y tercera en la lista de sucesión. Por ley, Áñez necesita los votos del partido del depuesto presidente Morales, el Movimiento al Socialismo, para ser confirmada como presidenta. Como protesta, el MAS no entra en el recinto de votación y su ausencia es interpretada como votos favorables al golpe contra su propio líder, por lo cual Áñez es confirmada como nueva presidenta.

El 13 de noviembre, a pocos metros del Palacio legislativo que la consagra con apenas un tercio de los votos, Áñez entra al Palacio Quemado, la casa de gobierno. Diez años antes, en 2009, el gobierno de Bolivia había sido declarado laico. Ahora, la nueva presidenta levanta una biblia que aparenta ser una edición del siglo XIX y grita: "*la Biblia vuelve a Palacio*". Por lo menos la Biblia traducida al castellano e impresa en papel. No sabemos si Dios también. Lo que sí sabemos es que, al igual que en Brasil con el capitán Jair Messias Bolsonaro, al igual que los neoconservadores en Estados Unidos y sus inocentes misioneros enviados décadas atrás a la Frontera sur, los mercaderes expulsados por Jesús del templo han logrado involucrar al hijo rebelde del carpintero con los sagrados capitales internacionales, la ilegalización del aborto con el recorte de impuestos a los más ricos y las papas fritas con la Coca Cola. Un perfecto combo político para un consumo rápido. *Fast politics* para los nuevos consumidores de *fast food*.

En nombre de la libertad y la democracia, Áñez, alérgica a los indios de su país y de su familia y funcional a los intereses del capital internacional, se dedicará a perseguir a los seguidores de Morales, en su mayoría indios o cristianos impuros. Sólo en los primeros días de protestas por el golpe, 31 bolivianos perderán la vida sin que la gran prensa mundial se conmueva por tan irrelevante pérdida. Son indios, son bolivianos. Diferente, el 11 de enero de 2015, como expresión de solidaridad por las 12 víctimas del atentado en París contra la revista satírica *Charlie Hebdo*, decenas de líderes mundiales viajaron a París para marchar por las calles abrazados.[245] Ese mismo año, ese mismo mes, 86 personas habían muerto por un atentado en Nigeria, ordenado por Boko Haram sin que el mundo se conmoviera, a pesar de tratarse de una matanza del mismo enemigo. Siete años antes, el 22 de agosto de 2008, Washington había bombardeado Azizabad. Los encargados de la masacre, entre ellos Oliver North (condenado por mentirle al Congreso en el escándalo Irán-Contras y perdonado por el presidente del momento) informaron que todo había salido a la perfección, que se había matado a un líder talibán, que la aldea los había recibido con aplausos y que los daños colaterales habían sido mínimos. No se informó (como lo reconocerá el *USA Today* diez años después, cuando ya nada importe) que en ese ataque habían muerto decenas de personas, entre ellos 60 niños. Un detalle. Tampoco aquí, en Bolivia, hay marchas ni lágrimas internacionales por gente que no existe en países que no importan, más allá de las multinacionales que los explotan desde hace siglos para el bienestar de los civilizados en el Norte.

Un año después continuarán los intentos para decretar la ilegalidad del partido del presidente Morales, el MAS. Por las dudas, se lo intentará juzgar por algún crimen político. El 6 de julio de 2020, demostrando cierto cansancio de imaginación, será imputado por *"terrorismo, sedición y financiamiento del*

---

[245] Entre los compungidos rostros para las fotografías se contaron François Hollande (Francia), Mariano Rajoy (España), Angela Merkel (Alemania), David Cameron (Inglaterra), Matteo Renzi (Italia), Jean-Claude Juncker (Unión Europea), Donald Tusk (Polonia) Petró Poroshenko (Ucrania), Serguéi Lavrov (Rusia), Helle Thorning-Schmidt (Dinamarca), Charles Michel (Bélgica), Mark Rutte (Holanda), Viktor Orbán (Hungría), Klaus Iohannis (Rumania), Antonis Samaras (Grecia), Ahmet Davutoglu (Turquía), Benjamin Netanyahu (Israel), Mahmud Abás (Palestina), la reina Rania (Jordania), Abdalá II (Marruecos), Mehdi Jomaa (Túnez), Ibrahim Boubacar Keïta (Mali), Ali Bongo Ondimba (Gabón)... Por su parte, los líderes de Emiratos Árabes Unidos, Barack Obama, Putin, y Ban Ki Moon emitieron sentidas declaraciones de condena al trágico atentado.

terrorismo". Ni McDonald's ofrece un menú tan simple para satisfacer a un cliente tan rigurosamente simplificado. Pero esta vez la propaganda no funcionará. Los siempre despreciados indígenas bolivianos, luego de un año de resistencia, lograrán votar el 18 de octubre de 2020. Para que no quede margen de discusión del cual se puedan aferrar el gobierno de facto de Áñez y el secretario de la OEA, el ex ministro de economía de Evo Morales arrasará en las elecciones sin necesidad de segunda vuelta con una ventaja no de diez sino de veinte puntos sobre su rival Carlos Mesa. Luis Arce no esconderá su lucha desobediente e independentista de un país soberano y se espera que no siga el camino de los vicepresidentes convertidos en presidentes, como Michel Temer en Brasil o de Lenin Morales en Ecuador.

Ante la avalancha de votos rebeldes, el empresario, miembro del grupo paramilitar de la Unión Juvenil Cruceñista y candidato a la presidencia por *Creemos*, Luis Fernando Camacho Vaca, se secará las lágrimas con un pañuelo blanco. Lejos estará su intento de dividir el país entre blancos e indios y demasiado cerca la avalancha de votos pestilentes. Su amigo Branko Marinković (miembro de la secta fascista y ultracatólica Milicia Ustacha y ministro de economía del gobierno de facto) mantendrá silencio. Los generales, las señoras de abanico, los escribidores mercenarios, los fariseos de turno, los rezadores profesionales, los halcones de Washington, los semidioses de la CIA, las todopoderosas transnacionales que saben más de política que de libre comercio, también.

Ante la avalancha de votos bolivianos, también el secretario de Washington y de la OEA, Luis Almagro, mantendrá silencio. El viejo silencio de los funcionarios conspiradores que saben que sólo han perdido un peón, pero no la reina. Dos semanas después, luego de las elecciones presidenciales del 3 de noviembre en Estados Unidos, el presidente de Donald Trump y sus seguidores alegarán fraude masivo. La OEA, a pesar de ser un organismo panamericano que tiene como miembro protegido a ese país del norte, y su secretario, guardarán estricto, respetuoso, saludable, significativo silencio.

2020. Nota final: No son servicios de espionaje, son gobiernos paralelos

LOS DOCUMENTOS CLASIFICADOS QUE REGISTRAN las acciones secretas y los crímenes no tan secretos de cada gobierno suelen ser desclasificados luego de muchos años, cuando la verdad ya no es peligrosa y sólo les importa a los historiadores. En Estados Unidos los investigadores suelen usar la ley FOIA para exigir la desclasificación de algunos documentos que, se entiende, son relevantes para la verdad histórica. Sin embargo, es necesaria una fuerte dosis de ingenuidad para creer que toda la verdad de los servicios secretos de las grandes potencias y que todos los registros de sus acciones algún día saldrán a la luz.

Ejemplos para el pesimismo sobran. Bastaría recordar un par de casos mencionados en este libro, como el proyecto Mk-Ultra de la CIA que, con el objetivo de controlar la mente humana de forma más inmediata, se experimentó con potentes drogas sin autorización de las víctimas. Cuando esta operación fue descubierta en los años 70, el presidente Nixon y el director de la CIA, Richard Helms, acordaron destruir todos los archivos que mencionaban al diabólico proyecto. Lo que sabemos del proyecto Mk-Ultra se debe a la milagrosa supervivencia de algunos documentos que desencadenaron un breve escándalo y un largo olvido.

También, entre una lista de cientos de casos, se podría mencionar al pasar las manipulaciones financieras del gobierno de Ronald Reagan para financiar a los Contra en Nicaragua con dinero procedente de la venta ilegal de armas al enemigo Irán y contra el propio bloqueo del Congreso en Washington. Por entonces, la secretaria del coronel Oliver North, antes de testificar ante el Congreso, dedicó horas y días a picar documentos secretos que nunca leyó. Hoy existen escáneres avanzados para reconstruir documentos picados en mil pedazos por máquinas, por lo cual se prefiere quemar aquellos documentos que hablan demasiado. Algo parecido a lo que ocurre con la gente cuando, en el mundo libre, se cree libre de más y cruza ciertos límites. Cada día son eliminados documentos secretos que podrían echar mucha luz sobre la verdad de las operaciones de las potencias mundiales, sobre todo de la potencia hegemónica de turno. Las bolsas de papel reciclado donde se depositan estos papelitos comprometedores (similares a las que usa la cadena de supermercado Publix o las licorerías, para que sus clientes oculten el comprometedor licor en sus trayectos hasta sus automóviles), se llaman "*Burn Bags*" (Bolsas para quemar), se identifican con líneas rojas y blancas que solo los entendidos reconocen. Una de estas bolsas se puede ver en la foto cuidadosamente pixelada del *Situation room* de la Casa Blanca publicada poco después de la operación que supuestamente ejecutó a Osama Bin Laden en 2011. Gracias a esta práctica de casi perfecto hermetismo, los historiadores deben luchar cada día con el ruido de las teorías conspirativas que probablemente las mismas agencias secretas hacen circular (distracciones semejantes a la práctica de *Eyewash* reconocida por la misma CIA en 2016 contra sus propios empleados) y con las conspiraciones reales.

Las prácticas de Washington a través de sus agencias secretas como la CIA (asesinatos selectivos, manipulación de la opinión pública, inversión en la prensa, desestabilización de países y promoción de golpes de Estado) no se han detenido luego de las investigaciones de estos mismos crímenes en los años 70 por parte del Senado de Estados Unidos. Solo se han vuelto más cuidadosas y más secretas. Bastaría con considerar que el presupuesto anual de la poderosa NSA (National Security Agency) asciende a 10 mil millones de dólares y que el de todas las agencias secretas financiadas por Washington suman aproximadamente 75 mil millones, lo cual equivale al PIB de decenas de países como Uruguay, Venezuela o Guatemala, diez veces el presupuesto de todo el gobierno argentino, y cientos de veces más de lo que invirtieron en los últimos setenta años las mismas agencias que derrocaron gobiernos independentistas e instalaron decenas de dictaduras militares sólo en América latina.

Aunque todas estas agencias son organismos públicos, sus presupuestos son secretos hasta para los congresistas de Estados Unidos, con la probable excepción de los senadores que integran Senate Intelligence Committee (Comisión Selecta del Senado sobre Inteligencia), presidida por el senador de Florida Marco Rubio. Este comité, creado por el senador Frank Church en 1976 para controlar el abuso de la CIA y otras agencias secretas, poco después fue colonizado por los conservadores que más que controlar protegían esas mismas prácticas secretas. No por mera casualidad, en 2013 el senador Marco Rubio votó en contra de la desclasificación de documentos sobre las torturas de detenidos sin juicio en Guantánamo, la abrumadora mayoría inocentes sin derecho a compensaciones, según las mismas autoridades de Washington. En 2015, los senadores Marco Rubio y Ted Cruz (ambos hijos de cubanos inmigrados durante la dictadura de Fulgencio Batista, quienes luego pasaron como víctimas de la Revolución de 1959) apoyaron la práctica de la tortura en territorio cubano como método legítimo "para saber la verdad". Las estimaciones realizadas por especialistas externos se basan en datos parciales, como la filtración de datos de la misma NSA ocurrida en 1996. Lo que sí es público es el presupuesto nacional dedicado a "defensa" aprobado cada año. En 2019 alcanzó la cifra récord de 1,25 billones de dólares (1.25 trillones, en inglés, equivalente al PIB de México o Australia) de los cuales el Pentágono se lleva la mitad. El resto es cambio invertido a discreción por un ejército inestimable de agentes secretos, funcionarios públicos, propagandistas y subcontratistas privados—aparte de un ejército más numeroso de colaboradores honorarios que cada día trabajan con fanático fervor sin recibir un solo dólar.

Como en el pasado, la avalancha de dólares es canalizada a través de diferentes fundaciones fachada, algunas culturales, otras con un declarado objetivo humanitario como la NED o la USAID, la cual, en su desesperada decisión de lavar su imagen luego de participar en golpes de Estado como en Venezuela, trabaja con organizaciones sociales con históricas y legítimas reivindicaciones, como pueden ser las organizaciones indígenas, muchas veces organizando protestas contra presidentes desobedientes, como en Bolivia o en Ecuador, hasta que los presidentes desobedientes son removidos y los "pobres indios" son abandonados para que se hagan cargo de sus vidas, como debe ser. En los últimos años, el presupuesto anual de la Agencia de los Estados Unidos para el Desarrollo Internacional (USAID) para América Latina ha ascendido a casi mil millones de dólares con otros dos mil millones canalizados y usados de forma secreta y a discreción por la CIA, seguramente no para apoyar a los artesanos de Cuzco.

A finales de 1980 la CIA le había encargado al artista Jim Sanborn una escultura emblemática para sus oficinas centrales de Langley, Virginia, a una pedrada de la Casa Blanca. Luego de años de estudio y consultas con el ex jefe de criptografía de la CIA Edward Scheidt, la obra fue inaugurada el 3 de noviembre de 1990. La escultura, una muralla ondulante de cobre, se tituló Kryptos, porque está grabada con casi dos mil letras en un orden casi imposible de descifrar. Con un nombre que suena a tumba egipcia o isla griega, es vista por cientos de expertos en códigos que cada día entran al edificio. Aunque la apuesta era que en mensaje oculto sería decodificado en poco tiempo, no ocurrió así. Incluso se creó una comisión que en su tiempo libre tuvo como tarea aclarar un acertijo que parece inventado por el Joker.

Luego de años, se pudo descifrar el primer mensaje de los cuatro que forman el enigma:

"ENTRE LA PENUMBRA Y LA OSCURIDAD, YACE LA ILUSIÓN"

Una línea digna de un poema de Jorge Luis Borges, pero con un significado del todo trágico. No sólo el mensaje literario revela una profunda verdad de la manipulación de los pueblos, sino que la expresión plástica del conjunto recuerda (por lo menos a quien entreteje estos signos más modestos) los memoriales de las víctimas de los desaparecidos bajo las múltiples excusas de la inteligencia del poder y de la ignorancia de sus servidores.

Fuentes

DOCUMENTOS DESCLASIFICADOS

Cada sitio contiene miles o millones de documentos que el lector podrá localizar usando un buscador

Center for the Study of Intelligence. Central Intelligence Agency. *CIA Web Site* www.cia.gov/library/center-for-the-study-of-intelligence/.

Foreign Relations of the United States, 1969–1976, Volume XXI, Chile, 1969–1973. *Office of the Historian,* history.state.gov/historicaldocuments

Freedom of Information Act Electronic Reading Room. CIA FOIA (foia.cia.gov). www.cia.gov/library/readingroom

Historical Collections. CIA FOIA foia.cia.gov

National Archives, www.archives.gov

National Security Agency, NSA, www.nsa.gov/news-features/declassified-documents

National Security Archive. 30+Years of Freedom of Information Action, nsarchive.gwu.edu/.

National Security Archive, nsarchive2.gwu.edu/index.html

The Library of Congress. Research Guides: Finding Government Documents: Declassified Documents. *Research Guides* guides.loc.gov/finding-government-documents

WikiLeaks, wikileaks.org

DOCUMENTOS PRIMARIOS NO CLASIFICADOS

Bush, George W. White House. georgewbush-whitehouse.archives.gov

Horowitz, Irving L. *The Rise and Fall of Project Camelot: Studies in the Relationship Between Social Science and Practical Politics.* MIT P (MA), 1974.

Jackson, Andrew. *The Statesmanship of Andrew Jackson as Told in His Writings and Speeches.* Editado por Francis Newton Thorpe, The Tandy-Thomas Company, 1909.

John F. Kennedy Presidential Library. *National Archives and Records Administration,* www.jfklibrary.org

Obama White House. obamawhitehouse.archives.gov/.

Office of the Historian, "Historical Documents". history.state.gov/histori-caldocuments.

O'Mahony, Angela, et al. *U.S. Presence and the Incidence of Conflict*. 2018.

Organization of American States (OEA): Democracy for Peace, Security, and Development, www.oas.org/juridico

Ronald Reagan Presidential Library. *National Archives and Records Administration*, www.reaganlibrary.gov

Stephen F. Austin, *Digital Collection*. "Digital Austin Papers", digitalaustinpapers.org.

Texas Runaway Slave Project, digital.sfasu.edu/digital/collection

The Avalon Project. Convention on Rights and Duties of States (inter-American); December 26, 1933. *Avalon Project - Documents in Law, History and Diplomacy*, avalon.law.yale.edu/20th_century/intam03.asp

Tribunal Electoral del Poder Judicial de la Federación. *Actas del Congreso Constituyente de Coahuila y Texas de 1824 a 1827*. González Oropeza, Manuel; De la Teja, Jesús F. (Coordinadores).

U.S. Department of State Archive, 2001-2009.state.gov//index.htm

U. S. Laws and Statutes Staff. Indian Affairs. Laws and Treaties. Charles J. Kappler, Clerk to the Senate Committee. Government Printing Office, 1904.

United States. Congress. *Congressional Record: Proceedings and Debates of the First Session of the Seventeen Congress*. Volume LXIX. January 9-31, Washington, Government Printing Office, 1928.

United States. Congress. House. Committee on Foreign Affairs. *The Story of Panama: Hearings on the Rainey Resolution Before the Committee on Foreign Affairs. January 26-Feb. 20*, Washington, Government Printing Office, 1912.

United States. Congress. Senate. Committee on Foreign Relations. *Executive Sessions of the Senate Foreign Relations Committee*. Vol. XI. 1959 (Hecho público en Marzo de 1982)

United States. Congress. Senate. Select Committee on Haiti and Santo Domingo. *Inquiry Into Occupation and Administration of Haiti and Santo Domingo: Hearings Before a Select Committee of the United State Senate, 1921-1922*. Washington, Government Printing Office 1922.

United States Congress. Senate. Select Committee to Study Governmental Operations with Respect to Intelligence Activities. *Final Report of the Select Committee to Study Governmental Operations with Respect to Intelligence Activities, United States Senate: Supplementary detailed staff reports on foreign and military intelligence*. 1976.

United States. Congress. Senate. Committee on Foreign Relations. Subcommittee on Terrorism; Narcotics; and International Operations. *Drugs, Law Enforcement, and Foreign Policy: A Report.* 1989.
United States Department of the Army. *Combat Intelligence.* 1973.
United States Government Publishing Office, Congressional Record. www.govinfo.gov/content/pkg.
Miller Center, millercenter.org

PERIÓDICOS Y PUBLICACIONES (1822-2020)

Cada sitio contiene cientos de miles de páginas que el lector podrá localizar usando un buscador

Barker, Eugene C. *Annual Report of the American Historical Association for the Year 1919*, Vol. 2 of 2: *The Austin Papers*; Part 1. Washington Government Printing Office.
California Digital Newspaper Collection, cdnc.ucr.edu/.
Chronicling America, "Library of Congress". chroniclingamerica.loc.gov/newspapers/.
Hoosier State Chronicles: Indiana's Digital Historic Newspaper Program, newspapers.library.in.gov.
Indepaz, Instituto de Estudios para el Desarrollo y la Paz, www.indepaz.org.co/.
Latin American Research Review. University of New Mexico. Ubiquity Press (1990-2010).
MIT Western Hemisphere Project. MIT - Massachusetts Institute of Technology, web.mit.edu/hemisphere/index.shtml.
New York Times Article Archive. The New York Times Web Archive, archive.nytimes.com/www.nytimes.com/ref/membercenter/nytarchive.html.
NYS Historic Newspapers, nyshistoricnewspapers.org/.
Office of the Historian, "Historical Documents", history.state.gov/historicaldocuments.
Richard Nixon Presidential Library and Museum. www.nixonlibrary.gov/.
Texas Digital Newspaper Program. The Portal to Texas History, texashistory.unt.edu/explore/collections/TDNP/.
The Intercept, theintercept.com
The New Yorker, "Magazine Archive", www.newyorker.com/archive.
The Nineteenth Century in Print: the Making of America in Periodicals. https://memory.loc.gov:8081/ammem/ndlpcoop/moahtml/snchome.html

U.S. Newspaper Directory, 1690-Present. (n.d.). De https://chroniclingame-rica.loc.gov/

UNT Libraries' Digital Projects Unit. The Portal to Texas History, texashistory.unt.edu

BIBLIOGRAFÍA CONSULTADA

Por razones de espacio y de brevedad, se incluyen solamente los libros que han sido más relevantes para este libro; los hechos repetidos en diferentes fuentes, podrán ser localizados, aparte de las fuentes antes mencionadas, usando buscadores como Google Books.

Agee, Philip. *Inside the Company: CIA diary*. Farrar Straus & Giroux, 1975.

Alcaraz, Ramón. *Apuntes para la historia de la guerra entre México y los Estados Unidos. Editora Nacional S.A.,* 1952.

Alston, Lee J., et al. "Coercion, Culture, and Contracts: Labor and Debt on Henequen Haciendas in Yucatán, Mexico, 1870-1915." The Journal of Economic History, vol. 69, no. 1, 2009, pp. 104–137.

Bancroft, Hubert H. *The Works of Hubert Howe Bancroft: History of Arizona and New Mexico. 1889.* 1889.

Belohlavek, John M. "The Democracy in a Dilemma: George M. Dallas, Pennsylvania, and the Election of 1844." Pennsylvania History: A Journal of Mid-Atlantic Studies, vol. 41, no. 4, 1974, pp. 390–411.

Black, Edwin. *IBM and the Holocaust. The Strategic Alliance Between Nazi Germany and America's Most Powerful Corporation.* Three Rivers Press, 2002

Bradley, James. *The Imperial Cruise: A Secret History of Empire and War.* Little, Brown, 2009.

Castellanos Cambranes, Julio. *500 años de lucha por la tierra: estudios sobre propiedad rural y reforma agraria en Guatemala.* FLACSO, 1992.

Castor, Suzy, and Lynn Garafola. "The American Occupation of Haiti (1915-34) and the Dominican Republic (1916-24)." The Massachusetts Review, vol. 15, no. 1/2, 1974, pp. 253–275.

Chomsky, Aviva. *Undocumented: How Immigration Became Illegal.* Beacon P, 2014.

Chomsky, Aviva. *Unwanted People.* Universitat de València, 2019.

Chomsky, Noam. *Year 501: The Conquest Continues.* Haymarket Books, 2015.

Chomsky, Noam. *Ilusionistas.* 1st ed., Irreverentes Ediciones, 2012.

Cullather, Nick, and Piero Gleijeses. *Secret History: The CIA's Classified Account of Its Operations in Guatemala, 1952-1954*. Stanford University Press, 1999.

Crandall, Russell. *The United States and Latin America After the Cold War*. Cambridge University Press, 2008.

Francis, M. (1967). *Policy and Implementation. Willard F. Barber and C. Neale Ronning: Internal Security and Military Power: Counterinsurgency and Civic Action in Latin America*. (Columbus: Ohio State University Press, 1966.

Gelbspan, Ross. *Break-ins, Death Threats and the FBI: The Covert War Against the Central America Movement*. South End P, 1991.

Gibbs, David N. *The Political Economy of Third World Intervention: Mines, Money, and U.S. Policy in the Congo Crisis*. U of Chicago P, 1991.

Gibson, Carrie. *El Norte: The Epic and Forgotten Story of Hispanic North America*. Atlantic Monthly P, 2019.

Gibson, Carrie. *El Norte: The Epic and Forgotten Story of Hispanic North America*. Atlantic Monthly P, 2019.

Golpe Electoral y crisis política en Honduras. Carmen Elena Villacorta Zuluaga

Grandin, Greg. *Empire's Workshop: Latin America, the United States, and the Rise of the New Imperialism*. Metropolitan Books, 2006.

Grandin, Greg. *Kissinger's Shadow: The Long Reach of America's Most Controversial Statesman*. Metropolitan Books, 2015.

Grandin, Greg. *The End of the Myth: From the Frontier to the Border Wall in the Mind of America*. Metropolitan Books, 2019.

Grant, General U. *The Personal Memoirs of U. S. Grant (Illustrated)*. Pickle Partners Publishing, 2013.

Grant, Ulysses S. *My Dearest Julia: The Wartime Letters of Ulysses S. Grant to His Wife*. 2018.

Grant, Ulysses S.. *My Dearest Julia: The Wartime Letters of Ulysses S. Grant to His Wife*. Library of America, 2018.

Greenberg, Amy S. *A Wicked War: Polk, Clay, Lincoln, and the 1846 U.S. Invasion of Mexico*. Vintage, 2013.

Grow, Michael. *U.S. Presidents and Latin American Interventions: Pursuing Regime Change in the Cold War*. 2008.

Guevara, Ernesto. *Obra completa*. Buenos Aires: Ediciones del Plata, 1967.

Hobsbawm, Eric. *Bandits*. The New Press, 2000.

Hill, Daniel H. *A Fighter from Way Back: The Mexican War Diary of Lt. Daniel Harvey Hill, 4th Artillery, USA*. Kent State UP, 2002.

Iber, Patrick J. "'Who Will Impose Democracy?': Sacha Volman and the Contradictions of CIA Support for the Anticommunist Left in Latin America." Diplomatic History, vol. 37, no. 5, 2013, pp. 995-1028.

Immerman, Richard H. *The CIA in Guatemala: The Foreign Policy of Intervention*. University of Texas Press, 2010.

Instituto del Estudio del Sandinismo. *Sandino es indohispano y no tiene fronteras en América Latina*. (Cartas) Managua, 1984.

John L. O'Sullivan, "The Cuban Debate," *Democratic Review* número 31 (1852).

Jones-Rogers, Stephanie E. *They Were Her Property: White Women as Slave Owners in the American South*. Yale University Press, 2019.

Kendi, Ibram X. *Stamped from the Beginning: The Definitive History of Racist Ideas in America*. Bold Type Books, 2016.

Kinzer, Stephen. *Overthrow: America's Century of Regime Change from Hawaii to Iraq*. Times Books, 2007.

Kovalik, Dan. *The Plot to Overthrow Venezuela: How the US Is Orchestrating a Coup for Oil*. Simon & Schuster, 2019.

Langtree, O'Sullivan et al. *The United States Magazine and Democratic Review*. (Julio-agosto 1845). Volume 17.

Leets, Juan. *United States and Latin America: Dollar Diplomacy*. 1912.

Leffler, Melvyn P., Odd A. Westad. *The Cambridge History of the Cold War: Volume 3, Endings*. Cambridge University Press, 2010.

Majfud, Jorge. *Neomedievalism: Reflections on the Post-Enlightenment Era*. Universitat de València, 2018.

Majfud, Jorge. *El Eterno Retorno de Quetzalcóatl*. Germany, Editorial Académica Española, 2012.

Panoramas, www.panoramas.pitt.edu.

Quint, Howard H. "American Socialists and the Spanish-American War". *American Quarterly*, vol. 10, no. 2, 1958.

Ridge, John R. *Life and Adventures of Joaquin Murieta: Celebrated California Bandit*. University of Oklahoma Press, 2013.

Rodrí-guez Monegal, Emir. "La CIA y los Intelectuales", *Mundo Nuevo*, agosto 1967, 19.

Rodriguez, Michael, Robert García. "First, Do No Harm: The US Sexually Transmitted Disease Experiments in Guatemala". *PubMed Central (PMC)*, www.ncbi.nlm.nih.gov/pmc/articles/PMC3828982/. Accessed 2 Apr. 2020.

Rojas, Róbinson. *The Murder of Allende and the End of the Chilean Way to Socialism*. Harper & Row, 1976.

Roosevelt, Theodore. *Works: American ideals, with a biographical sketch by Francis Vinton Greene; Administration-Civil service*. 1897.

Rubenberg, Cheryl A. "Israel and Guatemala: Arms, Advice and Counterinsurgency", Middle East Report, May-June 1986.

Santa Cruz, Hernán. *Cooperar o perecer: el dilema de la comunidad mundial.* Grupo Editor Latinoamericano, 1988.

Saunders, Frances S. *Who Paid the Piper? The Cultural Cold War.* Granta Books, 2000.

Scheidel, Walter. *The Great Leveler: Violence and the History of Inequality from the Stone Age to the Twenty-First Century.* Princeton University Press, 2018.

Schoultz, Lars. *Beneath the United States: A History of U.S. Policy.* Harvard University Press, 1998.

Schwartz, Elizabeth F. "Getting Away with Murder: Social Cleansing in Colombia and the Role of the United States", 27 University of Miami, Inter-American Law Review. 381 (1996)

Seymour M. Hersh. "The Price of Power." *The Atlantic*, www.theatlantic.com/magazine/archive/1982/

Shaffer, Edward H. *The United States and the Control of World Oil.* Routledge, 2016.

Simpson, Christopher. *Blowback: America's Recruitment of Nazis and Its Destructive Impact on Our Domestic and Foreign Policy.* Open Road Media, 2014.

Stiff, Edward. *The Texan Emigrant: Being a Narration of the Adventures of the Author in Texas.* Cincinnati: George Conclin Ed, 1840.

Streeby, Shelley. *American Sensations: Class, Empire, and the Production of Popular Culture.* University of California Press, 2002.

Tinajero, Araceli. *El Lector: A History of the Cigar Factory Reader.* U of Texas Press, 2010.

Torget, Andrew J. *Seeds of Empire: Cotton, Slavery, and the Transformation of the Texas Borderlands, 1800-1850.* The University of North Carolina Press., 2015.

Tunzelmann, Alex V. *Red Heat: Conspiracy, Murder and the Cold War in the Caribbean.* Simon & Schuster, 2012.

Turner, Frederick J. *The Frontier in American History.* Henry Holt and Company, 1921.

Valdés-Ugalde, José L. *Estados Unidos, intervención y poder mesiánico: la Guerra Fría en Guatemala, 1954.* UNAM, 2004.

Veciana, Antonio, and Carlos Harrison. *Trained to Kill: The Inside Story of CIA Plots against Castro, Kennedy, and Che.* Skyhorse, 2017.

Vine, David. *The United States of War: A Global History of America's Endless Conflicts, from Columbus to the Islamic State.* University of California Press, 2020.

Weld, Kirsten. *Paper Cadavers: The Archives of Dictatorship in Guatemala.* Duke UP, 2014.

Whitney, Joel. *Finks: How the C.I.A. Tricked the World's Best Writers.* OR Books, 2017.

y Esteban De Gori (Editores). CLACSO, Consejo Latinoamericano de Ciencias Sociales, 2018.

Willis, William S. "Divide and Rule: Red, White, and Black in the Southeast." *The Journal of Negro History*, vol. 48, no. 3, 1963, pp. 157–176.

Young, William T. *Sketch of the Life and Public Services of General Lewis Cass: With the Pamphlet on the Right of Search, and Some of His Speeches on the Great Political Questions of the Day.* 1852.

Índice temático

Friedman, Milton, 39, 371, 406, 412, 413, 414, 415, 416
Frondizi, Arturo, 297, 299, 355, 367
Fuimos atacados primero, 34, 37, 61, 63
Fujimori, Alberto, 501
Fukuyama, Francis, 498, 504, 513
Gagarin, Yuri, 318
Gairy, Eric, 460, 462
Galeano, Eduardo, 417, 565
Galíndez, Jesús, 290, 291
Gallegos, Rómulo, 359, 365
Galtung, Johan, 362, 363
García Márquez, Gabriel, 232, 296, 417, 418, 422, 565
García Meza, Luis, 442, 444
Garzón, Baltasar, 122, 594
Gavazzo, Nino, 427, 429
Gehlen, Reinhard, 374, 442
Geopolítica, 309, 442, 590, 604
Gerardi, Juan, 457, 458, 490
Giuliani, Rudy, 539, 540
Glenn, James, 35
Goebbels, Joseph, 218, 277, 309, 311
Golinger, Eva. 555
Gorbachov, Mijaíl. 436
Gottlieb, Sidney, 311, 312, 313
Goulart, João, 345, 348, 349, 350, 351, 399, 446, 566
Gramsci,Antonio. 406, 415
Gran depresión, 234, 331, 502
Granada, 82, 122, 212, 459, 461, 462, 463, 464, 519
Grant, Ulysses, 69, 75, 78, 83, 91, 94, 95, 96, 97, 107, 108, 127, 131, 145, 146, 175, 176, 180, 216, 217, 218, 277, 309, 378, 531, 625
Guadalupe Hidalgo, 32, 46, 93, 100, 101, 102, 105, 108, 109, 145, 181, 185, 233, 523
Guaidó, Juan, 584, 589, 592
Guajira, 440, 560
Guantánamo, 182, 183, 194, 238, 298, 314, 424, 506, 532, 541, 542, 543, 544, 553, 619
Guajira, 454, 574
Gueiler, Lidia, 442, 444, 445
Guerra de los pasteles, 126
Guerra Fría, 26, 264, 350, 391, 401, 627
Guerras bananeras, 33
Guevara, Ernesto Che, 211, 283, 289, 302, 303, 306, 316, 327, 328, 329, 355, 356,

373, 375, 376, 388, 390, 464, 469, 485, 590, 625
Gulf Oil Co., 373, 386
Haig, Alexander, 328, 450, 504
Harberger, Arnold, 412, 413, 414
Hardin, John J., 85, 87, 88, 99
Harding, Warren. 220, 221
Harris, Kamala, 209
Hatuey, 394
Hay, John, 188
Hayek, Friedrich von, 39, 413, 414
Hayes, Rutherford, 134
Haymarket, 135, 624
Hearst, William Randolph, 133, 152, 153, 203
Helms, Richard, 313, 323, 378, 379, 384, 385, 428, 449, 503, 530, 618
Helms-Burton, 503
Hemings, Sally, 51
Hernández Martínez, Maximiliano, 235, 236, 451
Hernández, Orlando, 547, 548, 551, 612
Hill, Robert, 431, 435, 438
Hiroshima y Nagasaki, 19, 105, 280, 314
Hitler, Adolf. 26, 38, 136, 216, 218, 238, 241, 253, 254, 258, 275, 280, 287, 308, 309, 311, 442, 443, 444, 531
Hollywood, 29, 47, 112, 273, 337, 459
Hoover, Edgard. 241, 269, 270, 306, 318
Hoover, Herbert, 233, 239
Horman, Ed/Charles. 409, 410, 411, 431
Houston, Samuel. 58, 61, 63, 66, 69, 73, 103, 105, 125
Huertas, Victoriano. 202, 203, 205, 357
Hulk, 19, 101
Hull, Cordell. 40, 238, 239, 242, 252, 254, 255
Hunt, Howard. 40, 277, 287, 288, 289, 311, 321, 323, 325, 329, 356, 330, 355, 391, 392, 400, 401, 418, 419, 420, 421
Hunter, Duncan. 286, 407, 537, 539
IBM, 308, 309, 624
Idár, Jovita, 202
Illia, Arturo, 257, 367, 368, 369, 370, 432
Imperialismo, 8, 19, 21, 25, 72, 140, 141, 149, 161, 167, 168, 180, 181, 190, 210, 217, 227, 228, 235, 243, 251, 255, 283, 301, 303, 304, 315, 328, 375, 409, 412, 418, 497, 511, 565, 603
Irán-Contras, 424, 470, 486, 487, 496, 519, 616

Apuntes del buen lector:

CPSIA information can be obtained
at www.ICGtesting.com
Printed in the USA
LVHW112053110821
695091LV00004B/84